Katsuhiko
OGATA
ENGENHARIA DE CONTROLE MODERNO 5ª EDIÇÃO

Katsuhiko OGATA
ENGENHARIA DE CONTROLE MODERNO

5ª EDIÇÃO

Tradução
Heloísa Coimbra de Souza

Revisão técnica
Eduardo Aoun Tannuri, Dr.
Professor Associado, Departamento de Engenharia Mecatrônica e Sistemas Mecânicos
Escola Politécnica da Universidade de São Paulo

© 2011 by Pearson Education do Brasil
© 2010, 2002, 1997, 1990, 1970 by Pearson Education, Inc.
Tradução autorizada a partir da edição original, em inglês, *Modern Control Engineering*,
5nd edition, by Katsuhiko Ogata, publicada pela Pearson Education, Inc., sob o selo Prentice Hall.

Todos os direitos reservados. Nenhuma parte desta publicação poderá ser reproduzida
ou transmitida de nenhum modo ou por algum outro meio, eletrônico ou mecânico,
incluindo fotocópia, gravação ou qualquer outro tipo de sistema de armazenamento
e transmissão de informação, sem prévia autorização, por escrito, da Pearson Education do Brasil.

Diretor editorial: Roger Trimer
Gerente editorial: Sabrina Cairo
Supervisor de produção editorial: Marcelo Françozo
Editora plena: Thelma Babaoka
Editora assistente: Aline Nogueira Marques
Preparação: Renata Siqueira Campos
Revisão: Maria Alice da Costa e Mônica Rodrigues dos Santos
Capa: Alexandre Mieda
Diagramação: Figurativa Editorial

Dados Internacionais de Catalogação na Publicação (CIP)
(Câmara Brasileira do Livro, SP, Brasil)

Ogata, Katsuhiko
    Engenharia de controle moderno / Katsuhiko Ogata ; tradutora Heloísa
Coimbra de Souza ; revisor técnico Eduardo Aoun Tannuri. -- 5. ed.
-- São Paulo : Pearson Prentice Hall, 2010.

Título original: Modern control engineering
Bibliografia.
ISBN 978-85-7605-810-6

1. Controle - Teoria 2. Controle automático I.
Título.

10-12640   CDD-629.8

Índices para catálogo sistemático:

1. Controle automático : Engenharia   629.8
2. Engenharia de controle : Tecnologia   629.8

Printed in Brazil by Reproset RPPA 224012

Direitos exclusivos cedidos à
Pearson Education do Brasil Ltda.,
uma empresa do grupo Pearson Education
Avenida Santa Marina, 1193
CEP 05036-001 - São Paulo - SP - Brasil
Fone: 11 2178-8609 e 11 2178-8653
pearsonuniversidades@pearson.com

Distribuição
Grupo A Educação
www.grupoa.com.br
Fone: 0800 703 3444

Sumário

Prefácio ix

Capítulo 1 Introdução aos sistemas de controle 1

1.1 | Introdução 1

1.2 | Exemplos de sistemas de controle 3

1.3 | Controle de malha fechada *versus* controle de malha aberta 6

1.4 | Projeto e compensação de sistemas de controle 8

1.5 | Estrutura do livro 9

Capítulo 2 Modelagem matemática de sistemas de controle 11

2.1 | Introdução 11

2.2 | Função de transferência e de resposta impulsiva 12

2.3 | Sistemas de controle automático 14

2.4 | Modelagem no espaço de estados 25

2.5 | Representação de sistemas de equações diferenciais escalares no espaço de estados 30

2.6 | Transformação de modelos matemáticos com MATLAB 34

2.7 | Linearização de modelos matemáticos não lineares 36

Capítulo 3 Modelagem matemática de sistemas mecânicos e elétricos 56

3.1 | Introdução 56

3.2 | Modelagem matemática de sistemas mecânicos 56

3.3 | Modelagem matemática de sistemas elétricos 63

Capítulo 4 Modelagem matemática de sistemas fluídicos e sistemas térmicos 91

4.1 | Introdução 91
4.2 | Sistemas de nível de líquidos 92
4.3 | Sistemas pneumáticos 96
4.4 | Sistemas hidráulicos 112
4.5 | Sistemas térmicos 123

Capítulo 5 Análise de resposta transitória e de regime estacionário 145

5.1 | Introdução 145
5.2 | Sistemas de primeira ordem 147
5.3 | Sistemas de segunda ordem 149
5.4 | Sistemas de ordem superior 163
5.5 | Análise da resposta transitória com o MATLAB 166
5.6 | Critério de estabilidade de Routh 191
5.7 | Efeitos das ações de controle integral e derivativo no desempenho dos sistemas 196
5.8 | Erros estacionários em sistemas de controle com realimentação unitária 203

Capítulo 6 Análise e projeto de sistemas pelo método do lugar das raízes 246

6.1 | Introdução 246
6.2 | Gráfico do lugar das raízes 247
6.3 | Desenhando o gráfico do lugar das raízes com o MATLAB 265
6.4 | Gráficos do lugar das raízes para sistemas com realimentação positiva 277
6.5 | Abordagem do lugar das raízes no projeto de sistemas de controle 281
6.6 | Compensação por avanço de fase 284
6.7 | Compensação por atraso de fase 293
6.8 | Compensação por atraso e avanço de fase 301
6.9 | Compensação em paralelo 312

Capítulo 7 Análise e projeto de sistemas de controle pelo método de resposta em frequência 366

7.1 | Introdução 366
7.2 | Diagramas de Bode 371
7.3 | Diagramas polares 392
7.4 | Diagramas de módulo em dB versus ângulo de fase 406
7.5 | Critério de estabilidade de Nyquist 407

7.6	Análise de estabilidade	**416**
7.7	Análise de estabilidade relativa	**423**
7.8	Resposta em frequência de malha fechada de sistemas com realimentação	**437**
7.9	Determinação experimental de funções de transferência	**445**
7.10	Projeto de sistemas de controle pela resposta em frequência	**450**
7.11	Compensação por avanço de fase	**452**
7.12	Compensação por atraso de fase	**460**
7.13	Compensação por atraso e avanço de fase	**468**

Capítulo 8   Controladores PID e controladores PID modificados   **521**

8.1	Introdução	**521**
8.2	Regras de sintonia de Ziegler-Nichols para controladores PID	**522**
8.3	Projeto de controladores PID pelo método de resposta em frequência	**531**
8.4	Projeto de controladores PID com abordagem de otimização computacional	**535**
8.5	Variantes dos esquemas de controle PID	**541**
8.6	Controle com dois graus de liberdade	**544**
8.7	Abordagem por alocação de zeros para a melhoria das características de resposta	**546**

Capítulo 9   Análise de sistemas de controle no espaço de estados   **595**

9.1	Introdução	**595**
9.2	Representação de funções de transferência no espaço de estados	**596**
9.3	Transformação de modelos de sistemas com o MATLAB	**601**
9.4	Resolvendo a equação de estado invariante no tempo	**604**
9.5	Alguns resultados úteis na análise vetorial-matricial	**611**
9.6	Controlabilidade	**617**
9.7	Observabilidade	**622**

Capítulo 10   Projeto de sistemas de controle no espaço de estados   **658**

10.1	Introdução	**658**
10.2	Alocação de polos	**659**
10.3	Resolvendo problemas de alocação de polos com o MATLAB	**669**
10.4	Projeto de servossistemas	**672**
10.5	Observadores de estado	**683**
10.6	Projeto de sistemas reguladores com observadores	**704**
10.7	Projeto de sistemas de controle com observadores	**712**

10.8 | Sistemas regualadores quadráticos ótimos — **718**

10.9 | Sistemas de controle robusto — **729**

Apêndice A Tabelas para a transformada de Laplace — **778**

Apêndice B Expansão em frações parciais — **785**

Apêndice C Álgebra vetorial e matricial — **791**

Referências — **797**

Índice remissivo — **801**

Prefácio

Este livro apresenta conceitos importantes sobre a análise e o projeto de sistemas de controle. Nele, os leitores encontrarão um compêndio compreensível para cursos sobre sistemas de controle ministrados em faculdades e universidades. Ele foi escrito para estudantes do último ano de engenharias elétrica, mecânica, aeroespacial e química. Espera-se que o leitor preencha os seguintes pré-requisitos: cursos introdutórios sobre equações diferenciais, transformadas de Laplace, análise matricial e vetorial, análise de circuitos, mecânica e introdução à termodinâmica.

As principais revisões feitas nesta edição são as seguintes:
- ampliação o uso de MATLAB para a obtenção de respostas de sistemas de controle a várias entradas de informação;
- foi demonstrada a utilidade da abordagem de otimização computacional com o MATLAB;
- novos exemplos de problemas foram acrescentados em todo o livro;
- material que era de importância secundária na edição anterior foi eliminado, a fim de abrir espaço para assuntos mais importantes. Diagramas de fluxo de sinal foram retirados do livro. Um capítulo sobre transformadas de Laplace foi eliminado. Em vez dele, tabelas de transformadas de Laplace e expansão em frações parciais são apresentadas nos apêndices A e B, respectivamente;
- um resumo sobre análise vetorial e matricial é apresentando no Apêndice C; ele ajudará o leitor a encontrar as inversas de matrizes $n \times n$ que podem fazer parte da análise e do projeto de sistemas de controle.

Esta edição de *Engenharia de controle moderno* está organizada em 10 capítulos. O esquema de tópicos deste livro é o seguinte: o Capítulo 1 apresenta uma introdução aos sistemas de controle. O Capítulo 2 aborda a modelagem matemática de sistemas de controle. Uma técnica de técnica de linearização para modelos matemáticos não lineares é apresentada nesse capítulo. O Capítulo 3 traz a derivação matemática de modelos de sistemas mecânicos e de sistemas elétricos. O Capítulo 4 apresenta a modelagem matemática de sistemas fluídicos (como sistemas de nível de líquido, sistemas pneumáticos e sistemas hidráulicos) e sistemas térmicos.

O Capítulo 5 trata da análise de respostas transitórias e de estado estacionário dos sistemas de controle. O MATLAB é amplamente usado para a obtenção das curvas de resposta transitória. O critério de estabilidade de Routh é apresentado para a análise de estabilidade de sistemas de controle. Apresenta, também, o critério de estabilidade de Hurwitz.

O Capítulo 6 aborda o método do lugar das raízes na análise e no projeto de sistemas de controle, inclusive sistemas de realimentação positiva e condicionalmente estáveis. A construção do lugar das raízes com o uso do MATLAB é discutida em detalhes. O projeto de sistemas com compensadores de avanço de fase, de atraso de fase e de avanço e atraso de fase por meio do método de lugar das raízes está incluído.

O Capítulo 7 trata da análise e do projeto de sistemas de controle por meio do método de resposta em frequência. Apresenta, também, o critério de estabilidade de Nyquist de uma forma facilmente compreensível. Discute, ainda, a abordagem do diagrama de Bode para o projeto de compensadores por avanço de fase, por atraso de fase e por atraso e avanço de fase.

O Capítulo 8 aborda os controles PID básico e modificado. Abordagens computacionais para a obtenção da melhor opção de valores de parâmetros de controladores são discutidas em detalhes, particularmente com respeito à satisfação das condições de características de resposta em degrau.

O Capítulo 9 apresenta uma análise básica dos sistemas de controle no espaço de estados. Conceitos de controlabilidade e observabilidade são discutidos em detalhes.

O Capítulo 10 aborda o projeto de sistemas de controle no espaço de estados. Os tópicos discutidos incluem alocação de polos, observadores no espaço de estados e controle quadrático ótimo. Uma introdução aos sistemas de controle robustos também é apresentada neste capítulo.

O livro foi organizado de forma a facilitar o entendimento gradual da teoria de controle pelo estudante. Argumentos matemáticos de alto grau foram cuidadosamente evitados na apresentação das matérias. Demonstrações matemáticas são fornecidas à medida que contribuem para a compreensão do tema apresentado.

Foi dada especial atenção para a apresentação de exemplos em pontos estratégicos, para que o leitor tenha um entendimento claro da matéria estudada. Além disso, vários exercícios resolvidos (Problemas do tipo A) são apresentados ao final de cada capítulo, com exceção do Capítulo 1. Encorajamos o leitor a estudar cuidadosamente esses problemas, de forma a obter um entendimento mais profundo dos tópicos discutidos. Também há muitos problemas (sem solução) ao final de cada capítulo, exceto o Capítulo 1. Os problemas sem solução (Problemas do tipo B) podem ser feitos fora da sala de aula ou dados em prova.

Quero expressar meus sinceros agradecimentos aos seguintes revisores desta edição do livro: Mark Campbell, da Universidade de Cornell; Henry Sodano, da Universidade Estadual do Arizona; e Atul G. Kelkar, da Universidade Estadual de Iowa. Por fim, quero expressar minha profunda gratidão à srta. Alice Dworkin, editora associada, ao sr. Scott Disanno, editor geral sênior, e a todas as pessoas envolvidas neste projeto de publicação, pela produção rápida — e, mesmo assim, excelente — deste livro.

Katsuhiko Ogata

Material de apoio do livro
No site www.grupoa.com.br professores podem acessar os seguintes materiais adicionais: para professores, manual de soluções (em inglês) e apresentações em PowerPoint.

Esse material é de uso exclusivo para professores e está protegido por senha. Para ter acesso a ele, os professores que adotam o livro devem entrar em con-tato através do e-mail divulgacao@grupoa.com.br.

CAPÍTULO 1

Introdução aos sistemas de controle

1.1 | Introdução

As teorias de controle comumente usadas hoje são a teoria de controle clássico (também chamada teoria de controle convencional), a teoria de controle moderno e a teoria de controle robusto. Este livro traz uma abordagem abrangente da análise e do projeto de sistemas de controle, com base na teoria de controle clássico e na teoria de controle moderno. Uma breve introdução à teoria de controle robusto foi incluída no Capítulo 10.

O controle automático é essencial em qualquer campo da engenharia e da ciência. O controle automático é um componente importante e intrínseco em sistemas de veículos espaciais, sistemas robóticos, modernos sistemas de manufatura e quaisquer operações industriais que envolvam o controle de temperatura, pressão, umidade, viscosidade, vazão etc. É desejável que a maioria dos engenheiros e cientistas esteja familiarizada com a teoria e a prática do controle automático.

Este livro foi concebido como um compêndio sobre sistemas de controle, para alunos que estejam cursando o último ano da faculdade. Todo o material de base está incluído no livro. O material matemático de base relativo a transformadas de Laplace e a análise vetorial-matricial consta dos apêndices.

Breve revisão histórica do desenvolvimento de teorias e práticas de controle. O primeiro trabalho significativo de controle automático foi o regulador centrífugo construído por James Watt para o controle de velocidade de uma máquina a vapor, no século XVIII. Outros trabalhos importantes nos primeiros estágios do desenvolvimento da teoria de controle se devem a Minorsky, Hazen e Nyquist, entre outros. Em 1922, Minorsky trabalhou em controladores automáticos para pilotagem de embarcações e demonstrou como a estabilidade poderia ser determinada a partir de equações diferenciais que descrevem o sistema. Em 1932, Nyquist desenvolveu um procedimento relativamente simples para a determinação da estabilidade de sistemas de malha fechada com base na resposta de malha aberta a excitações senoidais estacionárias. Em 1934, Hazen, que introduziu o termo *servomecanismos* para sistemas de controle de posição, discutiu o projeto de servomecanismos a relé, capazes de acompanhar uma variação de entrada com acurácia.

Durante a década de 1940, métodos de resposta em frequência (especialmente os métodos com base nos diagramas de Bode) tornaram possível aos engenheiros projetar sistemas de controle linear de malha fechada que satisfizessem o desempenho requerido. Muitos sistemas de controle industrial das décadas de 1940 e 1950 usavam controladores PID no controle de pressão, temperatura etc. No início da década de 1940, Ziegler e Nichols criaram regras para o ajuste de controladores PID, no chamado método de Ziegler-Nichols. Do final da década de 1940 ao início da de 1950, o método de lugar das raízes, graças a Evans, foi plenamente desenvolvido.

Os métodos de resposta em frequência e do lugar das raízes, os quais são a essência da teoria clássica de controle, conduziram a sistemas que são estáveis e satisfazem um conjunto de condições de desempenho relativamente arbitrárias. Esses sistemas são, em geral, aceitáveis, mas não são ótimos no sentido estrito desse termo. Desde o final da década de 1950, a ênfase nos problemas com projetos de controle foi deslocada do projeto de um dentre muitos sistemas que funcionam para o projeto de um sistema que seja ótimo em algum aspecto relevante.

À medida que os sistemas modernos com muitas entradas e saídas se tornam mais e mais complexos, a descrição de um sistema de controle moderno requer um grande número de equações. A teoria clássica de controle, que trata somente de sistemas com uma entrada e uma saída, tornou-se insuficiente para sistemas com múltiplas entradas e saídas. A partir de 1960, como a disponibilidade dos computadores digitais possibilitou a análise de sistemas complexos diretamente no domínio do tempo, a teoria de controle moderno, com base na análise e na síntese do domínio de tempo com o emprego de variáveis de estado, foi desenvolvida para lidar com a crescente complexidade dos sistemas modernos e seus rigorosos requisitos relativos à precisão, à importância e ao custo em aplicações militares, espaciais e industriais.

Entre 1960 e 1980, o ótimo controle de sistemas determinísticos e estocásticos, bem como o controle adaptativo e de aprendizagem de sistemas complexos, foi amplamente pesquisado. De 1980 a 1990, os desenvolvimentos na teoria de controle moderno voltaram-se para o controle robusto e para tópicos associados.

A teoria de controle moderno baseia-se na análise do domínio do tempo em sistemas de equações diferenciais. Ela simplificou o projeto de sistemas de controle porque se baseia no modelo de um sistema de controle real. No entanto, a estabilidade do sistema é sensível ao erro entre o sistema real e seu modelo. Isso significa que, quando o controlador projetado a partir de um modelo for aplicado a um sistema real, o sistema poderá não ser estável. Para evitar que isso aconteça, projetamos o sistema estabelecendo primeiro a gama de possíveis erros para depois projetar o controlador de uma forma que, se o erro do sistema estiver dentro da gama prevista, o sistema de controle projetado será sempre estável. O método de projeto baseado nesse princípio é chamado teoria do controle robusto. Essa teoria incorpora tanto a abordagem de resposta em frequência quanto a abordagem de domínio do tempo. Matematicamente, a teoria é muito complexa.

Como essa teoria requer um conhecimento matemático prévio em nível de pós-graduação, a teoria do controle robusto foi incluída neste livro apenas em seus aspectos introdutórios. O leitor interessado em detalhes sobre a teoria do controle robusto deverá procurar um curso de pós-graduação em controle, em uma faculdade.

Definições. Antes de discutirmos os sistemas de controle, é necessário que seja definida a terminologia básica.

Variável controlada e sinal de controle ou variável manipulada. A variável *controlada* é a grandeza ou a condição que é medida e controlada. O *sinal de controle* ou variável *manipulada* é a grandeza ou a condição modificada pelo controlador, de modo que afete o valor da variável controlada. Normalmente, a variável controlada é a saída do sistema. *Controlar* significa medir o valor da variável controlada do sistema e aplicar o sinal de controle ao sistema para corrigir ou limitar os desvios do valor medido a partir de um valor desejado.

No estudo da engenharia de controle, é preciso definir termos adicionais que são necessários à descrição dos sistemas de controle.

Plantas. Uma planta pode ser uma parte de equipamento ou apenas um conjunto de componentes de um equipamento que funcione de maneira integrada, com o objetivo de realizar determinada operação. Neste livro, denominaremos planta qualquer objeto físico a ser controlado (como um componente mecânico, um forno, um reator químico ou uma espaçonave).

Processos. O dicionário *Merriam-Webster* define um processo como uma operação natural de progresso contínuo ou um desenvolvimento caracterizado por uma série de modificações graduais que se sucedem umas às outras de modo relativamente estável, avançando em direção a dado resultado ou objetivo, ou uma operação contínua progressiva, artificial ou voluntária, que consiste em uma série de ações ou movimentos controlados, sistematicamente destinados a atingir determinados fins ou resultados. Neste livro, designaremos *processo* toda operação a ser controlada. Entre os exemplos estão os processos químicos, econômicos e biológicos.

Sistemas. Um sistema é a combinação de componentes que agem em conjunto para atingir determinado objetivo. A ideia de sistema não fica restrita apenas a algo físico. O conceito sistema pode ser aplicado a fenômenos abstratos dinâmicos, como aqueles encontrados na economia. Dessa maneira, a palavra 'sistema' pode ser empregada para se referir a sistemas físicos, biológicos, econômicos e outros.

Distúrbios. Um distúrbio é um sinal que tende a afetar de maneira adversa o valor da variável de saída de um sistema. Se um distúrbio for gerado dentro de um sistema, ele será chamado distúrbio *interno*, enquanto um distúrbio *externo* é aquele gerado fora do sistema e que se comporta como um sinal de entrada no sistema.

Controle com realimentação. Controle com realimentação refere-se a uma operação que, na presença de distúrbios, tende a diminuir a diferença entre a saída de um sistema e alguma entrada de referência e atua com base nessa diferença. Aqui, serão considerados apenas distúrbios não previsíveis, uma vez que distúrbios conhecidos ou previsíveis sempre podem ser compensados no sistema.

1.2 | Exemplos de sistemas de controle

Nesta seção, apresentaremos vários exemplos de sistemas de controle.

Sistema de controle de velocidade. O princípio básico de um regulador Watt de velocidade para um motor está ilustrado no diagrama esquemático da Figura 1.1. A quantidade de combustível fornecida ao motor é ajustada de acordo com a diferença entre a velocidade esperada e a velocidade efetiva do motor.

FIGURA 1.1
Sistema de controle de velocidade.

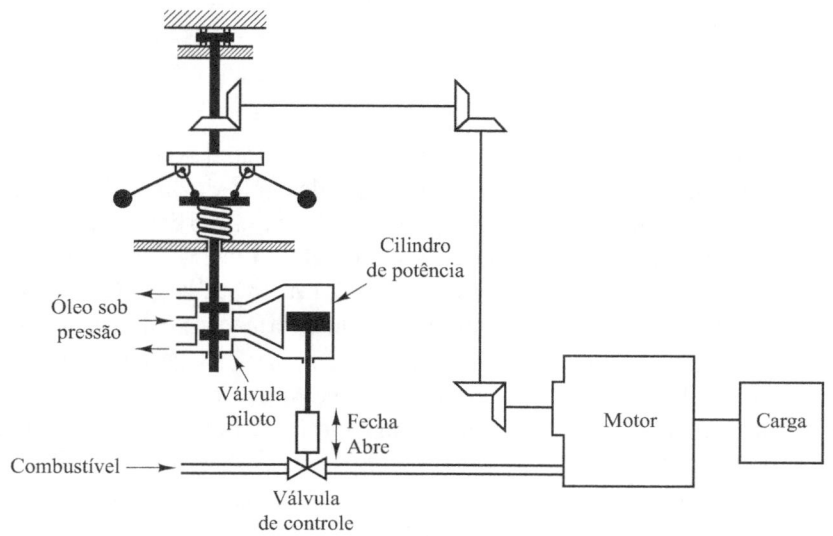

A sequência de ações pode ser estabelecida da seguinte maneira: o regulador de velocidade é ajustado de modo que, à velocidade desejada, não haja fluxo de óleo sob pressão em ambos os lados do interior do cilindro de potência. Se a velocidade real cai abaixo do valor desejado, em decorrência de um distúrbio, então a diminuição na força centrífuga do regulador de velocidade faz que a válvula de controle se mova para baixo, fornecendo mais combustível, e a velocidade do motor aumente até atingir o valor desejado. Por outro lado, se a velocidade do motor aumenta acima do valor desejado, então o aumento na força centrífuga do regulador de velocidade faz que a válvula de controle se desloque para cima. Isso diminui o suprimento de combustível, e a velocidade do motor é reduzida até atingir o valor esperado.

Nesse sistema de controle de velocidade, a planta (sistema controlado) é o motor e a variável controlada é a velocidade do eixo do motor. A diferença entre a velocidade desejada e a velocidade real é o sinal de erro. O sinal de controle (a quantidade de combustível) a ser aplicado à planta (motor) é o sinal atuante. A grandeza externa que perturba a variável controlada é o distúrbio. Uma mudança inesperada na carga é um distúrbio.

Sistema de controle de temperatura. A Figura 1.2 mostra um diagrama esquemático de controle de temperatura de um forno elétrico. A temperatura do forno elétrico é medida por um termômetro, que é um dispositivo analógico. O sinal analógico de temperatura é convertido em um sinal digital por um conversor A/D (analógico-digital). O sinal digital obtido é fornecido ao controlador por meio de uma interface. Esse sinal digital é comparado com a temperatura programada de referência e, se houver alguma divergência (erro), o controlador envia um sinal ao aquecedor, por meio de uma interface, um amplificador e um relé, fazendo que a temperatura do forno atinja o valor desejado.

FIGURA 1.2
Sistema de controle de temperatura.

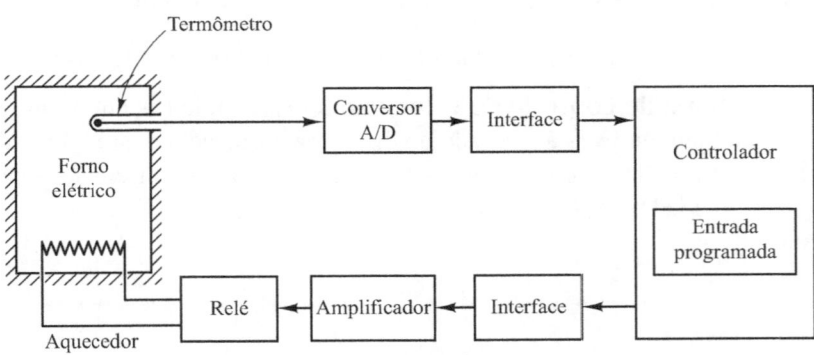

Sistemas empresariais. Um sistema empresarial pode consistir em vários grupos. Cada tarefa atribuída a um grupo representará um elemento dinâmico do sistema. Métodos com realimentação de informações das realizações de cada grupo devem ser estabelecidos, de modo que esse sistema tenha um desempenho apropriado. O inter-relacionamento entre os grupos funcionais deve ser minimizado, de modo que reduza atrasos indesejáveis no sistema. Quanto menor esse inter-relacionamento, menor o fluxo de informações e de materiais utilizados.

Um sistema empresarial é um sistema de malha fechada. Um bom projeto reduzirá o controle administrativo necessário. Deve-se considerar que distúrbios nesse sistema correspondem à carência de mão de obra ou matéria-prima, à interrupção de comunicação, a erros humanos e a outros fatores.

Para um gerenciamento apropriado, é fundamental o estabelecimento de um sistema de previsão com base em dados estatísticos. Sabe-se que um sistema pode ser otimizado pela utilização do *lead time* ou da *antecipação*.

Para aplicar a teoria de controle com o objetivo de melhorar o desempenho de determinado sistema, devemos representar as características dinâmicas dos grupos componentes desse sistema por meio de um conjunto relativamente simples de equações.

Embora exista certo grau de dificuldade em determinar representações matemáticas dos grupos componentes, a aplicação de técnicas de otimização em sistemas empresariais melhora significativamente o desempenho desses sistemas.

Considere, como exemplo, um sistema organizacional de engenharia composto de alguns grupos principais, como gerenciamento, pesquisa e desenvolvimento, projeto preliminar, experimentos, projeto e desenho de produtos, fabricação e montagem e testes. Esses grupos são interligados para que a operação de produção se processe satisfatoriamente.

Esse sistema pode ser analisado reduzindo-o a um conjunto de componentes necessários tão elementares quanto possível, possibilitando o detalhamento analítico exigido, e pela representação das características dinâmicas de cada componente, por meio de um conjunto de equações simples. (O desempenho dinâmico desse sistema pode ser determinado por uma relação estabelecida entre a realização progressiva e o tempo.)

Um diagrama de blocos funcional pode ser traçado com a utilização de blocos para representar as atividades funcionais, interligados por linhas de comunicação para representar a saída da informação ou do produto resultante da operação do sistema. Um exemplo de diagrama de blocos é apresentado na Figura 1.3.

FIGURA 1.3   Diagrama de blocos de um sistema organizacional de engenharia.

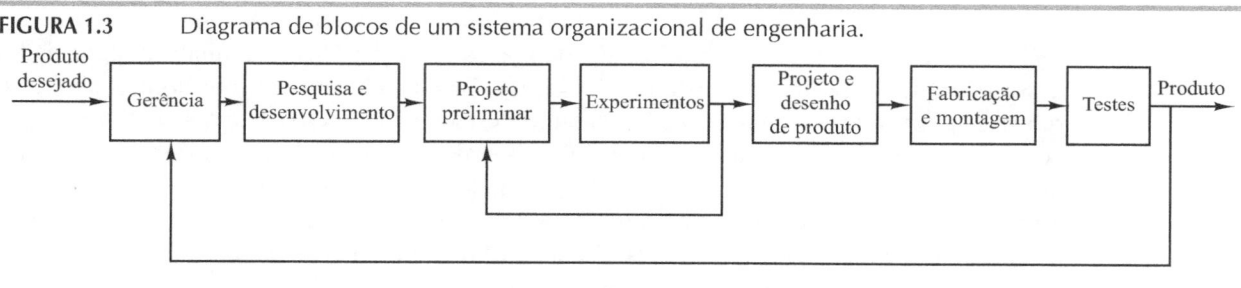

Sistema de controle robusto. O primeiro passo no projeto de um sistema de controle é a obtenção de um modelo matemático da planta ou do objeto a ser controlado. Na realidade, qualquer modelo de uma planta que quisermos controlar incluirá um erro no processo de modelagem. Ou seja, a planta real será diferente do modelo a ser usado no projeto do sistema de controle.

Para garantir que o controlador projetado com base em um modelo funcionará satisfatoriamente quando for usado na planta real, uma abordagem razoável consiste em presumir, desde o início, que existe incerteza ou erro entre a planta real e seu modelo matemático, incluindo tal incerteza ou erro no próprio projeto do sistema de controle. O sistema de controle projetado a partir dessa abordagem é chamado controle de sistema robusto.

Suponha que a planta real que queremos controlar seja $\tilde{G}(s)$ e o modelo matemático da planta real seja $G(s)$, ou seja,

$\tilde{G}(s)$ = modelo da planta real que tem incerteza $\Delta(s)$

$G(s)$ = modelo nominal da planta a ser usado para projetar o sistema de controle

$\tilde{G}(s)$ e $G(s)$ podem estar relacionados por um fator multiplicador como

$$\tilde{G}(s) = G(s)[1 + \Delta(s)]$$

ou por um fator somatório

$$\tilde{G}(s) = G(s) + \Delta(s)$$

ou de outras formas.

Como a descrição exata da incerteza ou erro $\Delta(s)$ é desconhecida, recorremos a uma estimativa de $\Delta(s)$ e usamos essa estimativa, $W(s)$, no projeto do controlador. $W(s)$ é uma função de transferência escalar, tal que

$$\|\Delta(s)\|_\infty < \|W(s)\|_\infty = \max_{0 \leq \omega \leq \infty} |W(j\omega)|$$

onde $\|W(s)\|_\infty$ é o valor máximo de $|W(j\omega)|$ para $0 \leq \omega \leq \infty$ e chama-se norma H-infinito de $W(s)$.

Aplicando-se o teorema do ganho pequeno, o método de projeto, aqui, resume-se a determinar o controlador $K(s)$ de forma que a desigualdade

$$\left\| \frac{W(s)}{1 + K(s)G(s)} \right\|_\infty < 1$$

seja satisfeita, onde $G(s)$ é a função de transferência do modelo usado no projeto, $K(s)$ é a função de transferência do controlador e $W(s)$ é a função de transferência escolhida para a aproximação de $\Delta(s)$. Na maioria dos casos práticos, temos de satisfazer mais de uma desigualdade que envolve $G(s)$, $K(s)$ e $W(s)$. Por exemplo, para garantir estabilidade robusta e desempenho robusto, pode ser necessário que duas desigualdades, como

$$\left\| \frac{W_m(s)K(s)G(s)}{1 + K(s)G(s)} \right\|_\infty < 1 \text{ para estabilidade robusta}$$

$$\left\| \frac{W_s(s)}{1 + K(s)G(s)} \right\|_\infty < 1 \text{ para desempenho robusto}$$

sejam satisfeitas. (Essas desigualdades são derivadas na Seção 10.9. Há muitas desigualdades desse tipo que precisam ser satisfeitas em vários sistemas de controle robusto. (Estabilidade robusta significa que o controlador $K(s)$ garante a estabilidade interna de todos os sistemas que pertencem a um grupo de sistemas que inclui o sistema da planta real. Desempenho robusto significa que o desempenho especificado é atingido em todos os sistemas que pertencem ao grupo.) Neste livro, presume-se que todas as plantas dos sistemas de controle que discutirmos sejam precisamente conhecidas, exceto as plantas discutidas na Seção 10.9, em que é apresentado um aspecto introdutório da teoria de controle robusto.

1.3 | Controle de malha fechada *versus* controle de malha aberta

Sistemas de controle com realimentação. Um sistema que estabeleça uma relação de comparação entre a saída e a entrada de referência, utilizando a diferença como meio de controle, é denominado *sistema de controle com realimentação*. Um exemplo poderia ser o sistema de controle de temperatura de um ambiente. Medindo-se a temperatura ambiente real e comparando-a com a temperatura de referência (temperatura desejada), o termostato ativa ou desativa o equipamento de aquecimento ou resfriamento, de modo que assegure que a temperatura ambiente permaneça em um nível confortável, independentemente das condições exteriores.

Os sistemas de controle com realimentação não estão limitados à engenharia, podendo ser encontrados em várias outras áreas. O corpo humano, por exemplo, é um sistema de controle com realimentação extremamente desenvolvido. Tanto a temperatura corporal como a pressão sanguínea são mantidas constantes por meio da realimentação de ordem fisiológica. Nesse caso, a realimentação realiza uma função vital: faz que o corpo humano seja relativamente insensível a perturbações externas, permitindo seu perfeito funcionamento nos casos de mudanças no ambiente.

Sistemas de controle de malha fechada. Os sistemas de controle com realimentação são, com frequência, denominados também *sistemas de controle de malha fechada*. Na prática, os termos controle com realimentação e controle de malha fechada são usados indistintamente. Em um sistema de controle de malha fechada, o sinal de erro atuante, que é a diferença entre o sinal de entrada e o sinal de realimentação (que pode ser o próprio sinal de saída ou uma função do sinal de saída e suas derivadas e/ou integrais), realimenta o controlador, de modo a minimizar o erro e acertar a saída do sistema ao valor desejado. O termo 'controle de malha fechada' sempre implica a utilização do controle com realimentação para reduzir o erro do sistema.

Sistemas de controle de malha aberta. Os chamados *sistemas de controle de malha aberta* são aqueles em que o sinal de saída não exerce nenhuma ação de controle no sistema. Isso quer dizer que, em um sistema de controle de malha aberta, o sinal de saída não é medido nem realimentado para comparação com a entrada. Um exemplo prático é o da máquina de lavar roupas. As operações de colocar de molho, lavar e enxaguar em uma lavadora são executadas em uma sequência baseada em tempo. A lavadora não mede o sinal de saída, isto é, não verifica se as roupas estão bem lavadas.

Em qualquer sistema de controle de malha aberta, a saída não é comparada com a entrada de referência. Assim, a cada entrada de referência corresponde uma condição fixa de operação. Dessa maneira, a precisão do sistema depende de uma calibração. Na presença de distúrbios, um sistema de controle de malha aberta não vai executar a tarefa desejada. Na prática, o sistema de controle de malha aberta somente poderá ser utilizado se a relação entre a entrada e a saída for conhecida e se não houver nenhum distúrbio interno ou externo. É claro que estes não são sistemas de controle realimentados. Observe que qualquer sistema de controle cujas operações são efetuadas em uma sequência baseada em tempo é um sistema de malha aberta. O controle de tráfego por meio de sinais, operado em função do tempo, é outro exemplo de controle de malha aberta.

Sistemas de controle de malha fechada *versus* de malha aberta. Uma vantagem do sistema de controle de malha fechada é o fato de que o uso da realimentação faz que a resposta do sistema seja relativamente insensível a distúrbios externos e a variações internas nos parâmetros do sistema. Dessa forma, é possível a utilização de componentes relativamente imprecisos e baratos para obter o controle preciso de determinado sistema, ao passo que isso não é possível nos sistemas de malha aberta.

Do ponto de vista da estabilidade, o sistema de controle de malha aberta é mais fácil de ser construído, pelo fato de a estabilidade ser um problema menos significativo. Por outro lado, a estabilidade constitui um problema importante nos sistemas de controle de malha fechada, que podem apresentar uma tendência de correção de erros além do necessário, causando oscilações de amplitude constante ou variável.

Deve ser enfatizado que, para sistemas nos quais as entradas são conhecidas com antecipação e que são isentos de distúrbios, é conveniente o uso do controle de malha aberta. Sistemas de controle de malha fechada são mais vantajosos somente nos casos em que houver distúrbios e/ou alterações não previsíveis nos componentes do sistema. Note que a potência de saída determina parcialmente o custo, o peso e as dimensões de um sistema de controle. O número de componentes utilizados em um sistema de controle de malha fechada é maior do que em um sistema correspondente de malha aberta. Assim, no sistema de controle de malha fechada, o custo e a potência são geralmente maiores. Visando à diminuição da potência necessária à operação de um sistema, deve-se optar pelo controle de malha aberta, sempre que possível. Uma combinação apropriada do controle de malha aberta e de malha fechada é normalmente mais econômica e apresentará um desempenho satisfatório do sistema como um todo.

A maioria das análises e dos projetos de sistemas de controle apresentados neste livro refere-se a sistemas de controle de malha fechada. Sob certas circunstâncias (como quando não existem distúrbios ou dificuldades de medida da saída), os sistemas de controle de malha aberta podem ser adequados. Portanto, é conveniente resumir as vantagens e as desvantagens de utilizar sistemas de controle de malha aberta.

Seguem as principais vantagens dos sistemas de controle de malha aberta:
1. São simples de ser construídos e têm fácil manutenção.
2. São menos dispendiosos que um sistema correspondente de malha fechada.
3. Não apresentam problemas de estabilidade.
4. São adequados quando existem dificuldades de medição da saída ou quando a medição precisa da saída não é economicamente possível. (Por exemplo, no caso da máquina de lavar roupas, seria bastante dispendiosa a instalação de um dispositivo para avaliar se as roupas foram bem lavadas.)

As principais desvantagens dos sistemas de controle de malha aberta são:
1. Distúrbios e mudanças na calibração causam erros, e a saída pode apresentar diferenças em relação ao padrão desejado.
2. Para que a saída mantenha a qualidade requerida, é necessária uma regulagem periódica.

1.4 | Projeto e compensação de sistemas de controle

Este livro discute aspectos básicos do projeto e da compensação de sistemas de controle. Compensação é a modificação da dinâmica do sistema para satisfazer às especificações dadas. As abordagens para projeto e compensação de sistemas de controle utilizadas neste livro são a abordagem de lugar das raízes, a abordagem de resposta em frequência e a abordagem de espaço de estados. O projeto e a compensação de tais sistemas de controle serão apresentados nos capítulos 6, 7, 9 e 10. A abordagem de compensação com PID (Proporcional-Integral-Derivado) no projeto de sistemas de controle está no Capítulo 8.

No projeto real de um sistema de controle, a utilização de um compensador eletrônico, pneumático ou hidráulico é uma questão que deve ser decidida em parte com base na natureza da planta a ser controlada. Por exemplo, se a planta a ser controlada inclui líquido inflamável, temos de escolher componentes pneumáticos (tanto um compensador quanto um atuador) para evitar a possibilidade de faíscas. Se, no entanto, não há risco de incêndio, compensadores eletrônicos são os mais usados. (Inclusive, muitas vezes transformamos sinais não elétricos em sinais elétricos em virtude da simplicidade de transmissão, da maior precisão, maior confiabilidade, facilidade de compensação e vantagens semelhantes.)

Especificações de desempenho. Sistemas de controle são projetados para realizar tarefas específicas. Os requisitos impostos no sistema de controle são geralmente explicitados como especificações de desempenho. As especificações podem ser dadas em termos de requisitos de resposta transitória (como máximo sobressinal e tempo de acomodação na resposta à entrada em degrau) e de requisitos em regime estacionário (como erro estacionário para uma entrada em rampa), ou podem ser dados em termos de resposta em frequência. As especificações de um sistema de controle devem ser dadas antes do início do processo de projeto.

Para problemas rotineiros de projeto, as especificações de desempenho (que se relacionam à precisão, estabilidade relativa e velocidade de resposta) podem ser dadas em termos de valores numéricos precisos. Em outros casos, elas podem ser dadas em parte como valores numéricos precisos e em parte em termos de afirmações qualitativas. Nesse último caso, as especificações podem ter de ser modificadas durante o curso do projeto, já que as especificações dadas podem nunca ser satisfeitas (em razão de requisitos conflitantes) ou podem levar a um sistema muito caro.

Geralmente as especificações de desempenho não devem ser mais restritivas que o necessário para a realização da tarefa em questão. Se a precisão da operação em estado estacionário for de primordial importância em determinado sistema de controle, então não devemos precisar de especificações desnecessariamente rígidas na resposta transitória, pois essas especificações exigirão componentes dispendiosos. Lembre-se de que a parte mais importante do projeto de sistemas de controle é estabelecer precisamente as especificações de desempenho, de forma que elas resultem em um sistema de controle ótimo para o fim a que se destina.

Compensação do sistema. Ajustar o ganho é o primeiro passo no ajuste do sistema para um desempenho satisfatório. No entanto, em muitos casos práticos, o ajuste do ganho, por si só, pode não proporcionar uma alteração no comportamento do sistema que atenda às especificações desejadas. Como ocorre frequentemente, o aumento no valor do ganho melhora o comportamento em regime estacionário, mas resulta em estabilidade deficiente e até em instabilidade. Torna-se necessário, então, reprojetar o sistema (modificando a estrutura ou incorporando dispositivos ou componentes adicionais), para alterar seu comportamento geral de modo que ele se comporte como desejado. Tal reprojeto ou acréscimo de um dispositivo adequado chama-se *compensação*. Um dispositivo inserido no sistema com o propósito de satisfazer às especificações é denominado *compensador*. Este compensa pelo desempenho deficiente do sistema original.

Procedimentos de projeto. No processo de projetar um sistema de controle, montamos um modelo matemático do sistema de controle e ajustamos os parâmetros de um compensador. A parte do processo que mais consome tempo é a verificação do desempenho do sistema, por meio da análise de cada ajuste dos parâmetros. O projetista deve usar o MATLAB ou outro software disponível para evitar boa parte do trabalho matemático enfadonho, necessário a essa verificação.

Uma vez que um modelo matemático satisfatório tenha sido obtido, o projetista deve construir um protótipo e testar o sistema de malha aberta. Se houver garantia de estabilidade absoluta da malha fechada, o projetista fecha a malha e testa o desempenho do sistema de malha fechada resultante. Devido aos efeitos negligenciados da carga entre os componentes, das não linearidades, dos parâmetros distribuídos e assim por diante, que não foram levados em consideração no projeto original, o desempenho real do protótipo do sistema provavelmente será diferente das previsões teóricas. Portanto, o primeiro projeto pode não satisfazer todos os requisitos de desempenho. O projetista deve ajustar os parâmetros do sistema e modificar o protótipo até que o sistema atenda às especificações. Ao fazer isso, ele deve analisar cada teste e os resultados da análise devem ser incorporados ao teste seguinte. O projetista deve garantir que o sistema final atenda às especificações de desempenho e seja, ao mesmo tempo, confiável e econômico.

1.5 | Estrutura do livro

Este texto foi organizado em dez capítulos. A estrutura de cada capítulo pode ser resumida como segue:

O Capítulo 1 apresenta a introdução a este livro.

O Capítulo 2 trata da modelagem matemática de sistemas de controle descritos por equações diferenciais lineares. Especificamente, funções de transferência são obtidas a partir de sistemas de equações diferenciais. São obtidas, também, representações em espaço de estado a partir de sistemas de equações diferenciais. O MATLAB foi usado para transformar modelos matemáticos de funções de transferência para equações em espaço de estado e vice-versa. Este livro explica com detalhes os sistemas lineares. Se o modelo matemático de um sistema for não linear, ele terá de ser linearizado antes que sejam aplicadas as teorias constantes neste livro. Uma técnica para linearizar modelos matemáticos não lineares é mostrada nesse capítulo.

O Capítulo 3 traz modelos matemáticos de vários sistemas mecânicos e elétricos que aparecem com frequência nos sistemas de controle.

O Capítulo 4 aborda vários sistemas fluidos e térmicos que aparecem em sistemas de controle. Aqui, os sistemas fluidos incluem sistemas de níveis de líquidos, sistemas pneumáticos e sistemas hidráulicos. Sistemas térmicos, como os de controle de temperatura, também são discutidos nesse capítulo. Engenheiros de controle devem estar familiarizados com todos os sistemas abordados nesse capítulo.

O Capítulo 5 apresenta análises de resposta transitória e de resposta em regime estacionário em sistemas de controle, definidas em termos de funções de transferência. A abordagem MATLAB para a obtenção da análise de resposta transitória e de resposta em regime estacionário é apresentada em detalhe. É apresentada também a abordagem Matlab para a obtenção de gráficos tridimensionais. A análise de estabilidade com base no critério de estabilidade de Routh está incluída nesse capítulo e o critério de estabilidade de Hurwitz é discutido resumidamente.

O Capítulo 6 explora o método do lugar das raízes para a análise e o projeto dos sistemas de controle. Trata-se de um método gráfico para a determinação da localização de todos os polos de malha fechada a partir do conhecimento da localização dos polos e zeros de malha aberta quando um parâmetro (geralmente o ganho) varia de zero a infinito. Esse método foi desenvolvido por W. R. Evans por volta de 1950. Atualmente, o MATLAB pode produzir gráficos do lugar das raízes com rapidez e facilidade. O capítulo apresenta tanto a abordagem manual quanto a abordagem MATLAB para a geração de gráficos de lugar das raízes. Detalhes dos sistemas de controle que utilizam compensadores por avanço de fase, compensadores por atraso de fase e compensadores por avanço e atraso de fases são apresentados nesse capítulo.

O Capítulo 7 aborda a análise e o projeto de sistemas de controle pelo método de resposta em frequência. Este é o método mais antigo de análise de sistemas de controle e foi desenvolvido entre 1940 e 1950 por Nyquist, Bode, Nichols e Hazen, entre outros. Esse capítulo traz detalhes da abordagem de resposta em frequência no projeto de sistemas de controle usando técnicas de compensadores de avanço, de atraso e de avanço e atraso. O método de resposta em frequência foi o mais utilizado para o projeto e a análise, antes que o método de estado estacionário se tornasse popular. No entanto, desde que o controle H-infinito se tornou popular no projeto de sistemas de controle robusto, a resposta em frequência vem recuperando sua popularidade.

O Capítulo 8 discute os controles PID e suas variantes, como os controladores PID com vários graus de liberdade. O controlador PID possui três parâmetros: ganho proporcional, ganho integral e ganho derivativo. Nos sistemas de controle industriais, mais da metade dos controladores usados atualmente são controladores PID. O desempenho do controlador PID depende da magnitude relativa desses três parâmetros. A determinação da magnitude relativa dos três parâmetros é chamada ajuste dos controladores PID.

Ziegler e Nichols propuseram as chamadas 'regras de ajuste de Ziegler-Nichols', já em 1942. A partir dali, várias regras de ajuste foram propostas. Atualmente, os fabricantes de controladores PID têm suas próprias regras de ajuste. Nesse capítulo, apresentamos uma abordagem de otimização por computador, usando o MATLAB para determinar os três parâmetros de forma a satisfazer as características de resposta transitória. A abordagem pode ser expandida para estabelecer os três parâmetros de maneira que satisfaçam quaisquer características dadas.

O Capítulo 9 apresenta a análise básica de equações de espaço de estado. Os conceitos de controlabilidade e observabilidade, os mais importantes na moderna teoria de controle, graças a Kalman, são amplamente discutidos. Nesse capítulo, soluções para equações de espaço de estado são obtidas em detalhes.

O Capítulo 10 trata do projeto de sistemas de controle no espaço de estados. Esse capítulo se inicia com os problemas de alocação de polos e observadores de estado. Na engenharia de controle é frequentemente desejável estabelecer um indexador de desempenho significativo e tentar minimizá-lo (ou maximizá-lo, conforme o caso). Se o indexador de desempenho escolhido tem um significado claramente físico, essa abordagem é bastante útil para determinar a variável ótima de controle. Esse capítulo discute o problema do regulador quadrático ótimo, no qual usamos um indexador de desempenho, que é uma integral de uma função quadrática das variáveis de estado e das variáveis de controle. A integral é executada a partir de $t = 0$ a $t = \infty$. O capítulo encerra-se com uma breve discussão sobre sistemas de controle robusto.

CAPÍTULO 2
Modelagem matemática de sistemas de controle

2.1 | Introdução

No estudo de sistemas de controle, o leitor deve ser capaz de modelar sistemas dinâmicos em termos matemáticos e analisar suas características dinâmicas. O modelo matemático de um sistema dinâmico é definido como um conjunto de equações que representa a dinâmica do sistema com precisão ou, pelo menos, razoavelmente bem. Note que um modelo matemático não é único para determinado sistema. Um sistema pode ser representado de muitas maneiras diferentes e, portanto, pode ter vários modelos matemáticos, dependendo da perspectiva a ser considerada.

A dinâmica de muitos sistemas mecânicos, elétricos, térmicos, econômicos, biológicos ou outros pode ser descrita em termos de equações diferenciais. Essas equações diferenciais são obtidas pelas leis físicas que regem dado sistema — por exemplo, as leis de Newton para sistemas mecânicos e as leis de Kirchhoff para sistemas elétricos. Devemos sempre ter em mente que construir modelos matemáticos adequados é a parte mais importante da análise de sistemas de controle como um todo.

Neste livro, assumiremos que o princípio de causalidade se aplica aos sistemas considerados. Isso significa que a atual saída do sistema (no instante $t = 0$) depende da entrada anterior (a entrada em um instante $t < 0$), mas não depende da entrada futura (as entradas nos instantes $t > 0$).

Modelos matemáticos. Os modelos matemáticos podem assumir diferentes formas. Dependendo do sistema considerado e das circunstâncias particulares, um modelo matemático pode ser mais adequado que outros. Por exemplo, nos problemas de controle ótimo é vantajoso utilizar representações de espaço de estados. Por outro lado, para a análise da resposta transitória ou da resposta em frequência de um sistema linear, invariante no tempo, de entrada e de saída únicas, a representação pela função de transferência pode ser mais conveniente que qualquer outra. Uma vez obtido o modelo matemático de um sistema, podem ser utilizadas várias ferramentas analíticas e de computação para efeito de análise e síntese.

Simplicidade *versus* precisão. Na obtenção de um modelo matemático, devemos estabelecer uma conciliação entre a simplicidade do modelo e a precisão dos resultados da análise. Na obtenção de um modelo matemático relativamente simplificado, frequentemente torna-se necessário ignorar certas propriedades físicas inerentes ao sistema. Em particular, se for desejável um modelo matemático linear de parâmetros concentrados (isto é, se quisermos empregar equações diferenciais ordinárias), é sempre necessário ignorar certas não linearidades e os parâmetros distribuídos que podem estar presentes no sistema físico. Se os efeitos que essas propriedades ignoradas têm sobre a resposta forem pequenos, pode-se obter boa aproximação entre os resultados da análise de um modelo matemático e os resultados do estudo experimental do sistema físico.

Em geral, na solução de um novo problema, é conveniente construir um modelo simplificado para que possamos ter uma percepção geral em relação à solução. Um modelo matemático mais completo pode, então, ser construído e utilizado para que sejam obtidas análises mais precisas.

Devemos estar bastante atentos para o fato de que um modelo linear de parâmetros concentrados, válido em operações de baixa frequência, pode não ser válido para frequências suficientemente altas, uma vez que a propriedade de parâmetros distribuídos não considerada pode se tornar um fator importante no comportamento dinâmico do sistema. Por exemplo, a massa de uma mola pode ser desprezada em operações de baixa frequência, mas se torna uma propriedade importante do sistema em frequências elevadas. (Para o caso em que um modelo matemático envolve erros consideráveis, a teoria de controle robusto pode ser aplicada. A teoria de controle robusto é apresentada no Capítulo 10.)

Sistemas lineares. Um sistema é dito linear se o princípio da superposição se aplicar a ele. O princípio da superposição afirma que a resposta produzida pela aplicação simultânea de duas funções de determinação diversas é a soma das duas respostas individuais. Então, para o sistema linear, a resposta a diversas entradas pode ser calculada tratando uma entrada de cada vez e somando os resultados. Esse é o princípio que permite construir soluções complicadas para equações diferenciais lineares a partir de soluções simples.

Na pesquisa experimental de um sistema dinâmico, se causa e efeito forem proporcionais, significando, assim, que é válida a aplicação do princípio da superposição, então o sistema pode ser considerado linear.

Sistemas lineares invariantes no tempo e sistemas lineares variantes no tempo. Uma equação diferencial é linear se os coeficientes forem constantes ou somente funções da variável independente. Os sistemas dinâmicos compostos por componentes lineares de parâmetros concentrados invariantes no tempo podem ser descritos por equações diferenciais lineares invariantes no tempo — isto é, de coeficientes constantes. Esses sistemas são denominados sistemas *lineares invariantes no tempo* (ou *lineares de coeficientes constantes*). Os sistemas representados por equações diferenciais, cujos coeficientes são funções de tempo, são chamados sistemas *lineares variantes no tempo*. Um exemplo de sistema de controle variante no tempo é um sistema de controle de veículo espacial. (A massa de um veículo espacial muda devido ao consumo do combustível.)

Visão geral do capítulo. A Seção 2.1 exibiu uma introdução à modelagem matemática dos sistemas dinâmicos. A Seção 2.2 apresenta a função de transferência e a função de resposta impulsiva. A Seção 2.3 introduz sistemas de controle automático e a Seção 2.4 discute conceitos de modelagem no espaço de estados. A Seção 2.5 trata da representação no espaço de estados dos sistemas dinâmicos. A Seção 2.6 mostra a transformação de modelos matemáticos com o uso do MATLAB. Por fim, a Seção 2.7 discute a linearização de modelos matemáticos não lineares.

2.2 | Função de transferência e de resposta impulsiva

Na teoria de controle, as funções de transferência são comumente utilizadas para caracterizar as relações de entrada e de saída de componentes ou de sistemas que podem ser descritos por equações diferenciais lineares invariantes no tempo. Começamos pela definição de função de transferência e seguimos com a dedução da função de transferência de um sistema de equação diferencial. Em seguida, discutimos a função de resposta impulsiva.

Função de transferência. A *função de transferência* de um sistema representado por uma equação diferencial linear invariante no tempo é definida como a relação entre a transformada de Laplace da saída (função de resposta — *response function*) e a transformada de Laplace da entrada (função de excitação — *driving function*), admitindo-se todas as condições iniciais nulas.

Considere o sistema linear invariante no tempo definido pela seguinte equação diferencial:

$$a_0 \overset{(n)}{y} + a_1 \overset{(n-1)}{y} + \cdots + a_{n-1} \dot{y} + a_n y$$
$$= b_0 \overset{(m)}{x} + b_1 \overset{(m-1)}{x} + \cdots + b_{m-1} \dot{x} + b_m x \quad (n \geq m)$$

onde y é a saída do sistema e x é a entrada. A função de transferência desse sistema é a relação entre a transformada de Laplace da saída e a transformada de Laplace da entrada, quando todas as condições iniciais são zero, ou

$$\text{Função de transferência} = G(s) = \left. \frac{\mathscr{L}[\text{saída}]}{\mathscr{L}[\text{entrada}]} \right|_{\text{condições iniciais nulas}}$$

$$= \frac{Y(s)}{X(s)} = \frac{b_0 s^m + b_1 s^{m-1} + \cdots + b_{m-1} s + b_m}{a_0 s^n + a_1 s^{n-1} + \cdots + a_{n-1} s + a_n}$$

Utilizando o conceito de função de transferência, é possível representar a dinâmica de um sistema por meio de uma equação algébrica em s. Se a maior potência de s no denominador da função de transferência for igual a n, o sistema será denominado *sistema de ordem n*.

Comentários sobre a função de transferência. A aplicabilidade do conceito de função de transferência é limitada a sistemas de equações diferenciais lineares invariantes no tempo. O método da função de transferência, entretanto, é amplamente utilizado na análise e no projeto desses sistemas. A seguir, mostraremos importantes comentários a respeito da função de transferência. (Observe que o sistema ao qual a lista se refere é descrito por uma equação diferencial linear invariante no tempo.)

1. A função de transferência de um sistema é um modelo matemático que constitui um método operacional para expressar a equação diferencial que relaciona a variável de saída à variável de entrada.
2. A função de transferência é uma propriedade inerente ao sistema, independentemente da magnitude e da natureza da função de entrada ou de excitação.
3. A função de transferência inclui as unidades necessárias para relacionar a entrada à saída; entretanto, não fornece nenhuma informação relativa à estrutura física do sistema. (As funções de transferência de diversos sistemas fisicamente diferentes podem ser idênticas.)
4. Se a função de transferência de um sistema for conhecida, a saída ou a resposta poderá ser estudada para várias maneiras de entrada, visando ao entendimento da natureza do sistema.
5. Se a função de transferência de um sistema não for conhecida, ela pode ser determinada experimentalmente com o auxílio de entradas conhecidas e do estudo das respectivas respostas do sistema. Uma vez determinada, a função de transferência fornece uma descrição completa das características dinâmicas do sistema, independentemente de sua descrição física.

Integral de convolução. Para um sistema linear, invariante no tempo, a função de transferência $G(s)$ é:

$$G(s) = \frac{Y(s)}{X(s)}$$

onde $X(s)$ é a transformada de Laplace da entrada e $Y(s)$ é a transformada de Laplace da saída do sistema, considerando que todas as condições iniciais envolvidas sejam nulas. Segue-se que a saída $Y(s)$ pode ser escrita como o produto de $G(s)$ e $X(s)$ ou

$$Y(s) = G(s)X(s) \tag{2.1}$$

Note que a multiplicação no domínio complexo é equivalente à convolução no domínio de tempo (veja o Apêndice A), de modo que a transformada inversa de Laplace da Equação 2.1 seja dada pela seguinte integral de convolução:

$$y(t) = \int_0^t x(\tau)g(t-\tau)d\tau$$
$$= \int_0^t g(\tau)x(t-\tau)d\tau$$

onde ambos, $g(t)$ e $x(t)$, são 0 para $t < 0$.

Função de resposta impulsiva. Considere a saída (resposta) de um sistema linear invariante no tempo a um impulso unitário de entrada quando as condições iniciais são nulas. Como a transformada de Laplace da função impulso unitário é igual à unidade, a transformada de Laplace da saída do sistema é:

$$Y(s) = G(s) \qquad (2.2)$$

A transformada inversa de Laplace da saída, dada pela Equação 2.2, é a resposta impulsiva do sistema. A transformada inversa de Laplace de $G(s)$ ou

$$\mathcal{L}^{-1}[G(s)] = g(t)$$

é chamada função de resposta impulsiva. Essa função $g(t)$ também é denominada função característica do sistema.

A função de resposta impulsiva $g(t)$ é, portanto, a resposta de um sistema linear invariante no tempo a um impulso unitário de entrada, quando as condições iniciais do sistema são nulas. A transformada de Laplace dessa função fornece a função de transferência. Assim, a função de transferência e a função de resposta impulsiva de um sistema linear invariante no tempo contêm as mesmas informações sobre a dinâmica do sistema. Dessa maneira, é possível obter informações completas sobre as características dinâmicas de um sistema, por meio da excitação por um impulso de entrada e medindo a resposta. (Na prática, um pulso de entrada de duração muito pequena, comparado com constantes de tempo dominantes do sistema, pode ser considerado um impulso.)

2.3 | Sistemas de controle automático

Um sistema de controle pode ter vários componentes. Para mostrar as funções que são executadas em cada um desses componentes, na engenharia de controle, normalmente utilizamos um diagrama chamado *diagrama de blocos*. Esta seção se inicia com a explicação do que é um diagrama de blocos. Em seguida, apresenta os aspectos introdutórios aos sistemas de controle automático, incluindo várias ações de controle. Depois, mostra um método para a obtenção do diagrama de blocos para sistemas físicos e, por fim, discute técnicas para a simplificação desses diagramas.

Diagramas de blocos. Um *diagrama de blocos* de um sistema é uma representação gráfica das funções desempenhadas por cada componente e do fluxo de sinais entre eles. Esses diagramas descrevem o inter-relacionamento que existe entre os vários componentes. Diferindo da representação matemática abstrata pura, um diagrama de blocos tem a vantagem de indicar mais realisticamente o fluxo de sinais do sistema real.

Em um diagrama de blocos, todas as variáveis do sistema são ligadas umas às outras por meio de blocos funcionais. O bloco *funcional* ou simplesmente *bloco* é um símbolo da operação matemática que é aplicada ao sinal de entrada do bloco que produz o sinal de saída. A função de transferência dos componentes normalmente é incluída nos blocos correspondentes, os quais estão conectados por setas que indicam a direção do fluxo de sinais. Note que o sinal pode passar somente no sentido indicado pelas setas. Assim, um diagrama de blocos de um sistema de controle evidencia explicitamente uma propriedade unilateral.

A Figura 2.1 mostra um elemento do diagrama de blocos. A seta que aponta para o bloco indica a entrada e a seta que aponta para fora do bloco representa a saída. Essas setas são designadas como *sinais*.

Observe que as dimensões do sinal de saída do bloco são as dimensões do sinal de entrada multiplicadas pelas dimensões da função de transferência do bloco.

As vantagens da representação de um sistema por diagramas de blocos consistem no fato de que é fácil construir um diagrama de blocos para todo o sistema pela simples interligação dos blocos componentes, de acordo com o fluxo de sinais, e pela possibilidade de avaliar a contribuição de cada componente para o desempenho global do sistema.

Em geral, a operação funcional do sistema pode ser visualizada mais facilmente pelo exame do diagrama de blocos do que pelo exame do próprio sistema físico. Um diagrama de blocos contém informações relativas ao comportamento dinâmico, mas não inclui nenhuma informação sobre a construção física do sistema. Consequentemente, muitos sistemas que não apresentam semelhança e não estão relacionados podem ser representados pelo mesmo diagrama de blocos.

Deve ser notado que, em um diagrama de blocos, a fonte principal de energia não é mostrada explicitamente e o diagrama de blocos de dado sistema não é único. Certo número de diferentes diagramas de bloco pode ser desenhado para determinado sistema, dependendo do ponto de vista da análise que se quer fazer.

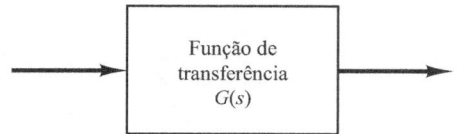

FIGURA 2.1
Elemento de um diagrama de blocos.

Somador. Referindo-se à Figura 2.2, um círculo com uma cruz é o símbolo que indica a operação de soma. O sinal de mais ou menos na extremidade de cada seta indica se o sinal deve ser somado ou subtraído. É importante que as quantidades a serem somadas ou subtraídas tenham as mesmas dimensões e as mesmas unidades.

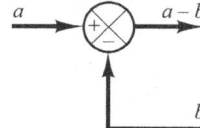

FIGURA 2.2
Somador.

Ponto de ramificação. Um *ponto de ramificação* é um ponto do qual o sinal que vem de um bloco avança simultaneamente em direção a outros blocos ou somadores.

Diagrama de blocos de um sistema de malha fechada. A Figura 2.3 traz o exemplo de um diagrama de blocos de um sistema de malha fechada. A saída $C(s)$ é realimentada ao somador, em que é comparada à referência de entrada $R(s)$. A natureza de malha fechada do sistema é claramente indicada pela figura. A saída do bloco, $C(s)$ nesse caso, é obtida pela multiplicação da função de transferência $G(s)$ pela entrada do bloco, $E(s)$. Todo sistema de controle linear pode ser representado por diagramas de bloco constituídos por blocos, somadores e pontos de ramificação.

Quando a saída é realimentada ao somador para comparação com a entrada, é necessário converter a forma do sinal de saída à do sinal de entrada. Por exemplo, em um sistema de controle de temperatura, o sinal de saída normalmente é a temperatura controlada. O sinal de saída, o qual tem a dimensão da temperatura, deve ser convertido para uma força ou posição ou tensão, antes de ser comparado ao sinal de entrada. Essa conversão é realizada por meio do elemento de realimentação cuja função de transferência é $H(s)$, como mostra a Figura 2.4. O papel do elemento de realimentação é modificar a saída antes de ser comparada com a entrada. (Na maioria dos casos, o elemento de realimentação é um sensor que mede a saída da planta. A saída do sensor é comparada com a entrada do sistema e é gerado um sinal de erro atuante.) Nesse exemplo, o sinal de realimentação que é enviado ao somador para comparação com o sinal de entrada é $B(s) = H(s)C(s)$.

FIGURA 2.3
Diagrama de blocos de um sistema de malha fechada.

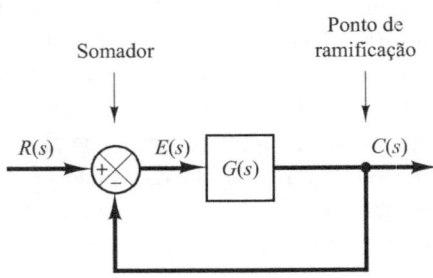

FIGURA 2.4
Sistema de malha fechada.

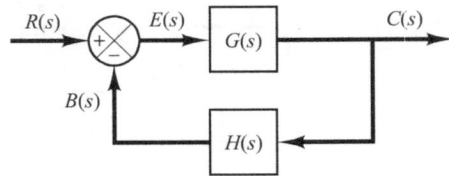

Função de transferência de malha aberta e função de transferência do ramo direto. Referindo-se à Figura 2.4, a relação entre o sinal de realimentação $B(s)$ e o sinal de erro atuante $E(s)$ é chamada *função de transferência de malha aberta*. Ou seja,

$$\text{Função de transferência de malha aberta} = \frac{B(s)}{E(s)} = G(s)H(s)$$

A relação entre o sinal de saída $C(s)$ e o sinal de erro atuante $E(s)$ é denominada *função de transferência do ramo direto*, então

$$\text{Função de transferência do ramo direto} = \frac{C(s)}{E(s)} = G(s)$$

Se a função de transferência de realimentação $H(s)$ for unitária, então a função de transferência de malha aberta e a função de transferência do ramo direto serão as mesmas.

Função de transferência de malha fechada. Para o sistema mostrado na Figura 2.4, a saída $C(s)$ e a entrada $R(s)$ estão relacionadas como a seguir, como

$$C(s) = G(s)E(s)$$
$$E(s) = R(s) - B(s)$$
$$= R(s) - H(s)C(s)$$

eliminando $E(s)$ dessas equações, resulta em:

$$C(s) = G(s)[R(s) - H(s)C(s)]$$

ou

$$\frac{C(s)}{R(s)} = \frac{G(s)}{1 + G(s)H(s)} \qquad (2.3)$$

A função de transferência que relaciona $C(s)$ a $R(s)$ é chamada *função de transferência de malha fechada*. Essa função de transferência relaciona a dinâmica dos sistemas de malha fechada à dinâmica dos elementos do ramo direto e dos elementos de realimentação.

A partir da Equação 2.3, $C(s)$ é dada por:

$$C(s) = \frac{G(s)}{1 + G(s)H(s)} R(s)$$

Assim, a saída do sistema de malha fechada depende claramente tanto da função de transferência de malha fechada como da natureza da entrada.

Obtendo funções de transferência em cascata, em paralelo e com realimentação (de malha fechada) com o MATLAB.
Na análise de sistemas de controle necessitamos, frequentemente, calcular as funções de transferência em cascata, as funções de transferência conectadas em paralelo e as funções de transferência com realimentação, conectadas (de malha fechada). O MATLAB tem comandos convenientes para obter as funções de transferência em cascata, em paralelo e com realimentação (de malha fechada).

Suponha que existam dois componentes $G_1(s)$ e $G_2(s)$, conectados diferentemente, como mostram as figuras 2.5(a), (b) e (c), onde

$$G_1(s) = \frac{\text{num1}}{\text{den1}}, \quad G_2(s) = \frac{\text{num2}}{\text{den2}}$$

Para obter a função de transferência no sistema em cascata, no sistema em paralelo ou no sistema com realimentação (de malha fechada), os seguintes comandos podem ser usados:

```
[num, den] = series(num1,den1,num2,den2)
[num, den] = parallel(num1,den1,num2,den2)
[num, den] = feedback(num1,den1,num2,den2)
```

Como exemplo, considere o caso em que

$$G_1(s) = \frac{10}{s^2 + 2s + 10} = \frac{\text{num1}}{\text{den1}}, \quad G_2(s) = \frac{5}{s + 5} = \frac{\text{num2}}{\text{den2}}$$

FIGURA 2.5
(a) Sistema em cascata;
(b) sistema em paralelo;
(c) sistema com realimentação (de malha fechada).

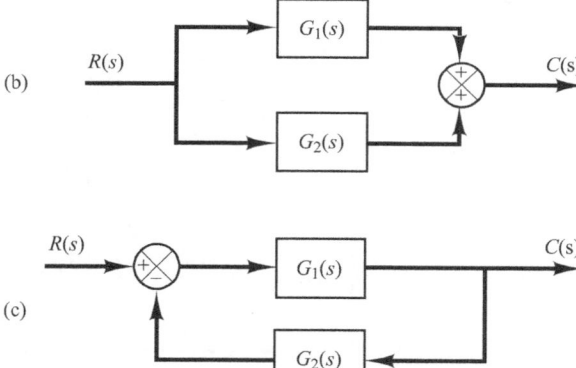

O Programa 2.1 em MATLAB fornece $C(s)/R(s)$ = num/den para cada arranjo de $G_1(s)$ e $G_2(s)$. Note que o comando

printsys(num,den)

mostra o num/den [isto é, a função de transferência $C(s)/R(s)$] do sistema a ser considerado.

Programa 2.1 em MATLAB

```
num1 = [10];
den1 = [1 2 10];
num2 = [5];
den2 = [1 5];
[num, den] = series(num1,den1,num2,den2);
printsys(num,den)

num/den =
              50
       -----------------------
       s^3 + 7s^2 + 20s + 50

[num, den] = parallel(num1,den1,num2,den2);
printsys(num,den)

num/den =
         5s^2 + 20s + 100
       -----------------------
       s^3 + 7s^2 + 20s + 50

[num, den] = feedback(num1,den1,num2,den2);
printsys(num,den)

num/den =
              10s + 50
       -----------------------
       s^3 + 7s^2 + 20s + 100
```

Controladores automáticos. Um controlador automático compara o valor real de saída da planta com a entrada de referência (valor desejado), determina o desvio e produz um sinal de controle que reduzirá o desvio a zero ou a um valor pequeno. A maneira pela qual o controlador automático produz o sinal de controle é chamada *ação de controle*. A Figura 2.6 é um diagrama de blocos de um sistema de controle industrial, o qual consiste em um controlador automático, um atuador, uma planta e um sensor (elemento de medição). O controlador detecta o sinal de erro atuante, o qual normalmente é de potência muito baixa, e o amplifica a um nível suficientemente alto. A saída de um controlador automático alimenta um atuador, como um motor elétrico, um motor hidráulico, um motor pneumático ou uma válvula. (O atuador é um dispositivo de potência que produz o sinal de entrada na planta de acordo com o sinal de controle, de modo que a saída se aproxime do sinal de entrada de referência.)

FIGURA 2.6
Diagrama de blocos de um sistema de controle industrial, que consiste em um controlador automático, um atuador, uma planta e um sensor (elemento de medição).

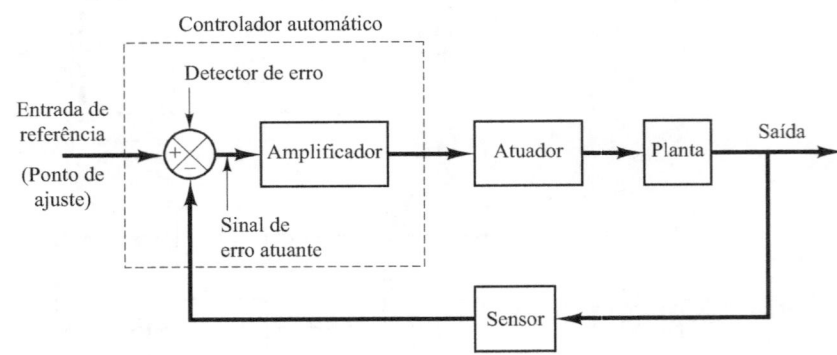

O sensor, ou elemento de medição, é um dispositivo que converte a variável de saída em outra variável conveniente, como deslocamento, pressão, tensão etc., que pode ser utilizada para comparar a saída ao sinal de entrada de referência. Esse elemento está no ramo de realimentação do sistema de malha fechada. O ponto de ajuste do controlador deve ser convertido em um sinal de referência com as mesmas unidades do sinal de realimentação que vem do sensor ou do elemento de medição.

Classificação dos controladores industriais. A maioria dos controladores industriais pode ser classificada, de acordo com suas ações de controle, em:
1. Controladores de duas posições ou *on-off*.
2. Controladores proporcionais.
3. Controladores integrais.
4. Controladores proporcional-integrais.
5. Controladores proporcional-derivativos.
6. Controladores proporcional-integral-derivativos.

A maior parte dos controladores industriais utiliza eletricidade ou fluido pressurizado, como óleo ou ar, como fontes de energia. Como consequência, os controladores também podem ser classificados de acordo com a espécie de energia empregada na operação, como controladores pneumáticos, controladores hidráulicos ou controladores eletrônicos. A escolha do tipo de controlador a ser utilizado deve ser decidida com base na natureza da planta e nas condições de operação, incluindo certas considerações como segurança, custo, disponibilidade, confiabilidade, precisão, peso e tamanho.

Ação de controle de duas posições ou *on-off*. Em um sistema de controle de duas posições, o elemento atuante tem somente duas posições fixas, que são, em muitos casos, simplesmente *on* e *off*. O controle de duas posições ou *on-off* é relativamente simples e barato e, por essa razão, é bastante utilizado em sistemas de controle domésticos e industriais.

Considere que o sinal de saída do controlador é $u(t)$ e o sinal de erro atuante é $e(t)$. No controle de duas posições, o sinal $u(t)$ permanece em um valor máximo ou em um valor mínimo, dependendo se o sinal de erro atuante for negativo ou positivo. Assim,

$$u(t) = U_1, \quad \text{para } e(t) > 0$$
$$ = U_2, \quad \text{para } e(t) < 0$$

onde U_1 e U_2 são constantes. O valor mínimo U_2 normalmente é zero ou $-U_1$. Os controladores de duas posições são, em geral, dispositivos elétricos, e as válvulas operadas por solenoides elétricos são muito utilizadas nesses controladores. Controladores proporcionais pneumáticos com ganhos muito altos atuam como controladores de duas posições e, às vezes, são chamados controladores pneumáticos de duas posições.

As figuras 2.7(a) e (b) mostram os diagramas de bloco do controlador de duas posições ou *on-off*. O intervalo no qual o sinal de erro atuante deve variar antes de ocorrer a comutação é denominado *intervalo diferencial*. Um intervalo diferencial está indicado na Figura 2.7(b). Esse intervalo diferencial faz que a saída $u(t)$ do controlador mantenha seu valor atual até que o sinal de erro atuante tenha variado ligeiramente além do valor zero. Em alguns casos, o intervalo diferencial é o resultado de um atrito não intencional e da perda de movimento; entretanto, muitas vezes ele é provocado intencionalmente, para prevenir uma operação muito frequente do mecanismo de *on-off*.

Considere o sistema de controle de nível de líquido, mostrado na Figura 2.8(a), em que a válvula eletromagnética apresentada na Figura 2.8(b) é utilizada para o controle da vazão de entrada. Essa válvula está aberta ou fechada. Com esse controle de duas posições, a vazão de entrada da água pode ser tanto uma constante positiva como nula. Como mostrado na Figura 2.9, o sinal de saída move-se continuamente entre os dois limites estabelecidos, ocasionando o movimento do elemento atuante de uma posição fixa para outra. Note que a curva de saída segue uma das duas curvas exponenciais, uma correspondente à curva de enchimento e a outra, à do esvaziamento.

FIGURA 2.7
(a) Diagrama de blocos de um controlador *on-off*;
(b) diagrama de blocos de um controlador *on-off* com intervalo diferencial.

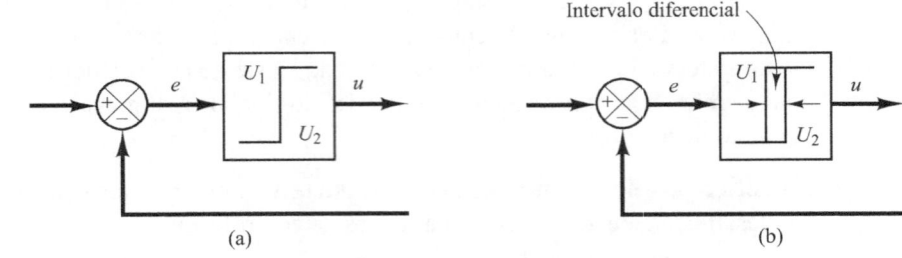

Essa oscilação de saída entre dois limites é uma resposta típica de um sistema de controle de duas posições.

FIGURA 2.8
(a) Sistema de controle de nível de líquido;
(b) válvula eletromagnética.

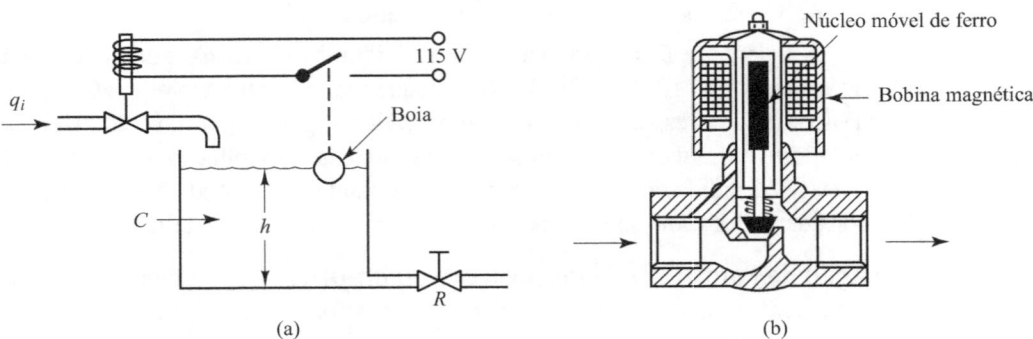

A partir da Figura 2.9, podemos notar que a amplitude da oscilação da saída pode ser reduzida pela diminuição do intervalo diferencial. A diminuição do intervalo diferencial, entretanto, aumenta o número de comutações *on-off* por minuto e reduz a vida útil do componente. O tamanho do intervalo diferencial deve ser determinado a partir de considerações como a precisão requerida e a vida útil do componente.

FIGURA 2.9
Curva do nível $h(t)$ versus t, relativa ao sistema mostrado na Figura 2.8(a).

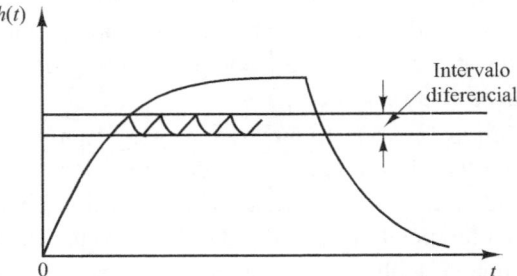

Ação de controle proporcional. Para um controlador com ação de controle proporcional, a relação entre a saída do controlador $u(t)$ e o sinal de erro atuante $e(t)$ é:

$$u(t) = K_p e(t)$$

ou, transformando por Laplace,

$$\frac{U(s)}{E(s)} = K_p$$

onde K_p é denominado ganho proporcional.

Qualquer que seja o mecanismo real e o tipo de energia utilizada na operação, o controlador proporcional é essencialmente um amplificador com um ganho ajustável.

Ação de controle integral. Em um controlador com ação de controle integral, o valor da saída $u(t)$ do controlador é modificado a uma taxa de variação proporcional ao sinal de erro atuante $e(t)$. Ou seja,

$$\frac{du(t)}{dt} = K_i e(t)$$

ou

$$u(t) = K_i \int_0^t e(t)dt$$

onde K_i é uma constante ajustável. A função de transferência de um controlador integral é:

$$\frac{U(s)}{E(s)} = \frac{K_i}{s}$$

Ação de controle proporcional-integral. A ação de controle de um controlador proporcional-integral é definida por:

$$u(t) = K_p e(t) + \frac{K_p}{T_i} \int_0^t e(t)dt$$

ou, então, a função de transferência do controlador é:

$$\frac{U(s)}{E(s)} = K_p\left(1 + \frac{1}{T_i s}\right)$$

onde T_i é chamado *tempo integrativo*.

Ação de controle proporcional-derivativo. A ação de controle de um controlador proporcional-derivativo é definida por:

$$u(t) = K_p e(t) + K_p T_d \frac{de(t)}{dt}$$

e a função de transferência é:

$$\frac{U(s)}{E(s)} = K_p(1 + T_d s)$$

onde T_d é chamado *tempo derivativo*.

Ação de controle proporcional-integral-derivativo. A combinação das ações de controle proporcional, de controle integral e de controle derivativo é denominada ação de controle proporcional-integral-derivativo. Essa ação combinada tem as vantagens individuais de cada uma das três ações de controle. A equação de um controlador com essas ações combinadas é dada por:

$$u(t) = K_p e(t) + \frac{K_p}{T_i} \int_0^t e(t)dt + K_p T_d \frac{de(t)}{dt}$$

e a função de transferência é:

$$\frac{U(s)}{E(s)} = K_p\left(1 + \frac{1}{T_i s} + T_d s\right)$$

onde K_p é o ganho proporcional, T_i é o tempo integrativo e T_d é o tempo derivativo. O diagrama de blocos de um controlador proporcional-integral-derivativo é mostrado na Figura 2.10.

FIGURA 2.10
Diagrama de blocos de um controlador proporcional-integral-derivativo.

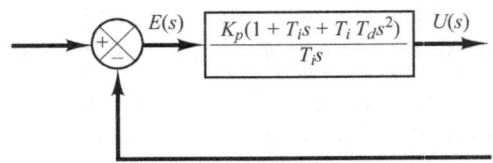

Sistema de malha fechada submetido a um distúrbio. A Figura 2.11 mostra um sistema de malha fechada submetido a um distúrbio. Quando duas entradas (a entrada de referência e o distúrbio) estão presentes em um sistema linear invariante no tempo, cada entrada pode ser tratada independentemente da outra e as saídas que correspondem a cada entrada individual podem ser somadas para resultar na saída completa. O sinal com que cada entrada é introduzida no sistema é mostrado no somador por um sinal de mais ou de menos.

Considere o sistema mostrado na Figura 2.11. Examinando o efeito do distúrbio $D(s)$, podemos admitir que a entrada de referência seja zero; podemos, então, calcular a resposta $C_D(s)$ somente para o distúrbio. Essa resposta pode ser encontrada a partir de

$$\frac{C_D(s)}{D(s)} = \frac{G_2(s)}{1 + G_1(s)G_2(s)H(s)}$$

Por outro lado, considerando a resposta à entrada de referência $R(s)$, podemos supor que o distúrbio seja zero. Então, a resposta $C_R(s)$ à entrada de referência $R(s)$ pode ser obtida a partir de

$$\frac{C_R(s)}{R(s)} = \frac{G_1(s)G_2(s)}{1 + G_1(s)G_2(s)H(s)}$$

A resposta à aplicação simultânea da entrada de referência e do distúrbio pode ser obtida pela soma das duas respostas individuais. Em outras palavras, a resposta $C(s)$ devida à aplicação simultânea da entrada de referência $R(s)$ e do distúrbio $D(s)$ é dada por:

$$C(s) = C_R(s) + C_D(s)$$
$$= \frac{G_2(s)}{1 + G_1(s)G_2(s)H(s)} [G_1(s)R(s) + D(s)]$$

Considere agora o caso em que $|G_1(s)H(s)| \gg 1$ e $|G_1(s)G_2(s)H(s)| \gg 1$. Nesse caso, a função de transferência de malha fechada $C_D(s)/D(s)$ torna-se praticamente nula, e o efeito do distúrbio é suprimido. Isso é uma vantagem do sistema de malha fechada.

Por outro lado, a função de transferência de malha fechada $C_R(s)/R(s)$ aproxima-se de $1/H(s)$ conforme o ganho de $G_1(s)G_2(s)H(s)$ aumenta. Isso significa que, se $|G_1(s)G_2(s)H(s)| \gg 1$, então a função de transferência de malha fechada $C_R(s)/R(s)$ torna-se independente de $G_1(s)$ e $G_2(s)$ e inversamente proporcional a $H(s)$, de modo que as variações de $G_1(s)$ e $G_2(s)$ não afetem a função

FIGURA 2.11
Sistema de malha fechada submetido a um distúrbio.

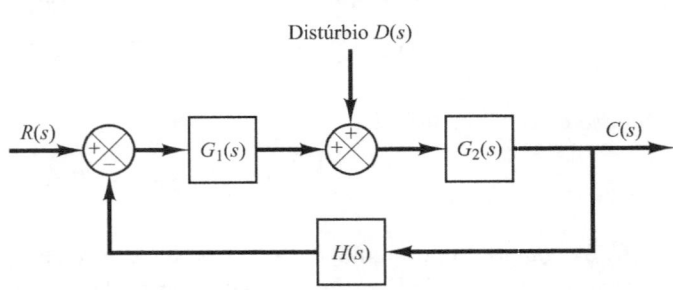

de transferência de malha fechada $C_R(s)/R(s)$. Esta é outra vantagem do sistema de malha fechada. Conclui-se facilmente que qualquer sistema de malha fechada com realimentação unitária, $H(s) = 1$, tende a igualar a entrada à saída.

Procedimentos para construir um diagrama de blocos. Para construir um diagrama de blocos de um sistema, devem ser previamente escritas as equações que descrevem o comportamento dinâmico de cada componente. Em seguida, deve-se obter a transformada de Laplace dessas equações, admitindo-se nulas todas as condições iniciais, para, então, representar individualmente, em forma de bloco, a transformada de Laplace de cada equação. Por fim, devem-se agrupar os elementos em um diagrama de blocos completo.

Como exemplo, considere o circuito RC mostrado na Figura 2.12(a). As equações para esse circuito são:

$$i = \frac{e_i - e_o}{R} \tag{2.4}$$

$$e_o = \frac{\int i\, dt}{C} \tag{2.5}$$

As transformadas de Laplace das equações 2.4 e 2.5, com as condições iniciais nulas, tornam-se:

$$I(s) = \frac{E_i(s) - E_o(s)}{R} \tag{2.6}$$

$$E_o(s) = \frac{I(s)}{Cs} \tag{2.7}$$

A Equação 2.6 representa uma operação de soma e o diagrama correspondente é mostrado na Figura 2.12(b). A Equação 2.7 representa o bloco exposto na Figura 2.12(c). Agrupando esses dois elementos, obtemos o diagrama de blocos completo do sistema, como se pode ver na Figura 2.12(d).

FIGURA 2.12
(a) Circuito RC;
(b) diagrama de blocos que representa a Equação 2.6;
(c) diagrama de blocos que representa a Equação 2.7;
(d) diagrama de blocos do circuito RC.

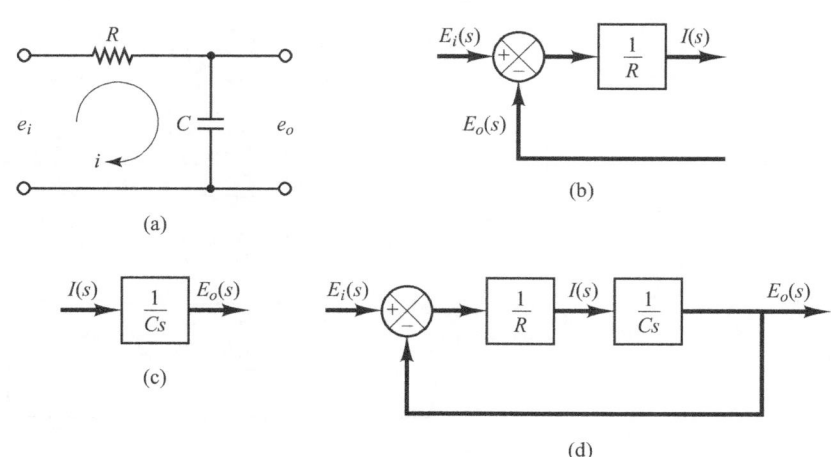

Redução do diagrama de blocos. É importante notar que os blocos podem ser conectados em série somente se a saída de um bloco não for afetada pelo bloco seguinte. Se houver qualquer efeito de carga entre os componentes, é necessário combinar esses componentes em um único bloco.

Qualquer que seja o número de blocos em cascata que represente componentes sem carga, esses blocos podem ser substituídos por um único bloco, e sua função de transferência será simplesmente o produto das funções de transferência individuais.

Um diagrama de blocos complexo, que envolve muitas malhas de realimentação, pode ser simplificado por meio de uma reorganização por etapas. A simplificação do diagrama de blocos por meio da reorganização reduz consideravelmente o trabalho necessário para a análise matemática subsequente. Deve-se observar, entretanto, que, à medida que o diagrama de blocos é simplificado, as funções de transferência nos novos blocos tornam-se mais complexas, em virtude da geração de novos polos e novos zeros.

Exemplo 2.1 Considere o sistema mostrado na Figura 2.13(a). Simplifique o diagrama.

Movendo o somador da malha de realimentação negativa que contém H_2 para fora da malha de realimentação positiva que contém H_1, obtemos a Figura 2.13(b). Eliminando a malha de realimentação positiva, obtemos a Figura 2.13(c). A eliminação da malha que contém H_2/G_1 resulta na Figura 2.13(d). Por fim, eliminando a malha de realimentação, o resultado é a Figura 2.13(e).

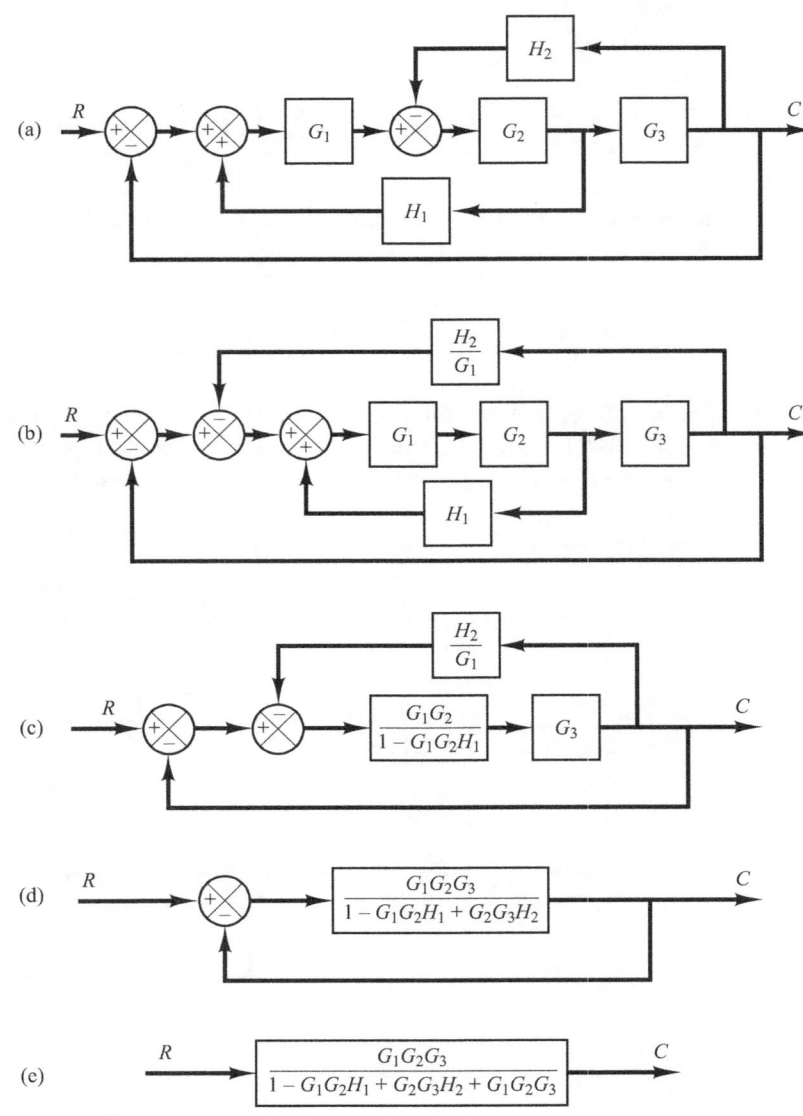

FIGURA 2.13
(a) Sistema de múltiplas malhas; (b)–(e) reduções sucessivas do diagrama de blocos mostrado em (a).

Note que o numerador da função de transferência de malha fechada $C(s)/R(s)$ é o produto das funções de transferência do ramo direto. O denominador de $C(s)/R(s)$ é igual a:

$1 + \sum$ (produto da função de transferência contornando cada malha)
$$= 1 + (-G_1G_2H_1 + G_2G_3H_2 + G_1G_2G_3)$$
$$= 1 - G_1G_2H_1 + G_2G_3H_2 + G_1G_2G_3$$

(A malha de realimentação positiva gera um termo negativo no denominador.)

2.4 | Modelagem no espaço de estados

Nesta seção, apresentaremos o material introdutório sobre a análise de sistemas de controle no espaço de estados.

Teoria de controle moderno. A tendência moderna nos sistemas de engenharia é aumentar sua complexidade, principalmente em virtude da necessidade de realizar tarefas complexas e de alta precisão. Sistemas complexos podem ter entradas e saídas múltiplas e ser variantes no tempo. Em razão da necessidade de atender a crescentes e rigorosas exigências de desempenho dos sistemas de controle, ao aumento da complexidade dos sistemas e ao acesso fácil e em larga escala aos computadores, a teoria de controle moderno, que é uma nova abordagem para a análise e o projeto de sistemas de controle complexos, tem sido desenvolvida desde aproximadamente 1960. Essa nova teoria tem como base o conceito de estado. O conceito de estado propriamente dito não é novo, pois existe há bastante tempo no campo da dinâmica clássica e em outras áreas.

Teoria de controle moderno *versus* teoria de controle convencional. A teoria de controle moderno contrasta com a teoria de controle convencional porque a primeira é aplicada a sistemas de entradas e de saídas múltiplas, que podem ser lineares ou não lineares, variantes ou invariantes no tempo, ao passo que a última é aplicável somente a sistemas lineares, invariantes no tempo, de entrada e de saída únicas. A teoria de controle moderno é, também, essencialmente uma abordagem no domínio de tempo e no domínio da frequência (em certos casos, como o controle H-infinito), enquanto a teoria de controle convencional é uma abordagem no domínio da frequência complexa. Antes de prosseguirmos, devemos definir estado, variáveis de estado, vetor de estado e espaço de estados.

Estado. O estado de um sistema dinâmico é o menor conjunto de variáveis (chamadas *variáveis de estado*), tais que o conhecimento dessas variáveis em $t = t_0$, junto ao conhecimento da entrada para $t \geq t_0$, determina completamente o comportamento do sistema para qualquer instante $t \geq t_0$.

Observe que o conceito de estado não é limitado ao caso dos sistemas físicos; ele é aplicável também a sistemas biológicos, econômicos, sociais e outros.

Variáveis de estado. As variáveis de estado de um sistema dinâmico são aquelas que constituem o menor conjunto de variáveis capaz de determinar o estado desse sistema dinâmico. Se pelo menos n variáveis $x_1, x_2, ..., x_n$ são necessárias para descrever todo o comportamento de um sistema dinâmico (de tal modo que, sendo dada a entrada para $t \geq t_0$ e especificado o estado inicial em $t = t_0$, o estado futuro do sistema fique completamente estabelecido), então essas n variáveis formam um conjunto de variáveis de estado.

Note que essas variáveis de estado não necessitam ser quantidades fisicamente mensuráveis ou observáveis. As variáveis que não representam grandezas físicas e aquelas que não são nem mensuráveis nem observáveis podem ser escolhidas como variáveis de estado. Essa liberdade de escolha das variáveis de estado é uma vantagem dos métodos de espaço de estados. Na prática, entretanto, é conveniente escolher, para as variáveis de estado, grandezas que sejam facilmente mensuráveis, se isso for possível, porque as leis do controle ótimo requerem a realimentação de todas as variáveis de estado com ponderação adequada.

Vetor de estado. Se forem necessárias n variáveis de estado para descrever completamente o comportamento de dado sistema, então essas n variáveis de estado poderão ser consideradas os n componentes de um vetor **x**. Esse vetor é chamado *vetor de estado*. Assim, um vetor de estado é aquele que determina univocamente o estado do sistema **x**(t) para qualquer instante $t \geq t_0$, uma vez que é dado o estado em $t = t_0$ e a entrada $u(t)$ para $t \geq t_0$ é especificada.

Espaço de estados. O espaço n-dimensional, cujos eixos coordenados são formados pelos eixos de $x_1, x_2, ..., x_n$, onde $x_1, x_2, ..., x_n$ são as variáveis de estado, é denominado *espaço de estados*. Qualquer estado pode ser representado por um ponto no espaço de estados.

Equações no espaço de estados. A análise no espaço de estados envolve três tipos de variáveis que estão presentes na modelagem de sistemas dinâmicos: variáveis de entrada, variáveis de saída e variáveis de estado. Como veremos na Seção 2.5, a representação de dado sistema no espaço de estados não é única, mas o número de variáveis de estado é o mesmo para qualquer uma das diferentes representações do mesmo sistema no espaço de estados.

O sistema dinâmico deve conter elementos que memorizem os valores de entrada para $t \geq t_1$. Uma vez que os integradores, em um sistema de controle de tempo contínuo, servem como dispositivos de memória, as saídas desses integradores podem ser consideradas variáveis que definem o estado interno do sistema dinâmico. Assim, as saídas dos integradores podem ser escolhidas como variáveis de estado. O número de variáveis de estado que definem completamente a dinâmica de um sistema é igual ao número de integradores existentes no sistema.

Suponha que um sistema com múltiplas entradas e múltiplas saídas envolva n integradores. Considere também que existam r entradas $u_1(t), u_2(t),..., u_r(t)$ e m saídas $y_1(t), y_2(t),..., y_m(t)$. Defina as n saídas dos integradores como variáveis de estado: $x_1(t), x_2(t),..., x_n(t)$. Então o sistema pode ser descrito como:

$$\dot{x}_1(t) = f_1(x_1, x_2, ..., x_n; u_1, u_2, ..., u_r; t)$$
$$\dot{x}_2(t) = f_2(x_1, x_2, ..., x_n; u_1, u_2, ..., u_r; t)$$
$$\vdots$$
$$\dot{x}_n(t) = f_n(x_1, x_2, ..., x_n; u_1, u_2, ..., u_r; t)$$

(2.8)

As saídas $y_1(t), y_2(t),..., y_m(t)$ do sistema podem ser dadas por:

$$y_1(t) = g_1(x_1, x_2, ..., x_n; u_1, u_2, ..., u_r; t)$$
$$y_2(t) = g_2(x_1, x_2, ..., x_n; u_1, u_2, ..., u_r; t)$$
$$\vdots$$
$$y_m(t) = g_m(x_1, x_2, ..., x_n; u_1, u_2, ..., u_r; t)$$

(2.9)

Se definirmos

$$\mathbf{x}(t) = \begin{bmatrix} x_1(t) \\ x_2(t) \\ \vdots \\ x_n(t) \end{bmatrix}, \quad \mathbf{f}(\mathbf{x},\mathbf{u},t) = \begin{bmatrix} f_1(x_1, x_2, ..., x_n; u_1, u_2, ..., u_r; t) \\ f_2(x_1, x_2, ..., x_n; u_1, u_2, ..., u_r; t) \\ \vdots \\ f_n(x_1, x_2, ..., x_n; u_1, u_2, ..., u_r; t) \end{bmatrix},$$

$$\mathbf{y}(t) = \begin{bmatrix} y_1(t) \\ y_2(t) \\ \vdots \\ y_m(t) \end{bmatrix}, \quad \mathbf{g}(\mathbf{x},\mathbf{u},t) = \begin{bmatrix} g_1(x_1, x_2, ..., x_n; u_1, u_2, ..., u_r; t) \\ g_2(x_1, x_2, ..., x_n; u_1, u_2, ..., u_r; t) \\ \vdots \\ g_n(x_1, x_2, ..., x_n; u_1, u_2, ..., u_r; t) \end{bmatrix}, \quad \mathbf{u}(t) = \begin{bmatrix} u_1(t) \\ u_2(t) \\ \vdots \\ u_r(t) \end{bmatrix}$$

as equações 2.8 e 2.9 tornam-se:

$$\dot{\mathbf{x}}(t) = \mathbf{f}(\mathbf{x}, \mathbf{u}, t) \quad (2.10)$$

$$\mathbf{y}(t) = \mathbf{g}(\mathbf{x}, \mathbf{u}, t) \quad (2.11)$$

onde a Equação 2.10 é a equação de estado e a Equação 2.11 é a equação de saída. Se as funções vetoriais **f** e/ou **g** envolverem explicitamente o tempo *t*, então o sistema será chamado sistema variante no tempo.

Se as equações 2.10 e 2.11 forem linearizadas em torno de um ponto de operação, então teremos as seguintes equações de estado e de saída linearizadas:

$$\dot{\mathbf{x}}(t) = \mathbf{A}(t)\mathbf{x}(t) + \mathbf{B}(t)\mathbf{u}(t) \tag{2.12}$$

$$\mathbf{y}(t) = \mathbf{C}(t)\mathbf{x}(t) + \mathbf{D}(t)\mathbf{u}(t) \tag{2.13}$$

onde $\mathbf{A}(t)$ é chamada matriz de estado, $\mathbf{B}(t)$, de matriz de entrada, $\mathbf{C}(t)$, de matriz de saída, e $\mathbf{D}(t)$, de matriz de transmissão direta. (Os detalhes da linearização de sistemas não lineares em torno de um estado de operação serão discutidos na Seção 2.7.) Uma representação do diagrama de blocos das equações 2.12 e 2.13 é mostrada na Figura 2.14.

Se as funções vetoriais **f** e **g** não envolverem o tempo *t* explicitamente, então o sistema será denominado de sistema invariante no tempo. Nesse caso, as equações 2.12 e 2.13 podem ser simplificadas para:

$$\dot{\mathbf{x}}(t) = \mathbf{A}\mathbf{x}(t) + \mathbf{B}\mathbf{u}(t) \tag{2.14}$$

$$\dot{\mathbf{y}}(t) = \mathbf{C}\mathbf{x}(t) + \mathbf{D}\mathbf{u}(t) \tag{2.15}$$

A Equação 2.14 é a equação de estado de um sistema linear invariante no tempo e a Equação 2.15 é a equação de saída para o mesmo sistema. Neste livro, vamos nos referir principalmente aos sistemas descritos pelas equações 2.14 e 2.15.

A seguir, apresentamos um exemplo que mostra a derivação da equação de estado e da equação de saída de um sistema.

FIGURA 2.14
Diagrama de blocos de um sistema de controle linear de tempo contínuo, representado no espaço de estados.

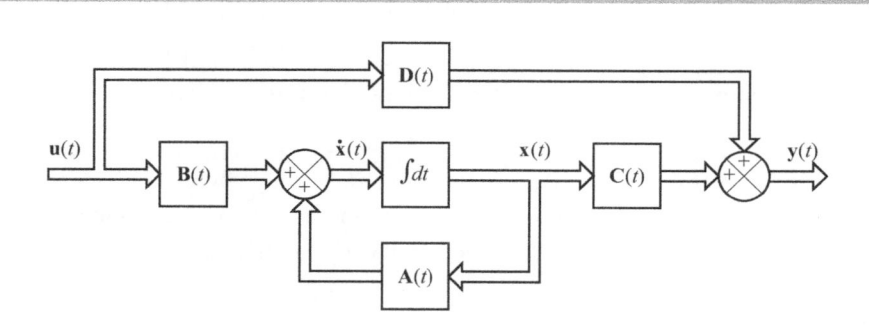

Exemplo 2.2 Considere o sistema mecânico indicado na Figura 2.15. Admitimos que o sistema seja linear. A força externa $u(t)$ é a entrada do sistema, e o deslocamento $y(t)$ da massa é a saída. O deslocamento $y(t)$ é medido a partir da posição de equilíbrio, na ausência da força externa. Este é um sistema de entrada e saída únicas.

De acordo com o diagrama, a equação do sistema é:

$$m\ddot{y} + b\dot{y} + ky = u \tag{2.16}$$

Esse sistema é de segunda ordem. Isso significa que ele contém dois integradores. Vamos definir as variáveis de estado $x_1(t)$ e $x_2(t)$ como:

$$x_1(t) = y(t)$$
$$x_2(t) = \dot{y}(t)$$

Então, obtemos:

$$\dot{x}_1 = x_2$$
$$\dot{x}_2 = \frac{1}{m}(-ky - b\dot{y}) + \frac{1}{m}u$$

FIGURA 2.15
Sistema mecânico.

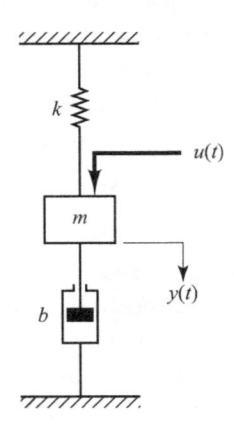

ou

$$\dot{x}_1 = x_2 \tag{2.17}$$

$$\dot{x}_2 = -\frac{k}{m}x_1 - \frac{b}{m}x_2 + \frac{1}{m}u \tag{2.18}$$

A equação de saída é:

$$y = x_1 \tag{2.19}$$

Sob a forma vetorial-matricial, as equações 2.17 e 2.18 podem ser escritas como:

$$\begin{bmatrix} \dot{x}_1 \\ \dot{x}_2 \end{bmatrix} = \begin{bmatrix} 0 & 1 \\ -\frac{k}{m} & -\frac{b}{m} \end{bmatrix} \begin{bmatrix} x_1 \\ x_2 \end{bmatrix} + \begin{bmatrix} 0 \\ \frac{1}{m} \end{bmatrix} u \tag{2.20}$$

A equação de saída, Equação 2.19, pode ser escrita como:

$$y = \begin{bmatrix} 1 & 0 \end{bmatrix} \begin{bmatrix} x_1 \\ x_2 \end{bmatrix} \tag{2.21}$$

A Equação 2.20 é uma equação de estado e a Equação 2.21 é uma equação de saída para o sistema. As equações 2.20 e 2.21 estão escritas na forma-padrão:

$$\dot{\mathbf{x}} = \mathbf{A}\mathbf{x} + \mathbf{B}u$$

$$y = \mathbf{C}\mathbf{x} + Du$$

onde

$$\mathbf{A} = \begin{bmatrix} 0 & 1 \\ -\frac{k}{m} & -\frac{b}{m} \end{bmatrix}, \quad \mathbf{B} = \begin{bmatrix} 0 \\ \frac{1}{m} \end{bmatrix}, \quad \mathbf{C} = \begin{bmatrix} 1 & 0 \end{bmatrix}, \quad D = 0$$

A Figura 2.16 é um diagrama de blocos do sistema. Note que as saídas dos integradores são variáveis de estado.

FIGURA 2.16
Diagrama de blocos do sistema mecânico mostrado na Figura 2.15.

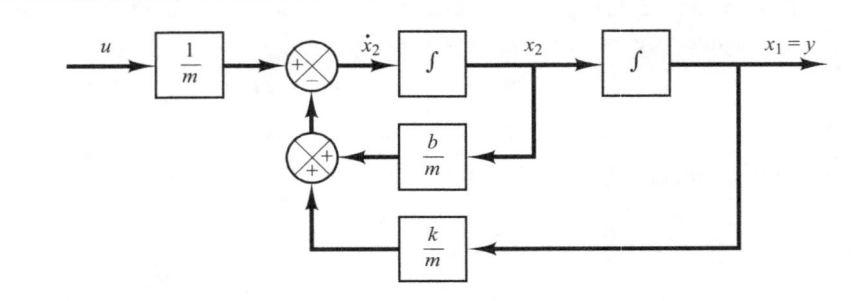

Correlação entre funções de transferência e equações no espaço de estados. A seguir, mostraremos como obter uma função de transferência de um sistema de entrada e de saída únicas a partir das equações no espaço de estados.

Consideremos o sistema cuja função de transferência é dada por:

$$\frac{Y(s)}{U(s)} = G(s) \tag{2.22}$$

Esse sistema pode ser representado no espaço de estados pelas seguintes equações:

$$\dot{\mathbf{x}} = \mathbf{A}\mathbf{x} + \mathbf{B}u \tag{2.23}$$

$$y = \mathbf{C}\mathbf{x} + Du \tag{2.24}$$

onde **x** é o vetor de estado, u é a entrada e y é a saída. A transformada de Laplace das equações 2.23 e 2.24 é dada por:

$$s\mathbf{X}(s) - \mathbf{x}(0) + \mathbf{A}\mathbf{X}(s) + \mathbf{B}U(s) \tag{2.25}$$

$$Y(s) = \mathbf{C}\mathbf{X}(s) + DU(s) \tag{2.26}$$

Uma vez que a função de transferência foi previamente definida como a relação entre a transformada de Laplace da saída e a transformada de Laplace da entrada quando as condições iniciais são nulas, estabelecemos **x**(0) igual a zero na Equação 2.25. Então, temos

$$s\mathbf{X}(s) - \mathbf{A}\mathbf{X}(s) + \mathbf{B}U(s)$$

ou

$$(s\mathbf{I} - \mathbf{A})\mathbf{X}(s) = \mathbf{B}U(s)$$

Multiplicando previamente por $(s\mathbf{I} - \mathbf{A})^{-1}$ ambos os lados dessa última equação, obtemos:

$$\mathbf{X}(s) = (s\mathbf{I} - \mathbf{A})^{-1}\mathbf{B}U(s) \tag{2.27}$$

Substituindo a Equação 2.27 na Equação 2.26, temos:

$$Y(s) = [\mathbf{C}(s\mathbf{I} - \mathbf{A})^{-1}\mathbf{B} + D]U(s) \tag{2.28}$$

Comparando a Equação 2.28 com a Equação 2.22, vemos que:

$$G(s) = \mathbf{C}(s\mathbf{I} - \mathbf{A})^{-1}\mathbf{B} + D \tag{2.29}$$

Esta é a expressão da função de transferência do sistema em termos de **A**, **B**, **C** e D.

Observe que o lado direito da Equação 2.29 envolve $(s\mathbf{I} - \mathbf{A})^{-1}$. Em consequência, $G(s)$ pode ser escrito da seguinte maneira:

$$G(s) = \frac{Q(s)}{|s\mathbf{I} - \mathbf{A}|}$$

onde $Q(s)$ é um polinômio em s. Note que $|s\mathbf{I} - \mathbf{A}|$ é igual ao polinômio característico de $G(s)$. Em outras palavras, os autovalores de **A** são idênticos aos polos de $G(s)$.

Exemplo 2.3 Considere novamente o sistema mecânico mostrado na Figura 2.15. As equações de espaço de estados para o sistema são dadas pelas equações 2.20 e 2.21. Vamos obter a função de transferência do sistema a partir das equações do espaço de estados.

Pela substituição de **A**, **B**, **C** e D na Equação 2.29, obtemos:

$$G(s) = \mathbf{C}(s\mathbf{I} - \mathbf{A})^{-1}\mathbf{B} + D$$

$$= \begin{bmatrix} 1 & 0 \end{bmatrix} \left\{ \begin{bmatrix} s & 0 \\ 0 & s \end{bmatrix} - \begin{bmatrix} 0 & 1 \\ -\frac{k}{m} & -\frac{b}{m} \end{bmatrix} \right\}^{-1} \begin{bmatrix} 0 \\ \frac{1}{m} \end{bmatrix} + 0$$

$$= \begin{bmatrix} 1 & 0 \end{bmatrix} \begin{bmatrix} s & -1 \\ \frac{k}{m} & s + \frac{b}{m} \end{bmatrix}^{-1} \begin{bmatrix} 0 \\ \frac{1}{m} \end{bmatrix}$$

Note que

$$\begin{bmatrix} s & -1 \\ \dfrac{k}{m} & s + \dfrac{b}{m} \end{bmatrix}^{-1} = \dfrac{1}{s^2 + \dfrac{b}{m}s + \dfrac{k}{m}} \begin{bmatrix} s + \dfrac{b}{m} & 1 \\ -\dfrac{k}{m} & s \end{bmatrix}$$

(Verifique o Apêndice C para a matriz inversa de 2 × 2.)

Portanto, temos:

$$G(s) = \begin{bmatrix} 1 & 0 \end{bmatrix} \dfrac{1}{s^2 + \dfrac{b}{m}s + \dfrac{k}{m}} \begin{bmatrix} s + \dfrac{b}{m} & 1 \\ -\dfrac{k}{m} & s \end{bmatrix} \begin{bmatrix} 0 \\ \dfrac{1}{m} \end{bmatrix}$$

$$= \dfrac{1}{ms^2 + bs + k}$$

que é a função de transferência do sistema. A mesma função de transferência pode ser obtida a partir da Equação 2.16.

Matriz de transferência. A seguir, considere um sistema de múltiplas entradas e múltiplas saídas. Suponha que existam r entradas $u_1, u_2, ..., u_r$ e m saídas $y_1, y_2, ..., y_m$. Defina

$$\mathbf{y} = \begin{bmatrix} y_1 \\ y_2 \\ \vdots \\ y_m \end{bmatrix}, \quad \mathbf{u} = \begin{bmatrix} u_1 \\ u_2 \\ \vdots \\ u_r \end{bmatrix}$$

A matriz de transferência $\mathbf{G}(s)$ relaciona a saída $\mathbf{Y}(s)$ com a entrada $\mathbf{U}(s)$, ou

$$\mathbf{Y}(s) = \mathbf{G}(s)\mathbf{U}(s)$$

onde $\mathbf{G}(s)$ é dado por:

$$\mathbf{G}(s) = \mathbf{C}(s\mathbf{I} - \mathbf{A})^{-1}\mathbf{B} + \mathbf{D}$$

(A dedução para essa equação é a mesma que a da Equação 2.29.) Como o vetor de entrada $\mathbf{u}$ é de dimensão r e o vetor de saída $\mathbf{y}$ é de dimensão m, a matriz de transferência $\mathbf{G}(s)$ é uma matriz $m \times r$.

2.5 | Representação de sistemas de equações diferenciais escalares no espaço de estados

Um sistema dinâmico que consiste em um número finito de elementos concentrados pode ser descrito por equações diferenciais ordinárias, nas quais o tempo é a variável independente. Utilizando-se a notação vetorial-matricial, uma equação diferencial de ordem n pode ser representada por uma equação diferencial vetorial-matricial de primeira ordem. Se n elementos do vetor formam um conjunto de variáveis de estado, então a equação diferencial vetorial-matricial é uma equação de *estado*. Nesta seção, apresentaremos métodos para obter as representações no espaço de estados de sistemas de tempo contínuo.

Representação no espaço de estados de sistemas de equações diferenciais lineares de ordem n, cuja função de entrada não possui derivadas. Considere o seguinte sistema de ordem n:

$$\overset{(n)}{y} + a_1 \overset{(n-1)}{y} + \cdots + a_{n-1}\dot{y} + a_n y = u \tag{2.30}$$

Observando-se que o conhecimento de $y(0), \dot{y}(0), ..., \overset{(n-1)}{y}(0)$ com a entrada $u(t)$ para $t \geq 0$, determina completamente o comportamento futuro do sistema, pode-se considerar $y(t), \dot{y}(t), ..., \overset{(n-1)}{y}(t)$ como um conjunto de n variáveis de estado. (Matematicamente, essa escolha das variáveis de estado é bastante satisfatória. Na prática, entretanto, em virtude da imprecisão dos termos com derivadas de ordem elevada em decorrência dos ruídos inerentes a qualquer situação prática, a escolha dessas variáveis de estado pode não ser desejável.)

Definindo

$$x_1 = y$$
$$x_2 = \dot{y}$$
$$\vdots$$
$$x_n = \overset{(n-1)}{y}$$

a Equação 2.30 pode ser escrita do seguinte modo:

$$\dot{x}_1 = x_2$$
$$\dot{x}_2 = x_3$$
$$\vdots$$
$$\dot{x}_{n-1} = x_n$$
$$\dot{x}_n = -a_n x_1 - \ldots - a_1 x_n + u$$

ou

$$\dot{\mathbf{x}} = \mathbf{A}\mathbf{x} + \mathbf{B}u \quad (2.31)$$

onde

$$\mathbf{x} = \begin{bmatrix} x_1 \\ x_2 \\ \vdots \\ x_n \end{bmatrix}, \quad \mathbf{A} = \begin{bmatrix} 0 & 1 & 0 & \cdots & 0 \\ 0 & 0 & 1 & \cdots & 0 \\ \vdots & \vdots & \vdots & & \vdots \\ 0 & 0 & 0 & \cdots & 1 \\ -a_n & -a_{n-1} & -a_{n-2} & \cdots & -a_1 \end{bmatrix}, \quad \mathbf{B} = \begin{bmatrix} 0 \\ 0 \\ \vdots \\ 0 \\ 1 \end{bmatrix}$$

A saída pode ser dada por:

$$y = \begin{bmatrix} 1 & 0 & \cdots & 0 \end{bmatrix} \begin{bmatrix} x_1 \\ x_2 \\ \vdots \\ x_n \end{bmatrix}$$

ou

$$y = \mathbf{C}\mathbf{x} \quad (2.32)$$

onde

$$\mathbf{C} = \begin{bmatrix} 1 & 0 & \ldots & 0 \end{bmatrix}$$

(Note que D na Equação 2.24 é zero.) A equação diferencial de primeira ordem, Equação 2.31, é a equação de estado e a equação algébrica, Equação 2.32, é a equação de saída.

Observe que a representação no espaço de estados de um sistema de função de transferência

$$\frac{Y(s)}{U(s)} = \frac{1}{s^n + a_1 s^{n-1} + \cdots + a_{n-1} s + a_n}$$

também é dada pelas equações 2.31 e 2.32.

Representação do espaço de estados de um sistema de equações diferenciais lineares de ordem *n* cuja função de entrada possui derivadas. Considere o sistema de equações diferenciais que possui derivadas na função de entrada, como:

$$\overset{(n)}{y} + a_1 \overset{(n-1)}{y} + \cdots + a_{n-1}\dot{y} + a_n y = b_0 \overset{(n)}{u} + b_1 \overset{(n-1)}{u} + \cdots + b_{n-1}\dot{u} + b_n u \qquad (2.33)$$

O principal problema na definição das variáveis de estado para esse caso ocorre nos termos com derivadas da entrada u. As variáveis de estado devem ser tais que eliminem as derivadas de u na equação de estado.

Uma maneira de obter uma equação de estado e a equação de saída, para esse caso, é definir as seguintes n variáveis como um conjunto de n variáveis de estado:

$$\begin{aligned}
x_1 &= y - \beta_0 u \\
x_2 &= \dot{y} - \beta_0 \dot{u} - \beta_1 u = \dot{x}_1 - \beta_1 u \\
x_3 &= \ddot{y} - \beta_0 \ddot{u} - \beta_1 \dot{u} - \beta_2 u = \dot{x}_2 - \beta_2 u \\
&\vdots \\
x_n &= \overset{(n-1)}{y} - \beta_0 \overset{(n-1)}{u} - \beta_1 \overset{(n-2)}{u} - \cdots - \beta_{n-2}\dot{u} - \beta_{n-1}u = \dot{x}_{n-1} - \beta_{n-1}u
\end{aligned} \qquad (2.34)$$

onde $\beta_0, \beta_1, \beta_2, \ldots, \beta_{n-1}$ são determinadas a partir de

$$\begin{aligned}
\beta_0 &= b_0 \\
\beta_1 &= b_1 - a_1 \beta_0 \\
\beta_2 &= b_2 - a_1 \beta_1 - a_2 \beta_0 \\
\beta_3 &= b_3 - a_1 \beta_2 - a_2 \beta_1 - a_3 \beta_0 \\
&\vdots \\
\beta_{n-1} &= b_{n-1} - a_1 \beta_{n-2} - \ldots - a_{n-2}\beta_1 - a_{n-1}\beta_0
\end{aligned} \qquad (2.35)$$

Com essa escolha de variáveis de estado, a existência e a exclusividade da solução da equação de estado estão garantidas. (Note que esta não é a única escolha de um conjunto de variáveis de estado.) Com essa escolha, obtemos:

$$\begin{aligned}
\dot{x}_1 &= x_2 + \beta_1 u \\
\dot{x}_2 &= x_3 + \beta_2 u \\
&\vdots \\
\dot{x}_{n-1} &= x_n + \beta_{n-1} u \\
\dot{x}_n &= -a_n x_1 - a_{n-1} x_2 - \ldots - a_1 x_n + \beta_n u
\end{aligned} \qquad (2.36)$$

onde β_n é dado por

$$\beta_n = b_n - a_1 \beta_{n-1} - \ldots - a_{n-1}\beta_1 - a_{n-1}\beta_0$$

(Para a dedução da Equação 2.36, veja o Problema A.2.6.) Em termos de equações vetoriais-matriciais, a Equação 2.36 e a equação de saída podem ser escritas como:

$$\begin{bmatrix} \dot{x}_1 \\ \dot{x}_2 \\ \vdots \\ \dot{x}_{n-1} \\ \dot{x}_n \end{bmatrix} = \begin{bmatrix} 0 & 1 & 0 & \cdots & 0 \\ 0 & 0 & 1 & \cdots & 0 \\ \vdots & \vdots & \vdots & & \vdots \\ 0 & 0 & 0 & \cdots & 1 \\ -a_n & -a_{n-1} & -a_{n-2} & \cdots & -a_1 \end{bmatrix} \begin{bmatrix} x_1 \\ x_2 \\ \vdots \\ x_{n-1} \\ x_n \end{bmatrix} + \begin{bmatrix} \beta_1 \\ \beta_2 \\ \vdots \\ \beta_{n-1} \\ \beta_n \end{bmatrix} u$$

$$y = \begin{bmatrix} 1 & 0 & \cdots & 0 \end{bmatrix} \begin{bmatrix} x_1 \\ x_2 \\ \vdots \\ x_n \end{bmatrix} + \beta_0 u$$

ou

$$\dot{\mathbf{x}} = \mathbf{A}\mathbf{x} + \mathbf{B}u \quad (2.37)$$

$$y = \mathbf{C}\mathbf{x} + Du \quad (2.38)$$

onde

$$\mathbf{x} = \begin{bmatrix} x_1 \\ x_2 \\ \vdots \\ x_{n-1} \\ x_n \end{bmatrix}, \quad \mathbf{A} = \begin{bmatrix} 0 & 1 & 0 & \cdots & 0 \\ 0 & 0 & 1 & \cdots & 0 \\ \vdots & \vdots & \vdots & & \vdots \\ 0 & 0 & 0 & \cdots & 1 \\ -a_n & -a_{n-1} & -a_{n-2} & \cdots & -a_1 \end{bmatrix}$$

$$\mathbf{B} = \begin{bmatrix} \beta_1 \\ \beta_2 \\ \vdots \\ \beta_{n-1} \\ \beta_n \end{bmatrix}, \quad \mathbf{C} = \begin{bmatrix} 1 & 0 & \cdots & 0 \end{bmatrix}, \quad D = \beta_0 = b_0$$

Com essa representação no espaço de estados, as matrizes **A** e **C** são exatamente as mesmas do sistema da Equação 2.30. As derivadas do termo à direita da Equação 2.33 afetam somente os elementos da matriz **B**.

Observe que a representação no espaço de estados para a função de transferência

$$\frac{Y(s)}{U(s)} = \frac{b_0 s^n + b_1 s^{n-1} + \cdots + b_{n-1} s + b_n}{s^n + a_1 s^{n-1} + \cdots + a_{n-1} s + a_n}$$

é dada pelas equações 2.37 e 2.38.

Existem diversas maneiras de obter a representação de sistemas no espaço de estados. Os métodos para a obtenção das representações canônicas de sistemas no espaço de estados (como a forma canônica controlável, a forma canônica observável, a forma canônica diagonal e a forma canônica de Jordan) são apresentados no Capítulo 9.

O MATLAB também pode ser usado para obter representações de sistemas no espaço de estados a partir de representações das funções de transferência e vice-versa. Esse tema será apresentado na Seção 2.6.

2.6 | Transformação de modelos matemáticos com MATLAB

O MATLAB é amplamente utilizado para transformar o modelo do sistema de função de transferência para o espaço de estados e vice-versa. Vamos começar nossa discussão com a transformação a partir da função de transferência para o modelo no espaço de estados.

Seja a função de transferência de malha fechada escrita do seguinte modo:

$$\frac{Y(s)}{U(s)} = \frac{\text{polinômio do numerador em } s}{\text{polinômio do denominador em } s} = \frac{\text{num}}{\text{den}}$$

Uma vez obtida a expressão da função de transferência, o comando MATLAB, a seguir,

$$[A, B, C, D] = \text{tf2ss(num,den)}$$

fornecerá a representação no espaço de estados. É importante notar que a representação no espaço de estados para dado sistema não é única. Existem diversas (infinitas) representações no espaço de estados para o mesmo sistema. O comando MATLAB fornece uma dessas possíveis representações.

Transformação da função de transferência para o espaço de estados. Considere a função de transferência do sistema

$$\frac{Y(s)}{U(s)} = \frac{s}{(s+10)(s^2+4s+16)}$$

$$= \frac{s}{s^3 + 14s^2 + 56s + 160} \tag{2.39}$$

Existem várias (infinitas) possíveis representações no espaço de estados para esse sistema. Uma delas é:

$$\begin{bmatrix} \dot{x}_1 \\ \dot{x}_2 \\ \dot{x}_3 \end{bmatrix} = \begin{bmatrix} 0 & 1 & 0 \\ 0 & 0 & 1 \\ -160 & -56 & -14 \end{bmatrix} \begin{bmatrix} x_1 \\ x_2 \\ x_3 \end{bmatrix} + \begin{bmatrix} 0 \\ 1 \\ -14 \end{bmatrix} u$$

$$y = \begin{bmatrix} 1 & 0 & 0 \end{bmatrix} \begin{bmatrix} x_1 \\ x_2 \\ x_3 \end{bmatrix} + [0]u$$

Outra representação no espaço de estados (entre várias alternativas possíveis) é:

$$\begin{bmatrix} \dot{x}_1 \\ \dot{x}_2 \\ \dot{x}_3 \end{bmatrix} = \begin{bmatrix} -14 & -56 & -160 \\ 1 & 0 & 0 \\ 0 & 1 & 0 \end{bmatrix} \begin{bmatrix} x_1 \\ x_2 \\ x_3 \end{bmatrix} + \begin{bmatrix} 1 \\ 0 \\ 0 \end{bmatrix} u \tag{2.40}$$

$$y = \begin{bmatrix} 0 & 1 & 0 \end{bmatrix} \begin{bmatrix} x_1 \\ x_2 \\ x_3 \end{bmatrix} + [0]u \tag{2.41}$$

O MATLAB transforma a função de transferência dada pela Equação 2.39 em uma representação no espaço de estados dada pelas equações 2.40 e 2.41. Para o exemplo de sistema considerado aqui, o Programa 2.2 em MATLAB vai produzir as matrizes **A**, **B**, **C** e *D*.

Capítulo 2 – Modelagem matemática de sistemas de controle

```
Programa 2.2 em MATLAB

num = [1  0];
den = [1  14  56  160];
[A,B,C,D] = tf2ss(num,den)

A =
           -14      -56     -160
             1        0        0
             0        1        0

B =
             1
             0
             0

C =
             0        1        0

D =
             0
```

Transformação do espaço de estados para função de transferência. Para obter a função de transferência a partir das equações no espaço de estados, utilize o seguinte comando:

[num,den] = ss2tf(A,B,C,D,iu)

onde iu deve ser especificado para sistemas com mais de uma entrada. Por exemplo, se o sistema tiver três entradas ($u1$, $u2$, $u3$), então iu deverá ser 1, 2 ou 3, onde 1 representa $u1$, 2 representa $u2$ e 3 representa $u3$.

Se o sistema tiver somente uma entrada, os comandos

[num,den] = ss2tf(A,B,C,D)

ou

[num,den] = ss2tf(A,B,C,D,1)

poderão ser utilizados. Para os casos em que o sistema tenha múltiplas entradas e saídas, veja o Problema A.2.12.3

Exemplo 2.4 Obtenha a função de transferência do sistema definido pelas seguintes equações no espaço de estados:

$$\begin{bmatrix}\dot{x}_1\\\dot{x}_2\\\dot{x}_3\end{bmatrix} = \begin{bmatrix}0 & 1 & 0\\0 & 0 & 1\\-5 & -25 & -5\end{bmatrix}\begin{bmatrix}x_1\\x_2\\x_3\end{bmatrix} + \begin{bmatrix}0\\25\\-120\end{bmatrix}u$$

$$y = \begin{bmatrix}1 & 0 & 0\end{bmatrix}\begin{bmatrix}x_1\\x_2\\x_3\end{bmatrix}$$

O Programa 2.3 em MATLAB fornecerá a função de transferência para o sistema em questão. A função de transferência obtida é dada por:

$$\frac{Y(s)}{U(s)} = \frac{25s + 5}{s^3 + 5s^2 + 25s + 5}$$

```
Programa 2.3 em MATLAB
A= [0  1  0;  0  0  1;  -5  -25  -5];
B = [0; 25; -120];
C = [1  0  0];
D = [0];
[num,den] = ss2tf(A,B,C,D)

num =
       0    0.0000   25.0000    5.0000

den =
    1.0000    5.0000   25.0000    5.0000

% ***** O mesmo resultado pode ser obtido por meio do seguinte comando: *****
[num,den] = ss2tf(A,B,C,D,1)

num =
       0    0.0000   25.0000    5.0000

den =
    1.0000    5.0000   25.0000    5.0000
```

2.7 | Linearização de modelos matemáticos não lineares

Sistemas não lineares. Um sistema é não linear se o princípio da superposição não se aplicar a ele. Assim, para um sistema não linear, não se pode obter a resposta a duas entradas simultâneas considerando as entradas individualmente e somando os resultados.

Embora muitas relações de grandezas físicas sejam representadas por equações lineares, na maioria dos casos a relação entre elas não é efetivamente linear. De fato, um estudo cuidadoso dos sistemas físicos revela que mesmo os chamados 'sistemas lineares' são realmente lineares somente para intervalos limitados de operação. Na prática, muitos sistemas eletromecânicos, hidráulicos, pneumáticos e outros envolvem relações não lineares entre as variáveis. Por exemplo, a saída de um componente pode ser saturada para sinais de entrada de grande amplitude. Pode haver uma zona morta que afeta pequenos sinais. (A zona morta de um componente é uma pequena gama de variações de entrada às quais o componente é insensível.) Não linearidades quadráticas podem ocorrer em alguns componentes. Por exemplo, amortecedores utilizados em sistemas físicos podem ser lineares para operações de baixa velocidade, mas podem se tornar não lineares para velocidades elevadas e a ação de amortecimento pode se tornar proporcional ao quadrado da velocidade de operação.

Linearização de sistemas não lineares. Na engenharia de controle, uma operação normal do sistema pode estar em torno do ponto de equilíbrio, e os sinais podem ser considerados pequenos sinais em torno do equilíbrio. (Deve-se notar que existem várias exceções para esse caso.) Entretanto, se o sistema operar em torno de um ponto de equilíbrio e os sinais envolvidos forem pequenos, então é possível aproximar o sistema não linear por um sistema linear. Esse sistema linear é equivalente ao sistema não linear considerado dentro de um conjunto limitado de operações. Esse modelo linearizado (modelo linear, invariante no tempo) é muito importante na engenharia de controle.

O processo de linearização apresentado a seguir tem como base o desenvolvimento da função não linear em uma série de Taylor em torno do ponto de operação e a retenção somente do termo linear. Em virtude de desprezarmos os termos de ordem elevada da expansão da série de Taylor, esses termos desprezados devem ser suficientemente pequenos; isto é, as variáveis devem se desviar apenas ligeiramente das condições de operação. (Caso contrário, o resultado não será preciso.)

Aproximação linear de modelos matemáticos não lineares. Para obter um modelo matemático linear de um sistema não linear, admitimos que as variáveis desviem apenas ligeiramente de alguma condição de operação. Considere um sistema em que a entrada é $x(t)$ e a saída é $y(t)$. A relação entre $y(t)$ e $x(t)$ é dada por:

$$y = f(x) \tag{2.42}$$

Se a condição de operação normal corresponde a $\bar{x}, \bar{y}$, então a Equação 2.42 pode ser expandida em uma série de Taylor em torno desse ponto, como se segue:

$$y = f(x)$$
$$= f(\bar{x}) + \frac{df}{dx}(x - \bar{x}) + \frac{1}{2!}\frac{d^2f}{dx^2}(x - \bar{x})^2 + \cdots \tag{2.43}$$

onde as derivadas df/dx, d^2f/dx^2,... são avaliadas em $x - \bar{x}$. Se a variação de $x - \bar{x}$ for pequena, podemos desprezar os termos de ordem mais elevada em $x - \bar{x}$. Então, a Equação 2.43 pode ser escrita como:

$$y = \bar{y} + K(x - \bar{x}) \tag{2.44}$$

onde

$$\bar{y} = f(\bar{x})$$
$$K = \frac{df}{dx}\bigg|_{x=\bar{x}}$$

A Equação 2.44 pode ser reescrita como:

$$y - \bar{y} = K(x - \bar{x}) \tag{2.45}$$

que indica que $y - \bar{y}$ é proporcional a $x - \bar{x}$. A Equação 2.45 fornece um modelo matemático linear para o sistema não linear dado pela Equação 2.42, próximo do ponto de operação $x = \bar{x}$, $y = \bar{y}$.

A seguir, considere um sistema não linear cuja saída y é uma função de duas entradas, x_1 e x_2, de forma que

$$y = f(x_1, x_2) \tag{2.46}$$

Para obter uma aproximação linear desse sistema não linear, podemos expandir a Equação 2.46 em uma série de Taylor em torno do ponto normal de operação $\bar{x}_1, \bar{x}_2$. Então, a Equação 2.46 torna-se:

$$y = f(\bar{x}_1, \bar{x}_2) + \left[\frac{\partial f}{\partial x_1}(x_1 - \bar{x}_1) + \frac{\partial f}{\partial x_2}(x_2 - \bar{x}_2)\right]$$
$$+ \frac{1}{2!}\left[\frac{\partial^2 f}{\partial x_1^2}(x_1 - \bar{x}_1)^2 + 2\frac{\partial^2 f}{\partial x_1 \partial x_2}(x_1 - \bar{x}_1)(x_2 - \bar{x}_2)\right.$$
$$\left. + \frac{\partial^2 f}{\partial x_2^2}(x_2 - \bar{x}_2)^2\right] + \cdots$$

onde as derivadas parciais são avaliadas em $x_1 = \bar{x}_1$, $x_2 = \bar{x}_2$. Nas proximidades do ponto normal de operação, os termos de ordem mais elevada podem ser desprezados. O modelo matemático linear desse sistema não linear, nas proximidades das condições normais de operação, é, então, dado por:

$$y - \bar{y} = K_1(x_1 - \bar{x}_1) + K_2(x_2 - \bar{x}_2)$$

onde

$$\overline{y} = f(\overline{x}_1, \overline{x}_2)$$

$$K_1 = \left.\frac{\partial f}{\partial x_1}\right|_{x_1 = \overline{x}_1,\, x_2 = \overline{x}_2}$$

$$K_2 = \left.\frac{\partial f}{\partial x_2}\right|_{x_1 = \overline{x}_1,\, x_2 = \overline{x}_2}$$

A técnica de linearização apresentada aqui é válida nas proximidades das condições de operação. No entanto, se as condições de operação variam muito, essas equações linearizadas não são adequadas, e as equações não lineares devem ser utilizadas. É importante lembrar que um modelo matemático particular, utilizado para fins de análise e projeto, pode representar com precisão a dinâmica de um sistema real para certas condições de operação, mas pode não ser preciso para outras condições de operação.

Exemplo 2.5 Linearize a equação não linear

$$z = xy$$

na região $5 \leq x \leq 7$, $10 \leq y \leq 12$. Encontre o erro para o caso em que a equação linearizada seja utilizada para calcular o valor de z quando $x = 5$ e $y = 10$.

Como a região considerada é dada por $5 \leq x \leq 7$, $10 \leq y \leq 12$, selecione $\overline{x} = 6$, $\overline{y} = 11$. Então, $\overline{z} = \overline{x}\,\overline{y} = 66$. Vamos obter a equação linearizada para a equação não linear nas proximidades do ponto $\overline{x} = 6$, $\overline{y} = 11$.

Expandindo a equação não linear em uma série de Taylor próxima do ponto $x = \overline{x}$, $y = \overline{y}$ e desprezando os termos de ordem mais elevada, temos:

$$z - \overline{z} = a(x - \overline{x}) + b(y - \overline{y})$$

onde

$$a = \left.\frac{\partial (xy)}{\partial x}\right|_{x=\overline{x},\,y=\overline{y}} = \overline{y} = 11$$

$$b = \left.\frac{\partial (xy)}{\partial y}\right|_{x=\overline{x},\,y=\overline{y}} = \overline{x} = 6$$

Então, a equação linearizada é:

$$z - 66 = 11(x - 6) + 6(y - 11)$$

ou

$$z = 11x + 6y - 66$$

Quando $x = 5$, $y = 10$, o valor de z dado pela equação linearizada é:

$$z = 11x + 6y - 66 = 55 + 60 - 66 = 49$$

O valor exato de z é $z = xy = 50$. Assim, o erro é $50 - 49 = 1$. Em termos de porcentagem, o erro é de 2%.

Exemplos de problemas com soluções

A.2.1 Simplifique o diagrama de blocos da Figura 2.17.

Solução. Inicialmente, mova o ponto de ramificação que contém H_1 para fora da malha que contém H_2, como mostra a Figura 2.18(a). Em seguida, a eliminação de duas malhas resulta na Figura 2.18(b). Reduzindo dois blocos a um único, teremos a Figura 2.18(c).

FIGURA 2.17
Diagrama de blocos de um sistema.

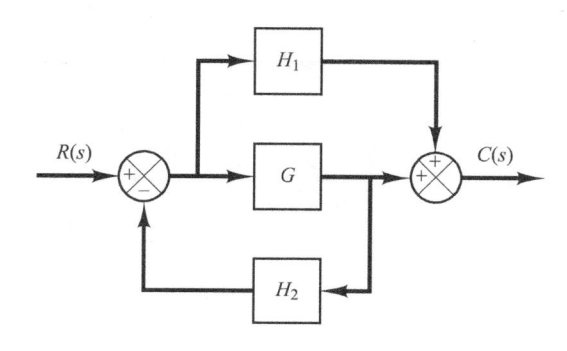

FIGURA 2.18
Diagrama de blocos simplificado para o sistema mostrado na Figura 2.17.

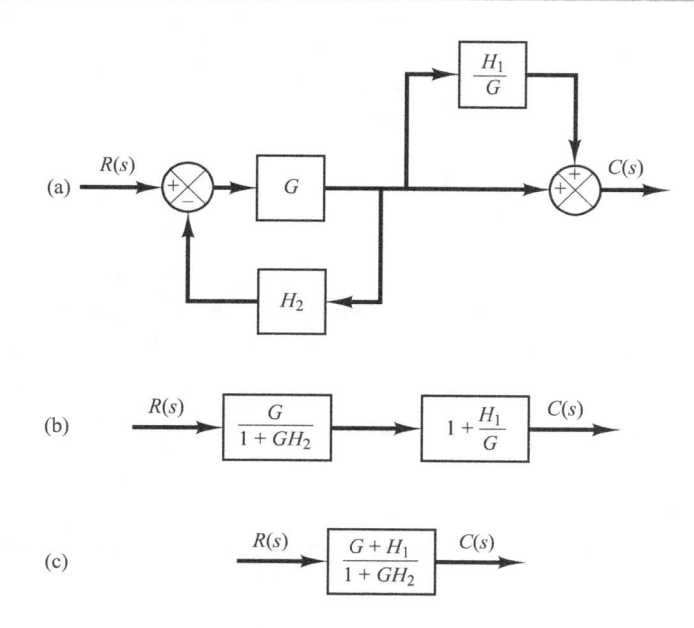

A.2.2 Simplifique o diagrama de blocos da Figura 2.19. Obtenha a função de transferência relacionando $C(s)$ e $R(s)$.

Solução. O diagrama de blocos da Figura 2.19 pode ser modificado como indica a Figura 2.20(a). Eliminando o ramo direto menor, obtemos a Figura 2.20(b), que pode ser reduzida à Figura 2.20(c). A função de transferência $C(s)/R(s)$ é, então, dada por:

$$\frac{C(s)}{R(s)} = G_1 G_2 + G_2 + 1$$

O mesmo resultado pode ser obtido procedendo-se como se segue: sendo o sinal $X(s)$ a soma de dois sinais, $G_1 R(s)$ e $R(s)$, temos:

$$X(s) = G_1 R(s) + R(s)$$

O sinal de saída $C(s)$ é a soma de $G_2 X(s)$ e $R(s)$. Então,

$$C(s) = G_2 X(s) + R(s) = G_2[G_1 R(s) + R(s)] + R(s)$$

E, assim, obtemos o mesmo resultado anterior:

$$\frac{C(s)}{R(s)} = G_1 G_2 + G_2 + 1$$

FIGURA 2.19
Diagrama de blocos de um sistema.

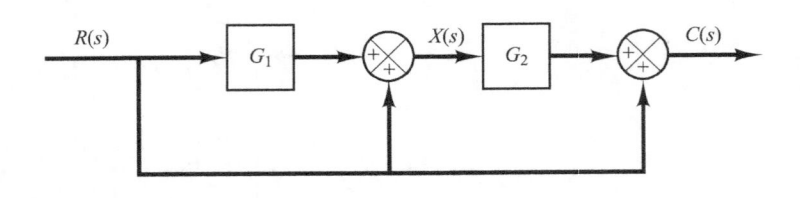

FIGURA 2.20
Redução do diagrama de blocos mostrado na Figura 2.19.

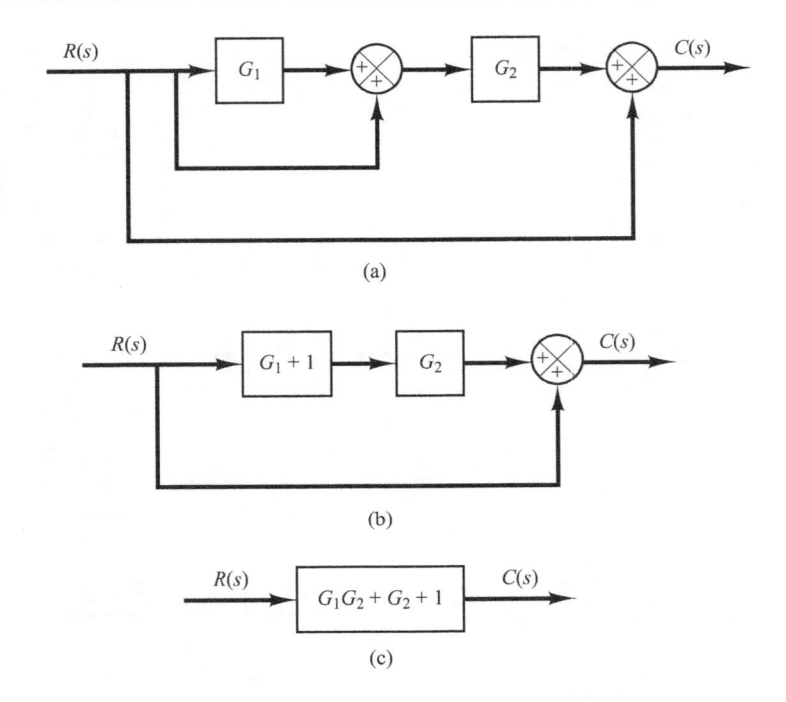

(a)

(b)

(c)

A.2.3 Simplifique o diagrama de blocos da Figura 2.21 e, então, obtenha a função de transferência de malha fechada $C(s)/R(s)$.

Solução. Inicialmente, mova o ponto de ramificação entre G_3 e G_4 para o lado direito da malha que contém G_3, G_4 e H_2. Em seguida, desloque o somador situado entre G_1 e G_2 para a esquerda do primeiro somador. Veja a Figura 2.22(a). Simplificando cada uma das malhas, o diagrama de blocos pode ser modificado como mostra a Figura 2.22(b). Prosseguindo com as simplificações, chega-se à Figura 2.22(c), a partir da qual se obtém a função de transferência $C(s)/R(s)$:

$$\frac{C(s)}{R(s)} = \frac{G_1 G_2 G_3 G_4}{1 + G_1 G_2 H_1 + G_3 G_4 H_2 - G_2 G_3 H_3 + G_1 G_2 G_3 G_4 H_1 H_2}$$

FIGURA 2.21
Diagrama de blocos de um sistema.

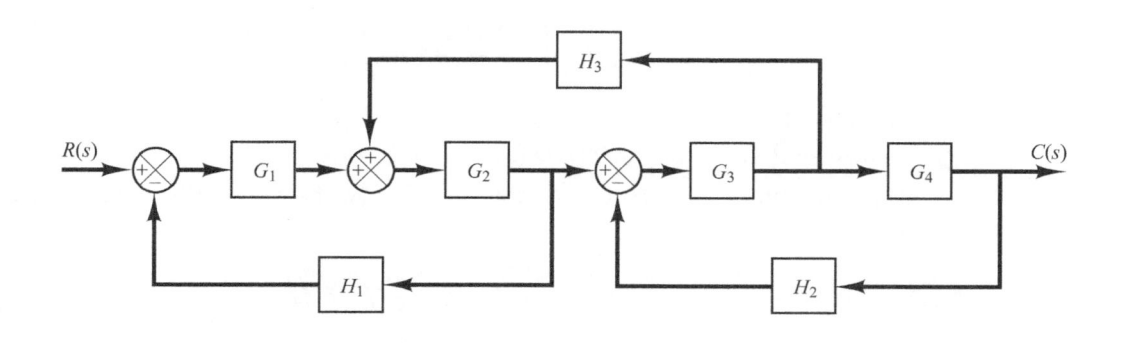

FIGURA 2.22
Sucessivas reduções do diagrama de blocos mostrado na Figura 2.21.

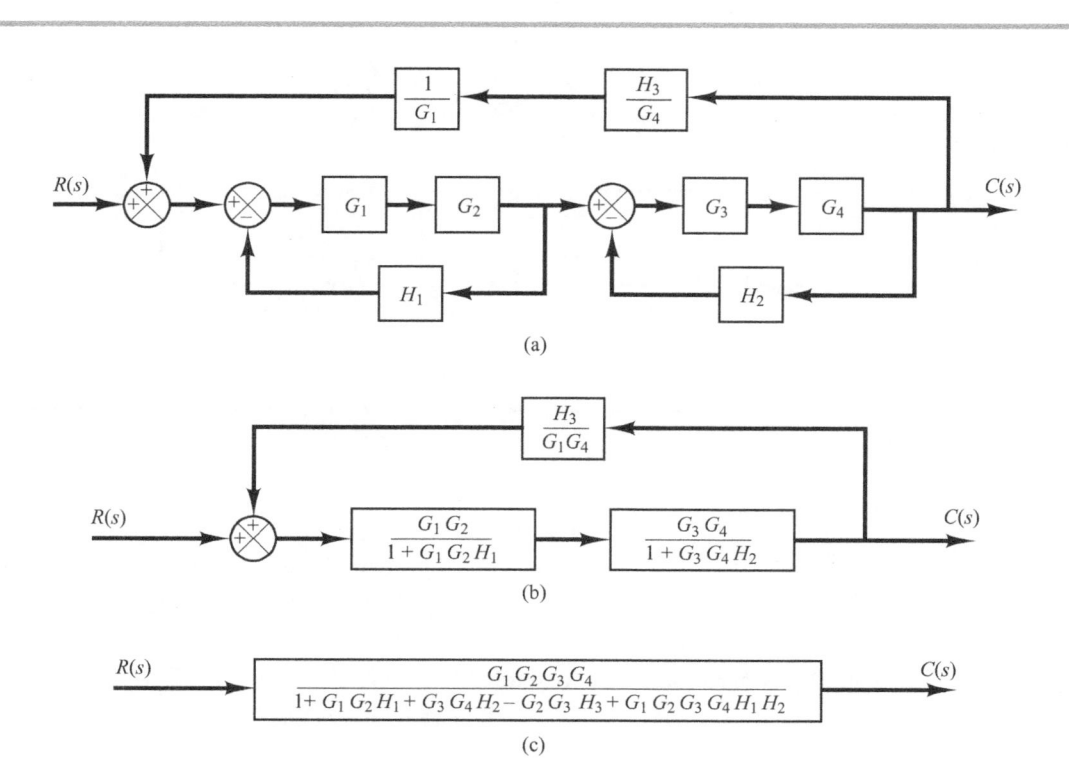

(a)

(b)

(c)

A.2.4 Obtenha as funções de transferência $C(s)/R(s)$ e $C(s)/D(s)$ do sistema indicado na Figura 2.23.

Solução. A partir da Figura 2.23, temos:

$$U(s) = G_f R(s) + G_c E(s) \tag{2.47}$$

$$C(s) = G_p[D(s) + G_1 U(s)] \tag{2.48}$$

$$E(s) = R(s) - HC(s) \tag{2.49}$$

Substituindo a Equação 2.47 na Equação 2.48, obtemos:

$$C(s) = G_p D(s) + G_1 G_p [G_f R(s) + G_c E(s)] \tag{2.50}$$

Substituindo a Equação 2.49 na Equação 2.50, obtemos:

$$C(s) = G_p D(s) + G_1 G_p \{G_f R(s) + G_c[R(s) - HC(s)]\}$$

Solucionando essa última equação para $C(s)$, obtemos:

$$C(s) + G_1 G_p G_c HC(s) = G_p D(s) + G_1 G_p (G_f + G_c) R(s)$$

Então,

$$C(s) = \frac{G_p D(s) + G_1 G_p (G_f + G_c) R(s)}{1 + G_1 G_p G_c H} \quad (2.51)$$

Note que a Equação 2.51 fornece a resposta $C(s)$ quando ambas as entradas, a de referência, $R(s)$, e a de distúrbio, $D(s)$, estão presentes.

Para determinar a função de transferência $C(s)/R(s)$, fazemos $D(s) = 0$ na Equação 2.51. Assim, obtemos:

$$\frac{C(s)}{R(s)} = \frac{G_1 G_p (G_f + G_c)}{1 + G_1 G_p G_c H}$$

Da mesma maneira, para determinar a função de transferência $C(s)/D(s)$, fazemos $R(s) = 0$ na Equação 2.51. Assim, $C(s)/D(s)$ pode ser dado por:

$$\frac{C(s)}{R(s)} = \frac{G_p}{1 + G_1 G_p G_c H}$$

FIGURA 2.23 Sistema de controle com entrada de referência e entrada de distúrbio.

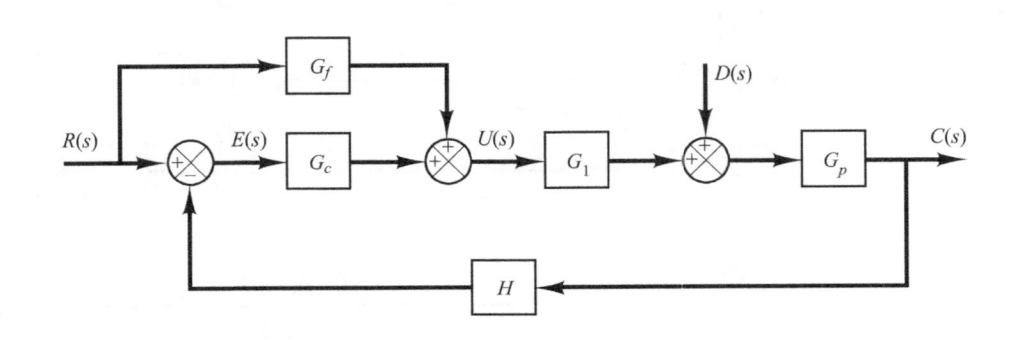

A.2.5 A Figura 2.24 mostra um sistema com duas entradas e duas saídas. Determine $C_1(s)/R_1(s)$, $C_1(s)/R_2(s)$, $C_2(s)/R_1(s)$ e $C_2(s)/R_2(s)$. (Ao determinar as saídas correspondentes a $R_1(s)$, considere $R_2(s) = 0$ e vice-versa.)

Solução. A partir da figura, obtemos:

$$C_1 = G_1(R_1 - G_3 C_2) \quad (2.52)$$

$$C_2 = G_4(R_2 - G_2 C_1) \quad (2.53)$$

Substituindo a Equação 2.53 na Equação 2.52, obtemos:

$$C_1 = G_1[R_1 - G_3 G_4(R_2 - G_2 C_1)] \quad (2.54)$$

Substituindo a Equação 2.52 na Equação 2.53, temos:

$$C_2 = G_4[R_2 - G_2 G_1(R_1 - G_3 C_2)] \quad (2.55)$$

Resolvendo a Equação 2.54 para obter C_1, o resultado é:

$$C_1 = \frac{G_1 R_1 - G_1 G_3 G_4 R_2}{1 - G_1 G_2 G_3 G_4} \quad (2.56)$$

Resolvendo a Equação 2.55 para obter C_2, temos:

$$C_2 = \frac{-G_1 G_2 G_4 R_1 + G_4 R_2}{1 - G_1 G_2 G_3 G_4} \quad (2.57)$$

As equações 2.56 e 2.57 podem ser combinadas para obtermos a matriz de transferência a seguir:

$$\begin{bmatrix} C_1 \\ C_2 \end{bmatrix} = \begin{bmatrix} \dfrac{G_1}{1 - G_1 G_2 G_3 G_4} & -\dfrac{G_1 G_3 G_4}{1 - G_1 G_2 G_3 G_4} \\ -\dfrac{G_1 G_2 G_4}{1 - G_1 G_2 G_3 G_4} & \dfrac{G_4}{1 - G_1 G_2 G_3 G_4} \end{bmatrix} \begin{bmatrix} R_1 \\ R_2 \end{bmatrix}$$

Então, as funções de transferência $C_1(s)/R_1(s)$, $C_1(s)/R_2(s)$, $C_2(s)/R_1(s)$ e $C_2(s)/R_2(s)$ podem ser obtidas como segue:

$$\frac{C_1(s)}{R_1(s)} = \frac{G_1}{1 - G_1 G_2 G_3 G_4}, \qquad \frac{C_1(s)}{R_2(s)} = -\frac{G_1 G_3 G_4}{1 - G_1 G_2 G_3 G_4}$$

$$\frac{C_2(s)}{R_1(s)} = -\frac{G_1 G_2 G_4}{1 - G_1 G_2 G_3 G_4}, \qquad \frac{C_2(s)}{R_2(s)} = \frac{G_4}{1 - G_1 G_2 G_3 G_4}$$

Observe que as equações 2.56 e 2.57 fornecem as respostas C_1 e C_2, respectivamente, quando ambas as entradas R_1 e R_2 estão presentes.

Note que, quando $R_2(s) = 0$, o diagrama de blocos original pode ser reduzido aos das figuras 2.25(a) e (b). Da mesma maneira, quando $R_1(s) = 0$, o diagrama de blocos original pode ser reduzido aos das figuras 2.25(c) e (d). A partir desses diagramas de blocos simplificados, podemos também obter $C_1(s)/R_1(s)$, $C_2(s)/R_1(s)$, $C_1(s)/R_2(s)$ e $C_2(s)/R_2(s)$, como está indicado à direita de cada um desses diagramas de bloco.

FIGURA 2.24
Sistema com duas entradas e duas saídas.

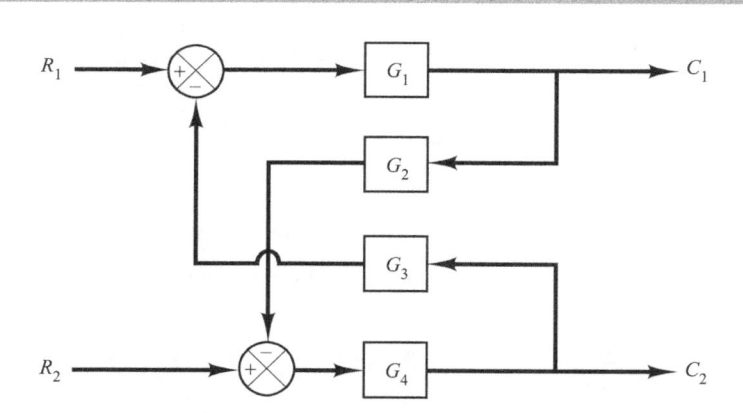

FIGURA 2.25
Diagramas de blocos simplificados e as funções de transferência de malha fechada correspondentes.

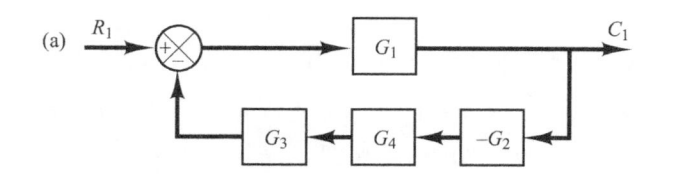

(c) $R_2 \to \oplus \to G_4 \to -G_3 \to G_1 \to C_1$, realimentação G_2

$$\frac{C_1}{R_2} = \frac{-G_1 G_3 G_4}{1 - G_1 G_2 G_3 G_4}$$

(d) $R_2 \to \oplus \to G_4 \to C_2$, realimentação $G_2 \leftarrow G_1 \leftarrow -G_3$

$$\frac{C_2}{R_2} = \frac{G_4}{1 - G_1 G_2 G_3 G_4}$$

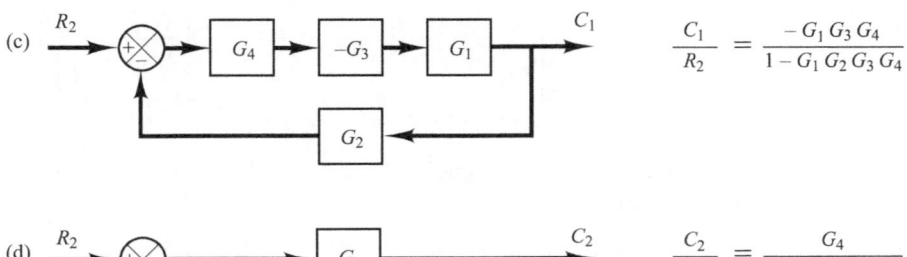

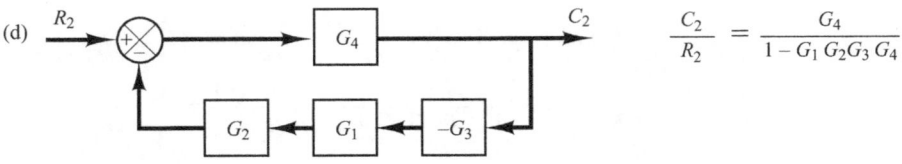

A.2.6 Mostre que, para o sistema de equação diferencial

$$\dddot{y} + a_1 \ddot{y} + a_2 \dot{y} + a_3 y = b_0 \dddot{u} + b_1 \ddot{u} + b_2 \dot{u} + b_3 u \qquad (2.58)$$

as equações de estado e de saída podem ser dadas, respectivamente, por:

$$\begin{bmatrix} \dot{x}_1 \\ \dot{x}_2 \\ \dot{x}_3 \end{bmatrix} = \begin{bmatrix} 0 & 1 & 0 \\ 0 & 0 & 1 \\ -a_3 & -a_2 & -a_1 \end{bmatrix} \begin{bmatrix} x_1 \\ x_2 \\ x_3 \end{bmatrix} + \begin{bmatrix} \beta_1 \\ \beta_2 \\ \beta_3 \end{bmatrix} u \qquad (2.59)$$

e

$$y = \begin{bmatrix} 1 & 0 & 0 \end{bmatrix} \begin{bmatrix} x_1 \\ x_2 \\ x_3 \end{bmatrix} + \beta_0 u \qquad (2.60)$$

sendo as variáveis de estado definidas por:

$$x_1 = y - \beta_0 u$$
$$x_2 = \dot{y} - \beta_0 \dot{u} - \beta_1 u = \dot{x}_1 - \beta_1 u$$
$$x_3 = \ddot{y} - \beta_0 \ddot{u} - \beta_1 \dot{u} - \beta_2 u = \dot{x}_2 - \beta_2 u$$

e

$$\beta_0 = b_0$$
$$\beta_1 = b_1 - a_1 \beta_0$$
$$\beta_2 = b_2 - a_1 \beta_1 - a_2 \beta_0$$
$$\beta_3 = b_3 - a_1 \beta_2 - a_2 \beta_1 - a_3 \beta_0$$

Solução. A partir da definição das variáveis de estado x_2 e x_3, temos:

$$\dot{x}_1 = x_2 + \beta_1 u \qquad (2.61)$$
$$\dot{x}_2 = x_3 + \beta_2 u \qquad (2.62)$$

Para derivar a equação de $\dot{x}_3$, notemos primeiro que, a partir da Equação 2.58, temos:

$$\dddot{y} = -a_1 \ddot{y} - a_2 \dot{y} - a_3 y + b_0 \dddot{u} + b_1 \ddot{u} + b_2 \dot{u} + b_3 u$$

Como

$$x_3 = \ddot{y} - \beta_0 \ddot{u} - \beta_1 \dot{u} - \beta_2 u$$

temos:

$$\dot{x}_3 = \dddot{y} - \beta_0 \dddot{u} - \beta_1 \ddot{u} - \beta_2 \dot{u}$$
$$= (-a_1 \ddot{y} - a_2 \dot{y} - a_3 y) + b_0 \dddot{u} + b_1 \ddot{u} + b_2 \dot{u} + b_3 u - \beta_0 \dddot{u} - \beta_1 \ddot{u} - \beta_2 \dot{u}$$

$$= -a_1(\dddot{y} - \beta_0\ddot{u} - \beta_1\dot{u} - \beta_2 u) - a_1\beta_0\ddot{u} - a_1\beta_1\dot{u} - a_1\beta_2 u$$

$$= -a_2(\dot{y} - \beta_0\dot{u} - \beta_1 u) - a_2\beta_0\dot{u} - a_2\beta_1 u - a_3(y - \beta_0 u) - a_3\beta_0 u$$

$$+ b_0\dddot{u} + b_1\ddot{u} + b_2\dot{u} + b_3 u - \beta_0\dddot{u} - \beta_1\ddot{u} - \beta_2\dot{u}$$

$$= -a_1 x_3 - a_2 x_2 - a_3 x_1 + (b_0 - \beta_0)\dddot{u} + (b_1 - \beta_1 - a_1\beta_0)\ddot{u}$$

$$+ (b_2 - \beta_2 - a_1\beta_1 - a_2\beta_0)\dot{u} + (b_3 - a_1\beta_2 - a_2\beta_1 - a_3\beta_0)u$$

$$= -a_1 x_3 - a_2 x_2 - a_3 x_1 + (b_3 - a_1\beta_2 - a_2\beta_1 - a_3\beta_0)\ddot{u}$$

$$= -a_1 x_3 - a_2 x_2 - a_3 x_1 + \beta_3 u$$

Então, resulta que:

$$\dot{x}_3 = -a_3 x_1 - a_2 x_2 - a_1 x_3 + \beta_3 u \tag{2.63}$$

Combinando as equações 2.61, 2.62 e 2.63 em uma equação matricial-vetorial, obtemos a Equação 2.59. Além disso, a partir da definição da variável de estado x_1, obtemos a equação de saída dada pela Equação 2.60.

A.2.7 Obtenha as equações de estado e de saída para o sistema definido por:

$$\frac{Y(s)}{U(s)} = \frac{2s^3 + s^2 + s + 2}{s^3 + 4s^2 + 5s + 2}$$

Solução. A partir da função de transferência dada, a equação diferencial do sistema é:

$$\dddot{y} + 4\ddot{y} + 5\dot{y} + 2y = 2\dddot{u} + \ddot{u} + \dot{u} + 2u$$

Comparando essa equação com a equação-padrão dada pela Equação 2.33, reescrita a seguir:

$$\dddot{y} + a_1\ddot{y} + a_2\dot{y} + a_3 y = b_0\dddot{u} + b_1\ddot{u} + b_2\dot{u} + b_3 u$$

encontramos:

$$a_1 = 4, \quad a_2 = 5, \quad a_3 = 2$$

$$b_0 = 2, \quad b_1 = 1, \quad b_2 = 1, \quad b_3 = 2$$

Com referência à Equação 2.35, temos:

$$\beta_0 = b_0 = 2$$

$$\beta_1 = b_1 - a_1\beta_0 = 1 - 4 \times 2 = -7$$

$$\beta_2 = b_2 - a_1\beta_1 - a_2\beta_0 = 1 - 4 \times (-7) - 5 \times 2 = 19$$

$$\beta_3 = b_3 - a_1\beta_2 - a_2\beta_1 - a_3\beta_0 =$$

$$= 2 - 4 \times 19 - 5 \times (-7) - 2 \times 2 = -43$$

Com referência à Equação 2.34, definimos:

$$x_1 = y - \beta_0 u = y - 2u$$

$$x_2 = \dot{x}_1 - \beta_1 u = \dot{x}_1 + 7u$$

$$x_3 = \dot{x}_2 - \beta_2 u = \dot{x}_2 - 19u$$

Então, com referência à Equação 2.36,

$$\dot{x}_1 = x_2 - 7u$$

$$\dot{x}_2 = x_3 + 19u$$

$$\dot{x}_3 = -a_3 x_1 - a_2 x_2 - a_1 x_3 + \beta_3 u$$

$$= -2x_1 - 5x_2 - 4x_3 - 43u$$

Assim, a representação do sistema no espaço de estados é:

$$\begin{bmatrix} \dot{x}_1 \\ \dot{x}_2 \\ \dot{x}_3 \end{bmatrix} = \begin{bmatrix} 0 & 1 & 0 \\ 0 & 0 & 1 \\ -2 & -5 & -4 \end{bmatrix} \begin{bmatrix} x_1 \\ x_2 \\ x_3 \end{bmatrix} + \begin{bmatrix} -7 \\ 19 \\ -43 \end{bmatrix} u$$

$$y = \begin{bmatrix} 1 & 0 & 0 \end{bmatrix} \begin{bmatrix} x_1 \\ x_2 \\ x_3 \end{bmatrix} + 2u$$

Esta é uma das possíveis representações no espaço de estados do sistema. Existem muitas (uma infinidade) outras representações. Se utilizarmos o Matlab, ele produzirá a seguinte representação no espaço de estados:

$$\begin{bmatrix} \dot{x}_1 \\ \dot{x}_2 \\ \dot{x}_3 \end{bmatrix} = \begin{bmatrix} -4 & -5 & -2 \\ 1 & 0 & 0 \\ 0 & 1 & 0 \end{bmatrix} \begin{bmatrix} x_1 \\ x_2 \\ x_3 \end{bmatrix} + \begin{bmatrix} 1 \\ 0 \\ 0 \end{bmatrix} u$$

$$y = \begin{bmatrix} -7 & -9 & -2 \end{bmatrix} \begin{bmatrix} x_1 \\ x_2 \\ x_3 \end{bmatrix} + 2u$$

Veja o Programa 2.4 em MATLAB. (Note que todas as representações no espaço de estados para o mesmo sistema são equivalentes.)

```
Programa 2.4 em MATLAB

num = [2 1 1 2];
den = [1 4 5 2];
[A,B,C,D] = tf2ss(num,den)

A =
            -4      -5      -2
             1       0       0
             0       1       0

B =
             1
             0
             0

C =
            -7      -9      -2

D =
             2
```

A.2.8 Obtenha um modelo no espaço de estados do sistema mostrado na Figura 2.26.

Solução. O sistema envolve um integrador e dois integradores com atraso. A saída de cada integrador ou integrador com atraso pode ser considerada uma variável de estado. Vamos definir a saída da planta como x_1, a saída do controlador como x_2 e a saída do sensor como x_3. Então, obtemos:

$$\frac{X_1(s)}{X_2(s)} = \frac{10}{s+5}$$

$$\frac{X_2(s)}{U(s) - X_3(s)} = \frac{1}{s}$$

$$\frac{X_3(s)}{X_1(s)} = \frac{1}{s+1}$$

$$Y(s) = X_1(s)$$

que pode ser reescrita como:

$$sX_1(s) = -5X_1(s) + 10X_2(s)$$
$$sX_2(s) = -X_3(s) + U(s)$$
$$sX_3(s) = X_1(s) - X_3(s)$$
$$Y(s) = X_1(s)$$

Tomando a transformada inversa de Laplace das quatro equações precedentes, obtemos:

$$\dot{x}_1 = -5x_1 + 10x_2$$
$$\dot{x}_2 = -x_3 + u$$
$$\dot{x}_3 = x_1 - x_3$$
$$y = x_1$$

Assim, o modelo no espaço de estados do sistema na forma-padrão é dado por:

$$\begin{bmatrix} \dot{x}_1 \\ \dot{x}_2 \\ \dot{x}_3 \end{bmatrix} = \begin{bmatrix} -5 & 10 & 0 \\ 0 & 0 & -1 \\ 1 & 0 & -1 \end{bmatrix} \begin{bmatrix} x_1 \\ x_2 \\ x_3 \end{bmatrix} + \begin{bmatrix} 0 \\ 1 \\ 0 \end{bmatrix} u$$

$$y = \begin{bmatrix} 1 & 0 & 0 \end{bmatrix} \begin{bmatrix} x_1 \\ x_2 \\ x_3 \end{bmatrix}$$

É importante notar que esta não é a única representação no espaço de estados do sistema, pois muitas outras dessas representações são possíveis. Entretanto, o número de variáveis de estado é o mesmo em qualquer representação no espaço de estados do mesmo sistema. No presente sistema, o número de variáveis de estado é 3, quaisquer que sejam as variáveis escolhidas como variáveis de estado.

FIGURA 2.26
Sistema de controle.

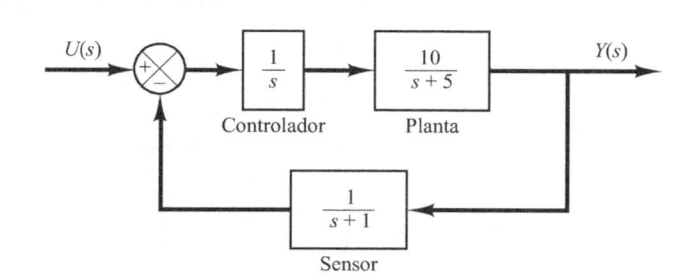

A.2.9 Obtenha um modelo no espaço de estados para o sistema mostrado na Figura 2.27(a).

Solução. Inicialmente, note que $(as + b)/s^2$ contém um termo derivativo que pode ser evitado se modificarmos $(as + b)/s^2$ como segue:

$$\frac{as+b}{s^2} = \left(a + \frac{b}{s}\right)\frac{1}{s}$$

Utilizando essa modificação, o diagrama de blocos da Figura 2.27(a) pode ser modificado como mostra a Figura 2.27(b).

Defina as saídas dos integradores como variáveis de estado, conforme a Figura 2.27(b). Então, a partir da Figura 2.27(b), obtemos as expressões:

$$\frac{X_1(s)}{X_2(s) + a[U(s) - X_1(s)]} = \frac{1}{s}$$

$$\frac{X_2(s)}{U(s) - X_1(s)} = \frac{b}{s}$$

$$Y(s) = X_1(s)$$

que podem ser modificadas para:

$$sX_1(s) = X_2(s) + a[U(s) - X_1(s)]$$

$$sX_2(s) = -bX_1(s) + bU(s)$$

$$Y(s) = X_1(s)$$

Tomando a transformada inversa de Laplace das três equações precedentes, obtemos:

$$\dot{x}_1 = -ax_1 + x_2 + au$$

$$\dot{x}_2 = -bx_1 + bu$$

$$y = x_1$$

Reescrevendo as equações de estado e de saída na forma vetorial-matricial padrão, obtemos:

$$\begin{bmatrix}\dot{x}_1\\\dot{x}_2\end{bmatrix} = \begin{bmatrix}-a & 1\\-b & 0\end{bmatrix}\begin{bmatrix}x_1\\x_2\end{bmatrix} + \begin{bmatrix}a\\b\end{bmatrix}u$$

$$y = \begin{bmatrix}1 & 0\end{bmatrix}\begin{bmatrix}x_1\\x_2\end{bmatrix}$$

FIGURA 2.27
(a) Sistema de controle; (b) diagrama de blocos modificado.

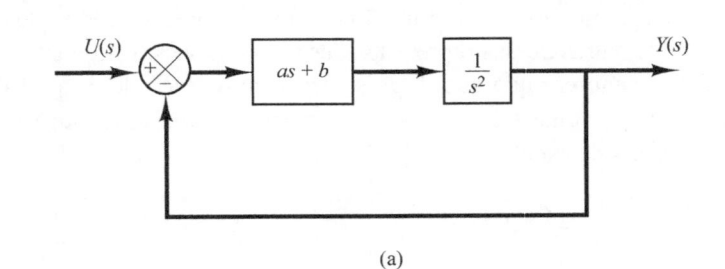

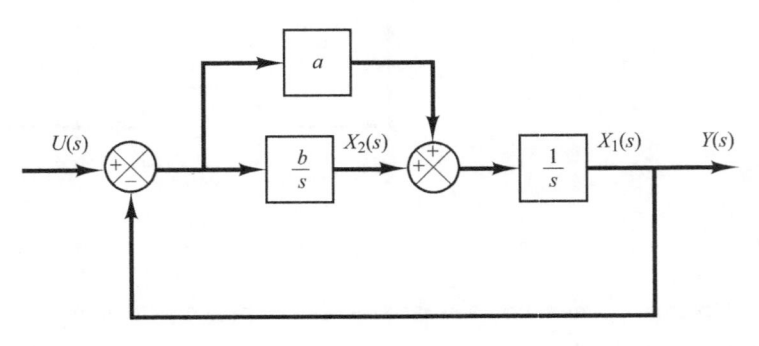

A.2.10 Obtenha uma representação no espaço de estados do sistema mostrado na Figura 2.28(a).

Solução. Para solucionar esse problema, primeiro desenvolva $(s+z)/(s+p)$ em frações parciais:

$$\frac{s+z}{s+p} = 1 + \frac{z-p}{s+p}$$

Em seguida, converta $K/[s(s+a)]$ no produto de K/s e $1/(s+a)$. Então, reduza o diagrama de blocos, como mostra a Figura 2.28(b). Definindo um conjunto de variáveis de estado, como indicado na Figura 2.28(b), obtemos as seguintes equações:

$$\dot{x}_1 = -ax_1 + x_2$$
$$\dot{x}_2 = -Kx_1 + Kx_3 + Ku$$
$$\dot{x}_3 = -(z-p)x_1 - px_3 + (z-p)u$$
$$y = x_1$$

Reescrevendo, temos:

$$\begin{bmatrix} \dot{x}_1 \\ \dot{x}_2 \\ \dot{x}_3 \end{bmatrix} = \begin{bmatrix} -a & 1 & 0 \\ -K & 0 & K \\ -(z-p) & 0 & -p \end{bmatrix} \begin{bmatrix} x_1 \\ x_2 \\ x_3 \end{bmatrix} + \begin{bmatrix} 0 \\ K \\ z-p \end{bmatrix} u$$

$$y = \begin{bmatrix} 1 & 0 & 0 \end{bmatrix} \begin{bmatrix} x_1 \\ x_2 \\ x_3 \end{bmatrix}$$

Observe que a saída do integrador e as saídas dos integradores com atraso de primeira ordem, $[1/(s+a)$ e $(z-p)/(s+p)]$, foram escolhidas como variáveis de estado. É importante lembrar que a saída do bloco $(s+z)/(s+p)$ na Figura 2.28(a) não pode ser uma variável de estado, porque esse bloco contém um termo derivativo, $s+z$.

FIGURA 2.28
(a) Sistema de controle;
(b) diagrama de blocos que define variáveis de estado para o sistema.

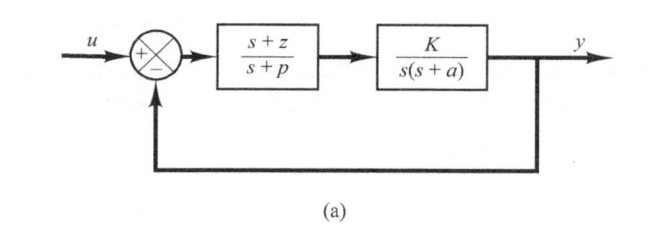

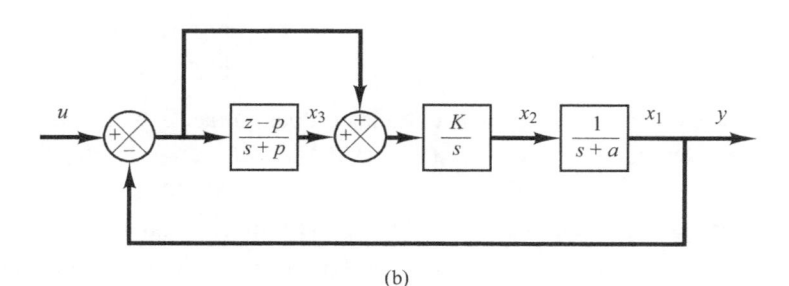

A.2.11 Obtenha a função de transferência de um sistema definido por:

$$\begin{bmatrix} \dot{x}_1 \\ \dot{x}_2 \\ \dot{x}_3 \end{bmatrix} = \begin{bmatrix} -1 & 1 & 0 \\ 0 & -1 & 1 \\ 0 & 0 & -2 \end{bmatrix} \begin{bmatrix} x_1 \\ x_2 \\ x_3 \end{bmatrix} + \begin{bmatrix} 0 \\ 0 \\ 1 \end{bmatrix} u$$

$$y = \begin{bmatrix} 1 & 0 & 0 \end{bmatrix} \begin{bmatrix} x_1 \\ x_2 \\ x_3 \end{bmatrix}$$

Solução. De acordo com a Equação 2.29, a função de transferência $G(s)$ é dada por:

$$G(s) = \mathbf{C}(s\mathbf{I} - \mathbf{A})^{-1}\mathbf{B} + D$$

Nesse problema, as matrizes **A**, **B**, **C** e *D* são:

$$\mathbf{A} = \begin{bmatrix} -1 & 1 & 0 \\ 0 & -1 & 1 \\ 0 & 0 & -2 \end{bmatrix}, \quad \mathbf{B} = \begin{bmatrix} 0 \\ 0 \\ 1 \end{bmatrix}, \quad \mathbf{C} = \begin{bmatrix} 1 & 0 & 0 \end{bmatrix}, \quad D = 0$$

Então,

$$G(s) = \begin{bmatrix} 1 & 0 & 0 \end{bmatrix} \begin{bmatrix} s+1 & -1 & 0 \\ 0 & s+1 & -1 \\ 0 & 0 & s+2 \end{bmatrix}^{-1} \begin{bmatrix} 0 \\ 0 \\ 1 \end{bmatrix}$$

$$= \begin{bmatrix} 1 & 0 & 0 \end{bmatrix} \begin{bmatrix} \dfrac{1}{s+1} & \dfrac{1}{(s+1)^2} & \dfrac{1}{(s+1)^2(s+2)} \\ 0 & \dfrac{1}{s+1} & \dfrac{1}{(s+1)(s+2)} \\ 0 & 0 & \dfrac{1}{s+2} \end{bmatrix} \begin{bmatrix} 0 \\ 0 \\ 1 \end{bmatrix}$$

$$= \frac{1}{(s+1)^2(s+2)} = \frac{1}{s^3 + 4s^2 + 5s + 2}$$

A.2.12 Considere um sistema com múltiplas entradas e múltiplas saídas. Quando o sistema tem mais de uma saída, o comando MATLAB

```
[NUM,den] = ss2tf(A,B,C,D,iu)
```

fornece as funções de transferência para todas as saídas a partir de cada entrada. (Os coeficientes do numerador são retornados para a matriz NUM com tantas linhas quantas forem as saídas.)

Considere o sistema definido por:

$$\begin{bmatrix} \dot{x}_1 \\ \dot{x}_2 \end{bmatrix} = \begin{bmatrix} 0 & 1 \\ -25 & -4 \end{bmatrix} \begin{bmatrix} x_1 \\ x_2 \end{bmatrix} + \begin{bmatrix} 1 & 1 \\ 0 & 1 \end{bmatrix} \begin{bmatrix} u_1 \\ u_2 \end{bmatrix}$$

$$\begin{bmatrix} y_1 \\ y_2 \end{bmatrix} = \begin{bmatrix} 1 & 0 \\ 0 & 1 \end{bmatrix} \begin{bmatrix} x_1 \\ x_2 \end{bmatrix} + \begin{bmatrix} 0 & 0 \\ 0 & 0 \end{bmatrix} \begin{bmatrix} u_1 \\ u_2 \end{bmatrix}$$

Esse sistema contém duas entradas e duas saídas. Assim, estão envolvidas quatro funções de transferência: $Y_1(s)/U_1(s)$, $Y_2(s)/U_1(s)$, $Y_1(s)/U_2(s)$ e $Y_2(s)/U_2(s)$. (Quando for considerada entrada u_1, devemos supor que a entrada u_2 seja zero e vice-versa.)

Solução. O Programa 2.5 em MATLAB fornece as quatro funções de transferência.

Esta é a representação do MATLAB das quatro funções de transferência seguintes:

$$\frac{Y_1(s)}{U_1(s)} = \frac{s+4}{s^2+4s+25}, \quad \frac{Y_2(s)}{U_1(s)} = \frac{-25}{s^2+4s+25}$$

$$\frac{Y_1(s)}{U_2(s)} = \frac{s+5}{s^2+4s+25}, \quad \frac{Y_2(s)}{U_2(s)} = \frac{s-25}{s^2+4s+25}$$

Programa 2.5 em MATLAB

```
A = [0 1;-25 -4];
B = [1 1;0 1];
C = [1 0;0 1];
D = [0 0;0 0];
[NUM,den] = ss2tf(A,B,C,D,1)

NUM =
          0    1    4
          0    0   -25
den =
          1    4   25

[NUM,den] = ss2tf(A,B,C,D,2)

NUM =
          0    1.0000    5.0000
          0    1.0000  -25.0000
den =
          1    4   25
```

A.2.13 Linearize a equação não linear

$$z = x^2 = 4xy + 6y^2$$

na região definida por $8 \leq x \leq 10, 2 \leq y \leq 4$

Solução. Defina

$$f(x,y) = z = x^2 = 4xy + 6y^2$$

Então,

$$z = f(x,y) = f(\bar{x}, \bar{y}) + \left[\frac{\partial f}{\partial x}(x-\bar{x}) + \frac{\partial f}{\partial y}(y-\bar{y})\right]_{x=\bar{x},\, y=\bar{y}} + \cdots$$

onde escolhemos $\bar{x} = 9; \bar{y} = 3$.

Desprezando, na equação expandida, os termos de ordem mais elevada, por serem pequenos, obtemos:

$$z - \bar{z} = K_1(x - \bar{x}) + K_2(y - \bar{y})$$

onde

$$K_1 = \left.\frac{\partial f}{\partial x}\right|_{x=\bar{x},\, y=\bar{y}} = 2\bar{x} + 4\bar{y} = 2\times 9 + 4\times 3 = 30$$

$$K_2 = \left.\frac{\partial f}{\partial y}\right|_{x=\bar{x},\, y=\bar{y}} = 4\bar{x} + 12\bar{y} = 4\times 9 + 12\times 3 = 72$$

$$\bar{z} = \bar{x}^2 + 4\bar{x}\bar{y} + 6\bar{y}^2 = 9^2 + 4\times 9\times 3 + 6\times 9 = 243$$

Portanto:

$$z - 243 = 30(x-9) + 72(y-3)$$

Assim, a aproximação linear da equação não linear dada, nas proximidades do ponto de operação, é:

$$z - 30x - 72y + 243 = 0$$

Problemas

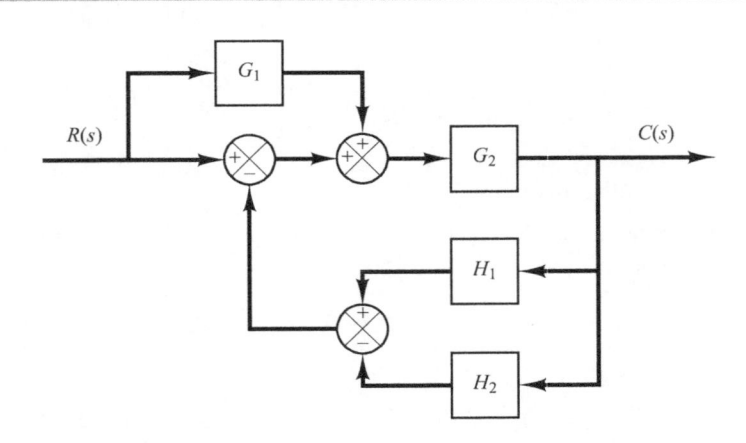

B.2.1 Simplifique o diagrama de blocos mostrado na Figura 2.29 e obtenha a função de transferência de malha fechada $C(s)/R(s)$.

FIGURA 2.29
Diagrama de blocos de um sistema.

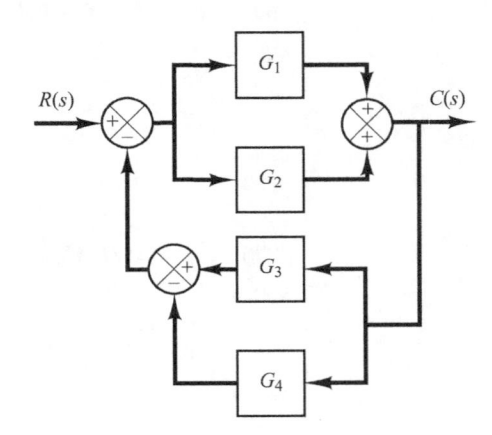

B.2.2 Simplifique o diagrama de blocos exposto na Figura 2.30 e obtenha a função de transferência de malha fechada $C(s)/R(s)$.

FIGURA 2.30
Diagrama de blocos de um sistema.

B.2.3 Simplifique o diagrama de blocos mostrado na Figura 2.31 e obtenha a função de transferência de malha fechada $C(s)/R(s)$.

FIGURA 2.31
Diagrama de blocos de um sistema.

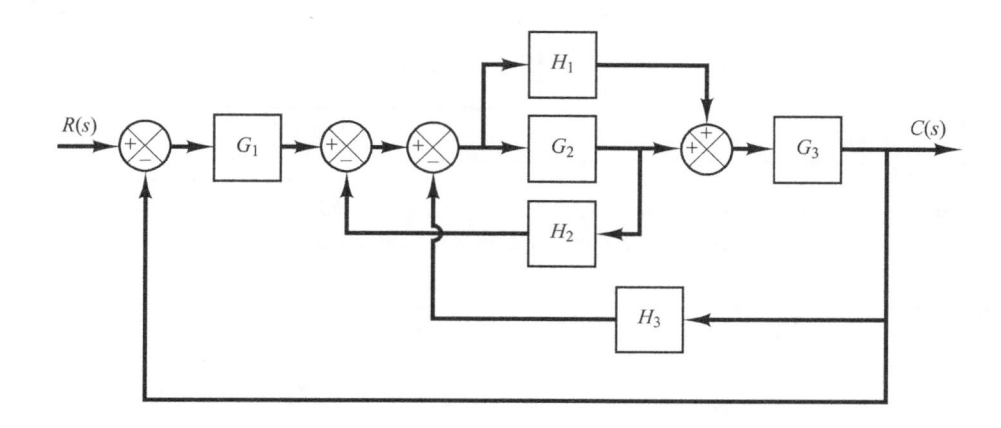

B.2.4 Considere os controladores automáticos industriais cujas ações de controle são proporcionais, integrais, proporcionais-integrais, proporcionais-derivativas e proporcionais-integrais-derivativas. As funções de transferência desses controladores podem ser dadas, respectivamente, por:

$$\frac{U(s)}{E(s)} = K_p$$

$$\frac{U(s)}{E(s)} = \frac{K_i}{s}$$

$$\frac{U(s)}{E(s)} = K_p\left(1 + \frac{1}{T_i s}\right)$$

$$\frac{U(s)}{E(s)} = K_p(1 + T_d s)$$

$$\frac{U(s)}{E(s)} = K_p\left(1 + \frac{1}{T_i s} + T_d s\right)$$

onde $U(s)$ é a transformada de Laplace de $u(t)$, a saída do controlador, e $E(s)$ é a transformada de Laplace de $e(t)$, o sinal de erro atuante. Esboce as curvas de $u(t)$ versus t para cada um dos cinco tipos de controladores quando o sinal de erro atuante for:

(a) $e(t)$ = função degrau unitário

(b) $e(t)$ = função rampa unitária

No esboço das curvas, suponha que os valores numéricos de K_p, K_i e T_i sejam dados como:

K_p = ganho proporcional = 4

K_i = ganho integral = 2

T_i = tempo integrativo = 2 s

T_d = tempo derivativo = 0,8 s

B.2.5 A Figura 2.32 mostra um sistema de malha fechada com uma entrada de referência e um distúrbio de entrada. Obtenha a expressão para a saída $C(s)$ quando tanto a entrada de referência como a de distúrbio estiverem presentes.

FIGURA 2.32
Sistema de malha fechada.

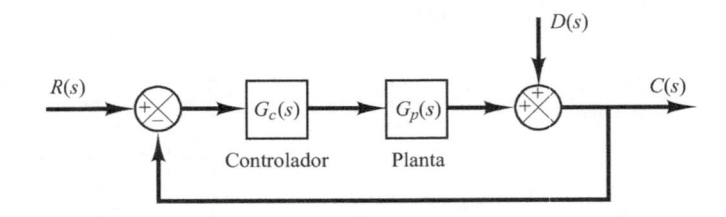

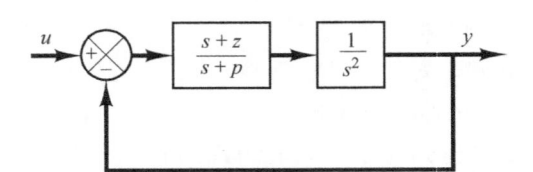

B.2.6 Considere o sistema mostrado na Figura 2.33. Deduza a expressão para os erros de estado estacionário quando tanto a entrada de referência $R(s)$ como a de distúrbio $D(s)$ estiverem presentes.

FIGURA 2.33
Sistema de controle.

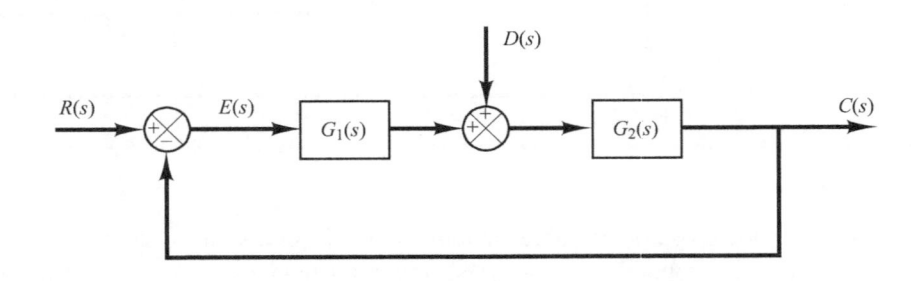

B.2.7 Obtenha as funções de transferência $C(s)/R(s)$ e $C(s)/D(s)$ do sistema apresentado na Figura 2.34.

FIGURA 2.34
Sistema de controle.

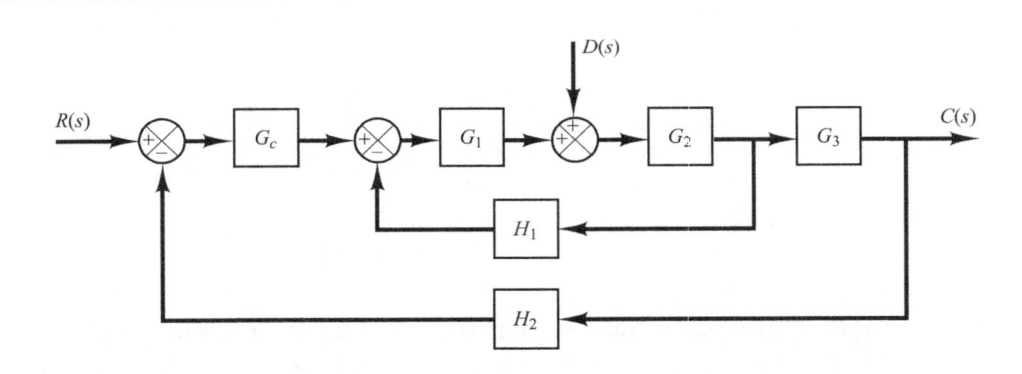

B.2.8 Obtenha a representação no espaço de estados do sistema mostrado na Figura 2.35.

FIGURA 2.35
Sistema de controle.

B.2.9 Considere o sistema descrito por:

$$\dddot{y} + 3\ddot{y} + 2\dot{y} = u$$

Deduza a representação no espaço de estados do sistema.

B.2.10 Considere o sistema descrito por:

$$\begin{bmatrix} \dot{x}_1 \\ \dot{x}_2 \end{bmatrix} = \begin{bmatrix} -4 & -1 \\ 3 & -1 \end{bmatrix} \begin{bmatrix} x_1 \\ x_2 \end{bmatrix} + \begin{bmatrix} 1 \\ 1 \end{bmatrix} u$$

$$y = \begin{bmatrix} 1 & 0 \end{bmatrix} \begin{bmatrix} x_1 \\ x_2 \end{bmatrix}$$

Obtenha a função de transferência do sistema.

B.2.11 Considere um sistema definido pelas seguintes equações no espaço de estados:

$$\begin{bmatrix} \dot{x}_1 \\ \dot{x}_2 \end{bmatrix} = \begin{bmatrix} -5 & -1 \\ 3 & -1 \end{bmatrix} \begin{bmatrix} x_1 \\ x_2 \end{bmatrix} + \begin{bmatrix} 2 \\ 5 \end{bmatrix} u$$

$$y = \begin{bmatrix} 1 & 2 \end{bmatrix} \begin{bmatrix} x_1 \\ x_2 \end{bmatrix}$$

Obtenha a função de transferência $G(s)$ do sistema.

B.2.12 Obtenha a matriz de transferência do sistema definido por:

$$\begin{bmatrix} \dot{x}_1 \\ \dot{x}_2 \\ \dot{x}_3 \end{bmatrix} = \begin{bmatrix} 0 & 1 & 0 \\ 0 & 0 & 1 \\ -2 & -4 & -6 \end{bmatrix} \begin{bmatrix} x_1 \\ x_2 \\ x_3 \end{bmatrix} + \begin{bmatrix} 0 & 0 \\ 0 & 1 \\ 1 & 0 \end{bmatrix} \begin{bmatrix} u_1 \\ u_2 \end{bmatrix}$$

$$\begin{bmatrix} y_1 \\ y_2 \end{bmatrix} = \begin{bmatrix} 1 & 0 & 0 \\ 0 & 1 & 0 \end{bmatrix} \begin{bmatrix} x_1 \\ x_2 \\ x_3 \end{bmatrix}$$

B.2.13 Linearize a equação não linear

$$z = x^2 + 8xy + 3y^2$$

na região definida por $2 \leq x \leq 4$, $10 \leq y \leq 12$.

B.2.14 Determine a equação linearizada para

$$y = 0{,}2x^3$$

sobre o ponto $x = 2$.

CAPÍTULO 3
Modelagem matemática de sistemas mecânicos e elétricos

3.1 | Introdução

Este capítulo apresenta a modelagem matemática de sistemas mecânicos e elétricos. No Capítulo 2, obtivemos modelos matemáticos de um circuito elétrico simples e de um sistema mecânico simples. Neste capítulo, consideramos a modelagem matemática de vários sistemas mecânicos e elétricos que podem fazer parte de sistemas de controle.

A lei fundamental que governa os sistemas mecânicos é a segunda lei de Newton. Na Seção 3.2 aplicamos essa lei a vários sistemas mecânicos e derivamos modelos em função de transferência e modelos em espaço de estados.

As leis básicas que governam os circuitos elétricos são as leis de Kirchhoff. Na Seção 3.3, obtemos os modelos em função de transferência e espaço de estados de vários circuitos elétricos e sistemas amplificadores operacionais que podem fazer parte de muitos sistemas de controle.

3.2 | Modelagem matemática de sistemas mecânicos

Esta seção discute, inicialmente, modelos simples com molas e modelos simples com amortecedores. Depois, derivamos os modelos em função de transferência e espaço de estados de vários sistemas mecânicos.

Exemplo 3.1 Obtemos as constantes de mola para os sistemas mostrados nas figuras 3.1(a) e (b), respectivamente.

Para as molas em paralelo [Figura 3.1(a)], a constante de mola equivalente k_{eq} é obtida a partir de

$$k_1 x + k_2 x = F = k_{eq} x$$

ou

$$k_{eq} = k_1 + k_2$$

Para as molas em série [Figura 3.1(b)], a força em cada mola é a mesma. Portanto,

$$k_1 y = F, \qquad k_2(x - y) = F$$

FIGURA 3.1
(a) Sistema que consiste em duas molas em paralelo;
(b) sistema que consiste em duas molas em série.

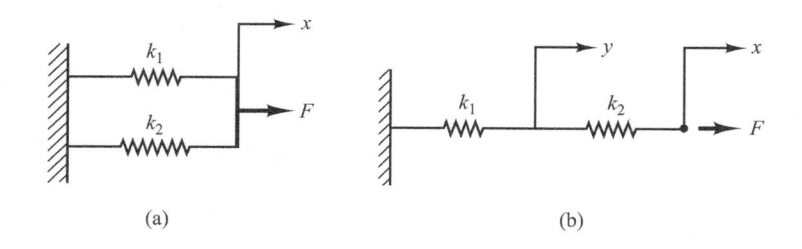

A eliminação do y nessas duas equações resulta em

$$k_2\left(x - \frac{F}{k_1}\right) = F$$

ou

$$k_2 x = F + \frac{k_2}{k_1}F = \frac{k_1 + k_2}{k_1}F$$

A constante de mola equivalente k_{eq} para esse caso é, então, encontrada como

$$k_{eq} = \frac{F}{x} = \frac{k_1 k_2}{k_1 + k_2} = \frac{1}{\frac{1}{k_1} + \frac{1}{k_2}}$$

Exemplo 3.2 Obtenhamos o coeficiente de atrito viscoso equivalente b_{eq} para cada um dos sistemas amortecedores mostrados nas figuras 3.2(a) e (b). Um amortecedor de êmbolo muitas vezes é chamado amortecedor a pistão. Um amortecedor a pistão é um dispositivo que proporciona atrito viscoso, ou amortecimento. Ele consiste em um pistão e um cilindro com óleo. Qualquer movimento relativo entre a haste do pistão e o cilindro encontra a resistência do óleo, porque este deve fluir em volta do pistão (ou através de orifícios no próprio pistão), de um lado a outro. Em essência, o amortecedor a pistão absorve energia. Essa energia absorvida dissipa-se na forma de calor e o amortecedor a pistão não armazena qualquer energia cinética ou potencial.

(a) A força f devido aos amortecedores é

$$f = b_1(\dot{y} - \dot{x}) + b_2(\dot{y} - \dot{x}) = (b_1 + b_2)(\dot{y} - \dot{x})$$

Em termos do coeficiente de atrito viscoso equivalente b_{eq}, a força f é dada por

$$f = b_{eq}(\dot{y} - \dot{x})$$

Então

$$b_{eq} = b_1 + b_2$$

(b) A força f devido aos amortecedores é

$$f = b_1(\dot{z} - \dot{x}) = b_2(\dot{y} - \dot{z}) \tag{3.1}$$

FIGURA 3.2
(a) Dois amortecedores conectados em paralelo;
(b) dois amortecedores conectados em série.

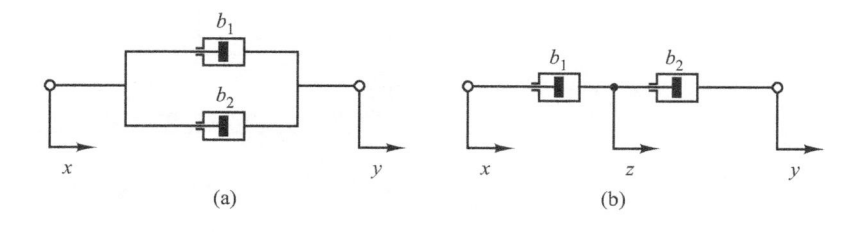

onde z é o deslocamento de um ponto entre os amortecedores b_1 e b_2. (Observe que a mesma força é transmitida através do eixo.) Da Equação 3.1, temos

$$(b_1 + b_2)\dot{z} = b_2\dot{y} + b_1\dot{x}$$

ou

$$\dot{z} = \frac{1}{b_1 + b_2}(b_2\dot{y} + b_1\dot{x}) \tag{3.2}$$

Em termos do coeficiente de atrito viscoso equivalente b_{eq}, a força f é dada por

$$f = b_{eq}(\dot{y} - \dot{x})$$

Substituindo-se a Equação 3.2 na Equação 3.1, temos

$$f = b_2(\dot{y} - \dot{z}) = b_2\left[\dot{y} - \frac{1}{b_1 + b_2}(b_2\dot{y} + b_1\dot{x})\right]$$

$$= \frac{b_1 b_2}{b_1 + b_2}(\dot{y} - \dot{x})$$

Portanto,

$$f = b_{eq}(\dot{y} - \dot{x}) = \frac{b_1 b_2}{b_1 + b_2}(\dot{y} - \dot{x})$$

Então,

$$b_{eq} = \frac{b_1 b_2}{b_1 + b_2} = \frac{1}{\frac{1}{b_1} + \frac{1}{b_2}}$$

Exemplo 3.3 Considere o sistema massa-mola-amortecedor montado em um carro sem massa, como mostra a Figura 3.3. Obtenhamos os modelos matemáticos desse sistema, presumindo que o carro esteja parado para $t < 0$ e que o sistema de massa-mola-amortecedor do carro também esteja parado para $t < 0$. Nesse sistema, $u(t)$ é o deslocamento do carro e a entrada do sistema. Em $t = 0$, o carro se move em velocidade constante, ou $\dot{u}$ = constante. O deslocamento $y(t)$ da massa é a saída. (O deslocamento é relativo ao chão.) Nesse sistema, m indica a massa; b, o coeficiente de atrito viscoso; e k, a constante de mola. Supomos que a força de atrito do amortecedor a pistão seja proporcional a $\dot{y} - \dot{u}$ e que a mola seja uma mola linear, isto é, a força da mola é proporcional a $y - u$.

Para sistemas translacionais, a segunda lei de Newton diz que

$$ma = \sum F$$

FIGURA 3.3
Sistema de massa-mola-amortecedor montado em um carro.

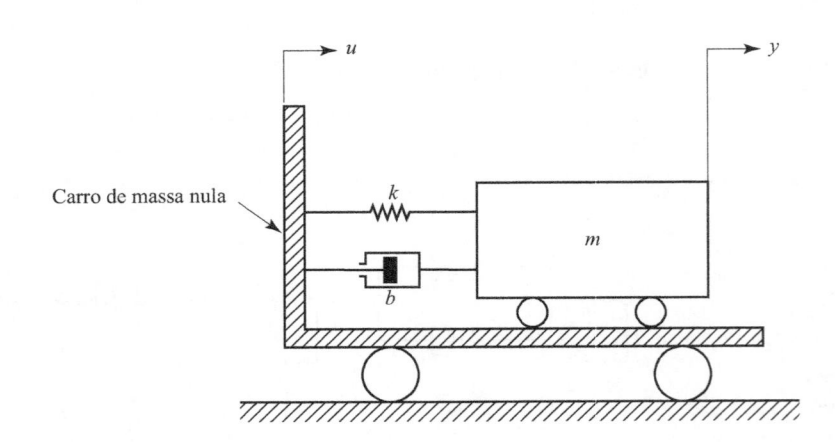

onde m é uma massa, a é a aceleração dessa massa e ΣF é o somatório das forças em ação sobre a massa na direção da aceleração a. Aplicando-se a segunda lei de Newton ao sistema em questão e observando que o carro é isento de massa, temos

$$m\frac{d^2y}{dt^2} = -b\left(\frac{dy}{dt} - \frac{du}{dt}\right) - k(y - u)$$

ou

$$m\frac{d^2y}{dt^2} + b\frac{dy}{dt} + ky = b\frac{du}{dt} + ku$$

Essa equação representa um modelo matemático do sistema em questão. Tomando-se a transformada de Laplace da última equação e presumindo zero como condição inicial, temos

$$(ms^2 + bs + k)Y(s) = (bs + k)U(s)$$

Tomando a relação entre $Y(s)$ e $U(s)$, encontramos a função de transferência do sistema, que é

$$\text{Função de transferência} = G(s) = \frac{Y(s)}{U(s)} = \frac{bs + k}{ms^2 + bs + k}$$

Tal representação de um modelo matemático por função de transferência é usada com frequência na engenharia de controle.

Em seguida, obteremos o modelo em espaço de estados desse sistema. Primeiro, faremos a comparação da equação diferencial do sistema

$$\ddot{y} + \frac{b}{m}\dot{y} + \frac{k}{m}y = \frac{b}{m}\dot{u} + \frac{k}{m}u$$

com a forma-padrão

$$\ddot{y} + a_1\dot{y} + a_2y = b_0\ddot{u} + b_1\dot{u} + b_2u$$

e identificamos a_1, a_2, b_0, b_1 e b_2 como segue:

$$a_1 = \frac{b}{m}, \qquad a_2 = \frac{k}{m}, \qquad b_0 = 0, \qquad b_1 = \frac{b}{m}, \qquad b_2 = \frac{k}{m}$$

Em referência à Equação 2.35, temos

$$\beta_0 = b_0 = 0$$
$$\beta_1 = b_1 - a_1\beta_0 = \frac{b}{m}$$
$$\beta_2 = b_2 - a_1\beta_1 - a_2\beta_0 = \frac{k}{m} - \left(\frac{b}{m}\right)^2$$

Em seguida, em referência à Equação 2.34, definimos

$$x_1 = y - \beta_0 u = y$$
$$x_2 = \dot{x}_1 - \beta_1 u = \dot{x}_1 - \frac{b}{m}u$$

A partir da Equação 2.36, temos

$$\dot{x}_1 = x_2 - \beta_1 u = x_2 - \frac{b}{m}u$$

$$\dot{x}_2 = -a_2 x_1 - a_1 x_2 + \beta_2 u = -\frac{k}{m}x_1 - \frac{b}{m}x_2 + \left[\frac{k}{m} - \left(\frac{b}{m}\right)^2\right]u$$

e a equação de saída torna-se

$$y = x_1$$

ou

$$\begin{bmatrix}\dot{x}_1\\ \dot{x}_2\end{bmatrix} = \begin{bmatrix} 0 & 1 \\ -\frac{k}{m} & -\frac{b}{m}\end{bmatrix}\begin{bmatrix}x_1\\ x_2\end{bmatrix} + \begin{bmatrix}\frac{b}{m}\\ \frac{k}{m} - \left(\frac{b}{m}\right)^2\end{bmatrix}u \qquad (3.3)$$

e

$$y = \begin{bmatrix} 1 & 0 \end{bmatrix} \begin{bmatrix} x_1 \\ x_2 \end{bmatrix} \quad (3.4)$$

As equações 3.3 e 3.4 fornecem uma representação do sistema em espaço de estados. (Observe que esta não é a única representação em espaço de estados. Existem inúmeras representações de espaço de estados para o sistema.)

Exemplo 3.4 Obtenha as funções de transferência $X_1(s)/U(s)$ e $X_2(s)/U(s)$ do sistema mecânico mostrado na Figura 3.4.

As equações de movimento para o sistema apresentado na Figura 3.4 são:

$$m_1\ddot{x}_1 = -k_1 x_1 - k_2(x_1 - x_2) - b(\dot{x}_1 - \dot{x}_2) + u$$
$$m_2\ddot{x}_2 = -k_3 x_2 - k_2(x_2 - x_1) - b(\dot{x}_2 - \dot{x}_1)$$

Simplificando, obtemos:

$$m_1\ddot{x}_1 + b\dot{x}_1 + (k_1 + k_2)x_1 = b\dot{x}_2 + k_2 x_2 + u$$
$$m_2\ddot{x}_2 + b\dot{x}_2 + (k_2 + k_3)x_2 = b\dot{x}_1 + k_2 x_1$$

Obtendo a transformada de Laplace dessas duas equações, admitindo condições iniciais nulas, obtemos:

$$[m_1 s^2 + bs + (k_1 + k_2)] X_1(s) = (bs + k_2) X_2(s) + U(s) \quad (3.5)$$

$$[m_2 s^2 + bs + (k_2 + k_3)] X_2(s) = (bs + k_2) X_1(s) \quad (3.6)$$

Resolvendo a Equação 3.6 para $X_2(s)$, substituindo-a na Equação 3.5 e simplificando, temos:

$$[(m_1 s^2 + bs + k_1 + k_2)(m_2 s^2 + bs + k_2 + k_3) - (bs + k_2)^2] X_1(s) = (m_2 s^2 + bs + k_2 + k_3)U(s)$$

a partir da qual obtemos:

$$\frac{X_1(s)}{U(s)} = \frac{m_2 s^2 + bs + k_2 + k_3}{(m_1 s^2 + bs + k_1 + k_2)(m_2 s^2 + bs + k_2 + k_3) - (bs + k_2)^2} \quad (3.7)$$

A partir das equações 3.6 e 3.7, temos:

$$\frac{X_2(s)}{U(s)} = \frac{bs + k_2}{(m_1 s^2 + bs + k_1 + k_2)(m_2 s^2 + bs + k_2 + k_3) - (bs + k_2)^2} \quad (3.8)$$

As equações 3.7 e 3.8 são as funções de transferência $X_1(s)/U(s)$ e $X_2(s)/U(s)$, respectivamente.

FIGURA 3.4
Sistema mecânico.

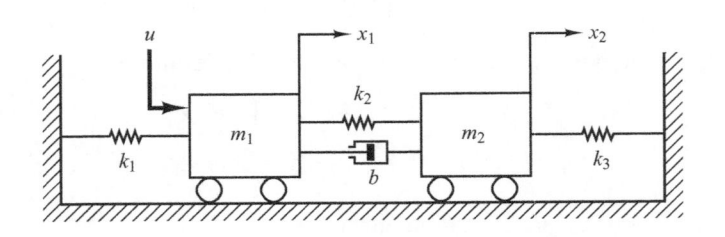

Exemplo 3.5 Um pêndulo invertido montado em um carro motorizado é mostrado na Figura 3.5(a). Este é um modelo de controle de posição de um foguete na fase de lançamento. (O objetivo do problema de controle de posição é manter o foguete em uma posição vertical.) O pêndulo invertido é instável, pois pode cair a qualquer instante, para qualquer direção, a menos que uma força adequada de controle seja aplicada a ele. Vamos considerar aqui somente um problema bidimensional, em que o movimento do pêndulo fica restrito apenas ao plano da página. A força de controle u é

FIGURA 3.5
(a) Sistema de pêndulo invertido;
(b) diagrama de corpo livre.

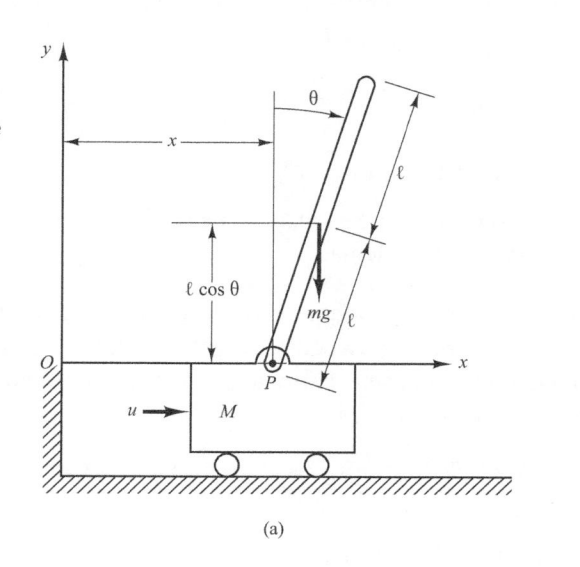

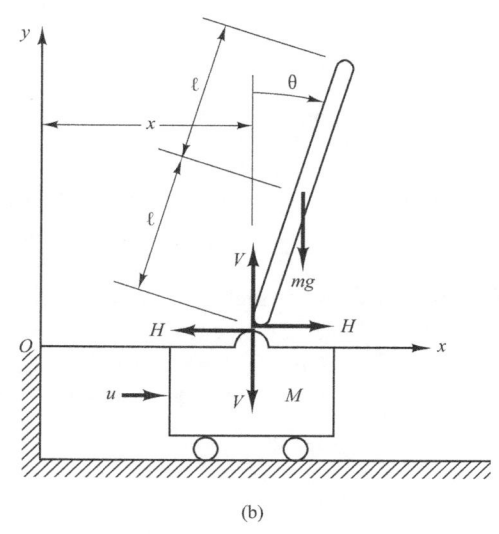

aplicada ao carro. Considere que o centro de gravidade da haste do pêndulo esteja situado no centro geométrico dele. Obtenha um modelo matemático para esse sistema.

Defina o ângulo da haste a partir da linha vertical como θ. Estabeleça também as coordenadas (x, y) do centro de gravidade da haste como (x_G, y_G). Então,

$$x_G = x + l \operatorname{sen} \theta$$

$$y_G = l \cos \theta$$

Para deduzir as equações de movimento do sistema, considere o diagrama do corpo livre, mostrado na Figura 3.5(b). O movimento rotacional da haste do pêndulo em torno de seu centro de gravidade pode ser descrito por:

$$I\ddot{\theta} = Vl \operatorname{sen} \theta - Hl \cos \theta \tag{3.9}$$

onde I é o momento de inércia da haste em relação ao centro de gravidade.

O movimento horizontal do centro de gravidade da haste do pêndulo é dado por:

$$m\frac{d^2}{dt^2}(x + l\operatorname{sen}\theta) = H \tag{3.10}$$

O movimento vertical do centro de gravidade da haste do pêndulo é:

$$m\frac{d^2}{dt^2}(l\cos\theta) = V - mg \tag{3.11}$$

O movimento horizontal do carro é descrito por:

$$M\frac{d^2 x}{dt^2} = u - H \tag{3.12}$$

Como devemos manter o pêndulo invertido na posição vertical, podemos admitir que $\theta(t)$ e $\dot{\theta}(t)$ sejam grandezas suficientemente pequenas para que se possa fazer $\operatorname{sen}\theta \doteq \theta$, $\cos\theta = 1$ e $\theta\dot{\theta}^2 = 0$. Então, as equações de 3.9 a 3.11 podem ser linearizadas como se segue:

$$I\ddot{\theta} = Vl\theta - Hl \tag{3.13}$$

$$m(\ddot{x} + l\ddot{\theta}) = H \tag{3.14}$$

$$0 = V - mg \tag{3.15}$$

Com o auxílio das equações 3.12 e 3.14, obtemos:

$$(M + m)\ddot{x} + ml\ddot{\theta} = u \tag{3.16}$$

E, a partir das equações 3.13, 3.14 e 3.15, obtemos:

$$I\ddot{\theta} = mgl\theta - Hl$$
$$= mgl\theta - l(m\ddot{x} + ml\ddot{\theta})$$

ou

$$(I + ml^2)\ddot{\theta} + ml\ddot{x} = mgl\theta \qquad (3.17)$$

As equações 3.16 e 3.17 descrevem o movimento do sistema de pêndulo invertido sobre o carro. Elas constituem um modelo matemático do sistema.

Exemplo 3.6 Considere o sistema de pêndulo invertido mostrado na Figura 3.6. Como nesse sistema a massa está concentrada no topo da haste, o centro de gravidade é o centro da bola do pêndulo. Para esse caso, o momento de inércia do pêndulo sobre seu centro de gravidade é pequeno e vamos supor que $I = 0$ na Equação 3.17. Então, o modelo matemático para esse sistema passa a ser:

$$(M + m)\ddot{x} + ml\ddot{\theta} = u \qquad (3.18)$$

$$ml^2\ddot{\theta} + ml\ddot{x} = mgl\theta \qquad (3.19)$$

As equações 3.18 e 3.19 podem ser modificadas para

$$Ml\ddot{\theta} = (M + m)g\theta - u \qquad (3.20)$$

$$M\ddot{x} = u - mg\theta \qquad (3.21)$$

A Equação 3.20 foi obtida pela eliminação de $\ddot{x}$ das equações 3.18 e 3.19. A Equação 3.21 foi obtida pela eliminação de $\ddot{\theta}$ das equações 3.18 e 3.19. Utilizando a Equação 3.20, obtemos a função de transferência da planta como:

$$\frac{\Theta(s)}{-U(s)} = \frac{1}{Mls^2 - (M+m)g}$$

$$= \frac{1}{Ml\left(s + \sqrt{\frac{M+m}{Ml}g}\right)\left(s - \sqrt{\frac{M+m}{Ml}g}\right)}$$

O sistema de pêndulo invertido tem um polo no semieixo negativo do eixo real $\left[s = -(\sqrt{M+m}/\sqrt{Ml})\sqrt{g}\right]$ e outro no semieixo positivo do eixo real $\left[s = (\sqrt{M+m}/\sqrt{Ml})\sqrt{g}\right]$. Então, a planta é instável em malha aberta.

FIGURA 3.6
Sistema de pêndulo invertido.

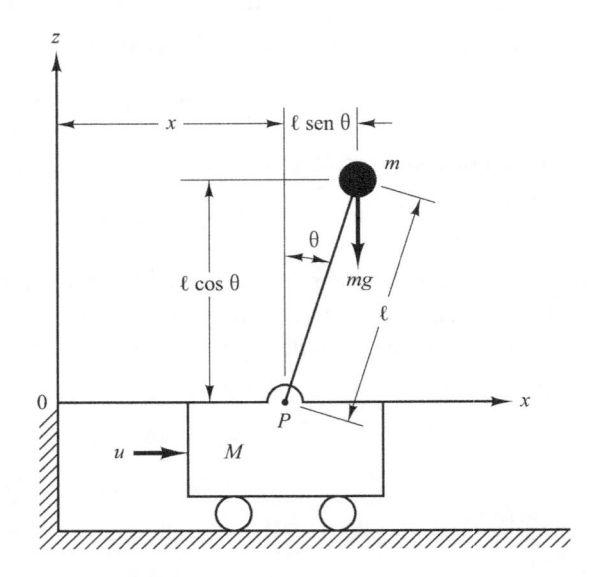

Defina as variáveis de estado x_1, x_2, x_3 e x_4 como:

$$x_1 = \theta$$
$$x_2 = \dot{\theta}$$
$$x_3 = x$$
$$x_4 = \dot{x}$$

Observe que o ângulo θ indica a rotação da haste do pêndulo em torno do ponto P e x é a localização do carro. Se considerarmos θ e x como saídas do sistema, então

$$\mathbf{y} = \begin{bmatrix} y_1 \\ y_2 \end{bmatrix} = \begin{bmatrix} \theta \\ x \end{bmatrix} = \begin{bmatrix} x_1 \\ x_3 \end{bmatrix}$$

(Note que tanto θ como x são quantidades facilmente mensuráveis.) Então, a partir da definição das variáveis de estado pelas equações 3.20 e 3.21, obtemos:

$$\dot{x}_1 = x_2$$
$$\dot{x}_2 = \frac{M+m}{Ml}gx_1 - \frac{1}{Ml}u$$
$$\dot{x}_3 = x_4$$
$$\dot{x}_4 = -\frac{m}{M}gx_1 + \frac{1}{M}u$$

Em termos de equações vetoriais-matriciais, temos:

$$\begin{bmatrix} \dot{x}_1 \\ \dot{x}_2 \\ \dot{x}_3 \\ \dot{x}_4 \end{bmatrix} = \begin{bmatrix} 0 & 1 & 0 & 0 \\ \frac{M+m}{Ml}g & 0 & 0 & 0 \\ 0 & 0 & 0 & 1 \\ -\frac{m}{M}g & 0 & 0 & 0 \end{bmatrix} \begin{bmatrix} x_1 \\ x_2 \\ x_3 \\ x_4 \end{bmatrix} + \begin{bmatrix} 0 \\ -\frac{1}{Ml} \\ 0 \\ \frac{1}{M} \end{bmatrix} u \quad (3.22)$$

$$\begin{bmatrix} y_1 \\ y_2 \end{bmatrix} = \begin{bmatrix} 1 & 0 & 0 & 0 \\ 0 & 0 & 1 & 0 \end{bmatrix} \begin{bmatrix} x_1 \\ x_2 \\ x_3 \\ x_4 \end{bmatrix} \quad (3.23)$$

As equações 3.22 e 3.23 são uma representação do sistema de pêndulo invertido no espaço de estados. (Note que a representação no espaço de estados do sistema não é única. Existe uma infinidade de representações possíveis para esse sistema.)

3.3 | Modelagem matemática de sistemas elétricos

As leis básicas que regem os circuitos elétricos são as leis de Kirchhoff das correntes e das tensões. A lei das correntes de Kirchhoff (lei dos nós) diz que a soma algébrica de todas as correntes que entram e saem de um nó é zero. (Essa lei também pode ser enunciada como se segue: a soma das correntes que chegam a um nó é igual à soma das correntes que saem desse nó.) A lei das tensões de Kirchhoff (lei das malhas) estabelece que, em qualquer instante, a soma algébrica das tensões ao longo de qualquer malha de um circuito elétrico é zero. (Essa lei também pode ser enunciada da seguinte maneira: a soma das quedas de tensão é igual à soma das elevações de tensão ao longo de uma malha.) Um modelo matemático de um circuito elétrico pode ser obtido pela aplicação de uma ou ambas as leis de Kirchhoff.

Esta seção trata, inicialmente, dos circuitos elétricos simples e, depois, da modelagem matemática de sistemas com amplificadores operacionais.

Circuito *LRC*. Considere o circuito elétrico mostrado na Figura 3.7. O circuito consiste em uma indutância L (henry), uma resistência R (ohm) e uma capacitância C (farad). Aplicando a lei das tensões de Kirchhoff ao sistema, obtemos as seguintes equações:

$$L\frac{di}{dt} + Ri + \frac{1}{C}\int i\,dt = e_i \qquad (3.24)$$

$$\frac{1}{C}\int i\,dt = e_o \qquad (3.25)$$

As equações 3.24 e 3.25 fornecem um modelo matemático do circuito.

Um modelo de função de transferência do circuito também pode ser obtido como a seguir: considerando as transformadas de Laplace das equações 3.24 e 3.25 e supondo condições iniciais nulas, obtemos:

$$LsI(s) + RI(s) + \frac{1}{C}\frac{1}{s}I(s) = E_i(s)$$

$$\frac{1}{C}\frac{1}{s}I(s) = E_o(s)$$

Se admitirmos que e_i seja a entrada e que e_o seja a saída, então a função de transferência desse sistema será:

$$\frac{E_o(s)}{E_i(s)} = \frac{1}{LCs^2 + RCs + 1} \qquad (3.26)$$

Um modelo no espaço de estados do sistema mostrado na Figura 3.7 pode ser obtido da seguinte maneira: primeiro, note que a equação diferencial do sistema pode ser obtida a partir da Equação 3.26 como:

$$\ddot{e}_o + \frac{R}{L}\dot{e}_o + \frac{1}{LC}e_o = \frac{1}{LC}e_i$$

Então, definindo as variáveis de estado por:

$$x_1 = e_o$$
$$x_2 = \dot{e}_o$$

e as variáveis de entrada e de saída por:

$$u = e_i$$
$$y = e_o = x_1$$

obtemos:

$$\begin{bmatrix}\dot{x}_1\\ \dot{x}_2\end{bmatrix} = \begin{bmatrix} 0 & 1 \\ -\frac{1}{LC} & -\frac{R}{L} \end{bmatrix}\begin{bmatrix}x_1\\ x_2\end{bmatrix} + \begin{bmatrix}0\\ \frac{1}{LC}\end{bmatrix}u$$

e

$$y = \begin{bmatrix}1 & 0\end{bmatrix}\begin{bmatrix}x_1\\ x_2\end{bmatrix}$$

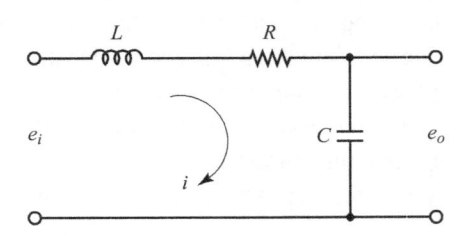

FIGURA 3.7
Circuito elétrico.

Essas duas equações constituem um modelo matemático do sistema no espaço de estados.

Função de transferência de elementos em cascata. Muitos sistemas com realimentação têm componentes com efeito de carga sobre outros. Considere o sistema mostrado na Figura 3.8. Admita que e_i seja a entrada e que e_o seja a saída. As capacitâncias C_1 e C_2 não estão carregadas inicialmente.

Vamos mostrar que o segundo estágio do circuito (porção R_2C_2) produz um efeito de carga sobre o primeiro estágio (porção R_1C_1). As equações desse sistema são:

$$\frac{1}{C_1}\int (i_1 - i_2)dt + R_1 i_1 = e_i \tag{3.27}$$

e

$$\frac{1}{C_1}\int (i_2 - i_1)dt + R_2 i_2 + \frac{1}{C_2}\int i_2 dt = 0 \tag{3.28}$$

$$\frac{1}{C_2}\int i_2 dt = e_o \tag{3.29}$$

Transformando por Laplace as equações de 3.27 a 3.29, respectivamente, e considerando condições iniciais nulas, temos:

$$\frac{1}{C_1 s}[I_1(s) - I_2(s)] + R_1 I_1(s) = E_i(s) \tag{3.30}$$

$$\frac{1}{C_1 s}[I_2(s) - I_1(s)] + R_2 I_2(s) + \frac{1}{C_2 s}I_2(s) = 0 \tag{3.31}$$

$$\frac{1}{C_2 s}I_2(s) = E_o(s) \tag{3.32}$$

Eliminando $I_1(s)$ das equações 3.30 e 3.31 e escrevendo $E_i(s)$ em termos de $I_2(s)$, encontramos a função de transferência entre $E_o(s)$ e $E_i(s)$ como:

$$\begin{aligned}\frac{E_o(s)}{E_i(s)} &= \frac{1}{(R_1 C_1 s + 1)(R_2 C_2 s + 1) + R_1 C_2 s} \\ &= \frac{1}{R_1 C_1 R_2 C_2 s^2 + (R_1 C_1 + R_2 C_2 + R_1 C_2) + s + 1}\end{aligned} \tag{3.33}$$

O termo $R_1 C_2 s$ no denominador da função de transferência representa a interação de dois circuitos RC simples. Como $(R_1 C_1 + R_2 C_2 + R_1 C_2)^2 > 4R_1 C_1 R_2 C_2$, as duas raízes do denominador da Equação 3.33 são reais.

Essa análise mostra que, se dois circuitos RC estão conectados em cascata, de modo que a saída do primeiro circuito seja a entrada do segundo, a função de transferência global não é o produto de $1/(R_1 C_1 s + 1)$ e $1/(R_2 C_2 s + 1)$. A razão para isso é que, quando deduzimos a função de transferência para um circuito isolado, estamos presumindo implicitamente que a saída do circuito esteja sem carga. Em outras palavras, a impedância de carga é admitida como infinita, o que significa que nenhuma potência está sendo retirada da saída. Quando o segundo circuito está conectado à saída do primeiro, entretanto, certa potência é consumida e, assim, a suposição de que não há carga na saída do primeiro circuito é falsa. Portanto, se a função de transferência

FIGURA 3.8
Sistema elétrico.

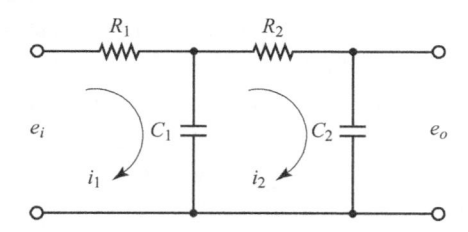

desse sistema for obtida sob a hipótese de não haver essa carga, então ela não será válida. O grau do efeito de carregamento determina quanto a função de transferência será alterada.

Impedâncias complexas. Na obtenção de funções de transferência de circuitos elétricos, com frequência achamos preferível escrever diretamente a transformada de Laplace das equações, sem a necessidade de escrever as equações diferenciais. Considere o sistema mostrado na Figura 3.9(a). Nesse sistema, Z_1 e Z_2 representam impedâncias complexas. A impedância complexa do $Z(s)$ de um circuito de dois terminais é a relação entre $E(s)$, a transformada de Laplace da tensão nos terminais, e $I(s)$, a transformada de Laplace da corrente nos elementos do circuito, sob a hipótese de que as condições iniciais são nulas, ou seja, $Z(s) = E(s)/I(s)$. Se os elementos de dois terminais forem um resistor R, uma capacitância C ou uma indutância L, então a impedância complexa será dada por R, $1/Cs$ ou Ls, respectivamente. Se as impedâncias complexas forem conectadas em série, a impedância total será a soma das impedâncias complexas individuais.

Devemos lembrar que a abordagem da impedância é válida somente se as condições iniciais envolvidas forem nulas. Nessas condições, a determinação da função de transferência de um circuito elétrico pode ser obtida a partir do conceito de impedância complexa. Essa abordagem simplifica muito a dedução das funções de transferência de circuitos elétricos.

Considere o circuito indicado na Figura 3.9(b). Suponha que as tensões e_i e e_o sejam a entrada e a saída do circuito, respectivamente. Então, a função de transferência desse circuito é:

$$\frac{E_o(s)}{E_i(s)} = \frac{Z_2(s)}{Z_1(s) + Z_2(s)}$$

Para o sistema mostrado na Figura 3.7,

$$Z_1 = Ls + R, \quad Z_2 = \frac{1}{Cs}$$

Então, a função de transferência $E_o(s)/E_i(s)$ pode ser determinada como se segue:

$$\frac{E_o(s)}{E_i(s)} = \frac{\frac{1}{Cs}}{Ls + R + \frac{1}{Cs}} = \frac{1}{LCs^2 + RCs + 1}$$

a qual é, evidentemente, idêntica à Equação 3.26.

FIGURA 3.9
Circuitos elétricos.

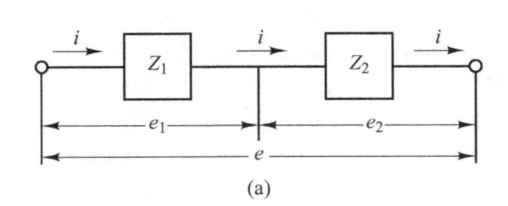

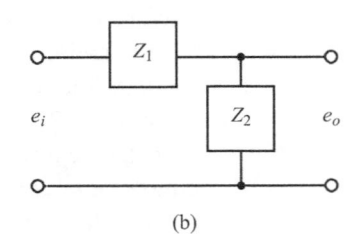

(a)

(b)

Exemplo 3.7 Considere novamente o sistema mostrado na Figura 3.8. Obtenha a função de transferência $E_o(s)/E_i(s)$ por meio da abordagem de impedância complexa. (Os capacitores C_1 e C_2 não estão inicialmente carregados.)

O circuito mostrado na Figura 3.8 pode ser redesenhado como o da Figura 3.10(a), o qual pode, em seguida, ser modificado para o da Figura 3.10(b).

No sistema mostrado na Figura 3.10(b), a corrente I divide-se em duas correntes I_1 e I_2. Ao observar que

$$Z_2 I_1 = (Z_3 + Z_4) I_2, \qquad I_1 + I_2 = I$$

obtemos:

$$I_1 = \frac{Z_3 + Z_4}{Z_2 + Z_3 + Z_4}I, \quad I_2 = \frac{Z_2}{Z_2 + Z_3 + Z_4}I$$

Ao observar que

$$E_i(s) = Z_1 I + Z_2 I_1 = \left[Z_1 + \frac{Z_2(Z_3 + Z_4)}{Z_2 + Z_3 + Z_4}\right]I$$

$$E_o(s) = Z_4 I_2 = \frac{Z_2 Z_4}{Z_2 + Z_3 + Z_4}I$$

obtemos:

$$\frac{E_o(s)}{E_i(s)} = \frac{Z_2 Z_4}{Z_1(Z_2 + Z_3 + Z_4) + Z_2(Z_3 + Z_4)}$$

Substituindo $Z_1 = R_1$, $Z_2 = 1/(C_1 s)$, $Z_3 = R_2$ e $Z_4 = 1/(C_2 s)$ na última equação, temos:

$$\frac{E_o(s)}{E_i(s)} = \frac{\dfrac{1}{C_1 s}\dfrac{1}{C_2 s}}{R_1\left(\dfrac{1}{C_1 s} + R_2 + \dfrac{1}{C_2 s}\right) + \dfrac{1}{C_1 s}\left(R_2 + \dfrac{1}{C_2 s}\right)}$$

$$= \frac{1}{R_1 C_1 R_2 C_2 s^2 + (R_1 C_1 + R_2 C_2 + R_1 C_2)s + 1}$$

que é a mesma dada pela Equação 3.33.

FIGURA 3.10
(a) O circuito da Figura 3.8 indicado em termos de impedâncias; (b) diagrama do circuito equivalente.

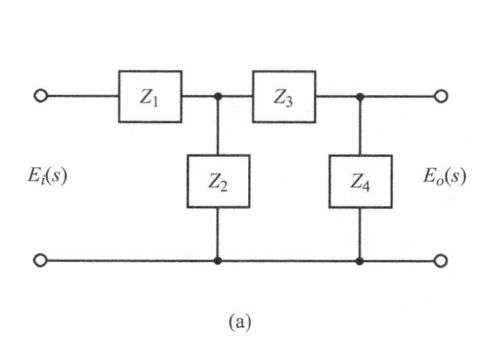

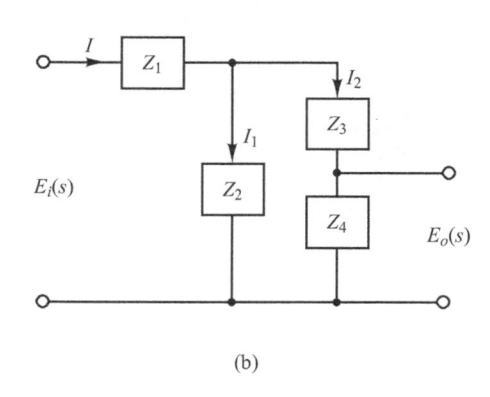

Funções de transferência de elementos sem carga em cascata. A função de transferência de um sistema que consiste em dois elementos sem carga em cascata pode ser obtida pela eliminação das entradas e das saídas intermediárias. Por exemplo, considere o sistema mostrado na Figura 3.11(a). As funções de transferência dos elementos são:

$$G_1(s) = \frac{X_2(s)}{X_1(s)} \quad \text{e} \quad G_2(s) = \frac{X_3(s)}{X_2(s)}$$

Se a impedância de entrada do segundo elemento for infinita, a saída do primeiro elemento não será afetada pela conexão com o segundo. Então, a função de transferência de todo o sistema torna-se:

$$G(s) = \frac{X_3(s)}{X_1(s)} = \frac{X_2(s)X_3(s)}{X_1(s)X_2(s)} = G_1(s)G_2(s)$$

A função de transferência de todo o sistema é, portanto, o produto das funções de transferência individuais de cada um dos elementos. Isso é mostrado na Figura 3.11(b).

FIGURA 3.11
(a) Sistema constituído por dois elementos sem carga em cascata; (b) um sistema equivalente.

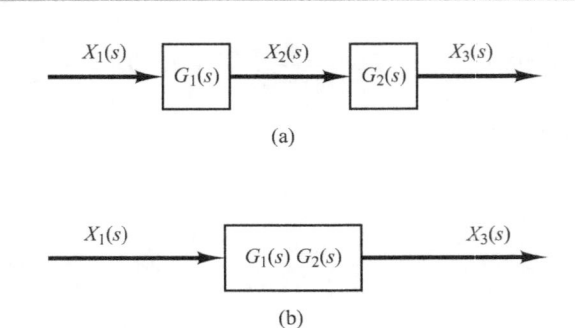

Como exemplo, considere o sistema mostrado na Figura 3.12. A inserção de um amplificador de isolamento entre os circuitos para eliminar o efeito da carga é utilizada, frequentemente, na montagem de circuitos. Como a entrada dos amplificadores é de impedância muito elevada, quando um amplificador de isolamento é inserido entre dois circuitos, isso justifica a hipótese de não carregar o circuito precedente.

Os dois circuitos *RC* simples, isolados por um amplificador, como mostra a Figura 3.12, têm efeitos de carga desprezíveis, e a função de transferência de todo o circuito é igual ao produto das funções de transferência individuais. Assim, neste caso,

$$\frac{E_o(s)}{E_i(s)} = \left(\frac{1}{R_1 C_1 s + 1}\right)(K)\left(\frac{1}{R_2 C_2 s + 1}\right)$$

$$= \frac{K}{(R_1 C_1 s + 1)(R_2 C_2 s + 1)}$$

FIGURA 3.12
Sistema elétrico.

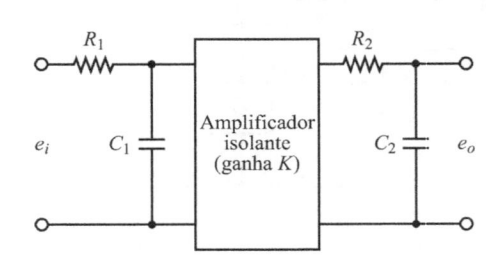

Controladores eletrônicos. A seguir, discutiremos os controladores eletrônicos que utilizam amplificadores operacionais. Começamos pela dedução das funções de transferência de circuitos simples com amplificadores operacionais. Em seguida, obteremos as funções de transferência de alguns controladores desse tipo. Por fim, apresentaremos esses controladores e as respectivas funções de transferência na forma de uma tabela.

Amplificadores operacionais. Os amplificadores operacionais, também chamados abreviadamente de AmpOps, são utilizados com frequência para amplificar sinais em sensores de circuitos. Os amplificadores operacionais também são, com frequência, utilizados em filtros que têm como finalidade a compensação de sistemas. A Figura 3.13 mostra um amplificador operacional. É uma prática comum considerar o potencial de terra como 0 volt e medir as tensões de entrada e_1 e e_2 relativamente à terra. A entrada e_1 do terminal com sinal negativo do amplificador é inversora e a entrada e_2 do terminal com sinal positivo, não inversora. Dessa maneira, a entrada resultante no amplificador será $e_2 - e_1$. Então, para o circuito mostrado na Figura 3.13, temos:

$$e_o = K(e_2 - e_1) = -K(e_1 - e_2)$$

FIGURA 3.13
Amplificador operacional.

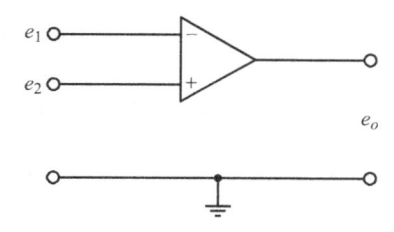

onde as entradas e_1 e e_2 podem ser sinais c.c. ou c.a. e K é o ganho diferencial (ganho de tensão). O valor de K é cerca de $10^5 \sim 10^6$ para sinais c.c. e sinais c.a. com frequências menores do que aproximadamente 10 Hz. (O ganho diferencial K decresce com a frequência do sinal e torna-se aproximadamente unitário para frequências entre 1 MHz ~ 50 MHz.) Note que o amplificador operacional amplifica a diferença entre as voltagens e_1 e e_2. Um amplificador desse tipo normalmente é chamado amplificador diferencial. Como o ganho do amplificador operacional é muito alto, é necessário haver uma realimentação negativa da saída para a entrada, a fim de tornar o amplificador estável. (A realimentação é feita a partir da saída para a entrada inversora, para que a realimentação seja negativa.)

No amplificador operacional ideal, nenhuma corrente flui pelos terminais de entrada e a tensão de saída não é afetada pela carga conectada ao terminal de saída. Em outras palavras, a impedância de entrada é infinita e a impedância de saída é zero. No amplificador operacional real, uma corrente muito pequena (quase desprezível) flui para um terminal de entrada e o terminal de saída não pode ser muito carregado. Em nossa análise, consideraremos os amplificadores operacionais ideais.

Amplificador inversor. Considere o circuito do amplificador operacional mostrado na Figura 3.14. Seja e_o a tensão de saída.

A equação para esse circuito pode ser obtida como a seguir: defina

$$i_1 = \frac{e_i - e'}{R_1}, \quad i_2 = \frac{e' - e_o}{R_2}$$

Como somente uma corrente desprezível flui pelo amplificador, a corrente i_1 deve ser igual à corrente i_2. Assim,

$$\frac{e_i - e'}{R_1} = \frac{e' - e_o}{R_2}$$

Como $K(0 - e') = e_o$ e $K \gg 1$, e' deve ser quase zero ou $e' \doteq 0$. Então, temos:

$$\frac{e_i}{R_1} = \frac{-e_o}{R_2}$$

FIGURA 3.14
Amplificador inversor.

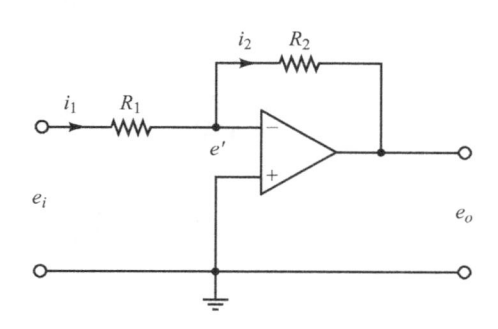

ou

$$e_o = -\frac{R_2}{R_1} e_i$$

Assim, o circuito mostrado é um amplificador inversor. Se $R_1 = R_2$, então o circuito com amplificador operacional mostrado atua simplesmente como um inversor de sinal.

Amplificador não inversor. A Figura 3.15(a) mostra um amplificador não inversor. Um circuito equivalente a esse é mostrado na Figura 3.15(b). Para o circuito da Figura 3.15(b), temos:

$$e_o = K\left(e_i - \frac{R_1}{R_1 + R_2} e_o\right)$$

onde K é o ganho diferencial do amplificador. A partir da última equação, temos:

$$e_i = \left(\frac{R_1}{R_1 + R_2} + \frac{1}{K}\right) e_o$$

Como $K \gg 1$, se $R_1/(R_1 + R_2) \gg 1/K$, então

$$e_o = \left(1 + \frac{R_2}{R_1}\right) e_i$$

Essa equação fornece a tensão de saída e_o. Como e_o e e_i têm os mesmos sinais, o circuito com amplificador operacional mostrado na Figura 3.15(a) é não inversor.

FIGURA 3.15
(a) Amplificador operacional não inversor; (b) circuito equivalente.

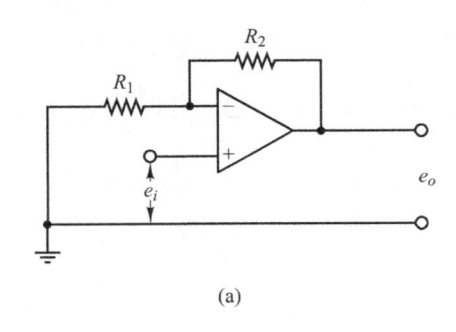

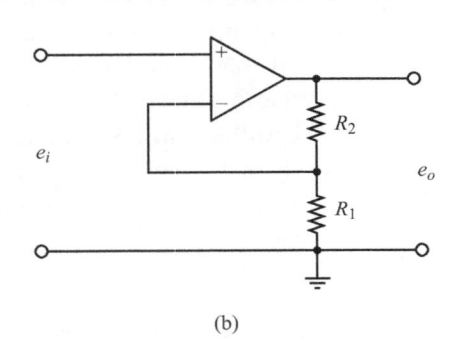

Exemplo 3.8 A Figura 3.16 mostra um circuito elétrico com um amplificador operacional. Obtenha a saída e_o.

Definindo

$$i_1 = \frac{e_i - e'}{R_1}, \quad i_2 = C\frac{d(e' - e_o)}{dt}, \quad i_3 = \frac{e' - e_o}{R_2}$$

Notando-se que a corrente que flui pelo amplificador é desprezível, temos:

$$i_1 = i_2 + i_3$$

Então,

$$\frac{e_i - e'}{R_1} = C\frac{d(e' - e_o)}{dt} + \frac{e' - e_o}{R_2}$$

Como $e' \doteq 0$, temos:

$$\frac{e_i}{R_1} = -C\frac{de_o}{dt} - \frac{e_o}{R_2}$$

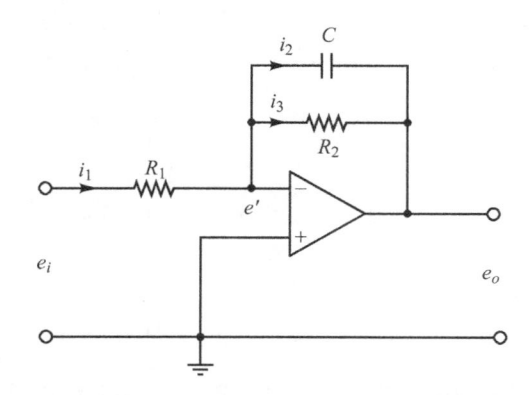

FIGURA 3.16
Circuito de atraso de primeira ordem com amplificador operacional.

Considerando a transformada de Laplace dessa última equação e supondo condições iniciais nulas, temos:

$$\frac{E_i(s)}{R_1} = -\frac{R_2 Cs + 1}{R_2} E_o(s)$$

que pode ser escrita como:

$$\frac{E_o(s)}{E_i(s)} = -\frac{R_2}{R_1} \frac{1}{R_2 Cs + 1}$$

O circuito com amplificador operacional exposto na Figura 3.16 é um circuito de atraso de primeira ordem. (Vários outros circuitos que envolvem amplificadores operacionais são mostrados na Tabela 3.1, com suas respectivas funções de transferência. A Tabela 3.1 é dada na página 75.)

Uso da impedância para a obtenção das funções de transferência. Considere o circuito com amplificador operacional mostrado na Figura 3.17. Da mesma maneira que no caso dos circuitos elétricos discutidos anteriormente, o método da impedância pode ser aplicado aos circuitos com amplificadores operacionais para a obtenção de suas funções de transferência. No caso do circuito apresentado na Figura 3.17, temos:

$$\frac{E_i(s) - E'(s)}{Z_1} = \frac{E'(s) - E_o(s)}{Z_2}$$

Como $E'(s) \doteq 0$, temos:

$$\frac{E_o(s)}{E_i(s)} = -\frac{Z_2(s)}{Z_1(s)} \tag{3.34}$$

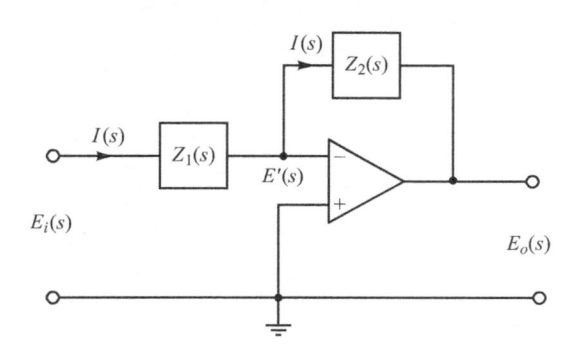

FIGURA 3.17
Circuito com amplificador operacional.

Exemplo 3.9 Tomando como referência o circuito com amplificador operacional mostrado na Figura 3.16, obtenha a função de transferência $E_o(s)/E_i(s)$ pela utilização do método da impedância.

As impedâncias complexas $Z_1(s)$ e $Z_2(s)$ para esse circuito são:

$$Z_1(s) = R_1 \quad \text{e} \quad Z_2(s) = \frac{1}{Cs + \frac{1}{R_2}} = \frac{R_2}{R_2 Cs + 1}$$

A função de transferência $E_o(s)/E_i(s)$ é, portanto, obtida como:

$$\frac{E_o(s)}{E_i(s)} = -\frac{Z_2(s)}{Z_1(s)} = -\frac{R_2}{R_1} \frac{1}{R_2 Cs + 1}$$

que, evidentemente, é a mesma obtida no Exemplo 3.8.

Redes de avanço ou atraso com amplificadores operacionais. A Figura 3.18(a) mostra um circuito eletrônico com um amplificador operacional. A função de transferência para esse circuito pode ser obtida da seguinte maneira: defina a impedância de entrada e a impedância de realimentação como Z_1 e Z_2, respectivamente. Então

$$Z_1 = \frac{R_1}{R_1 C_1 s + 1}, \quad Z_2 = \frac{R_2}{R_2 C_2 s + 1}$$

Assim, tomando como referência a Equação 3.34, temos:

$$\frac{E(s)}{E_i(s)} = -\frac{Z_2}{Z_1} = -\frac{R_2}{R_1} \frac{R_1 C_1 s + 1}{R_2 C_2 s + 1} = -\frac{C_1}{C_2} \frac{s + \frac{1}{R_1 C_1}}{s + \frac{1}{R_2 C_2}} \tag{3.35}$$

FIGURA 3.18
(a) Circuito com amplificador operacional;
(b) circuito com amplificador operacional utilizado como compensador de avanço ou de atraso.

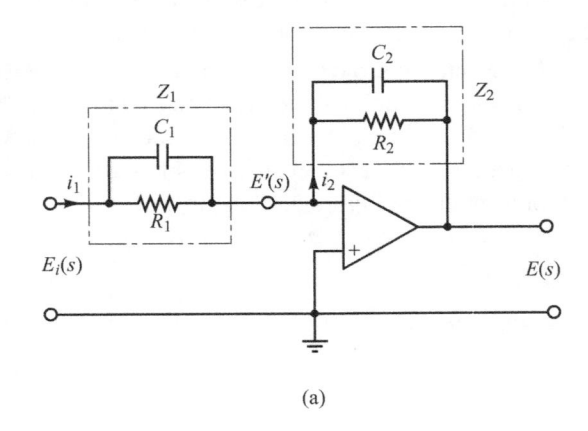

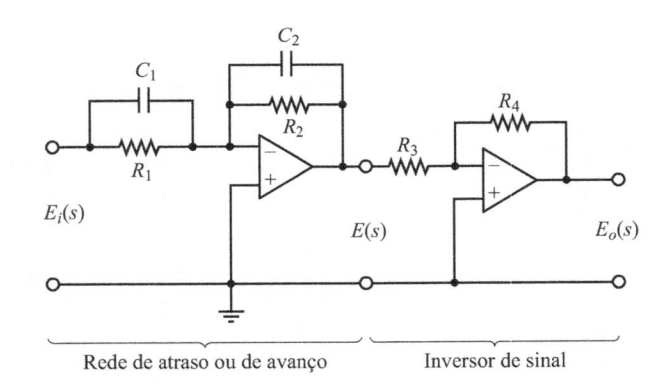

Observe que a função de transferência na Equação 3.35 contém o sinal negativo. Assim, esse circuito é inversor de sinal. Se essa inversão de sinal não for conveniente no caso real, um circuito inversor de sinal poderá ser conectado tanto à entrada como à saída do circuito da Figura 3.18(a). Um exemplo é mostrado na Figura 3.18(b). O inversor de sinal tem a função de transferência de

$$\frac{E_o(s)}{E(s)} = -\frac{R_4}{R_3}$$

O inversor de sinal tem o ganho de $-R_4/R_3$. Então, a rede mostrada na Figura 3.18(b) tem a seguinte função de transferência:

$$\frac{E_o(s)}{E_i(s)} = \frac{R_2 R_4}{R_1 R_3} \frac{R_1 C_1 s + 1}{R_2 C_2 s + 1} = \frac{R_4 C_1}{R_3 C_2} \frac{s + \frac{1}{R_1 C_1}}{s + \frac{1}{R_2 C_2}}$$

$$= K_c \alpha \frac{Ts + 1}{\alpha Ts + 1} = K_c \frac{s + \frac{1}{T}}{s + \frac{1}{\alpha T}} \tag{3.36}$$

onde

$$T = R_1 C_1, \qquad \alpha T = R_2 C_2, \qquad K_c = \frac{R_4 C_1}{R_3 C_2}$$

Note que

$$K_c \alpha = \frac{R_4 C_1}{R_3 C_2} \frac{R_2 C_2}{R_1 C_1} = \frac{R_2 R_4}{R_1 R_3}, \qquad \alpha = \frac{R_2 C_2}{R_1 C_1},$$

Essa rede tem um ganho c.c. de $K_c \alpha = R_2 R_4/(R_1 R_3)$.

Observe que essa rede, cuja função de transferência é dada pela Equação 3.36, será uma rede de avanço se $R_1 C_1 > R_2 C_2$, ou $\alpha < 1$. Ela será uma rede de atraso se $R_1 C_1 < R_2 C_2$.

Controlador PID com amplificadores operacionais. A Figura 3.19 mostra um controlador eletrônico proporcional-integral-derivativo (PID) com amplificadores operacionais. A função de transferência $E(s)/E_i(s)$ é dada por:

$$\frac{E(s)}{E_i(s)} = -\frac{Z_2}{Z_1}$$

onde

$$Z_1 = \frac{R_1}{R_1 C_1 s + 1}, \quad Z_2 = \frac{R_2 C_2 s + 1}{C_2 s}$$

FIGURA 3.19
Controlador eletrônico PID.

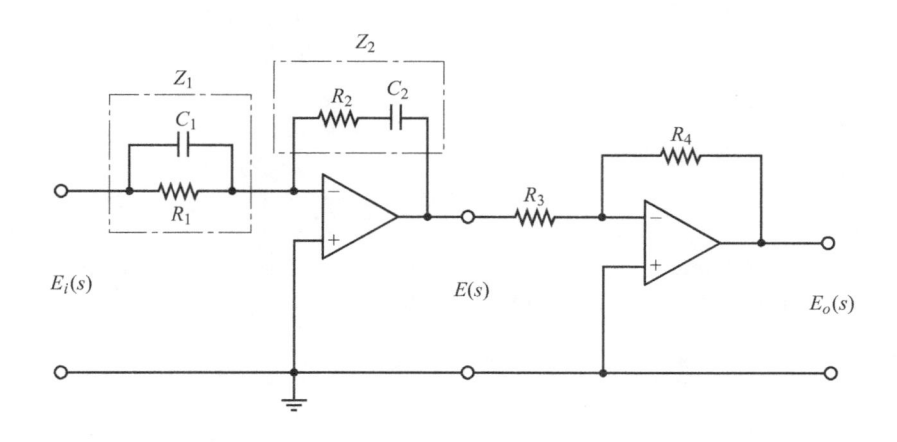

Assim,

$$\frac{E(s)}{E_i(s)} = -\left(\frac{R_2 C_2 s + 1}{C_2 s}\right)\left(\frac{R_1 C_1 s + 1}{R_1}\right)$$

Notando que

$$\frac{E_o(s)}{E(s)} = -\frac{R_4}{R_3}$$

temos:

$$\frac{E_o(s)}{E_i(s)} = \frac{E_o(s)}{E(s)} \frac{E(s)}{E_i(s)} = \frac{R_4 R_2}{R_3 R_1} \frac{(R_1 C_1 s + 1)(R_2 C_2 s + 1)}{R_2 C_2 s}$$

$$= \frac{R_4 R_2}{R_3 R_1}\left(\frac{R_1 C_1 + R_2 C_2}{R_2 C_2} + \frac{1}{R_2 C_2 s} + R_1 C_1 s\right)$$

$$= \frac{R_4(R_1 C_1 + R_2 C_2)}{R_3 R_1 C_2}\left[1 + \frac{1}{(R_1 C_1 + R_2 C_2)s} + \frac{R_1 C_1 R_2 C_2}{R_1 C_1 + R_2 C_2}s\right] \quad (3.37)$$

Observe que o segundo circuito amplificador operacional atua tanto como um inversor de sinal como um ajuste de ganho.

Quando um controlador PID é expresso como:

$$\frac{E_o(s)}{E_i(s)} = K_p\left(1 + \frac{T_i}{s} + T_d s\right)$$

K_p é chamado ganho proporcional, T_i é denominado tempo integrativo e T_d, de tempo derivativo. A partir da Equação 3.37, obtemos o ganho proporcional K_p, o tempo integrativo T_i e o tempo derivativo T_d, como:

$$K_p = \frac{R_4(R_1 C_1 + R_2 C_2)}{R_3 R_1 C_2}$$

$$T_i = \frac{1}{R_1 C_1 + R_2 C_2}$$

$$T_d = \frac{R_1 C_1 R_2 C_2}{R_1 C_1 + R_2 C_2}$$

Quando um controlador PID é expresso como:

$$\frac{E_o(s)}{E_i(s)} = K_p + \frac{K_i}{s} + K_d s$$

K_p é chamado ganho proporcional, K_i, tempo integrativo e K_d, ganho derivativo. Para esse controlador,

$$K_p = \frac{R_4(R_1 C_1 + R_2 C_2)}{R_3 R_1 C_2}$$

$$K_i = \frac{R_4}{R_3 R_1 C_2}$$

$$K_d = \frac{R_4 R_2 C_1}{R_3}$$

A Tabela 3.1 mostra uma lista de circuitos com amplificadores operacionais que podem ser utilizados como controladores ou compensadores.

TABELA 3.1 Circuitos com amplificadores operacionais que podem ser utilizados como compensadores.

	Ação de controle	$G(s) = \dfrac{E_o(s)}{E_i(s)}$	Circuitos amplificadores operacionais
1	P	$\dfrac{R_4}{R_3}\dfrac{R_2}{R_1}$	
2	I	$\dfrac{R_4}{R_3}\dfrac{1}{R_1 C_2 s}$	
3	PD	$\dfrac{R_4}{R_3}\dfrac{R_2}{R_1}(R_1 C_1 s + 1)$	
4	PI	$\dfrac{R_4}{R_3}\dfrac{R_2}{R_1}\dfrac{R_2 C_2 s + 1}{R_2 C_2 s}$	
5	PID	$\dfrac{R_4}{R_3}\dfrac{R_2}{R_1}\dfrac{(R_1 C_1 s + 1)(R_2 C_2 s + 1)}{R_2 C_2 s}$	
6	Avanço ou atraso	$\dfrac{R_4}{R_3}\dfrac{R_2}{R_1}\dfrac{R_1 C_1 s + 1}{R_2 C_2 s + 1}$	
7	Avanço e atraso	$\dfrac{R_6}{R_5}\dfrac{R_4}{R_3}\dfrac{[(R_1+R_3)C_1 s + 1](R_2 C_2 s + 1)}{(R_1 C_1 s + 1)[(R_2+R_4)C_2 s + 1]}$	

Exemplos de problemas com soluções

A.3.1 A Figura 3.20(a) mostra um diagrama esquemático do sistema de suspensão de um automóvel. Quando o carro se move ao longo da estrada, o movimento vertical das rodas age como a própria função de entrada do sistema de suspensão do automóvel. O movimento desse sistema consiste em um movimento de translação do centro de massa e um movimento de rotação em torno desse mesmo centro de massa. O modelo matemático do sistema completo é bastante complicado.

Uma versão muito simplificada do sistema de suspensão é mostrada na Figura 3.20(b). Admitindo que o movimento x_i no ponto P seja a entrada do sistema e o movimento vertical x_O do corpo seja a saída, obtenha a função de transferência $X_O(s)/X_i(s)$. (Considere o movimento do corpo somente na direção vertical.) O deslocamento x_O é medido a partir da posição de equilíbrio na ausência da variável de entrada x_i.

Solução. A equação do movimento para o sistema mostrado na Figura 3.20(b) é:

$$m\ddot{x}_O + b(\dot{x}_O - \dot{x}_i) + k(x_O - x_i) = 0$$

ou

$$m\ddot{x}_O + b\dot{x}_O + kx_O = b\dot{x}_i + kx_i$$

Ao considerar a transformada de Laplace da última equação, e ao supor condições iniciais nulas, obtemos:

$$(ms^2 + bs + k)X_O(s) = (bs + k)X_i(s)$$

Então, a função de transferência $X_O(s)/X_i(s)$ é dada por:

$$\frac{X_o(s)}{X_i(s)} = \frac{bs + k}{ms^2 + bs + k}$$

FIGURA 3.20
(a) Sistema de suspensão do automóvel;
(b) sistema de suspensão simplificado.

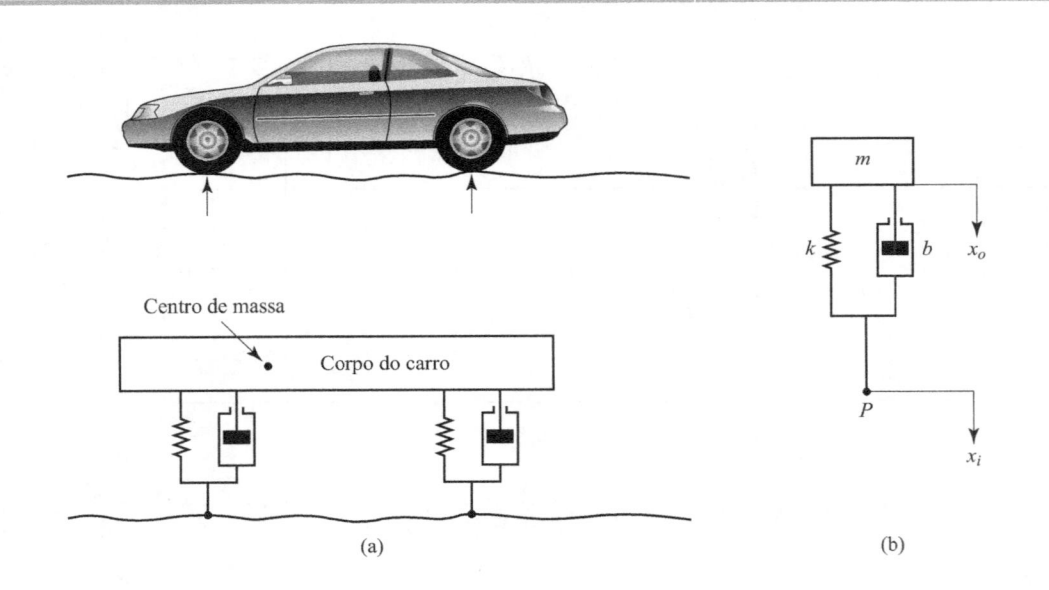

A.3.2 Obtenha a função de transferência $Y(s)/U(s)$ do sistema mostrado na Figura 3.21. A entrada u é um deslocamento. (Como o sistema do Problema **A.3.1**, este é também uma versão simplificada da suspensão de um automóvel ou de uma motocicleta.)

FIGURA 3.21
Sistema de suspensão.

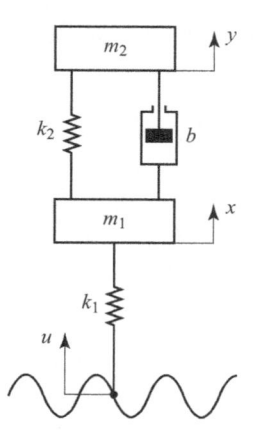

Solução. Suponha que os deslocamentos x e y sejam medidos a partir das respectivas posições de repouso que ocorrem na ausência da entrada u. Aplicando a segunda lei de Newton a esse sistema, obtemos:

$$m_1\ddot{x} = k_2(y-x) + b(\dot{y}-\dot{x}) + k_1(u-x)$$
$$m_2\ddot{y} = -k_2(y-x) - b(\dot{y}-\dot{x})$$

Então, temos:

$$m_1\ddot{x} + b\dot{x} + (k_1+k_2)x = b\dot{y} + k_2 y + k_1 u$$
$$m_2\ddot{y} + b\dot{y} + k_2 y = b\dot{x} + k_2 x$$

Ao considerar a transformada de Laplace dessas duas equações e ao supor condições iniciais nulas, obtemos:

$$[m_1 s^2 + bs + (k_1+k_2)]X(s) = (bs+k_2)Y(s) + k_1 U(s)$$
$$[m_2 s^2 + bs + k_2]Y(s) = (bs+k_2)X(s)$$

Eliminando $X(s)$ das duas últimas equações, temos:

$$(m_1 s^2 + bs + k_1 + k_2)\frac{m_2 s^2 + bs + k_2}{bs + k_2}Y(s) = (bs+k_2)Y(s) + k_1 U(s)$$

que fornece:

$$\frac{Y(s)}{U(s)} = \frac{k_1(bs+k_2)}{m_1 m_2 s^4 + (m_1+m_2)bs^3 + [k_1 m_2 + (m_1+m_2)k_2]s^2 + k_1 bs + k_1 k_2}$$

A.3.3 Obtenha a representação em espaço de estados do sistema mostrado na Figura 3.22.

Solução. As equações do sistema são

$$m_1\ddot{y}_1 + b\dot{y}_1 + k(y_1 - y_2) = 0$$

FIGURA 3.22
Sistema mecânico.

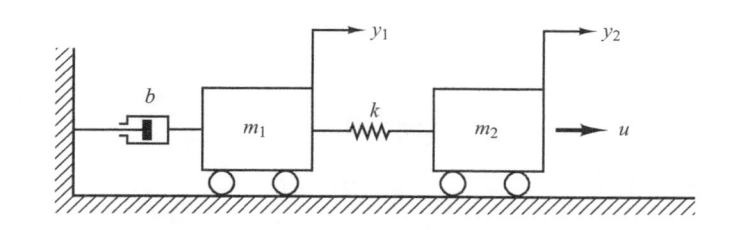

$$m_2\ddot{y}_2 + k(y_2 - y_1) = u$$

As variáveis de saída para esse sistema são y_1 e y_2. Definindo as variáveis de estado como

$$x_1 = y_1$$
$$x_2 = \dot{y}_1$$
$$x_3 = y_2$$
$$x_4 = \dot{y}_2$$

Obtemos então as seguintes equações:

$$\dot{x}_1 = x_2$$

$$\dot{x}_2 = \frac{1}{m_1}[-b\dot{y}_1 - k(y_1 - y_2)] = -\frac{k}{m_1}x_1 - \frac{b}{m_1}x_2 + \frac{k}{m_1}x_3$$

$$\dot{x}_3 = x_4$$

$$\dot{x}_4 = \frac{1}{m_2}[-k(y_2 - y_1) + u] = \frac{k}{m_2}x_1 - \frac{k}{m_2}x_3 + \frac{1}{m_2}u$$

Portanto, a equação de estado é

$$\begin{bmatrix}\dot{x}_1\\ \dot{x}_2\\ \dot{x}_3\\ \dot{x}_4\end{bmatrix} = \begin{bmatrix} 0 & 1 & 0 & 0\\ -\frac{k}{m_1} & -\frac{b}{m_1} & -\frac{k}{m_1} & 0\\ 0 & 0 & 0 & 1\\ \frac{k}{m_2} & 0 & -\frac{k}{m_2} & 0 \end{bmatrix}\begin{bmatrix}x_1\\ x_2\\ x_3\\ x_4\end{bmatrix} + \begin{bmatrix}0\\ 0\\ 0\\ \frac{1}{m_2}\end{bmatrix}u$$

e a equação de saída é

$$\begin{bmatrix}y_1\\ y_2\end{bmatrix} = \begin{bmatrix}1 & 0 & 0 & 0\\ 0 & 0 & 1 & 0\end{bmatrix}\begin{bmatrix}x_1\\ x_2\\ x_3\\ x_4\end{bmatrix}$$

A.3.4 Obtenha a função de transferência $X_O(s)/X_i(s)$ do sistema mecânico apresentado na Figura 3.23(a) e a função de transferência $E_o(s)/E_i(s)$ do sistema elétrico exposto na Figura 3.23(b). Mostre que

FIGURA 3.23
(a) Sistema mecânico;
(b) sistema elétrico análogo.

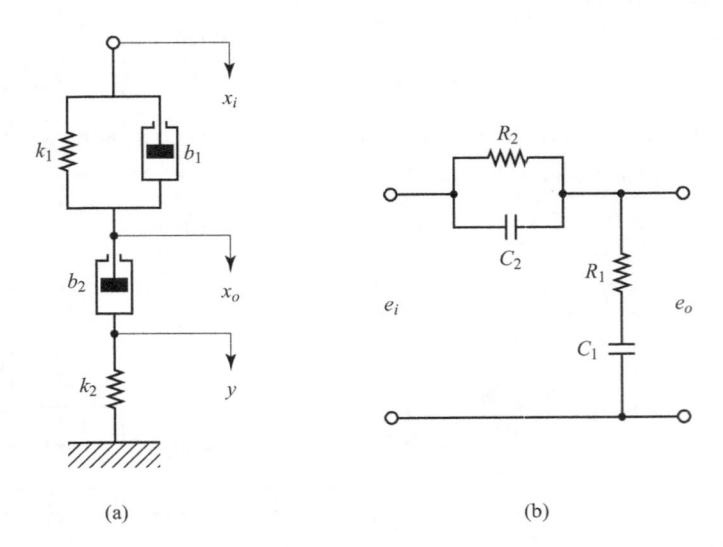

(a)

(b)

as funções de transferência dos dois sistemas têm forma idêntica e, portanto, eles são sistemas análogos.

Solução. Admitimos, na Figura 3.59(a), que os deslocamentos x_i, x_0 e y sejam medidos a partir das respectivas posições de repouso. Assim, as equações de movimento para o sistema mecânico da Figura 3.23(a) são:

$$b_1(\dot{x}_i - \dot{x}_O) + k_1(x_i - x_O) = b_2(\dot{x}_O - \dot{y})$$

$$b_2(\dot{x}_O - \dot{y}) = k_2 y$$

Tomando as transformadas de Laplace dessas duas equações e admitindo condições iniciais nulas, temos:

$$b_1[sX_i(s) - sX_O(s)] + k_1[X_i(s) - X_O(s)] = b_2[sX_O(s) - sY(s)]$$

$$b_2[sX_O(s) - sY(s)] = k_2 Y(s)$$

Se eliminarmos $Y(s)$ das duas últimas equações, obtemos:

$$b_1[sX_i(s) - sX_o(s)] + k_1[X_i(s) - X_o(s)] = b_2 s X_o(s) - b_2 s \frac{b_2 s X_o(s)}{b_2 s + k_2}$$

ou

$$(b_1 s + k_1) X_i(s) = \left(b_1 s + k_1 + b_2 s - b_2 s \frac{b_2 s}{b_2 s + k_2}\right) X_o(s)$$

Então, a função de transferência $X_o(s)/X_i(s)$ pode ser obtida por meio de

$$\frac{X_o(s)}{X_i(s)} = \frac{\left(\frac{b_1}{k_1}s + 1\right)\left(\frac{b_2}{k_2}s + 1\right)}{\left(\frac{b_1}{k_1}s + 1\right)\left(\frac{b_2}{k_2}s + 1\right) + \frac{b_2}{k_1}s}$$

Para o sistema elétrico mostrado na Figura 3.23(b), a função de transferência $E_o(s)/E_i(s)$ é:

$$\frac{E_o(s)}{E_i(s)} = \frac{R_1 + \frac{1}{C_1 s}}{\frac{1}{(1/R_2) + C_2 s} + R_1 + \frac{1}{C_1 s}}$$

$$= \frac{(R_1 C_1 s + 1)(R_2 C_2 s + 1)}{(R_1 C_1 s + 1)(R_2 C_2 s + 1) + R_2 C_1 s}$$

Uma comparação entre as funções de transferência mostra que os sistemas das figuras 3.23(a) e (b) são análogos.

A.3.5 Obtenha as funções de transferência $E_o(s)/E_i(s)$ dos circuitos em ponte tipo T mostrados nas figuras 3.24(a) e (b).

FIGURA 3.24
Rede em ponte tipo T.

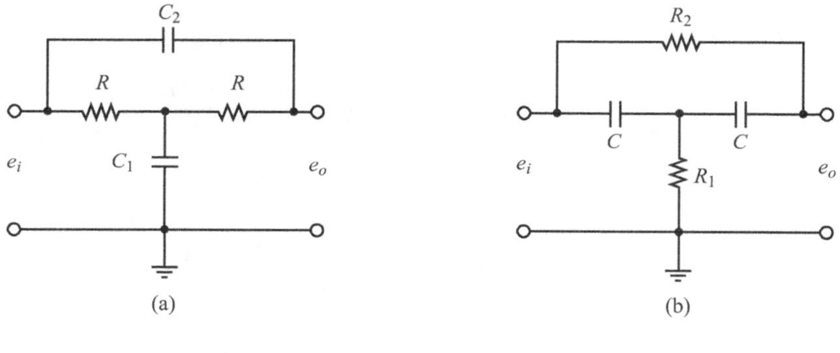

Solução. Ambos os circuitos em ponte tipo T mostrados podem ser representados pela rede da Figura 3.25(a), em que utilizamos impedâncias complexas. Essa rede pode ser transformada na que está representada na Figura 3.25(b).

Na Figura 3.25(b), note que:

$$I_1 = I_2 + I_3, \qquad I_2 Z_1 = (Z_3 + Z_4) I_3$$

Então,

$$I_2 = \frac{Z_3 + Z_4}{Z_1 + Z_3 + Z_4} I_1, \quad I_3 = \frac{Z_1}{Z_1 + Z_3 + Z_4} I_1$$

Assim, as tensões $E_i(s)$ e $E_o(s)$ podem ser obtidas como:

$$E_i(s) = Z_1 I_2 + Z_2 I_1$$

$$= \left[Z_2 + \frac{Z_1(Z_3 + Z_4)}{Z_1 + Z_3 + Z_4} \right] I_1$$

$$= \frac{Z_2(Z_1 + Z_3 + Z_4) + Z_1(Z_3 + Z_4)}{Z_1 + Z_3 + Z_4} I_1$$

$$E_o(s) = Z_3 I_3 + Z_2 I_1$$

$$= \frac{Z_3 Z_1}{Z_1 + Z_3 + Z_4} I_1 + Z_2 I_1$$

$$= \frac{Z_3 Z_1 + Z_2(Z_1 + Z_3 + Z_4)}{Z_1 + Z_3 + Z_4} I_1$$

FIGURA 3.25
(a) Rede em ponte tipo T em termos de impedâncias complexas; (b) rede equivalente.

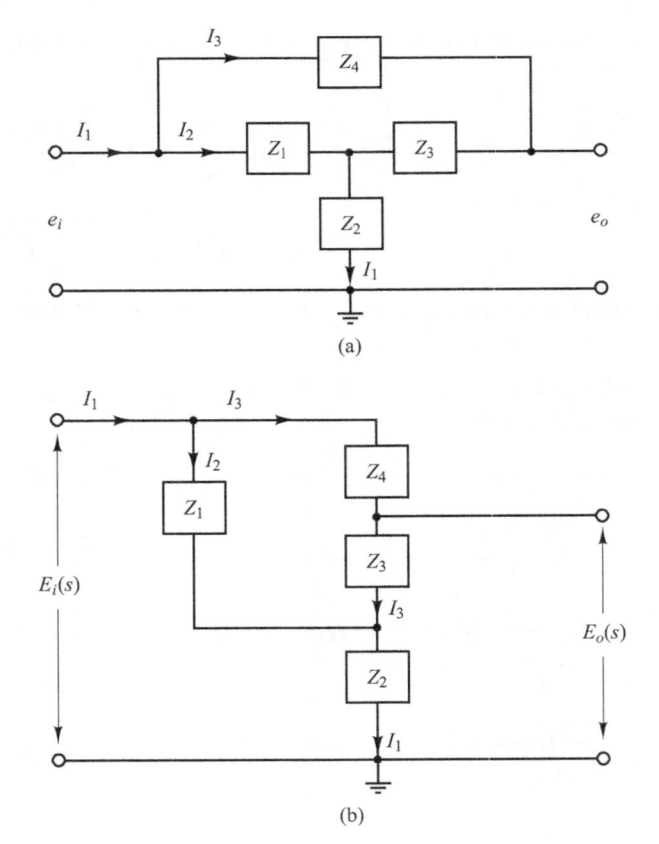

Então, a função de transferência $E_o(s)/E_i(s)$ da rede mostrada na Figura 3.25(a) é obtida como:

$$\frac{E_o(s)}{E_i(s)} = \frac{Z_3 Z_1 + Z_2(Z_1 + Z_3 + Z_4)}{Z_2(Z_1 + Z_3 + Z_4) + Z_1 Z_3 + Z_1 Z_4} \tag{3.38}$$

Para a rede em ponte tipo T mostrada na Figura 3.24(a), substitua

$$Z_1 = R, \quad Z_2 = \frac{1}{C_1 s}, \quad Z_3 = R, \quad Z_4 = \frac{1}{C_2 s}$$

na Equação 3.38. Então, obtemos a função de transferência $E_o(s)/E_i(s)$, a saber:

$$\frac{E_o(s)}{E_i(s)} = \frac{R^2 + \dfrac{1}{C_1 s}\left(R + R + \dfrac{1}{C_2 s}\right)}{\dfrac{1}{C_1 s}\left(R + R + \dfrac{1}{C_2 s}\right) + R^2 + R\dfrac{1}{C_2 s}}$$

$$= \frac{RC_1 RC_2 s^2 + 2RC_2 s + 1}{RC_1 RC_2 s^2 + (2RC_2 + RC_1)s + 1}$$

Da mesma maneira, para a rede em ponte tipo T mostrada na Figura 3.24(b), substituímos

$$Z_1 = \frac{1}{Cs}, \quad Z_2 = R_1, \quad Z_3 = \frac{1}{Cs}, \quad Z_4 = R_2$$

na Equação (3.38). Então, a função de transferência $E_o(s)/E_i(s)$ pode ser obtida como se segue:

$$\frac{E_o(s)}{E_i(s)} = \frac{\dfrac{1}{Cs}\dfrac{1}{Cs} + R_1\left(\dfrac{1}{Cs} + \dfrac{1}{Cs} + R_2\right)}{R_1\left(\dfrac{1}{Cs} + \dfrac{1}{Cs} + R_2\right) + \dfrac{1}{Cs}\dfrac{1}{Cs} + R_2\dfrac{1}{Cs}}$$

$$= \frac{R_1 CR_2 Cs^2 + 2R_1 Cs + 1}{R_1 CR_2 Cs^2 + (2R_1 C + R_2 C)s + 1}$$

A.3.6 Obtenha a função de transferência $E_o(s)/E_i(s)$ do circuito com amplificador operacional mostrado na Figura 3.26.

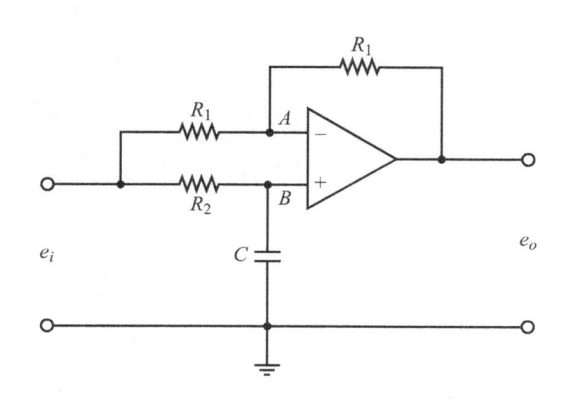

Solução. A tensão no ponto A é:

$$e_A = \frac{1}{2}(e_i - e_o) + e_o$$

A transformada de Laplace dessa última equação é:

$$E_A(s) = \frac{1}{2}[E_i(s) + E_o(s)]$$

FIGURA 3.26
Circuito com amplificador operacional.

A tensão no ponto B é:

$$E_B(s) = \frac{\frac{1}{Cs}}{R_2 + \frac{1}{Cs}} E_i(s) = \frac{1}{R_2 Cs + 1} E_i(s)$$

Como $[E_B(s) - E_A(s)]K = E_o(s)$ e $K \gg 1$, devemos ter $E_A(s) = E_B(s)$. Assim,

$$\frac{1}{2}[E_i(s) + E_o(s)] = \frac{1}{R_2 Cs + 1} E_i(s)$$

Então,

$$\frac{E_o(s)}{E_i(s)} = -\frac{R_2 Cs - 1}{R_2 Cs + 1} = -\frac{s - \frac{1}{R_2 C}}{s + \frac{1}{R_2 C}}$$

A.3.7 Obtenha a função de transferência $E_o(s)/E_i(s)$ do sistema com amplificador operacional indicado na Figura 3.27 em termos de impedâncias complexas Z_1, Z_2, Z_3 e Z_4. Utilizando a equação derivada, obtenha a função de transferência $E_o(s)/E_i(s)$ do sistema com amplificador operacional indicado na Figura 3.26.

Solução. A partir da Figura 3.27, temos:

$$\frac{E_i(s) - E_A(s)}{Z_3} = \frac{E_A(s) - E_o(s)}{Z_4}$$

ou

$$E_i(s) - \left(1 + \frac{Z_3}{Z_4}\right) E_A(s) = -\frac{Z_3}{Z_4} E_o(s) \tag{3.39}$$

Como

$$E_A(s) = E_B(s) = \frac{Z_1}{Z_1 + Z_2} E_i(s) \tag{3.40}$$

pela substituição da Equação 3.40 na Equação 3.39, obtemos:

$$\left[\frac{Z_4 Z_1 + Z_4 Z_2 - Z_4 Z_1 - Z_3 Z_1}{Z_4 (Z_1 + Z_2)}\right] E_i(s) = -\frac{Z_3}{Z_4} E_o(s)$$

a partir da qual obtemos a função de transferência $E_o(s)/E_i(s)$ como:

$$\frac{E_o(s)}{E_i(s)} = -\frac{Z_4 Z_2 - Z_3 Z_1}{Z_3 (Z_1 + Z_2)} \tag{3.41}$$

FIGURA 3.27
Circuito com amplificador operacional.

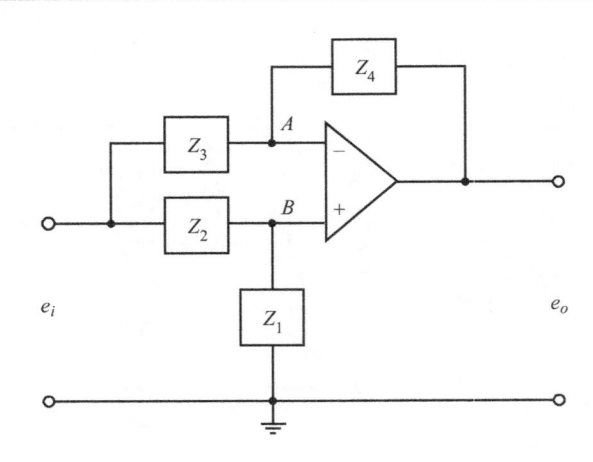

Para encontrarmos a função de transferência $E_o(s)/E_i(s)$ do circuito mostrado na Figura 3.26, substituímos

$$Z_1 = \frac{1}{Cs}, \quad Z_2 = R_2, \quad Z_3 = R_1, \quad Z_4 = R_1$$

na Equação 3.41. O resultado é:

$$\frac{E_o(s)}{E_i(s)} = -\frac{R_1 R_2 - R_1 \frac{1}{Cs}}{R_1 \left(\frac{1}{Cs} + R_2\right)} = -\frac{R_2 Cs - 1}{R_2 Cs + 1}$$

que é, como não poderia deixar de ser, o mesmo que o obtido no Problema **A.3.6**.

A.3.8 Obtenha a função de transferência $E_o(s)/E_i(s)$ do circuito com amplificador operacional mostrado na Figura 3.28.

Solução. Primeiro, vamos obter as correntes i_1, i_2, i_3, i_4 e i_5. Em seguida, utilizaremos as equações dos nós A e B.

$$i_1 = \frac{e_i - e_A}{R_1}; \quad i_2 = \frac{e_A - e_o}{R_3}, \quad i_3 = C_1 \frac{de_A}{dt}$$

$$i_4 = \frac{e_A}{R_2}, \quad i_5 = C_2 \frac{-de_o}{dt}$$

No nó A, temos $i_1 = i_2 + i_3 + i_4$ ou

$$\frac{e_i - e_A}{R_1} = \frac{e_A - e_o}{R_3} + C_1 \frac{de_A}{dt} + \frac{e_A}{R_2} \tag{3.42}$$

No nó B, temos $i_4 = i_5$ ou

$$\frac{e_A}{R_2} = C_2 \frac{-de_o}{dt} \tag{3.43}$$

Reescrevendo a Equação 3.42, temos:

$$C_1 \frac{de_A}{dt} + \left(\frac{1}{R_1} + \frac{1}{R_2} + \frac{1}{R_3}\right) e_A = \frac{e_i}{R_1} + \frac{e_o}{R_3} \tag{3.44}$$

A partir da Equação 3.43, temos:

$$e_A = -R_2 C_2 \frac{de_o}{dt} \tag{3.45}$$

Substituindo a Equação 3.45 na Equação 3.44, obtemos:

$$C_1 \left(-R_2 C_2 \frac{d^2 e_o}{dt^2}\right) + \left(\frac{1}{R_1} + \frac{1}{R_2} + \frac{1}{R_3}\right)(-R_2 C_2) \frac{de_o}{dt} = \frac{e_i}{R_1} + \frac{e_o}{R_3}$$

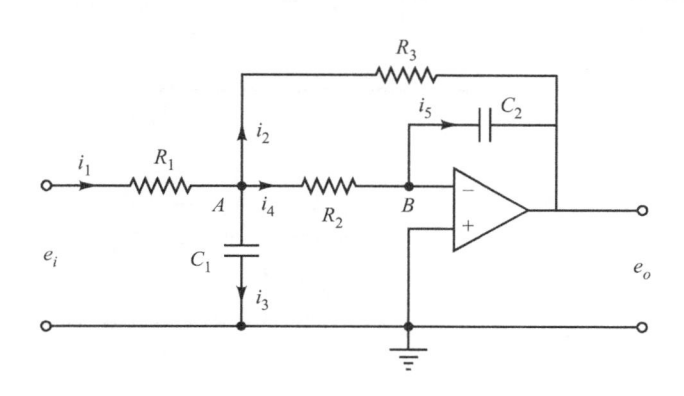

FIGURA 3.28
Circuito com amplificador operacional.

Tomando a transformada de Laplace dessa última equação e admitindo condições iniciais nulas, obtemos:

$$-C_1 C_2 R_2 s^2 E_o(s) + \left(\frac{1}{R_1} + \frac{1}{R_2} + \frac{1}{R_3}\right)(-R_2 C_2) s E_o(s) - \frac{1}{R_3} E_o(s) = \frac{E_i(s)}{R_1}$$

a partir da qual obtemos a função de transferência $E_o(s)/E_i(s)$, como se segue:

$$\frac{E_o(s)}{E_i(s)} = -\frac{1}{R_1 C_1 R_2 C_2 s^2 + \left[R_2 C_2 + R_1 C_2 + \left(\frac{R_1}{R_3}\right) R_2 C_2\right] s + \left(\frac{R_1}{R_3}\right)}$$

A.3.9 Considere o servossistema indicado na Figura 3.29(a). O motor mostrado é um servomotor, um motor *c.c.* projetado especialmente para ser utilizado em um sistema de controle. A operação desse sistema é a seguinte: um par de potenciômetros atua como um dispositivo detector de erros. Eles convertem as posições de entrada e de saída em sinais elétricos proporcionais. O sinal de entrada de comando determina a posição angular *r* do braço do cursor da entrada do potenciômetro. A posição angular *r* é a entrada de referência do sistema, e o potencial elétrico do cursor é proporcional à posição angular do braço. A posição do eixo de saída determina a posição angular *c* do cursor do braço de saída do potenciômetro. A diferença entre a posição angular de entrada *r* e a posição angular de saída *c* é o sinal de erro *e*, ou

$$e = r - c$$

A diferença de potencial $e_r - e_c = e_v$ é o erro de tensão, onde e_r é proporcional a *r* e e_c é proporcional a *c*; isto é, $e_r = K_0 r$ e $e_c = K_0 c$, onde K_0 é a constante de proporcionalidade. O erro de tensão

FIGURA 3.29
(a) Diagrama esquemático do servossistema;
(b) diagrama de blocos para o sistema;
(c) diagrama de blocos simplificado.

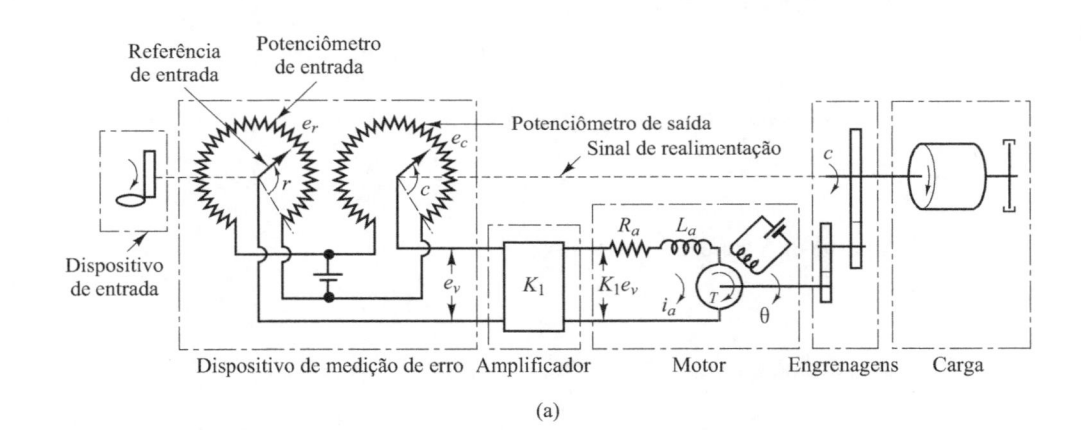

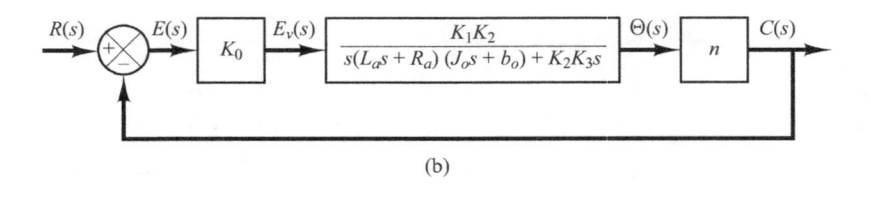

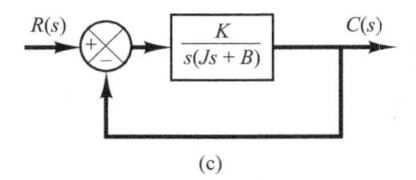

que aparece nos terminais do potenciômetro é amplificado pelo amplificador cuja constante de ganho é K_1. A tensão de saída do amplificador é aplicada ao circuito da armadura do motor c.c. Uma tensão fixa é aplicada ao enrolamento do campo. Se existir erro, o motor desenvolve um torque para girar a carga, de modo que reduza o erro a zero. Para a corrente de campo constante, o torque desenvolvido pelo motor é:

$$T = K_2 i_a$$

onde K_2 é a constante de torque do motor e i_a é a corrente da armadura.

Quando a armadura gira, uma tensão proporcional ao produto do fluxo pela velocidade angular é induzida na armadura. Para um fluxo constante, a tensão induzida e_b é diretamente proporcional à velocidade angular $d\theta/dt$, ou

$$e_b = K_3 \frac{d\theta}{dt}$$

onde e_b é a fcem (força contra eletromotriz), K_3 é a constante de fcem do motor e θ é o deslocamento angular do eixo do motor.

Obtenha a função de transferência entre o deslocamento angular θ do eixo do motor e a tensão de erro e_v. Obtenha também um diagrama de blocos para esse sistema e um diagrama de blocos simplificado, supondo que L_a seja desprezível.

Solução. A velocidade de um servomotor c.c. controlado pela armadura é controlada pela tensão da armadura e_a. (A tensão da armadura $e_a = K_1 e_v$ é a saída do amplificador.) A equação diferencial do circuito da armadura é:

$$L_a \frac{di_a}{dt} + R_a i_a + e_b = e_a$$

ou

$$L_a \frac{di_a}{dt} + R_a i_a + K_3 \frac{d\theta}{dt} = K_1 e_v \tag{3.46}$$

A equação de equilíbrio do torque é:

$$J_0 \frac{d^2\theta}{dt^2} + b_0 \frac{d\theta}{dt} = T = K_2 i_a \tag{3.47}$$

onde J_0 é o momento de inércia da combinação motor, carga e conjunto de engrenagens, referente ao eixo do motor, e b_0 é o coeficiente de atrito viscoso do conjunto motor, carga e conjunto de engrenagens do referido eixo do motor.

Eliminando i_a das equações 3.46 e 3.47, obtemos:

$$\frac{\Theta(s)}{E_v(s)} = \frac{K_1 K_2}{s(L_a s + R_a)(J_0 s + b_0) + K_2 K_3 s} \tag{3.48}$$

Vamos supor que a relação de engrenagens do conjunto de engrenagens seja tal que o eixo de saída gira n vezes para cada volta do eixo do motor. Assim,

$$C(s) = n\Theta(s) \tag{3.49}$$

A relação entre $E_v(s)$, $R(s)$ e $C(s)$ é:

$$E_v(s) = K_0[R(s) - C(s)] = K_0 E(s) \tag{3.50}$$

O diagrama de blocos desse sistema pode ser construído a partir das equações 3.48, 3.49 e 3.50, como indica a Figura 3.29(b). A função de transferência do ramo direto desse sistema é:

$$G(s) = \frac{C(s)}{\Theta(s)} \frac{\Theta(s)}{E_v(s)} \frac{E_v(s)}{E(s)} = \frac{K_0 K_1 K_2 n}{s[(L_a s + R_a)(J_0 s + b_0) + K_2 K_3]}$$

Quando L_a é pequeno, pode ser desprezado e a função de transferência $G(s)$ do ramo direto torna-se:

$$G(s) = \frac{K_0 K_1 K_2 n}{s[R_a(J_0 s + b_0) + K_2 K_3]}$$

$$= \frac{K_0 K_1 K_2 n / R_a}{J_0 s^2 + \left(b_0 + \dfrac{K_2 K_3}{R_a}\right)s} \qquad (3.51)$$

O termo $[b_0 + (K_2 K_3/R_a)]s$ indica que a fcem do motor aumenta efetivamente o atrito viscoso do sistema. A inércia J_0 e o coeficiente de atrito viscoso $b_0 + (K_2 K_3/R_a)$ referem-se ao eixo do motor. Quando J_0 e $b_0 + (K_2 K_3/R_a)$ são multiplicados por $1/n^2$, a inércia e o coeficiente de atrito viscoso são expressos em termos do eixo de saída. Introduzindo novos parâmetros definidos por:

$J = J_0/n^2 =$ momento de inércia referente ao eixo de saída

$B = [b_0 + (K_2 K_3/R_a)]/n^2 =$ coeficiente de atrito viscoso referente ao eixo de saída

$K = K_0 K_1 K_2 / n R_a$

a função de transferência $G(s)$ dada pela Equação 3.51 pode ser simplificada, resultando em:

$$G(s) = \frac{K}{Js^2 + Bs}$$

ou

$$G(s) = \frac{K_m}{s(T_m s + 1)}$$

onde

$$K_m = \frac{K}{B}, \quad T_m = \frac{J}{B} = \frac{R_a J_0}{R_a b_0 + K_2 K_3}$$

O diagrama de blocos do sistema indicado na Figura 3.29(b) pode, assim, ser simplificado como mostra a Figura 3.29(c).

| Problemas

B.3.1 Obtenha o coeficiente de atrito viscoso b_{eq} equivalente do sistema mostrado na Figura 3.30.

FIGURA 3.30
Sistema de amortecedores.

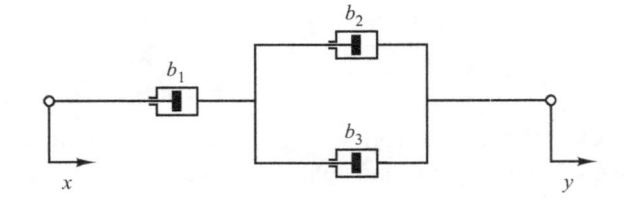

B.3.2 Obtenha os modelos matemáticos dos sistemas mecânicos mostrados nas figuras 3.31(a) e (b).

FIGURA 3.31
Sistemas mecânicos.

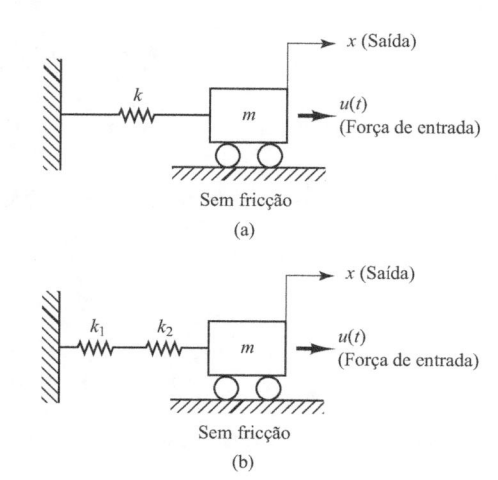

(a)

(b)

B.3.3 Obtenha uma representação no espaço de estados do sistema mecânico indicado na Figura 3.32, onde u_1 e u_2 são as entradas e y_1 e y_2 são as saídas.

B.3.4 Considere o sistema de pêndulo de mola com carga indicado na Figura 3.33. Suponha que a ação da força da mola sobre o pêndulo seja zero quando este está na posição vertical ou $\theta = 0$. Suponha também que o atrito envolvido seja desprezível e o ângulo de oscilação θ seja pequeno. Obtenha o modelo matemático do sistema.

B.3.5 Referindo-se aos exemplos 3.5 e 3.6, considere o sistema de pêndulo invertido indicado na Figura 3.34. Suponha que a massa do pêndulo invertido seja m e seja uniformemente distribuída ao longo da haste. (O centro de gravidade do pêndulo está localizado no centro da haste.) Supondo que θ seja pequeno, deduza os modelos matemáticos para o sistema na forma de equações diferenciais, funções de transferência e equações no espaço de estados.

FIGURA 3.32
Sistema mecânico.

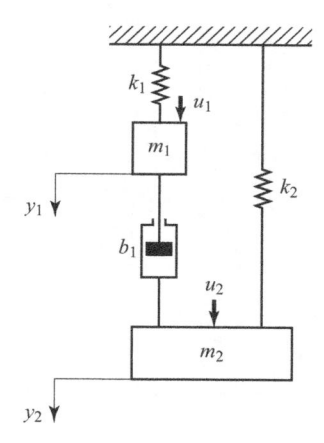

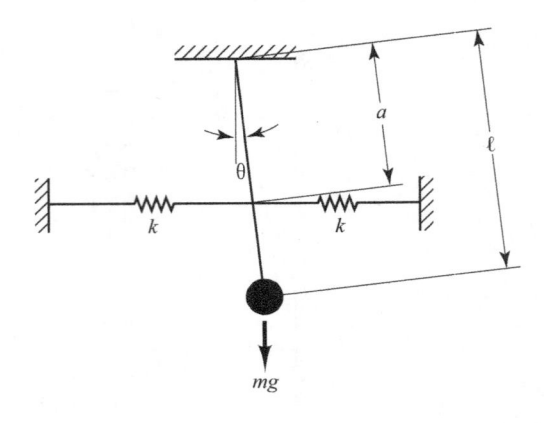

FIGURA 3.33
Sistema de pêndulo de mola com carga.

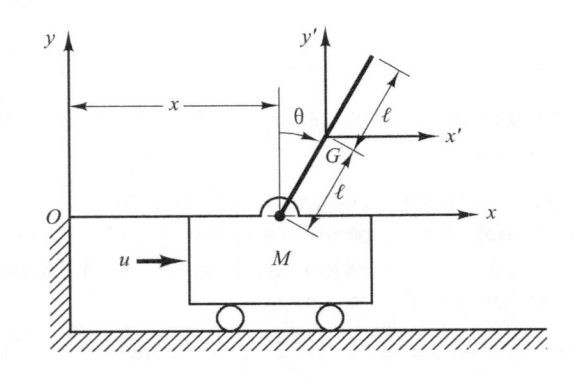

FIGURA 3.34
Sistema de pêndulo invertido.

B.3.6 Obtenha as funções de transferência $X_1(s)/U(s)$ e $X_2(s)/U(s)$ do sistema mecânico indicado na Figura 3.35.

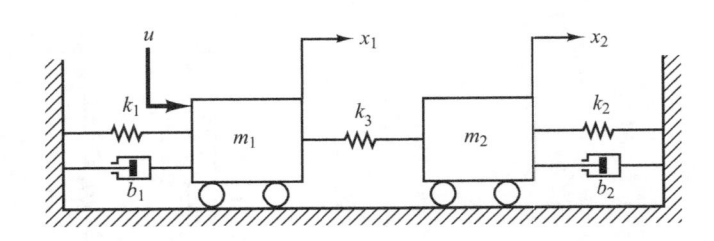

FIGURA 3.35
Sistema mecânico.

B.3.7 Obtenha a função de transferência $E_o(s)/E_i(s)$ do circuito elétrico indicado na Figura 3.36.

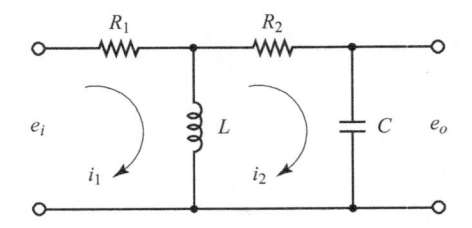

FIGURA 3.36
Circuito elétrico.

B.3.8 Considere o circuito elétrico mostrado na Figura 3.37. Obtenha a função de transferência $E_o(s)/E_i(s)$ pelo método do diagrama de blocos.

FIGURA 3.37
Circuito elétrico.

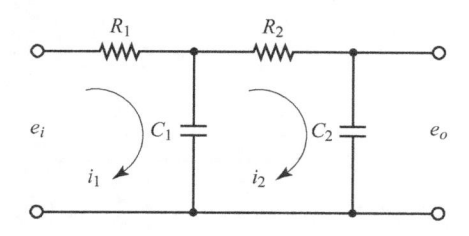

B.3.9 Deduza a função de transferência do circuito elétrico indicado na Figura 3.38. Desenhe um diagrama esquemático de um sistema mecânico análogo.

FIGURA 3.38
Circuito elétrico.

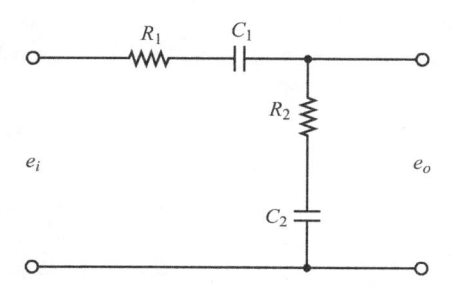

B.3.10 Obtenha a função de transferência $E_o(s)/E_i(s)$ do circuito com amplificador operacional indicado na Figura 3.39.

FIGURA 3.39
Circuito com amplificador operacional.

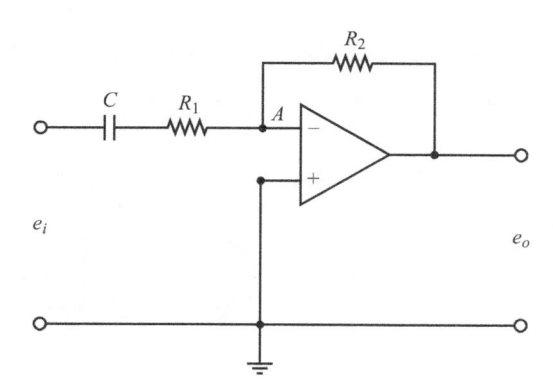

B.3.11 Obtenha a função de transferência $E_o(s)/E_i(s)$ do circuito com amplificador operacional indicado na Figura 3.40.

FIGURA 3.40
Circuito com amplificador operacional.

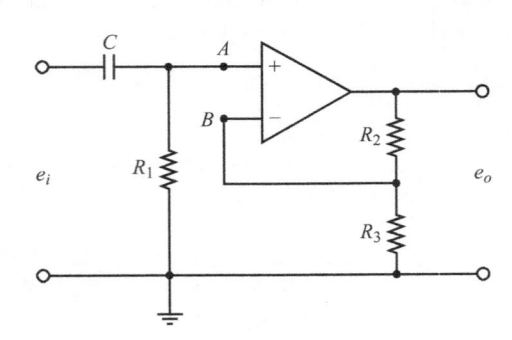

B.3.12 Utilizando a abordagem da impedância, obtenha a função de transferência $E_o(s)/E_i(s)$ do circuito com amplificador operacional indicado na Figura 3.41.

B.3.13 Considere o sistema mostrado na Figura 3.42. Um servomotor *c.c.* controlado pela armadura aciona uma carga constituída por um momento de inércia J_L. O torque desenvolvido pelo motor é T. O momento de inércia do rotor do motor é J_m. Os deslocamentos angulares do rotor do motor e do elemento de carga são θ_m e θ, respectivamente. A relação das engrenagens é $n = \theta/\theta_m$. Obtenha a função de transferência $\Theta(s)/E_i(s)$.

FIGURA 3.41
Circuito com amplificador operacional.

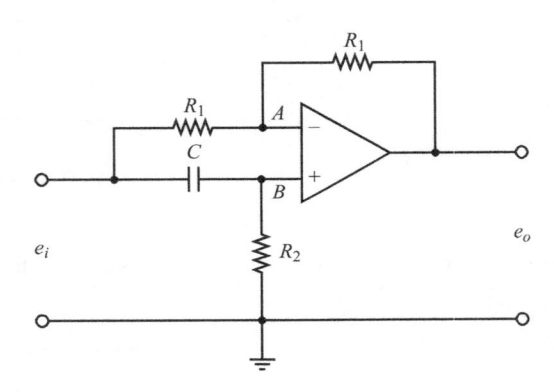

FIGURA 3.42
Sistema servomotor *cc* controlado pela armadura.

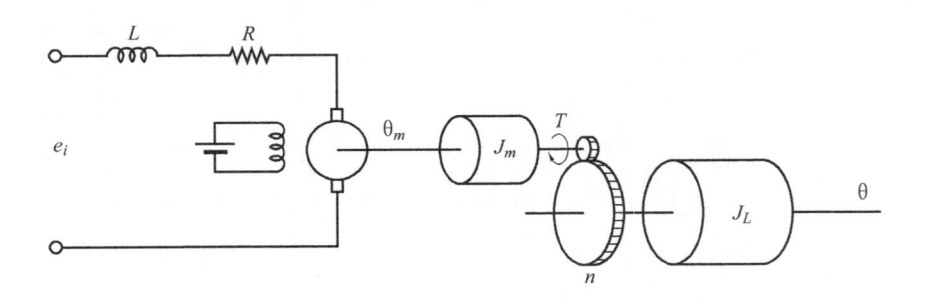

CAPÍTULO 4
Modelagem matemática de sistemas fluídicos e sistemas térmicos

4.1 | Introdução

Este capítulo trata da modelagem matemática de sistemas fluídicos e sistemas térmicos. Por ser o meio mais versátil para a transmissão de sinais e força, os fluidos — líquidos e gases — têm grande aplicação na indústria. Os líquidos e os gases se diferenciam basicamente por sua incompressibilidade relativa e pelo fato de que um líquido pode ter uma superfície livre, ao passo que um gás se expande para preencher seu recipiente. No campo da engenharia, o termo *pneumático* é empregado para descrever sistemas que utilizam ar ou gases e *hidráulico* aplica-se aos sistemas que utilizam óleo.

Inicialmente, discutiremos os sistemas de nível de líquido, que, com frequência, são utilizados no processo de controle. Vamos introduzir aqui os conceitos de resistência e de capacitância para descrever as dinâmicas desses sistemas. Depois, vamos tratar dos sistemas pneumáticos. Tais sistemas são muito utilizados na automação da maquinaria de produção e no campo dos controladores automáticos. Por exemplo, os circuitos pneumáticos, que convertem a energia do ar comprimido em energia mecânica, têm grande utilização. Vários tipos de controladores pneumáticos também são amplamente utilizados na indústria. Em seguida, apresentaremos os servossistemas hidráulicos, que são muito utilizados em sistemas de máquinas-ferramentas, sistemas de controle de aeronaves etc. Vamos estudar os aspectos básicos dos servossistemas hidráulicos e dos controladores hidráulicos. Tanto os sistemas pneumáticos quanto os sistemas hidráulicos podem ser facilmente modelados pela utilização dos conceitos de resistência e capacitância. Por fim, vamos tratar de sistemas térmicos simples, os quais envolvem transferência de calor de uma substância para outra. Os modelos matemáticos para esses sistemas podem ser obtidos pela utilização dos conceitos de resistência e capacitância térmica.

Visão geral do capítulo. A Seção 4.1 apresenta uma introdução do capítulo. A Seção 4.2 discute sistemas de nível de líquido. A Seção 4.3 trata de sistemas pneumáticos — em particular, os princípios básicos dos controladores pneumáticos. A Seção 4.4 inicialmente discute servossistema hidráulico e, em seguida, apresenta controladores hidráulicos. Por fim, a Seção 4.5 analisa sistemas térmicos e obtém modelos matemáticos para esses sistemas.

4.2 | Sistemas de nível de líquidos

Na análise de sistemas que envolvem o fluxo de fluidos, julgamos necessário dividir os regimes de fluxo em fluxo laminar e fluxo turbulento, de acordo com o valor do número de Reynolds. Se o número de Reynolds estiver entre 3.000 e 4.000, então o sistema será turbulento. O sistema é laminar se esse valor for menor do que aproximadamente 2.000. No caso laminar, o fluxo ocorre em linhas de escoamento, sem turbulência. Sistemas que envolvem fluxo laminar podem ser representados por equações diferenciais lineares.

Processos industriais envolvem, frequentemente, o fluxo de líquidos ao longo de tubos de conexão e de reservatórios. O fluxo nesses processos geralmente é turbulento e não laminar. Os sistemas que envolvem fluxo turbulento são frequentemente representados por equações diferenciais não lineares. Entretanto, se a região de operação for limitada, essas equações diferenciais não lineares podem ser linearizadas. Nesta seção, vamos discutir os modelos matemáticos linearizados de sistemas de nível de líquido. Note que a introdução do conceito de resistência e capacitância para esses sistemas de nível de líquido nos possibilita descrever suas características dinâmicas de modo simples.

Resistência e capacitância de sistemas de nível de líquido. Consideremos o fluxo ao longo de uma tubulação curta, que conecta dois reservatórios. A resistência R ao fluxo de líquido nessa tubulação ou restrição é definida como a variação na diferença de nível (a diferença entre o nível dos líquidos nos dois reservatórios) necessária para causar a variação unitária na vazão, isto é,

$$R = \frac{\text{variação na diferença de nível, m}}{\text{variação na vazão em volume, m}^3\text{/s}}$$

Como a relação entre a taxa de escoamento e a diferença de nível difere do fluxo laminar para o fluxo turbulento, consideraremos ambos os casos a seguir.

Considere o sistema de nível de líquido da Figura 4.1(a). Nesse sistema, o líquido flui em uma válvula de restrição, na lateral do reservatório. Se o fluxo nessa restrição for laminar, a relação entre a vazão em regime permanente e a altura do nível em regime permanente na restrição será dada por:

$$Q = KH$$

onde Q = vazão em volume em regime permanente, m³/s
K = coeficiente, m²/s
H = altura do nível em regime permanente, m

FIGURA 4.1
(a) Sistema de nível de líquido; (b) curva de altura do nível *versus* vazão.

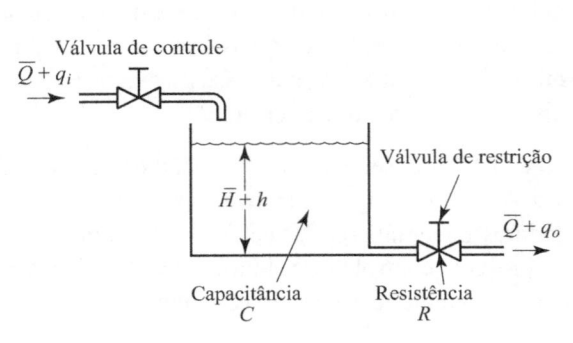

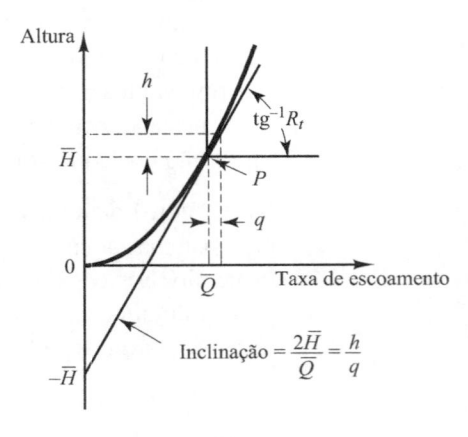

(a)

(b)

Para o fluxo laminar, a resistência R_l é obtida como:

$$R_l = \frac{dH}{dQ} = \frac{H}{Q}$$

A resistência no escoamento laminar é constante e análoga à resistência elétrica.

Se o fluxo através da restrição é turbulento, a taxa de fluxo em estado permanente é dada por

$$Q = K\sqrt{H} \qquad (4.1)$$

onde Q = vazão em volume em regime permanente, m³/s

K = coeficiente, m^{2,5}/s

H = altura do nível em regime permanente, m

A resistência R_t para o fluxo turbulento é obtida a partir de:

$$R_t = \frac{dH}{dQ}$$

A partir da Equação 4.1, obtemos:

$$dQ = \frac{K}{2\sqrt{H}}\, dH$$

temos

$$\frac{dH}{dQ} = \frac{2\sqrt{H}}{K} = \frac{2\sqrt{H}\sqrt{H}}{Q} = \frac{2H}{Q}$$

Assim,

$$R_t = \frac{2H}{Q}$$

O valor da resistência R_t do fluxo turbulento depende da vazão e da altura do nível do líquido. Entretanto, o valor de R_t pode ser considerado constante se as variações da altura do nível e da vazão forem pequenas.

Utilizando-se a resistência para o caso de fluxo turbulento, a relação entre Q e H pode ser dada por:

$$Q = \frac{2H}{R_t}$$

Essa linearização é válida desde que as variações da altura do nível e da vazão em relação aos respectivos valores de regime permanente sejam pequenas.

Em muitos casos práticos, o valor do coeficiente K na Equação 4.1, que depende do coeficiente de fluxo e da área de restrição, não é conhecido. Então, a resistência pode ser determinada pela construção do gráfico da curva que mostra a altura do nível *versus* a vazão, com base em dados experimentais e medindo-se a inclinação da curva no ponto de operação. Um exemplo dessa curva é o indicado na Figura 4.1(b), em que P é o ponto de operação em regime permanente. A linha tangente à curva no ponto P cruza o eixo das ordenadas no ponto $(0, -\bar{H})$. Assim, a inclinação dessa linha tangente é $2\bar{H}/\bar{Q}$. Como a resistência R_t no ponto de operação P é dada por $2\bar{H}/\bar{Q}$, a resistência R_t é a inclinação da curva no ponto de operação.

Considere a condição de operação nas proximidades do ponto P. Defina uma pequena variação do valor da altura do regime permanente como h e a pequena variação correspondente da taxa de escoamento como q. Então, a inclinação da curva no ponto P pode ser dada por:

$$\text{Inclinação da curva no ponto } P = \frac{h}{q} = \frac{2\bar{H}}{\bar{Q}} = R_t$$

A aproximação linear tem como base o fato de que a curva real não difere muito de sua linha tangente, se a condição de operação não variar muito.

A capacitância C de um reservatório é definida como a variação na quantidade de líquido armazenado necessária para causar uma mudança unitária no potencial (altura). (O potencial é a grandeza que indica o nível de energia do sistema.)

$$C = \frac{\text{variação na quantidade de líquido armazenado, m}^3}{\text{variação na altura, m}}$$

Note que a capacidade (m³) e a capacitância (m²) são diferentes. A capacitância do reservatório é igual à sua secção transversal. Se esta for constante, a capacitância será constante para qualquer altura do nível.

Sistemas de nível de líquido. Considere o sistema indicado na Figura 4.1(a). As variáveis são definidas como segue:

$\bar{Q}$ = vazão em volume em regime permanente (antes de ocorrer alguma variação), m³/s
q_i = pequeno desvio da vazão de entrada em relação a seu valor de regime permanente, m³/s
q_o = pequeno desvio da vazão de saída em relação a seu valor de regime permanente, m³/s
$\bar{H}$ = altura do nível em regime permanente (antes que ocorra alguma variação), m
h = pequeno desvio de nível a partir de seu valor de regime permanente, m

Como foi visto anteriormente, um sistema poderá ser considerado linear se o fluxo for laminar. Mesmo que o fluxo seja turbulento, o sistema poderá ser linearizado, desde que as alterações nas variáveis sejam pequenas. Com base na hipótese de que o sistema seja linear ou linearizado, a equação diferencial desse sistema pode ser obtida como segue: como o fluxo de entrada menos o fluxo de saída durante um pequeno intervalo de tempo dt é igual à quantidade adicional armazenada no reservatório, temos:

$$C\,dh = (q_i - q_o)dt$$

A partir da definição de resistência, a relação entre q_o e h é dada por:

$$q_o = \frac{h}{R}$$

A equação diferencial desse sistema para um valor constante de R torna-se:

$$RC\frac{dh}{dt} + h = Rq_i \qquad (4.2)$$

Observe que RC é a constante de tempo do sistema. Tomando a transformada de Laplace de ambos os membros da Equação 4.2 e considerando condições iniciais nulas, obtemos:

$$(RCs + 1)H(s) = RQ_i(s)$$

onde

$$H(s) = \mathscr{L}[h] \qquad \text{e} \qquad Q_i(s) = \mathscr{L}[q_i]$$

Se q_i for considerada a entrada e h, a saída, a função de transferência do sistema é:

$$\frac{H(s)}{Q_i(s)} = \frac{R}{RCs + 1}$$

Entretanto, se q_o for admitida como a saída e a entrada permanecer a mesma, a função de transferência será:

$$\frac{Q_0(s)}{Q_i(s)} = \frac{1}{RCs + 1}$$

onde tomamos por base a relação

$$Q_0(s) = \frac{1}{R}H(s)$$

Sistemas de nível de líquido com interação. Considere o sistema mostrado na Figura 4.2. Nesse sistema, os dois reservatórios interagem. Assim, a função de transferência do sistema não é o produto das funções de transferência de primeira ordem.

A seguir, vamos admitir apenas pequenas variações das variáveis a partir dos valores de regime permanente. Utilizando os símbolos definidos na Figura 4.2, podemos obter as seguintes equações para esse sistema:

$$\frac{h_1 - h_2}{R_1} = q_1 \tag{4.3}$$

$$C_1 \frac{dh_1}{dt} = q - q_1 \tag{4.4}$$

$$\frac{h_2}{R_2} = q_2 \tag{4.5}$$

$$C_2 \frac{dh_2}{dt} = q_1 - q_2 \tag{4.6}$$

Se q for considerada a entrada e q_2, a saída, a função de transferência do sistema será:

$$\frac{Q_2(s)}{Q(s)} = \frac{1}{R_1 C_1 R_2 C_2 s^2 + (R_1 C_1 + R_2 C_2 + R_2 C_1)s + 1} \tag{4.7}$$

É instrutivo obter a Equação 4.7, a função de transferência do sistema interativo, pela redução do diagrama de blocos. A partir das equações 4.3 a 4.6, obtemos os elementos do diagrama de blocos, como mostra a Figura 4.3(a). Conectando os sinais corretamente, podemos construir um diagrama de blocos, como se pode ver na Figura 4.3(b). Esse diagrama de blocos pode ser simplificado como o da Figura 4.3(c). Simplificações adicionais resultam nas figuras 4.3(d) e (e). A Figura 4.3(e) é equivalente à Equação 4.7.

Note a similaridade e a diferença entre a função de transferência da Equação 4.7 e a que é dada pela Equação 3.33. O termo $R_2 C_1 s$ que aparece no denominador da Equação 4.7 exemplifica a interação entre os dois reservatórios. Por analogia, o termo $R_1 C_2 s$ no denominador da Equação 3.33 representa a interação entre os dois circuitos RC mostrados na Figura 3.8.

FIGURA 4.2
Sistema de nível de líquido com interação.

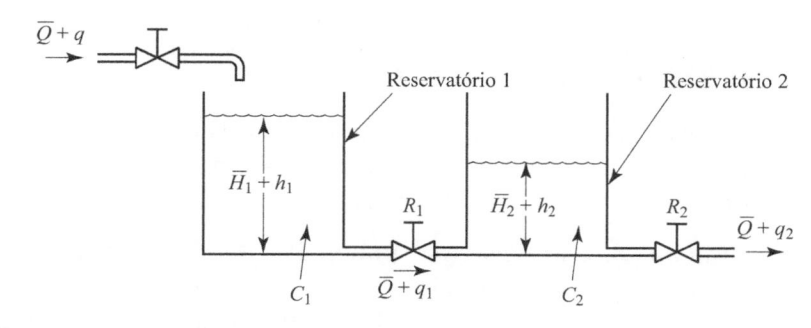

$\bar{Q}$: vazão em volume em regime permanente
$\bar{H}_1$: nível de líquido do reservatório 1 em regime permanente
$\bar{H}_2$: nível de líquido do reservatório 2 em regime permanente

FIGURA 4.3
(a) Elementos do diagrama de blocos do sistema mostrado na Figura 4.2;
(b) diagrama de blocos do sistema;
(c)–(e) reduções sucessivas do diagrama de blocos.

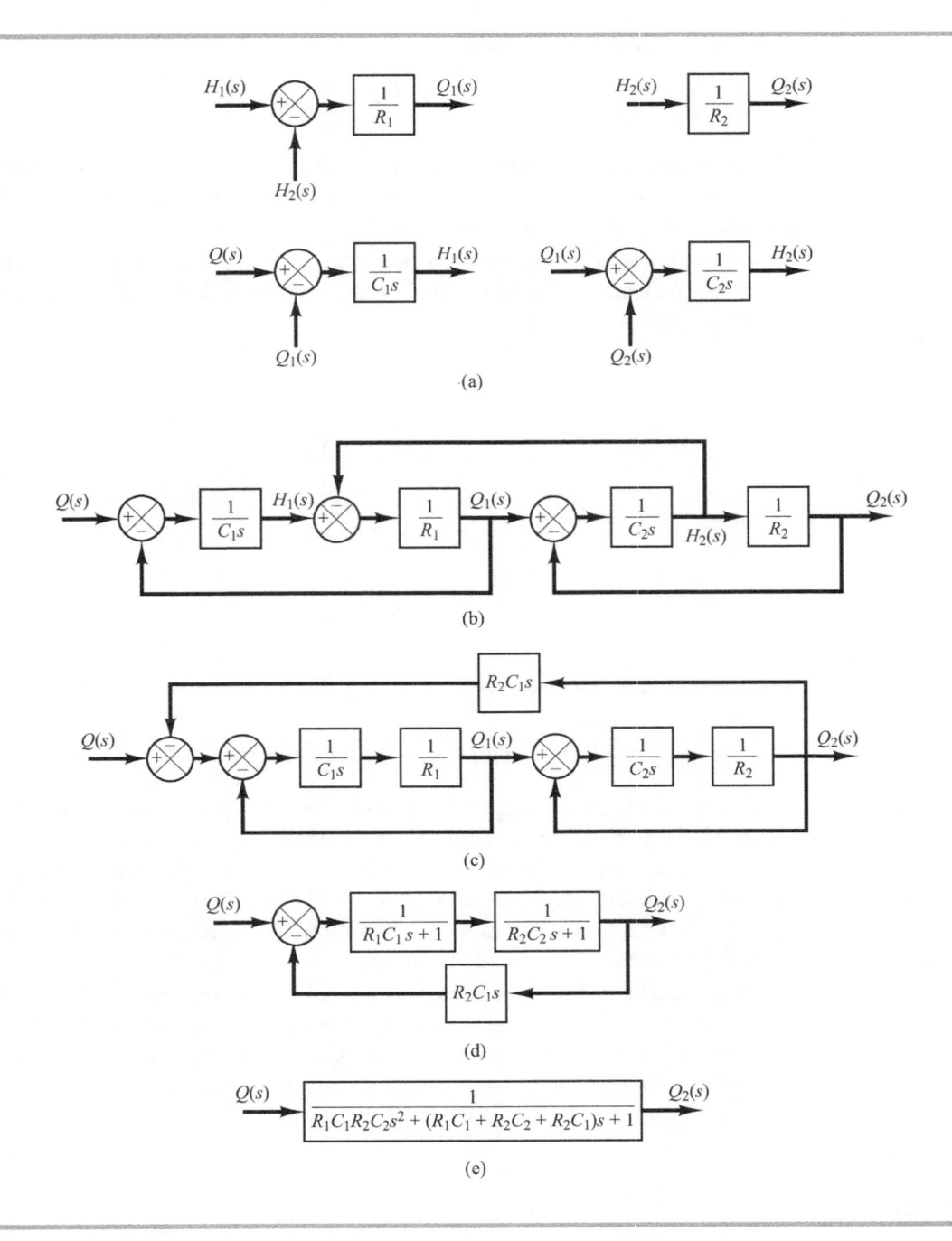

4.3 | Sistemas pneumáticos

Em aplicações industriais, sistemas pneumáticos e sistemas hidráulicos são frequentemente comparados. Assim, antes de discutirmos os sistemas pneumáticos em detalhes, vamos fazer uma breve comparação entre esses dois tipos de sistemas.

Comparação entre sistemas pneumáticos e sistemas hidráulicos. O fluido geralmente encontrado em sistemas pneumáticos é ar; em sistemas hidráulicos, é óleo. E estas são, principalmente, as diferentes propriedades dos fluidos envolvidos que caracterizam a diferença entre os dois sistemas. Essas diferenças podem ser relacionadas como segue:

1. Ar e gases são compressíveis, enquanto o óleo não é (exceto em alta pressão).

2. O ar não tem a propriedade de lubrificação e geralmente contém vapor de água. O óleo tem a função de fluido hidráulico e também de lubrificante.
3. A pressão de operação normal dos sistemas pneumáticos é bem mais baixa que a dos sistemas hidráulicos.
4. A potência de saída dos sistemas pneumáticos é consideravelmente menor que a dos sistemas hidráulicos.
5. A precisão dos atuadores pneumáticos é insatisfatória em baixas velocidades, enquanto a precisão dos atuadores hidráulicos pode ser satisfatória, qualquer que seja a velocidade.
6. Em sistemas pneumáticos, vazamentos externos são permitidos até certo ponto, mas vazamentos internos devem ser evitados, porque a diferença de pressão efetiva é bem pequena. Nos sistemas hidráulicos, vazamentos internos são permitidos até certo ponto, mas o vazamento externo deve ser evitado.
7. Nos sistemas pneumáticos, não são necessários tubos de retorno quando for utilizado ar, ao passo que nos sistemas hidráulicos eles são sempre necessários.
8. A temperatura normal de operação para os sistemas pneumáticos varia de 5 °C a 60 °C (41 °F a 140 °F). Entretanto, eles podem ser operados dentro do intervalo de 0 °C a 200 °C (32 °F a 392 °F). Os sistemas pneumáticos são insensíveis a variações de temperatura, em contraste com os sistemas hidráulicos, nos quais o atrito do fluido, em razão da viscosidade, depende grandemente da temperatura. A temperatura de operação normal para os sistemas hidráulicos varia de 20 °C a 70 °C (68 °F a 158 °F).
9. Os sistemas pneumáticos são à prova de fogo e de explosão, enquanto os sistemas hidráulicos não o são, a menos que seja utilizado um líquido não inflamável.

Começamos, a seguir, com a modelagem matemática de sistemas pneumáticos. Depois, apresentaremos os controladores pneumáticos proporcionais.

Primeiro, apresentaremos uma discussão detalhada do princípio de operação dos controladores proporcionais. Em seguida, trataremos dos métodos para a obtenção das ações de controle derivativo e integral. Nessas discussões, vamos dar ênfase aos princípios fundamentais, em vez de aos detalhes de operação desses mecanismos.

Sistemas pneumáticos. Nas últimas décadas, vimos um grande desenvolvimento dos controladores pneumáticos a baixa pressão para sistemas de controle industriais e, hoje em dia, eles são extensivamente utilizados em processos industriais. As razões dessa ampla aceitação incluem o fato de eles serem à prova de explosão e por sua simplicidade e fácil manutenção.

Resistência e capacitância de sistemas de pressão. Muitos processos industriais e controladores pneumáticos envolvem o fluxo de gás ou ar ao longo de tubos conectados a recipientes de pressão.

Considere o sistema de pressão mostrado na Figura 4.4(a). O fluxo do gás em uma restrição é uma função da diferença de pressão $p_i - p_o$. Este é um sistema de pressão que pode ser caracterizado em termos de uma resistência e uma capacitância.

A resistência ao fluxo de gás R é definida como:

$$R = \frac{\text{variação na diferença de pressão de gás, N/m}^2}{\text{variação no fluxo de gás, kg/s}}$$

ou

$$R = \frac{d(\Delta P)}{dq} \tag{4.8}$$

onde $d(\Delta P)$ é uma pequena variação na diferença de pressão do gás e dq é uma pequena variação no fluxo do gás. O cálculo do valor da resistência R ao fluxo de gás pode ser demasiadamente complexo. Entretanto, ele pode ser determinado com facilidade a partir de um gráfico que indi-

FIGURA 4.4
(a) Diagrama esquemático de um sistema de pressão;
(b) curva de diferença de pressão *versus* fluxo.

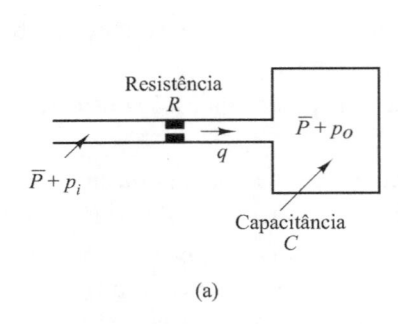

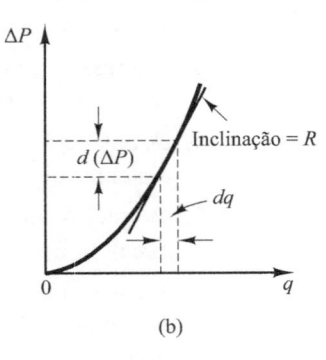

que a diferença de pressão *versus* o fluxo, pelo cálculo da inclinação da curva em determinada condição de operação, como indica a Figura 4.4(b).

A capacitância do recipiente de pressão pode ser definida por:

$$C = \frac{\text{variação na quantidade de gás armazenado, kg}}{\text{variação na pressão do gás, N/m}^2}$$

ou

$$C = \frac{dm}{dp} = V\frac{d\rho}{dp} \quad (4.9)$$

onde C = capacitância, kg-m²/N
m = massa do gás no recipiente, kg
p = pressão do gás, N/m²
V = volume do recipiente, m³
ρ = densidade, kg/m³

A capacitância do sistema de pressão depende do tipo do processo de expansão envolvido. A capacitância pode ser calculada pela aplicação da lei do gás perfeito. Se o processo de expansão do gás for politrópico e a mudança de estado do gás estiver entre isotérmica e adiabática, então

$$p\left(\frac{V}{m}\right)^n = \frac{p}{\rho^n} = \text{constante} = K \quad (4.10)$$

onde n = expoente politrópico.

Para gases perfeitos,

$$p\bar{v} = \bar{R}T \quad \text{ou} \quad pv = \frac{\bar{R}}{M}T$$

onde p = pressão absoluta, N/m²
$\bar{v}$ = volume ocupado por 1 mol de um gás, m³/kg-mol
$\bar{R}$ = constante universal do gás, m-N/kg-mol-K
T = temperatura absoluta, K
v = volume específico do gás, m³/kg
M = peso molecular do gás por mol, kg/kg-mol

Assim,

$$pv = \frac{p}{\rho} = \frac{\bar{R}}{M}T = R_{\text{gás}}T \quad (4.11)$$

onde $R_{\text{gás}}$ = constante do gás, m-N/kgK.

O expoente politrópico n é unitário para a expansão isotérmica. Para a expansão adiabática, n é igual à relação entre os calores específicos c_p/c_v, onde c_p é o calor específico a uma pressão constante e c_v é o calor específico a um volume constante. Em muitos casos práticos, o valor de n é aproximadamente constante e, assim, a capacitância também pode ser considerada constante.

O valor de $d\rho/dp$ é obtido a partir das equações 4.10 e 4.11. A partir da Equação 4.10, temos:

$$dp = Kn\rho^{n-1}\, d\rho$$

ou

$$\frac{d\rho}{dp} = \frac{1}{Kn\rho^{n-1}} = \frac{\rho^n}{pn\rho^{n-1}} = \frac{\rho}{pn}$$

Substituindo a Equação 4.11 nessa última equação, obtemos:

$$\frac{d\rho}{dp} = \frac{1}{nR_{gás}T}$$

A capacitância C é, então, obtida como:

$$C = \frac{V}{nR_{gás}T} \qquad (4.12)$$

A capacitância de dado recipiente será constante se a temperatura permanecer constante. (Em muitos casos práticos, o expoente politrópico é aproximadamente 1,0 ~ 1,2 para gases em recipientes metálicos sem isolamento.)

Sistemas de pressão. Considere o sistema da Figura 4.4(a). Se admitirmos apenas pequenos desvios nas variáveis a partir de seus respectivos valores em regime permanente, então esse sistema pode ser considerado linear.

Vamos definir:

$\overline{P} =$ pressão do gás no recipiente em regime permanente (antes de terem ocorrido mudanças na pressão), N/m²

$p_i =$ pequena variação na pressão do gás no fluxo de entrada, N/m²

$p_o =$ pequena variação na pressão do gás no recipiente, N/m²

$V =$ volume do recipiente, m³

$m =$ massa de gás no recipiente, kg

$q =$ fluxo do gás, kg/s

$\rho =$ densidade do gás, kg/m³

Para pequenos valores de p_i e p_o, a resistência R dada pela Equação 4.8 torna-se constante e pode ser escrita como:

$$R = \frac{p_i - p_o}{q}$$

A capacitância C é dada pela Equação 4.9 ou

$$C = \frac{dm}{dp}$$

Como a mudança de pressão dp_o, multiplicada pela capacitância C, é igual ao gás adicionado ao recipiente durante dt segundos, obtemos

$$C\, dp_o = q\, dt$$

ou

$$C\frac{dp_o}{dt} = \frac{p_i - p_o}{R}$$

que pode ser escrita como

$$RC\frac{dp_o}{dt} + p_o = p_i$$

Se p_i e p_0 forem consideradas entrada e saída, respectivamente, então a função de transferência do sistema será:

$$\frac{P_o(s)}{P_i(s)} = \frac{1}{RCs + 1}$$

onde RC tem a dimensão de tempo e é a constante de tempo do sistema.

Amplificadores pneumáticos do tipo bocal-palheta (*nozzle-flapper*). Um diagrama esquemático de um amplificador pneumático do tipo bocal-palheta é mostrado na Figura 4.5(a). A fonte de potência para esse amplificador é uma fonte de alimentação de ar a uma pressão constante. O amplificador bocal-palheta converte pequenas variações na posição da palheta em grandes variações de contrapressão no bocal. Assim, uma grande potência de saída pode ser controlada por uma potência muito pequena, que é a necessária para posicionar a palheta.

Na Figura 4.5(a), o ar pressurizado é introduzido pelo orifício e o ar é ejetado do bocal em direção à palheta. De modo geral, a fonte de alimentação P_s para um controlador é 20 psig (1,4 kg$_f$/cm²). O diâmetro do orifício é da ordem de 0,01 pol (0,25 mm) e o do bocal é da ordem de 0,016 pol (0,4 mm). O diâmetro do bocal deve ser maior que o diâmetro do orifício para assegurar o bom funcionamento do amplificador.

Na operação desse sistema, a palheta é posicionada contra a abertura do bocal. A contrapressão P_b no bocal é controlada pela distância X do bocal à palheta. À medida que a palheta se aproxima do bocal, a oposição ao fluxo de ar ao longo do bocal aumenta, resultando no aumento da contrapressão P_b do bocal. Se o bocal for completamente fechado pela palheta, a contrapressão P_b do bocal se tornará igual à pressão de alimentação P_s. Se a palheta se distanciar do bocal de modo que a distância bocal-palheta seja grande (da ordem de 0,01 pol), então não haverá praticamente restrição ao fluxo e a contrapressão P_b do bocal assumirá um valor mínimo, que depende do dispositivo bocal-palheta. (A menor pressão possível será a pressão ambiente P_a.)

Note que, em virtude de o jato de ar aplicar uma força contra a palheta, é necessário que o diâmetro do bocal seja o menor possível.

Uma curva típica que relaciona a contrapressão do bocal P_b à distância X entre o bocal e a palheta é mostrada na Figura 4.5(b). A parte mais inclinada e quase linear da curva é a efetivamente utilizada na operação do amplificador bocal-palheta. Em virtude de o intervalo de deslocamento da palheta ser restrito a um pequeno valor, a variação na pressão de saída também é pequena, a menos que a curva seja muito inclinada.

FIGURA 4.5
(a) Diagrama esquemático de um amplificador pneumático do tipo bocal-palheta; (b) curva característica que relaciona a contrapressão do bocal e a distância bocal-palheta.

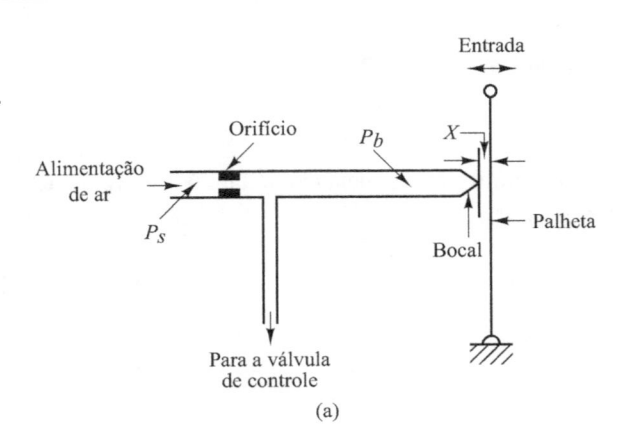

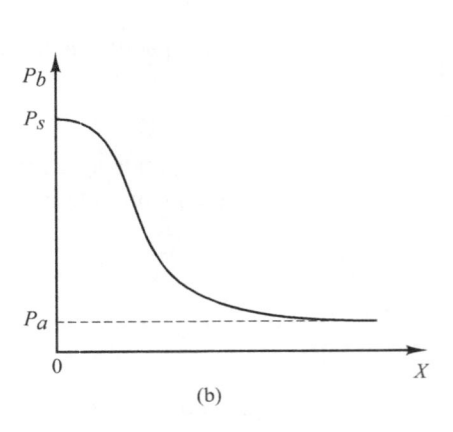

O amplificador bocal-palheta converte o deslocamento em um sinal de pressão. Como os sistemas de controle de processos industriais requerem grandes saídas de potência para operar grandes válvulas atuadoras pneumáticas, geralmente a amplificação de potência do amplificador bocal-palheta é insuficiente. Como consequência, frequentemente é necessário utilizar um relé pneumático como amplificador de potência em conjunto com o amplificador bocal-palheta.

Relés pneumáticos. Na prática, em um controlador pneumático, um amplificador bocal-palheta age como amplificador de primeiro estágio e um relé pneumático, como amplificador de segundo estágio. O relé pneumático é capaz de controlar uma grande quantidade de fluxo de ar.

A Figura 4.6(a) mostra o diagrama esquemático de um relé pneumático. Conforme a contrapressão P_b do bocal aumenta, a válvula do diafragma se move para baixo. A abertura para a atmosfera diminui e a abertura para a válvula pneumática de controle aumenta; desse modo, aumenta a pressão P_c. Quando a válvula do diafragma fecha a abertura para a atmosfera, a pressão de controle P_c torna-se igual à pressão de alimentação P_s. Quando a contrapressão do bocal P_b diminui e a válvula do diafragma se move para cima e fecha a alimentação de ar, a pressão de controle P_c cai para o valor da pressão ambiente P_a. Dessa maneira, pode-se fazer a pressão de controle P_c variar de 0 psig ao total da pressão de alimentação; normalmente, 20 psig.

O movimento total da válvula do diafragma é muito pequeno. Em todas as posições da válvula, exceto na posição em que a alimentação de ar é fechada, o ar continua a sair para a atmosfera, mesmo depois de alcançada a condição de equilíbrio entre a contrapressão do bocal e a pressão de controle. Assim, o relé mostrado na Figura 4.6(a) é chamado relé do tipo com escape.

Existe outro tipo de relé, o tipo sem escape. Neste, sendo atingida a condição de equilíbrio, o ar para de fluir e, dessa maneira, não há nenhuma perda de ar pressurizado na operação em regime permanente. Note, entretanto, que o relé do tipo sem escape deve possuir um respiro para atmosfera, a fim de liberar a pressão de controle P_c da válvula atuadora pneumática. Um diagrama esquemático de um relé do tipo sem escape é mostrado na Figura 4.6(b).

FIGURA 4.6
(a) Diagrama esquemático de um relé do tipo com escape;
(b) diagrama esquemático de um relé do tipo sem escape.

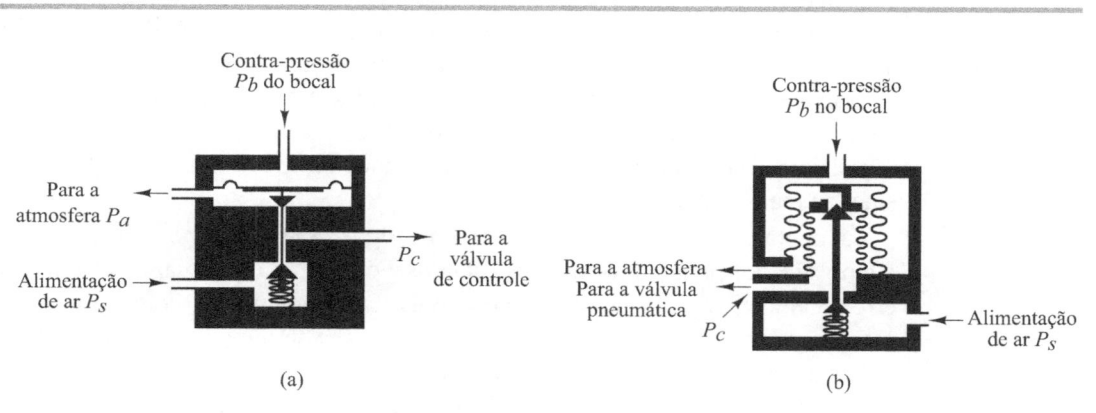

Nesses dois tipos de relé, a alimentação de ar é controlada por uma válvula que, por sua vez, é controlada pela contrapressão do bocal. Assim, a contrapressão do bocal é convertida em pressão de controle com amplificação de potência.

Como a pressão de controle P_c muda quase instantaneamente com as variações na contrapressão do bocal P_b, a constante de tempo do relé pneumático é desprezível em comparação com outras constantes de tempo mais significativas do controlador pneumático e da planta.

Observe que alguns relés pneumáticos são de ação reversa. Por exemplo, o relé da Figura 4.7 é um relé de ação reversa. Nesse caso, quando a contrapressão P_b do bocal aumenta, a válvula de esfera é forçada em direção à posição inferior, dessa maneira, diminuindo a pressão de controle P_c. Portanto, este é um relé de ação reversa.

FIGURA 4.7
Relé de ação reversa.

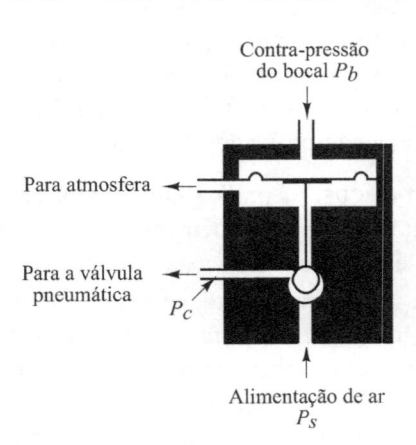

Controladores pneumáticos proporcionais (do tipo força-distância). Dois tipos de controladores pneumáticos – um chamado do tipo força-distância e o outro, do tipo balanço de forças — são amplamente utilizados na indústria. Independentemente de quão diferentes podem ser dos controladores pneumáticos industriais, um estudo cuidadoso mostrará a semelhança existente entre as funções dos vários circuitos pneumáticos. Vamos considerar aqui os controladores pneumáticos do tipo força-distância.

A Figura 4.8(a) mostra o diagrama esquemático de um desses controladores proporcionais. Um amplificador bocal-palheta constitui o primeiro estágio do amplificador, e a contrapressão do bocal é controlada pela distância entre bocal-palheta. Um amplificador do tipo relé constitui o segundo estágio do amplificador. A contrapressão do bocal determina a posição da válvula do diafragma para o amplificador do segundo estágio, que é capaz de operar um grande fluxo de ar.

Na maioria dos controladores pneumáticos é empregado algum tipo de realimentação. A realimentação da saída pneumática reduz a amplitude do movimento da palheta. Em vez de montar a palheta em um ponto fixo, como indicado na Figura 4.8(b), é comum pivoteá-la no fole de realimentação, como mostra a Figura 4.8(c). A intensidade da realimentação pode ser regulada pelo uso de uma ligação móvel entre o fole de realimentação e o ponto de conexão da palheta. A palheta torna-se, então, um elo flutuante e pode ser movida tanto pelo sinal de erro como pelo sinal de realimentação.

A operação do controlador mostrado na Figura 4.8(a) é como segue. O sinal de entrada para o amplificador pneumático de dois estágios é o sinal de erro atuante. O aumento desse sinal de erro atuante move a palheta para a esquerda. Esse movimento, como consequência, aumentará a contrapressão do bocal e a válvula do diafragma se moverá para baixo. Isso resulta em um aumento na pressão de controle, que causará a expansão do fole F, e a palheta se moverá para a direita, abrindo o bocal. Em virtude dessa realimentação, o deslocamento bocal-palheta é muito pequeno, mas a variação na pressão de controle pode ser grande.

Note que a operação apropriada do controlador requer que a realimentação do fole movimente a palheta menos do que o movimento causado apenas pelo sinal de erro. (Se esses dois movimentos fossem iguais, não haveria nenhuma ação de controle.)

As equações para esse controlador podem ser deduzidas como segue. Quando um erro atuante for igual a zero, ou $e = 0$, existe um estado de equilíbrio com a distância bocal-palheta igual a $\overline{X}$, o deslocamento do fole igual a $\overline{Y}$, o deslocamento do diafragma igual a $\overline{Z}$, a contrapressão do bocal igual a $\overline{P}_b$ e a pressão de controle igual a $\overline{P}_c$. Quando existir um erro atuante, a distância bocal-palheta, o deslocamento do fole, o deslocamento do diafragma, a contrapressão do bocal e a pressão de controle se desviarão de seus respectivos valores de equilíbrio. Considere esses desvios como x, y, z, p_b e p_c, respectivamente. (A direção positiva para o deslocamento de cada variável é indicada no diagrama pela orientação da seta.)

FIGURA 4.8

(a) Diagrama esquemático de um controlador pneumático proporcional do tipo força-distância; (b) palheta montada em um ponto fixo; (c) palheta montada em um fole de realimentação; (d) deslocamento x como resultado da adição de dois pequenos deslocamentos; (e) diagrama de blocos do controlador; (f) diagrama de blocos simplificado do controlador.

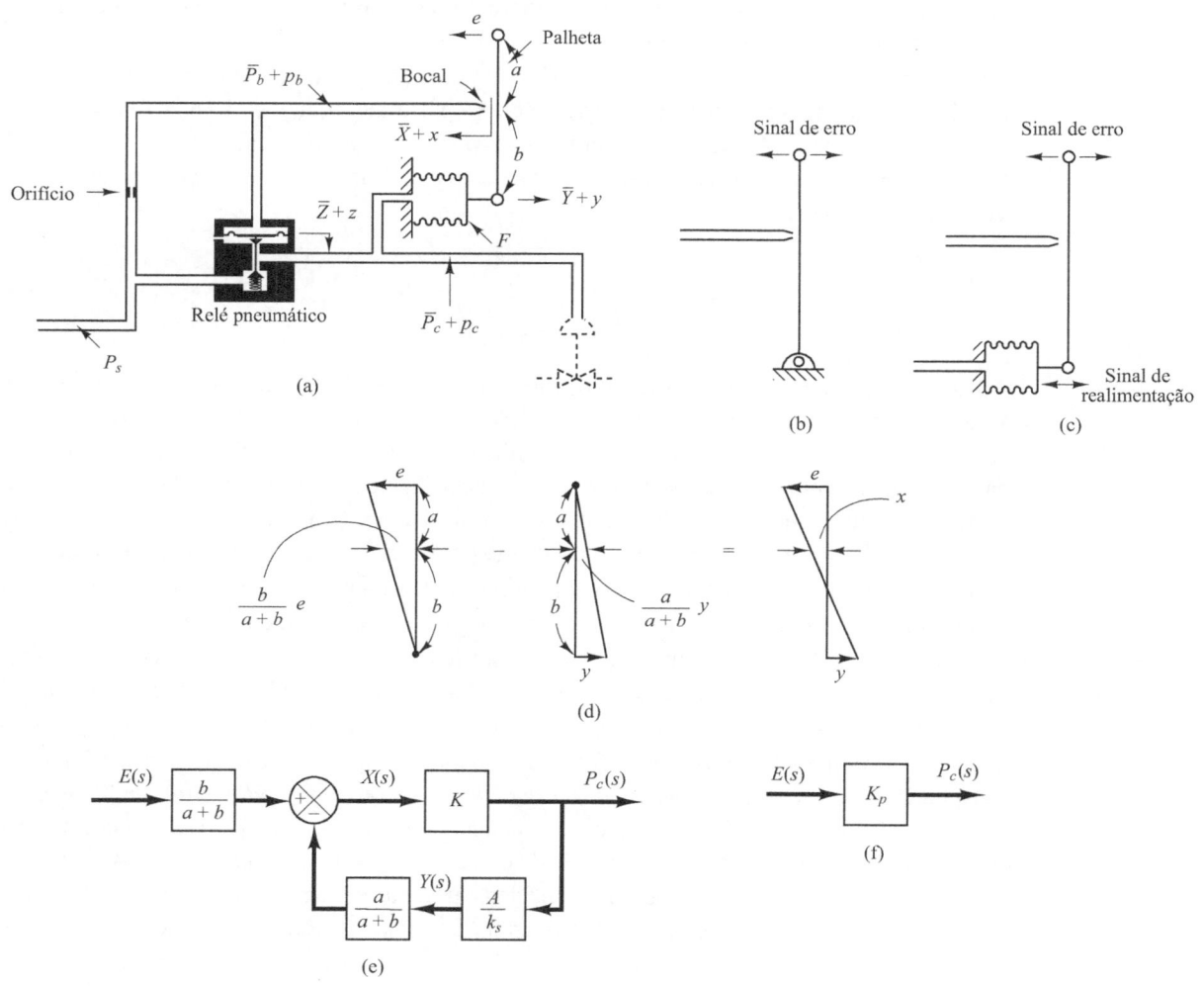

Considerando que a relação entre a variação da contrapressão do bocal e a variação da distância da palheta é linear, temos

$$p_b = K_1 x \qquad (4.13)$$

onde K_1 é uma constante positiva. Para a válvula diafragma, temos

$$p_b = K_2 z \qquad (4.14)$$

onde K_2 é uma constante positiva. A posição da válvula diafragma determina a contrapressão. Se a válvula diafragma é tal que a relação entre p_c e z seja linear, então

$$p_c = K_3 z \qquad (4.15)$$

onde K_3 é uma constante positiva. A partir das equações 4.13, 4.14 e 4.15, obtemos:

$$p_c = \frac{K_3}{K_2} p_b = \frac{K_1 K_3}{K_2} x = K x \qquad (4.16)$$

onde $K = K_1 K_3 / K_2$ é uma constante positiva. Para a palheta, como existem dois pequenos movimentos (e e y) em direções opostas, podemos considerar esses movimentos separadamente e somar seus resultados em um deslocamento x. Veja a Figura 4.8(d). Assim, para o movimento da palheta, temos:

$$x = \frac{b}{a+b}e - \frac{a}{a+b}y \qquad (4.17)$$

O fole age como uma mola, de acordo com a equação a seguir:

$$Ap_c = k_s y \qquad (4.18)$$

onde A é a área efetiva do fole e k_s é a constante de mola equivalente — isto é, equivalente à elasticidade da parte corrugada do fole.

Ao supor que todas as alterações das variáveis ocorram dentro de um intervalo linear, podemos obter um diagrama de blocos para esse sistema a partir das equações 4.16, 4.17 e 4.18, como mostra a Figura 4.8(e). A partir da Figura 4.8(e), podemos ver com clareza que o controlador pneumático da Figura 4.8(a) é, por si só, um sistema com realimentação. A função de transferência entre p_c e e é dada por:

$$\frac{P_c(s)}{E(s)} = \frac{\dfrac{b}{a+b}K}{1 + K\dfrac{a}{a+b}\dfrac{A}{K_s}} = K_p \qquad (4.19)$$

Um diagrama de blocos simplificado é mostrado na Figura 4.8(f). Como p_c e e são proporcionais, o controlador pneumático mostrado na Figura 4.8(a) é um *controlador pneumático proporcional*. Como se vê, considerando a Equação 4.19, o ganho do controlador pneumático proporcional pode variar amplamente pelo ajuste do elo flutuante da palheta. [O elo flutuante do acoplamento da palheta não é mostrado na Figura 4.8(a).] Na maioria dos controladores proporcionais comerciais, é instalado um botão de ajuste ou algum outro mecanismo para variar o ganho pelo ajuste dessa conexão.

Como se observou anteriormente, o sinal de erro atuante move a palheta em uma direção e a realimentação do fole move a palheta na direção oposta, mas em menor grau.

Assim, o efeito do fole de realimentação é reduzir a sensibilidade do controlador. O princípio da realimentação é comumente utilizado para obter controladores de banda proporcional ampla.

Os controladores pneumáticos que não possuem mecanismos de realimentação [o que significa que uma das extremidades da palheta é fixa, como mostra a Figura 4.9(a)] têm alta sensibilidade e são chamados *controladores pneumáticos de duas posições* ou *controladores pneumáticos on-off*. Nesses controladores, somente um pequeno movimento entre o bocal e a palheta é necessário para resultar em uma completa variação da pressão de controle do máximo para o mínimo. As curvas que relacionam P_b e X e P_c e X estão na Figura 4.9(b). Note que uma pequena variação em X pode ocasionar uma grande variação em P_b, que faz que a válvula do diafragma se abra ou se feche completamente.

FIGURA 4.9
(a) Controlador sem mecanismo de realimentação; (b) curvas P_b versus X e P_c versus X.

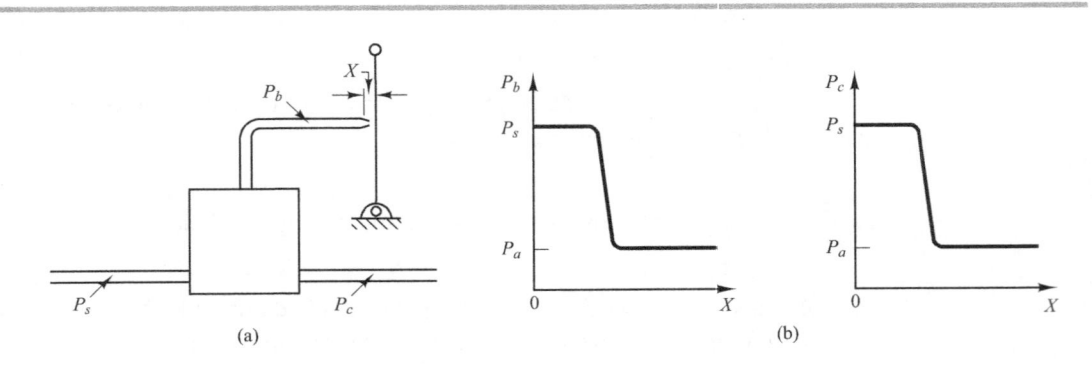

Controladores pneumáticos proporcionais (do tipo balanço de força). A Figura 4.10 mostra um diagrama esquemático de um controlador pneumático proporcional de balanço de força. Os controladores de balanço de força são amplamente utilizados na indústria. Eles são chamados controladores de pilha. O princípio básico de operação não difere do dos controladores do tipo força-distância. A principal vantagem do controlador do tipo balanço de força é que são eliminadas várias ligações mecânicas e juntas pivotadas, reduzindo, assim, os efeitos do atrito.

FIGURA 4.10
Diagrama esquemático de um controlador proporcional pneumático do tipo balanço de força.

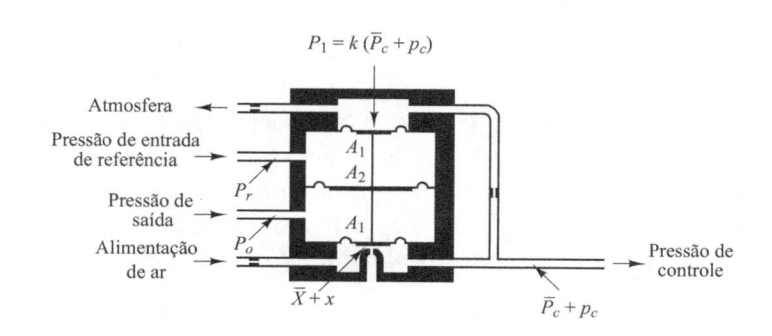

A seguir, consideraremos o princípio do controlador do tipo balanço de força. No controlador mostrado na Figura 4.10, a pressão de entrada de referência P_r e a pressão de saída P_0 são injetadas em grandes câmaras com diafragma. Note que o controlador pneumático de balanço de força opera somente com sinais de pressão. Assim, é necessário converter a entrada de referência e a saída do sistema nos sinais de pressão correspondentes.

Como no caso do controlador do tipo força-distância, esse controlador emprega palheta, bocal e orifícios. Na Figura 4.10, a abertura perfurada na câmara inferior é o bocal. O diafragma situado acima do bocal atua como uma palheta.

A operação do controlador do tipo balanço de força, mostrado na Figura 4.10, pode ser resumida como segue: o ar a uma pressão de 20 psig, fornecido por uma alimentação de ar, flui por um orifício, causando a redução de pressão na câmara inferior. O ar nessa câmara escapa para a atmosfera pelo bocal. O fluxo no bocal depende da abertura e da queda de pressão nele. Um aumento na pressão de entrada de referência P_r, enquanto a pressão de saída P_0 permanece a mesma, faz que a haste da válvula seja movida para baixo, diminuindo a abertura entre o bocal e o diafragma da palheta. Isso faz que a pressão de controle P_c aumente. Seja

$$p_e = P_r - P_0 \tag{4.20}$$

Se $p_e = 0$, existe um estado de equilíbrio com a distância entre o bocal e a palheta, que é igual a $\overline{X}$ e a pressão de controle é igual a $\overline{P}_c$. Nesse estado de equilíbrio, $P_1 = \overline{P}_c k$ (onde $k < 1$) e

$$\overline{X} = \alpha(\overline{P}_c A_1 - \overline{P}_c k A_1) \tag{4.21}$$

onde α é uma constante.

Vamos supor que $p_e \neq 0$ e definir pequenas variações na distância entre o bocal e a palheta e na pressão de controle como x e p_c, respectivamente. Assim, obtemos a seguinte equação:

$$\overline{X} + x = \alpha[(\overline{P}_c + p_c)A_1 - (\overline{P}_c + p_c)kA_1 - p_e(A_2 - A_1)] \tag{4.22}$$

A partir das equações 4.21 e 4.22, obtemos:

$$x = \alpha[p_c(1-k)A_1 - p_e(A_2 - A_1)] \tag{4.23}$$

Neste ponto, devemos examinar a grandeza x. No projeto de controladores pneumáticos, a distância entre o bocal e a palheta é bem pequena. Pelo fato de x/α ser muito menor que $p_c(1-k)A_1$ ou $p_e(A_2 - A_1)$ quando $p_e \neq 0$

$$\frac{x}{\alpha} \ll p_c(1-k)A_1$$

$$\frac{x}{\alpha} \ll p_e(A_2 - A_1)$$

podemos desprezar o termo x em nossa análise. A Equação 4.23 pode ser reescrita para refletir essa suposição, como segue:

$$p_c(1-k)A_1 = p_e(A_2 - A_1)$$

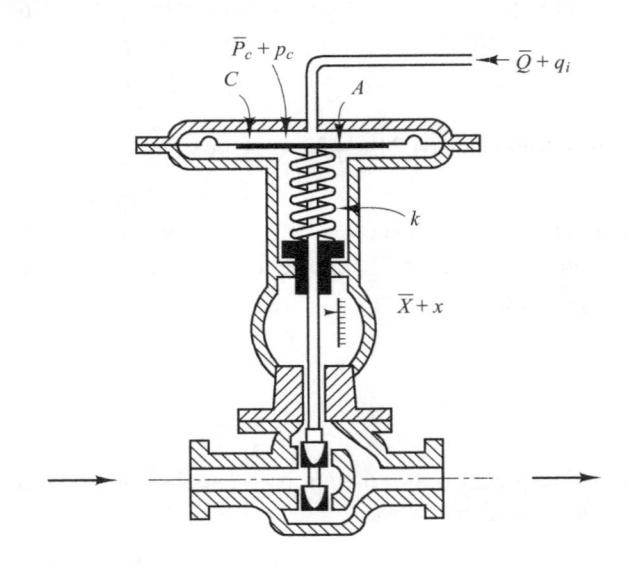

e a função de transferência entre p_c e p_e torna-se

$$\frac{P_c(s)}{P_e(s)} = \frac{A_2 - A_1}{A_1} \frac{1}{1-K} = K_p$$

onde p_e é definido pela Equação 4.20. O controlador mostrado na Figura 4.10 é um controlador proporcional. O valor de ganho K_p aumenta conforme k se aproxima da unidade. Observe que o valor de k depende dos diâmetros dos orifícios dos tubos de entrada e de saída da câmara de realimentação. (O valor de k aproxima-se da unidade à medida que a resistência ao fluxo no orifício de entrada da câmara diminui.)

Válvulas atuadoras pneumáticas. Uma característica dos controles pneumáticos é que praticamente todos empregam válvulas atuadoras. Uma válvula atuadora pneumática pode produzir uma grande potência de saída. (Como um atuador pneumático requer uma grande potência de entrada para produzir uma grande potência de saída, é necessário que uma quantidade suficiente de ar pressurizado esteja disponível.) Na prática, as válvulas atuadoras pneumáticas possuem características que podem não ser lineares, isto é, o fluxo pode não ser diretamente proporcional à posição da haste da válvula e podem existir também outros efeitos não lineares, como histerese.

Considere o diagrama esquemático de uma válvula atuadora pneumática mostrado na Figura 4.11. Suponha que a área do diafragma seja A. Suponha também que, quando o erro atuante for zero, a pressão de controle seja igual a $\bar{P}_c$ e o deslocamento da válvula seja igual a $\bar{X}$.

Na análise a seguir, consideraremos pequenas variações das variáveis e linearizaremos a dinâmica da válvula atuadora pneumática. Definiremos a pequena variação na pressão de controle e o deslocamento correspondente da válvula como p_c e x, respectivamente. Como uma pequena alteração na força de pressão pneumática aplicada ao diafragma reposiciona a carga, que consiste na mola, no atrito viscoso e na massa, a equação de balanceamento das forças torna-se:

$$Ap_c = m\ddot{x} + b\dot{x} + kx$$

onde m = massa da válvula e da haste da válvula
b = coeficiente de atrito viscoso
k = constante da mola

Se a força devida à massa e ao atrito viscoso for desprezível, então a última equação pode ser simplificada para:

$$Ap_c = kx$$

FIGURA 4.11
Diagrama esquemático de uma válvula atuadora pneumática.

A função de transferência entre x e p_c torna-se:

$$\frac{X(s)}{P_c(s)} = \frac{A}{K} = K_c$$

onde $X(s) = \mathscr{L}[x]$ e $P_c(s) = \mathscr{L}[p_c]$. Se q_i, a variação do fluxo na válvula atuadora pneumática, for proporcional a x, a variação do deslocamento da haste da válvula será, então,

$$\frac{Q_i(s)}{X(s)} = K_q$$

onde $Q_i(s) = \mathscr{L}[qi]$ e K_q é uma constante. A função de transferência entre q_i e p_c torna-se:

$$\frac{Q_i(s)}{P_c(s)} = K_c K_q = K_v$$

onde K_v é uma constante.

A pressão de controle padrão para esse tipo de válvula atuadora pneumática fica entre 3 e 15 psig. O deslocamento da haste da válvula é limitado pelo movimento do diafragma, que é de apenas poucos centímetros. Se um movimento mais amplo for necessário, pode ser empregada uma combinação de êmbolo e mola.

Nas válvulas atuadoras pneumáticas, a força de atrito estático deve ser limitada a um baixo valor, de modo que não resulte em uma histerese excessiva. Em virtude da compressibilidade do ar, a ação de controle pode não ser positiva, isto é, pode existir um erro no posicionamento da haste da válvula. O uso de um posicionador de válvula resulta na melhoria do desempenho da válvula atuadora pneumática.

Princípio básico para a obtenção da ação de controle derivativa. Apresentaremos agora os métodos para a obtenção da ação de controle derivativa. Enfatizaremos aqui também o princípio e não os detalhes dos mecanismos reais.

O princípio básico para a geração de uma ação de controle desejada é inserir o inverso da função de transferência desejada no ramo de realimentação. Para o sistema mostrado na Figura 4.12, a função de transferência de malha fechada é:

$$\frac{C(s)}{R(s)} = \frac{G(s)}{1 + G(s)H(s)}$$

Se $|G(s)H(s)| \gg 1$, então $C(s)/R(s)$ pode ser modificado para

$$\frac{C(s)}{R(s)} = \frac{1}{H(s)}$$

Assim, se desejarmos uma ação de controle proporcional-derivativo, inserimos um elemento que contém a função de transferência $1/(Ts + 1)$ no ramo da realimentação.

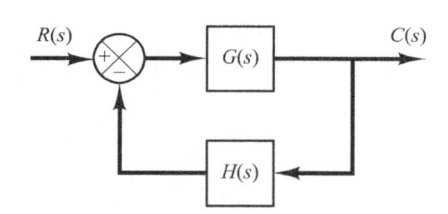

Considere o controlador pneumático da Figura 4.13(a). Levando em conta pequenas alterações das variáveis, podemos desenhar um diagrama de blocos desse controlador, como mostra a Figura 4.13(b). A partir do diagrama de blocos, vemos que o controlador é proporcional.

Mostraremos agora que o acréscimo de uma restrição no ramo de realimentação negativa transformará o controlador proporcional em um controlador proporcional-derivativo ou controlador PD.

FIGURA 4.12
Sistema de controle.

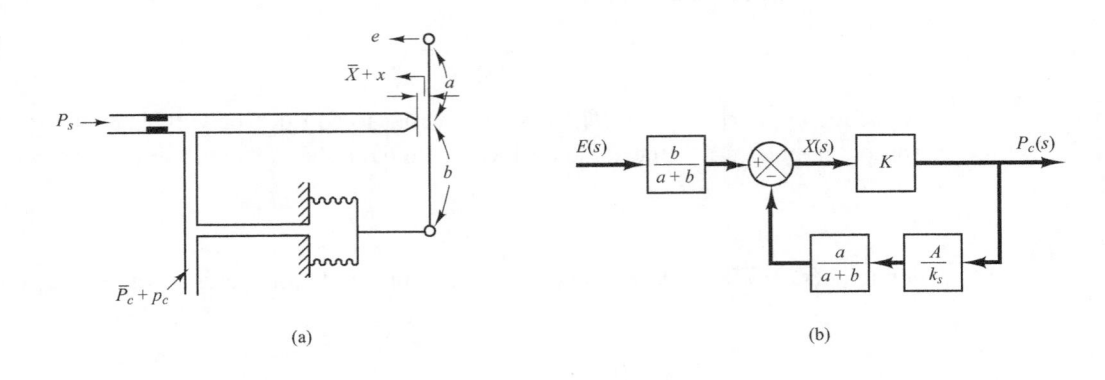

FIGURA 4.13
(a) Controlador pneumático proporcional;
(b) diagrama de blocos do controlador.

Considere o controlador pneumático da Figura 4.14(a). Supondo novamente pequenas variações do erro atuante, da distância entre o bocal e a palheta e da pressão de controle, podemos resumir as operações desse controlador como segue; primeiro, vamos supor uma pequena variação em degrau em e. Nesse caso, a variação da pressão de controle p_c será instantânea. A restrição R impedirá momentaneamente que o fole de realimentação perceba a variação da pressão p_c. Assim, o fole de realimentação não responderá instantaneamente e a válvula atuadora pneumática sentirá todo o efeito do movimento da palheta. Com o passar do tempo, o fole de realimentação se expandirá. A variação da distância x entre o bocal e a palheta e a variação na pressão de controle p_c podem ser representadas em um gráfico em função do tempo t, como mostra a Figura 4.14(b). Em regime permanente, o fole de realimentação atua como um mecanismo de realimentação normal. A curva p_c versus t mostra claramente que esse controlador é proporcional-derivativo.

Um diagrama de blocos correspondente a esse controlador pneumático é mostrado na Figura 4.14(c). No diagrama, K é uma constante, A é a área do fole e k_s é a constante equivalente

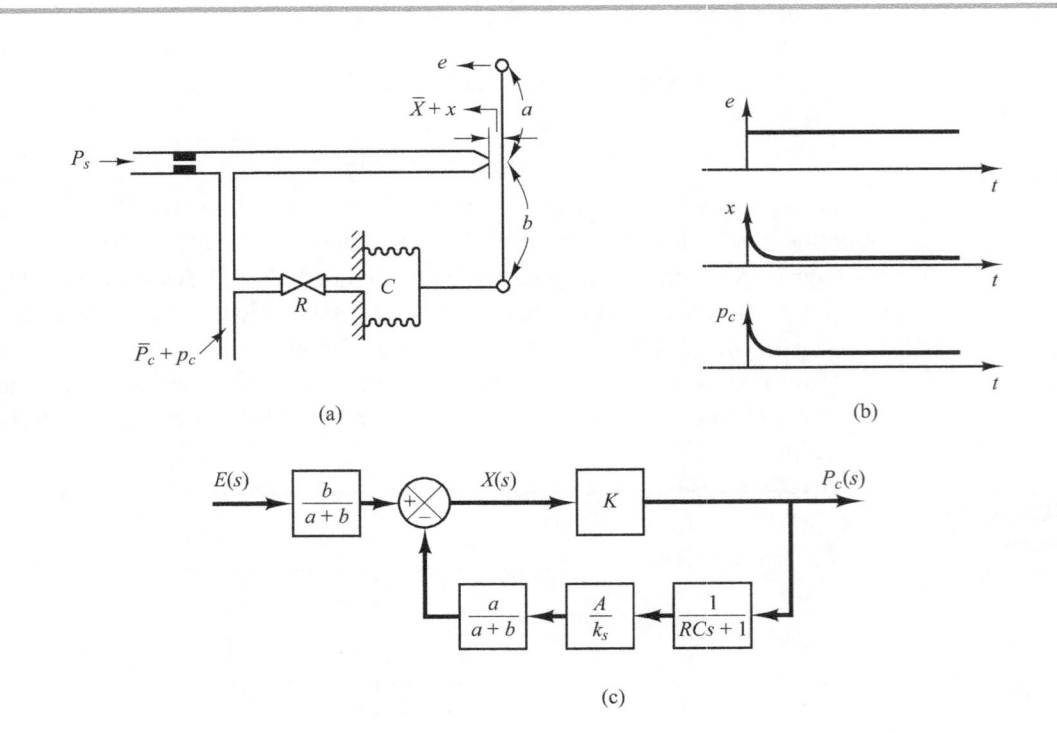

FIGURA 4.14
(a) Controlador pneumático proporcional-derivativo;
(b) gráfico da variação em degrau em e e mudanças correspondentes em x e p_c versus t;
(c) diagrama de blocos do controlador.

de mola do fole. A função de transferência entre p_c e e pode ser obtida a partir do diagrama de blocos, como segue:

$$\frac{P_c(s)}{E(s)} = \frac{\dfrac{b}{a+b}K}{1 + \dfrac{Ka}{a+b}\dfrac{A}{k_s}\dfrac{1}{RCs+1}}$$

Nesse tipo de controlador, o ganho de malha $|KaA/[(a+b)k_s(RCs+1)]|$ é feito muito maior que a unidade. Assim, a função de transferência $P_c(s)/E(s)$ pode ser simplificada para resultar em:

$$\frac{P_c(s)}{E(s)} = K_p(1 + T_d s)$$

onde

$$K_p = \frac{bk_s}{aA}, \quad T_d = RC$$

Dessa maneira, a realimentação negativa com retardo, ou função de transferência $1/(RCs+1)$ no ramo da realimentação, transforma o controlador proporcional em um controlador proporcional-derivativo.

Note que, se a válvula de realimentação for completamente aberta, a ação de controle se tornará proporcional. Se a válvula for totalmente fechada, a ação de controle se tornará proporcional em banda estreita (*on-off*).

Obtenção da ação pneumática de controle proporcional-integral. Considere o controlador proporcional da Figura 4.13(a). Levando em conta pequenas alterações das variáveis, podemos mostrar que o acréscimo de uma realimentação positiva com retardo transformará esse controlador proporcional em um controlador proporcional-integral ou controlador PI.

Considere o controlador pneumático mostrado na Figura 4.15(a). A operação desse controlador é a seguinte: o fole designado por I está conectado à fonte da pressão de controle sem nenhuma restrição. O fole designado por II está conectado à fonte da pressão de controle por meio de uma restrição. Vamos supor que haja uma pequena variação em degrau no erro atuante. Isso ocasionará uma mudança na contrapressão do bocal instantaneamente. Assim, também ocorrerá uma variação na pressão de controle p_c instantaneamente. Em virtude da restrição da válvula no percurso do fole II, haverá perda de pressão pela válvula. Com o decorrer do tempo, o ar fluirá pela válvula, de modo que a mudança da pressão no fole II alcance o valor de p_c. Assim, o fole II se expandirá ou se contrairá com o passar do tempo, de modo que produzirá um movimento adicional da palheta no sentido do deslocamento original e. Isso ocasionará uma variação contínua da contrapressão p_c do bocal, como mostra a Figura 4.15(b).

Observe que a ação de controle integral do controlador vai cancelando, de maneira lenta, o efeito da realimentação fornecida originalmente pelo controle proporcional.

Um diagrama de blocos desse controlador, para o caso de alterações pequenas das variáveis, é mostrado na Figura 4.15(c). A simplificação do diagrama de blocos resulta na Figura 4.15(d). A função de transferência desse controlador é:

$$\frac{P_c(s)}{E(s)} = \frac{\dfrac{b}{a+b}K}{1 + \dfrac{Ka}{a+b}\dfrac{A}{k_s}\left(1 - \dfrac{1}{RCs+1}\right)}$$

onde K é uma constante, A é a área do fole e k_s é a constante de mola equivalente dos foles combinados. Se $|KaARCs/[(a+b)k_s(RCs+1)]| \gg 1$, o que normalmente é o caso, a função de transferência pode ser simplificada para

$$\frac{P_c(s)}{E(s)} = K_p\left(1 + \frac{1}{T_i s}\right)$$

onde

$$K_p = \frac{bk_s}{aA}, \quad T_i = RC$$

FIGURA 4.15
Controlador pneumático proporcional-integral;
(b) gráfico de variação em degrau em e das variações correspondentes em x e p_c versus t;
(c) diagrama de blocos do controlador;
(d) diagrama de blocos simplificado.

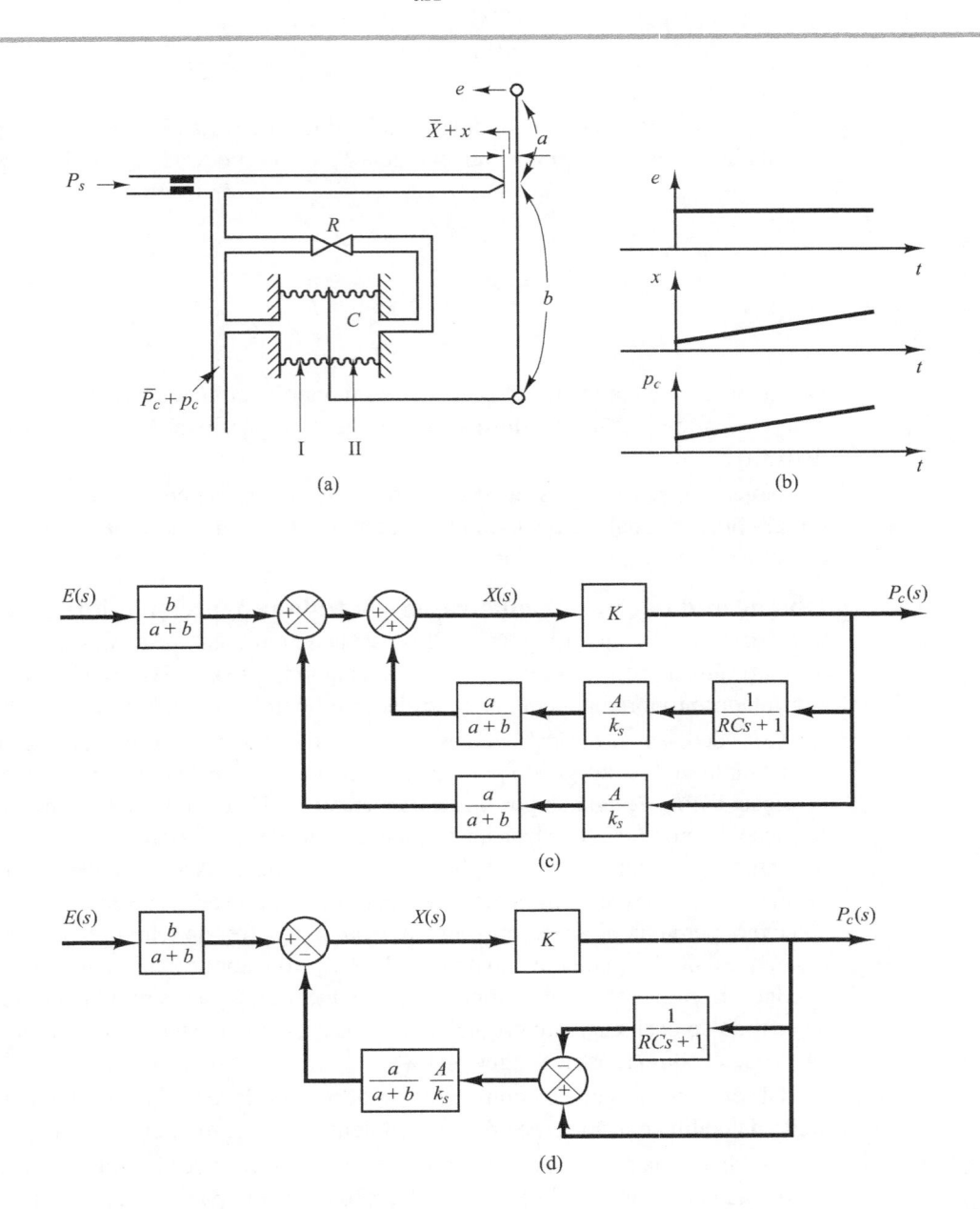

Obtenção da ação pneumática de controle proporcional-integral-derivativo. Uma combinação de controladores pneumáticos mostrada nas figuras 4.14(a) e 4.15(a) resulta em um controlador proporcional-integral-derivativo ou um controlador PID. A Figura 4.16(a) mostra um diagrama esquemático desse tipo de controlador e a 4.16(b), um diagrama de blocos desse controlador, supondo que as alterações das variáveis sejam pequenas.

A função de transferência desse controlador é:

$$\frac{P_c(s)}{E(s)} = \frac{\dfrac{bK}{a+b}}{1 + \dfrac{Ka}{a+b}\dfrac{A}{k_s}\dfrac{(R_iC - R_dC)s}{(R_dCs + 1)(R_iCs + 1)}}$$

Definindo

$$T_i = R_iC, \quad T_d = R_dC$$

e considerando que em operação normal $|KaA(T_i + T_d)s/[(a+b)k_s(T_d+1)(T_is+1)]| \gg 1$ e $T_i \gg T_d$, obtemos

$$\frac{P_c(s)}{E(s)} \doteq \frac{bk_s}{aA}\frac{(T_ds+1)(T_is+1)}{(T_i - T_d)s}$$

$$\doteq \frac{bk_s}{aA}\frac{T_dT_is^2 + T_is + 1}{T_is}$$

$$= K_p\left(1 + \frac{1}{T_is} + T_ds\right) \tag{4.24}$$

onde

$$K_p = \frac{bk_s}{aA}$$

A Equação 4.24 indica que o controlador mostrado na Figura 4.16(a) é um controlador propocional-integral-derivativo ou controlador PID.

FIGURA 4.16
(a) Controlador pneumático proporcional-integral-derivativo;
(b) diagrama de blocos de controlador.

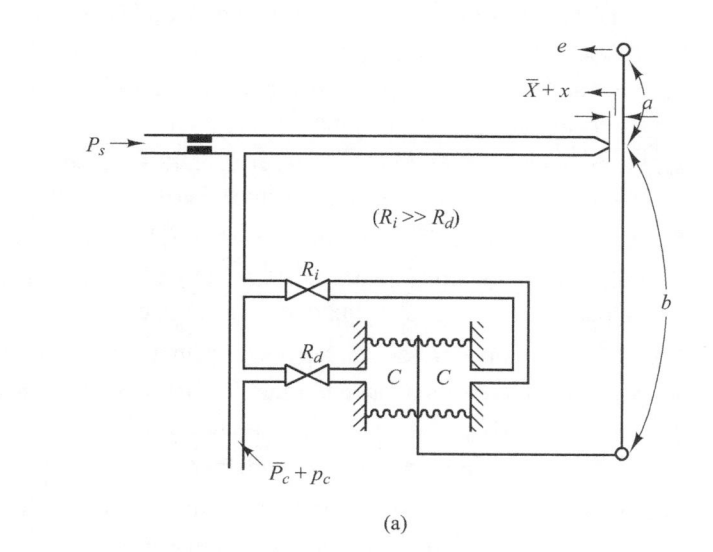

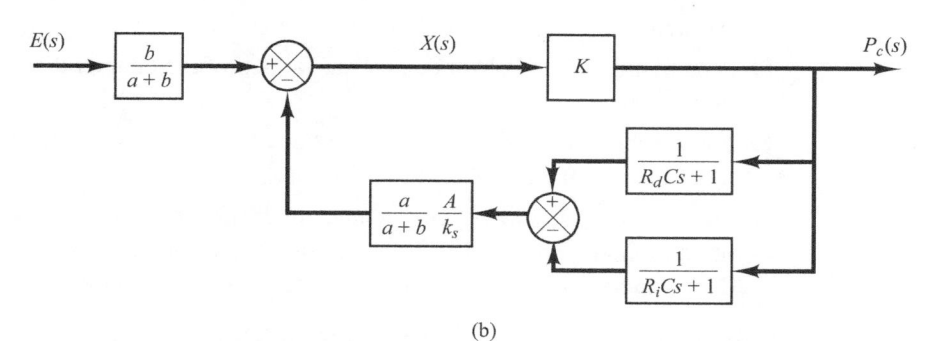

4.4 | Sistemas hidráulicos

Exceto para os controladores pneumáticos de baixa pressão, o ar comprimido raramente é utilizado para o controle contínuo de movimento de dispositivos que tenham massa significativa sob ação de forças de carga externas. Para esses casos, os controladores hidráulicos geralmente são preferidos.

Sistemas hidráulicos. A ampla utilização dos circuitos hidráulicos em aplicações de máquinas-ferramentas, sistemas de controle de aeronaves e de operações similares ocorre em decorrência de fatores como positividade, precisão, flexibilidade, alta relação potência-peso, partida rápida, parada e reversão com suavidade e precisão e simplicidade nas operações.

A pressão de operação nos sistemas hidráulicos é algo entre 145 e 5.000 N/pol² (entre 1 e 35 MPa). Em algumas aplicações especiais, a pressão de operação pode chegar a 10.000 N/pol² (70 MPa). Para a obtenção da mesma potência, o peso e o tamanho da unidade hidráulica podem ser reduzidos por meio do aumento da pressão de alimentação. Podem ser obtidas forças de grande intensidade com a utilização de sistemas hidráulicos de alta pressão. Os sistemas hidráulicos tornam possíveis a atuação rápida e o posicionamento preciso de cargas pesadas. Uma combinação dos sistemas eletrônicos e hidráulicos é amplamente utilizada por causa da combinação de vantagens tanto do controle eletrônico como da potência hidráulica.

Vantagens e desvantagens dos sistemas hidráulicos. Existem certas vantagens e desvantagens na utilização de sistemas hidráulicos em relação a outros sistemas. Algumas das vantagens são as seguintes:

1. O fluido hidráulico age como lubrificante, além de transportar o calor gerado no sistema para um trocador de calor conveniente.
2. O tamanho comparativamente pequeno dos atuadores hidráulicos pode desenvolver grandes potências ou torques.
3. Os atuadores hidráulicos têm grande velocidade de resposta, com partidas, paradas e reversão de velocidade rápidas.
4. Os atuadores hidráulicos podem ser operados sob condições contínuas, intermitentes, de reversão e de parada repentina, sem sofrer avarias.
5. A disponibilidade de atuadores lineares e rotativos dá flexibilidade ao projeto.
6. Pelo fato de os vazamentos nos atuadores hidráulicos serem pequenos, as quedas de velocidade são pequenas quando uma carga é aplicada.

Por outro lado, diversas desvantagens tendem a limitar seu uso.

1. A potência hidráulica não é tão facilmente disponível, se comparada à potência elétrica.
2. O custo de um sistema hidráulico pode ser mais alto, se comparado a sistemas elétricos que desempenham uma função semelhante.
3. Existe o risco de explosão e fogo, a menos que sejam utilizados fluidos anti-inflamáveis.
4. Em razão de sua dificuldade de manter um sistema hidráulico que seja livre de vazamentos, o sistema tende a ficar poluído.
5. A contaminação do óleo pode causar falha no funcionamento apropriado de um sistema hidráulico.
6. Em virtude da não linearidade e de outras características complexas, o projeto de sistemas hidráulicos sofisticados torna-se complexo.
7. Os circuitos hidráulicos geralmente têm características de amortecimento deficientes. Se um circuito hidráulico não for projetado adequadamente, alguns fenômenos de instabilidade poderão ocorrer ou desaparecer, dependendo das condições de operação.

Comentários. Uma atenção especial é necessária para assegurar que o sistema hidráulico seja estável e tenha desempenho satisfatório sob todas as condições de operação. Como a viscosidade dos fluidos hidráulicos pode afetar grandemente o amortecimento e os efeitos de atrito dos circuitos hidráulicos, os testes de estabilidade devem ser realizados com a temperatura de operação mais alta possível.

Note que a maioria dos sistemas hidráulicos é não linear. Algumas vezes, entretanto, é possível linearizar sistemas não lineares para reduzir sua complexidade e permitir soluções que sejam suficientemente precisas para a maioria das aplicações. Uma técnica útil para tratar sistemas não lineares foi apresentada na Seção 2.7.

Servossistema hidráulico. A Figura 4.17(a) mostra um servomotor hidráulico. Ele é essencialmente um amplificador de potência hidráulico controlado por uma válvula piloto e um atuador. A válvula piloto é uma válvula balanceada em que as forças de pressão atuantes sobre esta são todas balanceadas. Uma grande potência de saída pode ser controlada por uma válvula piloto, que pode ser posicionada com a aplicação de uma potência muito pequena.

Na prática, as portas mostradas na Figura 4.17(a) geralmente são mais largas do que os correspondentes ressaltos do carretel. Nesse caso, sempre há vazamentos pelos ressaltos. Esse vazamento melhora tanto a sensibilidade como a linearidade do servomotor hidráulico. Na análise a seguir, faremos a suposição de que as portas serão maiores que os ressaltos, isto é, os ressaltos são subpostos. [Note que algumas vezes um sinal oscilatório, um sinal de alta frequência com amplitude muito pequena (em relação ao deslocamento máximo da válvula), é sobreposto ao movimento

FIGURA 4.17
(a) Servossistema hidráulico;
(b) diagrama ampliado da região do orifício da válvula.

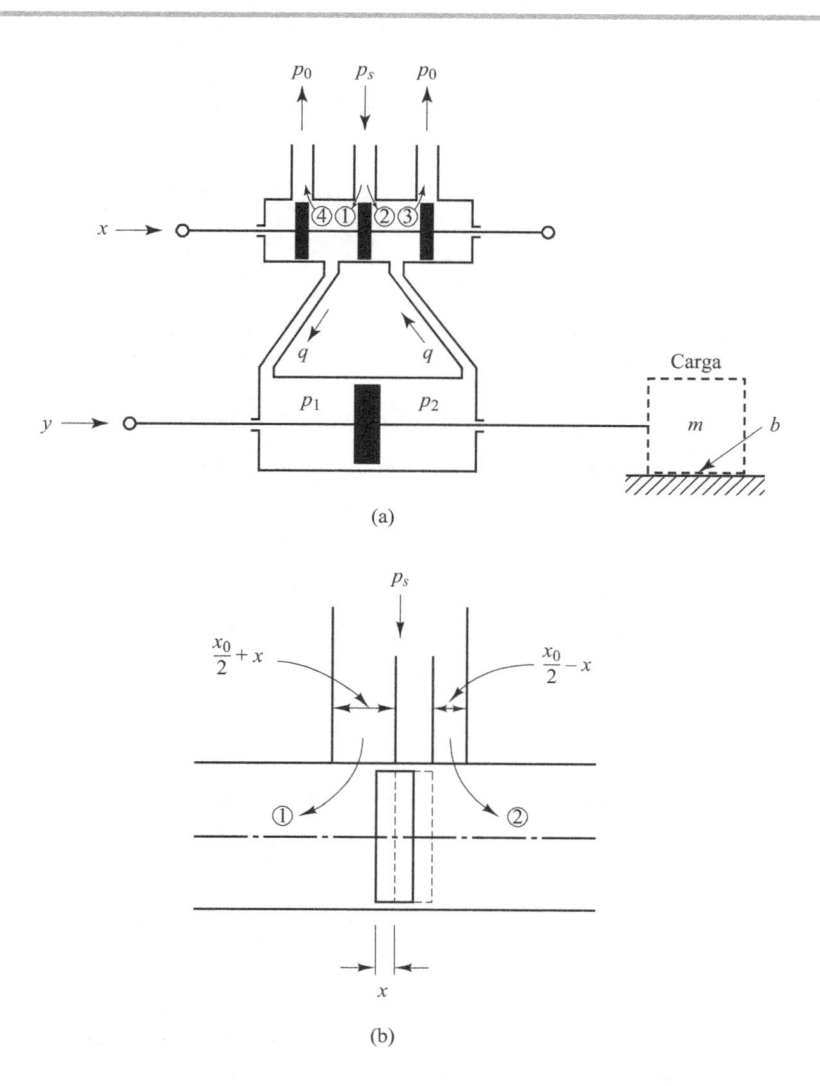

da válvula piloto. Isso também melhora a sensibilidade e a linearidade. Nesse caso, também há vazamentos pela válvula.]

Aplicaremos a técnica de linearização apresentada na Seção 2.7 para obter o modelo matemático linearizado do servomotor hidráulico. Vamos supor que a válvula seja subposta e simétrica e o fluido hidráulico esteja sob alta pressão no cilindro de potência que contém um grande êmbolo, de modo que resulte em uma grande força hidráulica para mover uma carga.

Na Figura 4.17(b), temos um diagrama ampliado da região do orifício da válvula. Definiremos as áreas das portas de entrada da válvula 1, 2, 3, 4 como A_1, A_2, A_3, A_4, respectivamente. Definimos também a vazão nas entradas 1, 2, 3, 4 como q_1, q_2, q_3, q_4, respectivamente. Note que, como a válvula é simétrica, $A_1 = A_3$ e $A_2 = A_4$. Ao supor que o deslocamento x seja pequeno, obtemos:

$$A_1 = A_3 = K\left(\frac{x_0}{2} + x\right)$$

$$A_2 = A_4 = K\left(\frac{x_0}{2} - x\right)$$

onde k é uma constante.

Além disso, vamos supor que a pressão de retorno p_0 na linha de retorno seja pequena e, assim, possa ser desprezada. Então, com referência à Figura 4.17(a), as vazões pelos orifícios da válvula são:

$$q_1 = c_1 A_1 \sqrt{\frac{2g}{\gamma}(p_s - p_1)} = C_1 \sqrt{p_s - p_1}\left(\frac{x_0}{2} + x\right)$$

$$q_2 = c_2 A_2 \sqrt{\frac{2g}{\gamma}(p_s - p_2)} = C_2 \sqrt{p_s - p_2}\left(\frac{x_0}{2} - x\right)$$

$$q_3 = c_1 A_3 \sqrt{\frac{2g}{\gamma}(p_2 - p_0)} = C_1 \sqrt{p_2 - p_0}\left(\frac{x_0}{2} + x\right) = C_1 \sqrt{p_2}\left(\frac{x_0}{2} + x\right)$$

$$q_4 = c_2 A_4 \sqrt{\frac{2g}{\gamma}(p_1 - p_0)} = C_2 \sqrt{p_1 - p_0}\left(\frac{x_0}{2} + x\right) = C_2 \sqrt{p_1}\left(\frac{x_0}{2} - x\right)$$

onde $C_1 = c_1 k\sqrt{2g/\gamma}$, $C_2 = c_2 k\sqrt{2g/\gamma}$, e γ é o peso específico dado por $\gamma = \rho g$, onde ρ é a densidade de massa e g é a aceleração da gravidade. A vazão q do lado esquerdo do êmbolo é:

$$q = q_1 - q_4 = C_1 \sqrt{p_s - p_1}\left(\frac{x_0}{2} + x\right) - C_2 \sqrt{p_1}\left(\frac{x_0}{2} - x\right) \qquad (4.25)$$

A vazão do lado direito do êmbolo para o dreno é a mesma, q, e é dada por:

$$q = q_3 - q_2 = C_1 \sqrt{p_2}\left(\frac{x_0}{2} + x\right) - C_2 \sqrt{p_s - p_2}\left(\frac{x_0}{2} - x\right)$$

Na presente análise, vamos supor que o fluido seja incompressível. Como a válvula é simétrica, temos $q_1 = q_3$ e $q_2 = q_4$. Equacionando q_1 e q_3, obtemos:

$$p_s - p_1 = p_2$$

ou

$$p_s = p_1 + p_2$$

Se definirmos a diferença de pressão por meio do êmbolo como Δp ou

$$\Delta p = p_1 - p_2$$

então

$$p_1 \frac{P_s + \Delta p}{2}, \quad p_2 \frac{P_s - \Delta p}{2}$$

Para a posição simétrica da válvula mostrada na Figura 4.17(a), a pressão em cada lado do êmbolo é $(1/2)p_s$, quando nenhuma carga for aplicada, ou $\Delta p = 0$. Quando a válvula de carretel é deslocada, a pressão em uma linha aumenta e na outra decresce pelo mesmo valor.

Em termos de p_s e Δp, podemos reescrever a vazão q dada pela Equação 4.25 como:

$$q = q_1 - q_4 = C_1 \sqrt{\frac{p_s - \Delta p}{2}} \left(\frac{x_0}{2} + x\right) - C_2 \sqrt{\frac{p_s + \Delta p}{2}} \left(\frac{x_0}{2} - x\right)$$

Notando que a pressão de alimentação p_s é constante, a vazão q pode ser escrita como uma função do deslocamento x da válvula e a diferença de pressão Δp, ou

$$q = C_1 \sqrt{\frac{p_s - \Delta p}{2}} \left(\frac{x_0}{2} + x\right) - C_2 \sqrt{\frac{p_s + \Delta p}{2}} \left(\frac{x_0}{2} - x\right) = f(x, \Delta p)$$

Aplicando a técnica de linearização apresentada na Seção 3.10 para esse caso, a equação linearizada em torno do ponto $x = \bar{x}$, $\Delta p = \Delta \bar{p}$, $q = \bar{q}$ é:

$$q - \bar{q} = a(x - \bar{x}) + b(\Delta p - \Delta \bar{p}) \tag{4.26}$$

onde

$$\bar{q} = f(\bar{x}, \Delta \bar{p})$$

$$a = \left.\frac{\partial f}{\partial x}\right|_{x = \bar{x}, \Delta p = \Delta \bar{p}} = C_1 \sqrt{\frac{p_s - \Delta \bar{p}}{2}} + C_2 \sqrt{\frac{p_s + \Delta \bar{p}}{2}}$$

$$b = \left.\frac{\partial f}{\partial \Delta p}\right|_{x = \bar{x}, \Delta p = \Delta \bar{p}} = -\left[\frac{C_1}{2\sqrt{2}\sqrt{p_s - \Delta \bar{p}}}\left(\frac{x_0}{2} + \bar{x}\right) + \frac{C_2}{2\sqrt{2}\sqrt{p_s + \Delta \bar{p}}}\left(\frac{x_0}{2} - \bar{x}\right)\right] < 0$$

Os coeficientes a e b são chamados *coeficientes da válvula*. A Equação 4.26 é um modelo matemático linearizado da válvula de carretel próximo do ponto de operação $x = \bar{x}$, $\Delta p = \Delta \bar{p}$, $q = \bar{q}$. Os valores dos coeficientes da válvula a e b variam com o ponto de operação. Note que $\partial f / \partial \Delta p$ é negativo e, portanto, b é negativo.

Como o ponto de operação normal é o ponto onde $\bar{x} = 0$, $\Delta \bar{p} = 0$, $\bar{q} = 0$, próximo desse ponto normal de operação, a Equação 4.26 torna-se:

$$q = K_1 x - K_2 \Delta p \tag{4.27}$$

onde

$$K_1 = (C_1 + C_2)\sqrt{\frac{p_s}{2}} > 0$$

$$K_2 = (C_1 + C_2) \frac{x_0}{4\sqrt{2}\sqrt{p_s}} > 0$$

A Equação 4.27 é um modelo matemático linearizado da válvula de carretel, próximo da origem ($\bar{x} = 0$, $\Delta \bar{p} = 0$, $\bar{q} = 0$). Note que a região próxima da origem é a mais importante nesse tipo de sistema, porque normalmente a operação do sistema ocorre nas proximidades desse ponto.

A Figura 4.18 mostra a relação linearizada entre q, x e ΔP. As linhas retas que aí se encontram são as curvas características do servomotor hidráulico linearizado. Essa família de curvas é constituída por linhas retas paralelas equidistantes, parametrizadas em x.

Na presente análise, vamos supor que as forças de reação da carga são pequenas, de modo que a vazão e a compressibilidade do óleo podem ser ignoradas.

Com referência à Figura 4.17(a), vemos que a vazão do óleo q vezes dt é igual ao deslocamento do êmbolo dy vezes a área do êmbolo A vezes a densidade do óleo ρ. Assim, obtemos:

$$A\rho\, dy = q\, dt$$

Observe que, para dada vazão q, quanto maior for a área A do êmbolo, menor será a velocidade dy/dt. Então, se a área A do êmbolo for menor e as outras variáveis permanecerem constantes, a velocidade dy/dt se tornará maior. Além disso, um aumento da vazão q causará um aumento na velocidade do êmbolo e fará que o tempo de resposta seja menor.

FIGURA 4.18
Curvas características de um servomotor hidráulico linearizado.

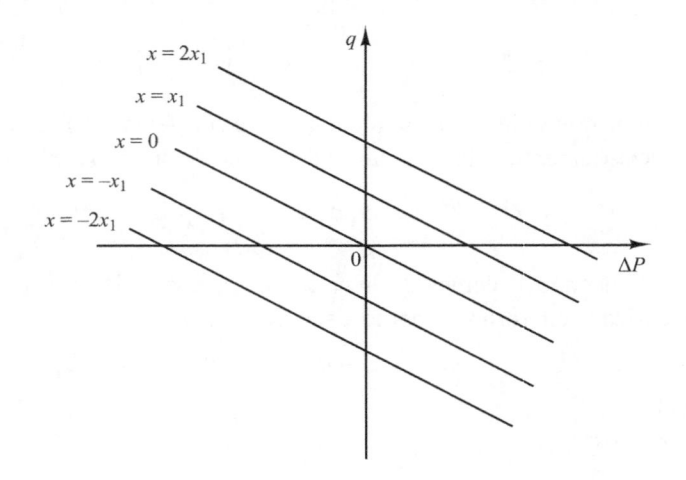

A Equação 4.27 pode agora ser escrita como:

$$\Delta P = \frac{1}{K_2}\left(K_1 x - A\rho \frac{dy}{dt}\right)$$

A força desenvolvida pelo êmbolo é igual à diferença de pressão ΔP vezes a área A do êmbolo ou

Força desenvolvida pelo êmbolo = $A\,\Delta P$

$$= \frac{A}{K_2}\left(K_1 x - A\rho \frac{dy}{dt}\right)$$

Para dada força máxima, se a diferença de pressão for suficientemente alta, a área do êmbolo ou o volume do óleo no cilindro poderão ser menores. Em consequência, para minimizar o peso do controlador, devemos fazer que a pressão de alimentação seja suficientemente alta.

Suponha que o êmbolo mova uma carga constituída por uma massa e por atrito viscoso. Então, a força desenvolvida pelo êmbolo é aplicada à massa da carga e ao atrito, obtendo-se:

$$m\ddot{y} + b\dot{y} = \frac{A}{K_2}(K_1 x - A\rho \dot{y})$$

ou

$$m\ddot{y} + \left(b + \frac{A^2\rho}{K_2}\right)\dot{y} = \frac{AK_1}{K_2}x \qquad (4.28)$$

onde m é a massa da carga e b é o coeficiente de atrito viscoso.

Ao supor que o deslocamento x da válvula piloto seja a entrada e o deslocamento y do êmbolo seja a saída, determinamos, a partir da Equação 4.28, a função de transferência para o servomotor hidráulico como:

$$\frac{Y(s)}{X(s)} = \frac{1}{s\left[\left(\frac{mK_2}{AK_1}\right)s + \frac{bK_2}{AK_1} + \frac{A\rho}{K_1}\right]}$$

$$= \frac{K}{s(Ts + 1)} \qquad (4.29)$$

onde

$$K = \frac{1}{\frac{bK_2}{AK_1} + \frac{A\rho}{K_1}} \quad \text{e} \quad T = \frac{mK_2}{bK_2 + A^2\rho}$$

A partir da Equação 4.29, vemos que essa função de transferência é de segunda ordem. Se a relação $mK_2/(bK_2 + A^2\rho)$ for desprezível ou se a constante de tempo T for desprezível, a função de transferência $Y(s)/X(s)$ poderá ser simplificada, resultando em:

$$\frac{Y(s)}{X(s)} = \frac{K}{s}$$

Note que uma análise mais detalhada mostra que, se os vazamentos de óleo, a compressibilidade (incluindo os efeitos do ar dissolvido), a dilatação das tubulações e outros detalhes forem levados em consideração, a função de transferência se tornará:

$$\frac{Y(s)}{X(s)} = \frac{K}{s(T_1 s + 1)(T_2 s + 1)}$$

onde T_1 e T_2 são constantes de tempo. De fato, essas constantes de tempo dependem do volume de óleo no circuito de operação. Quanto menor for o volume, menores serão as constantes de tempo.

Controlador hidráulico integral. O servomotor hidráulico mostrado na Figura 4.19 é um amplificador de potência hidráulico controlado por uma válvula piloto e um atuador. Análogo aos servossistemas hidráulicos mostrados na Figura 4.17, para a carga de massa desprezível, o servomotor da Figura 4.19 age como um integrador ou um controlador integral. Esse servomotor constitui a base de um circuito de controle hidráulico.

No servomotor hidráulico mostrado na Figura 4.19, a válvula piloto (uma válvula de quatro vias) tem dois ressaltos no carretel. Se a largura dos ressaltos for menor que as portas na válvula piloto, a válvula será considerada *subposta*. Nas válvulas *sobrepostas,* a largura dos ressaltos é maior que a largura das portas. Uma válvula de sobreposição *nula* tem a largura do ressalto idêntica à largura da porta. (Se uma válvula piloto for uma válvula de sobreposição nula, a análise do servomotor hidráulico se tornará mais simples.)

Na presente análise, vamos supor que o fluido hidráulico seja incompressível e a força de inércia do êmbolo e da carga sejam desprezíveis comparadas à força hidráulica do êmbolo. Além disso, vamos supor que a válvula piloto seja uma válvula de sobreposição nula e a vazão do óleo seja proporcional ao deslocamento da válvula piloto.

A operação desse servomotor hidráulico é como segue. Se a entrada x move a válvula piloto para a direita, a porta II é aberta e, então, o óleo sob alta pressão entra do lado direito do êmbolo. Como a porta I está ligada à porta do dreno, o óleo do lado esquerdo do êmbolo retorna para o dreno. O óleo que flui para dentro do cilindro de potência está sob alta pressão; o óleo que flui para fora do cilindro de potência e vai para o dreno está sob baixa pressão. A diferença de pressão resultante em ambos os lados do êmbolo fará que este se mova para a esquerda.

FIGURA 4.19
Servomotor hidráulico.

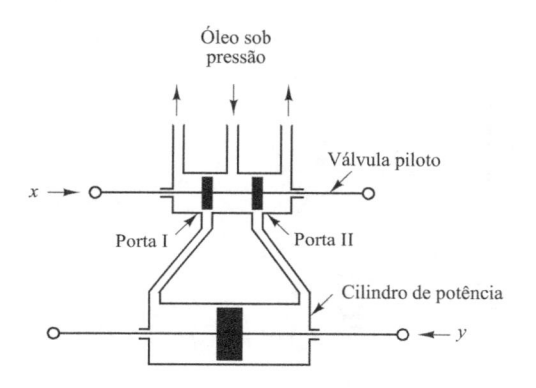

Note que a vazão em massa de óleo q(kg/s) vezes dt (s) é igual ao deslocamento do êmbolo dy(m) vezes a área A(m²) vezes a densidade do óleo ρ(kg/m³). Portanto,

$$A\rho\, dy = q\, dt \qquad (4.30)$$

Como supomos que a vazão de óleo q seja proporcional ao deslocamento da válvula piloto x, temos:

$$q = K_1 x \qquad (4.31)$$

onde K_1 é uma constante positiva. A partir das equações 4.30 e 4.31, obtemos:

$$A\rho = \frac{dy}{dt} = K_1 x$$

A transformada de Laplace dessa última equação, supondo condições iniciais nulas, nos dá:

$$A\rho s Y(s) = K_1 X(s)$$

ou

$$\frac{Y(s)}{X(s)} = \frac{K_1}{A\rho s} = \frac{K}{s}$$

onde $K = K_1/(A r)$. Assim, o servomotor hidráulico mostrado na Figura 4.19 atua como um controlador integral.

Controlador hidráulico proporcional. Foi mostrado que o servomotor da Figura 4.19 atua como um controlador integral. Esse servomotor pode ser transformado em um controlador proporcional por meio de uma haste de realimentação. Considere o controlador hidráulico mostrado na Figura 4.20(a). O lado esquerdo da válvula piloto é ligado ao lado esquerdo do êmbolo pela haste ABC, que é flutuante, em vez de ser móvel em torno de uma articulação fixa.

O controlador, aqui, opera da seguinte maneira: se a entrada e move a válvula piloto para a direita, a porta II fica descoberta e o óleo sob alta pressão flui por essa porta para o lado direito do êmbolo e força esse êmbolo para a esquerda. O êmbolo, se movimentando para a esquerda, levará a haste de realimentação ABC com ele e, desse modo, move a válvula piloto para a esquerda. Essa ação continua até que o êmbolo da válvula piloto cubra novamente as portas I e II. Um diagrama de blocos do sistema pode ser desenhado como na Figura 4.20(b). A função de transferência entre $Y(s)$ e $E(s)$ é dada por:

$$\frac{Y(s)}{E(s)} = \frac{\dfrac{b}{a+b}\dfrac{K}{s}}{1 + \dfrac{K}{s}\dfrac{a}{a+b}}$$

FIGURA 4.20
(a) Servomotor que atua como controlador proporcional; (b) diagrama de blocos do servomotor.

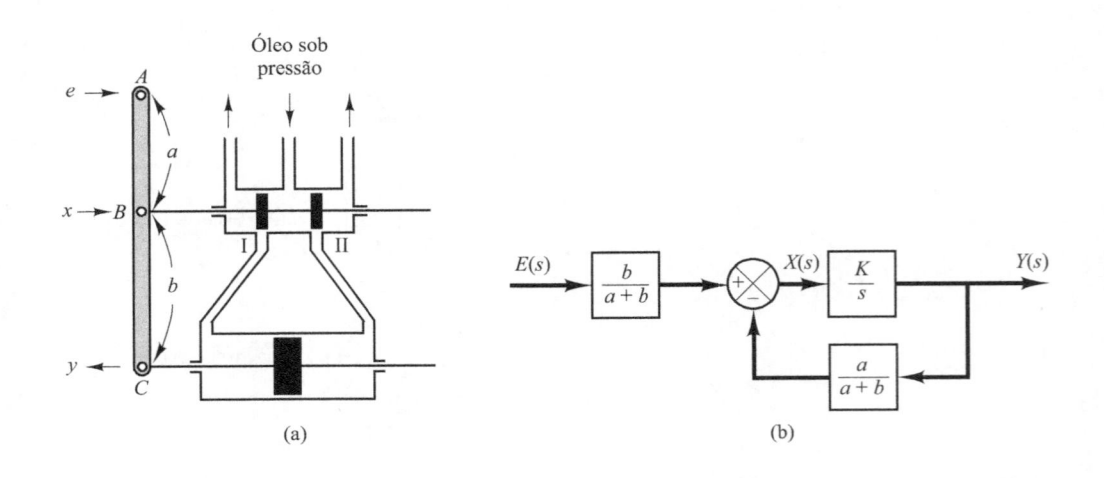

Observando que, sob as condições normais de operação, temos $|Ka/[s(a + b)]| \gg 1$, essa última equação pode ser simplificada para:

$$\frac{Y(s)}{E(s)} = \frac{b}{a} = K_p$$

A função de transferência entre y e e torna-se uma constante. Assim, o controlador hidráulico da Figura 4.20(a) atua como um controlador proporcional cujo ganho é K_p. Esse ganho pode ser ajustado pela mudança efetiva da relação b/a da alavanca. (O mecanismo de ajuste não é mostrado no diagrama.)

Vimos, assim, que a adição da haste de realimentação faz que o servomotor hidráulico atue como um controlador proporcional.

Amortecedores hidráulicos. O amortecedor hidráulico (também chamado simplesmente amortecedor) mostrado na Figura 4.21(a) atua como um elemento diferenciador. Suponha que haja um deslocamento em degrau na posição y do êmbolo. Então, o deslocamento z torna-se igual a y momentaneamente. Em virtude da força da mola, entretanto, o óleo fluirá pela resistência R e o cilindro retornará à posição original. As curvas de y *versus* t e de z *versus* t são mostradas na Figura 4.21(b).

Deduziremos a função de transferência entre o deslocamento z e o deslocamento y. Defina as pressões existentes dos lados direito e esquerdo do êmbolo como $P_1(N/m^2)$ e $P_2(N/m^2)$, respectivamente. Suponha que a força de inércia envolvida seja desprezível. Então, a força atuante no êmbolo deve equilibrar a força da mola. Assim,

$$A(P_1 - P_2) = kz$$

onde A = área do êmbolo, m²
 k = constante de mola, N/m

A vazão q é dada por:

$$q = \frac{P_1 - P_2}{R}$$

onde q = vazão pela restrição, kg/s
 R = resistência ao fluxo na restrição, N-s/m²-kg

Como o fluxo ao longo da resistência durante dt segundos deve ser igual à variação de massa do óleo à esquerda do êmbolo durante os mesmos dt segundos, obtemos:

$$q\,dt = A\rho(dy - dz)$$

onde ρ = densidade, kg/m³. (Vamos supor que o fluido seja incompressível ou ρ = constante.)
Essa última equação pode ser reescrita como

$$\frac{dy}{dt} - \frac{dz}{dt} = \frac{q}{A\rho} = \frac{P_1 - P_2}{RA\rho} = \frac{kz}{RA^2\rho}$$

FIGURA 4.21
(a) Amortecedor hidráulico;
(b) gráfico da variação em degrau de y e da correspondente variação de z *versus* t;
(c) diagrama de blocos do amortecedor hidráulico.

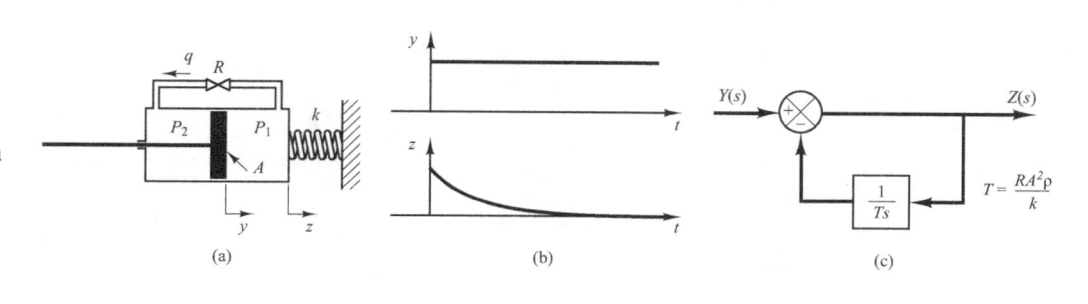

ou

$$\frac{dy}{dt} = \frac{dz}{dt} + \frac{kz}{RA^2\rho}$$

Tomando as transformadas de Laplace de ambos os lados dessa última equação e considerando nulas as condições iniciais, temos:

$$sY(s) = sZ(s) + \frac{K}{RA^2\rho}Z(s)$$

A função de transferência do sistema torna-se, então,

$$\frac{Z(s)}{Y(s)} = \frac{s}{s + \dfrac{k}{RA^2\rho}}$$

Vamos definir $RA^2\rho/k = T$. (Note que $RA^2\rho/k$ tem a dimensão de tempo.) Então,

$$\frac{Z(s)}{Y(s)} = \frac{Ts}{Ts+1} = \frac{1}{1+\dfrac{1}{Ts}}$$

Evidentemente, o amortecedor hidráulico é um elemento de diferenciação. A Figura 4.21(c) mostra a representação do sistema por meio de um diagrama de blocos.

Obtenção da ação proporcional-integral de controle hidráulico. A Figura 4.22(a) traz um diagrama esquemático de um controlador hidráulico proporcional-integral. Um diagrama de blocos desse controlador é mostrado na Figura 4.22(b). A função de transferência $Y(s)/E(s)$ é dada por:

$$\frac{Y(s)}{E(s)} = \frac{\dfrac{b}{a+b}\dfrac{K}{s}}{1 + \dfrac{Ka}{a+b}\dfrac{T}{Ts+1}}$$

Nesse controlador, sob condições normais de operação $|KaT/[(a+b)(Ts+1)]| \gg 1$, o que resulta em:

$$\frac{Y(s)}{E(s)} = K_p\left(1 + \frac{1}{T_i s}\right)$$

onde

$$K_p = \frac{b}{a}, \quad T_i = T = \frac{RA^2\rho}{k}$$

FIGURA 4.22
(a) Diagrama esquemático de um controlador hidráulico proporcional-integral;
(b) diagrama de blocos.

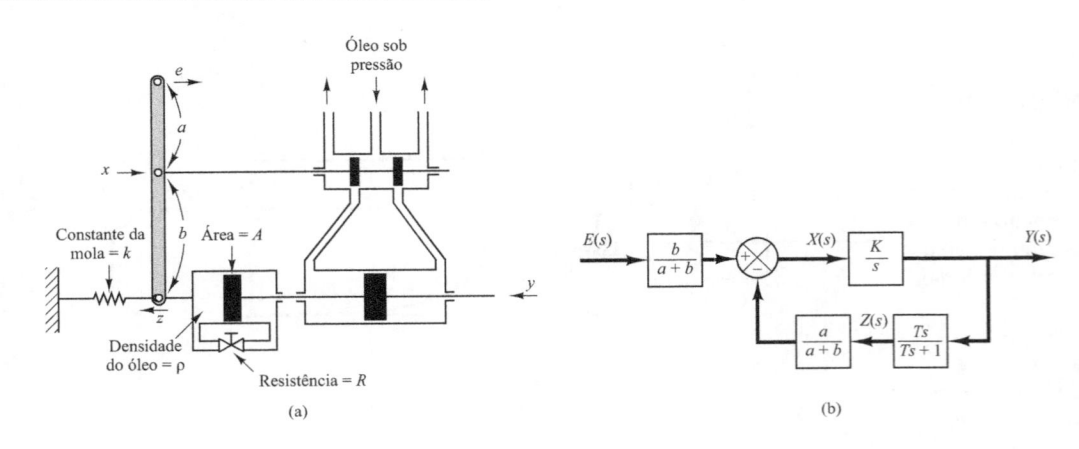

Assim, o controlador mostrado na Figura 4.22(a) é um controlador proporcional-integral (controlador PI).

Obtenção da ação proporcional-derivativa de controle hidráulico.
A Figura 4.23(a) mostra um diagrama esquemático de um controlador hidráulico proporcional-derivativo. Os cilindros permanecem fixos no espaço e os êmbolos podem se mover. Para esse sistema, note que

$$K(y-z) = A(P_2 - P_1)$$

$$q = \frac{P_2 - P_1}{R}$$

$$q\,dt = \rho A\,dz$$

Então,

$$y = z + \frac{A}{K}qR = z + \frac{RA^2\rho}{K}\frac{dz}{dt}$$

ou

$$\frac{Z(s)}{Y(s)} = \frac{1}{Ts + 1}$$

onde

$$T = \frac{RA^2\rho}{k}$$

Um diagrama de blocos desse sistema está indicado na Figura 4.23(b). A partir do diagrama de blocos, pode-se obter a função de transferência $Y(s)/E(s)$ como:

$$\frac{Y(s)}{E(s)} = \frac{\dfrac{b}{a+b}\dfrac{K}{s}}{1 + \dfrac{a}{a+b}\dfrac{K}{s}\dfrac{1}{Ts+1}}$$

Sob operação normal, temos $|aK/[(a+b)s(Ts+1)]| \gg 1$. Então,

$$\frac{Y(s)}{E(s)} = K_p(1 + Ts)$$

onde

$$K_p = \frac{b}{a}, \quad T = \frac{RA^2\rho}{k}$$

Assim, o controlador mostrado na Figura 4.23(a) é um controlador proporcional-derivativo (controlador PD).

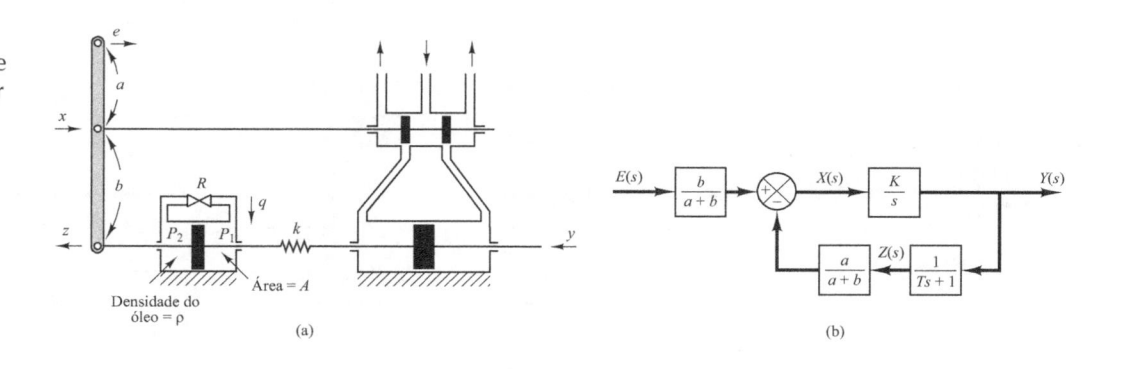

FIGURA 4.23
(a) Diagrama esquemático de um controlador hidráulico proporcional-derivativo;
(b) diagrama de blocos do controlador.

Obtenção da ação proporcional-integral-derivativa de controle hidráulico. A Figura 4.24 apresenta um diagrama esquemático de um controlador hidráulico proporcional-integral-derivativo. É uma combinação do controlador proporcional-integral e do controlador proporcional-derivativo.

Se dois amortecedores hidráulicos forem idênticos, a função de transferência $Z(s)/Y(s)$ poderá ser obtida como segue:

$$\frac{Z(s)}{Y(s)} = \frac{T_1 s}{T_1 T_2 s^2 + (T_1 + 2T_2)s + 1}$$

(Para a dedução dessa função de transferência, tome como referência o Problema A.4.9.)

Um diagrama de blocos desse sistema é mostrado na Figura 4.25. A função de transferência $Y(s)/E(s)$ pode ser obtida como segue:

$$\frac{Y(s)}{E(s)} = \frac{b}{a+b} \frac{\frac{K}{s}}{1 + \frac{a}{a+b} \frac{K}{s} \frac{T_1 s}{T_1 T_2 s^2 + (T_1 + 2T_2)s + 1}}$$

Sob circunstâncias normais, projetamos o sistema de forma que:

$$\left| \frac{a}{a+b} \frac{K}{s} \frac{T_1 s}{T_1 T_2 s^2 + (T_1 + 2T_2)s + 1} \right| \gg 1$$

Então,

$$\frac{Y(s)}{E(s)} = \frac{b}{a} \frac{T_1 T_2 s^2 + (T_1 + 2T_2)s + 1}{T_1 s}$$

$$= K_p + \frac{K_i}{s} + K_d s$$

onde

$$K_p = \frac{b}{a} \frac{T_1 + 2T_2}{T_1}, \quad K_i = \frac{b}{a} \frac{1}{T_1}, \quad K_d = \frac{b}{a} T_2$$

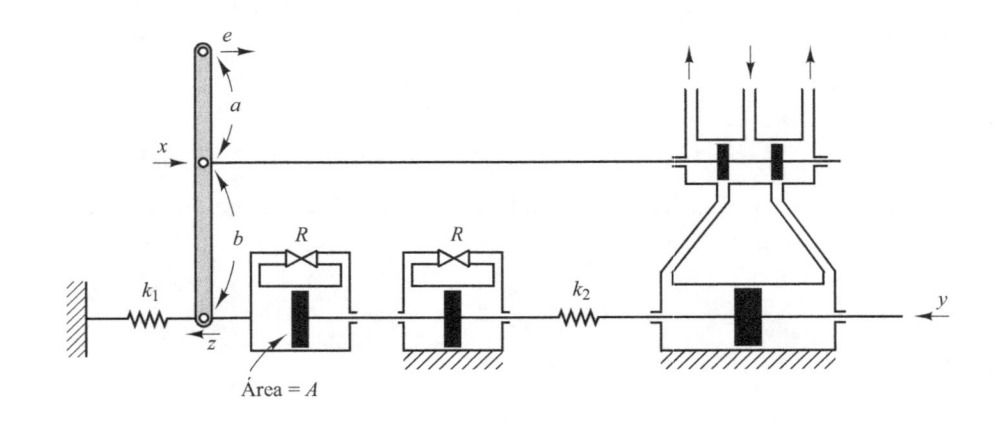

FIGURA 4.24
Diagrama esquemático de um controlador hidráulico proporcional-integral-derivativo.

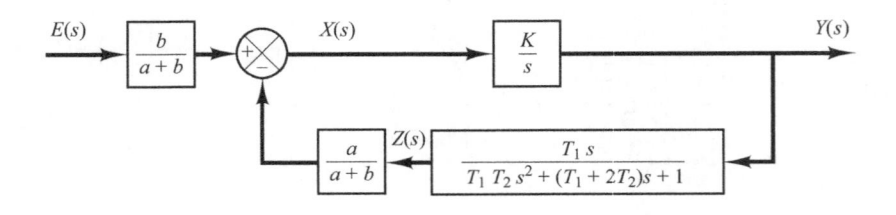

FIGURA 4.25
Diagrama de blocos do sistema mostrado na Figura 4.24.

Assim, o controlador da Figura 4.24 é um controlador proporcional-integral-derivativo (controlador PID).

4.5 | Sistemas térmicos

Sistemas térmicos são aqueles que envolvem transferência de calor de uma substância para outra. Os sistemas térmicos podem ser analisados em termos de resistência e capacitância, embora a resistência térmica e a capacitância térmica não possam ser representadas com precisão como parâmetros concentrados, uma vez que estas, normalmente, são distribuídas nas substâncias. Para uma análise mais precisa, devem ser utilizados os modelos de parâmetros distribuídos. Aqui, entretanto, para simplificar a análise, vamos supor que um sistema térmico possa ser representado por um modelo de parâmetros concentrados, que as substâncias caracterizadas pela resistência ao fluxo de calor tenham capacitância térmica desprezível e que as substâncias caracterizadas pela capacitância térmica tenham resistência desprezível ao fluxo de calor.

Existem três diferentes modos de o calor fluir de uma substância para outra: condução, convecção e radiação. Consideraremos aqui apenas a condução e a convecção. (A transferência de calor por radiação é significativa somente se a temperatura do emissor for muito alta, comparada à do receptor. A maioria dos processos térmicos nos sistemas de controle de processos não envolve transferência de calor por radiação.)

Para a transferência de calor por condução ou convecção,

$$q = K \Delta\theta$$

onde q = taxa de fluxo de calor, kcal/s
$\Delta\theta$ = diferença de temperatura, °C
K = coeficiente, kcal/s °C

O coeficiente K é dado por:

$$K = \frac{kA}{\Delta X}, \quad \text{por condução}$$
$$= HA, \quad \text{por convecção}$$

onde k = condutividade térmica, kcal/m s °C
A = área normal ao fluxo de calor, m^2
ΔX = espessura do condutor, m
H = coeficiente de convecção, kcal/m^{2}s °C

Resistência térmica e capacitância térmica. A resistência térmica R para a transferência de calor entre duas substâncias pode ser definida como segue:

$$R = \frac{\text{variação na diferença de temperatura, °C}}{\text{variação na taxa do fluxo de calor, kcal/s}}$$

A resistência térmica para a transferência de calor por condução ou convecção é dada por:

$$R = \frac{d(\Delta\theta)}{dq} = \frac{1}{K}$$

Como os coeficientes de condutividade térmica e convecção são quase constantes, a resistência térmica tanto para condução como para convecção é constante.

A capacitância térmica C é definida por:

$$C = \frac{\text{variação no calor armazenado, kcal}}{\text{variação na temperatura, °C}}$$

ou

$$C = mc$$

onde m = massa da substância considerada, kg

c = calor específico da substância, kcal/kg °C

Sistemas térmicos. Considere o sistema da Figura 4.26(a). Considera-se que o reservatório seja isolado para eliminar as perdas de calor para o ar em torno do sistema. Além disso, supõe-se que não haja armazenamento de calor no material de isolamento e que o líquido do reservatório seja perfeitamente misturado, de modo que a temperatura seja uniforme. Assim, utiliza-se um único valor para descrever a temperatura do líquido no reservatório e no fluxo do líquido de saída.

Vamos definir

$\bar{\Theta}_i$ = temperatura em regime permanente do líquido de entrada, °C

$\bar{\Theta}_o$ = temperatura em regime permanente do líquido de saída, °C

G = vazão em massa do líquido em regime permanente, kg/s

M = massa do líquido no reservatório, kg

c = calor específico do líquido, kcal/kg °C

R = resistência térmica, °C s/kcal

C = capacitância térmica, kcal/°C

$\bar{H}$ = taxa de entrada de calor em regime permanente, kcal/s

Suponha que a temperatura do líquido de entrada seja mantida constante e que a taxa de entrada de calor no sistema (calor fornecido pelo aquecedor) sofra alteração repentina de $\bar{H}$ para $\bar{H} + h_i$, onde h_i representa uma pequena variação da taxa de entrada de calor. Então, a taxa de saída de calor variará gradualmente de $\bar{H}$ para $\bar{H} + h_o$. A temperatura de saída do líquido também variará de $\bar{\Theta}_o$ para $\bar{\Theta}_o + \theta$. Nesse caso, h_o, C e R são obtidos, respectivamente, como:

$$h_o = Gc\theta$$

$$C = Mc$$

$$R = \frac{\theta}{h_o} = \frac{1}{Gc}$$

A equação de balanço de calor para esse sistema é:

$$C\,d\theta = (h_i - h_o)dt$$

ou

$$C\frac{d\theta}{dt} = h_i - h_o$$

a qual pode ser reescrita como:

$$RC\frac{d\theta}{dt} + \theta = Rh_i$$

FIGURA 4.26
(a) Sistema térmico;
(b) diagrama de blocos do sistema.

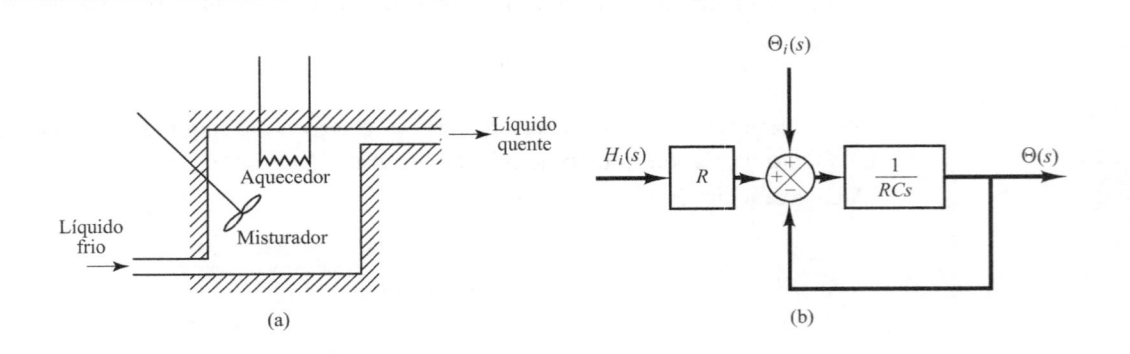

Observe que a constante de tempo do sistema é igual a RC ou M/G segundos. A função de transferência relativa a θ e h_i é dada por:

$$\frac{\Theta(s)}{H_i(s)} = \frac{R}{RCs + 1}$$

onde $\Theta(s) = \mathcal{L}[\theta(t)]$ e $H_i(s) = \mathcal{L}[h_i(t)]$.

Na prática, a temperatura do líquido de entrada pode flutuar e atuar como carga de distúrbio. (Se for desejada uma temperatura de saída constante, pode-se instalar um controlador automático para ajustar a taxa de entrada de calor para compensar as flutuações na temperatura do fluxo de entrada do líquido.) Se a temperatura do fluxo de entrada do líquido variar bruscamente de $\bar{\Theta}_i$ para $\bar{\Theta}_i + \theta_i$ enquanto a taxa de entrada de calor H e o fluxo do líquido G forem mantidos constantes, então a taxa de saída do calor será alterada de $\bar{H}$ para $\bar{H} + h_o$, e a temperatura do fluxo de saída do líquido passará de $\bar{\Theta}_o$ para $\bar{\Theta}_o + \theta$. A equação de balanço de calor para esse caso será:

$$C\,d\theta = (Gc\theta_i - h_o)dt$$

ou

$$C\frac{d\theta}{dt} = Gc\theta_i - h_o$$

a qual pode ser reescrita como:

$$RC\frac{d\theta}{dt} + \theta = \theta_i$$

A função de transferência que relaciona θ e θ_i é dada por:

$$\frac{\Theta(s)}{H_i(s)} = \frac{1}{RCs + 1}$$

onde $\Theta(s) = \mathcal{L}[\theta(t)]$ e $\Theta_i(s) = \mathcal{L}[\theta_i(t)]$.

Se esse sistema térmico for submetido a variações tanto da temperatura do fluxo de entrada do líquido como da taxa de entrada de calor enquanto a vazão do líquido for mantida constante, a variação θ da temperatura do fluxo de saída do líquido poderá ser dada pela seguinte equação:

$$RC\frac{d\theta}{dt} + \theta = \theta_i + Rh_i$$

A Figura 4.26(b) mostra um diagrama de blocos correspondente a esse caso. Note que o sistema contém duas entradas.

Exemplos de problemas com soluções

A.4.1 No sistema de nível de líquido da Figura 4.27, suponha que a vazão em volume de saída Q m³/s pela válvula de saída esteja relacionada com a altura do nível de H m, pela relação

$$Q = K\sqrt{H} = 0{,}01\sqrt{H}$$

FIGURA 4.27
Sistema de nível de líquido.

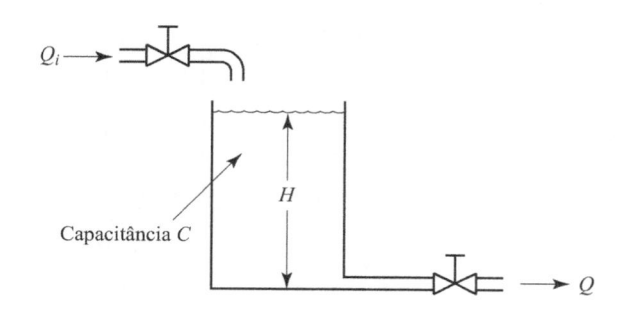

Suponha também que, quando o fluxo de entrada Q_i for 0,015 m³/s, o nível do líquido permaneça constante. Para $t < 0$, o sistema está em regime permanente (Q_i = 0,015 m³/s). No instante $t = 0$, a válvula de entrada é fechada e, portanto, não há fluxo de entrada para $t \geq 0$. Determine o tempo necessário para esvaziar o reservatório até a metade da altura original. A capacitância C do reservatório é de 2 m².

Solução. Quando o nível permanece estacionário, o fluxo de entrada é igual ao fluxo de saída. Assim, a altura H_0 do nível em $t = 0$ é obtida da igualdade

$$0,015 = 0,01\sqrt{H_0}$$

ou

$$H_0 = 2,25 \text{ m}$$

A equação do sistema para $t > 0$ é:

$$-C\, dH = Q\, dt$$

ou

$$\frac{dH}{dt} = -\frac{Q}{C} = \frac{-0,01\sqrt{H}}{2}$$

Então,

$$\frac{dH}{\sqrt{H}} = -0,005\, dt$$

Suponha que, para $t = t_1$, $H = 1,125$ m. Integrando ambos os lados da última equação, obtemos:

$$\int_{2,25}^{1,125} \frac{dH}{\sqrt{H}} = \int_0^{t_1} (-0,005)\, dt = -0,005 t_1$$

Segue-se que

$$2\sqrt{H} \Big|_{2,25}^{1,125} = 2\sqrt{1,125} - 2\sqrt{2,25} = -0,005 t_1$$

ou

$$t_1 = 175,7$$

Assim, a altura do nível cai à metade do valor original (2,25 m) em 175,7 s.

A.4.2 Considere o sistema de nível de líquido indicado na Figura 4.28. No sistema, $\bar{Q}_1$ e $\bar{Q}_2$ são as taxas de regime permanente dos fluxos de entrada e $\bar{H}_1$ e $\bar{H}_2$ são as alturas dos níveis em regime permanente. As grandezas q_{i1}, q_{i2}, h_1, h_2, q_1 e q_o são consideradas pequenas. Obtenha a representação de espaço de estados para o sistema quando h_1 e h_2 são as saídas e q_{i1} e q_{i2} são as entradas.

Solução. As equações para o sistema são

$$C_1\, dh_1 = (q_{i1} - q_1)\, dt \tag{4.32}$$

FIGURA 4.28
Sistema de nível de líquido.

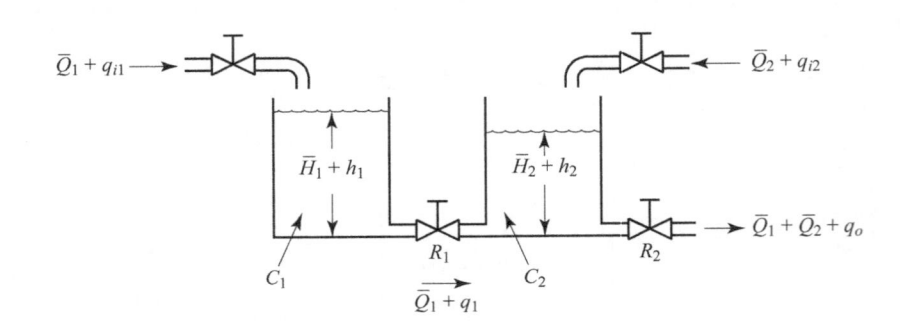

$$\frac{h_1 - h_2}{R_1} = q_1 \tag{4.33}$$

$$C_2 \, dh_2 = (q_1 + q_{i2} - q_o) \, dt \tag{4.34}$$

$$\frac{h_2}{R_2} = q_o \tag{4.35}$$

Eliminando q_1 da Equação 4.32 usando a Equação 4.33, resulta em

$$\frac{dh_1}{dt} = \frac{1}{C_1}\left(q_{i1} - \frac{h_1 - h_2}{R_1}\right) \tag{4.36}$$

Eliminando q_1 e q_o na Equação 4.34 com o auxílio das equações 4.33 e 4.35, temos:

$$\frac{dh_2}{dt} = \frac{1}{C_2}\left(\frac{h_1 - h_2}{R_1} + q_{i2} - \frac{h_2}{R_2}\right) \tag{4.37}$$

Defina as variáveis de estado x_1 e x_2 como:

$$x_1 = h_1$$
$$x_2 = h_2$$

as variáveis de entrada u_1 e u_2 como:

$$u_1 = q_{i1}$$
$$u_2 = q_{i2}$$

e as variáveis de saída y_1 e y_2 como:

$$y_1 = h_1 = x_1$$
$$y_2 = h_2 = x_2$$

Então, as equações 4.36 e 4.37 podem ser escritas como:

$$\dot{x}_1 = -\frac{1}{R_1 C_1}x_1 + \frac{1}{R_1 C_1}x_2 + \frac{1}{C_1}u_1$$

$$\dot{x}_2 = \frac{1}{R_1 C_2}x_1 - \left(\frac{1}{R_1 C_2} + \frac{1}{R_2 C_2}\right)x_2 + \frac{1}{C_2}u_2$$

Sob a representação vetorial-matricial padrão, temos:

$$\begin{bmatrix} \dot{x}_1 \\ \dot{x}_2 \end{bmatrix} = \begin{bmatrix} -\dfrac{1}{R_1 C_1} & \dfrac{1}{R_1 C_1} \\ \dfrac{1}{R_1 C_2} & -\left(\dfrac{1}{R_1 C_2} + \dfrac{1}{R_2 C_2}\right) \end{bmatrix} \begin{bmatrix} x_1 \\ x_2 \end{bmatrix} + \begin{bmatrix} \dfrac{1}{C_1} & 0 \\ 0 & \dfrac{1}{C_2} \end{bmatrix} \begin{bmatrix} u_1 \\ u_2 \end{bmatrix}$$

que é a equação de estado, e

$$\begin{bmatrix} y_1 \\ y_2 \end{bmatrix} = \begin{bmatrix} 1 & 0 \\ 0 & 1 \end{bmatrix} \begin{bmatrix} x_1 \\ x_2 \end{bmatrix}$$

que é a equação de saída.

A.4.3 O valor da constante de gás de qualquer gás pode ser determinado por meio de uma cuidadosa observação dos valores simultâneos de p, v e T.

Obtenha a constante de gás R_{ar} para o *ar*. Note que a 0 °C (273 K) e $1,013 \times 10^5$ Pa, o volume específico do ar é 0,774 m³/kg. Então, obtenha a capacitância de um recipiente de pressão de 0,566 m³ que contém ar a 71 °C (344 K). Suponha que o processo de expansão seja isotérmico.

Solução.

$$R_{ar} = \frac{pv}{T} = \frac{1,013 \times 10^5 \times 0,744}{273} = 287 \text{ N.m/kg.K}$$

De acordo com a Equação 4.12, a capacitância de um recipiente de pressão de 0,566 m³ é:

$$C = \frac{V}{nR_{ar}T} = \frac{0,566}{1 \times 287 \times 344} - 5,73 \times 10^{-6} \frac{kg}{N/m^2}$$

Note que, em termos de unidades SI, R_{ar} é dado por:

$$R_{ar} = 287 \text{ N-m/kg K}$$

A.4.4 No sistema pneumático de pressão da Figura 4.29(a), suponha que, para $t < 0$, o sistema esteja em regime permanente e a pressão de todo o sistema seja $\bar{P}$. Suponha também que os dois foles sejam idênticos. Em $t = 0$, a pressão de entrada muda de $\bar{P}$ para $\bar{P} + p_i$. Em seguida, as pressões nos foles 1 e 2 mudam de $\bar{P}$ para $\bar{P} + p_1$ e de $\bar{P}$ para $\bar{P} + p_2$, respectivamente. A capacidade (volume) de cada fole é 5×10^{-4} m³, e a diferença de pressão de operação Δp (diferença entre p_i e p_1 ou diferença entre p_i e p_2) fica entre $-0,5 \times 10^5$ N/m² e $0,5 \times 10^5$ N/m². A correspondente vazão em massa (kg/s) nas válvulas é mostrada na Figura 4.29(b). Suponha que os foles se expandam ou se contraiam linearmente com as pressões do ar que agem sobre eles, a constante elástica equivalente dos foles seja $k = 1 \times 10^5$ N/m, e cada fole tenha área $A = 15 \times 10^{-4}$ m².

Definindo o deslocamento do ponto médio da haste que interliga os dois foles como x, determine a função de transferência $X(s)/P_i(s)$. Suponha que o processo de expansão seja isotérmico e que a temperatura de todo o sistema permaneça igual a 30 °C. Suponha também que o expoente politrópico n seja 1.

Solução. Tomando como referência a Seção 4.3, a função de transferência $P_1(s)/P_i(s)$ pode ser obtida como:

$$\frac{P_1(s)}{P_i(s)} = \frac{1}{R_1 C_s + 1} \quad (4.38)$$

Da mesma maneira, a função de transferência $P_2(s)/P_i(s)$ é

$$\frac{P_2(s)}{P_i(s)} = \frac{1}{R_2 C_s + 1} \quad (4.39)$$

A força que age no fole 1 na direção x é $A(\bar{P} + p_1)$ e a força que age no fole 2 no sentido negativo da direção x é $AP(\bar{P} + p_2)$. A força resultante equilibra kx, que é a força elástica equivalente às laterais corrugadas dos foles

$$A(p_1 - p_2) = kx$$

ou

$$A[P_1(s) - P_2(s)] = kX(s) \quad (4.40)$$

FIGURA 4.29
(a) Sistema pneumático de pressão; (b) curvas de diferença de pressão *versus* vazão em massa.

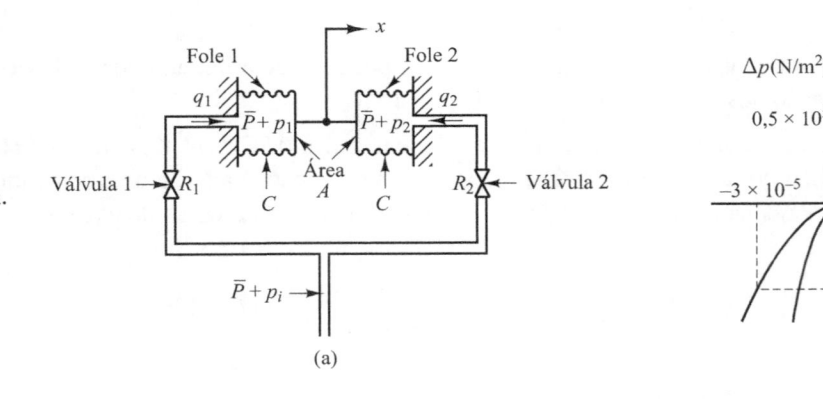

Observando as equações 4.38 e 4.39, vemos que:

$$P_1(s) - P_2(s) = \left(\frac{1}{R_1 Cs + 1} - \frac{1}{R_2 Cs + 1}\right) P_i(s)$$

$$= \frac{R_2 Cs - R_1 Cs}{(R_1 Cs + 1)(R_2 Cs + 1)} P_i(s)$$

Substituindo essa última equação na Equação 4.40 e reescrevendo-a, a função de transferência $X(s)/P_i(s)$ é obtida como:

$$\frac{X(s)}{P_i(s)} = \frac{A}{k} \frac{(R_2 C - R_1 C)s}{(R_1 Cs + 1)(R_2 Cs + 1)} \quad (4.41)$$

Os valores numéricos das resistências médias R_1 e R_2 são:

$$R_1 = \frac{d\Delta p}{dq_1} = \frac{0,5 \times 10^5}{3 \times 10^{-5}} = 0,167 \times 10^{10} \frac{\text{N/m}^2}{\text{kg/s}}$$

$$R_2 = \frac{d\Delta p}{dq_2} = \frac{0,5 \times 10^5}{1,5 \times 10^{-5}} = 0,333 \times 10^{10} \frac{\text{N/m}^2}{\text{kg/s}}$$

O valor numérico da capacitância C de cada fole é:

$$C = \frac{V}{nR_{ar}T} = \frac{5 \times 10^{-4}}{1 \times 287 \times (273 + 30)} = 5,75 \times 10^{-9} \frac{\text{kg}}{\text{N/m}^2}$$

onde R_{ar} = 28 N-m/kg K. (Veja o Problema A.4.3) Consequentemente,

$$R_1 C = 0,167 \times 10^{10} \times 5,75 \times 10^{-9} = 9,60 \text{ s}$$

$$R_2 C = 0,333 \times 10^{10} \times 5,75 \times 10^{-9} = 19,2 \text{ s}$$

Substituindo os valores numéricos de numéricos de A, k, $R_1 C$ e $R_2 C$ na Equação 4.41, obtemos:

$$\frac{X(s)}{P_i(s)} = \frac{1,44 \times 10^{-7} s}{(9,6s + 1)(19,2s + 1)}$$

A.4.5 Desenhe um diagrama de blocos do controlador pneumático indicado na Figura 4.30. Em seguida, deduza a função de transferência desse controlador. Suponha que $R_d \ll R_i$. Suponha também que os dois foles sejam idênticos.

Se a resistência R_d for removida (substituída por um tubo do mesmo diâmetro da linha), que ação de controle obteremos? Se a resistência R_i for removida (substituída por um tubo do mesmo diâmetro da linha), que ação de controle obteremos?

FIGURA 4.30
Diagrama esquemático de um controlador pneumático.

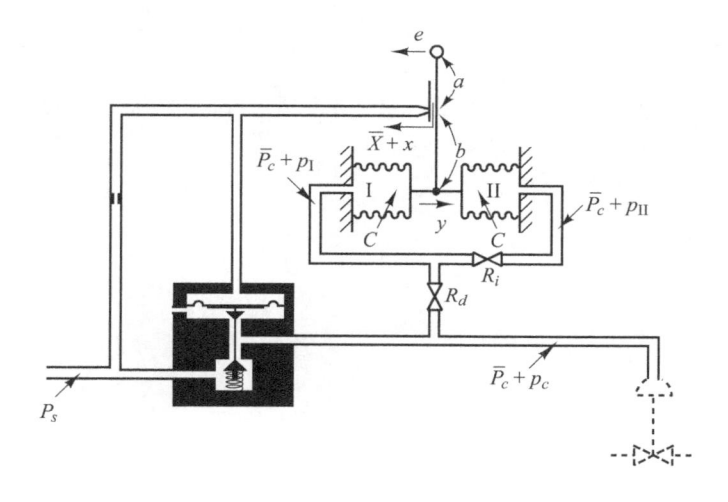

Solução. Vamos supor que, quando $e = 0$, a distância entre o bocal e a palheta seja $\overline{X}$ e a pressão de controle seja igual a $\overline{P}_c$. Na presente análise, vamos supor pequenos desvios dos respectivos valores de referência, como segue:

e = pequeno sinal de erro

x = pequena variação da distância bocal-palheta

p_c = pequena variação no controle de pressão

p_I = pequena variação de pressão no fole I causada por uma pequena variação na pressão de controle

p_{II} = pequena variação de pressão no fole II causada por uma pequena variação na pressão de controle

y = pequeno deslocamento na extremidade inferior da palheta

Nesse controlador, p_c é transmitida ao fole I por meio da resistência R_d. Da mesma maneira, p_c é transmitida ao fole II por meio das resistências em série R_d e R_i. A relação entre p_I e p_c é:

$$\frac{P_I(s)}{P_c(s)} = \frac{1}{R_d C s + 1} = \frac{1}{T_d s + 1}$$

onde $T_d = R_d C$ = tempo derivativo. Do mesmo modo, p_{II} e p_I estão relacionadas pela função de transferência

$$\frac{P_{II}(s)}{P_I(s)} = \frac{1}{R_i C s + 1} = \frac{1}{T_i s + 1}$$

onde $T_i = R_i C$ = tempo integrativo. A equação de balanceamento de forças para os dois foles é:

$$(p_I - p_{II})A = k_s y$$

onde k_s é a rigidez dos dois foles conectados e A é a área de secção transversal dos foles. A relação entre as variáveis e, x e y é:

$$x = \frac{b}{a+b} e - \frac{a}{a+b} y$$

A relação entre p_c e x é:

$$p_c = Kx \qquad (K > 0)$$

A partir das equações deduzidas, pode-se desenhar o diagrama de blocos do controlador, como mostra a Figura 4.31(a). A simplificação desse diagrama de blocos resulta na Figura 4.31(b).

A função de transferência entre $P_c(s)$ e $E(s)$ é:

$$\frac{P_c(s)}{E(s)} = \frac{\dfrac{b}{a+b} K}{1 + K \dfrac{a}{a+b} \dfrac{A}{k_s} \left(\dfrac{T_i s}{T_i s + 1}\right)\left(\dfrac{1}{T_d s + 1}\right)}$$

Na prática, um controlador sob condições normais de operação $|kaAT_i s/[(a+b)k_s(T_i s + 1)(T_d s + 1)]|$ é muito maior que a unidade e $T_i \gg T_d$. Portanto, a função de transferência pode ser simplificada como segue:

$$\frac{P_c(s)}{E(s)} \doteq \frac{bk_s(T_i s + 1)(T_d s + 1)}{aAT_i s}$$

$$= \frac{bk_s}{aA}\left(\frac{T_i + T_d}{T_i} + \frac{1}{T_i s} + T_d s\right)$$

$$\doteq k_p\left(1 + \frac{1}{T_i s} + T_d s\right)$$

FIGURA 4.31
(a) Diagrama de blocos de controlador pneumático mostrado na Figura 4.30;
(b) diagrama de blocos simplificado.

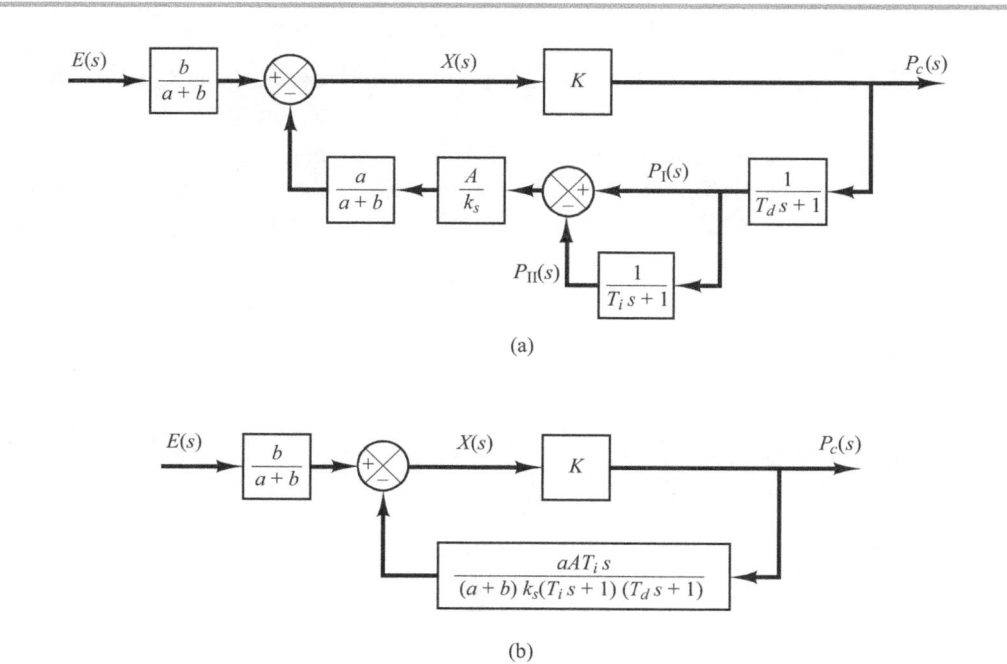

(a)

(b)

onde

$$K_p = \frac{bk_s}{aA}$$

Assim, o controlador mostrado na Figura 4.30 é do tipo proporcional-integral-derivativo.

Se a resistência R_d for removida ou $R_d = 0$, a ação de controle se tornará a de um controlador proporcional-integral.

Se a resistência R_i for removida, ou $R_i = 0$, a ação se tornará a de um controlador proporcional de banda estreita ou de duas posições. (Note que as ações dos dois foles de realimentação cancelam uma à outra e não há realimentação.)

A.4.6 Em virtude da tolerância de fabricação, as válvulas de carretel reais são tanto sobrepostas como subpostas. Considere as válvulas de carretel sobreposta e subposta, mostradas nas figuras 4.32(a) e (b). Esboce as curvas relacionando a área A descoberta da porta *versus* o deslocamento x.

FIGURA 4.32
(a) Válvula de carretel sobreposta;
(b) válvula de carretel subposta.

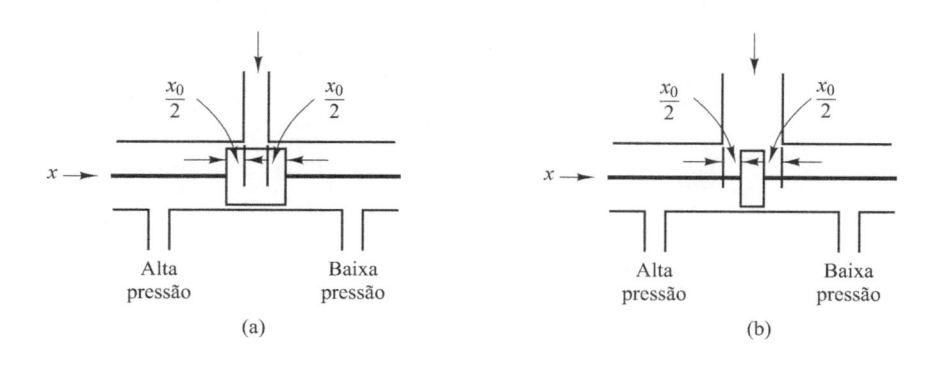

Solução. Para a válvula sobreposta, existe uma zona morta entre $-\frac{1}{2}x_0$ e $\frac{1}{2}x_0$, ou $-\frac{1}{2}x_0 < x < \frac{1}{2}x_0$.

A curva da área A descoberta da porta *versus* o deslocamento x está indicada na Figura 4.33(a). Essa válvula sobreposta é imprópria como válvula de controle.

Para a válvula subposta, a curva da área A da porta *versus* o deslocamento x está indicada na Figura 4.33(b). A curva efetiva para a região subposta tem uma inclinação maior, o que indica maior sensibilidade. As válvulas utilizadas para controle, normalmente, são subpostas.

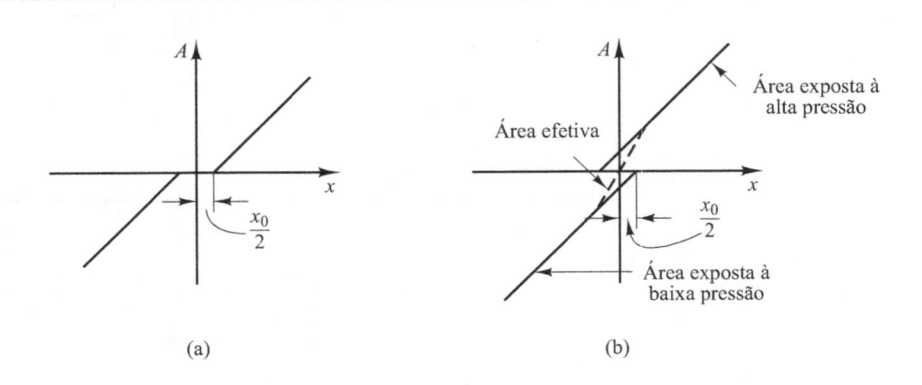

FIGURA 4.33
(a) Curva da área A descoberta da porta *versus* o deslocamento x para a válvula sobreposta; (b) curva da área A descoberta da porta *versus* o deslocamento x para uma válvula subposta.

A.4.7 A Figura 4.34 mostra um controlador hidráulico com bocal de jato. O fluido hidráulico é ejetado do bocal de jato. Se este for movido da posição neutra para a direita, o êmbolo se moverá para a esquerda e vice-versa. A válvula do tipo bocal de jato não é tão utilizada quanto a válvula do tipo bocal-palheta, em razão do maior fluxo nulo, resposta lenta e outras características de imprevisibilidade. Sua principal vantagem consiste na insensibilidade a líquidos poluídos.

Suponha que o êmbolo esteja conectado a uma carga leve, de modo que a força de inércia do elemento de carga seja desprezível quando comparada à força hidráulica desenvolvida pelo êmbolo. Que tipo de ação de controle esse controlador produz?

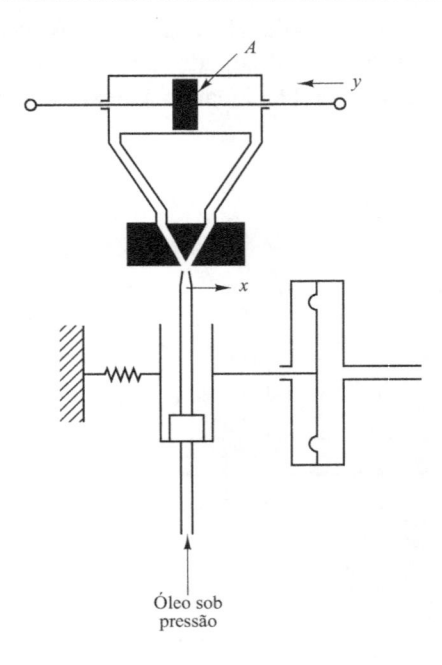

FIGURA 4.34
Controlador hidráulico com bocal de jato.

Solução. Defina o deslocamento do bocal de jato a partir da posição neutra como x e o deslocamento do êmbolo como y. Se o bocal de jato for movido para a direita em um pequeno deslocamento x, o óleo fluirá para o lado direito do êmbolo e o óleo existente do lado esquerdo do êmbolo retornará ao dreno. O óleo que flui para dentro do cilindro está sob alta pressão; o óleo que flui do cilindro de potência para o dreno está sob baixa pressão. A diferença de pressão resultante causa o movimento do êmbolo para a esquerda.

Para um pequeno deslocamento do bocal de jato x, a vazão q para o cilindro de potência é proporcional a x; ou seja,

$$q = K_1 x$$

Para o cilindro de potência,

$$A\rho\, dy = q\, dt$$

onde A é a área do êmbolo e ρ é a densidade do óleo. Então,

$$\frac{dy}{dt} = \frac{q}{A\rho} = \frac{K_1}{A\rho} x = Kx$$

onde $K = K_1(A\rho) =$ constante. A função de transferência $Y(s)/X(s)$ é, então,

$$\frac{Y(s)}{X(s)} = \frac{K}{s}$$

O controlador produz uma ação de controle integral.

A.4.8 Explique a operação do sistema de controle de velocidade, mostrado na Figura 4.35.

FIGURA 4.35
Sistema de controle de velocidade.

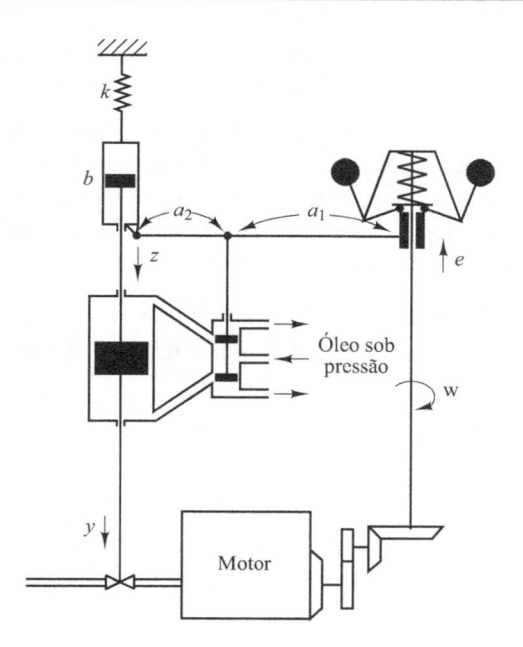

Solução. Se a velocidade da máquina aumenta, a luva do regulador de esferas é movida para cima. Esse movimento age como a entrada do controlador hidráulico. Um sinal de erro positivo (o movimento da luva para cima) faz que o êmbolo se mova para baixo, reduza a abertura da válvula de combustível e diminua a velocidade da máquina. Um diagrama de blocos do sistema está indicado na Figura 4.36.

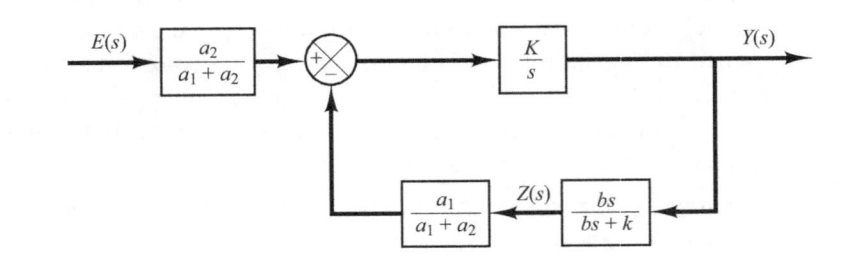

FIGURA 4.36
Diagrama de blocos do sistema de controle de velocidade mostrado na Figura 4.35.

A função de transferência $Y(s)/E(s)$ pode ser obtida a partir do diagrama de blocos, como:

$$\frac{Y(s)}{E(s)} = \frac{a_2}{a_1 + a_2} \frac{\dfrac{K}{s}}{1 + \dfrac{a_1}{a_1 + a_2} \dfrac{bs}{bs + k} \dfrac{K}{s}}$$

Sendo válida a seguinte condição,

$$\left| \frac{a_1}{a_1 + a_2} \frac{bs}{bs + k} \frac{K}{s} \right| \gg 1$$

a função de transferência $Y(s)/E(s)$ torna-se:

$$\frac{Y(s)}{E(s)} \doteq \frac{a_2}{a_1 + a_2} \frac{a_1 + a_2}{a_1} \frac{bs + k}{bs} = \frac{a_2}{a_1}\left(1 + \frac{k}{bs}\right)$$

O controlador de velocidade tem uma ação de controle proporcional-integral.

A.4.9 Obtenha a função de transferência $Z(s)/Y(s)$ do sistema hidráulico da Figura 4.37. Suponha que os dois amortecedores hidráulicos do sistema sejam idênticos, exceto pelos eixos dos êmbolos.

Solução. Na dedução das equações do sistema, vamos supor que a força F seja aplicada na extremidade direita do eixo, causando o deslocamento y. (Todos os deslocamentos y, w e z são medidos a partir das respectivas posições de equilíbrio, quando nenhuma força é aplicada na extremidade direita do eixo.) Quando a força F é aplicada, a pressão P_1 torna-se maior que a pressão P'_1 ou $P_1 > P'_1$. Da mesma maneira, $P_2 > P'_2$.

A equação de balanço de forças é a seguinte:

$$k_2(y - w) = A(P_1 - P'_1) + A(P_2 - P'_2) \tag{4.42}$$

Como

$$k_1 z = A(P_1 - P'_1) \tag{4.43}$$

e

$$q_1 = \frac{P_1 - P'_1}{R}$$

temos:

$$k_1 z = A R q_1$$

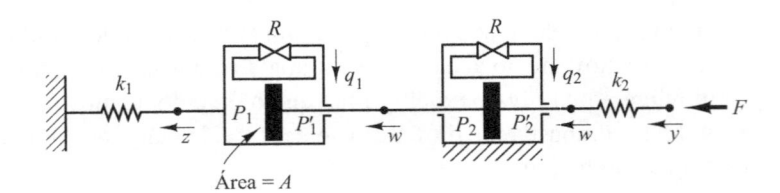

FIGURA 4.37
Sistema hidráulico.

Além disso, como

$$q_1\, dt = A(dw - dz)\rho$$

temos:

$$q_1 = A(\dot{w} - \dot{z})\rho$$

ou

$$\dot{w} - \dot{z} = \frac{k_1 z}{A^2 R \rho}$$

Defina $A^2 R\rho = B$. (B é o coeficiente de atrito viscoso). Então,

$$\dot{w} - \dot{z} = \frac{k_1}{B} z \qquad (4.44)$$

Além disso, para o lado direito do amortecedor, temos:

$$q_2\, dt = A\rho\, dw$$

Como $q_2 = (P_2 - P'_2)/R$, obtemos

$$\dot{w} = \frac{q_2}{A\rho} = \frac{A(P_2 - P'_2)}{A^2 R \rho}$$

ou

$$A(P_2 - P'_2) = B\dot{w} \qquad (4.45)$$

Substituindo as equações 4.43 e 4.45 na Equação 4.42, temos:

$$k_2 y - k_2 w = k_1 z + B\dot{w}$$

Transformando essa última equação por Laplace e supondo condições iniciais nulas, obtemos:

$$k_2 Y(s) = (k_2 + Bs)W(s) + k_1 Z(s) \qquad (4.46)$$

Tomando a transformada de Laplace da Equação 4.44 e supondo condições iniciais nulas, temos:

$$W(s) = \frac{k_1 + Bs}{Bs} Z(s) \qquad (4.47)$$

Utilizando a Equação 4.47 para eliminar $W(s)$ da Equação 4.46, obtemos:

$$k_2 Y(s) = (k_2 + Bs)\frac{k_1 + Bs}{Bs} Z(s) + k_1 Z(s)$$

a partir da qual chegamos à função de transferência $Z(s)/Y(s)$, como

$$\frac{Z(s)}{Y(s)} = \frac{k_2 s}{Bs^2 + (2k_1 + k_2)s + \dfrac{k_1 k_2}{B}}$$

Multiplicando numerador e denominador dessa última equação por $B/(k_1 k_2)$, obtemos:

$$\frac{Z(s)}{Y(s)} = \frac{\dfrac{B}{k_1} s}{\dfrac{B^2}{k_1 k_2} s^2 + \left(\dfrac{2B}{k_2} + \dfrac{B}{k_1}\right)s + 1}$$

Definindo $B/k_1 = T_1$, $B/k_2 = T_2$. Então, a função de transferência $Z(s)/Y(s)$ torna-se:

$$\frac{Z(s)}{Y(s)} = \frac{T_1 s}{T_1 T_2 s^2 + (T_1 + 2T_2)s + 1}$$

A.4.10 Considerando pequenos desvios em relação ao ponto de operação em regime permanente, desenhe um diagrama de blocos do sistema de aquecimento de ar mostrado na Figura 4.38. Suponha que

FIGURA 4.38
Sistema de aquecimento de ar.

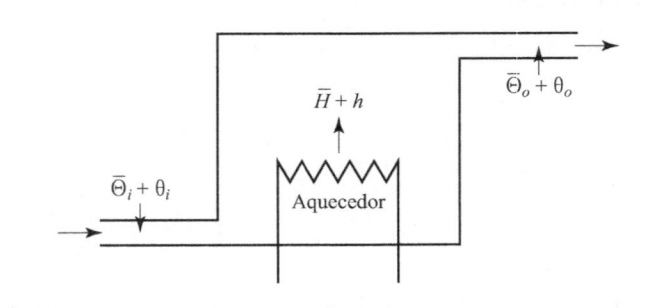

a perda de calor para o meio ambiente e a capacitância térmica das partes de metal do aquecedor sejam desprezíveis.

Solução. Vamos definir:

$\overline{\Theta}_i$ = temperatura do ar de entrada em regime permanente, °C

$\overline{\Theta}_o$ = temperatura do ar de saída em regime permanente, °C

G = vazão em massa do ar na câmara de aquecimento, kg/s

M = massa de ar contido na câmara de aquecimento, kg

c = calor específico do ar, kcal/kg °C

R = resistência térmica, °C s/kcal

C = capacitância térmica do ar contido na câmara de aquecimento = Mc, kcal/ °C

$\overline{H}$ = entrada de calor em regime estacionário, kcal/s

Vamos supor que a entrada de calor seja alterada de $\overline{H}$ para $\overline{H} + h$ e a temperatura do ar de entrada seja bruscamente alterada de $\overline{\Theta}_i$ para $\overline{\Theta}_i + \theta_i$. Então, a temperatura do ar de saída vai variar de $\overline{\Theta}_o$ para $\overline{\Theta}_o + \theta_o$.

A equação que descreve o comportamento do sistema é:

$$C \, d\theta_o = [h + Gc(\theta_i - \theta_o)] \, dt$$

ou

$$C \frac{d\theta_o}{dt} = h + Gc(\theta_i - \theta_o)$$

Notando que

$$Gc = \frac{1}{R}$$

obtemos:

$$C \frac{d\theta_o}{dt} = h + \frac{1}{R}(\theta_i - \theta_o)$$

ou

$$RC \frac{d\theta_o}{dt} + \theta_o = Rh + \theta_i$$

Tomando as transformadas de Laplace de ambos os lados dessa última equação e substituindo a condição inicial em que $\theta_o(0) = 0$, obtemos

$$\Theta_o(s) = \frac{R}{RCs + 1} H(s) + \frac{1}{RCs + 1} \Theta_i(s)$$

O diagrama de blocos correspondente do sistema para essa equação é mostrado na Figura 4.39.

FIGURA 4.39
Diagrama de blocos do sistema de aquecimento mostrado na Figura 4.38.

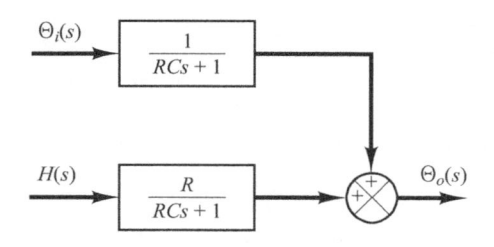

A.4.11 Considere o sistema formado pelo termômetro de mercúrio, com parede fina de vidro, da Figura 4.40. Suponha que o termômetro esteja a uma temperatura uniforme $\bar{\Theta}$ (temperatura ambiente) e em $t = 0$ ele seja imerso em um banho cuja temperatura seja $\bar{\Theta} + \theta_b$, onde θ_b é a temperatura do banho (que pode ser constante ou variável), medida a partir da temperatura ambiente $\bar{\Theta}$. Defina a temperatura instantânea do termômetro como $\bar{\Theta} + \theta$ de modo que θ seja a variação da temperatura do termômetro que satisfaz a condição $\theta(0) = 0$. Obtenha um modelo matemático para esse sistema. Obtenha também o análogo elétrico do sistema do termômetro.

Solução. Um modelo matemático para esse sistema pode ser deduzido considerando o balanceamento térmico da seguinte maneira: o calor de entrada do termômetro durante dt s é $q\,dt$, onde q é o fluxo de calor de entrada no termômetro. Esse calor é armazenado na capacitância térmica C do termômetro, elevando, desse modo, a temperatura em $d\theta$. Assim, a equação de balanço de calor é:

$$C\,d\theta = q\,dt \qquad (4.48)$$

Como a resistência térmica R pode ser escrita como:

$$R = \frac{d(\Delta\theta)}{dq} = \frac{\Delta\theta}{q}$$

o fluxo de calor q pode ser dado, em termos da resistência térmica R, como:

$$q = \frac{(\bar{\Theta} + \theta_b) - (\bar{\Theta} + \theta)}{R} = \frac{\theta_b - \theta}{R}$$

onde $\bar{\Theta} + \theta_b$ é a temperatura do banho e $\bar{\Theta} + \theta$ é a temperatura do termômetro. Então, podemos reescrever a Equação 4.48 como:

$$C\frac{d\theta}{dt} = \frac{\theta_b - \theta}{R}$$

ou

$$RC\frac{d\theta}{dt} + \theta = \theta_b \qquad (4.49)$$

A Equação 4.49 é um modelo matemático do sistema do termômetro.

FIGURA 4.40
Sistema de termômetro de mercúrio com parede fina de vidro.

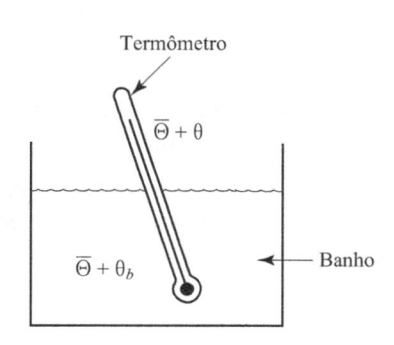

Com referência à Equação 4.49, um análogo elétrico para o sistema do termômetro pode ser descrito como:

$$RC\frac{de_o}{dt} + e_o = e_i$$

Um circuito elétrico representado por essa última equação é mostrado na Figura 4.41.

FIGURA 4.41
Análogo elétrico do sistema do termômetro mostrado na Figura 4.40.

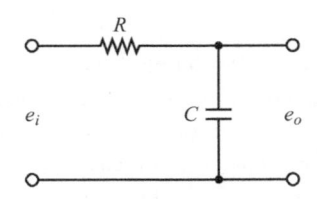

Problemas

B.4.1 Considere o sistema constituído pelo reservatório de água cônico da Figura 4.42. A vazão pela válvula é turbulenta e está relacionada com a altura do nível H por

$$Q = 0{,}005\sqrt{H}$$

onde Q é a vazão medida em m³/s e H, em metros.

Suponha que a altura do nível seja de 2 m em $t = 0$. Qual será a altura do nível em $t = 60$ s?

FIGURA 4.42
Sistema de reservatório de água cônico.

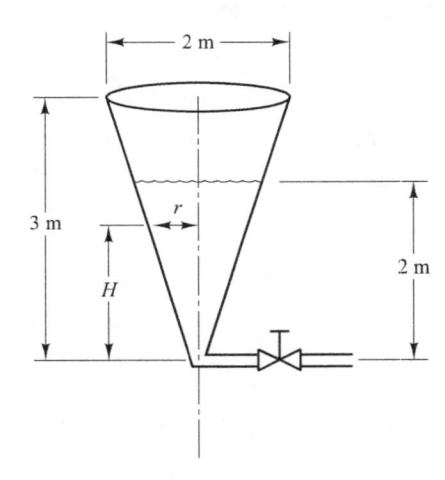

B.4.2 Considere o sistema de controle de nível de líquido exposto na Figura 4.43. O controlador é do tipo proporcional. O valor de referência do controlador é fixo.

Desenhe o diagrama de blocos desse sistema presumindo que as alterações nas variáveis sejam pequenas. Obtenha a função de transferência entre o nível do segundo tanque e o distúrbio de entrada q_d. Obtenha o erro de estado permanente quando o distúrbio q_d é uma função de degrau unitário.

FIGURA 4.43
Sistema de controle de nível líquido.

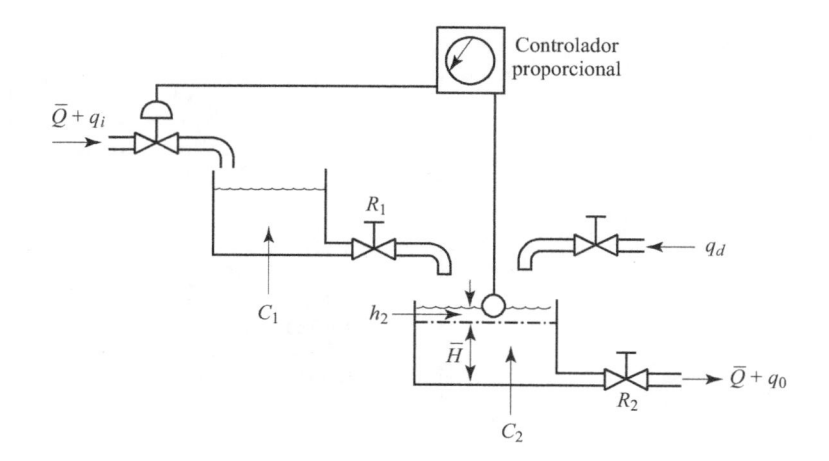

B.4.3 Para o sistema pneumático mostrado na Figura 4.44, suponha que os valores da pressão do ar e do deslocamento do fole em regime permanente sejam $\bar{P}$ e $\bar{X}$, respectivamente. Suponha também que a pressão de entrada seja alterada de $\bar{P}$ para $\bar{P} + p_i$, onde p_i é uma pequena variação na pressão de entrada. Essa variação causará uma alteração no deslocamento do fole, em uma pequena quantidade x. Presumindo que a capacitância do fole seja C e que a resistência da válvula seja R, obtenha a função de transferência relacionando x e p_i.

FIGURA 4.44
Sistema pneumático.

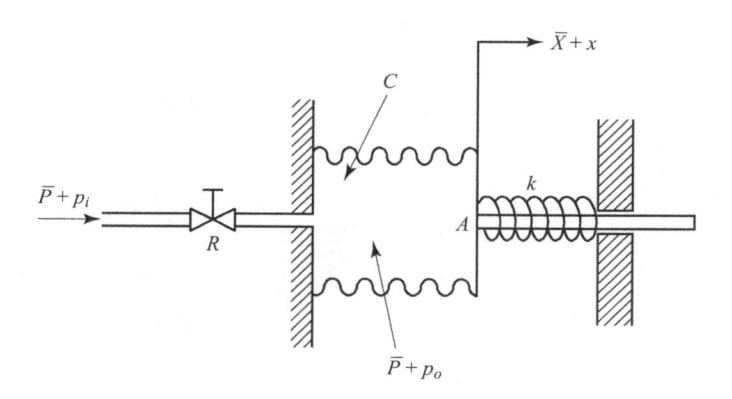

B.4.4 A Figura 4.45 mostra um controlador pneumático. O relé pneumático tem como característica $p_c = Kp_b$, onde $K > 0$. Que tipo de ação de controle esse controlador produz? Obtenha a função de transferência $P_c(s)/E(s)$.

FIGURA 4.45
Controlador pneumático.

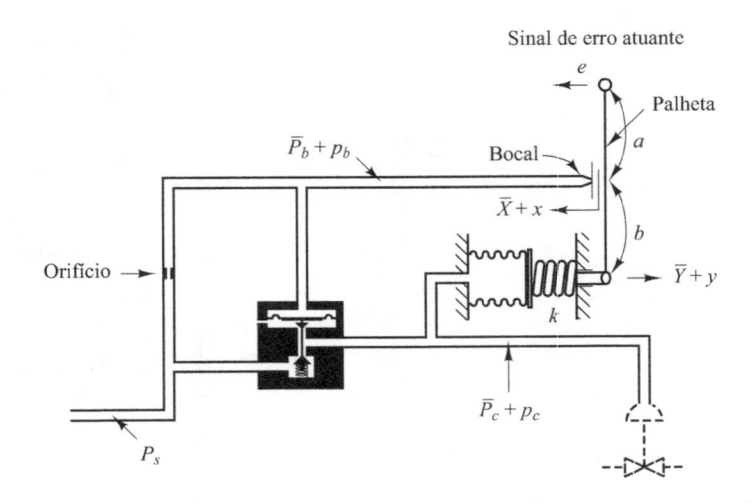

B.4.5 Considere o controlador pneumático na Figura 4.46. Supondo que o relé pneumático tenha como característica $p_c = Kp_b$, (onde $K > 0$), determine qual a ação de controle desse controlador. A entrada do controlador é e e a saída é p_c.

FIGURA 4.46
Controlador pneumático.

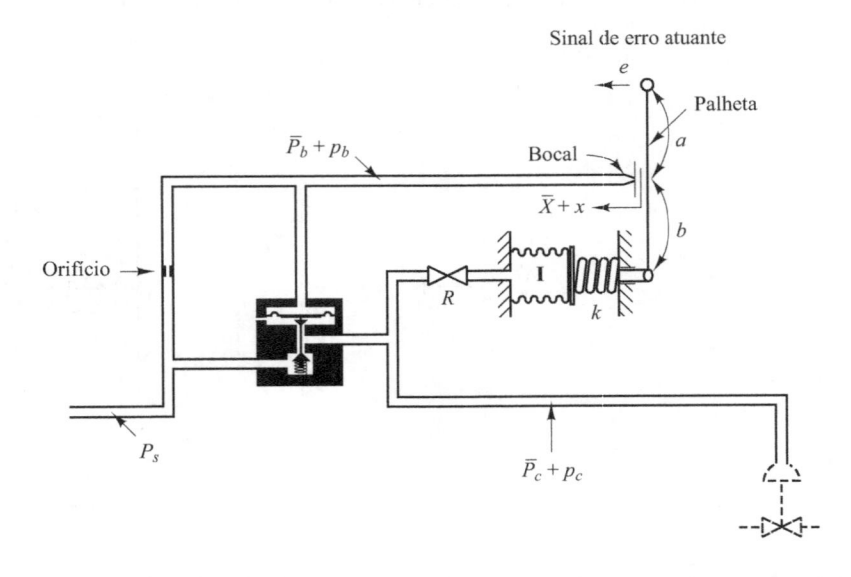

B.4.6 A Figura 4.47 mostra um controlador pneumático. O sinal e é a entrada e a alteração na pressão de controle p_c é a saída. Obtenha a função de transferência $P_c(s)/E(s)$. Presuma que o relé pneumático tem como característica $p_c = Kp_b$, onde $K > 0$.

FIGURA 4.47
Controlador pneumático.

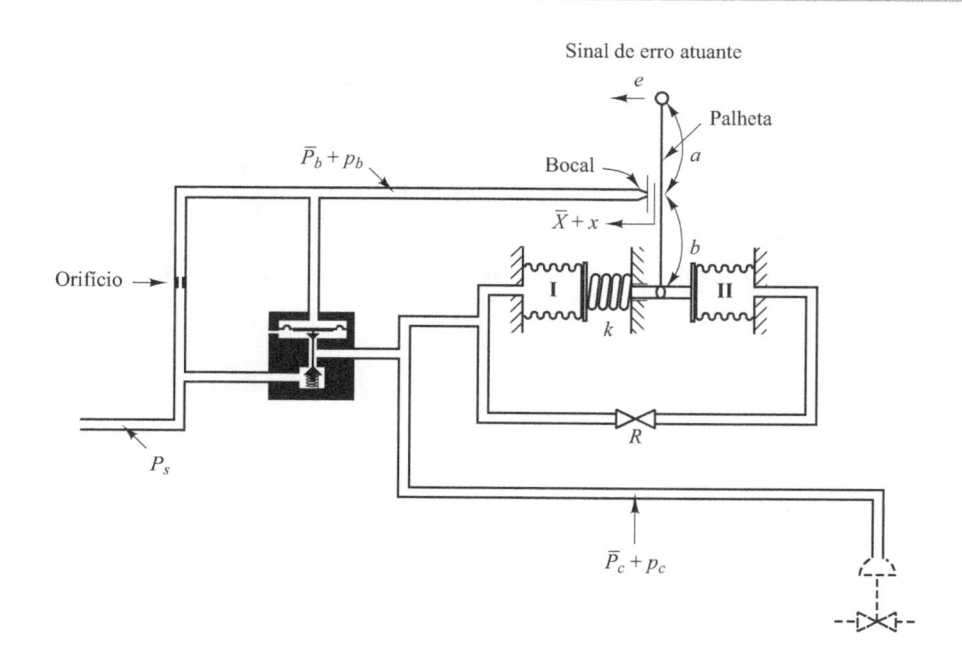

B.4.7 Considere o controlador pneumático da Figura 4.48. Que ação de controle esse controlador produz? Suponha que o relé pneumático tenha como característica $p_c = K p_b$, onde $K > 0$.

FIGURA 4.48
Controlador pneumático.

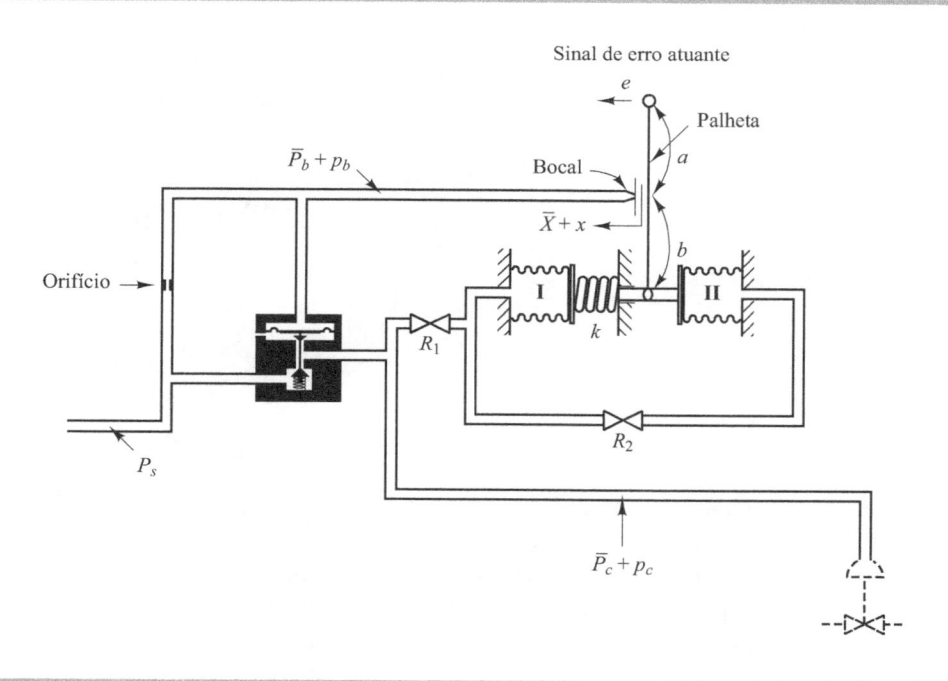

B.4.8 A Figura 4.49 mostra uma válvula de palheta. Ela está colocada entre dois bocais em oposição. Se a palheta for deslocada ligeiramente para a direita, ocorrerá um desequilíbrio de pressão nos bocais e o êmbolo se moverá para a esquerda e vice-versa. Esse dispositivo é frequentemente utilizado em servossistemas hidráulicos como válvula de primeiro estágio de servoválvulas de dois estágios. Esse uso ocorre porque podem ser necessárias forças consideráveis para mover o carretel de grandes válvulas que resulta da força do fluxo contínuo. Para reduzir ou compensar

FIGURA 4.49
Válvula de palheta.

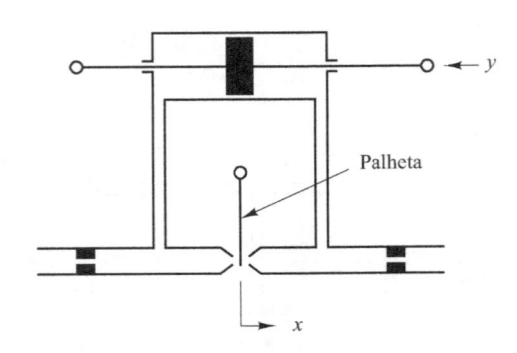

essa força, é empregada, frequentemente, uma configuração de válvulas em dois estágios; uma válvula de palheta ou de bocal de jato é utilizada como válvula de primeiro estágio, capaz de produzir a força necessária para acionar uma válvula de carretel de segundo estágio.

A Figura 4.50 exibe um diagrama esquemático de um servomotor hidráulico, no qual o sinal de erro é amplificado em dois estágios com a utilização de um bocal transferência e uma válvula piloto. Esquematize o diagrama de blocos do sistema da Figura 4.50 e determine a função entre x e y, onde x é a pressão do ar e y é o deslocamento do êmbolo.

FIGURA 4.50
Diagrama esquemático de um servomotor hidráulico.

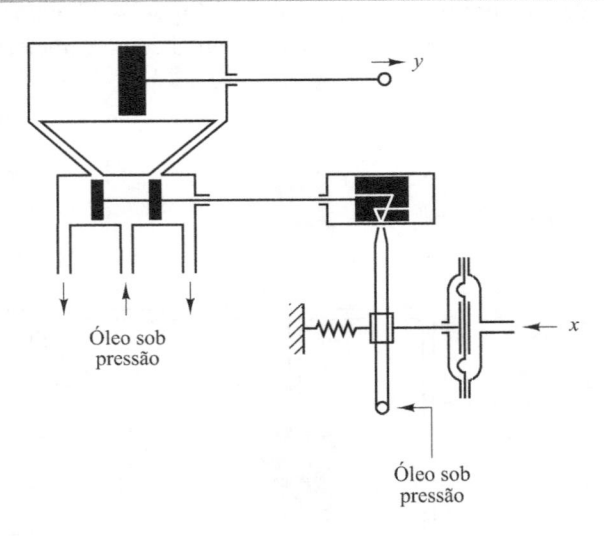

B.4.9 A Figura 4.51 é um diagrama esquemático de um sistema de controle do leme do profundor de uma aeronave. O sinal de entrada do sistema é o ângulo θ de deflexão da alavanca de controle e o sinal de saída é o ângulo de elevação ϕ. Suponha que os ângulos θ e ϕ sejam relativamente pequenos. Mostre que, para cada valor do ângulo θ da alavanca de controle, existe um valor (de regime permanente) do ângulo de elevação do leme do profundor ϕ.

FIGURA 4.51
Sistema de controle do leme do profundor de uma aeronave.

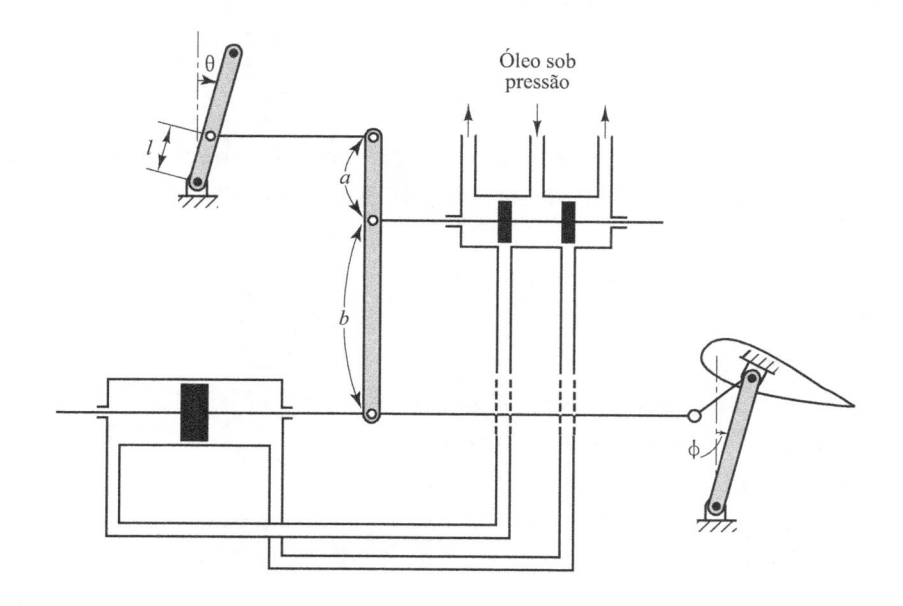

B.4.10 Considere o sistema de controle de nível de líquido mostrado na Figura 4.52. A válvula de entrada é controlada por um controlador hidráulico de ação integral. Suponha que a vazão de entrada em regime permanente seja $\bar{Q}$ e a de saída em regime permanente também seja $\bar{Q}$, a altura do nível em regime permanente seja $\bar{H}$, o deslocamento da válvula piloto em regime permanente seja $\bar{X} = 0$ e a posição da válvula em regime permanente seja $\bar{Y}$. Vamos supor que o ponto fixo $\bar{R}$ corresponda ao nível $\bar{H}$ em estado permanente. O ponto de referência permanece fixo. Suponha ainda que a vazão de entrada do distúrbio q_d, que é de pequeno valor, seja aplicada ao reservatório de água em $t = 0$. Esse distúrbio causa a mudança da altura do nível de $\bar{H}$ para $\bar{H} + h$. Essa alteração resulta em uma variação da vazão de saída de q_o. Por meio do controlador hidráulico, a mudança da altura do nível causa uma mudança da vazão de entrada de $\bar{Q}$ para $\bar{Q} + q_i$. (O controlador integral tende a manter a altura do nível constante na medida do possível, na presença do distúrbio.) Considere que todas as variações sejam pequenas.

FIGURA 4.52
Sistema de controle de nível de líquido.

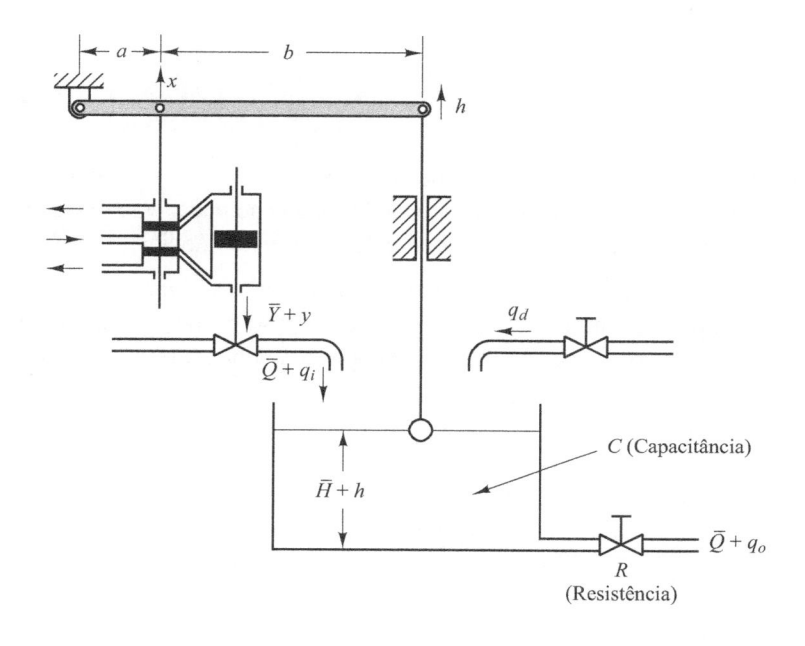

Vamos supor que a velocidade do êmbolo (válvula) seja proporcional ao deslocamento da válvula piloto x ou

$$\frac{dy}{dt} = K_1 x$$

onde K_1 é uma constante positiva. Também consideraremos que a variação na vazão de entrada q_i é negativamente proporcional à variação da abertura y da válvula ou

$$q_i = -K_v y$$

onde K_v é uma constante positiva.

Vamos supor os seguintes valores numéricos para o sistema:

$C = 2$ m², $\qquad R = 0{,}5$ s/m², $\qquad K_v = 1$ m²/s,

$a = 0{,}25$ m, $\qquad b = 0{,}75$ m, $\qquad K_1 = 4$ s^{-1}

obtenha a função de transferência $H(s)/Q_d(s)$.

B.4.11 Considere o controlador da Figura 4.53. O sinal de entrada é a pressão de ar p_i medida a partir de alguma pressão de referência em regime permanente $\bar{P}$ e o sinal de saída é o deslocamento y do êmbolo. Obtenha a função de transferência $Y(s)/P_i(s)$.

FIGURA 4.53
Controlador.

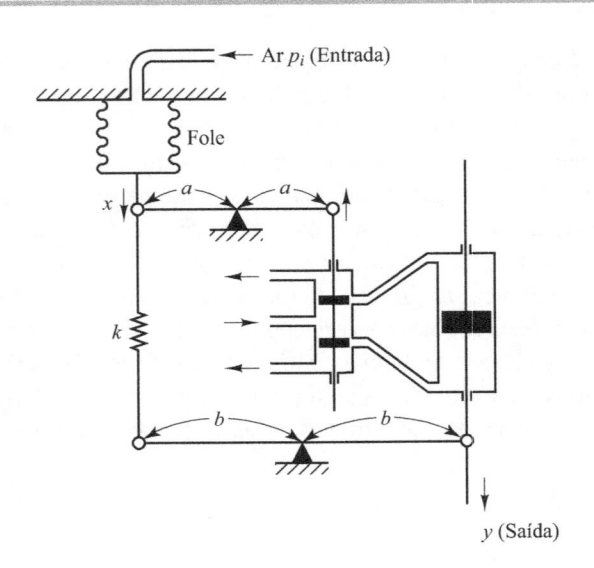

B.4.12 Um termopar tem uma constante de tempo de 2 s. Um poço térmico possui uma constante de tempo de 30 s. Quando o termopar é inserido no poço, esse dispositivo de medição de temperatura pode ser considerado um sistema de duas capacitâncias.

Determine as constantes de tempo do sistema combinado termopar-poço térmico. Suponha que o peso do termopar seja de 8 g e que o peso do poço térmico seja de 40 g. Suponha também que os calores específicos do termopar e do poço térmico sejam os mesmos.

CAPÍTULO 5
Análise de resposta transitória e de regime estacionário

5.1 | Introdução

Em capítulos anteriores, foi dito que o primeiro passo para a análise de um sistema de controle é a obtenção de um modelo matemático do sistema. Uma vez obtido esse modelo, é possível analisar o desempenho do sistema a partir dos vários métodos disponíveis.

Na prática, o sinal de entrada de um sistema de controle não é conhecido previamente: ele é de caráter aleatório e seus valores instantâneos não podem ser expressos de maneira analítica. Somente em alguns casos especiais o sinal de entrada é conhecido antecipadamente e pode ser expresso de maneira analítica ou por meio de curvas, como no caso do controle automático das máquinas-ferramentas.

Na análise e no projeto de sistemas de controle, devemos ter uma base de comparação do desempenho de vários sistemas de controle. Essa base pode ser estabelecida detalhando-se sinais de entrada de teste específicos e, em seguida, comparando-se as respostas dos vários sistemas com esses sinais.

Muitos dos critérios de projeto têm como base as respostas a esses sinais ou a resposta dos sistemas às mudanças das condições iniciais (sem qualquer sinal de teste). O uso de sinais de teste pode ser justificado em virtude da correlação existente entre as características das respostas de um sistema a um sinal de entrada típico de teste e a capacidade de o sistema responder aos sinais de entrada reais.

Sinais típicos de testes. Os sinais de entrada de teste geralmente utilizados são as funções degrau, rampa, parábola de aceleração, impulso, senoidais e ruído branco. Neste capítulo, usamos sinais de teste como degrau, rampa, parábola de aceleração e impulso. Com esses sinais de teste, tanto a análise experimental como a análise matemática dos sistemas de controle podem ser obtidas facilmente, uma vez que esses sinais são funções de tempo muito simples.

Pode-se determinar quais desses sinais típicos de entrada devem ser utilizados na análise das características do sistema, pelo comportamento da entrada a que o sistema será submetido, com maior frequência, sob condições normais de operação. Se as entradas de um sistema de controle são funções de tempo que variam gradualmente, então a rampa em função do tempo pode ser um bom sinal de teste. Da mesma maneira, se um sistema estiver sujeito a variações bruscas de entrada, a função degrau poderá ser um bom sinal de teste. Da mesma forma, se o sistema estiver sujeito a entradas de impacto, uma função impulso poderá ser a melhor opção. Uma vez projetado o sistema de controle com base nos sinais de teste, o desempenho do sistema em resposta a entradas reais geralmente é satisfatório. O uso desses sinais possibilita a comparação do desempenho de vários sistemas em relação à mesma base.

Resposta transitória e resposta estacionária. A resposta temporal de um sistema de controle consiste em duas partes: a resposta transitória e a resposta estacionária. Por resposta transitória, entende-se aquela que vai do estado inicial ao estado final. Por resposta estacionária, entendemos o comportamento do sinal de saída do sistema na medida em que t tende ao infinito. Assim, a resposta $c(t)$ do sistema pode ser escrita como:

$$c(t) = c_{tr}(t) + c_{ss}(t)$$

onde o primeiro termo do lado direito da equação é a resposta transitória e o segundo é a resposta estacionária.

Estabilidade absoluta, estabilidade relativa e erro estacionário. No projeto de um sistema de controle, deve ser possível prever seu comportamento dinâmico a partir do conhecimento de seus componentes. A característica mais importante do comportamento dinâmico do sistema de controle é a estabilidade absoluta, isto é, se o sistema é estável ou instável. Um sistema de controle está em equilíbrio se, na ausência de qualquer distúrbio ou sinal de entrada, a saída permanece no mesmo estado. Um sistema de controle linear e invariante no tempo é estável se a saída sempre retorna ao estado de equilíbrio quando o sistema é submetido a uma condição inicial. Um sistema de controle linear e invariante no tempo é criticamente estável se as oscilações do sinal de saída se repetirem de maneira contínua. É instável se a saída divergir sem limites a partir do estado de equilíbrio quando o sistema for sujeito a uma condição inicial. Nos casos reais, o sinal de saída de um sistema físico pode aumentar até certo valor, mas pode ser limitado por fins de curso mecânicos, ou o sistema pode se romper ou se tornar não linear, após o sinal de saída ultrapassar certa amplitude e, desse modo, as equações diferenciais do modelo não terão mais validade.

Outros comportamentos importantes do sistema (além da estabilidade absoluta), com os quais se deve ter uma consideração especial, são a estabilidade relativa e o erro estacionário. Como um sistema físico de controle contém energia armazenada, a saída do sistema, quando este é submetido a um sinal de entrada, não pode seguir a entrada imediatamente, mas apresenta uma resposta transitória antes que um regime permanente seja obtido. A resposta transitória de um sistema de controle prático frequentemente apresenta oscilações amortecidas antes de atingir o estado permanente. Se o sinal de saída de um sistema em regime permanente não coincidir exatamente com a entrada, diz-se que o sistema apresenta um erro estacionário. Esse erro é indicativo da precisão do sistema. Na análise de um sistema de controle, deve-se examinar o comportamento da resposta transitória e do estado estacionário.

Visão geral do capítulo. Este capítulo trata das respostas do sistema aos sinais aperiódicos (como degrau, rampa, aceleração e impulso, em função do tempo). Eis o resumo do capítulo: a Seção 5.1 apresenta a matéria introdutória do capítulo. A Seção 5.2 trata da resposta dos sistemas de primeira ordem a entradas aperiódicas. A Seção 5.3 apresenta a resposta transitória de sistemas de segunda ordem. São estudadas análises detalhadas das respostas dos sistemas de segunda ordem a excitações em degrau, rampa e impulso. A Seção 5.4 discute a análise da resposta transitória de sistemas de ordem superior. A Seção 5.5 apresenta uma introdução à abordagem do MATLAB na solução de problemas de resposta transitória. A Seção 5.6 fornece um exemplo de um problema de resposta transitória resolvido com o MATLAB. A Seção 5.7 apresenta o critério de estabilidade de Routh. A Seção 5.8 discute os efeitos das ações de controle integral e derivativa no desempenho dos sistemas. Por fim, a Seção 5.9 trata de erros estacionários e sistemas de controle com realimentação unitária.

5.2 | Sistemas de primeira ordem

Considere o sistema de primeira ordem mostrado na Figura 5.1(a). Fisicamente, esse sistema pode representar um circuito *RC*, um sistema térmico ou algo semelhante. A Figura 5.1(b) traz um diagrama de blocos simplificado. A relação entrada-saída é dada por:

$$\frac{C(s)}{R(s)} = \frac{1}{Ts+1} \tag{5.1}$$

A seguir, analisaremos as respostas do sistema a entradas como as funções degrau unitário, rampa unitária e impulso unitário. As condições iniciais são consideradas nulas.

Note que todos os sistemas que têm a mesma função de transferência apresentarão a mesma saída em resposta ao mesmo impulso. Para determinado sistema físico, pode ser dada uma interpretação física à resposta matemática.

Resposta ao degrau unitário do sistema de primeira ordem. Como a transformada de Laplace da função degrau unitário é $1/s$, substituindo $R(s) = 1/s$ na Equação 5.1, obtemos:

$$C(s) = \frac{1}{Ts+1}\frac{1}{s}$$

Expandindo $C(s)$ em frações parciais, temos:

$$C(s) = \frac{1}{s} - \frac{T}{Ts+1} = \frac{1}{s} - \frac{1}{s+(1/T)} \tag{5.2}$$

Considerando a transformada inversa de Laplace da Equação 5.2, obtemos:

$$c(t) = 1 - e^{-t/T}, \quad \text{para } t \geq 0 \tag{5.3}$$

A Equação 5.3 estabelece que, inicialmente, a resposta $c(t)$ é zero e, no fim, torna-se unitária. Uma característica importante de uma curva de resposta exponencial $c(t)$ é que em $t = T$ o valor de $c(t)$ é 0,632 ou a resposta $c(t)$ alcançou 63,2% de sua variação total. Isso pode ser facilmente comprovado substituindo-se $t = T$ em $c(t)$. Ou seja,

$$c(T) = 1 - e^{-1} = 0{,}632$$

Note que, quanto menor a constante de tempo T, mais rapidamente o sistema responde. Outra característica importante da curva exponencial de resposta é que a inclinação da linha tangente em $t = 0$ é $1/T$, uma vez que

$$\left.\frac{dc}{dt}\right|_{t=0} = \left.\frac{1}{T}e^{-t/T}\right|_{t=0} = \frac{1}{T} \tag{5.4}$$

A saída alcançaria o valor final em $t = T$ se fosse mantida a velocidade inicial de resposta. A partir da Equação 5.4, vemos que a inclinação da curva de resposta $c(t)$ decresce monotonicamente de $1/T$ em $t = 0$ a zero em $t = \infty$.

A curva exponencial de resposta $c(t)$ dada pela Equação 5.3 é mostrada na Figura 5.2. Em uma constante de tempo, a curva da resposta exponencial vai de 0% a 63,2% do valor final. Em duas constantes de tempo, a resposta atinge 86,5% da resposta final. Para $t = 3T$, $4T$ e $5T$, a resposta alcança 95%, 98,2% e 99,3%, respectivamente, da resposta final. Assim, para $t \geq 4T$, a resposta se mantém a 2% do valor final. Como se vê na Equação 5.3, o estado permanente é alcançado matematicamente apenas depois de um tempo infinito. Na prática, entretanto, é razoável que o tempo

FIGURA 5.1
(a) Diagrama de blocos de um sistema de primeira ordem; (b) diagrama de blocos simplificado.

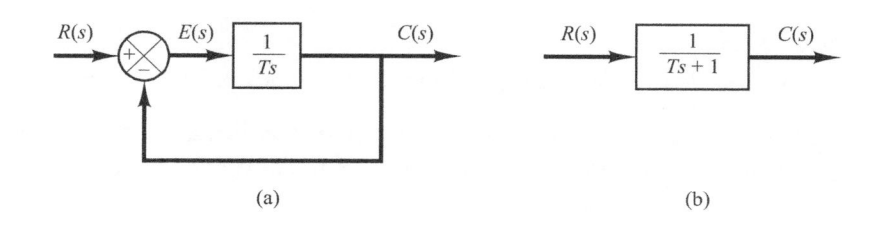

FIGURA 5.2
Curva exponencial de resposta.

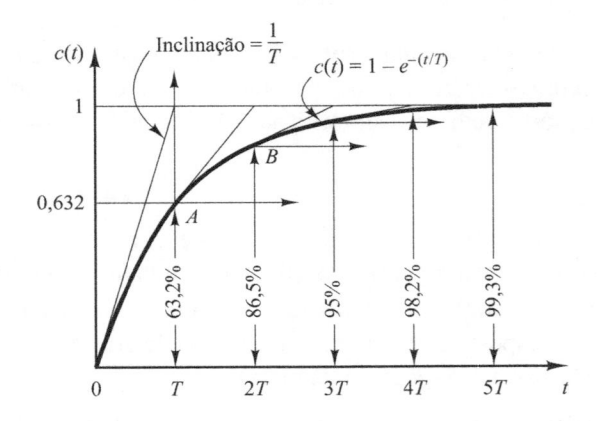

estimado de resposta seja o intervalo de tempo necessário para a curva alcançar e permanecer a 2% da linha do valor final, ou quatro constantes de tempo.

Resposta à rampa unitária de sistemas de primeira ordem. Como a transformada de Laplace da rampa unitária é $1/s^2$, obtemos a saída do sistema da Figura 5.1(a) como:

$$C(s) = \frac{1}{Ts+1}\frac{1}{s^2}$$

Expandindo $C(s)$ em frações parciais, temos:

$$C(s) = \frac{1}{s^2} - \frac{T}{s} + \frac{T^2}{Ts+1} \tag{5.5}$$

Considerando a transformada inversa de Laplace da Equação 5.5, obtemos:

$$c(t) = t - T + Te^{-t/T}, \quad \text{para } t \geq 0 \tag{5.6}$$

Então, o sinal de erro $e(t)$ é:

$$e(t) = r(t) - c(t)$$
$$= T(1 - e^{-t/T})$$

Conforme t tende ao infinito, $e^{-t/T}$ se aproxima de zero e, assim, o sinal de erro $e(t)$ se aproxima de T ou

$$e(\infty) = T$$

A Figura 5.3 mostra a rampa unitária de entrada e a resposta do sistema. O erro do sistema para seguir a rampa unitária como sinal de entrada é igual a T para t suficientemente grande. Quanto menor a constante de tempo T, menor o erro estacionário ao seguir a entrada em rampa.

Resposta ao impulso unitário de sistemas de primeira ordem. Para o impulso unitário de entrada, $R(s) = 1$ e a resposta do sistema da Figura 5.1(a) pode ser obtida como:

$$C(s) = \frac{1}{Ts+1} \tag{5.7}$$

A transformada inversa de Laplace da Equação 5.7 resulta em:

$$c(t) = \frac{1}{T}e^{-t/T}, \quad \text{para } t \geq 0 \tag{5.8}$$

A curva de resposta dada pela Equação 5.8 é mostrada na Figura 5.4.

Uma propriedade importante de sistemas lineares invariantes no tempo. Na análise anterior, mostrou-se que, para a entrada em rampa unitária, a saída $c(t)$ é:

$$c(t) = t - T + Te^{-t/T}, \quad \text{para } t \geq 0 \quad \text{(Veja a Equação 5.6)}$$

FIGURA 5.3
Resposta de rampa unitária do sistema mostrado na Figura 5.1(a).

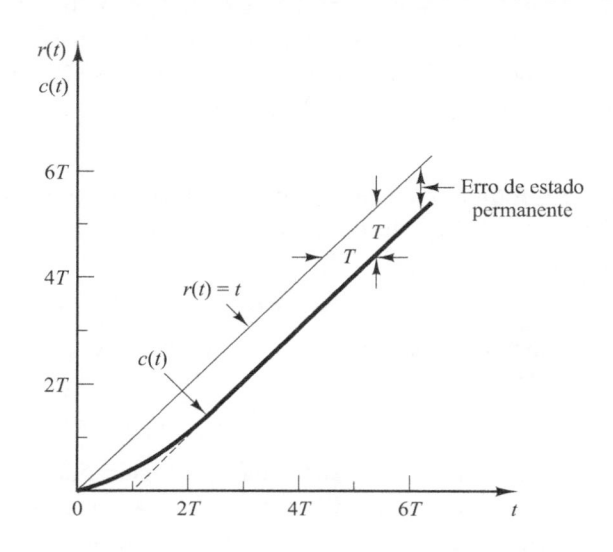

FIGURA 5.4
Resposta ao impulso unitário do sistema exposto na Figura 5.1(a).

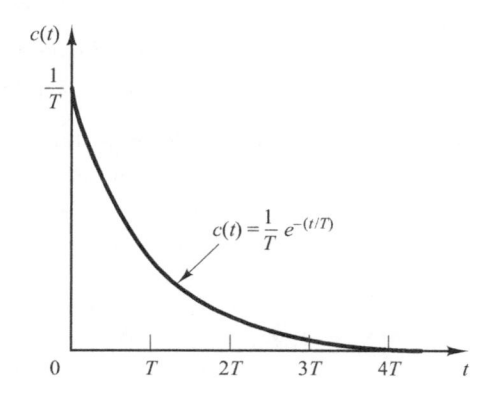

Para a entrada em degrau unitário, que é a derivada da entrada em rampa unitária, a saída $c(t)$ é:

$$c(t) = 1 - e^{-t/T}, \quad \text{para } t \geq 0 \qquad \text{(Veja a Equação 5.3)}$$

Por fim, para a entrada em impulso unitário, que é a derivada da entrada em degrau unitário, a saída $c(t)$ é:

$$c(t) = \frac{1}{T} e^{-t/T}, \quad \text{para } t \geq 0 \qquad \text{(Veja a Equação 5.8)}$$

A comparação das respostas do sistema com essas três entradas indica claramente que a resposta à derivada de um sinal de entrada pode ser obtida diferenciando-se a resposta do sistema para o sinal original. Pode-se ver também que a resposta à integral do sinal original pode ser obtida pela integração da resposta do sistema ao sinal original e pela determinação da constante de integração a partir da condição inicial de resposta nula. Esta é uma propriedade dos sistemas lineares invariantes no tempo. Os sistemas lineares variantes no tempo e sistemas não lineares não possuem essa propriedade.

5.3 | Sistemas de segunda ordem

Nesta seção, obteremos a resposta do sistema de controle típico de segunda ordem às entradas em degrau, rampa e impulso. Aqui, consideraremos um servossistema como um exemplo de sistema de segunda ordem.

Servossistema. A Figura 5.5(a) mostra um servossistema constituído por um controlador proporcional e elementos de carga (elementos de inércia e de atrito viscoso). Suponha que se deseje controlar a posição da saída c de acordo com a posição de entrada r.

A equação para os elementos de carga é:

$$J\ddot{c} + B\dot{c} = T$$

onde T é o torque produzido pelo controlador proporcional cujo ganho é K. Considerando as transformadas de Laplace de ambos os lados dessa última equação e supondo condições iniciais nulas, obtemos:

$$Js^2 C(s) + BsC(s) = T(s)$$

Então, a função de transferência entre $C(s)$ e $T(s)$ é:

$$\frac{C(s)}{T(s)} = \frac{1}{s(Js + B)}$$

Pelo uso dessa função de transferência, a Figura 5.5(a) pode ser redesenhada como na Figura 5.5(b), que pode ser modificada para o esquema mostrado na Figura 5.5(c). A função de transferência de malha fechada é então obtida como:

$$\frac{C(s)}{R(s)} = \frac{K}{Js^2 + Bs + K} = \frac{K/J}{s^2 + (B/J)s + (K/J)}$$

Esse sistema, em que a função de transferência de malha fechada possui dois polos, é chamado sistema de segunda ordem. (Alguns sistemas de segunda ordem podem conter um ou dois zeros.)

Resposta ao degrau do sistema de segunda ordem. A função de transferência de malha fechada do sistema mostrado na Figura 5.5(c) é:

$$\frac{C(s)}{R(s)} = \frac{K}{Js^2 + Bs + K} \tag{5.9}$$

que pode ser reescrita como:

FIGURA 5.5
(a) Servossistema;
(b) diagrama de blocos;
(c) diagrama de blocos simplificado.

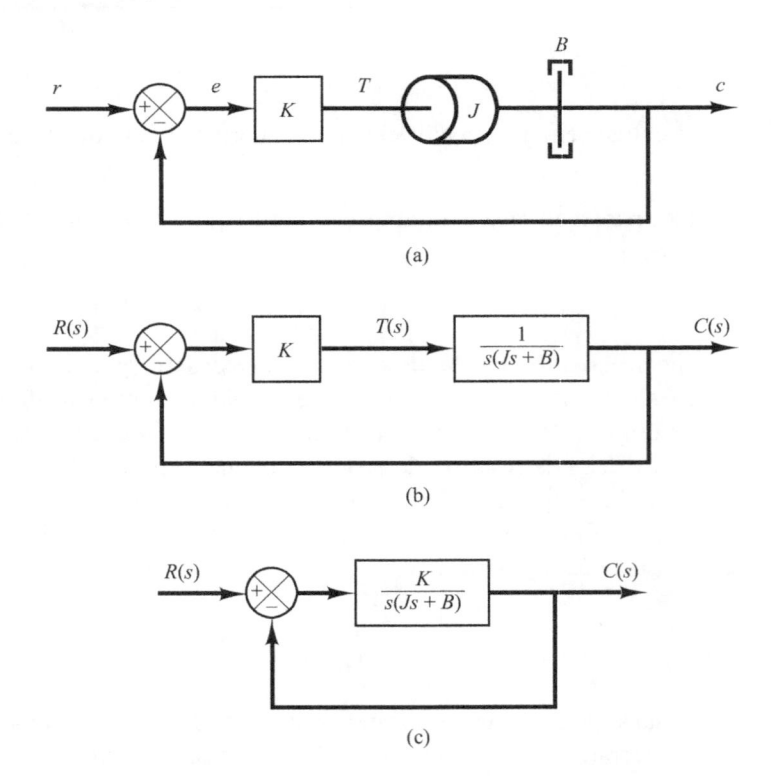

$$\frac{C(s)}{R(s)} = \frac{\frac{K}{J}}{\left[s + \frac{B}{2J} + \sqrt{\left(\frac{B}{2J}\right)^2 - \frac{K}{J}}\right]\left[s + \frac{B}{2J} - \sqrt{\left(\frac{B}{2J}\right)^2 - \frac{K}{J}}\right]}$$

Os polos de malha fechada são complexos conjugados se $B^2 - 4JK < 0$ e são reais se $B^2 - 4JK \geq 0$. Na análise da resposta transitória, é conveniente escrever:

$$\frac{K}{J} = \omega_n^2, \quad \frac{B}{J} = 2\zeta\omega_n = 2\sigma$$

onde σ é chamado *atenuação*; ω_n é a *frequência natural não amortecida*; e ζ é o *coeficiente de amortecimento* do sistema. O coeficiente de amortecimento ζ é a relação entre o amortecimento real B e o amortecimento crítico ou $B_c = 2\sqrt{JK}$ ou

$$\zeta = \frac{B}{B_c} = \frac{B}{2\sqrt{JK}}$$

Em termos de ζ e ω_n, o sistema da Figura 5.5(c) pode ser modificado conforme mostra a Figura 5.6 e a função de transferência de malha fechada $C(s)/R(s)$, dada pela Equação 5.9, pode ser escrita como:

$$\frac{C(s)}{R(s)} = \frac{\omega_n^2}{s^2 + 2\zeta\omega_n s + \omega_n^2} \tag{5.10}$$

Essa forma é chamada *forma-padrão* do sistema de segunda ordem.

O comportamento dinâmico do sistema de segunda ordem pode ser descrito em termos de dois parâmetros ζ e ω_n. Se $0 < \zeta < 1$, os polos de malha fechada são complexos conjugados e se situam no semiplano esquerdo do plano s. O sistema é então chamado subamortecido, e a resposta transitória é oscilatória. Se $\zeta = 0$, a resposta transitória não decai. Se $\zeta = 1$, o sistema é denominado criticamente amortecido. Os sistemas superamortecidos correspondem a $\zeta > 1$.

Determinaremos agora a resposta do sistema mostrado na Figura 5.6 a uma entrada em degrau unitário. Consideraremos três diferentes casos: subamortecido ($0 < \zeta < 1$), criticamente amortecido ($\zeta = 1$) e superamortecido ($\zeta > 1$).

(1) *Sistema subamortecido* ($0 < \zeta < 1$): nesse caso, $C(s)/R(s)$ pode ser escrito como:

$$\frac{C(s)}{R(s)} = \frac{\omega_n^2}{(s + \zeta\omega_n + j\omega_d)(s + \zeta\omega_n - j\omega_d)}$$

onde $\omega_d = \omega_n\sqrt{1 - \zeta^2}$. A frequência ω_d é chamada *frequência natural amortecida* do sistema. Para uma entrada em degrau unitário, $C(s)$ pode ser escrita como:

$$C(s) = \frac{\omega_n^2}{(s^2 + 2\zeta\omega_n s + \omega_n^2)s} \tag{5.11}$$

A transformada inversa de Laplace da Equação 5.11 pode ser obtida facilmente se $C(s)$ for escrita da seguinte maneira:

$$C(s) = \frac{1}{s} - \frac{s + 2\zeta\omega_n}{s^2 + 2\zeta\omega_n s + \omega_d^2}$$

$$= \frac{1}{s} - \frac{s + \zeta\omega_n}{(s + \zeta\omega_n)^2 + \omega_d^2} - \frac{\zeta\omega_n}{(s + \zeta\omega_n)^2 + \omega_d^2}$$

FIGURA 5.6
Sistema de segunda ordem.

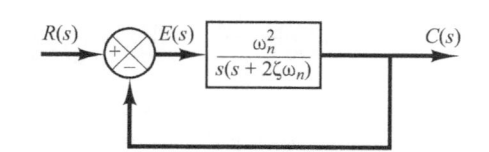

Consultando a tabela de transformadas de Laplace no Apêndice A, podemos demonstrar que:

$$\mathscr{L}^{-1}\left[\frac{s + \zeta\omega_n}{(s + \zeta\omega_n)^2 + \omega_d^2}\right] = e^{-\zeta\omega_n t}\cos\omega_d t$$

$$\mathscr{L}^{-1}\left[\frac{\omega_d}{(s + \zeta\omega_n)^2 + \omega_d^2}\right] = e^{-\zeta\omega_n t}\operatorname{sen}\omega_d t$$

Então, a transformada inversa de Laplace da Equação 5.11 é obtida como:

$$\mathscr{L}^{-1}[C(s)] = c(t)$$

$$= 1 - e^{-\zeta\omega_n t}\left(\cos\omega_d t + \frac{\zeta}{\sqrt{1-\zeta^2}}\operatorname{sen}\omega_d t\right)$$

$$= 1 - \frac{e^{-\zeta\omega_n t}}{\sqrt{1-\zeta^2}}\operatorname{sen}\left(\omega_d t + \operatorname{tg}^{-1}\frac{\sqrt{1-\zeta^2}}{\zeta}\right), \quad \text{para } t \geq 0 \qquad (5.12)$$

A partir da Equação 5.12, pode-se ver que a frequência da oscilação transitória é a frequência natural amortecida do sistema ω_d e, assim, varia de acordo com o coeficiente de amortecimento ζ. O sinal de erro para esse sistema é a diferença entre a entrada e a saída e é:

$$e(t) = r(t) - c(t)$$

$$= e^{-\zeta\omega_n t}\left(\cos\omega_d t + \frac{\zeta}{\sqrt{1-\zeta^2}}\operatorname{sen}\omega_d t\right), \quad \text{para } t \geq 0$$

Esse sinal de erro apresenta uma oscilação senoidal amortecida. Em regime permanente ou em $t = \infty$, não existe erro entre a entrada e a saída.

Se o coeficiente de amortecimento ζ for igual a zero, a resposta não será amortecida e as oscilações continuarão indefinidamente. A resposta, $c(t)$ no caso de o amortecimento ser nulo, pode ser obtida substituindo $\zeta = 0$ na Equação 5.12, o que resulta em:

$$c(t) = 1 - \cos\omega_n t, \quad \text{para } t \geq 0 \qquad (5.13)$$

Assim, a partir da Equação 5.13, vemos que ω_n representa a frequência natural do sistema sem amortecimento. Isto é, ω_n é a frequência em que a resposta do sistema poderá oscilar, se o amortecimento for reduzido a zero. Se o sistema linear tiver algum amortecimento, a frequência natural não amortecida do sistema não poderá ser observada experimentalmente. A frequência que pode ser observada é a frequência natural amortecida, ω_d, que é igual a $\omega_n\sqrt{1-\zeta^2}$, que é sempre menor que a frequência natural não amortecida. Um aumento em ζ poderia reduzir a frequência natural amortecida ω_d. Se ζ for aumentado acima da unidade, a resposta se tornará superamortecida e não oscilará.

(2) *Sistema criticamente amortecido* ($\zeta = 1$): se os dois polos de $C(s)/R(s)$ forem iguais, o sistema será dito criticamente amortecido.

Para uma entrada em degrau unitário, $R(s) = 1/s$ e $C(s)$ podem ser escritas como:

$$C(s) = \frac{\omega_n^2}{(s + \omega_n)^2 s} \qquad (5.14)$$

A transformada inversa de Laplace da Equação 5.14 pode ser determinada como:

$$c(t) = 1 - e^{-\omega_n t}(1 + \omega_n t), \quad \text{para } t \geq 0 \qquad (5.15)$$

Esse resultado pode também ser obtido fazendo-se ζ se aproximar da unidade na Equação 5.12 e utilizando o seguinte limite:

$$\lim_{\zeta \to 1}\frac{\operatorname{sen}\omega_d t}{\sqrt{1-\zeta^2}} = \lim_{\zeta \to 1}\frac{\operatorname{sen}\omega_n\sqrt{1-\zeta^2}\,t}{\sqrt{1-\zeta^2}} = \omega_n t$$

(3) *Sistema superamortecido* ($\zeta > 1$): nesse caso, os dois polos de $C(s)/R(s)$ são reais, negativos e desiguais. Para uma entrada em degrau unitário, $R(s) = 1/s$ e $C(s)$ podem ser escritas como:

$$C(s) = \frac{\omega_n^2}{(s + \zeta\omega_n + \omega_n\sqrt{\zeta^2 - 1})(s + \zeta\omega_n - \omega_n\sqrt{\zeta^2 - 1})s} \tag{5.16}$$

A transformada inversa de Laplace da Equação 5.16 é:

$$c(t) = 1 + \frac{1}{2\sqrt{\zeta^2 - 1}(\zeta + \sqrt{\zeta^2 - 1})}e^{-(\zeta + \sqrt{\zeta^2 - 1})\omega_n t}$$

$$- \frac{1}{2\sqrt{\zeta^2 - 1}(\zeta - \sqrt{\zeta^2 - 1})}e^{-(\zeta - \sqrt{\zeta^2 - 1})\omega_n t}$$

$$= 1 + \frac{\omega_n}{2\sqrt{\zeta^2 - 1}}\left(\frac{e^{-s_1 t}}{s_1} - \frac{e^{-s_2 t}}{s_2}\right), \quad \text{para } t \geq 0 \tag{5.17}$$

onde $s_1 = (\zeta + \sqrt{\zeta^2 - 1})\omega_n$ e $s_2 = (\zeta - \sqrt{\zeta^2 - 1})\omega_n$. Assim, a resposta $c(t)$ inclui dois termos exponenciais decrescentes.

Quando ζ for, de modo considerável, maior que a unidade, uma das duas exponenciais decrescentes decai mais rápido que a outra e, assim, o termo que decai mais rápido (o que corresponde à menor constante de tempo) pode ser desprezado. Ou seja, se $-s_2$ estiver situado muito mais próximo do eixo $j\omega$ que $-s_1$ (que significa $|s_2| \ll |s_1|$), então, para uma solução aproximada, poderemos desprezar $-s_1$. Isso é permitido porque o efeito de $-s_1$ na resposta é muito menor que o de $-s_2$, já que o termo que contém s_1 na Equação 5.17 decresce muito mais rapidamente que o termo que contém s_2. Uma vez que o termo exponencial que decresce mais rapidamente tenha desaparecido, a resposta será análoga à de um sistema de primeira ordem e $C(s)/R(s)$ poderá ser aproximada para:

$$\frac{C(s)}{R(s)} = \frac{\zeta\omega_n - \omega_n\sqrt{\zeta^2 - 1}}{s + \zeta\omega_n - \omega_n\sqrt{\zeta^2 - 1}} = \frac{s_2}{s + s_2}$$

Esse modo de aproximação é uma consequência direta do fato de que os valores iniciais e finais, tanto de $C(s)/R(s)$ original como da aproximação, são coincidentes.

Com a função de transferência de $C(s)/R(s)$ aproximada, a resposta ao degrau unitário pode ser obtida como:

$$C(s) = \frac{\zeta\omega_n - \omega_n\sqrt{\zeta^2 - 1}}{(s + \zeta\omega_n - \omega_n\sqrt{\zeta^2 - 1})s}$$

A resposta no tempo $c(t)$ é, então, igual a:

$$c(t) = 1 - e^{-(\zeta - \sqrt{\zeta^2 - 1})\omega_n t}, \quad \text{para } t \geq 0$$

Isso fornece uma resposta aproximada ao degrau unitário, quando um dos polos de $C(s)/R(s)$ puder ser desprezado.

A Figura 5.7 mostra uma família de curvas $c(t)$ como resposta ao degrau unitário para diversos valores de ζ, onde a abscissa é a variável adimensional $\omega_n t$. As curvas são funções somente de ζ. Essas curvas são obtidas a partir das equações 5.12, 5.15 e 5.17. O sistema descrito por essas equações inicialmente estava em repouso.

Note que dois sistemas de segunda ordem que tenham o mesmo valor de ζ, mas valores de ω_n diferentes, apresentam o mesmo sobressinal e o mesmo padrão oscilatório. Diz-se que esses sistemas têm a mesma estabilidade relativa.

A partir da Figura 5.7, vemos que um sistema subamortecido com ζ que varia entre 0,5 e 0,8 se aproxima mais rapidamente do valor final do que um sistema criticamente amortecido ou superamortecido. Entre os sistemas que apresentam resposta sem oscilação, um sistema criticamente amortecido é o que fornece a resposta mais rápida. A resposta de um sistema superamortecido é sempre mais lenta, qualquer que seja o sinal de entrada.

É importante notar que, para sistemas de segunda ordem cujas funções de transferência de malha fechada sejam diferentes da que foi apresentada pela Equação 5.10, as curvas de resposta ao degrau podem parecer completamente diferentes das mostradas na Figura 5.7.

FIGURA 5.7
Curva de resposta ao degrau unitário do sistema mostrado na Figura 5.6.

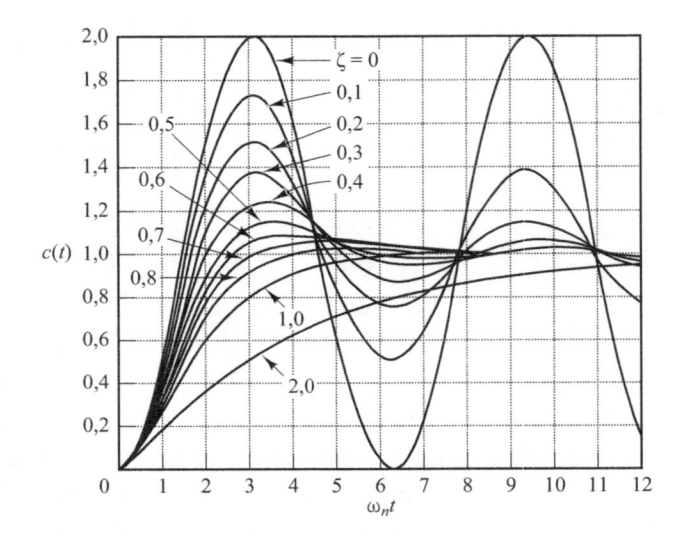

Definição das especificações da resposta transitória. Com frequência, as características de desempenho de um sistema de controle são especificadas em termos de resposta transitória a uma entrada em degrau unitário, já que se trata de entrada suficientemente brusca e gerada com facilidade. (Quando a resposta a uma entrada em degrau é conhecida, é possível calcular matematicamente a resposta a qualquer tipo de sinal de entrada.)

A resposta transitória de um sistema a uma entrada em degrau unitário depende das condições iniciais. Por conveniência, na comparação entre as respostas transitórias de vários sistemas, é uma prática comum utilizar uma condição inicial padrão que é a do sistema inicialmente em repouso, com o valor da variável de saída e todas as suas derivadas em função do tempo iguais a zero. Assim, as características de resposta dos vários sistemas poderão ser facilmente comparadas.

Na prática, antes de atingir o regime permanente, a resposta transitória de um sistema de controle apresenta, frequentemente, oscilações amortecidas. Na especificação das características das respostas transitórias de um sistema de controle a uma entrada em degrau unitário, é comum especificar o seguinte:

1. Tempo de atraso, t_d
2. Tempo de subida, t_r
3. Tempo de pico, t_p
4. Máximo sobressinal (ou apenas sobressinal), M_p
5. Tempo de acomodação, t_s

Essas especificações são definidas a seguir e são mostradas graficamente na Figura 5.8.

1. Tempo de atraso, t_d: trata-se do tempo requerido para que a resposta alcance metade de seu valor final pela primeira vez.
2. Tempo de subida, t_r: é o tempo requerido para que a resposta passe de 10 a 90%, ou de 5% a 95%, ou de 0% a 100% do valor final. Para sistemas de segunda ordem subamortecidos, o tempo de subida de 0% a 100% é o normalmente utilizado. Para os sistemas superamortecidos, o tempo de subida de 10% a 90% é o mais comumente utilizado.
3. Tempo de pico, t_p: é o tempo para que a resposta atinja o primeiro pico de sobressinal.
4. Máximo sobressinal (em porcentagem), M_p: é o valor máximo de pico da curva de resposta, medido a partir da unidade. Se o valor final da resposta em regime permanente diferir da unidade, então é comum utilizar porcentagem máxima de sobressinal, definida por:

$$\text{Porcentagem máxima de sobressinal} = \frac{c(t_p) - c(\infty)}{c(\infty)} \times 100\%$$

FIGURA 5.8
Curva de resposta em degrau unitário que mostra t_d, t_r, t_p, M_p e t_s.

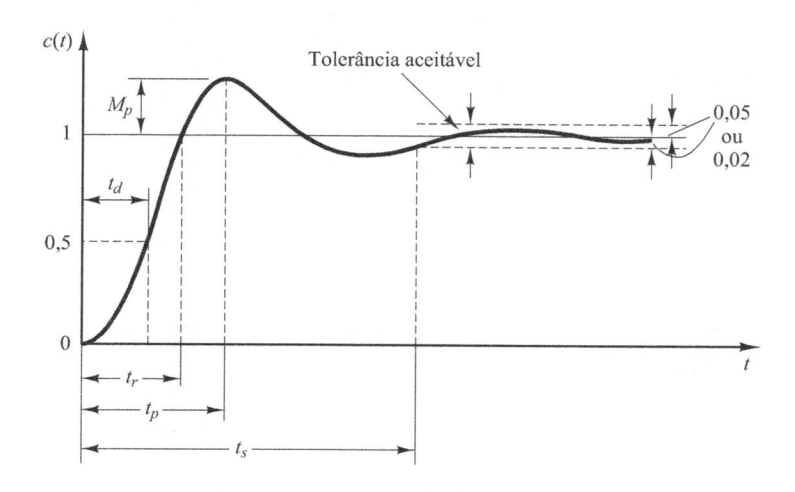

O valor máximo (em porcentagem) do sobressinal indica diretamente a estabilidade relativa do sistema.

5. **Tempo de acomodação, t_s:** é o tempo necessário para que a curva de resposta alcance valores em uma faixa (geralmente de 2% ou 5%) em torno do valor final, aí permanecendo indefinidamente. O tempo de acomodação está relacionado à maior constante de tempo do sistema de controle. Pode-se determinar qual porcentagem deve ser utilizada no critério de erro a partir dos objetivos do projeto do sistema em questão.

As especificações no domínio de tempo dadas anteriormente são muito importantes, porque a maioria dos sistemas de controle é sistema no domínio de tempo, isto é, devem fornecer respostas temporais aceitáveis. (Isso quer dizer que o sistema de controle deve ser modificado até que a resposta transitória seja satisfatória.)

Observe que nem todas essas especificações se aplicam necessariamente a todos os casos dados. Por exemplo, para um sistema superamortecido, os termos tempo de pico e máximo sobressinal não se aplicam. (No caso dos sistemas que resultam em erros estacionários para entradas em degrau, esse erro deve ser conservado em um nível de porcentagem específico. Discussões detalhadas sobre erros estacionários serão apresentadas posteriormente na Seção 5.8.)

Alguns comentários sobre as especificações da resposta transitória. Exceto para certas aplicações nas quais as oscilações não podem ser toleradas, é desejável que a resposta transitória seja suficientemente rápida e amortecida. Assim, para uma resposta transitória desejável de um sistema de segunda ordem, o coeficiente de amortecimento deve se situar entre 0,4 e 0,8. Valores pequenos de ζ (ou seja, $\zeta < 0,4$) resultam em excessivo sobressinal na resposta transitória, e um sistema com um grande valor de ζ (ou seja, $\zeta > 0,8$) responde lentamente.

Veremos adiante que o máximo sobressinal e o tempo de subida são conflitantes entre si. Em outras palavras, tanto o máximo sobressinal como o tempo de subida não podem ser diminuídos simultaneamente. Se um deles diminui, o outro necessariamente se torna maior.

Sistemas de segunda ordem e especificações da resposta transitória. A seguir, obteremos o tempo de subida, o tempo de pico, o máximo sobressinal e o tempo de acomodação do sistema de segunda ordem dado pela Equação 5.10. Esses valores serão obtidos em termos de ζ e ω_n. Supõe-se que o sistema seja subamortecido.

Tempo de subida t_r: referente à Equação 5.12, obtemos o tempo de subida t_r com $c(t_r) = 1$.

$$c(t_r) = 1 = 1 - e^{-\zeta \omega_n t_r}\left(\cos \omega_d t_r + \frac{\zeta}{\sqrt{1-\zeta^2}} \operatorname{sen} \omega_d t_r\right) \tag{5.18}$$

Como $e^{-\zeta \omega_n t_r} \neq 1$, obtemos a partir da Equação 5.18 a seguinte equação:

$$\cos \omega_d t_r + \frac{\zeta}{\sqrt{1-\zeta^2}} \operatorname{sen} \omega_d t_r = 0$$

Como $\omega_n \sqrt{1-\zeta^2} = \omega_d$ e $\zeta \omega_n = \sigma$, temos

$$\operatorname{tg} \omega_d t_r = -\frac{\sqrt{1-\zeta^2}}{\zeta} = -\frac{\omega_d}{\sigma}$$

Assim, o tempo de subida t_r é

$$t_r = \frac{1}{\omega_d} \operatorname{tg}^{-1}\left(\frac{\omega_d}{-\sigma}\right) = \frac{\pi - \beta}{\omega_d} \tag{5.19}$$

onde o ângulo β é definido na Figura 5.9. Evidentemente, para um menor valor de t_r, ω_d deve ser maior.

Tempo de pico t_p: com o auxílio da Equação 5.12, podemos obter o tempo de pico diferenciando $c(t)$ em relação ao tempo e igualando essa derivada a zero. Como

$$\frac{dc}{dt} = \zeta \omega_n e^{-\zeta \omega_n t}\left(\cos \omega_d t + \frac{\zeta}{\sqrt{1-\zeta^2}} \operatorname{sen} \omega_d t\right)$$

$$+ e^{-\zeta \omega_n t}\left(\omega_d \operatorname{sen} \omega_d t - \frac{\zeta \omega_d}{\sqrt{1-\zeta^2}} \cos \omega_d t\right)$$

e os termos em cosseno nessa última equação cancelam-se mutuamente, dc/dt, calculada em $t = t_p$, pode ser simplificada para:

$$\left.\frac{dc}{dt}\right|_{t=t_p} = (\operatorname{sen} \omega_d t_p) \frac{\omega_n}{\sqrt{1-\zeta^2}} e^{-\zeta \omega_n t_p} = 0$$

Dessa última equação resulta a seguinte expressão:

$$\operatorname{sen} \omega_d t_p = 0$$

ou

$$\omega_d t_p = 0, \pi, 2\pi, 3\pi, \ldots$$

Como o tempo de pico corresponde ao primeiro pico do sobressinal, $\omega_d t_p = \pi$. Então,

$$t_p = \frac{\pi}{\omega_d} \tag{5.20}$$

O tempo de pico t_p corresponde a meio ciclo da frequência de oscilação amortecida.

Máximo sobressinal M_p: o máximo sobressinal ocorre no tempo de pico ou em $t = t_p = \pi/\omega_d$. Ao supor que o valor final da saída seja unitário, M_p é obtido a partir da Equação 5.12 como:

$$M_p = c(t_p) - 1$$

$$= -e^{-\zeta \omega_n (\pi/\omega_d)}\left(\cos \pi + \frac{\zeta}{\sqrt{1-\zeta^2}} \operatorname{sen} \pi\right)$$

$$= e^{-(\sigma/\omega_d)\pi} = e^{-(\zeta/\sqrt{1-\zeta^2})\pi} \tag{5.21}$$

A porcentagem máxima de sobressinal é $e^{-(\sigma/\omega_d)\pi} \times 100\%$.

FIGURA 5.9
Definição do ângulo β.

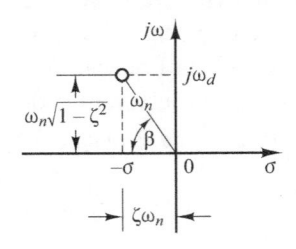

Se o valor final $c(\infty)$ da saída não for unitário, então será necessário utilizar a seguinte equação:

$$M_p = \frac{c(t_p) - c(\infty)}{c(\infty)}$$

Tempo de acomodação t_s: para um sistema subamortecido de segunda ordem, a resposta transitória é obtida a partir da Equação 5.12 como:

$$c(t) = 1 - \frac{e^{-\zeta\omega_n t}}{\sqrt{1-\zeta^2}} \operatorname{sen}\left(\omega_d t + \operatorname{tg}^{-1}\frac{\sqrt{1-\zeta^2}}{\zeta}\right), \quad \text{para } t \geq 0$$

As curvas $1 \pm (e^{-\zeta\omega_n t}/\sqrt{1-\zeta^2})$ são as curvas envoltórias da resposta transitória à entrada em degrau unitário. A curva-resposta $c(t)$ permanece sempre dentro de um par de curvas envoltórias, como mostra a Figura 5.10. A constante de tempo dessas curvas envoltórias é $1/\zeta\omega_n$.

A velocidade de decaimento da resposta transitória depende do valor da constante de tempo $1/\zeta\omega_n$. Para dado valor de ω_n, o tempo de acomodação t_s é uma função do coeficiente de amortecimento ζ. A partir da Figura 5.7, vemos que, para o mesmo ω_n e para uma faixa de valores de ζ entre 0 e 1, o tempo de acomodação t_s para um sistema ligeiramente amortecido é maior que para um sistema adequadamente amortecido. Para um sistema superamortecido, o tempo de acomodação t_s se torna grande porque a resposta é lenta.

O tempo de acomodação correspondente à faixa de tolerância ± 2% ou ±5% pode ser medido em termos da constante de tempo $T = 1/\zeta\omega_n$ a partir das curvas da Figura 5.7 para valores diferentes de ζ. O resultado é mostrado na Figura 5.11. Para $0 < \zeta < 0,9$, se for utilizado o critério de 2%, t_s será aproximadamente quatro vezes a constante de tempo do sistema. Se for usado o critério de 5%, então t_s será aproximadamente três vezes a constante de tempo. Note que o tempo de acomodação atinge um valor mínimo em torno de $\zeta = 0,76$ (para o critério de 2%) ou $\zeta = 0,68$ (para o critério de 5%) e, então, aumenta quase linearmente para valores grandes de ζ. A descontinuidade nas curvas da Figura 5.11 surge porque uma variação infinitesimal do valor de ζ pode causar uma variação finita no tempo de acomodação.

Por conveniência, na comparação das respostas dos sistemas, definimos comumente o tempo de acomodação t_s como:

$$t_s = 4T = \frac{4}{\sigma} = \frac{4}{\zeta\omega_n} \quad \text{(critério de 2\%)} \tag{5.22}$$

ou

FIGURA 5.10
Par de curvas envoltórias para a curva de resposta ao degrau unitário do sistema mostrado na Figura 5.6.

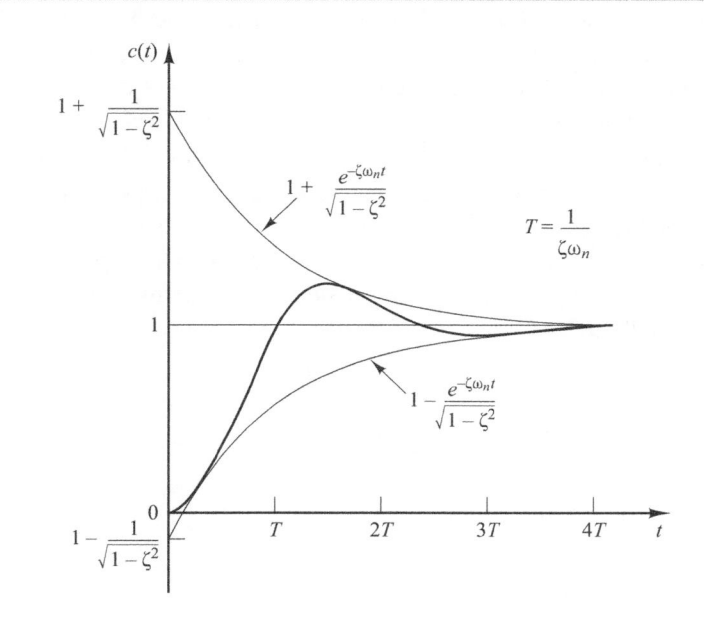

FIGURA 5.11
Curva de tempo de acomodação, t_s versus curvas ζ.

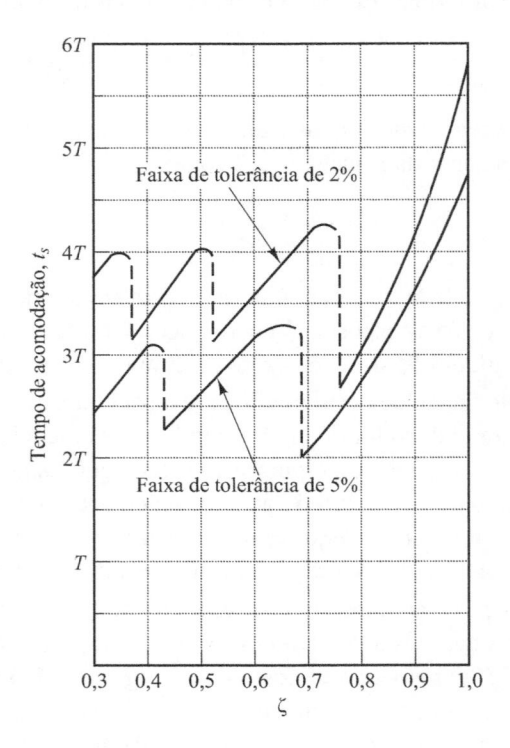

$$t_s = 3T = \frac{3}{\sigma} = \frac{3}{\zeta\omega_n} \quad \text{(critério de 5\%)} \tag{5.23}$$

Note que o tempo de acomodação é inversamente proporcional ao produto do coeficiente de amortecimento pela frequência natural do sistema não amortecido. Como o valor de ζ é, em geral, determinado a partir da especificação do sobressinal máximo aceitável, o tempo de acomodação é determinado principalmente pela frequência natural não amortecida ω_n. Isso significa que a duração do período transitório pode variar, sem alteração do máximo sobressinal, pelo ajuste da frequência natural não amortecida ω_n.

A partir da análise anterior, é evidente que, para uma resposta rápida, ω_n deve ser grande. Para limitar o máximo sobressinal M_p e fazer que o tempo de acomodação seja pequeno, o coeficiente de amortecimento ζ não deve ser muito pequeno. A relação entre a porcentagem do máximo sobressinal e o coeficiente de amortecimento M_p é apresentada na Figura 5.12. Note que, se o coeficiente de amortecimento estiver situado entre 0,4 e 0,7, então a porcentagem do máximo sobressinal para a resposta ao degrau estará entre 25% e 4%.

É importante notar que as equações para a obtenção do tempo de subida, tempo de pico, máximo sobressinal e tempo de acomodação são válidas somente para o sistema-padrão de segunda ordem, definido pela Equação 5.10. Se o sistema de segunda ordem contiver um zero ou dois zeros, a forma da curva de resposta ao degrau unitário será muito diferente daquela mostrada na Figura 5.7.

FIGURA 5.12
Curva de M_p versus ζ.

$$\frac{C(s)}{R(s)} = \frac{\omega_n^2}{s^2 + 2\zeta\omega_n s + \omega_n^2}$$

M_p: Máximo sobressinal

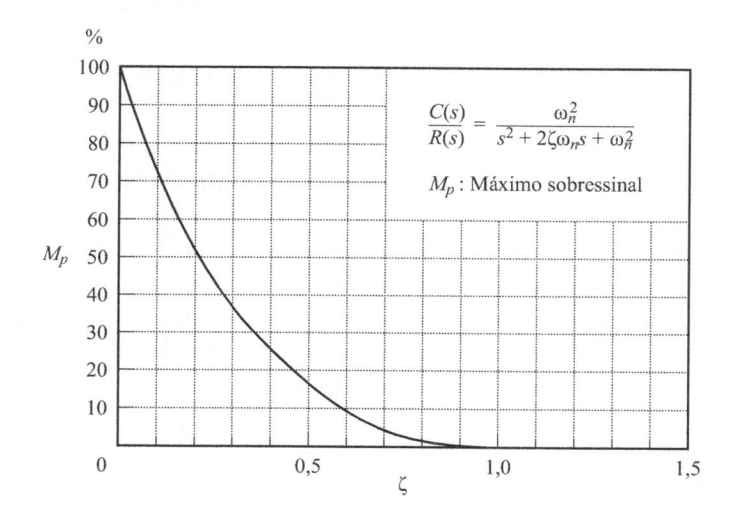

Exemplo 5.1 Considere o sistema mostrado na Figura 5.6, onde $\zeta = 0,6$ e $\omega_n = 5$ rad/s. Obteremos o tempo de subida t_r, o tempo de pico t_p, o máximo sobressinal M_p, e o tempo de acomodação t_s quando o sistema for submetido a uma entrada em degrau unitário.

A partir dos valores de ζ e ω_n, obtemos $\omega_d = \omega_n\sqrt{1-\zeta^2} = 4$ e $\sigma = \zeta\omega_n = 3$.

Tempo de subida t_r: o tempo de subida é:

$$t_r = \frac{\pi - \beta}{\omega_d} = \frac{3,14 - \beta}{4}$$

onde β é dado por:

$$\beta = \text{tg}^{-1}\frac{\omega_d}{\sigma} = \text{tg}^{-1}\frac{4}{3} = 0,93 \text{ rad}$$

O tempo de subida t_r é, então, igual a:

$$t_r = \frac{3,14 - 0,93}{4} = 0,55 \text{ s}$$

Tempo de pico t_p: o tempo de pico é:

$$t_p = \frac{\pi}{\omega_d} = \frac{3,14}{4} = 0,785 \text{ s}$$

Máximo sobressinal M_p: o máximo sobressinal é:

$$M_p = e^{-(\sigma/\omega_d)\pi} = e^{-(3/4) \times 3,14} = 0,095$$

O máximo sobressinal em porcentagem é, então, 9,5%.

Tempo de acomodação t_s: para o critério de 2%, o tempo de acomodação é:

$$t_s = \frac{4}{\sigma} = \frac{4}{3} = 1,33 \text{ s}$$

Para o critério de 5%,

$$t_s = \frac{3}{\sigma} = \frac{3}{3} = 1 \text{ s}$$

Servossistema com realimentação de velocidade. A derivada do sinal de saída pode ser utilizada para melhorar o desempenho do sistema. Na obtenção da derivada do sinal de saída de posição, é desejável utilizar um tacômetro em vez de diferenciar fisicamente o sinal de saída. (Note que a derivação amplifica os efeitos do ruído. De fato, se houver ruídos descontinuados, a derivação amplificará mais o ruído descontinuado do que o sinal útil. Por exemplo, o sinal de saída de um potenciômetro é um sinal de tensão descontínuo, porque, com o cursor em movimento sobre as espirais do enrolamento, são induzidas tensões por ocasião da comutação entre espirais gerando, assim, transitórios. Portanto, a saída do potenciômetro não pode ser seguida por um elemento diferenciador.)

O tacômetro, um gerador *cc* especial, é frequentemente utilizado para medir a velocidade sem o processo de derivação. O sinal de saída de um tacômetro é proporcional à velocidade angular do motor.

Considere o servossistema mostrado na Figura 5.13(a). Nesse dispositivo, o sinal de velocidade, com o sinal de posição, é realimentado como sinal de entrada, produzindo o sinal de erro atuante. Em qualquer servossistema, esse sinal de velocidade pode ser gerado facilmente por um tacômetro. A Figura 5.13(a) mostra o diagrama de blocos que pode ser simplificado, como se pode ver na Figura 5.13(b), resultando em:

$$\frac{C(s)}{R(s)} = \frac{K}{Js^2 + (B + KK_h)s + K} \quad (5.24)$$

Comparando-se as equações 5.24 e 5.9, notamos que a realimentação de velocidade tem como efeito aumentar o amortecimento. O coeficiente de amortecimento ζ torna-se:

$$\zeta = \frac{B + KK_h}{2\sqrt{KJ}} \quad (5.25)$$

A frequência natural não amortecida $\omega_n = \sqrt{K/J}$ não é afetada pela realimentação de velocidade. Observando que o máximo sobressinal da resposta a uma entrada em degrau unitário pode ser controlado pelo coeficiente de amortecimento ζ, podemos reduzir esse máximo sobressinal ajustando o valor da constante de realimentação de velocidade K_h, a fim de fazer que ζ fique situado entre 0,4 e 0,7.

Lembre-se de que a realimentação de velocidade tem o efeito de aumentar o coeficiente de amortecimento sem afetar a frequência natural não amortecida do sistema.

FIGURA 5.13
(a) Diagrama de blocos de um servossistema; (b) diagrama de blocos simplificado.

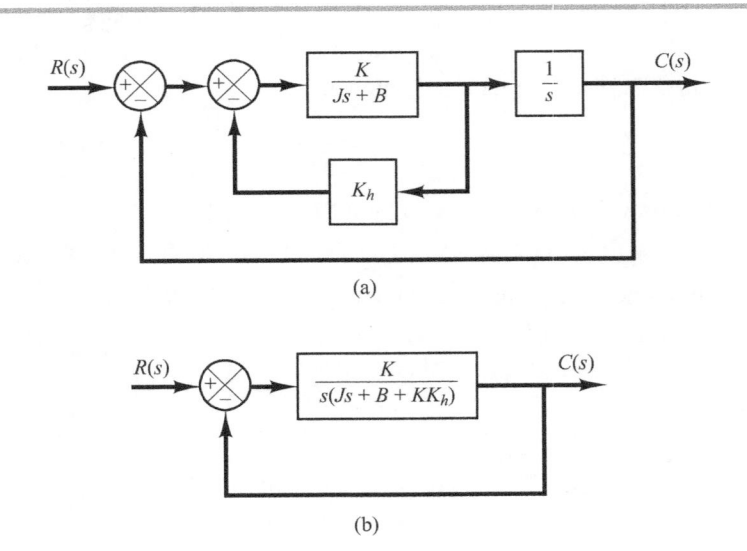

Exemplo 5.2 Para o sistema da Figura 5.13(a), determine os valores de ganho K e a constante de realimentação de velocidade K_h, de modo que o máximo sobressinal da resposta ao degrau unitário seja 0,2 e o tempo de pico seja 1 s. Com esses valores de K e K_h, obtenha o tempo de subida e o tempo de acomodação. Suponha que $J = 1$ kg-m^2 e $B = 1$ N-m/rad/s.

Determinação dos valores de K e K_h: o máximo sobressinal M_p é dado pela Equação 5.21 como:

$$M_p = e^{-(\zeta/\sqrt{1-\zeta^2})\pi}$$

Esse valor deve ser 0,2. Assim,

$$e^{-(\zeta/\sqrt{1-\zeta^2})\pi} = 0,2$$

ou

$$\frac{\zeta\pi}{\sqrt{1-\zeta^2}} = 1,61$$

que resulta em:

$$\zeta = 0,456$$

O tempo de pico t_p é especificado como 1 s; portanto, a partir da Equação 5.20,

$$t_p = \frac{\pi}{\omega_d} = 1$$

ou

$$\omega_d = 3,14$$

Como ζ é 0,456, ω_n é igual a:

$$\omega_n = \frac{\omega_d}{\sqrt{1-\zeta^2}} = 3,53$$

Como a frequência natural ω_n é igual a $\sqrt{K/J}$,

$$K = J\omega_n^2 = \omega_n^2 = 12,5 \text{ N-m}$$

Então, a partir da Equação 5.25, K_h é:

$$K_h = \frac{2\sqrt{KJ}\,\zeta - \beta}{K} = \frac{2\sqrt{K}\,\zeta - 1}{K} = 0,178 \text{ s}$$

Tempo de subida t_r: a partir da Equação 5.19, o tempo de subida t_r é:

$$t_r = \frac{\pi - \beta}{\omega_d}$$

onde

$$\beta = \text{tg}^{-1}\frac{\omega_d}{\sigma} = \text{tg}^{-1} 1,95 = 1,10$$

Portanto, t_r é

$$t_r = 0,65 \text{ s}$$

Tempo de acomodação t_s: para o critério de 2%,

$$t_s = \frac{4}{\sigma} = 2,48 \text{ s}$$

Para o critério de 5%,

$$t_s = \frac{3}{\sigma} = 1,86 \text{ s}$$

Resposta ao impulso dos sistemas de segunda ordem. Para um impulso unitário de entrada $r(t)$, a transformada de Laplace correspondente é unitária, ou seja, $R(s) = 1$. A resposta ao impulso unitário $C(s)$ do sistema de segunda ordem mostrado na Figura 5.6 é igual a:

$$C(s) = \frac{\omega_n^2}{s^2 + 2\zeta\omega_n s + \omega_n^2}$$

A transformada inversa de Laplace dessa equação fornece a solução para a resposta no tempo $c(t)$, como segue:

Para $0 \leq \zeta < 1$,

$$c(t) = \frac{\omega_n}{\sqrt{1-\zeta^2}} e^{-\zeta\omega_n t} \operatorname{sen}\omega_n \sqrt{1-\zeta^2}\, t, \quad \text{para } t \geq 0 \tag{5.26}$$

Para $\zeta = 1$,

$$c(t) = \omega_n^2 t e^{-\omega_n t}, \quad \text{para } t \geq 0 \tag{5.27}$$

Para $\zeta > 1$,

$$c(t) = \frac{\omega_n}{2\sqrt{\zeta^2 - 1}} e^{-(\zeta - \sqrt{\zeta^2-1})\omega_n t} - \frac{\omega_n}{2\sqrt{\zeta^2 - 1}} e^{-(\zeta + \sqrt{\zeta^2-1})\omega_n t}, \text{ para } t \geq 0 \tag{5.28}$$

Note que, sem necessidade de recorrer à transformada inversa de Laplace de $C(s)$, podemos também obter a resposta no tempo $c(t)$ derivando a resposta ao degrau unitário correspondente, já que a função impulso unitário é a derivada da função degrau unitário. Uma família de curvas de resposta ao impulso unitário dada pelas equações 5.26 e 5.27 para vários valores de ζ é mostrada na Figura 5.14. As curvas $c(t)/\omega_n$ estão representadas no gráfico em função da variável adimensional $\omega_n t$ e, portanto, são funções somente de ζ. Para os casos de amortecimento crítico e superamortecimento, a resposta ao impulso unitário é sempre positiva ou nula, isto é, $c(t) \geq 0$. Isso pode ser visto a partir das equações 5.27 e 5.28. Para o caso de subamortecimento, a resposta ao impulso unitário $c(t)$ oscila em torno de zero e assume valores tanto positivos como negativos.

A partir da análise anterior, podemos concluir que, se a resposta $c(t)$ ao impulso não muda de sinal, o sistema deve ser criticamente amortecido ou superamortecido, caso em que a resposta correspondente a um degrau não possui sobressinal, mas aumenta ou diminui monotonicamente, aproximando-se de um valor constante.

O máximo sobressinal para a resposta ao impulso unitário do sistema subamortecido ocorre em:

$$t = \frac{\operatorname{tg}^{-1} \frac{\sqrt{1-\zeta^2}}{\zeta}}{\omega_n \sqrt{1-\zeta^2}}, \quad \text{onde } 0 < \zeta < 1 \tag{5.29}$$

(A Equação 5.29 pode ser obtida igualando dc/dt a zero e determinando t.) O máximo sobressinal é:

$$c(t)_{\text{máx}} = \omega_n \exp\left(-\frac{\zeta}{\sqrt{1-\zeta^2}} \operatorname{tg}^{-1} \frac{\sqrt{1-\zeta^2}}{\zeta}\right), \quad \text{onde } 0 < \zeta < 1 \tag{5.30}$$

FIGURA 5.14
Curvas de resposta ao impulso unitário do sistema mostrado na Figura 5.6.

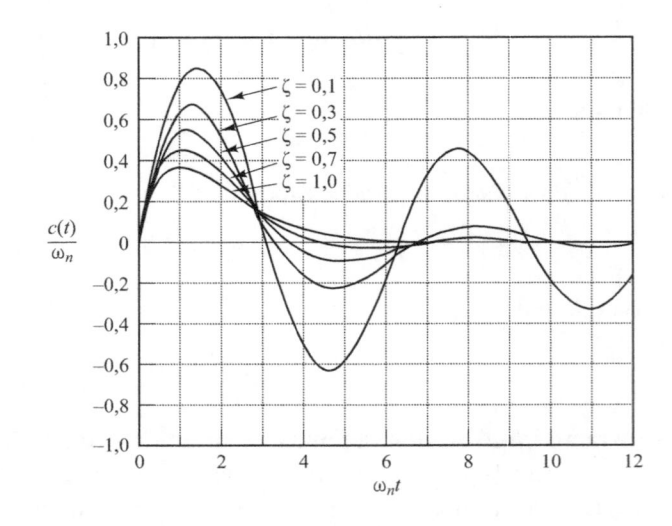

(A Equação 5.30 pode ser obtida substituindo a Equação 5.29 na Equação 5.26.)

Como a função de resposta ao impulso unitário é a derivada em relação ao tempo da função de resposta ao degrau unitário, o máximo sobressinal M_p para a resposta ao degrau unitário pode ser determinado a partir da resposta ao impulso unitário correspondente. Ou seja, a área sob a curva de resposta ao impulso unitário a partir de $t = 0$ até o instante do primeiro zero, como mostra a Figura 5.15, é $1 + M_p$, onde M_p é o máximo sobressinal (da resposta ao degrau unitário) dado pela Equação 5.21. O tempo de pico t_p (da resposta ao degrau unitário) dado pela Equação 5.20 corresponde ao tempo necessário para que a resposta ao impulso unitário cruze pela primeira vez o eixo do tempo.

FIGURA 5.15
Curva de resposta ao impulso unitário do sistema mostrado na Figura 5.6.

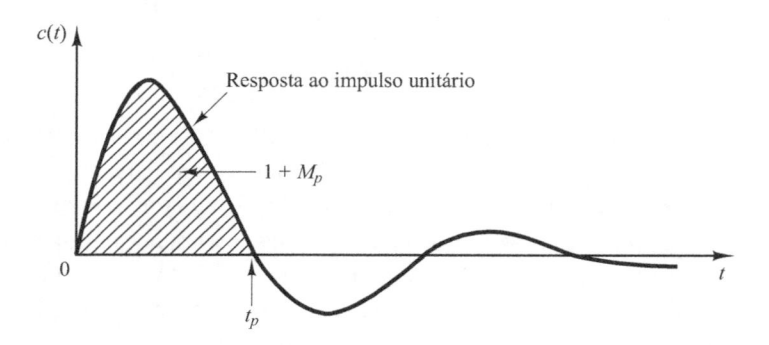

5.4 | Sistemas de ordem superior

Nesta seção, apresentaremos uma análise da resposta transitória de sistemas de ordem superior em termos gerais. Veremos que a resposta dos sistemas de ordem superior é a soma das respostas de sistemas de primeira e de segunda ordem.

Resposta transitória de sistemas de ordem superior. Considere o sistema mostrado na Figura 5.16. A função de transferência de malha fechada é:

$$\frac{C(s)}{R(s)} = \frac{G(s)}{1 + G(s)H(s)} \tag{5.31}$$

Em geral, $G(s)$ e $H(s)$ são dadas como relação de polinômios em s ou

$$G(s) = \frac{p(s)}{q(s)} \quad \text{e} \quad H(s) = \frac{n(s)}{d(s)}$$

onde $p(s)$, $q(s)$, $n(s)$ e $d(s)$ são polinômios em s. A função de transferência de malha fechada dada pela Equação 5.31 pode, então, ser escrita como:

$$\frac{C(s)}{R(s)} = \frac{p(s)d(s)}{q(s)d(s) + p(s)n(s)}$$

$$= \frac{b_0 s^m + b_1 s^{m-1} + \cdots + b_{m-1} s + b_m}{a_0 s^n + a_1 s^{n-1} + \cdots + a_{n-1} s + a_n} \quad (m \leq n)$$

FIGURA 5.16
Sistema de controle.

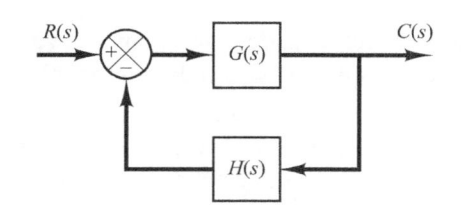

A resposta transitória desse sistema para dado sinal de entrada pode ser obtida por uma simulação de computador. (Veja a Seção 5.5.) Se uma expressão analítica para a resposta transitória for desejada, então é necessário fatorar o polinômio do denominador. [O MATLAB pode ser utilizado para encontrar as raízes do polinômio do denominador. Utilize o comando `roots(den)`.] Uma vez que o numerador e o denominador tenham sido fatorados, $C(s)/R(s)$ pode ser escrita como a seguir:

$$\frac{C(s)}{R(s)} = \frac{K(s+z_1)(s+z_2)\cdots(s+z_m)}{(s+p_1)(s+p_2)\cdots(s+p_n)} \tag{5.32}$$

Examinaremos o comportamento da resposta desse sistema para uma entrada em degrau unitário. Considere primeiro o caso em que os polos de malha fechada são todos reais e distintos. Para uma entrada em degrau unitário, a Equação 5.32 pode ser escrita como:

$$C(s) = \frac{a}{s} + \sum_{i=1}^{n} \frac{a_i}{s+p_i} \tag{5.33}$$

onde a_i é o resíduo do polo em $s = -p_i$. (Se o sistema contém polos múltiplos, então $C(s)$ terá termos multipolares.) [A expansão em frações parciais de $C(s)$, dada pela Equação 5.33, pode ser obtida facilmente com o MATLAB. Utilize o comando `residue`. (Consulte o Apêndice B.)]

Se todos os polos de malha fechada se situarem no semiplano esquerdo do plano s, os valores dos resíduos determinarão a importância relativa dos componentes na forma expandida de $C(s)$. Se existir um zero de malha fechada próximo a um polo de malha fechada, então o resíduo nesse polo será pequeno e o do termo correspondente da resposta transitória para esse polo se tornará pequeno. Um par de polos e zeros próximos vai se cancelar mutuamente. Se um polo estiver localizado muito longe da origem, o resíduo nesse polo poderá ser pequeno. Os transitórios correspondentes a esse polo remoto são pequenos e de curta duração. Os termos na forma expandida de $C(s)$ que tenham resíduos muito pequenos contribuem pouco para a resposta transitória e podem ser desprezados. Nesse caso, o sistema de ordem superior pode se aproximar de um de maior ordem. (Essa aproximação frequentemente nos possibilita avaliar as características da resposta de um sistema de ordem superior a partir de um sistema mais simplificado.)

A seguir, considere o caso em que os polos de $C(s)$ sejam constituídos pelos polos reais e de pares de polos complexos conjugados. Um par de polos complexos conjugados resulta em um termo de segunda ordem em s. Como a forma fatorada da equação característica de ordem elevada consiste em termos de primeira e segunda ordens, a Equação 5.33 pode ser reescrita como:

$$C(s) = \frac{a}{s} + \sum_{j=1}^{q} \frac{a_j}{s+p_i} + \sum_{k=1}^{r} \frac{b_k(s+\zeta_k\omega_k) + c_k\omega_k\sqrt{1-\zeta_k^2}}{s^2 + 2\zeta_k\omega_k s + \omega_k^2} \quad (q+2r=n)$$

onde supomos que todos os polos de malha fechada sejam distintos. [Se entre os polos de malha fechada existirem polos múltiplos, $C(s)$ deverá ter termos multipolares.] A partir dessa última equação, vemos que a resposta de um sistema de ordem superior é composta por uma série de termos que contêm funções simples encontradas em respostas dos sistemas de primeira e segunda ordens. A transformada inversa de Laplace $c(t)$, da resposta ao degrau unitário $C(s)$, é, então, igual a:

$$c(t) = a + \sum_{j=1}^{q} a_j e^{-p_j t} + \sum_{k=1}^{r} b_k e^{-\zeta_k\omega_k t} \cos\omega_k\sqrt{1-\zeta_k^2}\, t$$

$$+ \sum_{k=1}^{r} c_k e^{-\zeta_k\omega_k t} \sen\omega_k\sqrt{1-\zeta_k^2}\, t, \quad \text{para } t \geq 0 \tag{5.34}$$

Assim, a curva de resposta de um sistema estável de ordem superior é a soma de uma série de curvas exponenciais e curvas senoidais amortecidas.

Se todos os polos de malha fechada estiverem no semiplano esquerdo do plano s, então os termos exponenciais e os termos exponenciais amortecidos da Equação 5.34 tenderão a zero à medida que t aumentar. A saída em regime permanente é, então, $c(\infty) = a$.

Vamos supor que o sistema considerado seja estável. Então, os polos de malha fechada que estiverem situados distantes do eixo $j\omega$ terão grandes partes reais negativas. Os termos exponenciais que correspondem a esses polos decrescem rapidamente, tendendo a zero. (Note que a distância horizontal a partir de um polo de malha fechada até o eixo $j\omega$ determina o tempo de acomodação dos componentes transitórios daquele polo. Quanto menor a distância, maior é o tempo de acomodação.)

Devemos lembrar que o tipo de resposta transitória é determinado pelos polos de malha fechada, enquanto a forma da resposta transitória é determinada principalmente pelos zeros de malha fechada. Como vimos anteriormente, os polos da entrada $R(s)$ resultam em termos da resposta de regime permanente na solução, enquanto os polos de $C(s)/R(s)$ introduzem os termos da resposta transitória exponencial e/ou os termos da resposta transitória senoidal amortecida. Os zeros de $C(s)/R(s)$ não afetam os expoentes dos termos exponenciais, mas afetam os valores e os sinais dos resíduos.

Polos dominantes em malha fechada. O domínio relativo dos polos de malha fechada é determinado pela relação das partes reais dos polos de malha fechada, bem como pelo valor dos resíduos calculados nos polos. As magnitudes dos resíduos dependem tanto dos polos como dos zeros de malha fechada.

Se as relações das partes reais forem maiores que 5 e não houver zeros nas proximidades, então os polos de malha fechada mais próximos do eixo $j\omega$ serão dominantes no comportamento da resposta transitória porque correspondem aos termos da resposta transitória que decrescem lentamente. Os polos que têm efeitos dominantes no comportamento da resposta transitória são chamados polos *dominantes de malha fechada*. Muito frequentemente, os polos dominantes apresentam-se sob a forma de um par complexo conjugado. Os polos dominantes de malha fechada são os de maior importância entre todos os polos de malha fechada.

Note que o ganho de um sistema de ordem superior é frequentemente ajustado para ter um par de polos complexos conjugados dominantes de malha fechada. A presença desses polos em um sistema estável reduz o efeito de certas não linearidades, como zona morta, folga e atrito de Coulomb.

Análise de estabilidade no plano complexo. A estabilidade de um sistema linear de malha fechada pode ser determinada a partir da localização dos polos de malha fechada no plano s. Se qualquer um desses polos estiver no semiplano direito do plano s, então, com o decorrer do tempo, eles darão origem ao modo dominante e a resposta transitória aumentará monotonicamente ou oscilará com amplitude crescente. Isso representa um sistema instável. Assim que for ligada, a saída desse sistema poderá aumentar com o tempo. Se não for alcançado um ponto de saturação do sistema ou se não houver um fim de curso mecânico, então o sistema poderá estar sujeito a danos e apresentar falhas, já que a resposta de um sistema físico real não pode aumentar indefinidamente. Por isso, nos usuais sistemas lineares de controle, não são permitidos polos de malha fechada no semiplano direito do plano s. Se todos os polos de malha fechada se situarem à esquerda do eixo $j\omega$, qualquer resposta transitória poderá alcançar o equilíbrio. Isso caracteriza um sistema estável.

A estabilidade ou a instabilidade de um sistema linear é propriedade do próprio sistema e não depende da entrada ou da função de excitação do sistema. Os polos da entrada ou da função de excitação não afetam a estabilidade do sistema, mas contribuem somente para os termos da resposta de regime permanente na solução. Assim, o problema da estabilidade absoluta pode ser resolvido prontamente pela escolha dos polos de malha fechada no semiplano direito do plano s, incluindo o eixo $j\omega$. (Matematicamente, os polos de malha fechada no eixo $j\omega$ resultarão em oscilações cuja amplitude não vai decrescer nem aumentar com o tempo. Nos casos práticos, em que existem ruídos, entretanto, a amplitude das oscilações pode aumentar a uma taxa determinada pelo nível de potência do ruído. Portanto, um sistema de controle não deve ter polos de malha fechada no eixo $j\omega$.)

Observe que o simples fato de que todos os polos de malha fechada estejam situados no semiplano esquerdo do plano *s* não garante que as características da reposta transitória sejam satisfatórias. Se os polos complexos conjugados dominantes de malha fechada estiverem situados próximos ao eixo $j\omega$, a resposta transitória poderá apresentar oscilações excessivas ou poderá ser muito lenta. Dessa maneira, para garantir que as características da resposta transitória sejam rápidas, mas também suficientemente amortecidas, é necessário que os polos de malha fechada do sistema se situem em uma região conveniente do plano complexo, tal como a região delimitada pela área sombreada na Figura 5.17.

Como a estabilidade relativa e o desempenho da resposta transitória de um sistema de controle de malha fechada estão diretamente relacionados à configuração de polos e zeros de malha fechada no plano *s*, frequentemente é necessário ajustar um ou mais parâmetros do sistema, a fim de obter configurações satisfatórias. Os efeitos da variação dos parâmetros do sistema nos polos de malha fechada serão discutidos com detalhes no Capítulo 6.

FIGURA 5.17
Região no plano complexo que satisfaz as condições $\zeta > 0{,}4$ e $t_s < 4/\sigma$.

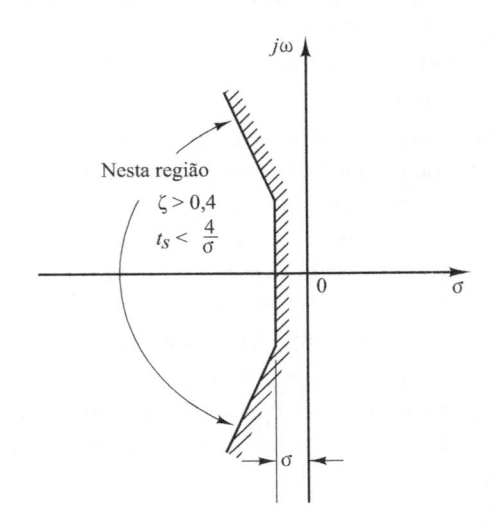

5.5 | Análise da resposta transitória com o MATLAB

Introdução. O processo prático para a representação gráfica das curvas de resposta em função do tempo dos sistemas de ordem maior que 2 é feito por meio de simulação por computador. Nesta seção, apresentaremos a abordagem computacional para a análise da resposta transitória com o MATLAB. Em particular, discutiremos resposta ao degrau, resposta ao impulso, resposta à rampa e resposta a outras entradas simples.

Representação de sistemas lineares com o MATLAB. A função de transferência de um sistema é representada por dois vetores de números. Considere o sistema

$$\frac{C(s)}{R(s)} = \frac{2s + 25}{s^2 + 4s + 25} \tag{5.35}$$

Esse sistema pode ser representado por dois vetores-linha, cada um com os coeficientes dos polinômios com potências de *s* decrescentes, como segue:

```
num = [2 25]
den = [1 4 25]
```

Uma alternativa de representação é:

```
num = [0 2 25]
den = [1 4 25]
```

Nessa expressão, foi acrescentado um zero. Note que, se forem convenientemente completadas com zeros, as dimensões dos vetores 'num' e 'den' tornam-se as mesmas. Uma vantagem de acrescentar zeros é que os vetores 'num' e 'den' podem ser somados diretamente. Por exemplo,

```
num + dem = [0 2 25] + [1 4 25]
          = [1 6 50]
```

Se num e den (o numerador e o denominador da função de transferência de malha fechada) forem conhecidos, comandos como

```
step(num,den),  step(num,den,t)
```

gerarão as curvas das respostas ao degrau unitário. (O parâmetro t no comando step é o tempo especificado pelo usuário.)

Para um sistema de controle definido em uma forma de espaço de estados, onde a matriz de estado **A**, a matriz de controle **B**, a matriz de saída **C** e a matriz de transmissão direta **D** das equações de espaço de estados são conhecidas, o comando

```
step(A,B,C,D),  step(A,B,C,D,t)
```

gerará as curvas de respostas ao degrau unitário. O vetor tempo é determinado de maneira automática quando t não for explicitamente incluído nos comandos step.

Note que o comando step(sys) pode ser utilizado para obter a resposta ao degrau unitário de um sistema. Primeiro, defina o sistema como:

```
sys = tf(num,den)
```

ou

```
sys = ss(A,B,C,D)
```

Então, para obter, por exemplo, a resposta ao degrau unitário, forneça o comando

```
step(sys)
```

ao computador.

Quando os comandos do degrau têm argumentos do lado esquerdo, como

$$[y,x,t] = \text{step(num, den,t)}$$
$$[y,x,t] = \text{step(A,B,C,D,iu)}$$
$$[y,x,t] = \text{step(A,B,C,D,iu)} \quad (5.36)$$

nenhum gráfico é apresentado na tela. Então, é necessário utilizar um comando plot para ver as curvas de resposta. As matrizes y e x contêm os valores de saída e de estado do sistema, respectivamente, calculados nos pontos computacionais do tempo t. (y tem tantas colunas quantas forem as saídas e uma linha para cada elemento em t; x tem tantas colunas quantos forem os estados e uma linha para cada elemento em t.)

Note que, na Equação 5.36, o escalar iu é um índice nas entradas do sistema e especifica qual entrada é utilizada para a resposta, e t é o tempo especificado pelo usuário. Se o sistema tiver múltiplas entradas e múltiplas saídas, o comando step, tal como é dado pela Equação 5.36, fornecerá uma série de gráficos de resposta ao degrau, um para cada combinação de entrada e saída de

$$\dot{\mathbf{x}} = \mathbf{A}\mathbf{x} + \mathbf{B}\mathbf{u}$$

$$\mathbf{y} = \mathbf{C}\mathbf{x} + \mathbf{D}\mathbf{u}$$

(Para mais detalhes, veja o Exemplo 5.3.)

Exemplo 5.3 Considere o seguinte sistema:

$$\begin{bmatrix} \dot{x}_1 \\ \dot{x}_2 \end{bmatrix} = \begin{bmatrix} -1 & -1 \\ 6,5 & 0 \end{bmatrix} \begin{bmatrix} x_1 \\ x_2 \end{bmatrix} + \begin{bmatrix} 1 & 1 \\ 1 & 0 \end{bmatrix} \begin{bmatrix} u_1 \\ u_2 \end{bmatrix}$$

$$\begin{bmatrix} y_1 \\ y_2 \end{bmatrix} = \begin{bmatrix} 1 & 1 \\ 1 & 0 \end{bmatrix} \begin{bmatrix} x_1 \\ x_2 \end{bmatrix} + \begin{bmatrix} 0 & 0 \\ 0 & 0 \end{bmatrix} \begin{bmatrix} u_1 \\ u_2 \end{bmatrix}$$

Obtenha as curvas de resposta ao degrau unitário.

Embora não seja necessário conhecer a expressão da matriz de transferência do sistema para obter as curvas de resposta ao degrau unitário com o MATLAB, deduziremos essa expressão para referência.

Sendo o sistema definido como:

$$\dot{x} = Ax + Bu$$

$$y = Cx + Du$$

a matriz de transferência $G(s)$ é a matriz que relaciona $Y(s)$ e $U(s)$ como segue:

$$Y(s) = G(s)U(s)$$

Transformando por Laplace as equações de espaço de estados, obtemos:

$$sX(s) - x(0) = AX(s) + BU(s) \quad (5.37)$$

$$Y(s) = CX(s) + DU(s) \quad (5.38)$$

Na dedução da matriz de transferência, supomos que $x(0) = 0$. Então, a partir da Equação 5.37, obtemos:

$$X(s) = (sI - A)^{-1}BU(s) \quad (5.39)$$

Substituindo a Equação 5.39 na Equação 5.38, temos:

$$Y(s) = [C(sI - A)^{-1}B + D]\,U(s)$$

Assim, a matriz de transferência $G(s)$ é dada por:

$$G(s) = C(sI - A)^{-1}B + D$$

A matriz de transferência $G(s)$ para o sistema dado resulta em:

$$G(s) = C(sI - A)^{-1}B$$

$$= \begin{bmatrix} 1 & 0 \\ 0 & 1 \end{bmatrix} \begin{bmatrix} s+1 & 1 \\ -6{,}5 & s \end{bmatrix}^{-1} \begin{bmatrix} 1 & 1 \\ 1 & 0 \end{bmatrix}$$

$$= \frac{1}{s^2 + s + 6{,}5} \begin{bmatrix} s & -1 \\ 6{,}5 & s+1 \end{bmatrix} \begin{bmatrix} 1 & 1 \\ 1 & 0 \end{bmatrix}$$

$$= \frac{1}{s^2 + s + 6{,}5} \begin{bmatrix} s-1 & s \\ s+7{,}5 & 6{,}5 \end{bmatrix}$$

Portanto:

$$\begin{bmatrix} Y_1(s) \\ Y_2(s) \end{bmatrix} = \begin{bmatrix} \dfrac{s-1}{s^2+s+6{,}5} & \dfrac{s}{s^2+s+6{,}5} \\ \dfrac{s+7{,}5}{s^2+s+6{,}5} & \dfrac{6{,}5}{s^2+s+6{,}5} \end{bmatrix} \begin{bmatrix} U_1(s) \\ U_2(s) \end{bmatrix}$$

Como esse sistema contém duas entradas e duas saídas, podemos definir quatro funções de transferência, dependendo de quais sinais forem considerados entrada e saída. Note que, quando consideramos o sinal u_1 como entrada, supomos que o sinal u_2 seja zero e vice-versa. As quatro funções de transferência são:

$$\frac{Y_1(s)}{U_1(s)} = \frac{s-1}{s^2+s+6{,}5}, \quad \frac{Y_1(s)}{U_2(s)} = \frac{s}{s^2+s+6{,}5}$$

$$\frac{Y_2(s)}{U_1(s)} = \frac{s+7{,}5}{s^2+s+6{,}5}, \quad \frac{Y_2(s)}{U_2(s)} = \frac{6{,}5}{s^2+s+6{,}5}$$

Considere que u_1 e u_2 são funções de degrau unitário. As quatro curvas individuais de resposta ao degrau podem ser representadas com a utilização do comando

```
step(A,B,C,D)
```

O Programa 5.1 em MATLAB produz essas quatro curvas de resposta ao degrau. As curvas são mostradas na Figura 5.18. (Note que o vetor de tempo t é automaticamente determinado, uma vez que o comando não inclui t.)

```
Programa 5.1 em MATLAB
A = [-1 -1;6.5 0];
B = [1 1;1 0];
C = [1 0;0 1];
D = [0 0;0 0];
step(A,B,C,D)
```

Para traçar duas curvas de resposta ao degrau para a entrada u_1 em um diagrama e duas curvas de resposta ao degrau para a entrada u_2 em outro diagrama, podemos utilizar os comandos

step(A,B,C,D,1)

e

step(A,B,C,D,2)

respectivamente. O Programa 5.2 em Matlab é um programa para traçar duas curvas de resposta ao degrau para a entrada u_1 em um diagrama e duas curvas de resposta ao degrau para a entrada u_2 em outro diagrama. A Figura 5.19 mostra os dois diagramas, cada um constituído por duas curvas de resposta ao degrau. (Esse programa Matlab usa comandos de texto. Para tais comandos, consulte o parágrafo seguinte a este exemplo.)

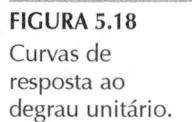

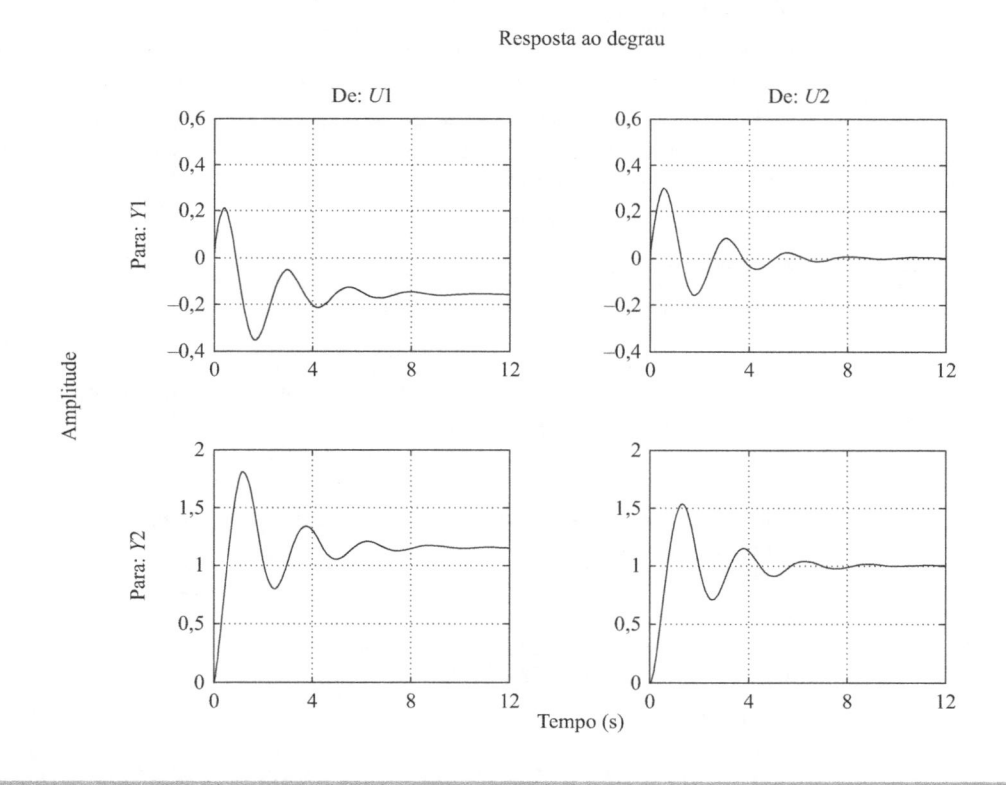

FIGURA 5.18
Curvas de resposta ao degrau unitário.

FIGURA 5.19
Curvas de resposta ao degrau unitário. (a) u_1 é a entrada ($u_2 = 0$); (b) u_2 é a entrada ($u_1 = 0$).

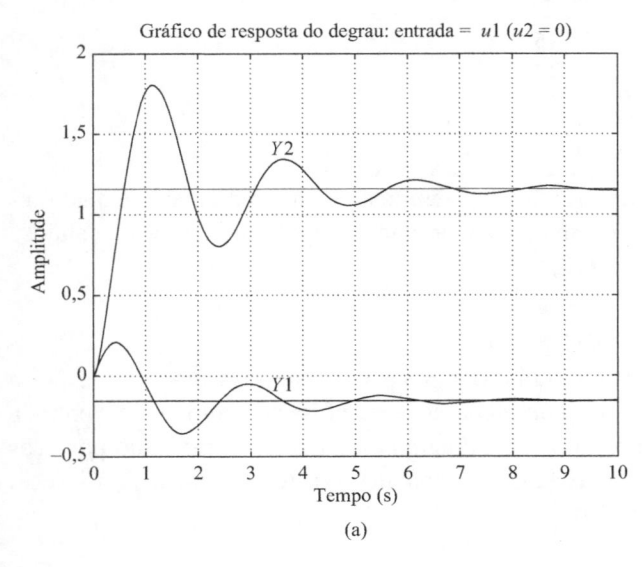

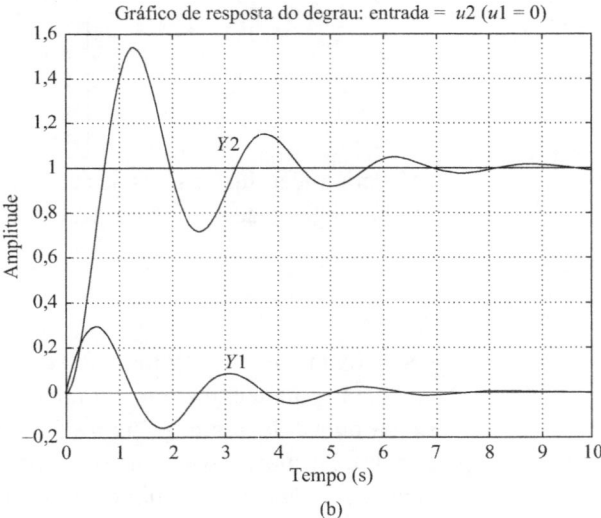

Programa 5.2 em MATLAB

```
% ***** Neste programa, desenharemos curvas de resposta em degrau para
% um sistema com duas entradas (u1 e u2) e duas saídas (y1 e y2) *****

% ***** Primeiro, desenharemos as curvas de resposta em degrau quando a
% entrada for u1. Em seguida, desenharemos as curvas de resposta em
% degrau quando a entrada for u2 *****

% ***** Entram as matrizes A, B, C e D *****

A = [-1 -1;6.5 0];
B = [1 1;1 0];
C = [1 0;0 1];
D = [0 0;0 0];

% ***** Para desenhar as curvas de resposta em degrau quando a entrada
% for u1, dê o comando 'step(ABCD1)' *****

step(A,B,C,D,1)
grid
title ('Gráficos de Resposta ao Degrau Unitário: Entrada = u1 (u2 = 0)')
text(3.4, -0.06,'Y1')
text(3.4, 1.4,'Y2')

% ***** Em seguida, desenharemos as curvas de
% resposta em degrau quando a entrada for u2. Dê
% o comando 'step(ABCD2) *****

step(A,B,C,D,2)
grid
title ('Gráficos de Resposta ao Degrau: Entrada = u2 (u1 = 0)')
text(3,0.14,'Y1')
text(2.8,1.1,'Y2')
```

Escrevendo texto nos gráficos da tela. Para escrever texto nos gráficos da tela, digite, por exemplo, os seguintes comandos:

```
text(3.4, -0.06,'Y1')
```
e
```
text(3.4,1.4,'Y2')
```

O primeiro comando informa ao computador para escrever 'Y1' começando nas coordenadas $x = 3,4$ e $y = -0,06$. Da mesma maneira, o segundo comando diz ao computador para escrever 'Y2' começando nas coordenadas $x = 3,4$ e $y = 1,4$. [Veja o Programa 5.2 em MATLAB e a Figura 5.19(a).]

Outro modo de escrever um texto no gráfico é utilizando o comando gtext. A sintaxe é:

```
gtext('text')
```

Quando o comando gtext é executado, o computador espera até o cursor ser posicionado (utilizando-se o mouse) na posição desejada na tela. Quando o botão esquerdo do mouse for pressionado, o texto entre aspas será escrito no gráfico, na posição onde está o cursor. Pode-se utilizar o comando gtext em um gráfico quantas vezes forem necessárias. (Veja, por exemplo, o Programa 5.15 em MATLAB.)

Descrição do sistema-padrão de segunda ordem com o MATLAB. Como foi mencionado anteriormente, o sistema de segunda ordem

$$G(s) = \frac{\omega_n^2}{s^2 + 2\zeta\omega_n s + \omega_n^2} \qquad (5.40)$$

é chamado sistema-padrão de segunda ordem. Dados ω_n e ζ, o comando

```
printsys(num,den)   ou   printsys(num,den,s)
```

imprime num/den como uma relação de polinômios em s.

Considere, por exemplo, o caso em que $\omega_n = 5$ rad/s e $\zeta = 0,4$. O Programa 5.3 em MATLAB gera o sistema-padrão de segunda ordem, onde $\omega_n = 5$ rad/s e $\zeta = 0,4$. Note que, no programa MATLAB 5.3, 'num 0' é 1.

```
Programa 5.3 em MATLAB

wn = 5;
damping_ratio = 0.4;
[num0,den] = ord2(wn,damping_ratio);
num = 5^2*num0;
printsys(num,den,'s')
num/den =
         25
    ─────────────
    S^2 + 4s + 25
```

Obtenção da resposta ao degrau unitário a partir da função de transferência do sistema. Consideraremos a resposta ao degrau unitário do sistema definido por:

$$G(s) = \frac{25}{s^2 + 4s + 25}$$

O Programa 5.4 em MATLAB fornecerá o gráfico da curva de resposta ao degrau unitário desse sistema. O gráfico da curva de resposta ao degrau unitário é mostrado na Figura 5.20.

FIGURA 5.20
Curva de resposta ao degrau unitário.

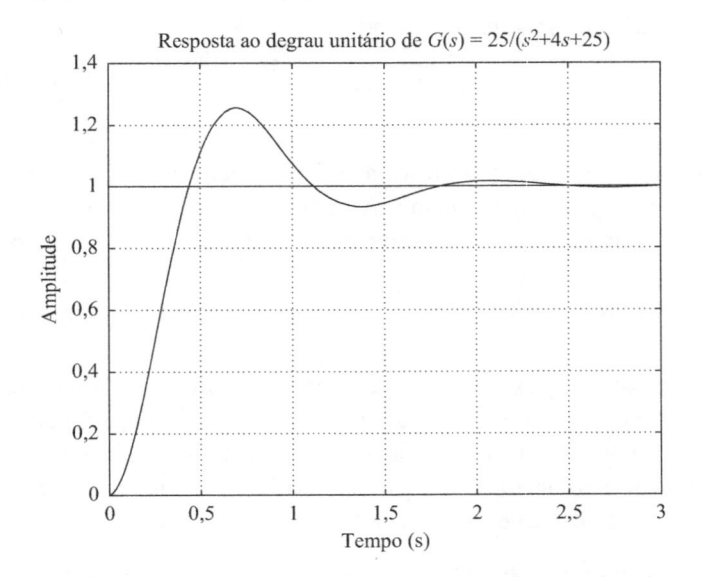

Resposta ao degrau unitário de $G(s) = 25/(s^2+4s+25)$

```
Programa 5.4 em MATLAB

% ------------- Resposta ao degrau unitário -------------
% ***** Digite o numerador e o denominador da função de transferência *****
num = [25];
den = [1 4 25];
% ***** Digite o seguinte comando de resposta ao degrau *****
step(num,den)
% ***** Digite os comandos para inserir a grade e o título do gráfico *****
grid
title (' Resposta ao Degrau Unitário de G(s) = 25/(s^2+4s+25)')
```

Note que, na Figura 5.20 (e em muitas outras), as legendas dos eixos *x* e *y* são determinadas automaticamente. Se for desejado rotular os eixos *x* e *y* de modo diferente, será necessário modificar o comando step. Por exemplo, se quisermos rotular o eixo *x* como 't (s)' e o eixo *y* como 'Saída', então deveremos utilizar os comandos de resposta ao degrau com argumentos do lado esquerdo da igualdade como:

$$c = step(num,den,t)$$

ou, mais genericamente,

$$[y,x,t] = step(num,den,t)$$

e usar o comando plot(t,y). Veja, por exemplo, o Programa 5.5 em MATLAB e a Figura 5.21.

```
Programa 5.5 em MATLAB

% ------------- Resposta ao degrau unitário -------------
num = [25];
den = [1 4 25];
t = 0:0.01:3;
[y,x,t] = step(num,den,t);
plot(t,y)
grid
title('Resposta ao Degrau Unitário de G(s)=25/s^2+4s+25)')
xlabel('t Sec')
ylabel('Output')
```

FIGURA 5.21
Curva de resposta ao degrau unitário.

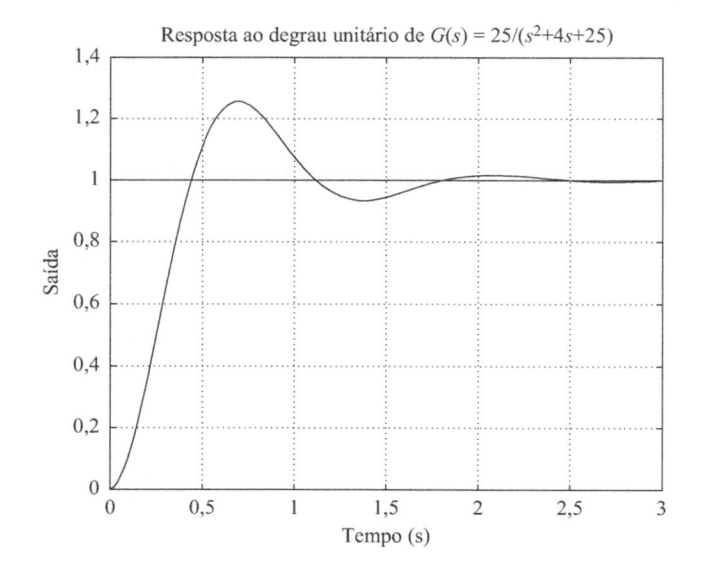

Resposta ao degrau unitário de $G(s) = 25/(s^2+4s+25)$

[Gráfico: eixo Saída de 0 a 1,4; eixo Tempo (s) de 0 a 3]

Obtenção do gráfico tridimensional das curvas de resposta ao degrau unitário com MATLAB. O MATLAB permite traçar facilmente gráficos tridimensionais. Os comandos para a obtenção de um gráfico tridimensional são 'mesh' e 'surf'. A diferença entre os gráficos 'mesh' e 'surf' é que, no primeiro, são desenhadas apenas as linhas e, no segundo, os espaços entre as linhas são preenchidos por cores. Neste livro, usamos apenas o comando 'mesh'.

Exemplo 5.4 Considere o sistema de malha fechada definido por:

$$\frac{C(s)}{R(s)} = \frac{1}{s^2 + 2\zeta s + 1}$$

(A frequência natural não amortecida ω_n foi normalizada para 1.) Trace as curvas de resposta ao degrau unitário $c(t)$ quando ζ assumir os seguintes valores:

$$\zeta = 0;\ 0{,}2;\ 0{,}4;\ 0{,}6;\ 0{,}8;\ 1{,}0$$

Trace também um gráfico tridimensional.

Um programa em MATLAB ilustrativo para gerar um diagrama bidimensional e um gráfico tridimensional das curvas de resposta ao degrau unitário desse sistema de segunda ordem é o Programa 5.6 em MATLAB. Os gráficos resultantes são mostrados nas figuras 5.22(a) e (b), respectivamente. Observe que usamos o comando mesh(t,zeta,y') para o gráfico tridimensional. Podemos usar um comando mesh(y') para obter o mesmo resultado. [Note que o comando mesh(t,zeta,y) ou mesh(y) produzirá um gráfico tridimensional igual ao da Figura 5.22(b), mas com os eixos *x* e *y* permutados. Veja o Problema A.5.15.]

Quando queremos resolver um problema usando o MATLAB e se o processo de solução implica muitos cálculos repetitivos, várias abordagens podem ser concebidas para simplificar o programa. Uma abordagem frequentemente utilizada para simplificar os cálculos é 'for loops'. O Programa 5.6 em MATLAB usa um 'for loop'. Neste livro, muitos programas em MATLAB diferentes que utilizam 'for loops' são apresentados para a solução de vários problemas. Aconselha-se ao leitor estudar atentamente esses problemas e familiarizar-se com a abordagem.

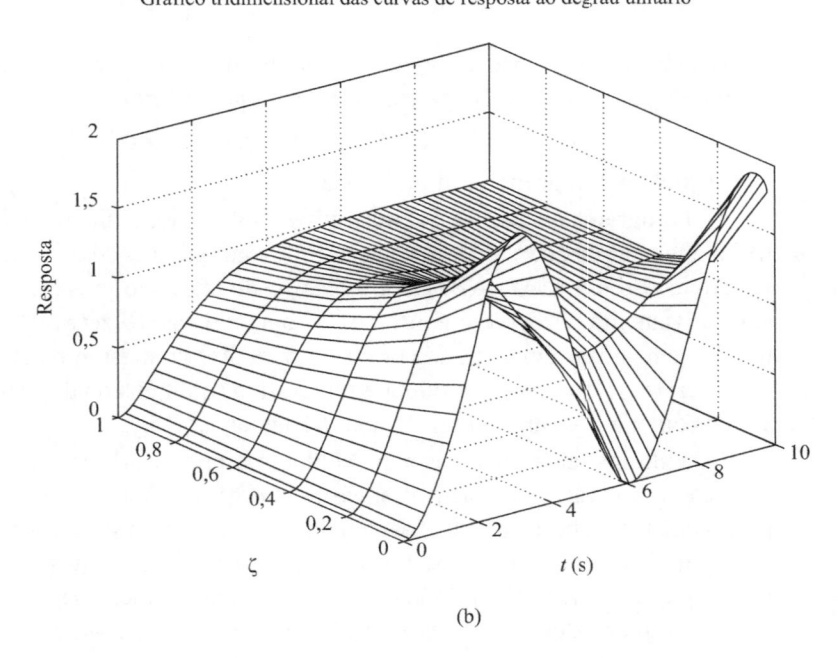

FIGURA 5.22
(a) Gráfico bidimensional das curvas de resposta ao degrau unitário para $\zeta = 0$; 0,2; 0,4; 0,6; 0,8 e 1,0.
(b) gráfico tridimensional das curvas de resposta ao degrau unitário.

Gráfico das curvas de resposta ao degrau unitário com $\omega_n = 1$ e $\zeta = 0$; 0,2; 0,4; 0,6; 0,8; 1

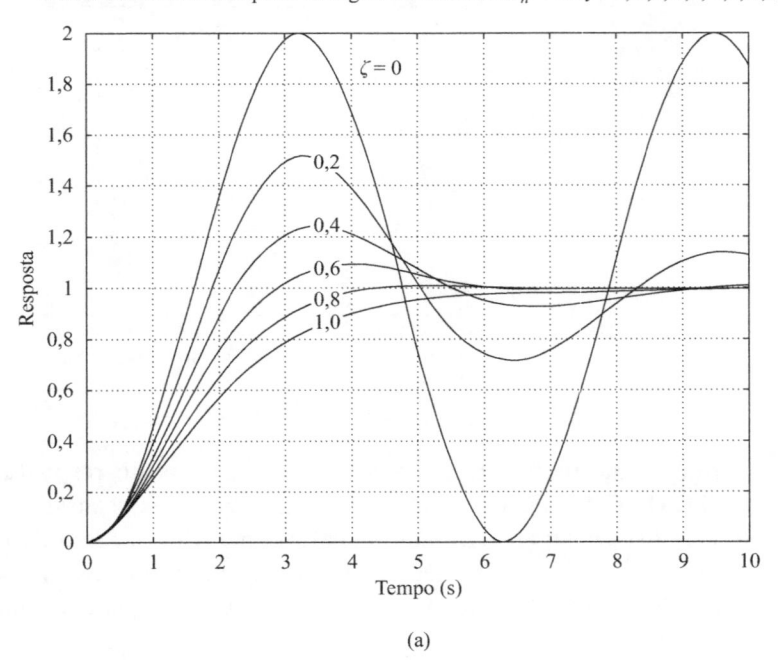

(a)

Gráfico tridimensional das curvas de resposta ao degrau unitário

(b)

```
Programa 5.6 em MATLAB
```
```
% ------- Gráficos bidimensional e tridimensional das curvas de resposta
% ao degrau unitário para um sistema padrão de segunda ordem com wn = 1
% e zeta = 0, 0.2, 0.4, 0.6, 0.8 e 1. -------

t = 0:0.2:10;
zeta = [0 0.2 0.4 0.6 0.8 1];
    for n = 1:6;
    num = [1];
    den = [1 2*zeta(n) 1];
    [y(1:51,n),x,t] = step(num,den,t);
    end

% Para gerar o diagrama bidimensional utilize o comando plot(t,y).

plot(t,y)
grid
title('Gráfico das Curvas de Resposta ao Degrau com \omega_n = 1 and \
zeta = 0, 0.2, 0.4, 0.6, 0.8, 1')
xlabel('t (sec)')
ylabel('Resposta')
text(4.1,1.86,'\zeta = 0')
text(3.5,1.5,'0.2')
text(3 .5,1.24,'0.4')
text(3.5,1.08,'0.6')
text(3.5,0.95,'0.8')
text(3.5,0.86,'1.0')

% Para gerar o gráfico tridimensional, utilize o comando mesh(t,zeta,y').

mesh(t,zeta,y')
title('Gráfico Tridimensional das Curvas de Resposta ao Degrau Unitário')
xlabel('t Sec')
ylabel('\zeta')
zlabel('Resposta')
```

Obtenção do tempo de subida, tempo de pico, máximo sobressinal e tempo de acomodação com o MATLAB. O MATLAB pode ser convenientemente utilizado para obter o tempo de subida, o tempo de pico, o máximo sobressinal e o tempo de acomodação. Considere o sistema definido por:

$$\frac{C(s)}{R(s)} = \frac{25}{s^2 + 6s + 25}$$

O Programa 5.7 em MATLAB calcula o tempo de subida, o tempo de pico, o máximo sobressinal e o tempo de acomodação. Uma curva de resposta para esse sistema é mostrada na Figura 5.23 para verificação dos resultados obtidos pelo Programa 5.7 em MATLAB. (Note que esse programa também pode ser aplicado a sistemas de ordem superior. Veja o Problema A.5.10.)

FIGURA 5.23
Curva de resposta ao degrau unitário.

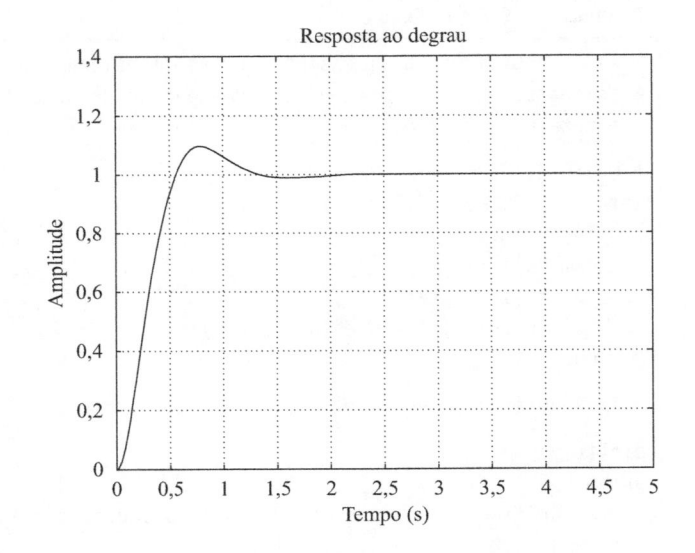

Resposta ao degrau

```
Programa 5.7 em MATLAB
```

```
% ------- Este é um programa em MATLAB para determinar o
% tempo de subida, o tempo de pico, o máximo sobressinal e
% o tempo de acomodação de um sistema de segunda ordem e de
% um sistema de ordem superior -------

% ------- Neste exemplo, admitimos que zeta = 0.6 e wn = 5 -------

num = [25];
den = [1 6 25];
t = 0:0.005:5;
[y,x,t] = step(num,den,t);
r = 1; while y(r) < 1.0001; r = r + 1; end;
rise_time = (r - 1)*0.005
rise_time = 0.5550

[ymax,tp] = max(y);
peak_time = (tp - 1)*0.005
peak_time = 0.7850

max_overshoot = ymax-1
max_overshoot = 0.0948

s = 1001; while y(s) > 0.98 & y(s) < 1.02; s = s - 1; end;
settling_time = (s - 1)*0.005
settling_time = 1.1850
```

Resposta ao impulso. A resposta ao impulso unitário de um sistema de controle pode ser obtida pelo uso de um dos seguintes comandos do MATLAB:

$$\text{impulse(num,den)}$$
$$\text{impulse(A,B,C,D)}$$
$$[y,x,t] = \text{impulse(num,den)}$$
$$[y,x,t] = \text{impulse(num,den,t)} \tag{5.41}$$
$$[y,x,t] = \text{impulse(A,B,C,D)}$$
$$[y,x,t] = \text{impulse(A,B,C,D,iu)} \tag{5.42}$$
$$[y,x,t] = \text{impulse(A,B,C,D,iu,t)} \tag{5.43}$$

O comando `impulse(num,den)` traça a curva de resposta ao impulso unitário na tela. O comando `impulse(A,B,C,D)` produz uma série de gráficos de curvas de resposta ao impulso unitário, uma para cada combinação de entrada e saída do sistema

$$\dot{x} = Ax + Bu$$

$$y = Cx + Du$$

Observe que, nas equações 5.42 e 5.43, o escalar `iu` é um índice nas entradas do sistema e especifica qual a entrada a ser utilizada para a resposta ao impulso.

Note também que, se o comando usado não inclui explicitamente 't', o vetor tempo é determinado automaticamente. Se o comando incluir o vetor 't' fornecido pelo usuário, como os comandos dados nas equações 5.41 e 5.43, esse vetor especifica os instantes de tempo nos quais se deseja que a resposta ao impulso seja calculada.

Se um comando do MATLAB for escrito com o argumento `[y,x,t]`, do lado esquerdo da igualdade, como no caso em que `[y,x,t] = impulse(A,B,C,D)`, esse comando retornará as saídas, as respostas de estado do sistema e o vetor de tempo t. Nenhum gráfico é desenhado na tela. As matrizes y e x contêm os valores das saídas e das respostas de estado do sistema calculadas para os elementos nos pontos de tempo t. (y tem tantas colunas quantas forem as saídas e uma linha para cada elemento em t; x tem tantas colunas quantas forem as variáveis de estado e uma linha para cada elemento em t.) Para traçar a curva de resposta, temos de incluir um comando plot, por exemplo, `plot(t,y)`.

Exemplo 5.5 Obtenha a resposta ao impulso unitário do seguinte sistema:

$$\frac{C(s)}{R(s)} = G(s) = \frac{1}{s^2 + 0,2s + 1}$$

O Programa 5.8 em MATLAB produzirá a resposta ao impulso unitário. A Figura 5.24 mostra o gráfico resultante.

```
Programa 5.8 em MATLAB

num = [1];
den = [1 0.2 1];
impulse(num,den);
grid
title('Resposta ao impulso unitário de G(s) = 1/(s^2 + 0.2s + 1)')
```

FIGURA 5.24
Curva de resposta ao impulso unitário.

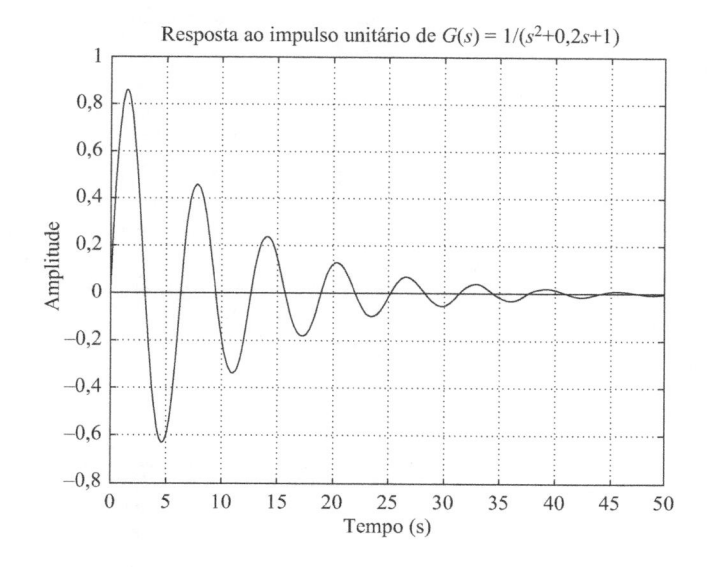

Método alternativo para obter resposta ao impulso. Note que, quando as condições iniciais são nulas, a resposta ao impulso unitário de $G(s)$ é a mesma que a resposta ao degrau unitário de $sG(s)$.

Considere a resposta ao impulso unitário do sistema apresentado no Exemplo 5.5. Como $R(s) = 1$ para a entrada em impulso unitário, temos:

$$\frac{C(s)}{R(s)} = C(s) = G(s) = \frac{1}{s^2 + 0,2s + 1}$$

$$= \frac{s}{s^2 + 0,2s + 1} \cdot \frac{1}{s}$$

Assim, podemos converter a resposta ao impulso unitário de $G(s)$ na resposta ao degrau unitário de $sG(s)$.

Se digitarmos os seguintes valores de num e den no MATLAB,

num = [0 1 0]
den = [1 0.2 1]

e utilizarmos o comando de resposta ao degrau; como indicado no Programa 5.9 em MATLAB, obteremos uma curva de resposta ao impulso unitário do sistema, como mostra a Figura 5.25.

Programa 5.9 em MATLAB

```
num = [1 0];
den = [1 0.2 1];
step(num,den);
grid
title('Resposta ao Degrau Unitário de sG(s) = s/(s^2 + 0.2s + 1)')
```

Resposta à rampa. Não existe um comando específico para rampa no MATLAB. Assim, é necessário utilizar o comando degrau ou o comando lsim (que será visto adiante) para obter a resposta à rampa. Especificamente, para obter a resposta à rampa do sistema de função de transferência $G(s)$, divide-se $G(s)$ por s e utiliza-se o comando para a resposta ao degrau. Por exemplo, considere o sistema de malha fechada

$$\frac{C(s)}{R(s)} = \frac{2s + 1}{s^2 + s + 1}$$

FIGURA 5.25
Curva de resposta ao impulso unitário obtida como a resposta ao degrau unitário de $sG(s) = s/(s^2 + 0,2s + 1)$.

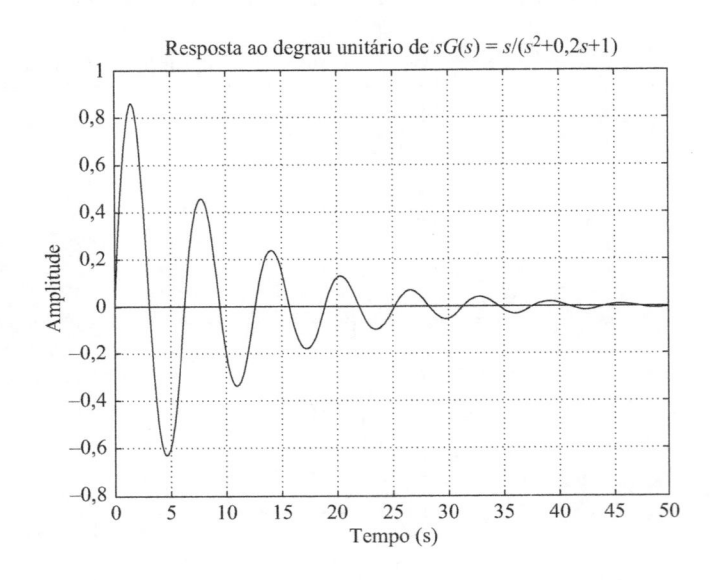

Para uma entrada em rampa unitária, $R(s) = 1/s^2$. Então,

$$C(s) = \frac{2s+1}{s^2+s+1} \frac{1}{s^2} = \frac{2s+1}{(s^2+s+1)s} \frac{1}{s}$$

Para obter a resposta desse sistema à rampa unitária, digite os seguintes valores de numerador e denominador no programa em MATLAB:

num = [2 1];
den = [1 1 1 0];

e utilize o comando de resposta ao degrau. Veja o Programa 5.10 em MATLAB. O gráfico que resulta do processamento do programa é mostrado na Figura 5.26.

```
Programa 5.10 em MATLAB

% --------------- Resposta à rampa unitária ---------------
% ***** A resposta à rampa unitária é obtida como a resposta ao degrau unitário de
% G(s)/s *****
% ***** Digite o numerador e o denominador de G(s)/s *****
num = [2 1];
den = [1 1 1 0];
% ***** Especifique os instantes de tempo para o cálculo (tais como t = 0:0.1:10)
% e então digite o comando de resposta ao degrau: c = step(num,den,t) *****
t = 0:0.1:10;
c = step(num,den,t);
% ***** No gráfico da curva de resposta à rampa, adicione a referência.
% A entrada de referência é t. Acrescente ao argumento do comando
% plot o seguinte: t,t,'-'. Assim o comando plot fica como a seguir:
% plot(t,c,'o',t,t,'-') *****
plot(t,c,'o',t,t,'-')
% ***** Acrescente grade, título, xlabel e ylabel *****
grid
title('Curva de Resposta à Rampa Unitária para o Sistema G(s) = (2s + 1)/(s^2 + s + 1)')
xlabel('t s')
ylabel('Entrada e Saída')
```

FIGURA 5.26
Curva de resposta em rampa unitária.

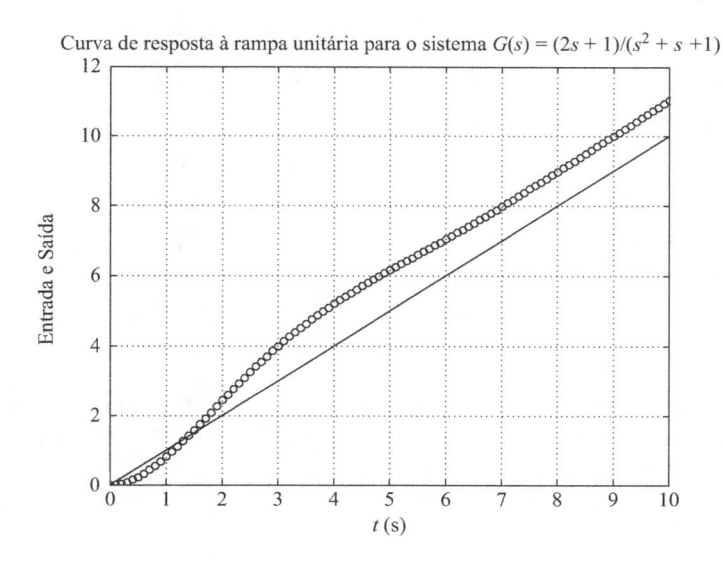

Resposta à rampa unitária de um sistema definido no espaço de estados. A seguir, trataremos da resposta à rampa unitária do sistema no modelo de espaço de estados. Considere o sistema definido por:

$$\dot{\mathbf{x}} = \mathbf{A}\mathbf{x} + \mathbf{B}u$$

$$y = \mathbf{C}\mathbf{x} + Du$$

onde u é a função rampa unitária. A seguir, apresentaremos um exemplo simples para explicar o método. Considere o caso em que

$$\mathbf{A} = \begin{bmatrix} 0 & 1 \\ -1 & -1 \end{bmatrix}, \quad \mathbf{B} = \begin{bmatrix} 0 \\ 1 \end{bmatrix}, \quad \mathbf{x}(0) = \mathbf{0}$$

$$\mathbf{C} = [1 \ 0], \quad D = [0]$$

Quando as condições iniciais forem nulas, a resposta à rampa unitária será a integral da resposta ao degrau unitário. Então, a resposta à rampa unitária pode ser dada por:

$$z = \int_0^t y \, dt \tag{5.44}$$

A partir da Equação 5.44, obtemos:

$$\dot{z} = y = x_1 \tag{5.45}$$

Vamos definir

$$z = x_3$$

Então, a Equação 5.45 torna-se:

$$\dot{x}_3 = x_1 \tag{5.46}$$

Combinando a Equação 5.46 com a equação original do espaço de estados, obtemos:

$$\begin{bmatrix} \dot{x}_1 \\ \dot{x}_2 \\ \dot{x}_3 \end{bmatrix} = \begin{bmatrix} 0 & 1 & 0 \\ -1 & -1 & 0 \\ 1 & 0 & 0 \end{bmatrix} \begin{bmatrix} x_1 \\ x_2 \\ x_3 \end{bmatrix} + \begin{bmatrix} 0 \\ 1 \\ 0 \end{bmatrix} u \tag{5.47}$$

$$z = [0 \ 0 \ 1] \begin{bmatrix} x_1 \\ x_2 \\ x_3 \end{bmatrix} \tag{5.48}$$

onde u aparece na Equação 5.47 como a função de degrau unitário. Essas equações podem ser escritas como:

$$\dot{\mathbf{x}} = \mathbf{A}\mathbf{A}\mathbf{x} + \mathbf{B}\mathbf{B}u$$

$$z = \mathbf{C}\mathbf{C}\mathbf{x} + DDu$$

onde

$$\mathbf{AA} = \begin{bmatrix} 0 & 1 & 0 \\ -1 & -1 & 0 \\ 1 & 0 & 0 \end{bmatrix} = \begin{bmatrix} \mathbf{A} & | & 0 \\ & & 0 \\ \mathbf{C} & | & 0 \end{bmatrix}$$

$$\mathbf{BB} = \begin{bmatrix} 0 \\ 1 \\ 0 \end{bmatrix} = \begin{bmatrix} \mathbf{B} \\ 0 \end{bmatrix}, \quad \mathbf{CC} = [0 \ 0 \ 1], \quad DD = [0]$$

Note que x_3 é o terceiro elemento de $\mathbf{x}$. Um gráfico da curva de resposta à rampa unitária $z(t)$ pode ser obtido executando o Programa 5.11 em MATLAB. Um gráfico da curva de resposta à rampa unitária obtida como resultado desse programa em MATLAB é mostrado na Figura 5.27.

FIGURA 5.27
Curva de resposta à rampa unitária.

Resposta à rampa unitária

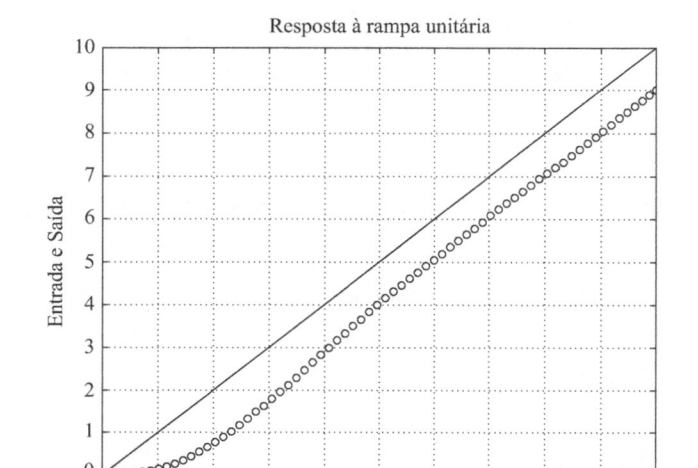

```
Programa 5.11 em MATLAB
```

```
% --------------- Resposta à rampa unitária ---------------

% ***** A resposta à rampa unitária é obtida pela adição de uma
% nova variável de estado x3. A dimensão da equação de estado
% é acrescida de 1 *****

% ***** Digite as matrizes A, B, C e D das equações originais
% de estado e de saída *****

A = [0 1;-1 -1];
B = [0; 1];
C = [1 0];
D = [0];

% ***** Digite as matrizes AA, BB, CC e DD das novas,
% equações de estado e de saída aumentados *****

AA = [A zeros(2,1);C 0];
BB = [B;0];
CC = [0 0 1];
DD = [0];

% ***** Digite o comando de resposta ao degrau: [z,x,t] = step(AA,BB,CC,DD) *****

[z,x,t] = step(AA,BB,CC,DD);

% ***** No gráfico x3, adicione a entrada em rampa unitária t
% digitando o seguinte comando: plot(t,x3,'o',t,t,'-') *****

x3 = [0 0 1]*x'; plot(t,x3,'o',t,t,'-')
grid
title('Resposta à Rampa Unitária')
xlabel('t (s)')
ylabel('Entrada e Saída')
```

Obtenção da resposta a uma entrada arbitrária. Para obter a resposta a uma entrada arbitrária, pode-se utilizar o comando lsim. Os comandos como:

$$\text{lsim(num,den,r,t)}$$
$$\text{lsim(A,B,C,D,u,t)}$$
$$y = \text{lsim(num,den,r,t)}$$
$$y = \text{lsim(A,B,C,D,u,t)}$$

gerarão a resposta a uma entrada em função do tempo, r ou u. Veja os dois exemplos a seguir. (Veja também os problemas A.5.14 a A.5.16.)

Exemplo 5.6 Utilizando o comando lsim, obtenha a resposta à rampa unitária do seguinte sistema:

$$\frac{C(s)}{R(s)} = \frac{2s+1}{s^2+s+1}$$

Podemos obter a resposta à rampa unitária por meio do Programa 5.12 em MATLAB. A Figura 5.28 mostra o gráfico resultante.

```
Programa 5.12 em MATLAB

% ------- Resposta à rampa -------
num = [2 1];
den = [1 1 1];
t = 0:0.1:10;
r = t;
y = lsim(num,den,r,t);
plot(t,r,'-',t,y,'o')
grid
title('Resposta à Rampa Unitária Obtida com o Uso do Comando "lsim"')
xlabel('t (s)')
ylabel('Entrada e Saída do sistema')
text(6.3,4.6,'Entrada em Rampa Unitária')
text(4.75,9.0,'Saída')
```

FIGURA 5.28
Resposta à rampa unitária.

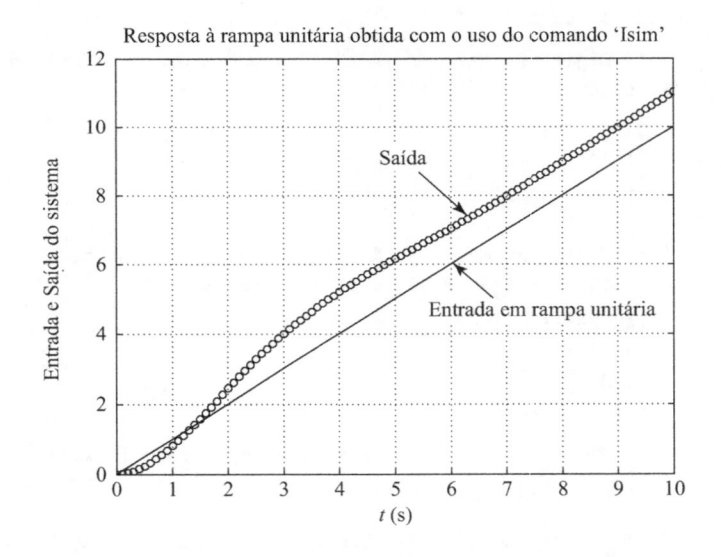

Exemplo 5.7 Considere o sistema

$$\begin{bmatrix} \dot{x}_1 \\ \dot{x}_2 \end{bmatrix} = \begin{bmatrix} -1 & 0{,}5 \\ -1 & 0 \end{bmatrix} \begin{bmatrix} x_1 \\ x_2 \end{bmatrix} + \begin{bmatrix} 0 \\ 1 \end{bmatrix} u$$

$$y = \begin{bmatrix} 1 & 0 \end{bmatrix} \begin{bmatrix} x_1 \\ x_2 \end{bmatrix}$$

Utilizando o MATLAB, obtenha as curvas de resposta $y(t)$ quando a entrada u é dada por:
1. u = entrada em degrau unitário
2. $u = e^{-t}$

Suponha que o estado inicial seja $\mathbf{x}(0) = \mathbf{0}$.

Uma opção do programa em MATLAB para produzir as curvas de resposta desse sistema para a entrada em degrau unitário [$u = 1\ (t)$] e a entrada exponencial [$u = e^{-t}$] é mostrada no Programa 5.13 em MATLAB. As curvas de resposta resultantes são apresentadas nas figuras 5.29(a) e (b), respectivamente.

Programa 5.13 em MATLAB
```
t = 0:0.1:12;
A = [-1 0.5;-1 0];
B = [0;1];
C = [1 0];
D = [0];
% Para a entrada em degrau unitário u = 1(t),
% utilize o comando 'y = step(A,B,C,D,1,t)'.
y = step(A,B,C,D,1,t);
plot(t,y)
grid
title('Resposta ao Degrau Unitário')
xlabel('t (s)')
ylabel('Saída')
% Para a resposta à ebtrada exponencial
% u = exp(-t), utilize o comando
% 'z = lsim(A,B,C,D,u,t)' .
u = exp(-t);
z = lsim(A,B,C,D,u,t);
plot(t,u,'-',t,z,'o')
grid
title('Resposta à Entrada Exponencial u = exp(-t)')
xlabel('t (s)')
ylabel('Entrada Exponencial e Saída do sistema')
text(2.3,0.49,'Entrada Exponencial')
text(6.4,0.28,'Saída')
```

Resposta à condição inicial. A seguir, serão apresentados alguns métodos para a obtenção de resposta a uma condição inicial. Os comandos que podem ser utilizados são 'step' ou 'initial'. Veremos primeiro um método para obter a resposta a uma condição inicial utilizando um exemplo simples. Depois, discutiremos a resposta a uma condição inicial quando o sistema está representado na forma de espaço de estados. Por fim, apresentaremos um comando inicial para obter a resposta de dado sistema definido em um espaço de estados.

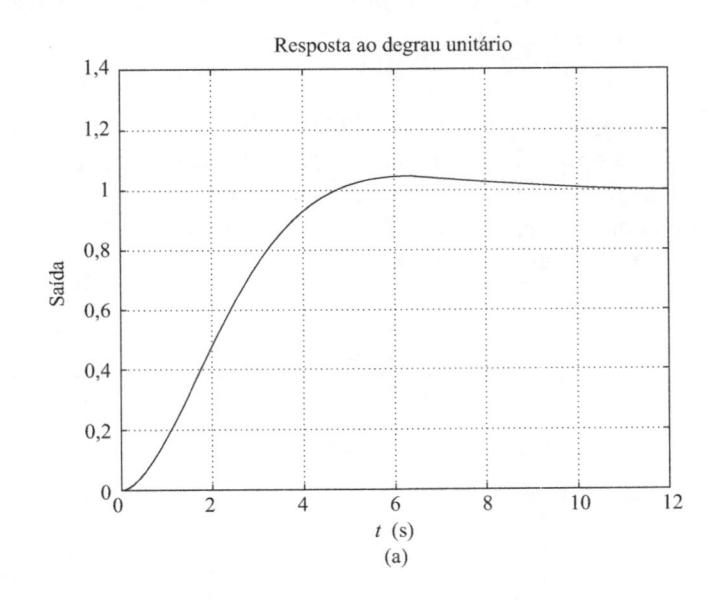

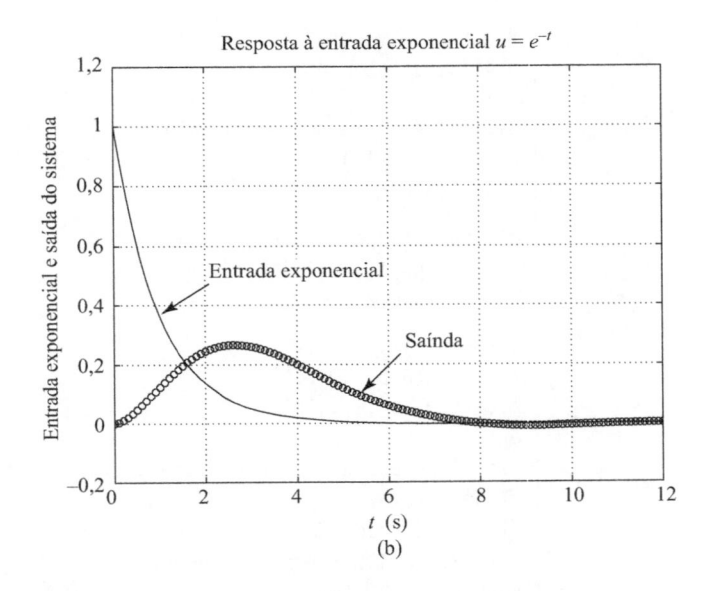

FIGURA 5.29
(a) Resposta ao degrau unitário;
(b) resposta à entrada $u = e^{-t}$.

Resposta ao degrau unitário (gráfico (a))

Resposta à entrada exponencial $u = e^{-t}$ (gráfico (b)), mostrando Entrada exponencial e Saída.

Exemplo 5.8 Considere o sistema mecânico mostrado na Figura 5.30, onde $m = 1$ kg, $b = 3$ N-s/m e $k = 2$ N/m. Suponha que em $t = 0$ a massa m seja puxada para baixo, de modo que $x(0) = 0,1$ m e $\dot{x}(0) = 0,05$ m/s. O deslocamento $x(t)$ é medido a partir da posição de equilíbrio antes que a massa seja puxada para baixo. Obtenha o movimento da massa sujeita à condição inicial. (Considere a inexistência de uma força externa.)

A equação do sistema é:

$$m\ddot{x} + b\dot{x} + kx = 0$$

com as condições iniciais $x(0) = 0,1$ m e $\dot{x}(0) = 0,05$ m/s (x é medido a partir da posição de equilíbrio.) A transformada de Laplace da equação do sistema resulta em:

$$m[s^2X(s) - sx(0) - \dot{x}(0)] + b[sX(s) - x(0)] + kX(s) = 0$$

ou

$$(ms^2 + bs + k)X(s) = mx(0)s + m\dot{x}(0) + bx(0)$$

Resolvendo essa última equação para $X(s)$ e substituindo os valores numéricos dados, obtemos:

FIGURA 5.30
Sistema mecânico.

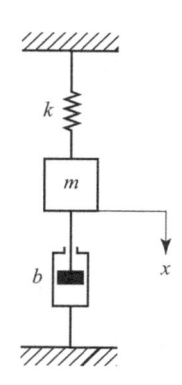

$$X(s) = \frac{mx(0)s + m\dot{x}(0) + bx(0)}{ms^2 + bs + k}$$

$$= \frac{0,1s + 0,35s}{s^2 + 3s + 2}$$

Essa equação pode ser escrita como segue:

$$X(s) = \frac{0,1s^2 + 0,35s}{s^2 + 3s + 2} \frac{1}{s}$$

Então, o movimento da massa *m* pode ser obtido como a resposta ao degrau unitário do seguinte sistema:

$$G(s) = \frac{0,1s^2 + 0,35s}{s^2 + 3s + 2}$$

O Programa 5.14 em MATLAB fornecerá o gráfico do movimento da massa. O gráfico é mostrado na Figura 5.31.

```
Programa 5.14 em MATLAB

% --------------- Resposta à condição inicial ---------------
% ***** A resposta do sistema à condição inicial é convertida
% a uma resposta ao degrau unitário modificando-se o polinômio
% do numerador *****

% ***** Digite o numerador e o denominador da função de
% transferência G(s) *****
num = [0.1 0.35 0];
den = [1 3 2];

% ***** Digite o comando de resposta ao degrau a seguir *****
step(num,den)

% ***** Insira a grade e o título do gráfico *****
grid
title('Resposta do sistema Massa-Mola-Amortecedor à Condição Inicial')
```

FIGURA 5.31
Resposta do sistema mecânico considerado no Exemplo 5.8.

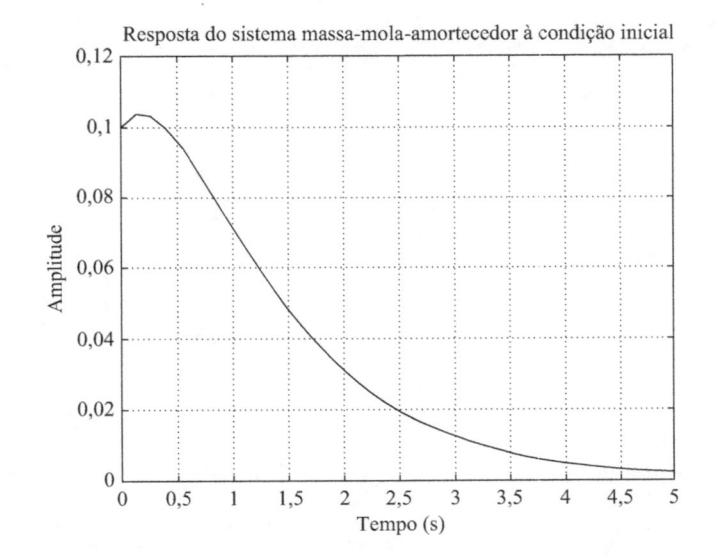

Resposta do sistema massa-mola-amortecedor à condição inicial

Resposta à condição inicial (enfoque no espaço de estados, caso 1). Considere o sistema definido por:

$$\dot{\mathbf{x}} = \mathbf{A}\mathbf{x}, \quad \mathbf{x}(0) = \mathbf{x}_0 \tag{5.49}$$

Vamos obter a resposta $\mathbf{x}(t)$ quando a condição inicial $\mathbf{x}(0)$ for especificada. Suponha que não exista entrada de forças externas que atuem sobre esse sistema. Suponha também que $\mathbf{x}$ seja um vetor de ordem n.

Primeiro, obtenha as transformadas de Laplace de ambos os lados da Equação 5.49.

$$s\mathbf{X}(s) - \mathbf{x}(0) = \mathbf{A}\mathbf{X}(s)$$

A equação pode ser escrita como:

$$s\mathbf{X}(s) = \mathbf{A}\mathbf{X}(s) + \mathbf{x}(0) \tag{5.50}$$

Considerando a transformada inversa de Laplace da Equação 5.50, temos:

$$\dot{\mathbf{x}} = \mathbf{A}\mathbf{x} + \mathbf{x}(0) + \delta(t) \tag{5.51}$$

(Note que, ao obter inicialmente a transformada de Laplace de uma equação diferencial e, depois, considerar a transformada inversa de Laplace dessa equação transformada, geramos uma equação diferencial que envolve a condição inicial.)

Agora, defina

$$\dot{\mathbf{z}} = \mathbf{x} \tag{5.52}$$

Então, a Equação 5.51 pode ser escrita como:

$$\ddot{\mathbf{z}} = \mathbf{A}\dot{\mathbf{z}} + \mathbf{x}(0) + \delta(t) \tag{5.53}$$

Integrando a Equação 5.53 em relação a t, obtemos:

$$\dot{\mathbf{z}} = \mathbf{A}\mathbf{z} + \mathbf{x}(0)1(t) = \mathbf{A}\mathbf{z} + \mathbf{B}u \tag{5.54}$$

onde

$$\mathbf{B} = \mathbf{x}(0), \quad u = 1(t)$$

Referindo-se à Equação 5.52, o estado $\mathbf{x}(t)$ é dado por $\mathbf{z}(t)$. Assim,

$$\mathbf{x} = \dot{\mathbf{z}} = \mathbf{A}\mathbf{z} + \mathbf{B}u \tag{5.55}$$

A solução das equações 5.54 e 5.55 fornece a resposta à condição inicial.

Em resumo, a resposta da Equação 5.49 à condição inicial $\mathbf{x}(0)$ é obtida resolvendo-se as seguintes equações no espaço de estados:

$$\dot{z} = Az + Bu$$

$$x = Az + Bu$$

onde

$$B = x(0), \quad u = 1(t)$$

Os comandos do MATLAB para obter as curvas de resposta, onde não especificamos o vetor de tempo t (isto é, deixamos o vetor de tempo ser determinado automaticamente pelo MATLAB) são dados a seguir:

```
% Especificar matrizes A e B
[x,z,t] = step(A,B,A,B);
    x1 = [1 0 0 ... 0]*x';
    x2 = [0 1 0 ... 0]*x';
              ⋮
    xn = [0 0 0 ... 1]*x';
    plot(t,x1,t,x2, ... ,t,xn)
```

Se escolhermos o vetor de tempo t (por exemplo, considere que o intervalo de tempo no cálculo seja de `t = 0` a `t = tp`, com o incremento de cálculo de Δt), então usaremos os seguintes comandos MATLAB:

```
t = 0: Δt: tp;
% Especificar matrizes A e B
[x,z,t] = step(A,B,A,B,1,t);
    x1 = [1 0 0 ... 0]*x';
    x2 = [0 1 0 ... 0]*x';
              ⋮
    xn = [0 0 0 ... 1]*x';
    plot(t,x1,t,x2, ... ,t,xn)
```

(Veja, o Exemplo 5.9.)

Resposta à condição inicial (enfoque no espaço de estados, caso 2). Considere o sistema definido por:

$$\dot{x} = Ax, \quad x(0) = x_0 \tag{5.56}$$

$$y = Cx \tag{5.57}$$

(Suponha que x seja um vetor de ordem n e que y seja um vetor de ordem m.)

Da mesma maneira que o caso 1, definindo

$$\dot{z} = x$$

podemos obter a seguinte equação:

$$\dot{z} = Az + x(0)1(t) = Az + Bu \tag{5.58}$$

onde

$$B = x(0), \quad u = 1(t)$$

Observando que $x = \dot{z}$, a Equação 5.57 pode ser escrita como:

$$y = C\dot{z} \tag{5.59}$$

Substituindo a Equação 5.58 na Equação 5.59, obtemos:

$$y = C(Az + Bu) = CAz + CBu \tag{5.60}$$

A solução das equações 5.58 e 5.60, reescritas aqui

$$\dot{z} = Az + Bu$$

$$y = CAz + CBu$$

onde $B = x(0)$ e $u = 1(t)$ fornecem a resposta do sistema para dada condição inicial. Os comandos do MATLAB para a obtenção das curvas de resposta (curvas de saída y1 *versus* t, y2 *versus* t, ... , ym *versus* t) são mostrados a seguir para dois casos:

<u>Caso A.</u> Quando o vetor de tempo t não é especificado (ou seja, o vetor de tempo t deverá ser determinado automaticamente pelo MATLAB):

```
% Especificar matrizes A, B e C
[y,z,t] = step(A,B,C*A,C*B);
    y1 = [1 0 0 ... 0]*y';
    y2 = [0 1 0 ... 0]*y';
                ⋮
    ym = [0 0 0 ... 1]*y';
plot(t,y1,t,y2, ... ,t,ym)
```

<u>Caso B.</u> Quando o vetor de tempo t é especificado:

```
t = 0: Δt: tp;
% Especificar matrizes A, B e C
[y,z,t] = step(A,B,C*A,C*B,1,t)
    y1 = [1 0 0 ... 0]*y';
    y2 = [0 1 0 ... 0]*y';
                ⋮
    ym = [0 0 0 ... 1]*y';
plot(t,y1,t,y2, ... ,t,ym)
```

Exemplo 5.9 Obtenha a resposta do sistema submetido à dada condição inicial:

$$\begin{bmatrix} \dot{x}_1 \\ \dot{x}_2 \end{bmatrix} = \begin{bmatrix} 0 & 1 \\ -10 & -5 \end{bmatrix} \begin{bmatrix} x_1 \\ x_2 \end{bmatrix}, \quad \begin{bmatrix} x_1(0) \\ x_2(0) \end{bmatrix} = \begin{bmatrix} 2 \\ 1 \end{bmatrix}$$

ou

$$\dot{x} = Ax, \quad x(0) = x_0$$

Obter a resposta do sistema à dada condição inicial vem a ser o mesmo que obter a resposta ao degrau unitário do seguinte sistema:

$$\dot{z} = Az + Bu$$

$$x = Az + Bu$$

onde

$$B = x(0), \quad u = 1(t)$$

Então, uma opção do programa em MATLAB para obter a resposta é o Programa 5.15 em MATLAB. As curvas de resposta resultantes são mostradas na Figura 5.32.

FIGURA 5.32
Resposta do sistema do Exemplo 5.9 à condição inicial.

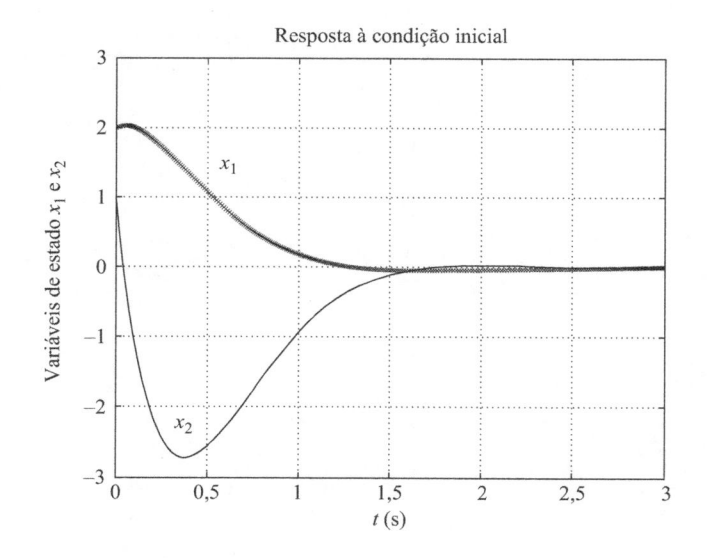

```
Programa 5.15 em MATLAB
```
```
t = 0:0.01:3;
A = [0 1;-10 -5];
B = [2;1];
[x,z,t] = step(A,B,A,B,1,t);
x1 = [1 0]*x';
x2 = [0 1]*x';
plot(t,x1,'x',t,x2,'-')
grid
title('Resposta à Condição Inicial')
xlabel('t (s)')
ylabel('Variáveis de Estado x1 e x2')
gtext('x1')
gtext('x2')
```

Para um exemplo ilustrativo de como usar as equações 5.58 e 5.60 para encontrar a resposta à condição inicial, veja o Problema A.5.16.

Obtenção da resposta à condição inicial pelo uso do comando inicial. Se o sistema for definido no espaço de estados, então o comando

$$\text{initial(A,B,C,D,[initial condition],t)}$$

produzirá a resposta à condição inicial.

Considerando o sistema definido por:

$$\dot{\mathbf{x}} = \mathbf{A}\mathbf{x} + \mathbf{B}u, \quad \mathbf{x}(0) = \mathbf{x}_0$$
$$y = \mathbf{C}\mathbf{x} + Du$$

onde

$$\mathbf{A} = \begin{bmatrix} 0 & 1 \\ -10 & -5 \end{bmatrix}, \quad \mathbf{B} = \begin{bmatrix} 0 \\ 0 \end{bmatrix}, \quad \mathbf{C} = [0 \ 0], \quad D = 0$$

$$\mathbf{x}_0 = \begin{bmatrix} 2 \\ 1 \end{bmatrix}$$

então o comando 'initial' pode ser utilizado como mostra o Programa 5.16 em MATLAB para a obtenção da resposta à condição inicial. As curvas de resposta $x_1(t)$ e $x_2(t)$ são mostradas na Figura 5.33. Elas são as mesmas que as da Figura 5.32

FIGURA 5.33
Curvas de resposta à condição inicial.

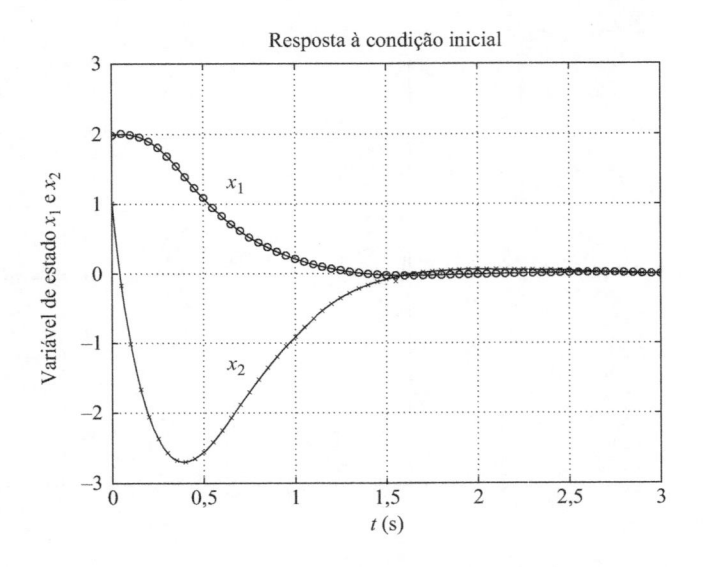

Resposta à condição inicial

```
Programa 5.16 em MATLAB
t = 0:0.05:3;
A = [0 1;-10 -5];
B = [0;0];
C = [0 0];
D = [0];
[y,x] = initial(A,B,C,D,[2;1],t);
x1 = [1 0]*x';
x2 = [0 1]*x';
plot(t,x1,'o',t,x1,t,x2,'x',t,x2)
grid
title('Resposta à Condição Inicial')
xlabel('t (s)')
ylabel('Variáveis de Estado x1 e x2')
gtext('x1')
gtext('x2')
```

Exemplo 5.10 Considere o seguinte sistema submetido às condições iniciais. (Não existem forças externas atuantes.)

$$\dddot{y} + 8\ddot{y} + 17\dot{y} + 10y = 0$$

$$y(0) = 2, \quad \dot{y}(0) = 1, \quad \ddot{y}(0) = 0{,}5$$

Obtenha a resposta $y(t)$ para a condição inicial dada.

Definindo as variáveis de estado como:

$$x_1 = y$$
$$x_2 = \dot{y}$$
$$x_3 = \ddot{y}$$

obtemos a seguinte representação para o sistema no espaço de estados:

$$\begin{bmatrix} \dot{x}_1 \\ \dot{x}_2 \\ \dot{x}_3 \end{bmatrix} = \begin{bmatrix} 0 & 1 & 0 \\ 0 & 0 & 1 \\ -10 & -17 & -8 \end{bmatrix} \begin{bmatrix} x_1 \\ x_2 \\ x_3 \end{bmatrix}, \quad \begin{bmatrix} x_1(0) \\ x_2(0) \\ x_3(0) \end{bmatrix} = \begin{bmatrix} 2 \\ 1 \\ 0{,}5 \end{bmatrix}$$

$$y = \begin{bmatrix} 1 & 0 & 0 \end{bmatrix} \begin{bmatrix} x_1 \\ x_2 \\ x_3 \end{bmatrix}$$

Uma opção do programa em MATLAB para a obtenção da resposta $y(t)$ é o Programa 5.17 em MATLAB. A curva de resposta resultante é mostrada na Figura 5.34.

```
Programa 5.17 em MATLAB
t = 0:0.05:10;
A = [0 1 0;0 0 1;-10 -17 -8];
B = [0;0;0];
C = [1 0 0];
D = [0];
y = initial(A,B,C,D,[2;1;0.5],t);
plot(t,y)
grid
title('Resposta à Condição Inicial')
xlabel('t (s)')
ylabel('Saída y')
```

FIGURA 5.34
Resposta $y(t)$ à condição inicial.

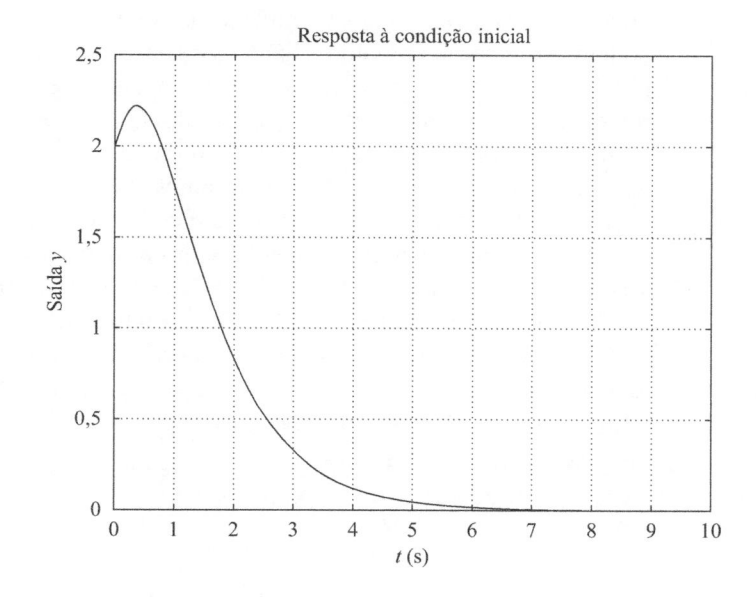

5.6 | Critério de estabilidade de Routh

O problema mais importante relacionado aos sistemas de controle lineares é o da estabilidade. Isto é, sob quais condições um sistema se tornará instável? Se for instável, como deveríamos estabilizá-lo? Na Seção 5.4, foi visto que um sistema de controle é estável se e somente se todos os polos de malha fechada estiverem situados no semiplano esquerdo do plano s. A maioria dos sistemas lineares de malha fechada tem funções de transferência de malha fechada da forma:

$$\frac{C(s)}{R(s)} = \frac{b_0 s^m + b_1 s^{m-1} + \cdots + b_{m-1} s + b_m}{a_0 s^n + a_1 s^{n-1} + \cdots + a_{n-1} s + a_n} = \frac{B(s)}{A(s)}$$

onde a e b são constantes e $m \leq n$. Um critério simples, conhecido como critério de estabilidade de Routh, nos possibilita determinar o número de polos de malha fechada que se situam no semiplano direito do plano s, sem ter de fatorar o polinômio do denominador. (O polinômio pode incluir parâmetros que o MATLAB não pode tratar.)

Critério de estabilidade de Routh. O critério de estabilidade de Routh nos diz se existem ou não raízes instáveis em uma equação polinomial, sem que seja necessário resolvê-la. Este critério de estabilidade aplica-se somente a polinômios com um número finito de termos. Quando o critério é aplicado a um sistema de controle, as informações sobre a estabilidade absoluta podem ser obtidas diretamente dos coeficientes da equação característica.

Eis o procedimento no critério de estabilidade de Routh:

1. Escreva o polinômio em s da seguinte maneira:

$$a_0 s^n + a_1 s^{n-1} + \ldots + a_{n-1} s + a_n = 0 \tag{5.61}$$

onde os coeficientes são grandezas reais. Suponha que $a_n \neq 0$, isto é, qualquer raiz nula foi removida.

2. Se algum dos coeficientes for zero ou negativo na presença de pelo menos um coeficiente positivo, então existirá uma ou várias raízes imaginárias ou que tenham partes reais positivas. Assim, nesse caso, o sistema não será estável. Se estivermos interessados somente na estabilidade absoluta, não haverá necessidade de continuar o procedimento. Observe que todos os coeficientes devem ser positivos. Esta é uma condição necessária, como podemos ver no argumento a seguir: um polinômio em s tendo coeficientes reais sempre poderá ser fatorado em fatores lineares e quadráticos, como $(s + a)$ e $(s^2 + bs + c)$, onde a, b e c são reais. Os fatores lineares resultam em raízes reais e os fatores quadráticos, em raízes complexas conjugadas do polinômio. O fator $(s^2 + bs + c)$ resulta em raízes com partes reais negativas somente se b e c forem ambos positivos. Para que todas as raízes tenham partes reais negativas, as constantes a, b, c etc., em todos os fatores, devem ser positivas. O produto de qualquer número de fatores lineares e quadráticos que contenha somente coeficientes positivos resulta sempre em um polinômio com coeficientes positivos. É importante notar que a condição de que todos os coeficientes sejam positivos não é suficiente para assegurar estabilidade. A condição necessária, mas não suficiente para a estabilidade, é que os coeficientes da Equação 5.61 estejam todos presentes e que todos tenham sinais positivos. (Se todos os a forem negativos, estes podem ser feitos positivos, multiplicando ambos os lados da equação por -1.)

3. Se todos os coeficientes forem positivos, organize os coeficientes do polinômio em linhas e colunas, de acordo com o seguinte padrão:

s^n	a_0	a_2	a_4	a_6	...
s^{n-1}	a_1	a_3	a_5	a_7	...
s^{n-2}	b_1	b_2	b_3	b_4	...
s^{n-3}	c_1	c_2	c_3	c_4	...
s^{n-4}	d_1	d_2	d_3	d_4	...
$\vdots$	$\vdots$	$\vdots$	$\vdots$		
s^2	e_1	e_2			
s^1	f_1				
s^0	g_1				

O processo de formação das linhas continua até que se esgotem todos os elementos. (O número total de linhas é $n + 1$.) Os coeficientes b_1, b_2, b_3 etc. são calculados como segue:

$$b_1 = \frac{a_1 a_2 - a_0 a_3}{a_1}$$

$$b_2 = \frac{a_1 a_4 - a_0 a_5}{a_1}$$

$$b_3 = \frac{a_1 a_6 - a_0 a_7}{a_1}$$

$$\vdots$$

O cálculo dos b continua até que os elementos restantes sejam todos zeros. O mesmo padrão de multiplicação em cruz dos coeficientes das duas linhas anteriores é seguido para o cálculo de c, d, e etc. Ou seja,

$$c_1 = \frac{b_1 a_3 - a_1 b_2}{b_1}$$

$$c_2 = \frac{b_1 a_5 - a_1 b_3}{b_1}$$

$$c_3 = \frac{b_1 a_7 - a_1 b_4}{b_1}$$

$$\vdots$$

e

$$d_1 = \frac{c_1 b_2 - b_1 c_2}{c_1}$$

$$d_2 = \frac{c_1 b_3 - b_1 c_3}{c_1}$$

$$\vdots$$

Esse processo continua até que a n-ésima linha seja completada. A matriz completa de coeficientes é triangular. Observe que, ao desenvolver essa matriz, uma linha inteira pode ser dividida ou multiplicada por um número positivo, de modo a simplificar os cálculos numéricos subsequentes, sem alterar a conclusão sobre a estabilidade.

O critério de estabilidade de Routh afirma que o número de raízes da Equação 5.61 com partes reais positivas é igual ao número de mudanças no sinal dos coeficientes da primeira coluna da matriz. Deve-se notar que os valores exatos dos termos na primeira coluna não precisam ser conhecidos; do contrário, apenas os sinais são necessários. A condição necessária e suficiente para que todas as raízes da Equação 5.61 se situem no semiplano esquerdo do plano s é que todos os coeficientes da Equação 5.61 sejam positivos e que todos os elementos da primeira coluna da matriz tenham sinais positivos.

Exemplo 5.11 Vamos aplicar o critério de estabilidade de Routh ao seguinte polinômio de terceira ordem:

$$a_0 s^3 + a_1 s^2 + a_2 s + a_3 = 0$$

onde todos os coeficientes são números positivos. A matriz dos coeficientes é:

s^3	a_0	a_2
s^2	a_1	a_3
s^1	$\dfrac{a_1 a_2 - a_0 a_3}{a_1}$	
s^0	a_3	

A condição para que todas as raízes tenham partes reais negativas é dada por:

$$a_1 a_2 > a_0 a_3$$

Exemplo 5.12 Considere o seguinte polinômio:

$$s^4 + 2s^3 + 3s^2 + 4s + 5 = 0$$

Vamos seguir o procedimento visto e construir a matriz de coeficientes. (As duas primeiras linhas podem ser obtidas diretamente a partir do polinômio dado. Os termos restantes são obtidos a partir destes. Se algum dos coeficientes for inexistente, este poderá ser substituído por zeros na tabela.)

s^4	1	3	5	s^4	1	3	5
s^3	2	4	0	s^3	̶2̶	̶4̶	̶0̶
					1	2	0
s^2	1	5		s^2	1	5	
s^1	−6			s^1	−3		
s^0	5			s^0	5		

A segunda linha é dividida por 2.

Neste exemplo, o número de mudanças no sinal dos coeficientes na primeira coluna é 2. Isso quer dizer que existem duas raízes com partes reais positivas. Note que o resultado não se altera quando os coeficientes de uma linha são multiplicados ou divididos por um número positivo, visando simplificar o cálculo.

Casos especiais. Se um termo na primeira coluna de qualquer linha for nulo, mas os termos restantes não forem nulos ou não existirem, então o termo nulo será substituído por um número positivo muito pequeno ϵ e o resto da matriz será calculada. Considere, por exemplo, a seguinte equação:

$$s^3 + 2s^2 + s + 2 = 0 \tag{5.62}$$

A matriz de coeficientes é

s^3	1	1
s^2	2	2
s^1	$0 \approx \epsilon$	
s^0	2	

Se o sinal do coeficiente acima do zero (ϵ) é o mesmo do coeficiente abaixo, isso indica que existe um par de raízes imaginárias. De fato, a Equação 5.62 tem duas raízes em $s = \pm j$.

Entretanto, se o sinal do coeficiente acima do zero (ϵ) for oposto ao do coeficiente abaixo, isso indica que existe uma mudança de sinal. Por exemplo, na equação

$$s^3 - 3s + 2 = (s - 1)^2(s + 2) = 0$$

a matriz dos coeficientes é:

s^3	1	−3
s^2	$0 \approx \epsilon$	2
s^1	$-3 - \dfrac{2}{\epsilon}$	
s^0	2	

Uma mudança de sinal: (entre s^3 e s^2)
Uma mudança de sinal: (entre s^2 e s^1)

Ocorreram duas mudanças de sinal dos coeficientes na primeira coluna. Portanto, há duas raízes no semiplano direito do plano s. Isso está de acordo com o resultado correto indicado pela forma fatorada da equação polinomial.

Se todos os coeficientes em uma linha calculada forem nulos, isso indica que há raízes de mesmo valor, radialmente opostas, situadas no plano s — isto é, duas raízes reais de igual valor e sinais opostos e/ou duas raízes imaginárias conjugadas. Nesse caso, pode-se continuar o cálculo do resto da matriz, formando-se um polinômio auxiliar com os coeficientes da última linha e utilizando os coeficientes da derivada desse polinômio na próxima linha. Essas raízes de igual valor e situadas radialmente opostas no plano s podem ser determinadas resolvendo o polinômio auxiliar, que é sempre par. Para um polinômio auxiliar de grau $2n$, existem n pares de raízes iguais e opostas. Por exemplo, considere a seguinte equação:

$$s^5 + 2s^4 + 24s^3 + 48s^2 - 25s - 50 = 0$$

A matriz de coeficientes é:

$$\begin{array}{llll} s^5 & 1 & 24 & -25 \\ s^4 & 2 & 48 & -50 & \leftarrow \text{Polinômio auxiliar } P(s) \\ s^3 & 0 & 0 \end{array}$$

Os termos na linha s^3 são todos nulos. (Note que esse caso ocorre somente em uma linha de número ímpar.) O polinômio auxiliar é, então, formado a partir dos coeficientes da linha s^4. O polinômio auxiliar $P(s)$ é:

$$P(s) = 2s^4 + 48s^2 - 50$$

o que indica que existem dois pares de raízes de igual valor e sinais opostos (isto é, duas raízes reais com o mesmo valor, mas sinais opostos ou duas raízes complexas conjugadas no eixo imaginário). Esses pares são obtidos resolvendo-se a equação polinomial auxiliar $P(s) = 0$. A derivada de $P(s)$ em relação a s é:

$$\frac{dP(s)}{ds} = 8s^3 + 96s$$

Os termos na linha s^3 são substituídos pelos coeficientes da última equação — isto é, 8 e 96. A matriz de coeficientes torna-se, então:

$$\begin{array}{lll} s^5 & 1 & 24 & -25 \\ s^4 & 2 & 48 & -50 \\ s^3 & 8 & 96 & \leftarrow \text{Coeficientes de } dP(s)/ds \\ s^2 & 24 & -50 \\ s^1 & 112{,}7 & 0 \\ s^0 & -50 \end{array}$$

Vemos que ocorre uma mudança de sinal na primeira coluna da nova matriz. Assim, a equação original tem uma raiz com uma parte real positiva. Resolvendo-se as raízes da equação polinomial auxiliar:

$$2s^4 + 48s^2 - 50 = 0$$

obtemos

$$s^2 = 1, \quad s^2 = -25$$

ou

$$s = \pm 1, \quad s = \pm j5$$

Esses dois pares de raízes de $P(s)$ fazem parte das raízes da equação original. De fato, a equação original pode ser escrita na forma fatorada, como a seguir:

$$(s + 1)(s - 1)(s + j5)(s - j5)(s + 2) = 0$$

É evidente que a equação original tem uma raiz com uma parte real positiva.

Análise da estabilidade relativa. O critério de estabilidade de Routh fornece a resposta para a questão da estabilidade absoluta. Isso, em muitos casos práticos, não é suficiente. Normalmente é necessária uma informação sobre a estabilidade relativa do sistema. Um método eficiente para examinar a estabilidade relativa é deslocar o eixo do plano s e aplicar o critério de estabilidade de Routh. Isto é, substitui-se

$$s = \hat{s} - \sigma \quad (\sigma = \text{constante})$$

na equação característica do sistema, escreve-se o polinômio em termos de $\hat{s}$ e aplica-se o critério de estabilidade de Routh ao novo polinômio em $\hat{s}$. O número de mudanças de sinal na primeira coluna da matriz desenvolvida para o polinômio em $\hat{s}$ é igual ao número de raízes que estão localizadas à direita da linha vertical $s = -\sigma$. Assim, esse teste revela o número de raízes que se situam à direita da linha vertical $s = -\sigma$.

Aplicação do critério de estabilidade de Routh à análise de sistemas de controle. O critério de estabilidade de Routh é de utilidade limitada na análise de sistemas de controle lineares, principalmente porque não sugere como melhorar a estabilidade relativa ou como estabilizar um sistema instável. É possível, entretanto, determinar os efeitos da mudança de um ou dois parâmetros de um sistema examinando os valores que causam a instabilidade. A seguir, consideraremos o problema da determinação do intervalo de variação de um parâmetro, compatível com a estabilidade do sistema.

Considere o sistema mostrado na Figura 5.35. Vamos determinar o intervalo de valores de K para que haja estabilidade. A função de transferência de malha fechada é:

$$\frac{C(s)}{R(s)} = \frac{K}{s(s^2 + s + 1)(s + 2) + K}$$

A equação característica é:

$$s^4 + 3s^3 + 3s^2 + 2s + K = 0$$

A matriz de coeficientes é, então,

$$\begin{array}{cccc} s^4 & 1 & 3 & K \\ s^3 & 3 & 2 & 0 \\ s^2 & \dfrac{7}{3} & K & \\ s^1 & 2 - \dfrac{9}{7}K & & \\ s^0 & K & & \end{array}$$

Para que haja estabilidade, K e todos os coeficientes na primeira coluna devem ser positivos. Assim,

$$\frac{14}{9} > K > 0$$

Quando $K = \dfrac{14}{9}$, o sistema torna-se oscilatório e, matematicamente, a oscilação é mantida com amplitude constante.

Note que os limites dos parâmetros de projeto que levam à estabilidade podem ser determinados pelo uso do critério de estabilidade de Routh.

FIGURA 5.35
Sistema de controle.

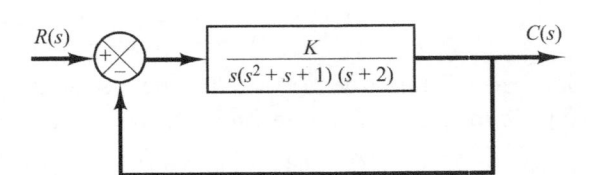

5.7 | Efeitos das ações de controle integral e derivativo no desempenho dos sistemas

Nesta seção, estudaremos os efeitos das ações de controle integral e derivativo no desempenho do sistema. Aqui, serão considerados somente sistemas simples, de modo que os efeitos das ações de controle integral e derivativo sobre o desempenho do sistema possam ser vistos com clareza.

Ação de controle integral. No controle proporcional de uma planta, cuja função de transferência não possui um integrador $1/s$, existe um erro estacionário, ou erro residual, na resposta a uma entrada em degrau. Esse erro residual pode ser eliminado se uma ação de controle integral for incluída no controlador.

No controle integral de uma planta, o sinal de controle — o sinal de saída do controlador — em qualquer instante é a área sob a curva do sinal de erro atuante, até aquele momento. O sinal de controle $u(t)$ pode ter um valor não nulo quando o sinal de erro atuante $e(t)$ for zero, como se pode ver na Figura 5.36(a). Isso é impossível no caso do controlador proporcional, uma vez que um sinal de controle não nulo requer um sinal de erro atuante não nulo. (Um sinal de erro atuante em regime permanente significa que existe um erro residual.) A Figura 5.36(b) mostra a curva $e(t)$ *versus* t e a curva correspondente $u(t)$ *versus* t quando o controlador é do tipo proporcional.

Observe que a ação de controle integral, embora remova o erro residual ou o erro estacionário, pode conduzir a uma resposta oscilatória com uma amplitude que decresce lentamente ou mesmo uma amplitude sempre crescente, ambas, em geral, indesejáveis.

Sistemas de controle proporcional. Veremos que, para uma entrada em degrau, o controle proporcional de um sistema sem integrador ocasionará um erro estacionário. Mostraremos, então, que esse erro pode ser eliminado se for incluída no controlador uma ação de controle integral.

Considere o sistema mostrado na Figura 5.37. Obteremos o erro estacionário da resposta do sistema ao degrau unitário. Defina

$$G(s) = \frac{K}{Ts + 1}$$

Como

$$\frac{E(s)}{R(s)} = \frac{R(s) - C(s)}{R(s)} = 1 - \frac{C(s)}{R(s)} = \frac{1}{1 + G(s)}$$

o erro $E(s)$ é dado como:

$$E(s) = \frac{1}{1 + G(s)} R(s) = \frac{1}{1 + \dfrac{K}{Ts + 1}} R(s)$$

FIGURA 5.36
(a) Gráficos das curvas $e(t)$ e $u(t)$ mostrando sinal de controle não nulo quando o sinal de erro atuante é zero (controle integral);
(b) gráficos das curvas $e(t)$ e $u(t)$ mostrando sinal de controle nulo quando o sinal de erro atuante é zero (controle proporcional).

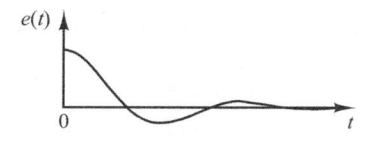

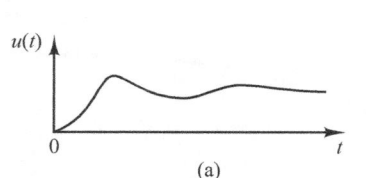

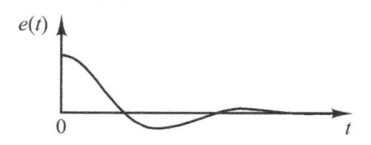

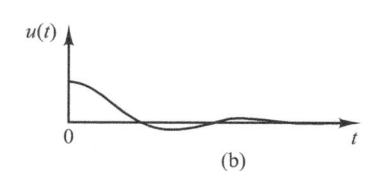

FIGURA 5.37
Sistema de controle proporcional.

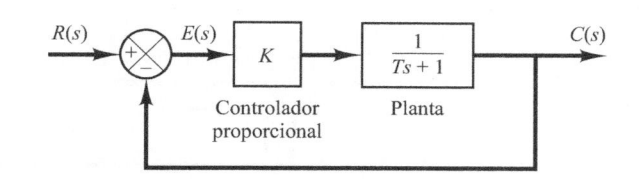

Para a entrada em degrau unitário $R(s) = 1/s$, temos:

$$E(s) = \frac{Ts + 1}{Ts + 1 + K} \frac{1}{s}$$

O erro estacionário é:

$$e_{ss} = \lim_{t \to \infty} e(t) = \lim_{s \to 0} sE(s) = \lim_{s \to 0} \frac{Ts + 1}{Ts + 1 + K} = \frac{1}{K + 1}$$

Esse sistema sem um integrador no ramo direto sempre tem um erro estacionário na resposta ao degrau. Esse erro estacionário é chamado erro residual. A Figura 5.38 mostra a resposta ao degrau unitário e o erro residual.

Controle integral de sistemas. Considere o sistema exposto na Figura 5.39. O controlador é integral. A função de transferência de malha fechada do sistema é:

$$\frac{C(s)}{R(s)} = \frac{K}{s(Ts + 1) + K}$$

Portanto:

$$\frac{E(s)}{R(s)} = \frac{R(s) - C(s)}{R(s)} = \frac{s(Ts + 1)}{s(Ts + 1) + K}$$

Como o sistema é estável, o erro estacionário para a resposta ao degrau unitário pode ser obtido aplicando-se o teorema do valor final, como segue:

$$e_{ss} = \lim_{s \to 0} sE(s)$$

$$= \lim_{s \to 0} \frac{s^2(Ts + 1)}{Ts^2 + s + K} \frac{1}{s}$$

$$= 0$$

O controle integral do sistema elimina, então, o erro estacionário na resposta ao degrau de entrada. Este é um importante aperfeiçoamento em relação ao controle proporcional puro, que não impede o erro residual.

Resposta a distúrbios do tipo torque (controle proporcional). Vamos estudar os efeitos de um distúrbio do tipo torque ou conjugado, que ocorre no elemento de carga. Considere o sistema mostrado na Figura 5.40. O controlador proporcional transmite o torque T para posicionar o

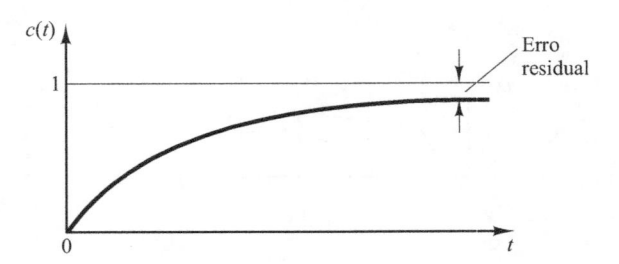

FIGURA 5.38
Resposta ao degrau unitário e erro residual.

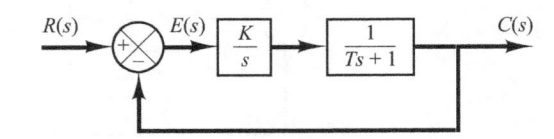

FIGURA 5.39
Sistema de controle integral.

FIGURA 5.40
Sistema de controle de distúrbio por torque.

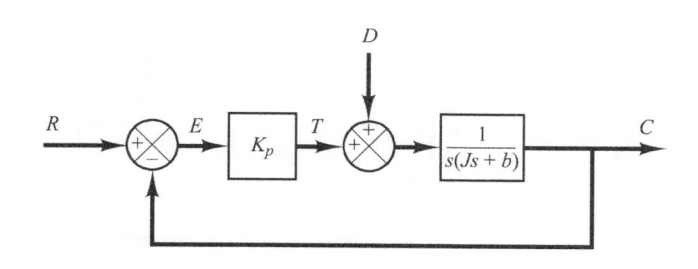

elemento de carga, que consiste em momento de inércia e atrito viscoso. O torque que age como distúrbio é designado como D.

Supondo que a entrada de referência seja nula, ou $R(s) = 0$, a função de transferência entre $C(s)$ e $D(s)$ será dada por:

$$\frac{C(s)}{D(s)} = \frac{1}{Js^2 + bs + K_p}$$

Portanto:

$$\frac{E(s)}{D(s)} = -\frac{C(s)}{D(s)} = -\frac{1}{Js^2 + bs + K_p}$$

O erro estacionário causado pelo torque de perturbação em degrau, de valor T_d, é dado por:

$$e_{ss} = \lim_{s \to 0} sE(s)$$

$$= \lim_{s \to 0} \frac{-s}{Js^2 + bs + K_p} \frac{T_d}{s}$$

$$= -\frac{T_d}{K_p}$$

Em regime permanente, o controlador proporcional fornece um torque $-T_d$, que é igual em valor, mas de sinal oposto ao torque de perturbação T_d. A saída em regime permanente pelo torque de perturbação em degrau é:

$$c_{ss} = -e_{ss} = \frac{T_d}{K_p}$$

O erro estacionário pode ser reduzido aumentando-se o valor do ganho K_p. O aumento desse valor, entretanto, tornará a resposta do sistema mais oscilatória.

Resposta a distúrbios do tipo torque (controle proporcional-integral). Para eliminar o erro residual em virtude de um distúrbio do tipo torque, o controlador proporcional pode ser substituído por um controlador proporcional-integral.

Se for acrescentada uma ação de controle integral ao controlador, enquanto existir um sinal de erro, um torque será desenvolvido pelo controlador para reduzir esse erro, desde que o sistema de controle seja estável.

A Figura 5.41 mostra um controle proporcional-integral em um sistema cujo elemento de carga é constituído pelo momento de inércia e atrito viscoso.

A função de transferência de malha fechada entre $C(s)$ e $D(s)$ é:

$$\frac{C(s)}{D(s)} = \frac{s}{Js^3 + bs^2 + K_p s + \dfrac{K_p}{T_i}}$$

Na ausência da entrada de referência, ou $r(t) = 0$, o sinal de erro é obtido a partir de:

FIGURA 5.41
Controle proporcional-integral de um elemento de carga que consiste em momento de inércia e atrito viscoso.

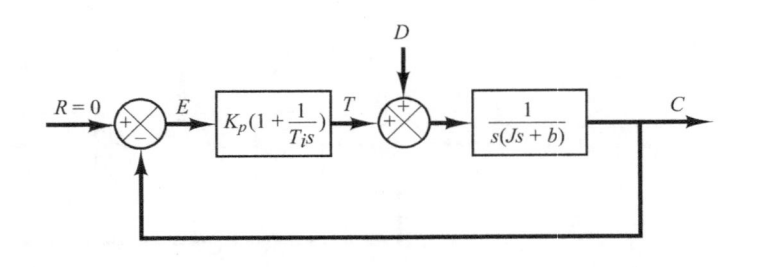

$$E(s) = -\frac{s}{Js^3 + bs^2 + K_p s + \dfrac{K_p}{T_i}} D(s)$$

Se o sistema de controle for estável, isto é, se as raízes da equação característica

$$Js^3 + bs^2 + K_p s + \frac{K_p}{T_i} = 0$$

tiverem partes reais negativas, então o erro estacionário na resposta a um torque de distúrbio em degrau unitário pode ser obtido pela aplicação do teorema do valor final, como segue:

$$e_{ss} = \lim_{s \to 0} sE(s)$$

$$= \lim_{s \to 0} \frac{-s^2}{Js^3 + bs^2 + K_p s + \dfrac{K_p}{T_i}} \frac{1}{s}$$

$$= 0$$

Assim, o erro estacionário relativo ao torque de perturbação em degrau pode ser eliminado se o controlador for do tipo proporcional-integral.

Observe que a ação de controle integral acrescentada ao controlador proporcional converteu o sistema originalmente de segunda ordem em um sistema de terceira ordem. Então, para um valor muito alto de K_p, o sistema de controle pode se tornar instável, uma vez que as raízes da equação característica podem conter partes reais positivas. (Um sistema de segunda ordem é sempre estável se os coeficientes da equação diferencial do sistema forem todos positivos.)

É importante destacar que, se o controlador fosse um controlador integral, como na Figura 5.42, então o sistema sempre se tornaria instável, porque a equação característica

$$Js^3 + bs^2 + K = 0$$

teria raízes com partes reais positivas. Esse sistema instável não poderia ser utilizado na prática.

Note que, no sistema da Figura 5.41, a ação de controle proporcional tende a estabilizar o sistema, enquanto a ação de controle integral tende a eliminar ou reduzir o erro estacionário na resposta a várias entradas.

FIGURA 5.42
Controle integral de um elemento de carga que consiste em momento de inércia e atrito viscoso.

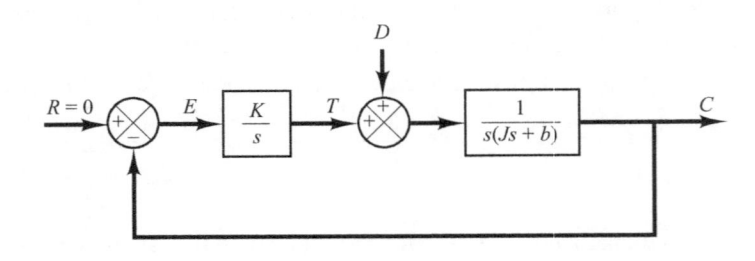

Ação de controle derivativo. Uma ação de controle derivativo, quando acrescentada a um controlador proporcional, permite que se obtenha um controlador de alta sensibilidade. Uma vantagem em utilizar a ação de controle derivativo é que esta responde a uma taxa de variação do erro atuante e pode produzir uma correção significativa antes que o valor do erro atuante se torne muito elevado. Portanto, o controle derivativo prevê o erro atuante, inicia uma ação corretiva antecipada e tende a aumentar a estabilidade do sistema.

Embora o controle derivativo não afete diretamente o erro estacionário, ele aumenta o amortecimento do sistema, permitindo, assim, o uso de um valor mais elevado do ganho K, o que resultará em maior precisão no regime permanente.

Pelo fato de o controle derivativo operar sobre a taxa de variação do erro atuante e não sobre o próprio erro atuante, esse modo nunca é utilizado sozinho. Ele é sempre utilizado em combinação com uma ação de controle proporcional ou proporcional-integral.

Controle proporcional de sistemas com carga inercial. Antes de discutirmos o efeito da ação de controle derivativo no desempenho do sistema, vamos considerar o controle proporcional de uma carga inercial.

Considere o sistema mostrado na Figura 5.43(a). A função de transferência de malha fechada é obtida como:

$$\frac{C(s)}{R(s)} = \frac{K_p}{Js^2 + K_p}$$

Como as raízes da equação característica

$$Js^2 + K_p = 0$$

são imaginárias, a resposta à entrada em degrau unitário continua a oscilar indefinidamente, como mostra a Figura 5.43(b).

Os sistemas de controle que apresentam essas características de resposta não são desejáveis. Veremos que a adição do controle derivativo estabilizará o sistema.

Controle proporcional-derivativo de sistemas com carga inercial. Vamos transformar um controlador proporcional em um controlador proporcional-derivativo cuja função de transferência é $K_p(1 + T_d s)$. O torque desenvolvido pelo controlador é proporcional a $K_p(e + T_d \dot{e})$. O controle derivativo é essencialmente antecipatório, medindo a velocidade dos erros instantâneos, prevendo um grande sobressinal antes que ele ocorra e produzindo ações apropriadas de limitação, antes que o sobressinal assuma um valor muito elevado.

Considere o sistema apresentado na Figura 5.44(a). A função de transferência de malha fechada é dada por:

FIGURA 5.43
(a) Controle proporcional de um sistema com carga inercial; (b) resposta a uma entrada em degrau unitário.

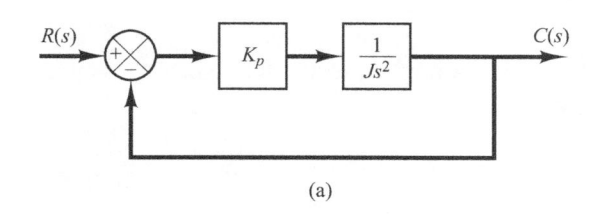

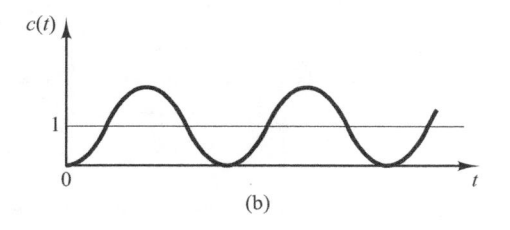

FIGURA 5.44
(a) Controle proporcional-derivativo de um sistema com carga inercial; (b) resposta a uma entrada em degrau unitário.

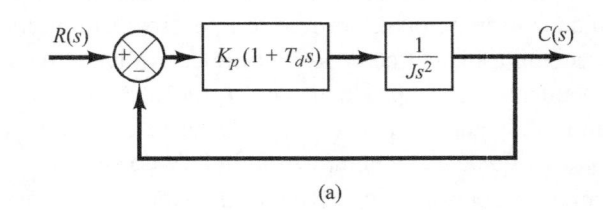

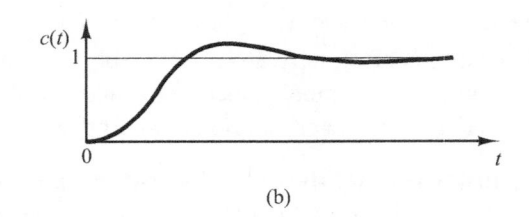

(a)

(b)

$$\frac{C(s)}{R(s)} = \frac{K_p(1 + T_d s)}{Js^2 + K_p T_d s + K_p}$$

A equação característica

$$Js^2 + K_p T_d s + K_p = 0$$

tem agora duas raízes com partes reais negativas para os valores de J, K_p e T_d. Assim, o controle derivativo introduz um efeito de amortecimento. A Figura 5.44(b) apresenta uma curva típica de resposta $c(t)$ para uma entrada em degrau unitário. Evidentemente, a curva de resposta mostra uma melhoria significativa em relação à curva de resposta original da Figura 5.46(b).

Controle proporcional-derivativo de sistemas de segunda ordem. Pode-se obter uma conciliação entre o comportamento da resposta transitória aceitável e o comportamento aceitável em regime permanente utilizando uma ação de controle proporcional-derivativo.

Considere o sistema da Figura 5.45. A função de transferência de malha fechada é:

$$\frac{C(s)}{R(s)} = \frac{K_p + K_d s}{Js^2 + (B + K_d)s + K_p}$$

O erro estacionário para uma entrada em rampa unitária é:

$$e_{ss} = \frac{B}{K_p}$$

A equação característica é:

$$Js^2 + (B + K_d)s + K_p = 0$$

O coeficiente de amortecimento efetivo desse sistema é, então, $B + K_d$, em lugar de B. Como o coeficiente de amortecimento ζ do sistema é:

$$\zeta = \frac{B + K_d}{2\sqrt{K_p J}}$$

FIGURA 5.45
Sistema de controle.

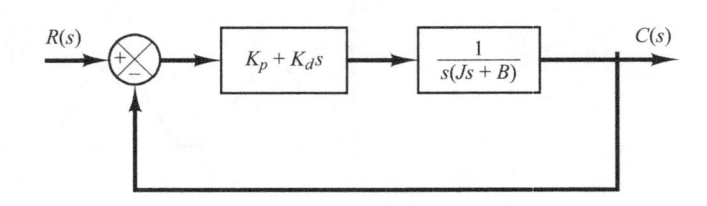

é possível obter valores pequenos tanto para o erro estacionário e_{ss}, correspondente a uma entrada em rampa, como para o máximo sobressinal para uma entrada em degrau, fazendo que o valor de B seja pequeno, o de K_p, elevado, e o de K_d seja grande o bastante para que o valor de ζ fique entre 0,4 e 0,7.

5.8 | Erros estacionários em sistemas de controle com realimentação unitária

Os erros em um sistema de controle podem ser atribuídos a muitos fatores. Alterações na entrada de referência causarão erros inevitáveis durante o regime transitório, podendo causar também erros estacionários. Imperfeições nos componentes do sistema, como atrito estático, folga e deriva dos amplificadores, bem como desgaste ou deterioração, causarão erros em regime permanente. Nesta seção, entretanto, não discutiremos erros causados por imperfeições nos componentes do sistema. Em vez disso, vamos estudar um tipo de erro estacionário que é causado pela incapacidade de um sistema em seguir determinados tipos de sinais de entradas.

Qualquer sistema de controle físico apresenta, inerentemente, erros estacionários na resposta a certos tipos de entradas. Um sistema pode não apresentar um erro estacionário a uma entrada em degrau, mas o mesmo sistema pode apresentar um erro estacionário não nulo a uma entrada em rampa. (A única maneira possível de eliminar esse erro é modificando a estrutura do sistema.) O erro estacionário que um sistema apresenta em relação a determinado tipo de entrada depende do tipo de função de transferência de malha aberta desse sistema, o que será discutido a seguir.

Classificação dos sistemas de controle. Os sistemas de controle podem ser classificados de acordo com sua habilidade em seguir os sinais de entrada em degrau, em rampa, em parábola etc. Este é um critério razoável de classificação, pois as entradas reais com frequência podem ser consideradas combinações das entradas citadas. Os valores dos erros estacionários relativos a essas entradas individuais são indicadores de qualidade do sistema.

Considere o sistema de controle com realimentação unitária, com a seguinte função de transferência de malha aberta $G(s)$:

$$G(s) = \frac{K(T_a s + 1)(T_b s + 1)\cdots(T_m s + 1)}{s^N (T_1 s + 1)(T_2 s + 1)\cdots(T_p s + 1)}$$

Essa função de transferência contém o termo s^N no denominador, representando um polo de multiplicidade N na origem. O presente método de classificação tem como base o número de integrações indicadas pela função de transferência de malha aberta. Um sistema é chamado tipo 0, tipo 1, tipo 2, ..., se $N = 0$, $N = 1$, $N = 2$, ..., respectivamente. Note que essa classificação é diferente da que se refere à ordem de um sistema. Conforme o tipo N aumenta, a precisão aumenta; por outro lado, agrava-se a estabilidade do sistema. É sempre necessária uma conciliação entre precisão em regime permanente e estabilidade relativa.

Veremos adiante que, se $G(s)$ for escrita de modo que cada termo no numerador e no denominador, exceto os termos s^N, se aproxime da unidade à medida que s se aproxima de zero, então o ganho K de malha aberta estará diretamente relacionado ao erro estacionário.

Erros estacionários. Considere o sistema mostrado na Figura 5.46. A função de transferência de malha fechada é:

$$\frac{C(s)}{R(s)} = \frac{G(s)}{1 + G(s)}$$

A função de transferência entre o sinal de erro $e(t)$ e o sinal de entrada $r(t)$ é:

$$\frac{E(s)}{R(s)} = 1 - \frac{C(s)}{R(s)} = \frac{1}{1 + G(s)}$$

onde o erro $e(t)$ é a diferença entre o sinal de entrada e o sinal de saída.

FIGURA 5.46
Sistema de controle.

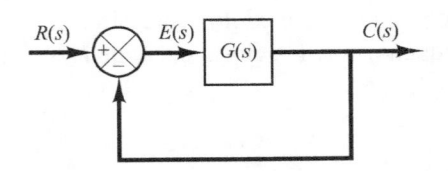

O teorema do valor final oferece um modo conveniente de determinar o desempenho em regime permanente de um sistema estável. Como $E(s)$ é:

$$E(s) = \frac{1}{1 + G(s)} R(s)$$

o erro estacionário é:

$$e_{ss} = \lim_{t \to \infty} e(t) = \lim_{s \to 0} sE(s) = \lim_{s \to 0} \frac{sR(s)}{1 + G(s)}$$

As constantes de erro estático definidas a seguir são figuras de mérito dos sistemas de controle. Quanto mais altas as constantes, menor o erro estacionário. Em dado sistema, a saída pode ser a posição, a velocidade, a pressão, a temperatura ou outros fatores. A natureza física da saída, entretanto, é irrelevante nesta análise. Assim, a seguir, chamaremos a saída de 'posição', a taxa de variação da saída de 'velocidade' etc. Isso significa que, no sistema de controle de temperatura, 'posição' representa a temperatura de saída, 'velocidade' representa a taxa de variação da temperatura de saída, e assim por diante.

Constante de erro estático de posição K_p. O erro estacionário do sistema para uma entrada em degrau é:

$$e_{ss} = \lim_{s \to 0} \frac{s}{1 + G(s)} \frac{1}{s}$$

$$= \frac{1}{1 + G(0)}$$

A constante de erro estático de posição K_p é definida por:

$$K_p = \lim_{s \to 0} G(s) = G(0)$$

Então, o erro estacionário em termos da constante de erro estático de posição K_p é dado por:

$$e_{ss} = \frac{1}{1 + K_p}$$

Para um sistema do tipo 0,

$$K_p = \lim_{s \to 0} \frac{K(T_a s + 1)(T_b s + 1)\cdots}{(T_1 s + 1)(T_2 s + 1)\cdots} = K$$

Para um sistema do tipo 1 ou maior,

$$K_p = \lim_{s \to 0} \frac{K(T_a s + 1)(T_b s + 1)\cdots}{s^N (T_1 s + 1)(T_2 s + 1)\cdots} = \infty, \quad \text{para } N \geq 1$$

Então, para um sistema do tipo 0, a constante de erro estático de posição K_p é finita, ao passo que, para um sistema do tipo 1 ou maior, K_p é infinita.

Para uma entrada em degrau unitário, o erro estacionário e_{ss} pode ser resumido como segue:

$$e_{ss} = \frac{1}{1 + K}, \quad \text{para sistemas do tipo 0}$$

$$e_{ss} = 0, \quad \text{para sistemas do tipo 1 ou maiores}$$

A partir da análise anterior, pode-se ver que a resposta de um sistema de controle com realimentação a uma entrada em degrau conterá um erro estacionário, se não houver integração no ramo direto. (Se erros pequenos para entradas em degrau puderem ser tolerados, então um sistema do tipo 0 poderá ser admissível, desde que o ganho K seja suficientemente grande. Se este for muito grande, entretanto, será difícil obter uma estabilidade relativa adequada.) Se for desejável um erro estacionário nulo para uma entrada em degrau, o tipo do sistema deverá ser 1 ou maior.

Constante de erro estático de velocidade K_v. O erro estacionário do sistema com uma entrada em rampa unitária é dado por:

$$e_{ss} = \lim_{s \to 0} \frac{s}{1 + G(s)} \frac{1}{s^2}$$

$$= \lim_{s \to 0} \frac{1}{sG(s)}$$

A constante de erro estático de velocidade K_v é definida por:

$$K_v = \lim_{s \to 0} sG(s)$$

Assim, o erro estacionário em termos da constante de erro estático de velocidade K_v é dado por:

$$e_{ss} = \frac{1}{K_v}$$

O termo *erro de velocidade* é empregado aqui para expressar o erro estacionário para uma entrada em rampa. A dimensão do erro de velocidade é a mesma do erro do sistema. Ou seja, o erro de velocidade não é um erro na velocidade, e sim um erro de posição em decorrência de uma entrada em rampa. Para um sistema do tipo 0,

$$K_v = \lim_{s \to 0} \frac{sK(T_a s + 1)(T_b s + 1)\cdots}{(T_1 s + 1)(T_2 s + 1)\cdots} = 0$$

Para um sistema do tipo 1,

$$K_v = \lim_{s \to 0} \frac{sK(T_a s + 1)(T_b s + 1)\cdots}{s(T_1 s + 1)(T_2 s + 1)\cdots} = K$$

Para um sistema do tipo 2 ou maior,

$$K_v = \lim_{s \to 0} \frac{sK(T_a s + 1)(T_b s + 1)\cdots}{s^N(T_1 s + 1)(T_2 s + 1)\cdots} = \infty, \quad \text{para } N \geq 2$$

O erro estacionário e_{ss} para a entrada em rampa unitária pode ser resumido como segue:

$$e_{ss} = \frac{1}{K_v} = \infty, \quad \text{para sistemas do tipo 0}$$

$$e_{ss} = \frac{1}{K_v} = \frac{1}{K}, \quad \text{para sistemas do tipo 1}$$

$$e_{ss} = \frac{1}{K_v} = 0, \quad \text{para sistemas do tipo 2 ou maiores}$$

A análise anterior indica que um sistema do tipo 0 é incapaz de seguir, em regime estacionário, uma entrada em rampa. O sistema do tipo 1 com realimentação unitária pode seguir a entrada em rampa com um erro finito. Em uma operação em regime estacionário, a velocidade de saída é exatamente a mesma velocidade de entrada, mas existe um erro de posição. Esse erro é proporcional à velocidade de entrada e é inversamente proporcional ao ganho K. A Figura 5.47 mostra um exemplo da resposta de um sistema do tipo 1 com realimentação unitária a uma entrada em rampa. O sistema de tipo 2 ou maior pode seguir uma entrada em rampa, em regime estacionário, com erro nulo.

FIGURA 5.47
Resposta de um sistema do tipo 1 com realimentação unitária a uma entrada em rampa.

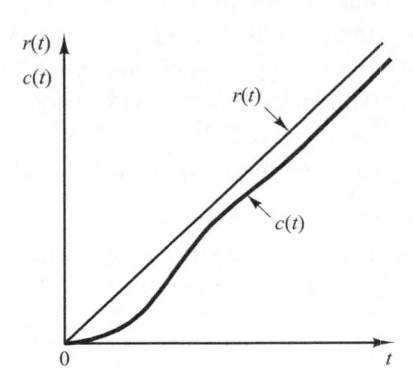

Constante de erro estático de aceleração K_a. O erro estacionário do sistema com uma entrada em parábola unitária (entrada em aceleração), definida como:

$$r(t) = \frac{t^2}{2}, \quad \text{para } t \geq 0$$
$$= 0, \text{ para } t < 0$$

é dado por:

$$e_{ss} = \lim_{s \to 0} \frac{s}{1 + G(s)} \frac{1}{s^3}$$
$$= \frac{1}{\lim_{s \to 0} s^2 G(s)}$$

A constante de erro estático de aceleração K_a é definida pela equação

$$K_a = \lim_{s \to 0} s^2 G(s)$$

O erro estacionário é, então:

$$e_{ss} = \frac{1}{K_a}$$

Note que o erro de aceleração, isto é, o erro estacionário em virtude da entrada em parábola, é um erro de posição.

Os valores de K_a são obtidos como segue:

Para um sistema do tipo 0,

$$K_a = \lim_{s \to 0} \frac{s^2 K(T_a s + 1)(T_b s + 1)\cdots}{(T_1 s + 1)(T_2 s + 1)\cdots} = 0$$

Para um sistema do tipo 1,

$$K_a = \lim_{s \to 0} \frac{s^2 K(T_a s + 1)(T_b s + 1)\cdots}{s(T_1 s + 1)(T_2 s + 1)\cdots} = 0$$

Para um sistema do tipo 2,

$$K_a = \lim_{s \to 0} \frac{s^2 K(T_a s + 1)(T_b s + 1)\cdots}{s^2(T_1 s + 1)(T_2 s + 1)\cdots} = K$$

Para um sistema do tipo 3 ou maior,

$$K_a = \lim_{s \to 0} \frac{s^2 K(T_a s + 1)(T_b s + 1)\cdots}{s^N(T_1 s + 1)(T_2 s + 1)\cdots} = \infty, \quad \text{para } N \geq 3$$

Assim, o erro estacionário para uma entrada em parábola unitária é:

$$e_{ss} = \infty, \quad \text{para sistemas dos tipos 0 e 1}$$

$$e_{ss} = \frac{1}{K}, \quad \text{para sistemas do tipo 2}$$

$$e_{ss} = 0, \quad \text{para sistemas do tipo 3 ou maiores}$$

Observe que tanto os sistemas do tipo 0 como os do tipo 1 são incapazes de seguir uma entrada em parábola no estado permanente. O sistema do tipo 2 com realimentação unitária pode seguir uma entrada em parábola com um sinal de erro finito. A Figura 5.48 mostra um exemplo da resposta de um sistema do tipo 2 com realimentação unitária a uma entrada em parábola. O sistema do tipo 3 ou maior com realimentação unitária, em regime permanente, segue uma entrada em parábola com erro zero.

Resumo. A Tabela 5.1 resume os erros estacionários para sistemas dos tipos 0, 1 e 2, quando estes forem submetidos a diversas entradas. Os valores finitos para erros estacionários aparecem na linha diagonal. Acima da diagonal, os erros estacionários são infinitos; abaixo da diagonal, são nulos.

Deve-se lembrar que os termos *erro de posição*, *erro de velocidade* e *erro de aceleração* significam desvios em regime estacionário na posição da saída. Um erro na velocidade finita implica que, depois que os transitórios tenham desaparecido, a entrada e a saída se movem na mesma velocidade, mas têm uma diferença de posição finita.

As constantes de erro K_p, K_v e K_a descrevem a habilidade de um sistema com realimentação unitária para reduzir ou eliminar o erro estacionário. Portanto, são indicativos do desempenho em regime permanente. Em geral, é desejável aumentar as constantes de erro, enquanto se mantém a resposta transitória dentro de um limite aceitável. Observe que, para melhorar o desempenho

FIGURA 5.48
Resposta de um sistema do tipo 2 com realimentação unitária a uma entrada em parábola.

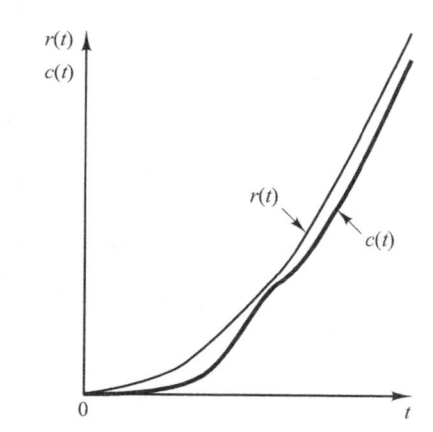

TABELA 5.1
Erro estacionário em termos do ganho de K.

	Entrada em degrau $r(t) = 1$	Entrada em rampa $r(t) = t$	Entrada em aceleração $r(t) = \frac{1}{2}t^2$
Sistema do tipo 0	$\frac{1}{1+K}$	∞	∞
Sistema do tipo 1	0	$\frac{1}{K}$	∞
Sistema do tipo 2	0	0	$\frac{1}{K}$

em regime permanente, é necessário aumentar o tipo do sistema, adicionando um integrador ou integradores no ramo direto. Entretanto, isso introduz um problema adicional de estabilidade. O projeto de um sistema satisfatório com mais de dois integradores em série no ramo direto geralmente não é fácil.

Exemplos de problemas com soluções

A.5.1 No sistema da Figura 5.49, $x(t)$ é o deslocamento de entrada e $\theta(t)$ é o deslocamento angular de saída. Suponha que as massas envolvidas sejam desprezíveis e a restrição de todos os movimentos seja pequena; então, o sistema pode ser considerado linear. As condições iniciais de x e θ são nulas, ou seja, $x(0-) = 0$ e $\theta(0-) = 0$. Mostre que esse sistema é um elemento derivador. Em seguida, obtenha a resposta $\theta(t)$ quando $x(t)$ for um degrau unitário.

Solução. A equação para o sistema é:

$$b(\dot{x} - L\dot{\theta}) = kL\theta$$

ou

$$L\dot{\theta} + \frac{k}{b}L\theta = \dot{x}$$

A transformada de Laplace dessa última equação, considerando condições iniciais nulas, é:

$$\left(Ls + \frac{k}{b}L\right)\Theta(s) = sX(s)$$

Assim,

$$\frac{\Theta(s)}{X(s)} = \frac{1}{L}\frac{s}{s + (k/b)}$$

Portanto, o sistema dado é um sistema derivador.

Para uma entrada em degrau unitário $X(s) = 1/s$, a saída $\Theta(s)$ torna-se:

$$\Theta(s) = \frac{1}{L}\frac{1}{s + (k/b)}$$

A transformada inversa de Laplace de $\Theta(s)$ nos fornece:

$$\theta(t) = \frac{1}{L}e^{-(k/b)t}$$

FIGURA 5.49
Sistema mecânico.

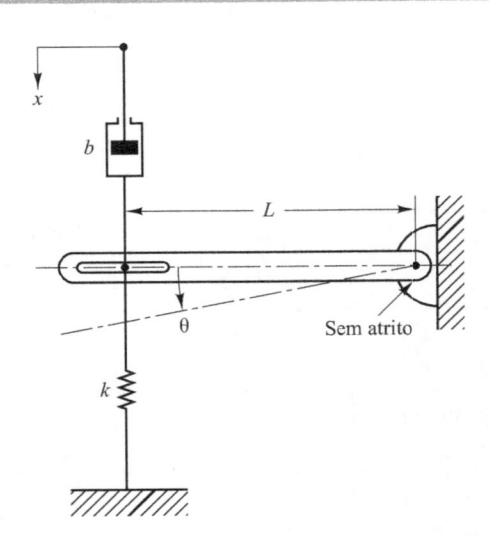

Note que, se o valor de k/b for grande, a resposta θ(t) se aproximará de um sinal em forma de pulso, como mostra a Figura 5.50.

FIGURA 5.50
Entrada em degrau unitário e resposta do sistema mecânico mostrado na Figura 5.49.

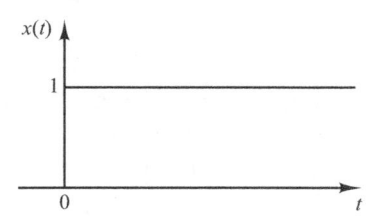

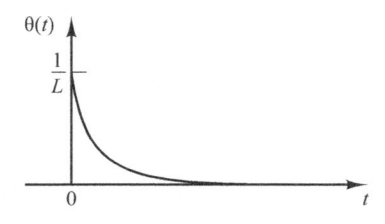

A.5.2 Conjuntos de engrenagens são frequentemente utilizados nos servossistemas para reduzir a velocidade, aumentar o torque ou obter transferência de potência mais eficaz, adequando a rotação do motor com a da carga considerada.

Considere o sistema de engrenagens mostrado na Figura 5.51. Nesse sistema, a carga é acionada por um motor, por meio de um conjunto de engrenagens. Supondo que a rigidez dos eixos do conjunto de engrenagens seja infinita (não exista nem folga nem deformação elástica) e que o número de dentes de cada engrenagem seja proporcional ao respectivo raio, obtenha o momento de inércia equivalente e o coeficiente de atrito viscoso equivalente, referidos ao eixo do motor e ao eixo da carga.

Na Figura 5.51, o número de dentes nas engrenagens 1, 2, 3 e 4 são N_1, N_2, N_3 e N_4, respectivamente. O deslocamento angular dos eixos 1, 2 e 3 são θ_1, θ_2 e θ_3, respectivamente. Assim, $\theta_2/\theta_1 = N_1/N_2$ e $\theta_3/\theta_2 = N_3/N_4$. O momento de inércia e o coeficiente de atrito viscoso de cada engrenagem são designados como J_1, b_1; J_2, b_2; e J_3, b_3, respectivamente. (J_3 e b_3 incluem o momento de inércia e o coeficiente de atrito da carga.)

FIGURA 5.51
Sistema de engrenagens.

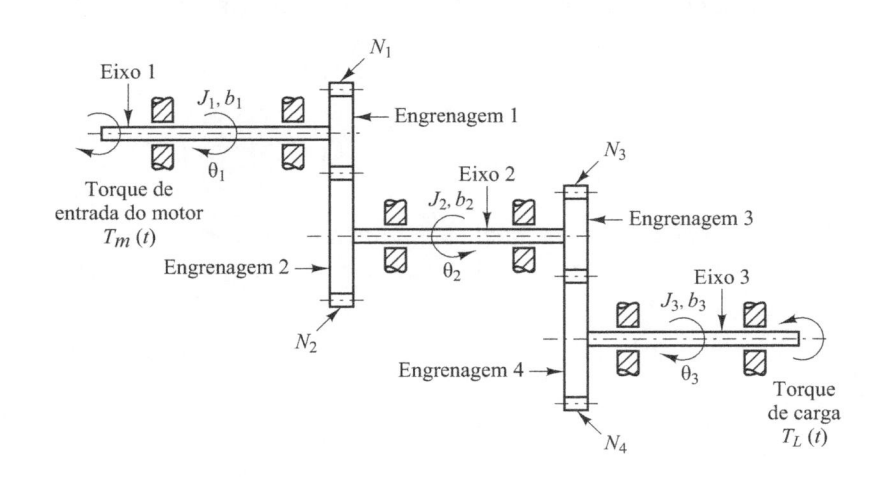

Solução. Para esse sistema de engrenagens, podemos obter as seguintes equações: para o eixo 1,

$$J_1\ddot{\theta}_1 + b_1\dot{\theta}_1 + T_1 = T_m \tag{5.63}$$

onde T_m é o torque desenvolvido pelo motor e T_1 é o torque de carga na engrenagem 1, em razão do restante do conjunto de engrenagens. Para o eixo 2,

$$J_2\ddot{\theta}_2 + b_2\dot{\theta}_2 + T_3 = T_2 \tag{5.64}$$

onde T_2 é o torque transmitido à engrenagem 2 e T_3 é o torque de carga da engrenagem 3, em razão do restante do conjunto de engrenagens. Como o trabalho realizado pela engrenagem 1 é igual ao realizado pela engrenagem 2, então

$$T_1\theta_1 = T_2\theta_2 \quad \text{ou} \quad T_2 = T_1\frac{N_2}{N_1}$$

Se $N_1/N_2 < 1$, a relação das engrenagens reduz a velocidade tanto quanto aumenta o torque. Para o eixo 3,

$$J_3\ddot{\theta}_3 + b_3\dot{\theta}_3 + T_L = T_4 \tag{5.65}$$

onde T_L é o torque de carga e T_4 é o torque transmitido para a engrenagem 4. T_3 e T_4 estão relacionados por:

$$T_4 = T_3\frac{N_4}{N_3}$$

e θ_3 e θ_1 estão relacionados por:

$$\theta_3 = \theta_2\frac{N_3}{N_4} = \theta_1\frac{N_1}{N_2}\frac{N_3}{N_4}$$

Eliminando T_1, T_2, T_3 e T_4 das equações 5.63, 5.64 e 5.65, temos:

$$J_1\ddot{\theta}_1 + b_1\dot{\theta}_1 + \frac{N_1}{N_2}(J_2\ddot{\theta}_2 + b_2\dot{\theta}_2) + \frac{N_1N_3}{N_2N_4}(J_3\ddot{\theta}_3 + b_3\dot{\theta}_3 + T_L) = T_m$$

Eliminando θ_2 e θ_3 dessa última equação e escrevendo a equação resultante em termos de θ_1 e suas derivadas em relação ao tempo, obtemos:

$$\left[J_1 + \left(\frac{N_1}{N_2}\right)^2 J_2 + \left(\frac{N_1}{N_2}\right)^2\left(\frac{N_3}{N_4}\right)^2 J_3\right]\ddot{\theta}_1$$
$$+ \left[b_1 + \left(\frac{N_1}{N_2}\right)^2 b_2 + \left(\frac{N_1}{N_2}\right)^2\left(\frac{N_3}{N_4}\right)^2 b_3\right]\dot{\theta}_1 + \left(\frac{N_1}{N_2}\right)\left(\frac{N_3}{N_4}\right)T_L = T_m \tag{5.66}$$

Assim, o momento de inércia e o coeficiente de atrito viscoso equivalentes do conjunto de engrenagem, referentes ao eixo 1, são dados, respectivamente, por:

$$J_{1eq} = J_1 + \left(\frac{N_1}{N_2}\right)^2 J_2 + \left(\frac{N_1}{N_2}\right)^2\left(\frac{N_3}{N_4}\right)^2 J_3$$

$$b_{1eq} = b_1 + \left(\frac{N_1}{N_2}\right)^2 b_2 + \left(\frac{N_1}{N_2}\right)^2\left(\frac{N_3}{N_4}\right)^2 b_3$$

Da mesma maneira, o momento de inércia e o coeficiente de atrito viscoso equivalentes do conjunto de engrenagens, referentes ao eixo da carga (eixo 3), são dados, respectivamente, por:

$$J_{3eq} = J_3 + \left(\frac{N_4}{N_3}\right)^2 J_2 + \left(\frac{N_2}{N_1}\right)^2\left(\frac{N_4}{N_3}\right)^2 J_1$$

$$b_{3eq} = b_3 + \left(\frac{N_4}{N_3}\right)^2 b_2 + \left(\frac{N_2}{N_1}\right)^2\left(\frac{N_4}{N_3}\right)^2 b_1$$

A relação entre J_{1eq} e J_{3eq} é, então,

$$J_{1eq} = \left(\frac{N_1}{N_2}\right)^2 \left(\frac{N_3}{N_4}\right)^2 J_{3eq}$$

e entre b_{1eq} e b_{3eq} é:

$$b_{1eq} = \left(\frac{N_1}{N_2}\right)^2 \left(\frac{N_3}{N_4}\right)^2 b_{3eq}$$

O efeito de J_2 e J_3 no momento de inércia equivalente é determinado pelas relações de engrenagens N_1/N_2 e N_3/N_4. Para conjuntos de engrenagens redutores de velocidade, as relações N_1/N_2 e N_3/N_4 normalmente são menores que a unidade. Se $N_1/N_2 \ll 1$ e $N_3/N_4 \ll 1$, então o efeito de J_2 e J_3 no momento de inércia equivalente J_{1eq} é desprezível. A mesma observação se aplica ao coeficiente de atrito viscoso equivalente b_{1eq} do conjunto de engrenagens. Em termos do momento de inércia equivalente J_{1eq} e do coeficiente de atrito viscoso equivalente b_{1eq}, a Equação 5.66 pode ser simplificada, resultando:

$$J_{1eq}\ddot{\theta}_1 + b_{1eq}\dot{\theta}_1 + nT_L = T_m$$

onde

$$n = \frac{N_1 N_3}{N_2 N_4}$$

A.5.3 Quando o sistema mostrado na Figura 5.52(a) é submetido a um degrau unitário de entrada, o sistema responde com uma saída como a indicada na Figura 5.52b. Determine os valores de K e T a partir da curva de resposta.

Solução. O máximo sobressinal de 25,4% corresponde a $\zeta = 0,4$. Da curva de resposta, obtemos:

$$t_p = 3$$

Consequentemente,

$$t_p = \frac{\pi}{\omega_d} = \frac{\pi}{\omega_n \sqrt{1 - \zeta^2}} = \frac{\pi}{\omega_n \sqrt{1 - 0,4^2}} = 3$$

Segue-se que

$$\omega_n = 1,14$$

FIGURA 5.52
(a) Sistema de malha fechada; (b) curva de resposta ao degrau unitário.

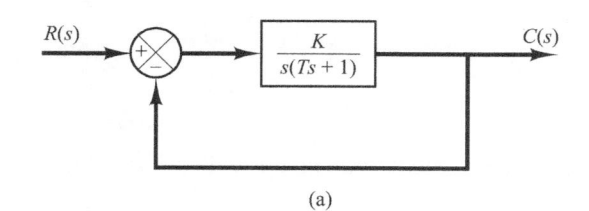

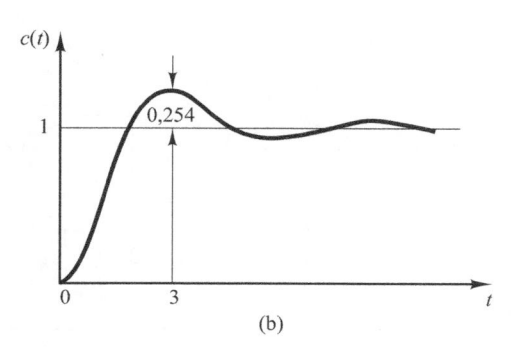

A partir do diagrama de blocos, temos:

$$\frac{C(s)}{R(s)} = \frac{K}{Ts^2 + s + K}$$

o que resulta em:

$$\omega_n = \sqrt{\frac{K}{T}}, \quad 2\zeta\omega_n = \frac{1}{T}$$

Portanto, os valores de T e K ficam determinados como:

$$T = \frac{1}{2\zeta\omega_n} = \frac{1}{2 \times 0,4 \times 1,14} = 1,09$$

$$K = \omega_n^2 T = 1,14^2 \times 1,09 = 1,42$$

A.5.4 Determine os valores de K e k do sistema de malha fechada mostrado na Figura 5.53 para que o máximo sobressinal da resposta ao degrau unitário seja 25% e o tempo de pico seja 2 s. Suponha que $J = 1$ kg-m².

Solução. A função de transferência de malha fechada é:

$$\frac{C(s)}{R(s)} = \frac{K}{Js^2 + Kks + K}$$

Substituindo $J = 1$ kg-m² na última equação, teremos:

$$\frac{C(s)}{R(s)} = \frac{K}{s^2 + Kks + K}$$

Note que, neste problema,

$$\omega_n = \sqrt{K}, \quad 2\zeta\omega_n = Kk$$

O máximo sobressinal M_p é:

$$M_p = e^{-\zeta\pi/\sqrt{1-\zeta^2}}$$

cujo valor está especificado em 25%. Então,

$$e^{-\zeta\pi/\sqrt{1-\zeta^2}} = 0,25$$

a partir do qual

$$\frac{\zeta\pi}{\sqrt{1-\zeta^2}} = 1,386$$

ou

$$\zeta = 0,404$$

A especificação do tempo de pico t_p é de 2 s. Assim,

$$t_p = \frac{\pi}{\omega_d} = 2$$

FIGURA 5.53
Sistema de malha fechada.

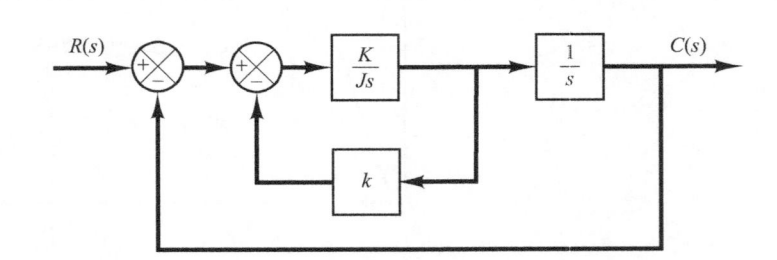

ou

$$\omega_d = 1{,}57$$

Então, a frequência natural não amortecida ω_n é:

$$\omega_n = \frac{\omega_d}{\sqrt{1-\zeta^2}} = \frac{1{,}57}{\sqrt{1-0{,}404^2}} = 1{,}72$$

Portanto, obtemos:

$$K = \omega_n^2 = 1{,}72^2 = 2{,}95 \text{ N-m}$$

$$k = \frac{2\zeta\omega_n}{K} = \frac{2 \times 0{,}404 \times 1{,}72}{2{,}95} = 0{,}471 \text{ s}$$

A.5.5 A Figura 5.54(a) mostra um sistema mecânico vibratório. Quando uma força de 8,9 N (degrau de entrada) é aplicada ao sistema, a massa oscila, como mostra a Figura 5.54(b). Determine m, b e k do sistema a partir dessa curva de resposta. O deslocamento x é medido a partir da posição de equilíbrio.

Solução. A função de transferência desse sistema é:

$$\frac{X(s)}{P(s)} = \frac{1}{ms^2 + bs + k}$$

Como

$$P(s) = \frac{8{,}9}{s}$$

obtemos:

$$X(s) = \frac{8{,}9}{s(ms^2 + bs + k)}$$

Segue-se que o valor de regime permanente de x é:

$$x(\infty) = \lim_{s \to 0} sX(s) = \frac{8{,}9}{k} = 0{,}03048 \text{ m}$$

Então,

$$k = 292 \text{ N/m}$$

Note que $M_p = 9{,}5\%$ corresponde a $\zeta = 0{,}6$. O tempo de pico t_p é dado por:

$$t_p = \frac{\pi}{\omega_d} = \frac{\pi}{\omega_n\sqrt{1-\zeta^2}} = \frac{\pi}{0{,}8\omega_n}$$

FIGURA 5.54
(a) Sistema mecânico vibratório; (b) curva de resposta ao degrau.

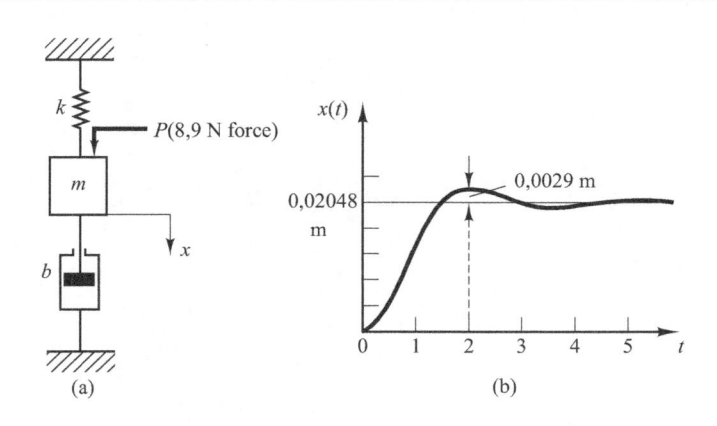

A curva experimental mostra que $t_p = 2$ s. Portanto,

$$\omega_n = \frac{3,14}{2 \times 0,8} = 1,96 \text{ rad/s}$$

Como $\omega_n^2 = k/m = 292/m$, obtemos:

$$m = \frac{292}{\omega_n^2} = \frac{292}{1,96^2} = 76 \text{ Kg}$$

Então, b é determinado a partir de

$$2\zeta\omega_n = \frac{b}{m}$$

ou

$$b = 2\zeta\omega_n m = 2 \times 0,6 \times 1,96 \times 76 = 179 \text{ N-s/m}$$

A.5.6 Considere a resposta ao degrau unitário do sistema de segunda ordem

$$\frac{C(s)}{R(s)} = \frac{\omega_n^2}{s^2 + 2\zeta\omega_n s + \omega_n^2}$$

A amplitude da senoide exponencialmente amortecida varia como os termos de uma série geométrica. No instante $t = t_p = \pi/\omega_d$, a amplitude é igual a $e^{-(\sigma/\omega_d)\pi}$. Depois de uma oscilação, ou seja, para $t = t_p + 2\pi/\omega_d = 3\pi/\omega_d$, a amplitude é igual a $e^{-(\sigma/\omega_d)3\pi}$; depois de outro ciclo de oscilação, a amplitude é $e^{-(\sigma/\omega_d)5\pi}$. O logaritmo da relação de amplitudes sucessivas é denominado *decremento logarítmico*. Determine o decremento logarítmico para esse sistema de segunda ordem. Descreva um método para a determinação experimental do coeficiente de amortecimento a partir da taxa de decremento da oscilação.

Solução. Vamos definir a amplitude da resposta oscilatória em $t = t_i$ como x_i, onde $t_i = t_p + (i-1)T$ (T = período de oscilação). A relação de amplitudes em cada período das oscilações amortecidas é:

$$\frac{x_1}{x_2} = \frac{e^{-(\sigma/\omega_d)\pi}}{e^{-(\sigma/\omega_d)3\pi}} = e^{2(\sigma/\omega_d)\pi} = e^{2\zeta\pi/\sqrt{1-\zeta^2}}$$

Então, o decremento logarítmico δ é:

$$\delta = \ln\frac{x_1}{x_2} = \frac{2\zeta\pi}{\sqrt{1-\zeta^2}}$$

Esta é uma função apenas do coeficiente de amortecimento ζ. Assim, o coeficiente de amortecimento ζ pode ser determinado utilizando-se o decremento logarítmico.

Na determinação experimental do coeficiente de amortecimento ζ a partir da taxa de decremento das oscilações, medimos a amplitude x_1 no instante $t = t_p$ e a amplitude x_n no instante $t = t_p + (n-1)T$. Note que é necessário escolher n suficientemente grande para que a relação x_1/x_n não seja próxima de 1. Então,

$$\frac{x_1}{x_n} = e^{(n-1)2\zeta\pi/\sqrt{1-\zeta^2}}$$

ou

$$\ln\frac{x_1}{x_n} = (n-1)\frac{2\zeta\pi}{\sqrt{1-\zeta^2}}$$

Portanto,

$$\zeta = \frac{\frac{1}{n-1}\left(\ln\frac{x_1}{x_n}\right)}{\sqrt{4\pi^2 + \left[\frac{1}{n-1}\left(\ln\frac{x_1}{x_n}\right)\right]^2}}$$

A.5.7 No sistema mostrado na Figura 5.55, os valores numéricos de m, b e k são dados como $m = 1$ kg, $b = 2$ N-s/m e $k = 100$ N/m. A massa é deslocada de 0,05 m e liberada sem velocidade inicial. Determine a frequência da oscilação observada. Determine também a amplitude quatro ciclos depois. O deslocamento x é medido a partir da posição de equilíbrio.

Solução. A equação de movimento para o sistema é:

$$m\ddot{x} + b\dot{x} + kx = 0$$

Substituindo os valores numéricos de m, b e k nessa equação, temos:

$$\ddot{x} + 2\dot{x} + 100x = 0$$

onde as condições iniciais são $x(0) = 0{,}05$ e $\dot{x}(0) = 0$. A partir dessa última equação, obtemos a frequência natural não amortecida ω_n e o coeficiente de amortecimento ζ como:

$$\omega_n = 10, \quad \zeta = 0{,}1$$

A frequência realmente observada nas oscilações é a frequência natural amortecida ω_d.

$$\omega_d = \omega_n\sqrt{1 - \zeta^2} = 10\sqrt{1 - 0{,}01} = 9{,}95 \text{ rad/s}$$

Na presente análise, $\dot{x}(0)$ é dada como zero. Assim, a solução $x(t)$ pode ser escrita como:

$$x(t) = x(0)e^{-\zeta\omega_n t}\left(\cos\omega_d t + \frac{\zeta}{\sqrt{1-\zeta^2}}\operatorname{sen}\omega_d t\right)$$

Segue-se que, para $t = nT$, onde $T = 2\pi/\omega_d$,

$$x(nT) = x(0)e^{-\zeta\omega_n nT}$$

Consequentemente, a amplitude após quatro ciclos é:

$$x(4T) = x(0)e^{-\zeta\omega_n 4T} = x(0)e^{-(0{,}1)(10)(4)(0{,}6315)}$$
$$= 0{,}05e^{-2{,}526} = 0{,}05 \times 0{,}07998 = 0{,}004 \text{ m}$$

FIGURA 5.55
Sistema amortecedor massa-mola.

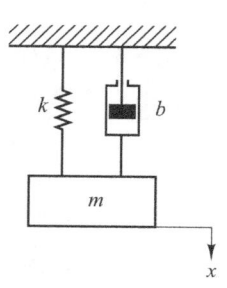

A.5.8 Obtenha a resposta ao degrau unitário, tanto analítica como computacionalmente, do seguinte sistema de ordem superior:

$$\frac{C(s)}{R(s)} = \frac{3s^3 + 25s^2 + 72s + 80}{s^4 + 8s^3 + 40s^2 + 96s + 80}$$

[Obtenha a expansão de $C(s)$ em frações parciais com o MATLAB para o caso em que $R(s)$ seja um degrau unitário.]

Solução. O Programa 5.18 em MATLAB gera a curva de resposta ao degrau unitário mostrada na Figura 5.56. Ele também fornece a expansão de $C(s)$ em frações parciais, como segue:

$$C(s) = \frac{3s^3 + 25s^2 + 72s + 80}{s^4 + 8s^3 + 40s^2 + 96s + 80} \cdot \frac{1}{s}$$

$$= \frac{-0{,}2813 - j0{,}1719}{s + 2 - j4} + \frac{-0{,}2813 - j0{,}1719}{s + 2 - j4}$$

$$+ \frac{-0{,}4375}{s + 2} + \frac{-0{,}375}{(s + 2)^2} + \frac{1}{s}$$

$$= \frac{-0{,}5626(s + 2)}{(s + 2)^2 + 4^2} + \frac{(0{,}3438) \times 4}{(s + 2)^2 + 4^2}$$

$$- \frac{0{,}4375}{s + 2} - \frac{0{,}375}{(s + 2)^2} + \frac{1}{s}$$

Programa 5.18 em MATLAB

```
% ------- Resposta ao degrau unitário de
% C(s)/R(s) e expansão em frações parciais
% de C(s) -------
num = [3 25 72 80];
den = [1 8 40 96 80];
step(num,den);
v = [0 3 0 1.2]; axis(v), grid

% Para obter a expansão em frações parciais
% de C(s), digite os comandos
%    num1 = [3 25 72 80];
%    den1 = [1 8 40 96 80 0];
%    [r,p,k] = residue(num1,den1)

num1 = [25 72 80];
den1 = [1 8 40 96 80 0];
[r,p,k] = residue(num1,den1)

r =
   -0.2813 - 0.1719i
   -0.2813 + 0.1719i
   -0.4375
   -0.3750
   -1.0000

p =
   -2.0000 + 4.0000i
   -2.0000 - 4.0000i
   -2.0000
   -2.0000
   -0

k =
   []
```

Então, a resposta no tempo $c(t)$ pode ser dada por:

$$c(t) = -0{,}5626e^{-2t}\cos 4t + 0{,}3438e^{-2t}\operatorname{sen} 4t$$
$$- 0{,}4375e^{-2t} - 0{,}375te^{-2t} + 1$$

A curva de resposta é uma superposição de uma curva exponencial com uma senoide amortecida, conforme se pode ver na Figura 5.56.

FIGURA 5.56
Curva de resposta ao degrau unitário.

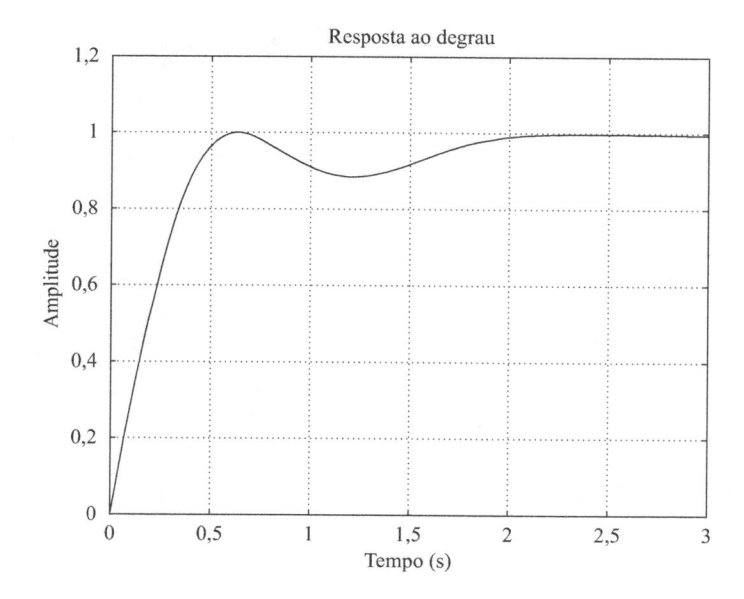

A.5.9 Quando um sistema de malha fechada envolve uma dinâmica no numerador, a curva de resposta ao degrau unitário pode apresentar um grande sobressinal. Obtenha a resposta ao degrau unitário do seguinte sistema, utilizando o MATLAB:

$$\frac{C(s)}{R(s)} = \frac{10s + 4}{s^2 + 4s + 4}$$

Obtenha também a resposta à rampa unitária com o MATLAB.

Solução. O Programa 5.19 em MATLAB produz tanto a resposta ao degrau unitário como a resposta à rampa unitária do sistema dado. A curva de resposta ao degrau unitário e a curva de resposta à rampa unitária, juntamente com a entrada em rampa unitária, são mostradas nas figuras 5.57(a) e (b), respectivamente.

Observe que a curva de resposta ao degrau unitário apresenta um sobressinal superior a 215%. A curva de resposta à rampa unitária está avançada em relação à curva do sinal de entrada. Esses fenômenos ocorrem por causa da presença de um grande termo derivativo no numerador.

```
Programa 5.19 em MATLAB

num = [10 4];
den = [1 4 4];
t = 0:0.02:10;
y = step(num,den,t);
plot(t,y)
grid
title('Resposta do Degrau Unitário')
xlabel('t (s)')
ylabel('Output')

num1 = [10 4];
den1 = [1 4 4 0];
y1 = step(num1,den1,t);
plot(t,t,'--',t,y1)
v = [0 10 0 10]; axis(v);
grid
title('Resposta à Rampa Unitária')
xlabel('t (s)')
ylabel('Entrada e Saída em Rampa Unitária')
text(6.1,5.0,'Entrada em Rampa Unitária')
text(3.5,7.1,'Saída')
```

FIGURA 5.57
(a) Curva de resposta ao degrau unitário (b) curva de resposta à rampa unitária com entrada em rampa unitária.

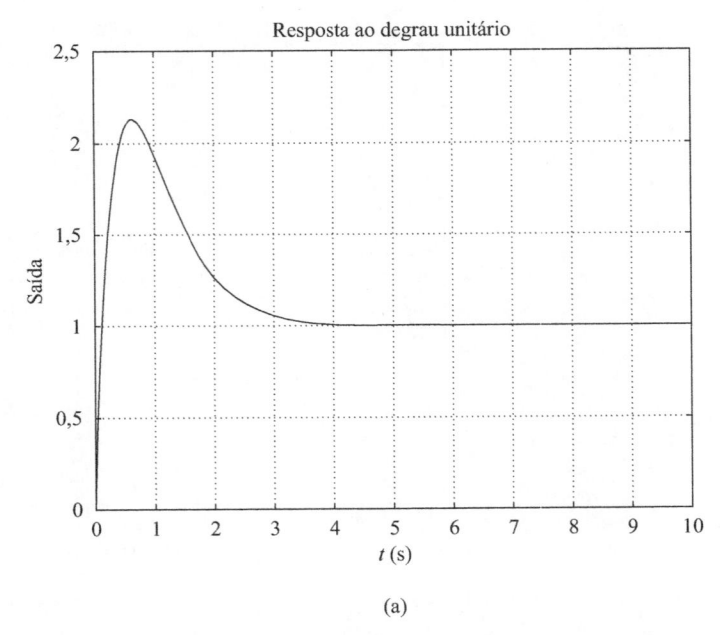

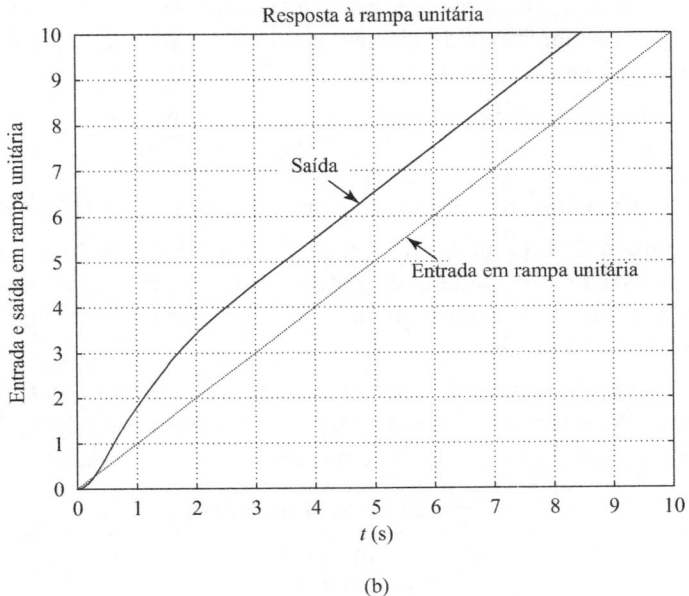

Resposta ao degrau unitário

(a)

Resposta à rampa unitária

(b)

A.5.10 Considere o sistema de ordem superior definido por:

$$\frac{C(s)}{R(s)} = \frac{6,3223s^2 + 18s + 12,811}{s^4 + 6s^3 + 11,3223s^2 + 18s + 12,811}$$

Utilizando o MATLAB, desenhe a curva de resposta ao degrau unitário desse sistema. Utilizando o MATLAB, obtenha o tempo de subida, o tempo de pico, o máximo sobressinal e o tempo de acomodação.

Solução. O Programa 5.20 em MATLAB imprime a curva de resposta ao degrau unitário, bem como fornece o tempo de subida, o tempo de pico, o máximo sobressinal e o tempo de acomodação. A curva de resposta ao degrau unitário é mostrada na Figura 5.58.

Programa 5.20 em MATLAB

```
% ------- Este programa destina-se a desenhar a curva de resposta ao degrau
% unitário bem como fornece o tempo de subida, o tempo de pico, o máximo sobressinal
e o tempo de acomodação.
% Neste programa o tempo de subida é o tempo requerido para que a resposta suba
% desde 10% até 90% de seu valor final. -------
num = [6.3223 18 12.811];
den = [1 6 11.3223 18 12.811];
t = 0:0.02:20;
[y,x,t] = step(num,den,t);
plot(t,y)
grid
title('Resposta ao Degrau Unitário')
xlabel('t (s)')
ylabel('Saída y(t)')

r1 = 1; while y(r1) < 0.1, r1 = r1+1; end;
r2 = 1; while y(r2) < 0.9, r2 = r2+1; end;
rise_time = (r2-r1)*0. 02

rise_time =
   0.5800

[ymax,tp] = max(y);
peak_time = (tp-1)*0.02

peak_time =
   1.6600

max_overshoot = ymax-1

max_overshoot =
   0.6182

s = 1001; while y(s) > 0.98 & y(s) < 1.02; s = s-1; end;
settling_time = (s-1)*0.02

settling_time =
   10.0200
```

FIGURA 5.58
Curva de resposta ao degrau unitário.

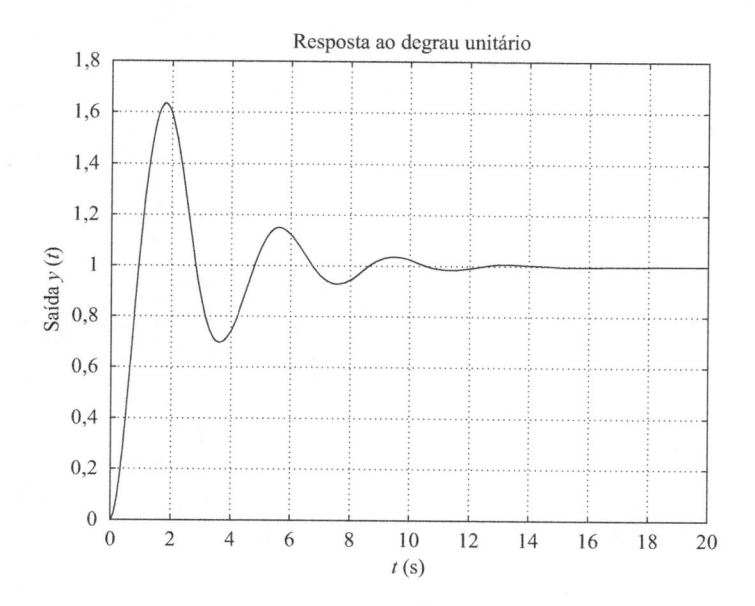

A.5.11 Considere o sistema de malha fechada definido por:

$$\frac{C(s)}{R(s)} = \frac{\omega_n^2}{s^2 + 2\zeta\omega_n s + \omega_n^2}$$

Utilizando um 'for loop', escreva um programa em MATLAB para obter a resposta ao degrau unitário desse sistema para os quatro casos seguintes:

Caso 1: $\zeta = 0{,}3$, $\omega_n = 1$

Caso 2: $\zeta = 0{,}5$, $\omega_n = 2$

Caso 3: $\zeta = 0{,}7$, $\omega_n = 4$

Caso 4: $\zeta = 0{,}8$, $\omega_n = 6$

Solução. Defina $\omega_n^2 = a$ e $2\zeta\omega_n = b$. Então, os vetores a e b têm quatro elementos cada um, como segue:

$$a = [1 \quad 4 \quad 16 \quad 36]$$
$$b = [0{,}6 \quad 2 \quad 5{,}6 \quad 9{,}6]$$

Utilizando os vetores a e b, o Programa 5.21 em MATLAB fornece as curvas de resposta ao degrau unitário, como mostra a Figura 5.59.

```
Programa 5.21 em MATLAB

a = [1 4 16 36];
b = [0.6 2 5.6 9.6];
t = 0:0.1:8;
y = zeros(81,4);
    for i = 1:4;
    num = [a(i)];
    den = [1 b(i) a(i)];
    y(:,i) = step(num,den,t);
    end
plot(t,y(:,1),'o',t,y(:,2),'x',t,y(:,3),'-',t,y(:,4),'-.')
grid
title('Curvas de Resposta ao Degrau Unitário para os Quatro Casos')
xlabel('t (s)')
ylabel('Saídas')
gtext('1')
gtext('2')
gtext('3')
gtext('4')
```

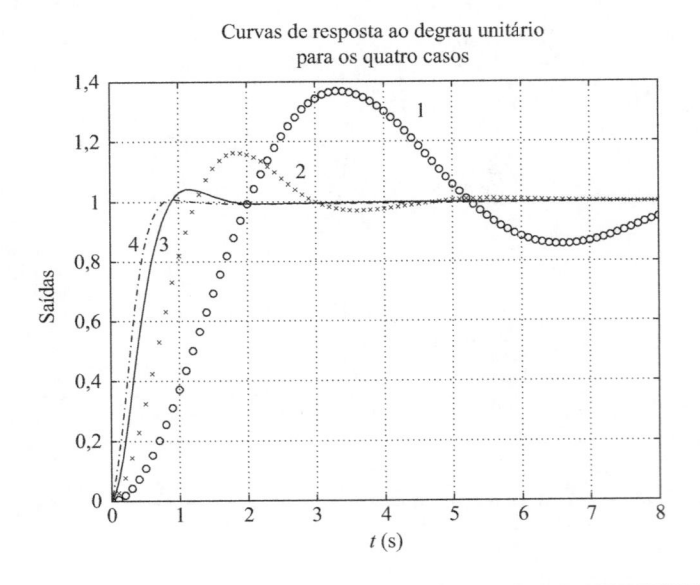

FIGURA 5.59
Curvas de resposta ao degrau unitário para os quatro casos.

A.5.12 Utilizando o MATLAB, obtenha a resposta à rampa unitária do sistema de controle de malha fechada, cuja função de transferência é:

$$\frac{C(s)}{R(s)} = \frac{s+10}{s^3 + 6s^2 + 9s + 10}$$

Obtenha também a resposta desse sistema quando a entrada for dada por:

$$r = e^{-0,5t}$$

Solução. O Programa 5.22 em MATLAB fornece a resposta à rampa unitária e a resposta à entrada exponencial $r = e^{-0,5t}$. As curvas de resposta resultantes são mostradas nas figuras 5.60(a) e (b), respectivamente.

```
Programa 5.22 em MATLAB

% --------- Resposta à Rampa Unitária ---------
num = [1 10];
den = [1 6 9 10];
t = 0:0.1:10;
r = t;
y = lsim(num,den,r,t);
plot(t,r,'-',t,y,'o')
grid
title('Resposta à Rampa Unitária com o Uso de Comando "lsim"')
xlabel('t (s)')
ylabel('Saída')
text(3.2,6.5,'Entrada em Rampa Unitária')
text(6.0,3.1,'Saída')

% --------- Resposta à Entrada r1 = exp(-0.5t). ---------
num = [0 0 1 10];
den = [1 6 9 10];
t = 0:0.1:12;
r1 = exp(-0.5*t);
y1 = lsim(num,den,r1,t);
plot(t,r1,'-',t,y1,'o')
grid
title('Resposta à Entrada r1 = exp(-0.5t)')
xlabel('t (s)')
ylabel('Entrada e Saída')
text(1.4,0.75,'Entrada r1 = exp(-0.5t)')
text(6.2,0.34,'Saída')
```

FIGURA 5.60
(a) Curva de resposta à rampa unitária; (b) resposta à entrada exponencial $r_1 = e^{-0,5t}$.

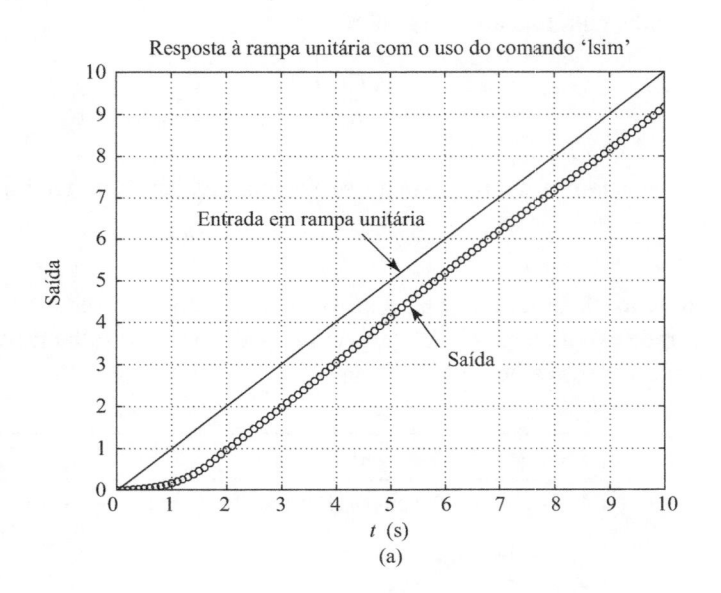

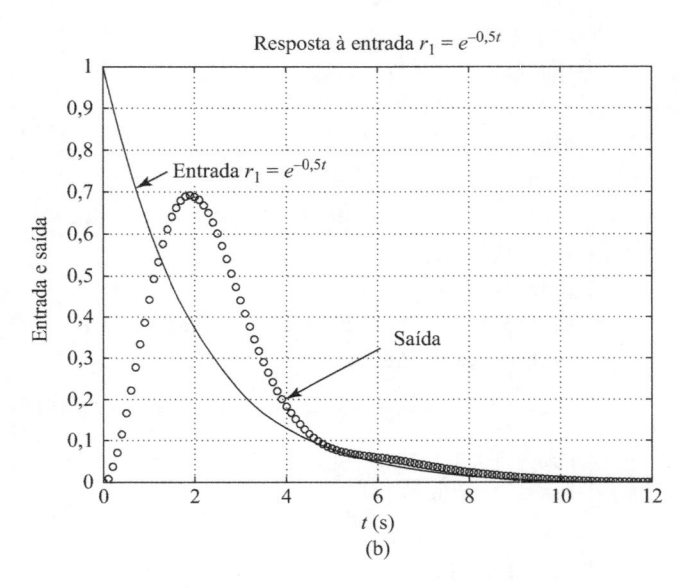

A.5.13 Obtenha a resposta do sistema de malha fechada definido por:

$$\frac{C(s)}{R(s)} = \frac{5}{s^2 + s + 5}$$

quando a entrada $r(t)$ for dada por:

$$r(t) = 2 + t$$

[A entrada $r(t)$ é uma entrada em degrau de valor 2 mais a entrada em rampa unitária.]

Solução. Um programa possível é o Programa 5.23 em MATLAB. A Figura 5.61 mostra a curva de resposta resultante, juntamente com o traçado da função de entrada.

```
Programa 5.23 em MATLAB

num = [5];
den = [1 1 5];
t = 0:0.05:10;
r = 2+t;
c = lsim(num,den,r,t);
plot(t,r,'-',t,c,'o')
grid
title('Resposta à Entrada r(t) = 2 + t')
xlabel('t (s)')
ylabel('Saída c(t) e Entrada r(t) = 2 + t')
```

FIGURA 5.61
Resposta à entrada $r(t) = 2 + t$

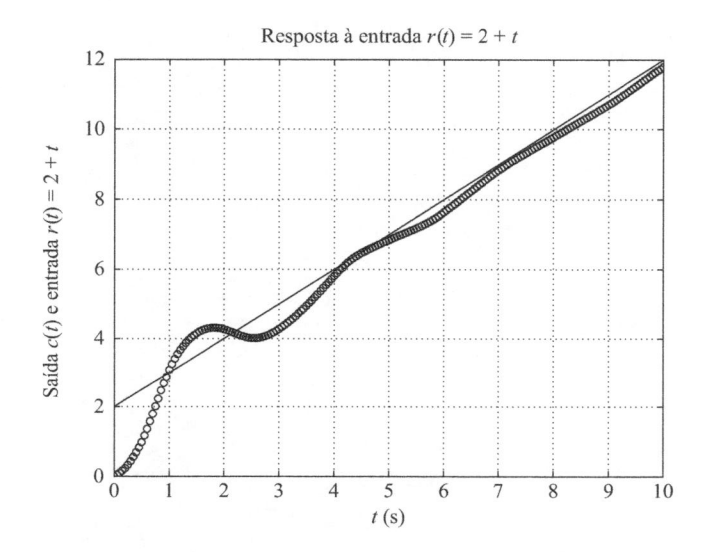

A.5.14 Obtenha a resposta do sistema mostrado na Figura 5.62, quando a entrada $r(t)$ for dada por:

$$r(t) = \frac{1}{2}t^2$$

[A entrada $r(t)$ é uma entrada em aceleração unitária.]

FIGURA 5.62
Sistema de controle.

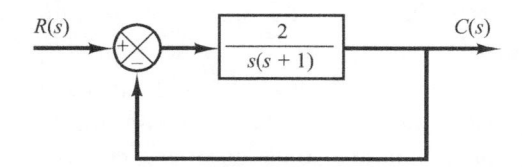

Solução. A função de transferência de malha fechada é:

$$\frac{C(s)}{R(s)} = \frac{2}{s^2 + s + 2}$$

O Programa 5.24 em MATLAB fornece a resposta à aceleração unitária. A Figura 5.63 mostra a resposta resultante, juntamente com a entrada em aceleração unitária.

Programa 5.24 em MATLAB

```
num = [2];
den = [1 1 2];
t = 0:0.2:10;
r = 0.5*t.^2;
y = lsim(num,den,r,t);
plot(t,r,'-',t,y,'o',t,y,'-')
grid
title('Resposta à Aceleração Unitária')
xlabel('t (s)')
ylabel('Entrada e Saída')
text(2.1,27.5,'Entrada em Aceleração Unitária')
text(7.2,7.5,'Saída')
```

FIGURA 5.63
Resposta à entrada em aceleração unitária.

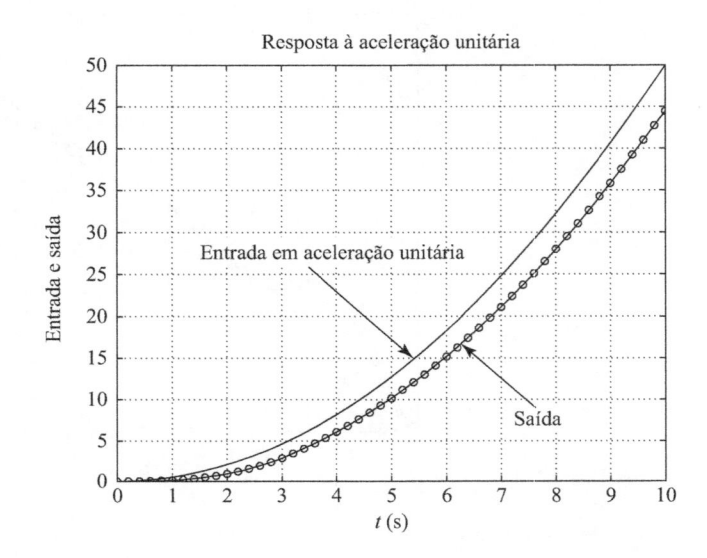

A.5.15 Considere o sistema definido por:

$$\frac{C(s)}{R(s)} = \frac{1}{s^2 + 2\zeta s + 1}$$

onde $\zeta = 0$; 0,2; 0,4; 0,6; 0,8 e 1,0. Escreva um programa em MATLAB utilizando um 'for loop' para obter os gráficos bidimensional e tridimensional da saída do sistema. A entrada é a função degrau unitário.

Solução. O Programa 5.25 em MATLAB é uma opção de programa para obter os gráficos bidimensional e tridimensional. A Figura 5.64(a) mostra o gráfico bidimensional das curvas de resposta ao degrau unitário para vários valores de ζ. A Figura 5.64(b) exibe o gráfico tridimensional obtido pelo comando 'mesh(y)' e a Figura 5.64(c) é obtida com o uso do comando 'mesh(y′)'. (Esses dois gráficos tridimensionais são basicamente os mesmos. A única diferença é que o eixo x e o eixo y são permutados.)

Programa 5.25 em MATLAB

```
t = 0:0.2:12;
    for n = 1:6;
    num = [1];
    den = [1 2*(n-1)*0.2 1];
    [y(1:61,n),x,t] = step(num,den,t);
    end
plot(t,y)
grid
title('Curvas de Resposta ao Degrau Unitário')
xlabel('t s')
ylabel('Saídas')
gtext('\zeta = 0'),
gtext('0.2')
gtext('0.4')
gtext('0.6')
gtext('0.8')
gtext('1.0')

% Para desenhar um gráfico tridimensional, digite o seguinte comando: mesh(y) ou mesh(y').
% Mostramos dois gráficos tridimensionais, um usando 'mesh(y)' e o outro usando
% 'mesh(y')'. Esses dois gráficos são os mesmos, exceto que os eixos x e são y são
% permutados.

mesh(y)
title('Gráfico Tridimensional das Curvas de Resposta do Degrau Unitário com o Uso do Comando
"mesh(y)"')
xlabel('n, onde n = 1,2,3,4,5,6')
ylabel('Valores de Tempo Computados')
zlabel('Saídas')

mesh(y')
title('Gráfico Tridimensional das Curvas de Resposta ao Degrau Unitário com o Uso do Comando
"mesh(y permutado)"')
xlabel('Valores de Tempo Computados')
ylabel('n, onde n = 1,2,3,4,5,6')
zlabel('Saídas')
```

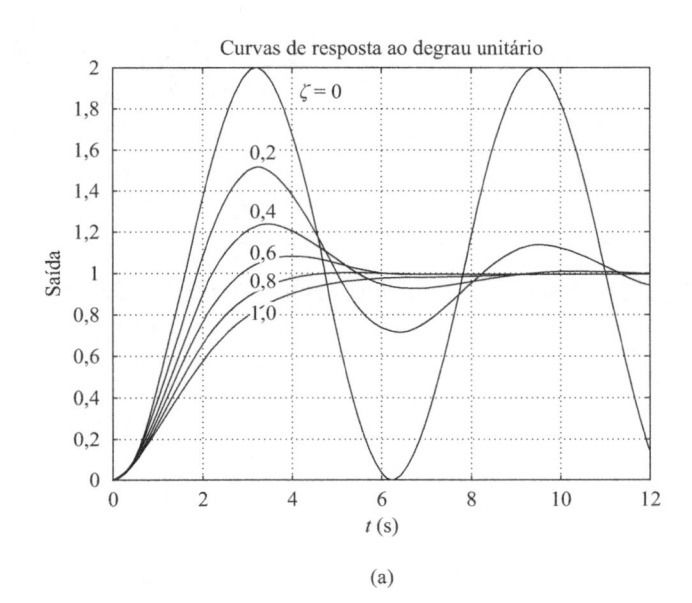

FIGURA 5.64

(a) Gráfico bidimensional das curvas de resposta ao degrau unitário; (b) gráfico tridimensional das curvas de resposta ao degrau unitário com o uso do comando 'mesh(y)' (c) gráfico tridimensional das curvas de resposta ao degrau unitário com o uso do comando 'mesh(y′)'.

(a)

Gráfico tridimensional das curvas de resposta ao
degrau unitário com o uso do comando 'mesh(y)'.

(b)

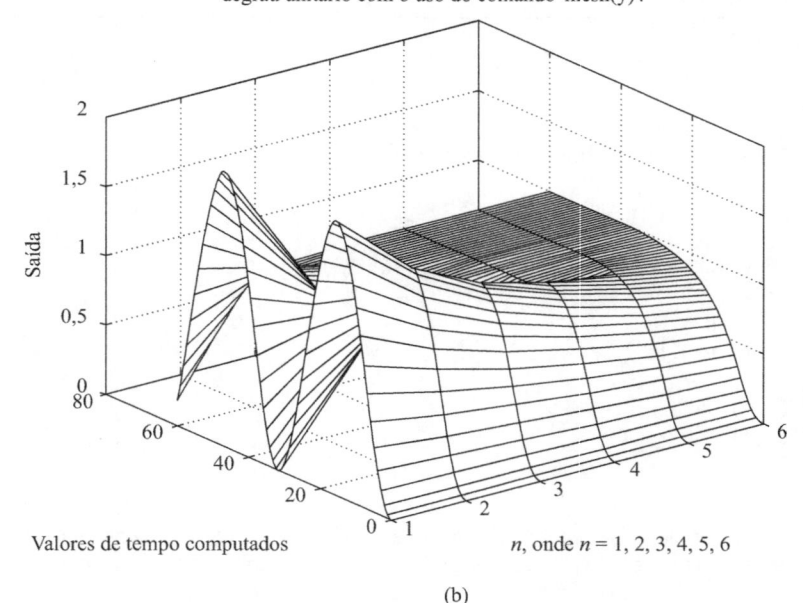

Gráfico tridimensional das curvas de resposta ao degrau
unitário com o uso do comando 'mesh(y permutado)'.

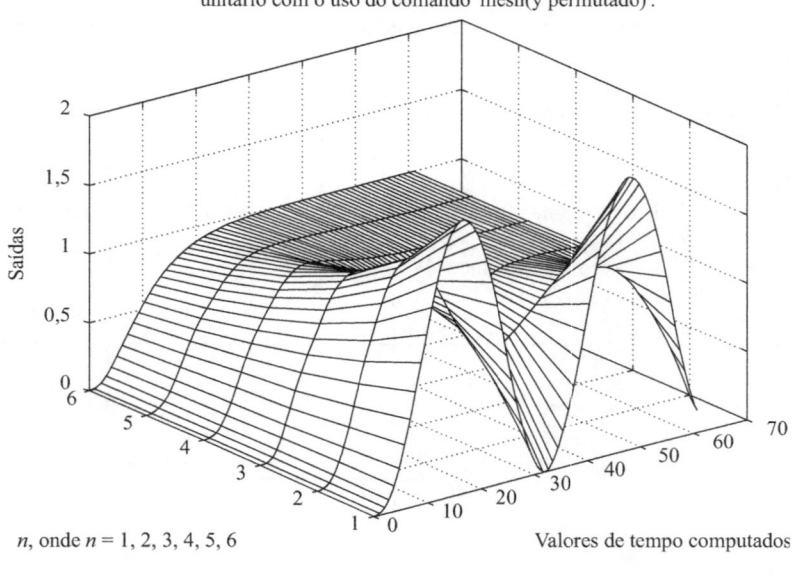

(c)

A.5.16 Considere o sistema submetido à condição inicial dada a seguir:

$$\begin{bmatrix} \dot{x}_1 \\ \dot{x}_2 \\ \dot{x}_3 \end{bmatrix} = \begin{bmatrix} 0 & 1 & 0 \\ 0 & 0 & 1 \\ -10 & -17 & -8 \end{bmatrix} \begin{bmatrix} x_1 \\ x_2 \\ x_3 \end{bmatrix}, \quad \begin{bmatrix} x_1(0) \\ x_2(0) \\ x_3(0) \end{bmatrix} = \begin{bmatrix} 2 \\ 1 \\ 0,5 \end{bmatrix}$$

$$y = \begin{bmatrix} 1 & 0 & 0 \end{bmatrix} \begin{bmatrix} x_1 \\ x_2 \\ x_3 \end{bmatrix}$$

(Não há função de entrada ou função de força nesse sistema.) Obtenha a resposta y(t) *versus* t para a condição inicial dada, utilizando as equações 5.58 e 5.60.

Solução. Uma opção de programa MATLAB baseado nas equações 5.58 e 5.60 é o Programa 5.26 em MATLAB. A Figura 5.65 mostra a curva de resposta resultante. (Note que o problema foi resolvido com o uso do comando 'initial' no Exemplo 5.16. A curva de resposta resultante aqui é exatamente a mesma mostrada na Figura 5.34).

Programa 5.26 em MATLAB

```
t = 0:0.05:10;
A = [0 1 0;0 0 1;-10 -17 -8];
B = [2;1;0.5];
C=[1 0 0];
[y,x,t] = step(A,B,C*A,C*B,1,t);
plot(t,y)
grid;
title('Resposta à Condição Inicial')
xlabel('t (s)')
ylabel('Saída y')
```

FIGURA 5.65
Resposta y(t) à condição inicial dada.

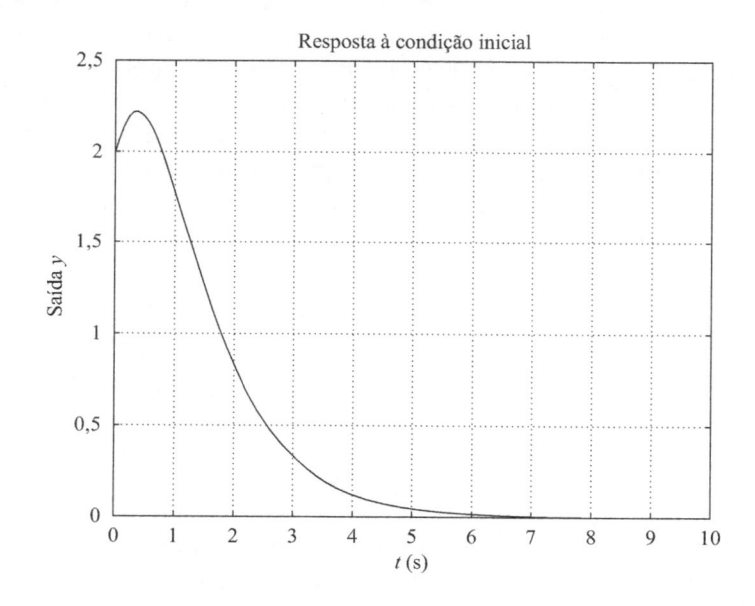

A.5.17 Considere a seguinte equação característica:

$$s^4 + Ks^3 + s^2 + s + 1 = 0$$

Determine o intervalo de valores de K para que o sistema seja estável.

Solução. A matriz dos coeficientes de Routh é:

s^4	1	1	1
s^3	K	1	0
s^2	$\dfrac{K-1}{K}$	1	
s^1	$1 - \dfrac{K^2}{K-1}$		
s^0	1		

para que haja estabilidade, é necessário que:

$$K > 0$$

$$\frac{K-1}{K} > 0$$

$$1 - \frac{K^2}{K-1} > 0$$

A partir da primeira e da segunda condição, K deve ser maior que 1. Note que, para $K > 1$, o termo $1 - [K^2/(K-1)]$ é sempre negativo, pois

$$\frac{K-1-K^2}{K-1} = \frac{-1+K(1-K)}{K-1} < 0$$

Assim, as três condições não podem ser satisfeitas simultaneamente. Então, não existe um valor de K que permita a estabilidade do sistema.

A.5.18 Considere a equação característica dada por:

$$a_0 s^n + a_1 s^{n-1} + a_2 s^{n-2} + \ldots + a_{n-1} s + a_n = 0 \qquad (5.67)$$

O critério de estabilidade de Hurwitz, apresentado a seguir, fornece condições para que todas as raízes tenham partes reais negativas em termos dos coeficientes dos polinômios. Conforme as discussões sobre o critério de estabilidade de Routh, na Seção 5.6, para que todas as raízes tenham partes reais negativas, todos os coeficientes a devem ser positivos. Esta é uma condição necessária, mas não suficiente. Se essa condição não for satisfeita, isso indicará que algumas das raízes têm partes reais positivas ou são imaginárias ou nulas. A condição suficiente para que todas as raízes tenham parte real negativa é dada pelo seguinte critério de estabilidade de Hurwitz: se todos os coeficientes do polinômio forem positivos, eles serão organizados no seguinte determinante:

$$\Delta_n = \begin{vmatrix} a_1 & a_3 & a_5 & \cdots & 0 & 0 & 0 \\ a_0 & a_2 & a_4 & \cdots & \cdot & \cdot & \cdot \\ 0 & a_1 & a_3 & \cdots & a_n & 0 & 0 \\ 0 & a_0 & a_2 & \cdots & a_{n-1} & 0 & 0 \\ \cdot & \cdot & \cdot & & a_{n-2} & a_n & 0 \\ \cdot & \cdot & \cdot & & a_{n-3} & a_{n-1} & 0 \\ 0 & 0 & 0 & \cdots & a_{n-4} & a_{n-2} & a_n \end{vmatrix}$$

onde, para $s > n$, substituímos a_s por zero. Para que todas as raízes tenham parte real negativa, é necessário e suficiente que os menores principais sucessivos de Δ_n sejam positivos. Os menores principais sucessivos são os seguintes determinantes:

$$\Delta_i = \begin{vmatrix} a_1 & a_3 & \cdots & a_{2i-1} \\ a_0 & a_2 & \cdots & a_{2i-2} \\ 0 & a_1 & \cdots & a_{2i-3} \\ \cdot & \cdot & & \cdot \\ 0 & 0 & \cdots & a_i \end{vmatrix} \quad (i = 1, 2, \ldots, n-1)$$

onde $a_s = 0$ se $s > n$. (Note que algumas das condições para os determinantes de ordem inferior estão incluídas nas condições dos determinantes de ordem mais elevada.) Se todos esses determinantes forem positivos e $a_0 > 0$, como foi admitido anteriormente, o estado de equilíbrio do sistema, cuja equação característica é dada pela Equação 5.67, será assintoticamente estável. Observe que, para o critério de estabilidade, não são necessários os valores exatos dos determinantes, mas somente o sinal desses determinantes. Agora, considere a seguinte equação característica:

$$a_0 s^4 + a_1 s^3 + a_2 s^2 + a_3 s + a_4 = 0$$

Obtenha as condições de estabilidade utilizando o critério de estabilidade de Hurwitz.

Solução. As condições para que se tenha estabilidade são que todos os coeficientes a sejam positivos e que

$$\Delta_2 = \begin{vmatrix} a_1 & a_3 \\ a_0 & a_2 \end{vmatrix} = a_1 a_2 - a_0 a_3 > 0$$

$$\Delta_3 = \begin{vmatrix} a_1 & a_3 & 0 \\ a_0 & a_2 & a_4 \\ 0 & a_1 & a_3 \end{vmatrix}$$

$$= a_1(a_2 a_3 - a_1 a_4) - a_0 a_3^2$$

$$= a_3(a_1 a_2 - a_0 a_3) - a_1^2 a_4 > 0$$

É evidente que, se todos os coeficientes a forem positivos e se a condição $\Delta_3 > 0$ for satisfeita, a condição $\Delta_2 > 0$ também será atendida. Portanto, para que todas as raízes da equação característica em questão tenham parte real negativa, é necessário e suficiente que todos os coeficientes a sejam positivos e que $\Delta_3 > 0$.

A.5.19 Mostre que a primeira coluna da matriz de Routh de

$$s^n + a_1 s^{n-1} + a_2 s^{n-2} + \ldots + a_{n-1} s + a_n = 0$$

é dada por:

$$1, \Delta_1, \frac{\Delta_2}{\Delta_1}, \frac{\Delta_3}{\Delta_2}, \ldots, \frac{\Delta_n}{\Delta_{n-1}}$$

onde

$$\Delta_r = \begin{vmatrix} a_1 & 1 & 0 & 0 & . & 0 \\ a_3 & a_2 & a_1 & 1 & . & 0 \\ a_5 & a_4 & a_3 & a_2 & . & 0 \\ \vdots & \vdots & \vdots & \vdots & & \vdots \\ a_{2r-1} & . & . & . & . & a_r \end{vmatrix} \quad (n \geq r \geq 1)$$

$$a_k = 0 \quad \text{se } k > n$$

Solução. A matriz dos coeficientes de Routh tem a seguinte forma:

1	a_2	a_4	a_6	...	a_n
a_1	a_3	a_5	...		
b_1	b_2	b_3	...		
c_1	c_2	.			
⋮	⋮	⋮			

O primeiro termo da primeira coluna da matriz de Routh é 1. O próximo termo da primeira coluna é a_1, que é igual a Δ_1. O próximo termo é b_1, que é igual a:

$$\frac{a_1 a_2 - a_3}{a_1} = \frac{\Delta_2}{\Delta_1}$$

O próximo termo na primeira coluna é c_1, que é igual a:

$$\frac{b_1 a_3 - a_1 b_2}{b_1} = \frac{\left[\frac{a_1 a_2 - a_3}{a_1}\right] a_3 - a_1 \left[\frac{a_1 a_4 - a_5}{a_1}\right]}{\left[\frac{a_1 a_2 - a_3}{a_1}\right]}$$

$$= \frac{a_1 a_2 a_3 - a_3^2 - a_1^2 a_4 + a_1 a_5}{a_1 a_2 - a_3}$$

$$= \frac{\Delta_3}{\Delta_2}$$

Os termos restantes na primeira coluna da matriz de Routh podem ser determinados de modo análogo.

A matriz de Routh possui a propriedade de que os últimos termos não nulos de qualquer coluna são os mesmos, isto é, se a matriz for:

$$\begin{matrix} a_0 & a_2 & a_4 & a_6 \\ a_1 & a_3 & a_5 & a_7 \\ b_1 & b_2 & b_3 \\ c_1 & c_2 & c_3 \\ d_1 & d_2 \\ e_1 & e_2 \\ f_1 \\ g_1 \end{matrix}$$

então

$$a_7 = c_3 = e_2 = g_1$$

e se a matriz for:

$$\begin{matrix} a_0 & a_2 & a_4 & a_6 \\ a_1 & a_3 & a_5 & 0 \\ b_1 & b_2 & b_3 \\ c_1 & c_2 & 0 \\ d_1 & d_2 \\ e_1 & 0 \\ f_1 \end{matrix}$$

então

$$a_6 = b_3 = d_2 = f_1$$

Em qualquer um dos casos, o último termo da primeira coluna é igual a a_n, ou

$$a_n = \frac{\Delta_{n-1} a_n}{\Delta_{n-1}} = \frac{\Delta_n}{\Delta_{n-1}}$$

Por exemplo, se $n = 4$, então

$$\Delta_4 = \begin{vmatrix} a_1 & 1 & 0 & 0 \\ a_3 & a_2 & a_1 & 1 \\ a_5 & a_4 & a_3 & a_2 \\ a_7 & a_6 & a_5 & a_4 \end{vmatrix} = \begin{vmatrix} a_1 & 1 & 0 & 0 \\ a_3 & a_2 & a_1 & 1 \\ 0 & a_4 & a_3 & a_2 \\ 0 & 0 & 0 & a_4 \end{vmatrix} = \Delta_3 a_4$$

Assim, foi demonstrado que a primeira coluna da matriz de Routh é dada por:

$$1, \Delta_1, \frac{\Delta_2}{\Delta_1}, \frac{\Delta_3}{\Delta_2}, \ldots, \frac{\Delta_n}{\Delta_{n-1}}$$

A.5.20 Mostre que o critério de estabilidade de Routh e o critério de estabilidade de Hurwitz são equivalentes.

Solução. Se escrevermos todos os determinantes de Hurwitz na forma triangular

$$\Delta_i = \begin{vmatrix} a_{11} & & & * \\ & a_{22} & & \\ & & \ddots & \\ 0 & & & a_{ii} \end{vmatrix}, \quad (i = 1, 2, \ldots, n)$$

onde os elementos abaixo da linha diagonal são todos zeros e os elementos acima são valores quaisquer, então as condições de Hurwitz para a estabilidade assintótica se tornam:

$$\Delta_i = a_{11} a_{22} \ldots a_{ii} > 0, \quad (i = 1, 2, \ldots, n)$$

que são equivalentes às condições

$$a_{11} > 0, \quad a_{22} > 0, \quad \ldots, \quad a_{nn} > 0$$

Mostraremos que essas condições são equivalentes a

$$a_1 > 0, \quad b_1 > 0, \quad c_1 > 0, \quad \ldots$$

onde $a_1, b_1, c_1, \ldots$ são elementos da primeira coluna na matriz de Routh.

Considere, por exemplo, o seguinte determinante de Hurwitz, que corresponde a $i = 4$:

$$\Delta_4 = \begin{vmatrix} a_1 & a_3 & a_5 & a_7 \\ a_0 & a_2 & a_4 & a_6 \\ 0 & a_1 & a_3 & a_5 \\ 0 & a_0 & a_2 & a_4 \end{vmatrix}$$

O determinante ficará inalterado se a linha i for subtraída k vezes da linha j. Subtraindo da segunda linha a_0/a_1 vezes a primeira linha, obtemos:

$$\Delta_4 = \begin{vmatrix} a_{11} & a_3 & a_5 & a_7 \\ 0 & a_{22} & a_{23} & a_{24} \\ 0 & a_1 & a_3 & a_5 \\ 0 & a_0 & a_2 & a_4 \end{vmatrix}$$

onde

$$a_{11} = a_1$$

$$a_{22} = a_2 - \frac{a_0}{a_1} a_3$$

$$a_{23} = a_4 - \frac{a_0}{a_1} a_5$$

$$a_{24} = a_6 - \frac{a_0}{a_1} a_7$$

De forma similar, subtraindo da quarta linha a_0/a_1 vezes a terceira linha, obtemos

$$\Delta_4 = \begin{vmatrix} a_{11} & a_3 & a_5 & a_7 \\ 0 & a_{22} & a_{23} & a_{24} \\ 0 & a_1 & a_3 & a_5 \\ 0 & 0 & \hat{a}_{43} & a_{44} \end{vmatrix}$$

onde

$$\hat{a}_{43} = a_2 - \frac{a_0}{a_1} a_3$$

$$\hat{a}_{44} = a_4 - \frac{a_0}{a_1} a_5$$

Em seguida, subtraindo da terceira linha a_1/a_{22} vezes a segunda linha, temos:

$$\Delta_4 = \begin{vmatrix} a_{11} & a_3 & a_5 & a_7 \\ 0 & a_{22} & a_{23} & a_{24} \\ 0 & 0 & a_{33} & a_{34} \\ 0 & 0 & \hat{a}_{43} & \hat{a}_{44} \end{vmatrix}$$

onde

$$a_{33} = a_3 - \frac{a_1}{a_{22}} a_{23}$$

$$a_{34} = a_5 - \frac{a_1}{a_{22}} a_{24}$$

Por fim, subtraindo da última linha $\hat{a}_{43}/a_{33}$ vezes a terceira linha, obtemos:

$$\Delta_4 = \begin{vmatrix} a_{11} & a_3 & a_5 & a_7 \\ 0 & a_{22} & a_{23} & a_{24} \\ 0 & 0 & a_{33} & a_{34} \\ 0 & 0 & 0 & a_{44} \end{vmatrix}$$

onde

$$a_{44} = \hat{a}_{44} - \frac{\hat{a}_{43}}{a_{33}} a_{34}$$

A partir dessa análise, vemos que:

$$\Delta_4 = a_{11} a_{22} a_{33} a_{44}$$
$$\Delta_3 = a_{11} a_{22} a_{33}$$
$$\Delta_2 = a_{11} a_{22}$$
$$\Delta_1 = a_{11}$$

As condições de Hurwitz para a estabilidade assintótica

$$\Delta_1 > 0, \quad \Delta_2 > 0, \quad \Delta_3 > 0, \quad \Delta_4 > 0, \quad \dots$$

reduzem-se às condições

$$a_{11} > 0, \quad a_{22} > 0, \quad a_{33} > 0, \quad a_{44} > 0, \quad \dots$$

A matriz de Routh para o polinômio

$$a_0 s^4 + a_1 s^3 + a_2 s^2 + a_3 s + a_4 = 0$$

onde $a_0 > 0$ e $n = 4$, é dada por:

$$\begin{array}{ccc} a_0 & a_2 & a_4 \\ a_1 & a_3 & \\ b_1 & b_2 & \\ c_1 & & \\ d_1 & & \end{array}$$

Observando a matriz de Routh, vemos que:

$$a_{11} = a_1$$

$$a_{22} = a_2 - \frac{a_0}{a_1}a_3 = b_1$$

$$a_{33} = a_3 - \frac{a_1}{a_{22}}a_{23} = \frac{a_3 b_1 - a_1 b_2}{b_1} = c_1$$

$$a_{44} = \hat{a}_{44} - \frac{\hat{a}_{43}}{a_{33}}a_{34} = a_4 = d_1$$

(A última equação é obtida a partir do fato de que $a_{34} = 0$, $\hat{a}_{44} = a_4$ e $a_4 = b_2 = d_1$.) Então, as condições de Hurwitz para a estabilidade assintótica tornam-se:

$$a_1 > 0, \quad b_1 > 0, \quad c_1 > 0, \quad d_1 > 0$$

Assim, fica demonstrado que as condições de Hurwitz para a estabilidade assintótica podem ser reduzidas às condições de Routh para a estabilidade assintótica. O mesmo argumento pode ser estendido aos determinantes de Hurwitz de qualquer ordem, e a equivalência entre o critério de estabilidade de Routh e o de Hurwitz pode ser estabelecida.

A.5.21 Considere a equação característica

$$s^4 + 2s^3 + (4 + K)s^2 + 9s + 25 = 0$$

Utilizando o critério de estabilidade de Hurwitz, determine o intervalo de valores de K para que haja estabilidade.

Solução. Comparando a equação característica a seguir:

$$s^4 + 2s^3 + (4 + K)s^2 + 9s + 25 = 0$$

com a seguinte equação característica de quarta ordem:

$$a_0 s^4 + a_1 s^3 + a_2 s^2 + a_3 s + a_4 = 0$$

temos:

$$a_0 = 1, \quad a_1 = 2, \quad a_2 = 4 + K, \quad a_3 = 9, \quad a_4 = 25$$

O critério de estabilidade de Hurwitz estabelece que Δ_4 é dado por:

$$\Delta_4 = \begin{vmatrix} a_1 & a_3 & 0 & 0 \\ a_0 & a_2 & a_4 & 0 \\ 0 & a_1 & a_3 & 0 \\ 0 & a_0 & a_2 & a_4 \end{vmatrix}$$

Para que todas as raízes tenham parte real negativa, é necessário e suficiente que os menores sucessivos principais de Δ_4 sejam positivos. Os menores sucessivos principais são:

$$\Delta_1 = |a_1| = 2$$

$$\Delta_2 = \begin{vmatrix} a_1 & a_3 \\ a_0 & a_2 \end{vmatrix} = \begin{vmatrix} 2 & 9 \\ 1 & 4+K \end{vmatrix} = 2K - 1$$

$$\Delta_3 = \begin{vmatrix} a_1 & a_3 & 0 \\ a_0 & a_2 & a_4 \\ 0 & a_1 & a_3 \end{vmatrix} = \begin{vmatrix} 2 & 9 & 0 \\ 1 & 4+K & 25 \\ 0 & 2 & 9 \end{vmatrix} = 18K - 109$$

Para que todos os menores principais sejam positivos, é necessário que Δ_i ($i = 1, 2, 3$) seja positivo. Portanto, devemos ter:

$$2K - 1 > 0$$

$$18K - 109 > 0$$

de onde concluímos que a região de K para que haja estabilidade é:

$$K > \frac{109}{18}$$

A.5.22 Explique por que o controle proporcional de uma planta que não possui propriedade de integração (o que significa que a função de transferência da planta não inclui o fator $1/s$) apresenta erro residual na resposta ao degrau.

Solução. Considere, por exemplo, o sistema mostrado na Figura 5.66. Se, em regime permanente, c for igual a uma constante não nula igual a r, então $e = 0$ e $u = Ke = 0$, resultando em $c = 0$, o que contradiz a suposição de que $c = r =$ constante não nula.

Esse sistema de controle requer um erro residual não nulo. Em outras palavras, se e for igual, em regime permanente, a $r/(1 + K)$, então $u = Kr/(1 + K)$ e $c = Kr/(1 + K)$, o que resulta no sinal de erro $e = r/(1 + K)$. Assim, o erro residual de $r/(1 + K)$ deve existir nesse sistema em particular.

FIGURA 5.66
Sistema de controle.

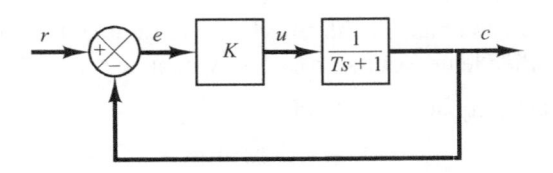

A.5.23 O diagrama de blocos da Figura 5.67 mostra um sistema de controle de velocidade no qual o elemento de saída do sistema é submetido a um distúrbio de torque. No diagrama, $\omega_r(s)$, $\omega(s)$, $T(s)$ e $D(s)$ são as transformadas de Laplace da velocidade de referência, da velocidade de saída, do torque de excitação e do distúrbio de torque, respectivamente. Na ausência de um distúrbio de torque, a velocidade de saída é igual à velocidade de referência.

FIGURA 5.67
Diagrama de blocos de um sistema de controle de velocidade.

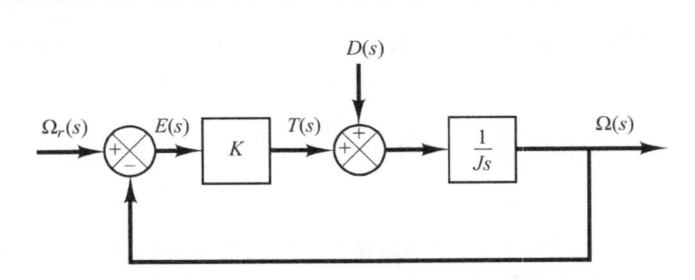

Analise a resposta desse sistema a um degrau unitário do torque de distúrbio. Suponha que a entrada de referência seja zero ou $\omega_r(s) = 0$.

Solução. A Figura 5.68 é um diagrama de blocos convenientemente modificado para essa análise. A função de transferência de malha fechada é:

$$\frac{\Omega_D(s)}{D(s)} = \frac{1}{Js + K}$$

onde $\omega_D(s)$ é a transformada de Laplace da velocidade de saída causada pelo torque de distúrbio. Para um torque de distúrbio em degrau unitário, a velocidade de saída em regime permanente é:

$$\omega_D(\infty) = \lim_{s \to 0} s\Omega_D(s)$$

$$= \lim_{s \to 0} \frac{s}{Js + K} \frac{1}{s}$$

$$= \frac{1}{K}$$

A partir dessa análise, concluímos que, se um distúrbio de torque em degrau for aplicado ao elemento de saída do sistema, resultará em um erro de velocidade, de modo que o torque resultante do motor cancelará exatamente o distúrbio de torque. Para desenvolver esse torque do motor, é necessário que haja o erro na velocidade, de modo que resulte em um torque não nulo. (A discussão continua no Problema A.5.24.)

FIGURA 5.68
Diagrama de blocos do sistema de controle de velocidade da Figura 5.67, quando $\omega_r(s) = 0$.

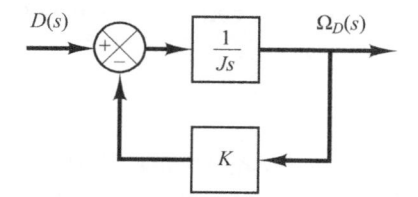

A.5.24 No sistema considerado no Problema A.5.23, deseja-se eliminar, tanto quanto possível, os erros de velocidade causados por distúrbios de torque.

É possível cancelar o efeito de um distúrbio de torque em regime permanente, de tal modo que um distúrbio de torque constante aplicado ao elemento de saída não cause alteração da velocidade em regime permanente?

Solução. Suponha que escolhamos um controlador conveniente, cuja função de transferência é $G_c(s)$, como mostra a Figura 5.69. Então, na ausência da entrada de referência, a função de transferência de malha fechada entre a velocidade de saída $\omega_D(s)$ e o distúrbio de torque $D(s)$ é:

$$\frac{\Omega_D(s)}{D(s)} = \frac{\dfrac{1}{Js}}{1 + \dfrac{1}{Js}G_c(s)}$$

$$= \frac{1}{Js + G_c(s)}$$

A velocidade de saída em regime permanente em virtude de um distúrbio de torque em degrau unitário é:

$$\omega_D(\infty) = \lim_{s \to 0} s\Omega_D(s)$$

$$= \lim_{s \to 0} \frac{s}{Js + G_c(s)} \frac{1}{s}$$

$$= \frac{1}{G_c(0)}$$

Para satisfazer a condição

$$\omega_D(\infty) = 0$$

devemos optar por $G_c(0) = \infty$. Isso pode ser realizado se escolhermos

$$G_c(s) = \frac{K}{s}$$

FIGURA 5.69 Diagrama de blocos de um sistema de controle de velocidade.

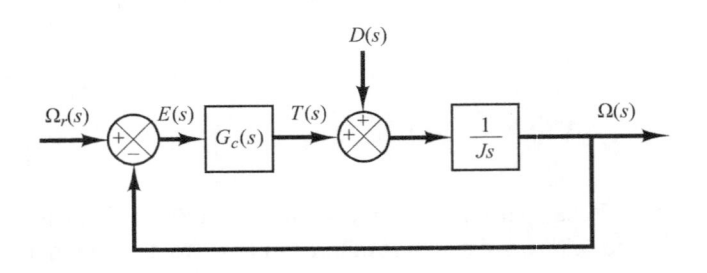

A ação de controle integral continuará a corrigir o erro até que ele se anule. Esse controlador, entretanto, apresenta um problema de estabilidade, porque a equação característica mostra duas raízes imaginárias.

Um método de estabilização para esse sistema é adicionar um modo proporcional ao controlador, ou seja, escolher

$$G_c(s) = K_p + \frac{K}{s}$$

Com esse controlador, o diagrama de blocos da Figura 5.69, na ausência da entrada de referência, pode ser modificado para o da Figura 5.70. A função de transferência de malha fechada $\omega_D(s)/D(s)$ torna-se:

$$\frac{\Omega_D(s)}{D(s)} = \frac{s}{Js^2 + K_p s + K}$$

Para um torque de distúrbio em degrau unitário, a velocidade de saída em regime permanente é:

$$\omega_D(\infty) = \lim_{s \to 0} s\Omega_D(s) = \lim_{s \to 0} \frac{s^2}{Js^2 + K_p s + K} \frac{1}{s} = 0$$

Então, vemos que o controlador proporcional-integral elimina o erro de velocidade em regime permanente.

O uso da ação de controle integral aumenta a ordem do sistema em uma unidade. (Isso tende a produzir uma resposta oscilatória.)

No presente sistema, um torque de distúrbio em degrau causará um erro transitório na velocidade de saída, mas o erro se tornará nulo em regime permanente. O integrador produz uma saída não nula com erro nulo. (A saída não nula do integrador produz um torque no motor que cancela exatamente o torque de distúrbio.)

Note que, mesmo que o sistema tenha um integrador na planta (por exemplo, um integrador na função de transferência da planta), isso não elimina o erro estacionário em razão de um torque de distúrbio em degrau. Para eliminá-lo, devemos ter um integrador antes do ponto de entrada do torque de distúrbio.

FIGURA 5.70 Diagrama de blocos do sistema de controle de velocidade da Figura 5.69, quando $G_c(s) = K_p + (K/s)$ e $\Omega_r(s) = 0$.

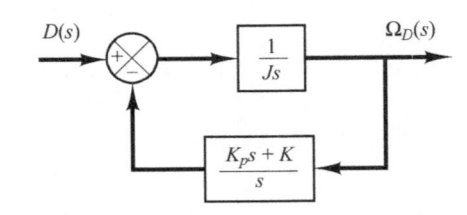

A.5.25 Considere o sistema mostrado na Figura 5.71(a). O erro estacionário a uma entrada em rampa unitária é $e_{ss}=2\zeta/\omega_n$. Mostre que esse erro pode ser eliminado, se a entrada no sistema for feita por meio de um filtro proporcional-derivativo, como pode ser visto na Figura 5.71(b), e o valor de k for estabelecido adequadamente. Note que o erro $e(t)$ é dado por $r(t) - c(t)$.

Solução. A função de transferência de malha fechada do sistema mostrado na Figura 5.71(b) é:

$$\frac{C(s)}{R(s)} = \frac{(1+ks)\omega_n^2}{s^2 + 2\zeta\omega_n s + \omega_n^2}$$

Então,

$$R(s) - C(s) = \left(\frac{s^2 + 2\zeta\omega_n s - \omega_n^2 ks}{s^2 + 2\zeta\omega_n s + \omega_n^2}\right)R(s)$$

Se a entrada for uma rampa unitária, então o erro estacionário será:

$$e(\infty) = r(\infty) - c(\infty)$$

$$= \lim_{s \to 0} s \left(\frac{s^2 + 2\zeta\omega_n s - \omega_n^2 ks}{s^2 + 2\zeta\omega_n s + \omega_n^2}\right)\frac{1}{s^2}$$

$$= \frac{2\zeta\omega_n - \omega_n^2 k}{\omega_n^2}$$

Portanto, se k é escolhido como

$$k = \frac{2\zeta}{\omega_n}$$

pode-se fazer que o erro estacionário, para seguir a entrada em rampa, seja zero. Note que, se existir variação nos valores de ζ e/ou ω_n causada por mudanças ambientais ou de envelhecimento dos componentes, pode-se ter como resultado um erro estacionário não nulo.

FIGURA 5.71
(a) Sistema de controle;
(b) sistema de controle com filtro de entrada.

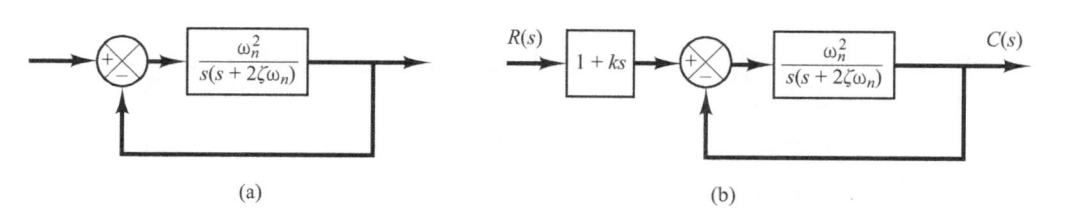

A.5.26 Considere o sistema de controle estável com realimentação unitária, com função de transferência no ramo direto $G(s)$. Suponha que a função de transferência de malha fechada possa ser escrita como:

$$\frac{C(s)}{R(s)} = \frac{G(s)}{1 + G(s)} = \frac{(T_a s + 1)(T_b s + 1)\cdots(T_m s + 1)}{(T_1 s + 1)(T_2 s + 1)\cdots(T_n s + 1)} \quad (m \leq n)$$

Mostre que

$$\int_0^\infty e(t)dt = (T_1 + T_2 + \cdots + T_n) - (T_a + T_b + \cdots + T_m)$$

onde $e(t) = r(t) - c(t)$ é o erro na resposta ao degrau unitário. Mostre também que

$$\frac{1}{K_v} = \frac{1}{\lim_{s \to 0} sG(s)} = (T_1 + T_2 + \cdots + T_n) - (T_a + T_b + \cdots + T_m)$$

Solução. Vamos definir

$$(T_a s + 1)(T_b s + 1) \ldots (T_m s + 1) = P(s)$$

e

$$(T_1 s + 1)(T_2 s + 1) \ldots (T_n s + 1) = Q(s)$$

Então

$$\frac{C(s)}{R(s)} = \frac{P(s)}{Q(s)}$$

e

$$E(s) = \frac{Q(s) - P(s)}{Q(s)} R(s)$$

Para uma entrada em degrau unitário, $R(s) = 1/s$ e

$$E(s) = \frac{Q(s) - P(s)}{sQ(s)}$$

Como o sistema é estável, $\int_0^\infty e(t)dt$ converge para um valor constante. Observando que

$$\int_0^\infty e(t)dt = \lim_{s \to 0} s \frac{E(s)}{s} = \lim_{s \to 0} E(s)$$

temos

$$\int_0^\infty e(t)dt = \lim_{s \to 0} \frac{Q(s) - P(s)}{sQ(s)}$$

$$= \lim_{s \to 0} \frac{Q'(s) - P'(s)}{Q(s) + sQ'(s)}$$

$$= \lim_{s \to 0} [Q'(s) - P'(s)]$$

Como

$$\lim_{s \to 0} P'(s) = T_a + T_b + \ldots + T_m$$

$$\lim_{s \to 0} Q'(s) = T_1 + T_2 + \ldots + T_n$$

temos

$$\int_0^\infty e(t)dt = (T_1 + T_2 + \ldots + T_n) - (T_a + T_b + \ldots + T_m)$$

Para uma entrada em degrau unitário $r(t)$, sendo

$$\int_0^\infty e(t)dt = \lim_{s \to 0} E(s) = \lim_{s \to 0} \frac{1}{1 + G(s)} R(s) = \lim_{s \to 0} \frac{1}{1 + G(s)} \frac{1}{s} = \frac{1}{\lim_{s \to 0} sG(s)} = \frac{1}{K_v}$$

temos:

$$\frac{1}{K_v} = \frac{1}{\lim_{s \to 0} sG(s)} = (T_1 + T_2 + \cdots + T_n) - (T_a + T_b + \cdots + T_m)$$

Observe que os zeros no semiplano esquerdo (isto é, $T_a, T_b, \ldots, T_m$ positivos) melhorarão K_v. Polos próximos à origem ocasionam baixas constantes de erro de velocidade, a menos que existam zeros nas proximidades.

Problemas

B.5.1 Um termômetro requer 1 minuto para indicar 98% da resposta a uma entrada em degrau. Supondo que o termômetro seja um sistema de primeira ordem, determine a constante de tempo.

Se o termômetro for imerso em um banho, cuja temperatura muda linearmente a uma taxa de 10°/min, qual será o erro apresentado pelo termômetro?

B.5.2 Considere a resposta ao degrau unitário do sistema de controle com realimentação unitária cuja função de transferência de malha aberta seja:

$$G(s) = \frac{1}{s(s+1)}$$

Obtenha o tempo de subida, o tempo de pico, o máximo sobressinal e o tempo de acomodação.

B.5.3 Considere o sistema de malha fechada dado por:

$$\frac{C(s)}{R(s)} = \frac{\omega_n^2}{s^2 + 2\zeta\omega_n s + \omega_n^2}$$

Determine os valores de ζ e de ω_n de modo que o sistema responda a uma entrada em degrau com aproximadamente 5% de sobressinal e com um tempo de acomodação de 2 segundos. (Utilize o critério de 2%.)

B.5.4 Considere o sistema mostrado na Figura 5.72. O sistema está inicialmente em repouso. Suponha que o carro seja posto em movimento por uma força impulsiva de valor unitário. O sistema pode ser parado por outra força impulsiva?

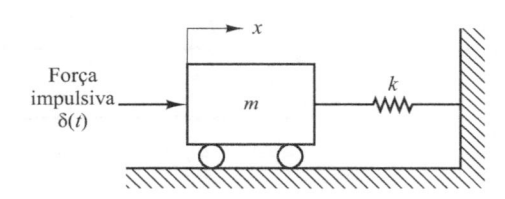

FIGURA 5.72
Sistema mecânico.

B.5.5 Obtenha a resposta ao impulso unitário e a resposta ao degrau unitário de um sistema com realimentação unitária cuja função de transferência de malha aberta seja:

$$G(s) = \frac{2s+1}{s^2}$$

B.5.6 Sabe-se que a função de transferência de um sistema oscilatório tem a seguinte forma:

$$G(s) = \frac{\omega_n^2}{s^2 + 2\zeta\omega_n + \omega_n^2}$$

Suponha que haja um registro da oscilação com amortecimento, como mostra a Figura 5.73. Determine o coeficiente de amortecimento ζ do sistema a partir do gráfico.

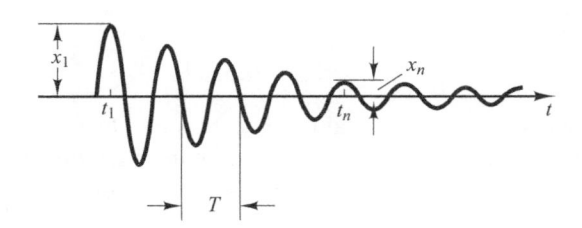

FIGURA 5.73
Oscilação decrescente.

B.5.7 Considere o sistema mostrado na Figura 5.74(a). O coeficiente de amortecimento do sistema é 0,158 e a frequência natural não amortecida é 3,16 rad/s. Para melhorar a estabilidade relativa, utilizamos a realimentação tacométrica. A Figura 5.74(b) mostra esse sistema com o tacômetro no ramo de realimentação.

Determine o valor de K_h de modo que o coeficiente de amortecimento seja 0,5. Desenhe as curvas de resposta ao degrau unitário do sistema original e do sistema com realimentação tacométrica. Desenhe também as curvas de erro *versus* tempo para a resposta à rampa unitária de ambos os sistemas.

FIGURA 5.74
(a) Sistema de controle;
(b) sistema de controle com realimentação tacométrica.

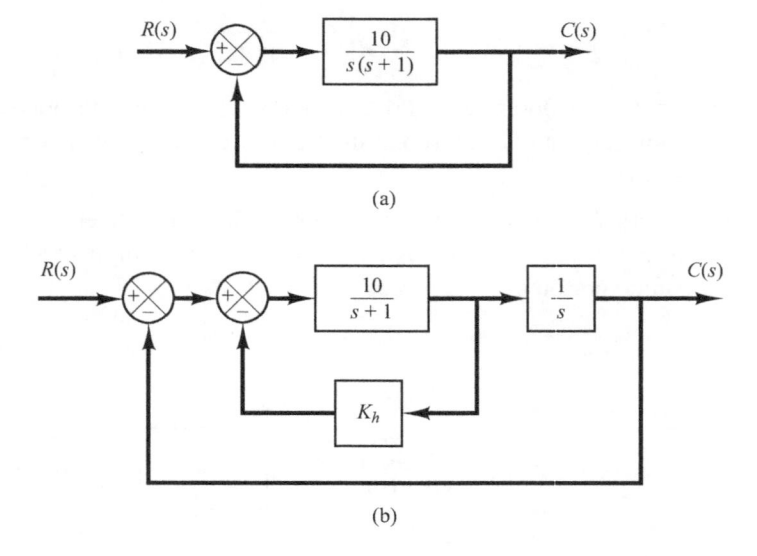

B.5.8 Considerando o sistema apresentado na Figura 5.75, determine os valores de K e k, de modo que o sistema tenha um coeficiente de amortecimento ζ igual a 0,7 e uma frequência natural não amortecida ω_n de 4 rad/s.

FIGURA 5.75
Sistema de malha fechada.

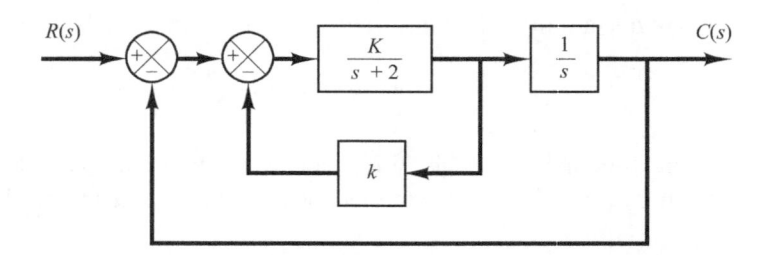

B.5.9 Considere o sistema mostrado na Figura 5.76. Determine o valor de k de modo que o coeficiente de amortecimento ζ seja 0,5. Então, obtenha o tempo de subida t_r, o tempo de pico t_p, o máximo sobressinal M_p e o tempo de acomodação t_s na resposta ao degrau unitário.

FIGURA 5.76
Diagrama de blocos de um sistema.

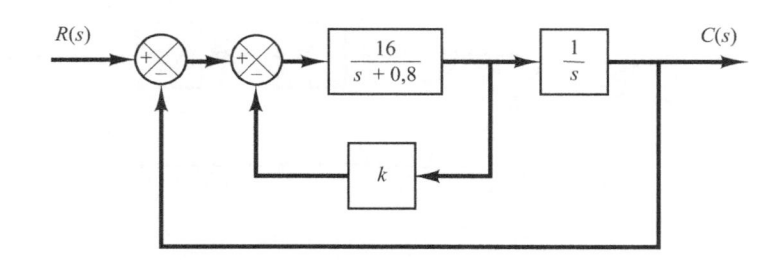

B.5.10 Utilizando o MATLAB, obtenha a resposta ao degrau unitário, à rampa unitária e ao impulso unitário do seguinte sistema:

$$\frac{C(s)}{R(s)} = \frac{10}{s^2 + 2s + 10}$$

onde $R(s)$ e $C(s)$ são as transformadas de Laplace da entrada $r(t)$ e da saída $c(t)$, respectivamente.

B.5.11 Utilizando o MATLAB, obtenha a resposta ao degrau unitário, à rampa unitária e ao impulso unitário do seguinte sistema:

$$\begin{bmatrix} \dot{x}_1 \\ \dot{x}_2 \end{bmatrix} = \begin{bmatrix} -1 & -0,5 \\ 1 & 0 \end{bmatrix} \begin{bmatrix} x_1 \\ x_2 \end{bmatrix} + \begin{bmatrix} 0,5 \\ 0 \end{bmatrix} u$$

$$y = \begin{bmatrix} 1 & 0 \end{bmatrix} \begin{bmatrix} x_1 \\ x_2 \end{bmatrix}$$

onde u é a entrada e y, a saída.

B.5.12 Obtenha o tempo de subida, o tempo de pico, o máximo sobressinal e o tempo de acomodação, na resposta ao degrau unitário, do sistema de malha fechada dado a seguir, tanto analítica como computacionalmente:

$$\frac{C(s)}{R(s)} = \frac{36}{s^2 + 2s + 36}$$

B.5.13 A Figura 5.77 mostra três sistemas. O sistema I é um servossistema posicionador. O sistema II é um servossistema posicionador com ação de controle PD. O sistema III é um servossistema posicionador com realimentação de velocidade. Compare as respostas ao degrau unitário, ao impulso unitário e à rampa unitária dos três sistemas. Qual dos sistemas é melhor com respeito à velocidade de resposta e ao máximo sobressinal na resposta ao degrau?

FIGURA 5.77
Servossistema posicionador (Sistema I), servossistema posicionador com ação de controle PD (Sistema II) e servossistema posicionador com realimentação de velocidade (Sistema III).

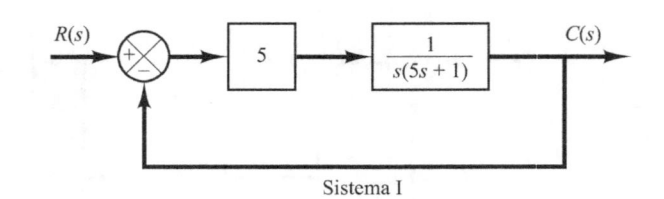

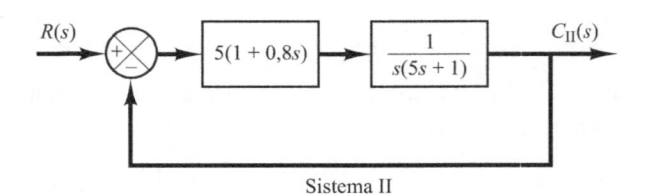

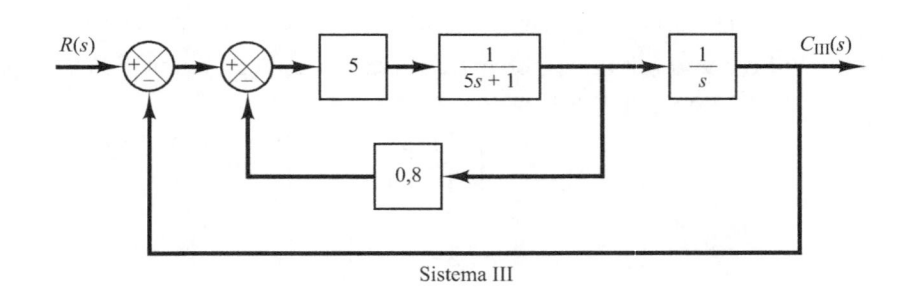

Sistema I

Sistema II

Sistema III

B.5.14 Considere o sistema de controle de posição mostrado na Figura 5.78. Escreva um programa em MATLAB para obter a resposta do sistema ao degrau unitário, bem como a resposta à rampa unitária. Desenhe as curvas $x_1(t)$ versus t, $x_2(t)$ versus t, $x_3(t)$ versus t e $e(t)$ versus t [onde $e(t) = r(t) - x_1(t)$] tanto para a resposta ao degrau unitário como para a resposta à rampa unitária.

FIGURA 5.78
Sistema de controle de posição.

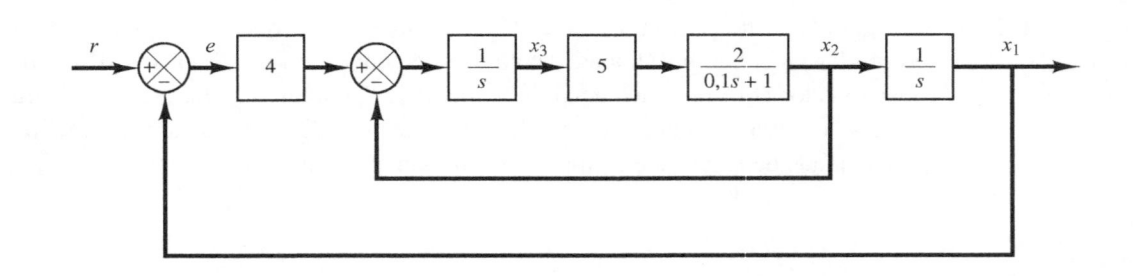

B.5.15 Utilizando o MATLAB, obtenha a curva de resposta ao degrau unitário do sistema de controle com realimentação unitária cuja função de transferência de malha aberta seja

$$G(s) = \frac{10}{s(s+2)(s+4)}$$

Utilizando o MATLAB, obtenha também o tempo de subida, o tempo de pico, o máximo sobressinal e o tempo de acomodação na curva de resposta ao degrau unitário.

B.5.16 Considere o sistema de malha fechada definido por:

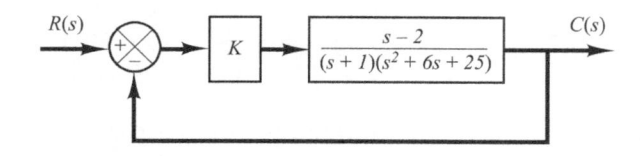

$$\frac{C(s)}{R(s)} = \frac{2\zeta s + 1}{s^2 + 2\zeta s + 1}$$

onde $\zeta = 0{,}2;\ 0{,}4;\ 0{,}6;\ 0{,}8$ e $1{,}0$. Utilizando o MATLAB, desenhe um gráfico bidimensional das curvas de resposta ao impulso unitário. Desenhe também um gráfico tridimensional dessas curvas de resposta.

B.5.17 Considere o sistema de segunda ordem definido por:

$$\frac{C(s)}{R(s)} = \frac{s + 1}{s^2 + 2\zeta s + 1}$$

onde $\zeta = 0{,}2;\ 0{,}4;\ 0{,}6;\ 0{,}8$ e $1{,}0$. Desenhe um gráfico tridimensional das curvas de resposta ao degrau unitário.

B.5.18 Obtenha a resposta à rampa unitária do sistema definido por:

$$\begin{bmatrix} \dot{x}_1 \\ \dot{x}_2 \end{bmatrix} = \begin{bmatrix} 0 & 1 \\ -1 & -1 \end{bmatrix} \begin{bmatrix} x_1 \\ x_2 \end{bmatrix} + \begin{bmatrix} 0 \\ 1 \end{bmatrix} u$$

$$y = \begin{bmatrix} 1 & 0 \end{bmatrix} \begin{bmatrix} x_1 \\ x_2 \end{bmatrix}$$

onde u é a entrada em rampa unitária. Utilize o comando lsim para obter a resposta.

B.5.19 Considere o sistema dado pela equação diferencial

$$\ddot{y} + 3\dot{y} + 2y = 0, \quad y(0) = 0{,}1, \quad \dot{y}(0) = 0{,}05$$

Usando o MATLAB, obtenha a resposta $y(t)$, sujeita à condição inicial indicada.

B.5.20 Determine o intervalo de valores de K para a estabilidade do sistema de controle com realimentação unitária cuja função de transferência de malha aberta seja:

$$G(s) = \frac{K}{s(s+1)(s+2)}$$

B.5.21 Considere a seguinte equação característica:

$$s^4 + 2s^3 + (4+K)s^2 + 9s + 25 = 0$$

Utilizando o critério de estabilidade de Routh, determine o intervalo de K para a estabilidade.

B.5.22 Considere o sistema de malha fechada mostrado na Figura 5.79. Determine o intervalo de valores de K compatíveis com a estabilidade do sistema. Suponha que $K > 0$.

FIGURA 5.79
Sistema de malha fechada.

B.5.23 Considere o sistema de controle de posição de um satélite mostrado na Figura 5.80(a). A saída do sistema apresenta oscilações continuadas não desejáveis. Esse sistema pode ser estabilizado pelo uso de realimentação tacométrica, como mostra a Figura 5.80(b). Se $K/J = 4$, que valor de K_h resultará em um coeficiente de amortecimento igual a 0,6?

FIGURA 5.80
(a) Sistema instável de controle de atitude de um satélite;
(b) sistema estabilizado.

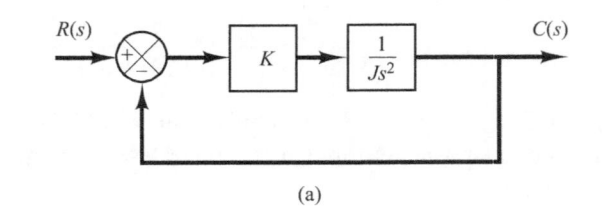

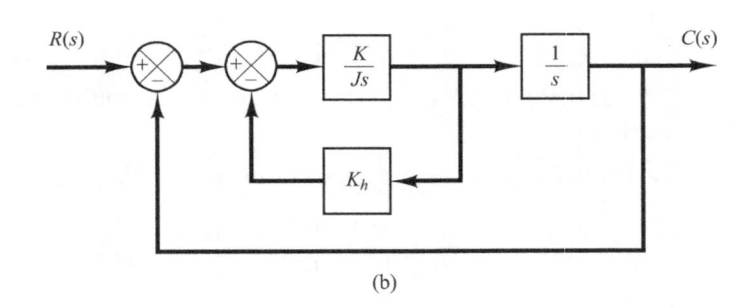

(a)

(b)

B.5.24 Considere o servossistema com realimentação tacométrica mostrado na Figura 5.81. Determine os intervalos de valores de K e de K_h que tornam o sistema estável. (Note que K_h deve ser positivo.)

FIGURA 5.81
Servossistema com realimentação tacométrica.

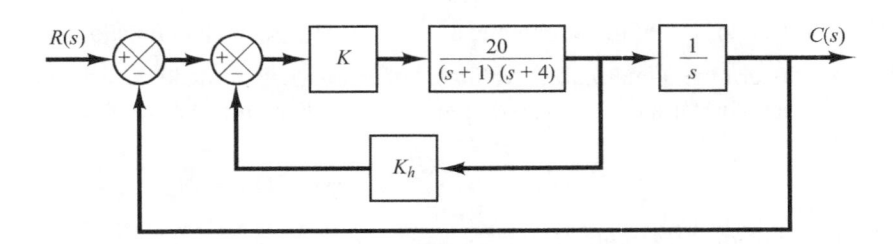

B.5.25 Considere o sistema

$$\dot{\mathbf{x}} = \mathbf{A}\mathbf{x}$$

onde a matriz $\mathbf{A}$ é dada por:

$$\mathbf{A} = \begin{bmatrix} 0 & 1 & 0 \\ -b_3 & 0 & 1 \\ 0 & -b_2 & -b_1 \end{bmatrix}$$

($\mathbf{A}$ é chamada matriz de Schwarz.) Mostre que a primeira coluna da tabela de Routh da equação característica $|s\mathbf{I} - \mathbf{A}| = 0$ consiste em 1, b_1, b_2 e $b_1 b_3$.

B.5.26 Considere um sistema de controle com realimentação unitária cuja função de transferência de malha fechada seja:

$$\frac{C(s)}{R(s)} = \frac{Ks + b}{s^2 + as + b}$$

Determine a função de transferência de malha aberta $G(s)$. Mostre que o erro estacionário na resposta à rampa unitária é dado por:

$$e_{ss} = \frac{1}{K_v} = \frac{a-K}{b}$$

B.5.27 Considere um sistema de controle com realimentação unitária cuja função de transferência de malha aberta seja:

$$G(s) = \frac{K}{s(Js+B)}$$

Discuta os efeitos que as variações de K e de B produzem sobre o erro estacionário da resposta à entrada em rampa unitária. Esboce curvas típicas de resposta à rampa unitária para valores pequenos, médios e elevados de K, supondo que B seja constante.

B.5.28 Se o ramo direto de um sistema de controle contiver pelo menos um integrador, então a saída continua variando enquanto o erro estiver presente. Ela deixa de variar somente quando o erro for precisamente zero. Se um distúrbio externo entra no sistema, é conveniente que haja um elemento integrador entre o elemento medidor de erro e o ponto de entrada do distúrbio, de modo que o efeito do distúrbio externo possa ser anulado em regime permanente.

Mostre que, se o distúrbio for uma função rampa, então o erro estacionário causado por esse distúrbio em rampa somente poderá ser eliminado se houver dois integradores antes do ponto de entrada do distúrbio.

CAPÍTULO 6
Análise e projeto de sistemas pelo método do lugar das raízes

6.1 | Introdução

A característica básica da resposta transitória de um sistema de malha fechada está intimamente relacionada à localização dos polos de malha fechada. Se o ganho de malha do sistema for variável, então a localização dos polos de malha fechada dependerá do valor do ganho de malha escolhido. É importante, então, que o projetista saiba como os polos de malha fechada se movem no plano s, à medida que o ganho de malha varia.

Do ponto de vista do projeto, em alguns sistemas, o simples ajuste do ganho pode mover os polos de malha fechada para as localizações desejadas. Então, o problema do projeto pode se reduzir à escolha de um valor de ganho apropriado. Se apenas o ajuste do ganho não produzir o resultado desejado, será necessário adicionar um compensador ao sistema. (Este assunto será discutido em detalhes nas seções 6.6 a 6.9.)

Os polos de malha fechada são as raízes da equação característica. A determinação das raízes de uma equação característica de grau superior a 3 é trabalhosa e requer a busca de uma solução por meio de um computador. (O MATLAB fornece uma solução simples para esse problema.) Entretanto, apenas a determinação das raízes da equação característica pode ser uma solução limitada porque, à medida que o ganho da função de transferência de malha aberta varia, a equação característica se altera e os cálculos devem ser refeitos.

Um método simples para a determinação das raízes da equação característica foi desenvolvido por W. R. Evans e tem sido amplamente utilizado na engenharia de controle. Esse método, chamado *método do lugar das raízes*, permite que as raízes da equação característica sejam representadas graficamente para todos os valores de um parâmetro do sistema. As raízes correspondentes a um valor específico desse parâmetro podem, então, ser localizadas no gráfico resultante. Observe que o parâmetro é normalmente o ganho, mas é possível utilizar qualquer outra variável da função de transferência de malha aberta. A menos que se estabeleça o contrário, vamos supor que o ganho da função de transferência de malha aberta seja o parâmetro a ser variado por toda a gama de valores, de zero a infinito.

Utilizando o método do lugar das raízes, o projetista pode prever quais os efeitos da variação do valor do ganho ou da adição de polos de malha aberta e/ou zeros de malha aberta sobre a localização dos polos de malha fechada. Portanto, é desejável que o projetista tenha uma boa compreensão do método de geração do lugar das raízes do sistema de malha fechada, tanto manualmente como por meio de aplicativos como o MATLAB.

No projeto de um sistema de controle linear, vemos que o método do lugar das raízes prova sua eficiência, pois indica o modo pelo qual os polos e os zeros de malha aberta devem ser modificados para que a resposta satisfaça às especificações de desempenho do sistema. Esse método é, em particular, eficiente para a obtenção rápida de resultados aproximados.

Pelo fato de a geração do lugar das raízes pelo MATLAB ser bastante simples, pode-se pensar que esboçar o lugar das raízes manualmente seja desperdício de tempo e esforço. Entretanto, a experiência em esboçar manualmente o lugar das raízes é da maior importância para a interpretação do próprio lugar das raízes gerado por computador, além de servir para que se tenha, de maneira rápida, uma ideia aproximada do lugar das raízes.

Visão geral do capítulo. A estrutura deste capítulo é como se segue: a Seção 6.1 apresentou uma introdução ao método do lugar das raízes. A Seção 6.2 detalha os conceitos básicos do método do lugar das raízes e apresenta o procedimento geral para o esboço desse método com exemplos ilustrativos. A Seção 6.3 discute a geração do gráfico do lugar das raízes pelo MATLAB. A Seção 6.4 trata de um caso especial, quando o sistema de malha fechada apresenta realimentação positiva. A Seção 6.5 apresenta os aspectos gerais do método do lugar das raízes no projeto de sistemas de malha fechada. A Seção 6.6 mostra o projeto de sistemas de controle com compensação por avanço. A Seção 6.7 trata da técnica de compensação por atraso. A Seção 6.8 aborda a técnica de compensação por atraso e avanço. Por fim, a Seção 6.9 discute a técnica de compensação paralela.

6.2 | Gráfico do lugar das raízes

Condições de ângulo e de módulo. Considere o sistema mostrado na Figura 6.1. A função de transferência de malha fechada é:

$$\frac{C(s)}{R(s)} = \frac{G(s)}{1 + G(s)H(s)} \tag{6.1}$$

A equação característica desse sistema de malha fechada é obtida igualando a zero o denominador do lado direito da Equação 6.1. Ou seja,

$$1 + G(s)H(s) = 0$$

ou

$$G(s)H(s) = -1 \tag{6.2}$$

Aqui, vamos supor que $G(s)H(s)$ seja uma relação dos polinômios em s. [Note que podemos estender a análise ao caso em que $G(s)H(s)$ apresenta retardo de transporte e^{-Ts}.] Como $G(s)H(s)$ é uma grandeza complexa, a Equação 6.2 pode ser dividida em duas equações equiparando-se os ângulos e módulos de ambos os lados, respectivamente, obtendo-se:

Condição angular:

$$\underline{/G(s)H(s)} = \pm 180°(2k + 1) \qquad (k = 0, 1, 2, \ldots) \tag{6.3}$$

Condição de módulo:

$$|G(s)H(s)| = 1 \tag{6.4}$$

Os valores de s que satisfazem tanto a condição angular como a de módulo são as raízes da equação característica, ou os polos de malha fechada. Um lugar dos pontos no plano complexo que

FIGURA 6.1
Sistema de controle.

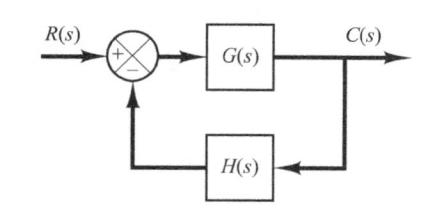

satisfaz somente a condição angular é o lugar das raízes. As raízes da equação característica (os polos de malha fechada) que correspondem a dado valor do ganho podem ser determinadas pela condição de módulo. Os detalhes sobre a aplicação das condições de ângulo e de módulo para a obtenção dos polos de malha fechada serão apresentados posteriormente nesta seção.

Em muitos casos, $G(s)H(s)$ envolve um parâmetro de ganho K e a equação característica pode ser escrita como:

$$1 + \frac{K(s + z_1)(s + z_2)\cdots(s + z_m)}{(s + p_1)(s + p_2)\cdots(s + p_n)} = 0$$

Então, o lugar das raízes do sistema é o lugar dos polos de malha fechada quando o ganho K varia de zero a infinito.

Note que, para começar o esboço do lugar das raízes de um sistema pelo método do lugar das raízes, devemos conhecer a localização dos polos e zeros de $G(s)H(s)$. Lembre-se de que os ângulos dos vetores no plano complexo (grandezas complexas) que se originam nos polos e zeros de malha aberta e vão até o ponto de teste s são medidos no sentido anti-horário. Por exemplo, se $G(s)H(s)$ for dado por:

$$G(s)H(s) = \frac{K(s + z_1)}{(s + p_1)(s + p_2)(s + p_3)(s + p_4)}$$

onde $-p_2$ e $-p_3$ são polos complexos conjugados, então o ângulo de $G(s)H(s)$ será:

$$\underline{/G(s)H(s)} = \phi_1 - \theta_1 - \theta_2 - \theta_3 - \theta_4$$

onde $\phi_1, \theta_1, \theta_2, \theta_3$ e θ_4 são medidos no sentido anti-horário, como mostram as figuras 6.2(a) e (b). O módulo de $G(s)H(s)$ para esse sistema é:

$$|G(s)H(s)| = \frac{KB_1}{A_1 A_2 A_3 A_4}$$

onde A_1, A_2, A_3, A_4 e B_1 são os módulos das grandezas complexas $s + p_1, s + p_2, s + p_3, s + p_4$ e $s + z_1$, respectivamente, como mostra a Figura 6.2(a).

Note que, pelo fato de os polos e zeros complexos conjugados de malha aberta, caso existam, situarem-se sempre simetricamente em relação ao eixo real, o lugar das raízes também será sempre simétrico em relação a esse eixo. Portanto, será necessário construir apenas a metade superior do lugar das raízes e desenhar a imagem espelhada da metade superior na metade inferior do plano s.

FIGURA 6.2
(a) e (b) Diagramas que mostram medidas dos ângulos a partir do ponto de testes s e dos polos e zeros de malha aberta.

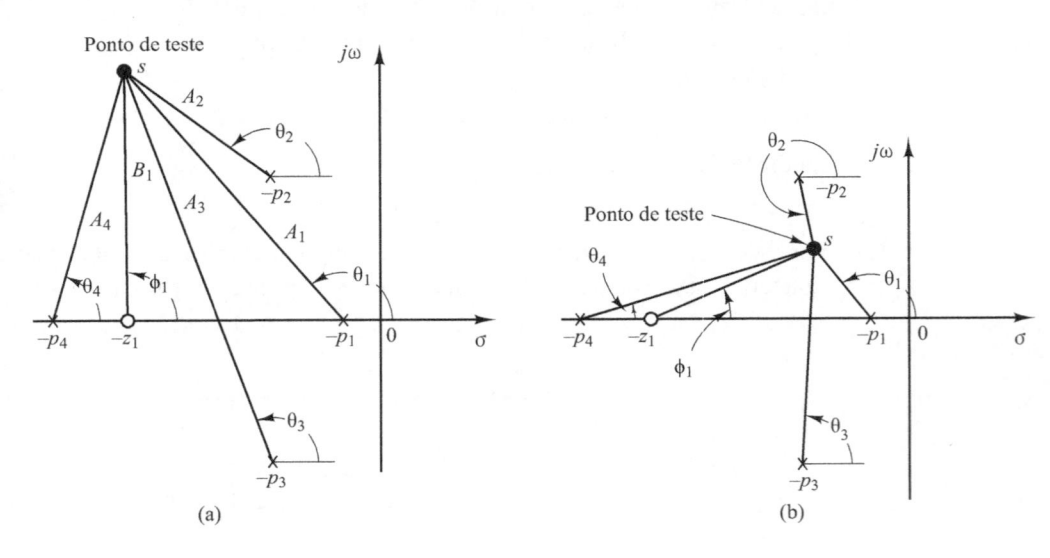

Exemplos ilustrativos. Serão apresentados a seguir dois exemplos ilustrativos de construção do gráfico do lugar das raízes. Embora existam métodos computacionais facilmente acessíveis para construir o lugar das raízes, utilizaremos aqui computação gráfica, combinada com inspeção, para determinar o lugar geométrico sobre o qual as raízes da equação característica do sistema de malha fechada devem ser localizadas. Esse método gráfico aumentará a compreensão de como os polos de malha fechada se movem no plano complexo quando os polos e zeros de malha aberta se deslocam. Ainda que apenas sistemas simples tenham sido apresentados para fins de ilustração, o procedimento para a construção do lugar das raízes de sistema de ordem mais elevada não é mais complicado.

Pelo fato de as medidas gráficas dos ângulos e dos módulos estarem envolvidas na análise, será muito conveniente utilizar a mesma escala tanto para o eixo das abscissas como para o das ordenadas, quando se desenha o lugar das raízes em gráficos no papel.

Exemplo 6.1 Considere o sistema com realimentação negativa mostrado na Figura 6.3. (Vamos supor que o valor do ganho K seja não negativo.) Para esse sistema:

$$G(s) = \frac{K}{s(s+1)(s+2)}, \quad H(s) = 1$$

Vamos esboçar o gráfico do lugar das raízes e, em seguida, determinar o valor de K, de modo que o coeficiente de amortecimento ζ do par de polos complexos conjugados dominantes, de malha fechada, seja 0,5.

Para o sistema dado, a condição angular é:

$$\underline{/G(s)} = \underline{/\frac{K}{s(s+1)(s+2)}}$$
$$= -\underline{/s} - \underline{/s+1} - \underline{/s+2}$$
$$= \pm 180°(2k+1) \quad (k = 0, 1, 2, \ldots)$$

A condição de módulo é:

$$|G(s)| = \left|\frac{K}{s(s+1)(s+2)}\right| = 1$$

Um procedimento típico para esboçar o gráfico do lugar das raízes é o seguinte:

1. *Determinar o lugar das raízes no eixo real.* O primeiro passo na construção de um gráfico do lugar das raízes é localizar, no plano complexo, os polos de malha aberta $s = 0$, $s = -1$ e $s = -2$. (Não existem zeros de malha aberta nesse sistema.) As posições dos polos de malha aberta são indicadas por cruzes. (As posições dos zeros de malha aberta neste livro serão indicadas por pequenos círculos.) Observe que os pontos de partida do lugar das raízes (os pontos correspondentes a $K = 0$) são os polos de malha aberta. O número de lugares das raízes individuais para esse sistema é 3, que é igual ao número de polos de malha aberta.

Para determinar o lugar das raízes no eixo real, seleciona-se um ponto de teste s. Se esse ponto de teste estiver no eixo real positivo, então

$$\underline{/s} = \underline{/s+1} = \underline{/s+2} = 0°$$

FIGURA 6.3
Sistema de controle.

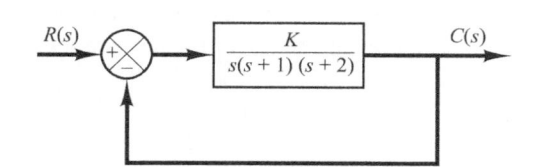

Isso demonstra que a condição angular não pode ser satisfeita. Então, não existe lugar das raízes no eixo real positivo. A seguir, seleciona-se um ponto de teste no eixo real negativo entre 0 e –1. Então,

$$\underline{/s} = 180°, \quad \underline{/s+1} = \underline{/s+2} = 0°$$

Assim,

$$-\underline{/s} - \underline{/s+1} - \underline{/s+2} = -180°$$

e a condição angular é satisfeita. Dessa maneira, o segmento do eixo real negativo entre 0 e –1 pertence ao lugar das raízes. Se um ponto de teste for selecionado entre –1 e –2, então

$$\underline{/s} = \underline{/s+1} = 180°, \quad \underline{/s+2} = 0°$$

e

$$-\underline{/s} - \underline{/s+1} - \underline{/s+2} = -360°$$

Pode-se observar, então, que a condição angular não será satisfeita. Portanto, o eixo real negativo entre –1 e –2 não pertence ao lugar das raízes. Da mesma maneira, se um ponto de teste for localizado no eixo real negativo entre –2 e –∞, a condição angular será satisfeita. Portanto, o lugar das raízes existirá sobre o eixo real negativo entre 0 e –1 e entre –2 e –∞.

2. *Determinar as assíntotas do lugar das raízes.* As assíntotas do lugar das raízes, à medida que s se aproxima do infinito, podem ser definidas da seguinte maneira: se um ponto de teste for selecionado muito distante da origem, então

$$\lim_{s \to \infty} G(s) = \lim_{s \to \infty} \frac{K}{s(s+1)(s+2)} = \lim_{s \to \infty} \frac{K}{s^3}$$

e a condição angular torna-se:

$$-3\underline{/s} = \pm 180°(2k+1) \quad (k = 0, 1, 2, \ldots)$$

ou

$$\text{Ângulos das assíntotas} = \frac{\pm 180°(2k+1)}{3} \quad (k = 0, 1, 2, \ldots)$$

Como o ângulo se repete à medida que k varia, os ângulos distintos para as assíntotas são determinados como 60°, –60° e 180°. Assim, existem três assíntotas. A que corresponde ao ângulo de 180° é o eixo real negativo.

Antes de podermos desenhar essas assíntotas no plano complexo, devemos determinar o ponto onde elas cruzam o eixo real. Como

$$G(s) = \frac{K}{s(s+1)(s+2)}$$

se um ponto de teste estiver muito distante da origem, então $G(s)$ poderá ser escrito como:

$$G(s) = \frac{K}{s^3 + 3s^2 + \cdots}$$

Para valores elevados de s, essa última equação pode ser aproximada como:

$$G(s) \doteq \frac{K}{(s+1)^3} \tag{6.5}$$

Um gráfico do lugar das raízes de $G(s)$ dado pela Equação 6.5 consiste em três retas. Isso pode ser visto a seguir, onde a equação do lugar das raízes é:

$$\underline{\left/ \frac{K}{(s+1)^3} \right.} = \pm 180°(2k+1)$$

ou

$$-3\underline{/s+1} = \pm 180°(2k+1)$$

que pode ser escrita como:
$$\angle s+1 = \pm 60°(2k+1)$$

Substituindo $s = \sigma + j\omega$ nessa última equação, obtemos
$$\angle \sigma + j\omega + 1 = \pm 60°(2k+1)$$

ou
$$\operatorname{tg}^{-1}\frac{\omega}{\sigma+1} = 60°, \; -60°, \; 0°$$

Considerando a tangente de ambos os lados dessa última equação,
$$\frac{\omega}{\sigma+1} = \sqrt{3}, \; -\sqrt{3}, \; 0$$

que podem ser escritas como:
$$\sigma+1-\frac{\omega}{\sqrt{3}}=0, \quad \sigma+1+\frac{\omega}{\sqrt{3}}=0, \quad \omega=0$$

Essas três equações representam três linhas retas, como mostra a Figura 6.4. Essas três linhas retas são as assíntotas. Elas se encontram no ponto $s = -1$. Assim, a abscissa de intersecção entre as assíntotas e o eixo real é obtida igualando a zero o denominador do lado direito da Equação 6.5 e resolvendo para s. As assíntotas são praticamente partes do lugar das raízes nas regiões muito distantes da origem.

3. *Determinar o ponto de partida do eixo real.* Para desenhar com precisão o lugar das raízes, deve-se definir o ponto de partida do eixo real, onde as ramificações do lugar das raízes originárias dos polos em 0 e −1 saem do eixo real (à medida que K aumenta) e se movem no plano complexo. O ponto de partida do eixo real corresponde a um ponto no plano s onde ocorrem raízes múltiplas da equação característica.

Existe um método simples para a determinação do ponto de partida do eixo real, que apresentaremos a seguir. Escreveremos a equação característica como:
$$f(s) = B(s) + KA(s) = 0 \tag{6.6}$$

FIGURA 6.4
Três assíntotas.

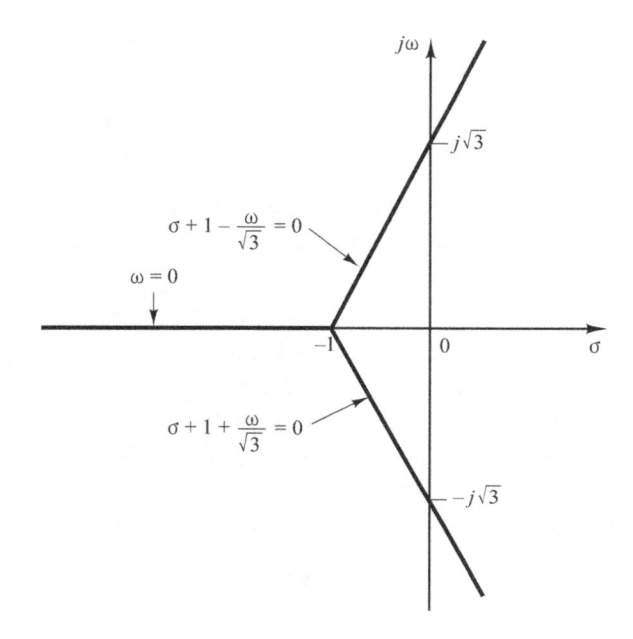

onde $A(s)$ e $B(s)$ não contêm K. Note que $f(s) = 0$ tem raízes múltiplas nos pontos onde

$$\frac{df(s)}{ds} = 0$$

Isso pode ser visto como segue. Suponha que $f(s)$ tenha raízes múltiplas de ordem r, onde $r \geq 2$. Então, $f(s)$ pode ser escrita como:

$$f(s) = (s - s_1)^r(s - s_2) \ldots (s - s_n)$$

Derivando essa equação em relação a s e estimando-se o valor de $df(s)/ds$ em $s = s_1$, teremos:

$$\left.\frac{df(s)}{ds}\right|_{s=s_1} = 0 \qquad (6.7)$$

Isso indica que raízes múltiplas de $f(s)$ satisfazem à Equação 6.7. A partir da Equação 6.6, obtemos:

$$\frac{df(s)}{ds} B'(s) + KA'(s) = 0 \qquad (6.8)$$

onde

$$A'(s) = \frac{dA(s)}{ds}, \quad B'(s) = \frac{dB(s)}{ds}$$

O valor específico de K que produzirá raízes múltiplas da equação característica é obtido a partir da Equação 6.8 como:

$$K = -\frac{B'(s)}{A'(s)}$$

Se substituirmos esse valor de K na Equação 6.6, teremos:

$$f(s) = B(s) - \frac{B'(s)}{A'(s)} A(s) = 0$$

ou

$$B(s)A'(s) - B'(s)A(s) = 0 \qquad (6.9)$$

Se a Equação 6.9 for resolvida em relação a s, podem ser obtidos os pontos onde ocorram as raízes múltiplas. Por outro lado, a partir da Equação 6.6, obtemos:

$$K = -\frac{B(s)}{A(s)}$$

e

$$\frac{dK}{ds} = \frac{B'(s)A(s) - B(s)A'(s)}{A^2(s)}$$

Se dK/ds for igualado a zero, obteremos novamente a Equação 6.9. Assim, os pontos de partida do eixo real podem ser determinados a partir das raízes de

$$\frac{dK}{ds} = 0$$

Pode-se notar que nem todas as soluções da Equação 6.9 ou de $dK/ds = 0$ correspondem ao ponto de partida real do eixo real. Se um ponto no qual $dK/ds = 0$ estiver sobre o lugar das raízes, este será mesmo um ponto de partida ou de chegada ao eixo real. Em outras palavras, se o valor de K for real e positivo em um ponto em que $dK/ds = 0$, então este será de fato um ponto de partida ou de chegada do eixo real.

No presente exemplo, a equação característica $G(s) + 1 = 0$ é dada por:

$$\frac{K}{s(s+1)(s+2)} + 1 = 0$$

ou

$$K = -(s^3 + 3s^2 + 2s)$$

Definindo $dK/ds = 0$, obtemos:

$$\frac{dK}{ds} = -(3s^2 + 6s + 2) = 0$$

ou

$$s = -0{,}4226, \qquad s = -1{,}5774$$

Como o ponto de partida do eixo real deve estar sobre o lugar das raízes entre 0 e –1, está claro que $s = -0{,}4226$ corresponde efetivamente ao ponto de partida do eixo real. O ponto $s = -1{,}5774$ não está sobre o lugar das raízes. Então, esse ponto não é realmente um ponto nem de partida nem de chegada. De fato, o cálculo dos valores de K correspondentes a $s = -0{,}4226$ e $s = -1{,}5774$ resulta em:

$$K = 0{,}3849, \qquad \text{para } s = -0{,}4226$$
$$K = -0{,}3849, \qquad \text{para } s = -1{,}5774$$

4. *Determinar os pontos em que o lugar das raízes cruza o eixo imaginário.* Esses pontos podem ser determinados com a utilização do critério de estabilidade de Routh, do seguinte modo: como a equação característica para o presente sistema é

$$s^3 + 3s^2 + 2s + K = 0$$

a matriz de Routh torna-se:

s^3	1	2
s^2	3	K
s^1	$\dfrac{6-K}{3}$	
s^0	K	

O valor de K que faz que o termo s^1 na primeira coluna seja igual a zero é $K = 6$. Os pontos de cruzamento com o eixo imaginário podem, então, ser determinados com a resolução da equação auxiliar obtida a partir da linha s^2, isto é,

$$3s^2 + K = 3s^2 + 6 = 0$$

do que resulta:

$$s = \pm j\sqrt{2}$$

As frequências no ponto de cruzamento do eixo imaginário são, portanto, $\omega = \pm \sqrt{2}$. O valor do ganho correspondente aos pontos de cruzamento é $K = 6$.

Um método alternativo é fazer $s = j\omega$ na equação característica, igualar a zero tanto a parte real como a parte imaginária e então resolver para ω e K. Para o presente sistema, a equação característica, com $s = j\omega$, é:

$$(j\omega)^3 + 3(j\omega)^2 + 2(j\omega) + K = 0$$

ou

$$(K - 3\omega^2) + j(2\omega - \omega^3) = 0$$

Igualando tanto a parte real como a imaginária dessa última equação a zero, obtemos:

$$K - 3\omega^2 = 0, \qquad 2\omega - \omega^3 = 0$$

A partir da qual

$$\omega = \pm \sqrt{2}, \qquad K = 6 \quad \text{ou} \quad \omega = 0, \qquad K = 0$$

Assim, o lugar das raízes cruza o eixo imaginário em $\omega = \pm \sqrt{2}$ e o valor de K no ponto de cruzamento é 6. Além disso, um ramo do lugar das raízes no eixo real toca o eixo imaginário em $\omega = 0$. O valor de K, nesse ponto, é zero.

5. *Escolher um ponto de teste nos entornos do eixo $j\omega$ e da origem*, como mostra a Figura 6.5, e aplicar a condição angular. Se um ponto de teste estiver sobre o lugar das raízes, então a soma

FIGURA 6.5
Construção do lugar das raízes.

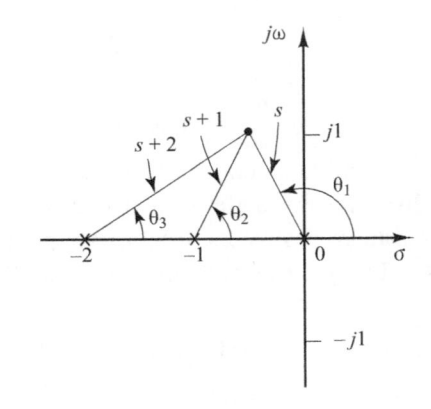

dos três ângulos, $\theta_1 + \theta_2 + \theta_3$, deve ser 180°. Se o ponto de teste não satisfizer à condição angular, selecione outro ponto de teste até que a condição seja atendida. (A soma dos ângulos no ponto de teste indicará a direção em que o ponto de teste deve ser movido.) Continue com esse processo e localize um número suficiente de pontos que satisfaçam à condição do ângulo.

6. *Desenhar o lugar das raízes*, com base nas informações obtidas nos passos anteriores, como mostra a Figura 6.6.

7. *Determinar um par de polos complexos conjugados dominantes de malha fechada, de modo que o coeficiente de amortecimento ζ seja 0,5.* Os polos de malha fechada com $\zeta = 0,5$ situados em linhas que passam pela origem e formam os ângulos $\pm\cos^{-1}\zeta = \pm\cos^{-1}0,5 = \pm60°$ com o eixo real negativo. Com o auxílio da Figura 6.6, esses polos de malha fechada com $\zeta = 0,5$ são obtidos da seguinte maneira:

$$s_1 = -0,3337 + j0,5780, \qquad s_2 = -0,3337 - j0,5780$$

O valor de K que fornece esses polos é determinado pela condição de módulo, como segue:

$$K = |s(s+1)(s+2)|_{s=-0,3337+j0,5780} = 1,0383$$

Utilizando esse valor de K, o terceiro polo é obtido em $s = -2,3326$.

FIGURA 6.6
Gráfico do lugar das raízes.

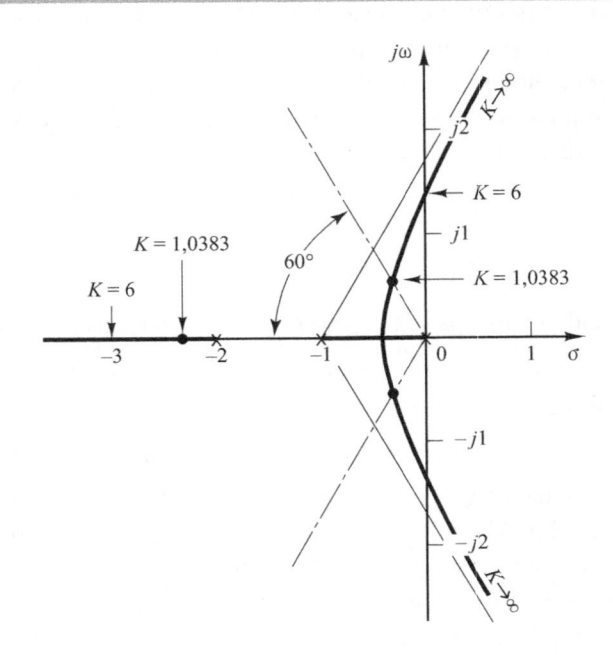

Observe que, a partir do passo 4, pode-se ver que, para $K = 6$, os polos de malha fechada dominantes se situam no eixo imaginário em $s = \pm j\sqrt{2}$. Com esse valor de K, o sistema apresentará oscilações permanentes. Para $K > 6$, os polos de malha fechada dominantes se situam no semiplano direito do plano s, resultando em um sistema instável.

Por fim, note que, se necessário, o lugar das raízes pode ser facilmente graduado em termos dos valores de K, utilizando, para isso, a condição de módulo. Simplesmente seleciona-se um ponto sobre o lugar das raízes, mede-se o módulo das três grandezas complexas s, $s + 1$ e $s + 2$ e multiplicam-se esses valores; o produto é igual ao valor do ganho K naquele ponto ou

$$|s| \cdot |s + 1| \cdot |s + 2| = K$$

A graduação do lugar das raízes pode ser feita facilmente, com a utilização do MATLAB. (Veja a Seção 6.3.)

Exemplo 6.2 Neste exemplo, será esboçado o gráfico do lugar das raízes de um sistema com polos de malha aberta complexos conjugados. Considere o sistema mostrado na Figura 6.7. Para esse sistema,

$$G(s) = \frac{K(s + 2)}{s^2 + 2s + 3}, \quad H(s) = 1$$

onde $K \geq 0$. Vê-se que $G(s)$ tem um par de polos complexos conjugados em:

$$s = -1 + j\sqrt{2}, \quad s = -1 - j\sqrt{2}$$

Um procedimento típico para esboçar o gráfico do lugar das raízes é o seguinte:

1. *Determinar o lugar das raízes no eixo real.* Para qualquer ponto de teste s no eixo real, a soma das contribuições angulares dos polos complexos conjugados é 360°, como mostra a Figura 6.8. Assim, o efeito resultante dos polos complexos conjugados sobre a condição angular no eixo real é nulo. A localização do lugar das raízes sobre o eixo real é determinada pelo zero de malha aberta existente nesse mesmo eixo. Um teste simples revela que o intervalo entre -2 e $-\infty$, no eixo real negativo, constitui uma parte do lugar das raízes. Verifica-se que, como esse lugar está situado entre dois zeros (em $s = -2$ e $s = -\infty$), é de fato uma parte formada por dois ramos do lugar das raízes, cada um partindo de um dos dois polos complexos conjugados. Em outras palavras, dois ramos do lugar das raízes se separam em um ponto da região sobre o eixo real negativo, entre -2 e $-\infty$.

FIGURA 6.7
Sistema de controle.

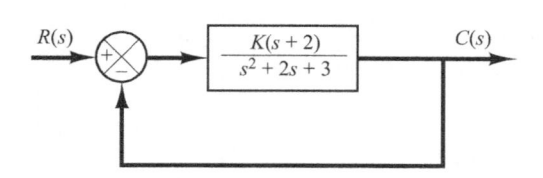

FIGURA 6.8
Determinação do lugar das raízes no eixo real.

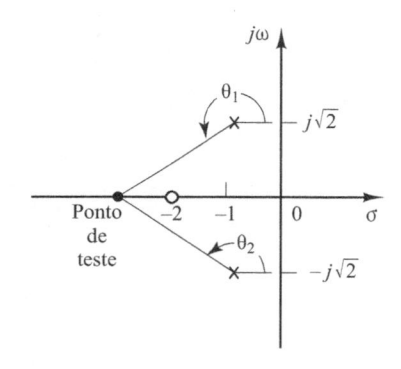

Como existem dois polos de malha aberta e um zero, existe apenas uma assíntota, que coincide com o eixo real negativo.

2. *Determinar o ângulo de partida dos polos complexos conjugados de malha aberta.* A presença de um par de polos complexos conjugados de malha aberta requer a determinação do ângulo de partida desses polos. O conhecimento desse ângulo é importante, já que o lugar das raízes próximo a um polo complexo fornece informações de como o polo originário do polo complexo migra para o eixo real ou se estende sobre a assíntota.

Referindo-se à Figura 6.9, se for escolhido um ponto de teste móvel em uma região muito próxima do polo complexo conjugado de malha aberta em $s = -p_1$, verifica-se que a soma das contribuições angulares do polo em $s = p_2$ e do zero em $s = -z_1$ pode ser considerada invariável. Se o ponto de teste estiver sobre o lugar das raízes, então a soma de ϕ'_1, $-\theta_1$ e $-\theta'_2$ deverá ser $\pm 180°(2k + 1)$, onde $k = 0, 1, 2,...$. Assim, no exemplo,

$$\phi'_1 - (\theta_1 + \theta'_2) = \pm 180°(2k + 1)$$

ou

$$\theta_1 = 180° - \theta'_2 + \phi'_1 = 180° - \theta'_2 + \phi_1$$

O ângulo de partida é, então,

$$\theta_1 = 180° - \theta_2 + \phi_1 = 180° - 90° + 55° = 145°$$

Como o lugar das raízes é simétrico em relação ao eixo real, o ângulo de partida do polo em $s = -p_2$ é $-145°$.

3. *Determinar o ponto de chegada ao eixo real.* Um ponto de chegada ao eixo real existe onde um par de ramos do lugar das raízes se funde quando K aumenta. Para esse problema, o ponto de chegada ao eixo real pode ser determinado da seguinte maneira: dado que

$$K = -\frac{s^2 + 2s + 3}{s + 2}$$

temos:

$$\frac{dK}{ds} = \frac{(2s + 2)(s + 2) - (s^2 + 2s + 3)}{(s + 2)^2} = 0$$

o que resulta em:

$$s^2 + 4s + 1 = 0$$

FIGURA 6.9
Determinação do ângulo de partida.

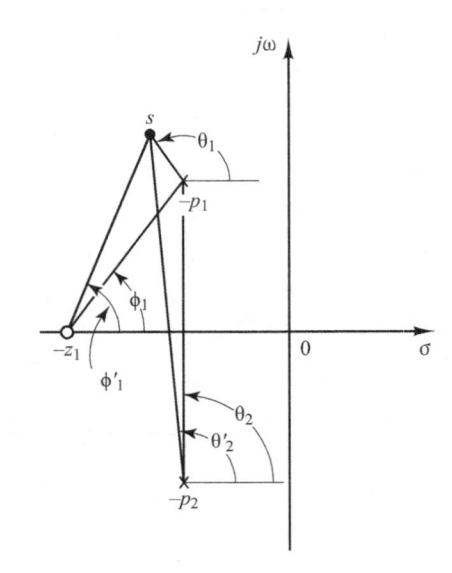

ou

$$s = -3{,}7320 \quad \text{ou} \quad s = -0{,}2680$$

Note que o ponto $s = -3{,}7320$ está sobre o lugar das raízes. Então, este é efetivamente um ponto de chegada ao eixo real. (Note que no ponto $s = -3{,}7320$, o valor do ganho correspondente é $K = 5{,}4641$.) Como o ponto $s = -0{,}2680$ não está sobre o lugar das raízes, não pode ser um ponto de chegada ao eixo real. (Para o ponto $s = -0{,}2680$, o valor correspondente do ganho é $K = -1{,}4641$.)

4. *Esboçar o gráfico do lugar das raízes tomando por base as informações obtidas nos passos anteriores.* Para determinar com precisão o lugar das raízes, devem ser determinados vários pontos entre o ponto de chegada ao eixo real e os polos complexos de malha aberta, pelo método de tentativa e erro. (Para facilitar o esboço do gráfico do lugar das raízes, deve-se encontrar a direção na qual o ponto de teste deve ser movido, guardando mentalmente a soma das variações dos ângulos nos polos e nos zeros.) A Figura 6.10 mostra um gráfico completo do lugar das raízes para o sistema considerado.

O valor do ganho K em qualquer ponto do lugar das raízes pode ser determinado aplicando-se a condição de módulo ou por meio do MATLAB (veja a Seção 6.3). Por exemplo, o valor de K em que os polos complexos conjugados de malha fechada têm o coeficiente de amortecimento $\zeta = 0{,}7$ pode ser encontrado pela localização das raízes, como mostra a Figura 6.10, e calculando o valor de K da seguinte maneira:

$$K = \left| \frac{(s + 1 - j\sqrt{2})(s + 1 + j\sqrt{2})}{s + 2} \right|_{s = -1{,}67 + j1{,}70} = 1{,}34$$

Ou utilizar o MATLAB para determinar o valor de K (veja a Seção 6.4.)

Observe que, nesse sistema, o lugar das raízes no plano complexo é parte de um círculo. Esse lugar das raízes circulares não ocorre na maioria dos sistemas. Lugares das raízes circulares podem ocorrer em sistemas que têm dois polos e um zero, dois polos e dois zeros ou um polo e dois zeros. Mesmo nesses sistemas, a ocorrência de partes de lugares das raízes circulares depende da localização dos polos e dos zeros existentes.

Para mostrar a existência de partes circulares do lugar das raízes no presente sistema, é necessário deduzir a equação do lugar das raízes. Para esse sistema, a condição de ângulo é:

$$\underline{/s+2} - \underline{/s+1-j\sqrt{2}} - \underline{/s+1+j\sqrt{2}} = \pm 180°(2k+1)$$

FIGURA 6.10
Gráfico do lugar das raízes.

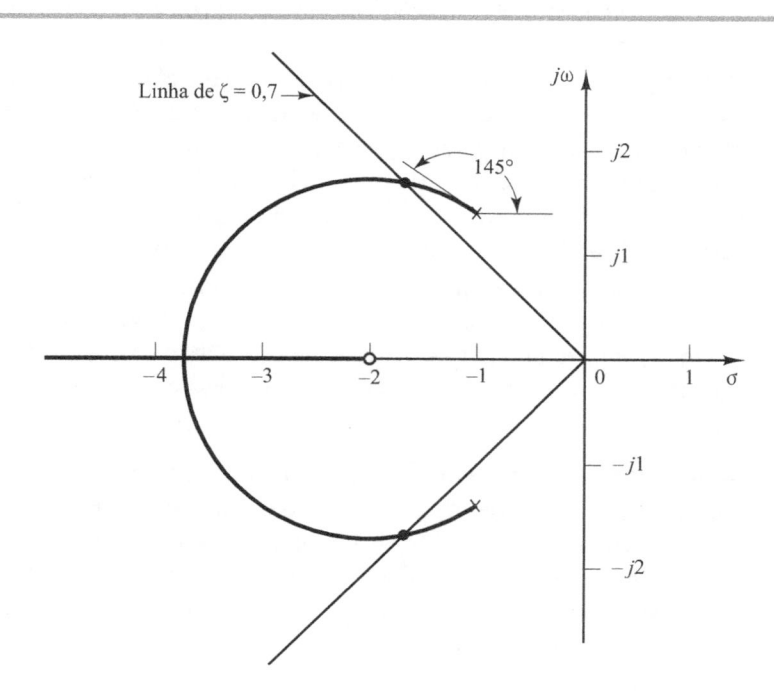

Se $s = \sigma + j\omega$ for substituído nessa última equação, obtemos:

$$\underline{/\sigma + 2 + j\omega} - \underline{/\sigma + 1 + j\omega - j\sqrt{2}} - \underline{/\sigma + 1 + j\omega + j\sqrt{2}} = \pm 180°(2k + 1)$$

que pode ser escrita como:

$$\text{tg}^{-1}\left(\frac{\omega}{\sigma + 2}\right) - \text{tg}^{-1}\left(\frac{\omega - \sqrt{2}}{\sigma + 1}\right) - \text{tg}^{-1}\left(\frac{\omega + \sqrt{2}}{\sigma + 1}\right) = \pm 180°(2k + 1)$$

ou

$$\text{tg}^{-1}\left(\frac{\omega - \sqrt{2}}{\sigma + 1}\right) + \text{tg}^{-1}\left(\frac{\omega + \sqrt{2}}{\sigma + 1}\right) = \text{tg}^{-1}\left(\frac{\omega}{\sigma + 2}\right) \pm 180°(2k + 1)$$

Considerando as tangentes de ambos os lados dessa última equação e utilizando a relação

$$\text{tg}(x \pm y) = \frac{\text{tg}\,x \pm \text{tg}\,y}{1 \mp \text{tg}\,x\,\text{tg}\,y} \tag{6.10}$$

obtemos:

$$\text{tg}\left[\text{tg}^{-1}\left(\frac{\omega - \sqrt{2}}{\sigma + 1}\right) + \text{tg}^{-1}\left(\frac{\omega + \sqrt{2}}{\sigma + 1}\right)\right] = \text{tg}\left[\text{tg}^{-1}\left(\frac{\omega}{\sigma + 2}\right) \pm 180(2k + 1)\right]$$

ou

$$\frac{\dfrac{\omega - \sqrt{2}}{\sigma + 1} + \dfrac{\omega + \sqrt{2}}{\sigma + 1}}{1 - \left(\dfrac{\omega - \sqrt{2}}{\sigma + 1}\right)\left(\dfrac{\omega + \sqrt{2}}{\sigma + 1}\right)} = \frac{\dfrac{\omega}{\sigma + 2} \pm 0}{1 \mp \dfrac{\omega}{\sigma + 2} \times 0}$$

que pode ser simplificada para

$$\frac{2\omega(\sigma + 1)}{(\sigma + 1)^2 - (\omega^2 - 2)} = \frac{\omega}{\sigma + 2}$$

ou

$$\omega[(\sigma + 2)^2 + \omega^2 - 3] = 0$$

Essa última equação é equivalente a

$$\omega = 0 \quad \text{ou} \quad (\sigma + 2)^2 + \omega^2 = (\sqrt{3})^2$$

Essas duas equações são equações do lugar das raízes do presente sistema. Observe que a primeira, $\omega = 0$, é a equação para o eixo real. O eixo real entre $s = -2$ e $s = -\infty$ corresponde ao lugar das raízes para $K \geq 0$. A parte remanescente do eixo real corresponde ao lugar das raízes quando K é negativo. (Nesse sistema, K é não negativo.) (Note que $K < 0$ corresponde ao caso em que a realimentação é positiva.) A segunda equação para o lugar das raízes é a equação de um círculo com centro em $\sigma = -2$, $\omega = 0$ e raio igual a $\sqrt{3}$. A parte do círculo à esquerda dos polos complexos conjugados corresponde ao lugar das raízes para $K \geq 0$. A parte remanescente do círculo corresponde ao lugar das raízes quando K é negativo.

É importante notar que equações de fácil interpretação para o lugar das raízes podem ser deduzidas apenas para sistemas simples. Para sistemas complexos que contenham muitos polos e zeros, qualquer tentativa de dedução de equações para o lugar das raízes é desencorajada. Essas equações deduzidas são muito complicadas e sua configuração no plano complexo é difícil de ser visualizada.

Regras para a construção do lugar das raízes. Para um sistema complexo, com muitos polos e zeros de malha aberta, a construção do gráfico do lugar das raízes pode parecer complicada, mas, na verdade, não é difícil se forem aplicadas as regras de construção para esse fim. Pela localização de pontos específicos e assíntotas e pelo cálculo dos ângulos de partida de polos complexos e ângulos de chegada em zeros complexos, pode-se construir a forma geral do lugar das raízes sem dificuldade.

Vamos resumir agora as regras e os procedimentos gerais para a construção do lugar das raízes do sistema mostrado na Figura 6.11.

Inicialmente, obtenha a equação característica

$$1 + G(s)H(s) = 0$$

Em seguida, modifique essa equação de modo que o parâmetro de interesse apareça como fator de multiplicação na forma:

$$1 + \frac{K(s+z_1)(s+z_2)\cdots(s+z_m)}{(s+p_1)(s+p_2)\cdots(s+p_n)} = 0 \qquad (6.11)$$

Na presente discussão, supomos que o parâmetro de interesse seja o ganho K, sendo $K > 0$. (No caso de $K < 0$, o que corresponde à realimentação positiva, a condição de ângulo deve ser modificada. Veja a Seção 6.4.) Verifica-se, entretanto, que o método ainda é aplicável a sistemas com outros parâmetros de interesse além do ganho. (Veja a Seção 6.6.)

1. *Localizar os polos e zeros de $G(s)H(s)$ no plano s. Os ramos do lugar das raízes se iniciam nos polos de malha aberta e terminam nos zeros (zeros finitos ou zeros no infinito).* A partir da forma fatorada da função de transferência de malha aberta, determinar a localização dos polos e dos zeros de malha aberta no plano s. [Note que os zeros de malha aberta são os zeros de $G(s)H(s)$, enquanto os zeros de malha fechada constituem os zeros de $G(s)$ e os polos de $H(s)$.]

Observe que os lugares das raízes são simétricos ao eixo real do plano s, pois os polos complexos e os zeros complexos ocorrem apenas em pares conjugados.

Um gráfico do lugar das raízes possui tantos ramos quantas forem as raízes da equação característica. Como o número de polos de malha aberta geralmente excede o número de zeros, o número de ramos é igual ao de polos. Se o número de polos de malha fechada for o mesmo que o de polos de malha aberta, então o número de ramos individuais do lugar das raízes que terminam em zeros finitos de malha aberta será igual ao número m dos zeros de malha aberta. Os ramos restantes $n - m$ que terminam no infinito ($n - m$ zeros implícitos no infinito) ao longo das assíntotas.

Se forem incluídos polos e zeros no infinito, o número de polos de malha aberta será igual ao de zeros de malha aberta. Portanto, pode-se afirmar que os lugares das raízes que se iniciam nos polos de $G(s)H(s)$ e terminam nos zeros de $G(s)H(s)$, à medida que K varia de zero a infinito, inclui os polos e zeros que se situam tanto no plano finito de s como no infinito.

2. *Determinar os trechos do lugar das raízes no eixo real.* Os trechos do lugar das raízes no eixo real são determinados pelos polos e zeros de malha aberta que se encontram sobre ele. Os polos e zeros complexos conjugados de malha aberta da função de transferência não têm nenhum efeito na determinação dos trechos do lugar das raízes no eixo real, porque a contribuição angular de um par de polos ou zeros complexos conjugados sobre o eixo real é de 360°. Cada região do lugar das raízes no eixo real se estende sobre uma área de um polo ou zero a outro polo ou zero. Para a construção dos trechos do lugar das raízes no eixo real, escolha um ponto de teste sobre ele. Se o número total de polos reais e zeros reais à direita desse ponto de teste for ímpar, então esse ponto estará situado em uma região do lugar das raízes. Se polos de malha aberta e zeros de malha aberta forem polos simples e zeros simples, então o lugar das raízes e seus complementos formarão segmentos alternados ao longo do eixo real.

FIGURA 6.11
Sistema de controle.

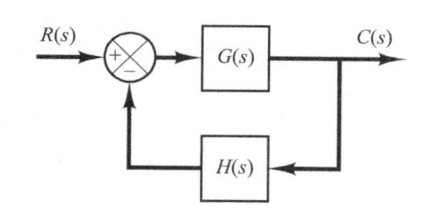

3. *Determinar as assíntotas dos lugares das raízes.* Se o ponto de teste s estiver localizado distante da origem, então o ângulo de cada vetor do plano complexo poderá ser considerado o mesmo. Um zero de malha aberta e um polo de malha aberta podem cancelar seus efeitos mutuamente. Portanto, os lugares das raízes, se os valores de s forem muito elevados, deverão ser assintóticos para as retas cujos ângulos (inclinações) são dados por:

$$\text{Ângulos das assíntotas} = \frac{\pm 180°(2k+1)}{n-m} \quad (k = 0,1,2,\ldots)$$

onde n = número finito de polos de $G(s)H(s)$
 m = número de zeros finitos de $G(s)H(s)$

Aqui, $k = 0$ corresponde às assíntotas de menor ângulo em relação ao eixo real. Embora k assuma um número infinito de valores, à medida que k aumenta, o ângulo se repete e o número de assíntotas distintas é $n - m$.

Todas as assíntotas se cruzam em um ponto no eixo real. Os pontos de intersecção são obtidos como a seguir: se tanto o numerador como o denominador da função de transferência de malha aberta forem expandidos, o resultado será:

$$G(s)H(s) = \frac{K[s^m + (z_1 + z_2 + \cdots + z_m)s^{m-1} + \cdots + z_1 z_2 \cdots z_m]}{s^n + (p_1 + p_2 + \cdots + p_n)s^{n-1} + \cdots + p_1 p_2 \cdots p_n}$$

Se um ponto de teste for situado muito distante da origem, então, dividindo o denominador pelo numerador, será possível escrever $G(s)H(s)$ como:

$$G(s)H(s) = \frac{K}{s^{n-m} + [(p_1 + p_2 + \cdots + p_n) - (z_1 + z_2 + \cdots + z_m)]s^{n-m-1} + \cdots}$$

ou

$$G(s)H(s) = \frac{K}{\left[s + \dfrac{(p_1 + p_2 + \cdots + p_n) - (z_1 + z_2 + \cdots + z_m)}{n-m}\right]^{n-m}} \quad (6.12)$$

A abscissa do ponto de intersecção das assíntotas com o eixo real é, então, obtida igualando-se a zero o denominador do lado direito da Equação 6.12 e resolvendo para s, ou

$$s = -\frac{(p_1 + p_2 + \cdots + p_n) - (z_1 + z_2 + \cdots + z_m)}{n-m} \quad (6.13)$$

(O Exemplo 6.1 mostra por que a Equação 6.13 resulta na intersecção.) Uma vez determinada a intersecção, pode-se desenhar as assíntotas no plano complexo.

É importante notar que as assíntotas mostram o comportamento dos lugares das raízes para $|s| \gg 1$. Um ramo do lugar das raízes pode se situar de um lado da assíntota correspondente ou pode cruzar a assíntota correspondente de um lado ao outro.

4. *Determinar os pontos de partida e os de chegada ao eixo real.* Em virtude da simetria conjugada do lugar das raízes, os pontos de partida ao eixo real e os de chegada estão localizados sobre o eixo real ou ocorrem em pares complexos conjugados.

Se um lugar das raízes estiver localizado entre dois polos de malha aberta adjacentes no eixo real, então existirá pelo menos um ponto de partida do eixo real entre os dois polos. Da mesma maneira, se o lugar das raízes estiver entre dois zeros adjacentes (um dos zeros pode estar localizado em $-\infty$) no eixo real, então sempre existirá pelo menos um ponto de chegada entre os dois zeros. Se o lugar das raízes se situar entre um polo e um zero de malha aberta (finito ou infinito) sobre o eixo real, poderão existir pontos de partida e de chegada simultaneamente, mas não de modo isolado.

Suponha que a equação característica seja dada por:

$$B(s) + KA(s) = 0$$

Os pontos de partida e os de chegada ao eixo real correspondem às raízes múltiplas da equação característica. Então, como foi discutido no Exemplo 6.1, os pontos de partida e de chegada podem ser determinados a partir das raízes de

$$\frac{dK}{ds} = \frac{B'(s)A(s) - B(s)A'(s)}{A^2(s)} = 0 \qquad (6.14)$$

onde o apóstrofo indica a diferenciação em relação a s. É importante notar que os pontos de partida e os de chegada devem ser as raízes da Equação 6.14, mas nem todas as raízes da Equação 6.14 são pontos de partida ou pontos de chegada. Se uma raiz real da Equação 6.14 estiver sobre a região do lugar das raízes no eixo real, então este é realmente um ponto de partida ou de chagada. Se uma raiz real da Equação 6.14 não estiver sobre a região do lugar das raízes no eixo real, então essa raiz não corresponderá nem a um ponto de partida nem a um ponto de chegada. Se duas raízes $s = s_1$ e $s = -s_1$ da Equação 6.14 forem um par de complexos conjugados e se não for certo que pertençam ao lugar das raízes, então será necessário verificar o valor correspondente de K. Se o valor de K correspondente a uma raiz $s = s_1$ de $dK/ds = 0$ for positivo, o ponto $s = s_1$ será realmente um ponto de partida ou um ponto de chegada. (Como se supõe que K seja não negativo, se o valor de K assim obtido for negativo, ou um vetor no plano complexo, então o ponto $s = s_1$ não será nem um ponto de partida nem um ponto de chegada.)

5. *Determinar o ângulo de partida de um polo complexo (ou de chegada a um zero complexo) do lugar das raízes.* Para esboçar o lugar das raízes com precisão razoável, deve-se determinar a direção dos ramos do lugar das raízes próximos aos polos e zeros complexos. Se um ponto de teste for escolhido e movido nas proximidades de um polo complexo (ou de um zero complexo), pode-se considerar que a soma das contribuições angulares de todos os outros polos e zeros permanece invariável. Assim, o ângulo de partida (ou o ângulo de chegada) do lugar das raízes de um polo complexo (ou em um zero complexo) pode ser determinado subtraindo de 180° a soma de todos os ângulos dos vetores de todos os outros polos e zeros que chegam ao polo complexo (ou do zero complexo) em questão, incluindo os sinais apropriados.

Ângulo de partida de um polo complexo = 180°

− (soma dos ângulos dos vetores que chegam ao polo complexo em questão, com origem em outros polos)

+ (soma dos ângulos dos vetores que chegam ao polo complexo em questão, com origem nos zeros)

Ângulo de chegada em um zero complexo = 180°

− (soma dos ângulos dos vetores que chegam ao zero complexo em questão, originários de outros zeros)

+ (soma dos ângulos dos vetores de chegada ao zero complexo em questão, partindo dos polos)

O ângulo de partida é mostrado na Figura 6.12.

FIGURA 6.12
Construção do lugar das raízes [Ângulo de partida = 180° − $(\theta_1 + \theta_2) + \phi$].

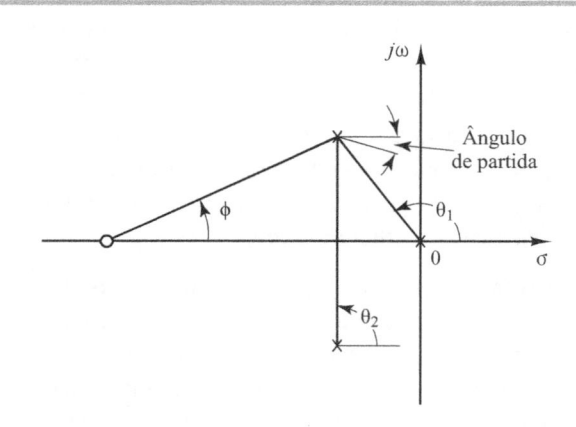

6. *Encontrar os pontos onde o lugar das raízes pode cruzar o eixo imaginário.* Os pontos onde o lugar das raízes cruza o eixo $j\omega$ podem ser determinados facilmente (a) pelo uso do critério de estabilidade de Routh ou (b) fazendo $s = j\omega$ na equação característica, igualando a zero tanto a parte real como a parte imaginária e resolvendo para ω e K. Os valores de ω assim determinados fornecem as frequências em que o lugar das raízes cruza o eixo imaginário. O valor de K correspondente a cada frequência de cruzamento representa o ganho nesse ponto de cruzamento.

7. *Obter uma série de pontos de teste na região da origem do plano s e esboçar o lugar das raízes.* Determinar o lugar das raízes em ampla região nas proximidades do eixo $j\omega$ e da origem. A parte mais importante do lugar das raízes não se situa nem no eixo real nem junto às assíntotas, mas em uma região próxima ao eixo $j\omega$ e à origem. O formato do lugar das raízes nessa importante região do plano s deve ser obtido com uma precisão razoável. (Se for necessário obter a forma do lugar das raízes com exatidão, pode-se usar o MATLAB em vez de fazer o cálculo manualmente.)

8. *Determinar os polos de malha fechada.* Um ponto em particular sobre cada um dos ramos do lugar das raízes será um polo de malha fechada, se o valor de K nesse ponto satisfizer a condição de módulo. Reciprocamente, a condição de módulo possibilita que se determine o valor do ganho K em qualquer ponto especificado sobre o lugar das raízes. (Se necessário, o lugar das raízes pode ser graduado em função de K. Os valores de K variam continuamente ao longo do lugar das raízes.)

O valor de K correspondente a um ponto s no lugar das raízes pode ser obtido com a utilização da condição de módulo, ou seja

$$K = \frac{\text{produto da distância entre o ponto } s \text{ e os polos}}{\text{produto da distância entre o ponto } s \text{ e os zeros}}$$

Esse valor pode ser calculado tanto gráfica como analiticamente. (O MATLAB pode ser utilizado para graduar o lugar das raízes em função de K. Veja a Seção 6.3.)

Se o ganho K da função de transferência de malha aberta for um dado do problema, então, pela aplicação da condição de módulo, pode-se determinar as posições corretas dos polos de malha fechada em cada um dos ramos do lugar das raízes, para dado valor de K. Para isso, pode-se utilizar o método de tentativa e erro ou o MATLAB, que será apresentado na Seção 6.3.

Comentários sobre os gráficos do lugar das raízes. Observe que a equação característica do sistema de realimentação negativa cuja função de transferência de malha aberta é:

$$G(s)H(s) = \frac{K(s^m + b_1 s^{m-1} + \cdots + b_m)}{s^n + a_1 s^{n-1} + \cdots + a_n} \quad (n \geq m)$$

é uma equação algébrica de grau n em s. Se a ordem do numerador de $G(s)H(s)$ for menor que a do denominador em duas ou mais unidades (o que significa que existem dois ou mais zeros no infinito), então o coeficiente a_1 será a soma negativa das raízes das equações e é independente de K. Nesse caso, se algumas das raízes se moverem para a esquerda sobre o lugar das raízes, à medida que K aumenta, então as outras raízes devem se mover para a direita conforme K aumenta. Essa informação é útil na determinação da forma geral do lugar das raízes.

Note também que uma pequena alteração na posição dos polos e zeros pode ocasionar mudanças importantes na configuração do lugar das raízes. A Figura 6.13 demonstra que uma pequena variação no posicionamento de um zero ou de um polo resultará em uma configuração do lugar das raízes bastante diferente.

Cancelamento dos polos de $G(s)$ com zeros de $H(s)$. É importante notar que, se o denominador de $G(s)$ e o numerador de $H(s)$ contiverem fatores comuns, então os polos e os zeros de malha aberta correspondentes se cancelarão mutuamente, reduzindo o grau da equação característica em uma ou mais unidades. Por exemplo, considere o sistema da Figura 6.14(a). (Esse sistema possui realimentação de velocidade.) Mudando o diagrama de blocos da Figura 6.14(a)

FIGURA 6.13
Gráficos do lugar das raízes.

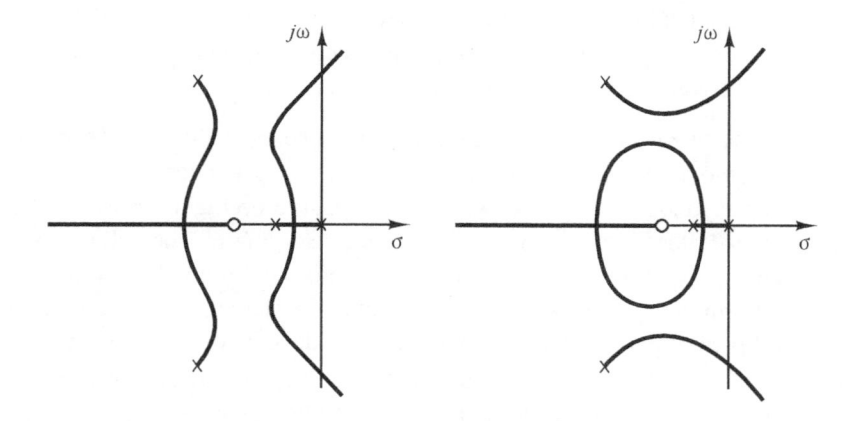

para o mostrado na Figura 6.14(b), fica claro que $G(s)$ e $H(s)$ têm em comum o fator $s + 1$. A função de transferência de malha fechada $C(s)/R(s)$ é:

$$\frac{C(s)}{R(s)} = \frac{K}{s(s+1)(s+2) + K(s+1)}$$

A equação característica é:

$$[s(s+2) + K](s+1) = 0$$

Entretanto, em virtude do cancelamento dos termos $(s+1)$ que aparecem em $G(s)$ e $H(s)$, tem-se:

$$1 + G(s)H(s) = 1 + \frac{K(s+1)}{s(s+1)s(s+2)}$$

$$= \frac{s(s+2) + K}{s(s+2)}$$

A equação característica reduzida é:

$$s(s+2) + K = 0$$

O gráfico do lugar das raízes de $G(s)H(s)$ não mostra todas as raízes da equação característica, mas apenas as raízes da equação reduzida.

FIGURA 6.14
(a) Sistema de controle com realimentação de velocidade; (b) e (c) diagramas de blocos modificados.

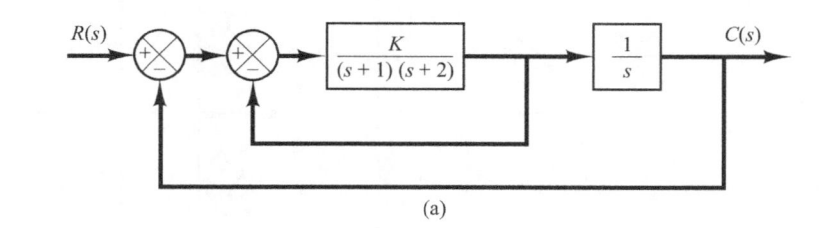

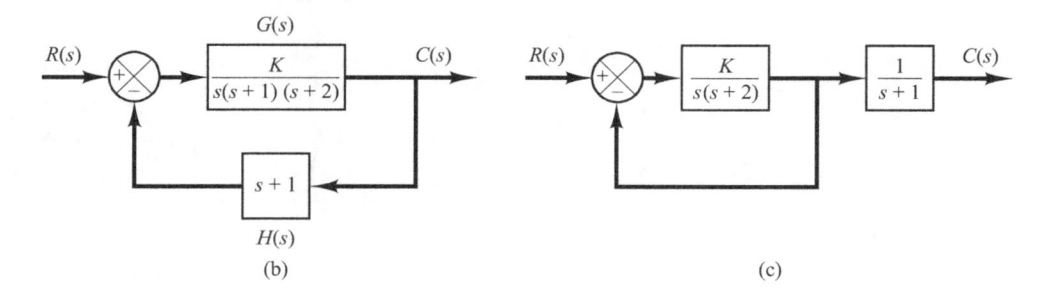

Para obter o conjunto completo dos polos de malha fechada, deve-se adicionar o polo cancelado de $G(s)H(s)$ aos polos de malha fechada obtidos a partir do gráfico do lugar das raízes de $G(s)H(s)$. É importante lembrar que o polo cancelado de $G(s)H(s)$ é um polo de malha fechada do sistema, como mostra a Figura 6.14(c).

Configurações típicas de polos e zeros e o lugar das raízes correspondentes. Em resumo, mostramos na Tabela 6.1 várias configurações de polos e zeros de malha aberta e seus correspondentes lugares das raízes. O padrão do lugar das raízes depende apenas da separação relativa dos polos e zeros de malha aberta. Se o número de polos exceder o número de zeros finitos em três ou mais unidades, haverá um valor do ganho K além do qual o lugar das raízes entrará no semiplano direito do plano s e, assim, o sistema se tornará instável. Para que um sistema seja estável, todos os polos de malha fechada devem se situar no semiplano esquerdo do plano s.

Observe que, uma vez que se tenha alguma experiência com o método, é possível avaliar com facilidade as alterações no lugar das raízes, em decorrência de modificações no número e no posicionamento dos polos e zeros. Consegue-se isso visualizando o gráfico do lugar das raízes resultante das várias configurações de polos e zeros.

TABELA 6.1 Configurações de polos e zeros de malha aberta e os lugares das raízes correspondentes.

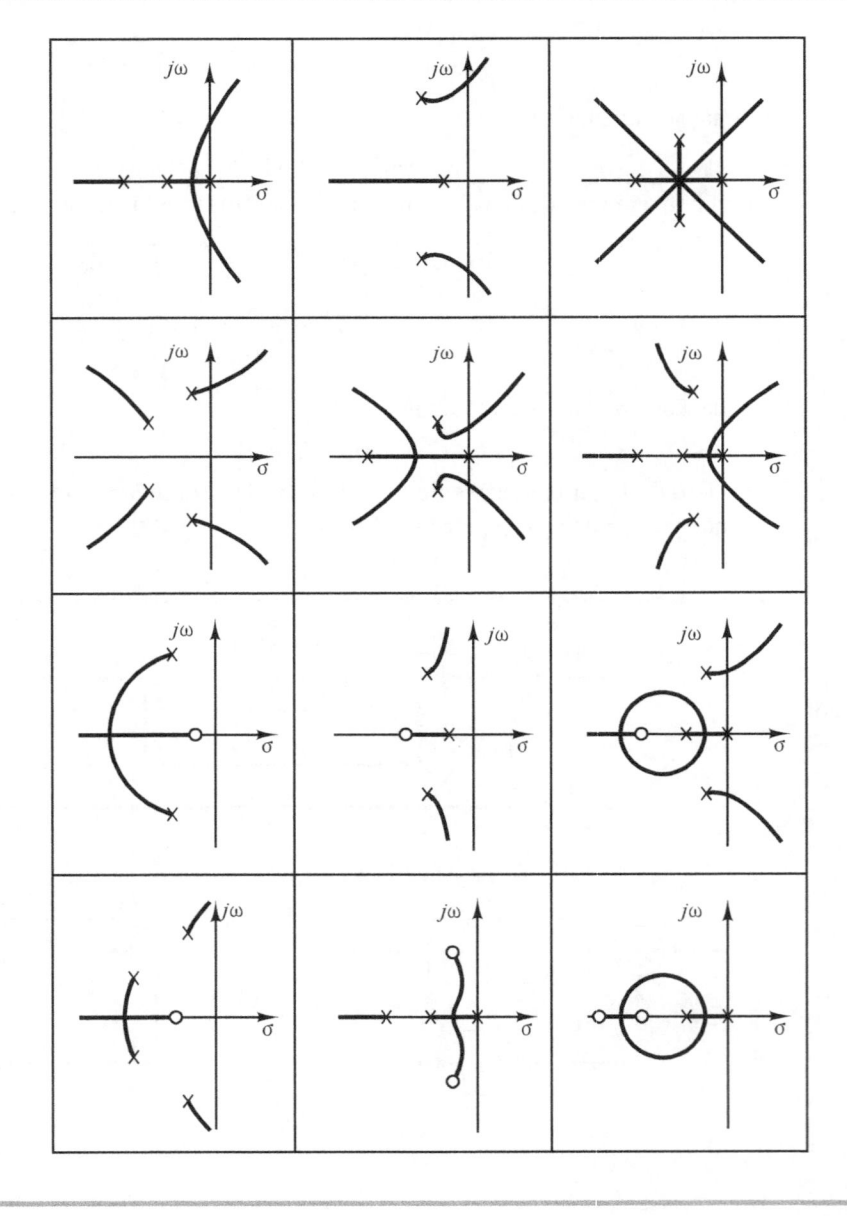

Resumo. A partir das discussões anteriores, fica claro que é possível esboçar um gráfico do lugar das raízes com razoável precisão para dado sistema seguindo regras simples. (É aconselhável que o leitor estude os vários gráficos do lugar das raízes apresentados nos problemas resolvidos no final do capítulo.) Nos estágios preliminares de um projeto não são necessárias as posições precisas dos polos de malha fechada. Frequentemente, necessita-se apenas das localizações aproximadas para fazer uma estimativa do desempenho do sistema. É importante, então, que o projetista tenha a capacidade de esboçar rapidamente o lugar das raízes de dado sistema.

6.3 | Desenhando o gráfico do lugar das raízes com o MATLAB

Nesta seção, apresentamos o método de geração do gráfico do lugar das raízes e a obtenção de informações relevantes usando o MATLAB.

Desenhando o gráfico do lugar das raízes com o MATLAB. Na construção do gráfico do lugar das raízes, a equação do sistema é apresentada na forma da Equação 6.11, que pode ser escrita como:

$$1 + K\frac{\text{num}}{\text{den}} = 0$$

onde num é o polinômio do numerador e den, o polinômio do denominador. Ou seja,

$$\text{num} = (s + z_1)(s + z_2) \ldots (s + z_m)$$
$$= s^m + (z_1 + z_2 + \ldots + z_m)s^{m-1} + \ldots + z_1 z_2 \ldots z_m$$
$$\text{den} = (s + p_1)(s + p_2) \ldots (s + p_n)$$
$$= s^n + (p_1 + p_2 + \ldots + p_n)s^{n-1} + \ldots + p_1 p_2 \ldots p_n$$

Note que ambos os vetores, num e den, devem ser escritos segundo as potências decrescentes de s.

Um comando MATLAB comumente utilizado para desenhar o lugar das raízes é:

```
rlocus(num,den)
```

Esse comando faz que o gráfico do lugar das raízes seja desenhado na tela. O vetor de ganho K é determinado automaticamente. (O vetor K contém todos os valores do ganho para os quais os polos de malha fechada são calculados.)

Para os sistemas definidos no espaço de estados, `rlocus(A,B,C,D)` traça o lugar das raízes do sistema, determinando automaticamente o vetor de ganho.

Note que os comandos

```
rlocus(num,den,K)   e   rlocus(A,B,C,D,K)
```

utilizam o vetor de ganho K informado pelo usuário.

Se for desejável traçar o lugar das raízes com as marcas 'o' ou 'x', será necessário utilizar o seguinte comando:

```
r = rlocus(num,den)
plot(r,'o') ou plot(r, 'x')
```

Traçar o gráfico do lugar das raízes utilizando as marcas o ou x é instrutivo, uma vez que cada um dos polos de malha fechada calculados será mostrado graficamente; algumas regiões do lugar das raízes são mais densamente ocupadas por essas marcas e, em outras, a ocupação é mais esparsa. O MATLAB fornece seu próprio conjunto de valores de ganho, utilizado no cálculo para traçar um lugar das raízes. Isso é feito por uma rotina interna de passo variável adaptativo. O MATLAB também utiliza, no comando `plot`, uma forma automática de escalar os eixos.

Exemplo 6.3 Considere o sistema mostrado na Figura 6.15. Trace o lugar das raízes com razão de quadratura, de modo que uma linha com inclinação 1 seja uma linha verdadeiramente a 45°. Escolha a região do lugar das raízes delimitada por:

FIGURA 6.15
Sistema de controle.

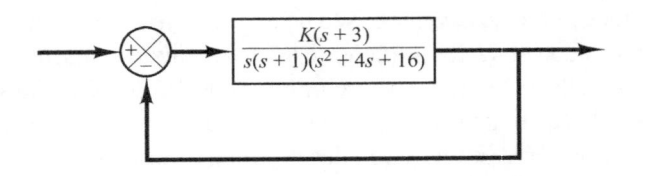

$$-6 \leq x \leq 6, \quad -6 \leq y \leq 6$$

onde x e y são, respectivamente, a coordenada do eixo real e a coordenada do eixo imaginário.

Para configurar na tela determinada região que tenha a forma de um quadrado, utilize o seguinte comando:

```
v = [-6 6 -6 6]; axis(v); axis('square')
```

Com esse comando, a região do gráfico ficará configurada de acordo com a especificação e uma linha de coeficiente angular 1 estará, de fato, a 45°, sem apresentar distorção decorrente da forma irregular da tela.

Neste problema, o denominador é determinado pelo produto dos termos de primeira e segunda ordens. Portanto, deve-se multiplicar esses termos para obter um polinômio em s. A multiplicação desses termos pode ser feita facilmente com a utilização do comando de convolução, como é mostrado a seguir.

Defina:

$$a = s(s + 1): \quad a = [1 \ 1 \ 0]$$
$$b = s^2 + 4s + 16: \quad b = [1 \ 4 \ 16]$$

Em seguida, utilize o seguinte comando:

$$c = \text{conv}(a,b)$$

Observe que `conv(a,b)` fornece o produto dos dois polinômios a e b. O resultado do processamento é apresentado a seguir:

```
a = [1  1  0];
b = [1  4  16];
c = conv (a,b)
c =
     1   5   20   16   0
```

O polinômio do denominador é, então:

```
den = [1  5  20  16  0]
```

Para determinar os polos complexos conjugados de malha aberta (as raízes de $s^2 + 4s + 16 = 0$), deve-se digitar o comando roots como a seguir:

```
r = roots(b)
r =
    -2.0000 + 3.4641i
    -2.0000 - 3.4641i
```

Consequentemente, o zero de malha aberta e os polos de malha aberta do sistema são os seguintes:

Zero de malha aberta: $\quad s = -3$

Polos de malha aberta: $\quad s = 0, s = -1, s = -2 \pm j3,4641$

O Programa 6.1 em MATLAB traça o gráfico do lugar das raízes para esse sistema. A Figura 6.16 mostra o gráfico resultante.

Programa 6.1 em MATLAB

```
% ------Gráfico do lugar da raízes ------
num = [1 3];
den = [1 5 20 16 0]
rlocus(num,den);
v = [-6 6 -6 6];
axis(v); axis('square')
grid;
title('Gráfico do Lugar das Raízes de G(s) = K(s + 3)/[s(s + 1)(s^2 + 4s + 16)]')
```

Note que no Programa 6.1 em MATLAB, em vez de

$$\text{den} = [1\ 5\ 20\ 16\ 0]$$

pode-se codificar

$$\text{den} = \text{conv}([1\ 1\ 0], [1\ 4\ 16])$$

Os resultados serão os mesmos.

FIGURA 6.16
Gráfico do lugar das raízes.

Gráfico do lugar das raízes de $G(s) = K(s + 3)/[s(s + 1)(s^2 + 4s + 16)]$

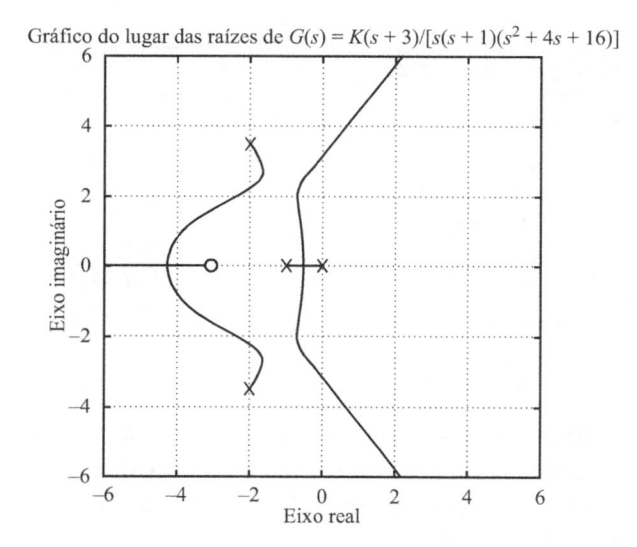

Exemplo 6.4 Considere o sistema de realimentação negativa cuja função de transferência em malha aberta $G(s)H(s)$ é:

$$G(s)H(s) = \frac{K}{s(s + 0,5)(s^2 + 0,6s + 10)}$$

$$= \frac{K}{s^4 + 1,1s^3 + 10,3s^2 + 5s}$$

Não existem zeros de malha aberta. Os polos de malha aberta estão localizados em $s = -0,3 - j3,1480$, $s = -0,3 - j3,1480$, $s = -0,5$ e $s = 0$.

Digitando o Programa 6.2 em MATLAB no computador, obtém-se o gráfico do lugar das raízes mostrado na Figura 6.17.

FIGURA 6.17
Gráfico do lugar das raízes.

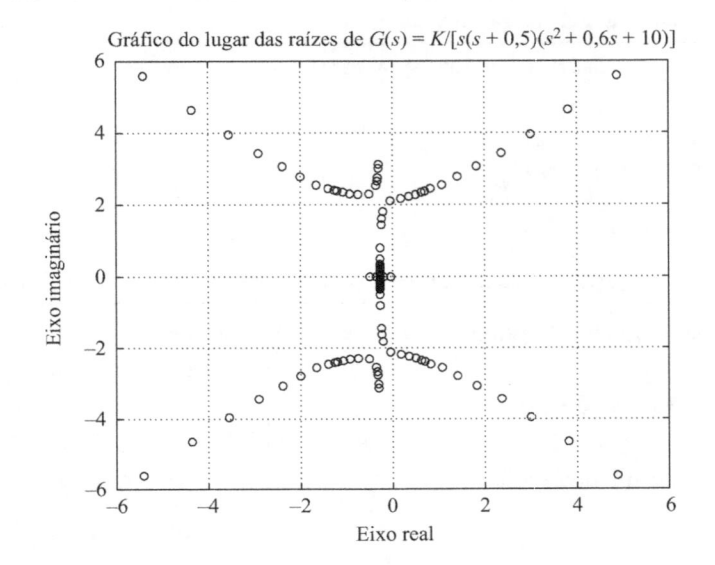

Gráfico do lugar das raízes de $G(s) = K/[s(s + 0,5)(s^2 + 0,6s + 10)]$

```
Programa 6.2 em MATLAB

% ------Gráfico do lugar da raízes ------
num = [1];
den = [1  1.1  10.3  5  0]
r = locus(num,den);
plot(r, 'o')
v = [-6  6  -6  6]; axis(v);
grid;
title('Gráfico do Lugar das Raízes de G(s) = K/[s(s + 0.5)(s^2 + 0.6s + 10)]')
xlabel('Eixo Real')
ylabel('Eixo Imaginário')
```

Observe que nas regiões próximas de $x = -0,3$, $y = 2,3$ e $x = -0,3$, $y = -2,3$ dois ramos se aproximam um do outro. Pode-se desejar saber se esses dois ramos devem ou não se tocar. Para analisar essa situação, é possível traçar gráficos do lugar das raízes com pequenos incrementos no valor de K na região crítica.

Pelo método convencional de tentativa e erro ou usando o comando rlocfind, que será apresentado adiante nesta seção, encontra-se a região de interesse específica como utilizando aquela em que $20 \leq K \leq 30$. Utilizando o Programa 6.3 em MATLAB, obtemos o gráfico do lugar das raízes mostrado na Figura 6.18. Esse gráfico mostra que os dois ramos que se aproximam no semiplano superior (ou no semiplano inferior) não se tocam.

```
Programa 6.3 em MATLAB

% ------Gráfico do lugar da raízes ------
num = [1];
den = [1  1.1  10.3  5  0]
K1 = 0:0.2:20;
K2 = 20:0.1:30;
K3 = 30:5:1000;
K = [K1  K2  K3];
r = locus(num,den,K);
plot(r, 'o')
v = [-4  4  -4  4]; axis(v);
grid;
title('Gráfico do Lugar das Raízes de G(s) = K/[s(s + 0.5)(s^2 + 0.6s + 10)]')
xlabel('Eixo Real')
ylabel('Eixo Imaginário')
```

FIGURA 6.18
Gráfico do lugar das raízes.

Gráfico do lugar das raízes de $G(s) = K/[s(s + 0,5)(s^2 + 0,6s + 10)]$

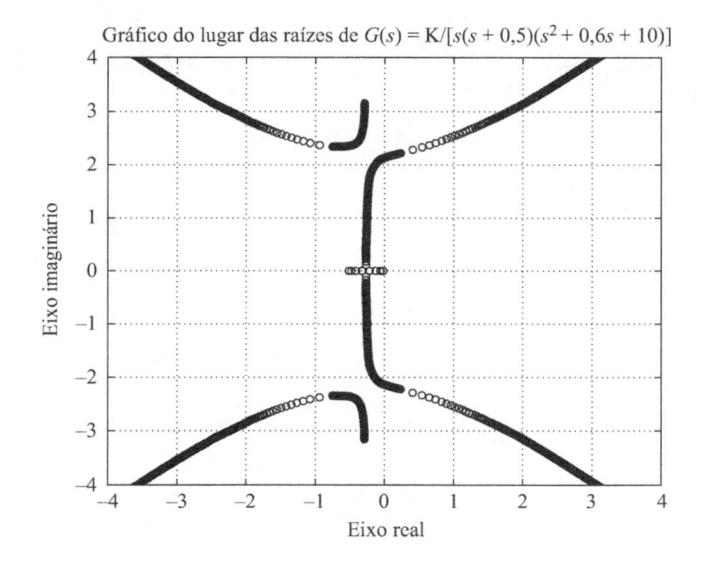

Exemplo 6.5 Considere o sistema mostrado na Figura 6.19. As equações do sistema são:

$$\dot{x} = Ax + Bu$$
$$y = Cx + Du$$
$$u = r - y$$

Neste problema, obteremos o gráfico do lugar das raízes do sistema definido no espaço de estados. Como exemplo, consideremos o caso em que as matrizes **A**, **B**, **C** e D são:

$$\mathbf{A} = \begin{bmatrix} 0 & 1 & 0 \\ 0 & 0 & 1 \\ -160 & -56 & -14 \end{bmatrix}, \quad \mathbf{B} = \begin{bmatrix} 0 \\ 1 \\ -14 \end{bmatrix} \quad (6.15)$$

$$\mathbf{C} = [1 \ 0 \ 0], \quad D = [0]$$

O gráfico do lugar das raízes desse sistema pode ser obtido com a utilização do seguinte comando do MATLAB:

```
rlocus(A,B,C,D)
```

Esse comando produz o mesmo gráfico do lugar das raízes que é obtido pelo comando `rlocus(num,den)`, onde num e den são obtidos a partir de:

```
[num,den] = ss2tf(A,B,C,D)
```

como a seguir:

```
num = [0 0 1 0]
den = [1 14 56 160]
```

FIGURA 6.19
Sistema de controle de malha fechada.

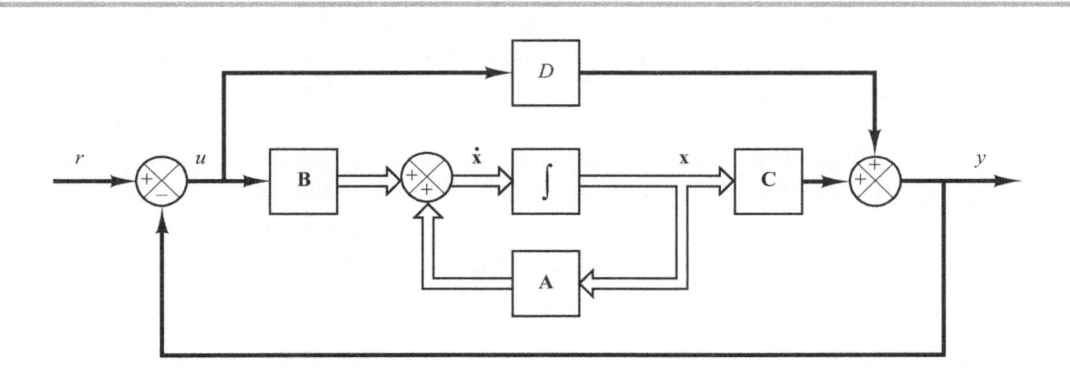

O Programa 6.4 em MATLAB gera o gráfico do lugar das raízes mostrado na Figura 6.20.

```
Programa 6.4 em MATLAB
% ------Gráfico do lugar da raízes ------
A = [0  1  0;0  0  1;-160  -56  -14];
B = [0;1;-14]
C = [1  0  0];
D = [0];
K = 0:0.1:400;
rlocus(A,B,C,D,K);
v = [-20  20  -20  20]; axis(v);
grid;
title('Gráfico do Lugar das Raízes do Sistema Definido no Espaço de Estados')
```

FIGURA 6.20
Gráfico do lugar das raízes do sistema definido no espaço de estados, onde **A**, **B**, **C** e *D* são dadas pela Equação 6.15.

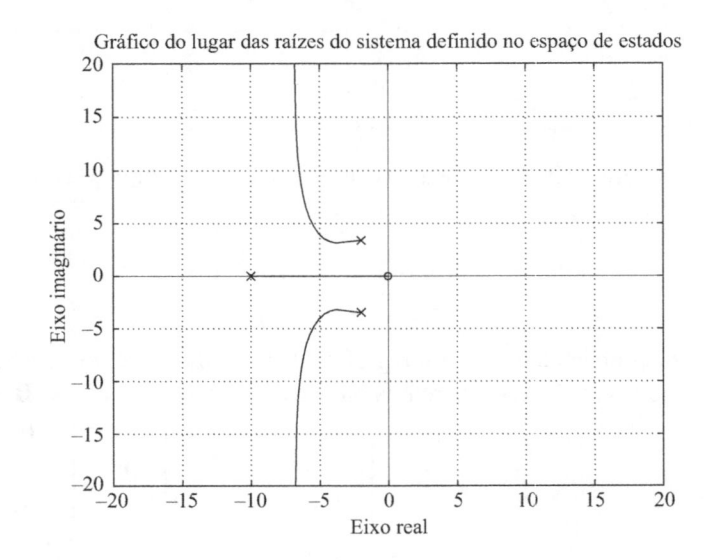

Lugares com ζ constante e lugares com ω_n constante. Lembre-se de que, no plano complexo, o coeficiente de amortecimento ζ de um par de polos complexos conjugados pode ser expresso em termos do ângulo ϕ, que é medido em relação ao eixo real negativo, como mostra a Figura 6.21(a), com

$$\zeta = \cos \phi$$

Em outras palavras, as linhas de coeficiente de amortecimento ζ constante são linhas radiais que passam pela origem, como mostra a Figura 6.21(b). Por exemplo, se o coeficiente de amortecimento for 0,5, será necessário que os polos complexos estejam situados em linhas que passem pela origem, formando ângulos de ± 60° com o eixo real negativo. (Se a parte real de um par de polos complexos conjugados for positiva, o que significa que o sistema é instável, o ζ correspondente será negativo.) O coeficiente de amortecimento determina a localização angular dos polos, enquanto a distância entre o polo e a origem é determinada pela frequência natural não amortecida ω_n. Os lugares de ω_n constantes são círculos.

Para desenhar linhas com ζ constante e círculos com ω_n constante no gráfico do lugar das raízes com o MATLAB, deve-se utilizar o comando `sgrid`.

FIGURA 6.21
(a) Polos complexos;
(b) linhas com coeficiente de amortecimento ζ constantes.

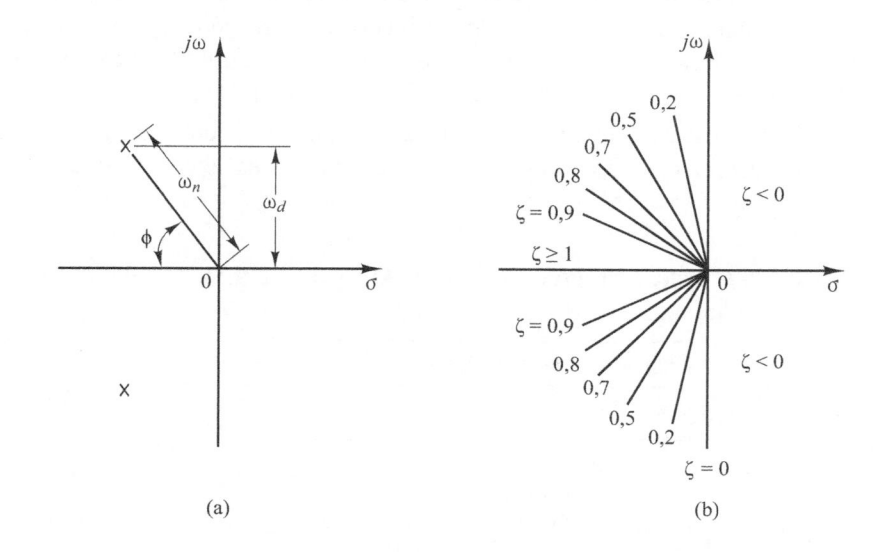

(a)

(b)

Traçando grades polares no gráfico do lugar das raízes. O comando

sgrid

sobrepõe linhas de coeficiente de amortecimento constante ($\zeta = 0 \sim 1$ com incremento de 0,1) e círculos de ω_n constante no gráfico do lugar das raízes. Veja o Programa 6.5 em MATLAB e o gráfico resultante mostrado na Figura 6.22.

```
Programa 6.5 em MATLAB

sgrid
v = [-3  3  -3  3]; axis(v); axis('square')
title('Linhas com \ zeta Constantes e Círculos \ omega_n Constantes')
xlabel('Eixo Real')
ylabel('Eixo Imaginário')
```

FIGURA 6.22
Linhas com ζ constantes e círculos com ω_n constantes.

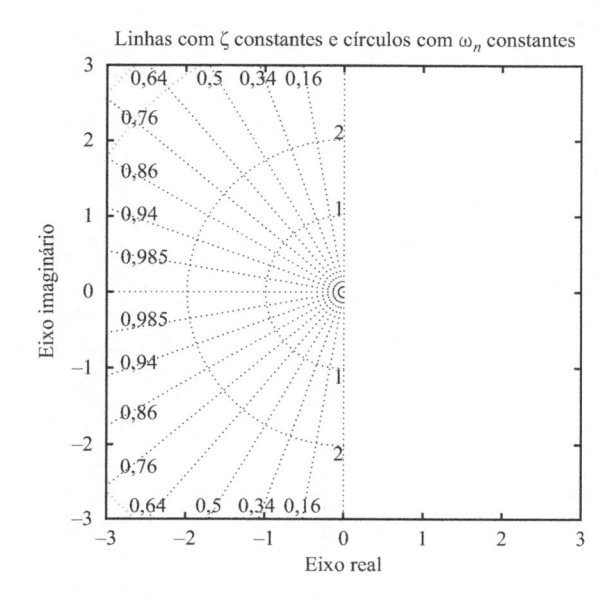

Linhas com ζ constantes e círculos com ω_n constantes

Se forem desejáveis apenas determinadas linhas com ζ constante (como a linha com $\zeta = 0{,}5$ e a linha com $\zeta = 0{,}707$) e determinados círculos com ω_n constante (como o círculo com $\omega_n = 0{,}5$, o círculo com $\omega_n = 1$ e o círculo com $\omega_n = 2$), utiliza-se o seguinte comando:

```
sgrid([0.5, 0.707], [0.5, 1, 2])
```

Se for desejável desenhar linhas com ζ constante e círculos com ω_n constante, como os fornecidos anteriormente, para um gráfico do lugar das raízes de um sistema com

```
num = [0 0 0 1]
den = [1 4 5 0]
```

então execute o Programa 6.6 em MATLAB. O gráfico resultante do lugar das raízes é mostrado na Figura 6.23.

Programa 6.6 em MATLAB

```
num = [1];
den = [1 4 5 0];
K = 0:0.01:1000;
r = rlocus(num, den,K);
plot(r, '-'); v = [-3 1 -2 2]; axis(v); axis('square')
sgrid([0.5,0.707], [0.5,1,2])
sgrid
title('Gráfico do Lugar das Raízes com Linhas com \zeta = 0.5 e
0.707 e com Círculos \omega_n = 0.5, 1, e 2')
xlabel('Eixo Real'); ylabel('Eixo Imaginário')
gtext('\omega_n = 2')
gtext('\omega_n = 1')
gtext('\omega_n = 0.5')
% Insira o marcador 'x' em cada um dos 3 polos de malha aberta.
gtext('x')
gtext('x')
gtext('x')
```

Se quisermos omitir todas as linhas de valores inteiros ζ ou todos os círculos de valores ω_n constantes, devemos utilizar chaves vazias [ ] nos argumentos do comando sgrid. Por exemplo, se for desejável desenhar somente a linha com coeficiente de amortecimento constante, correspondente a $\zeta = 0{,}5$, e nenhum círculo com ω_n constante no gráfico do lugar das raízes, podemos usar o comando

```
Sgrid(0.5,[ ])
```

FIGURA 6.23
Linhas com ζ constante e círculos com ω_n constante sobrepostos no lugar das raízes.

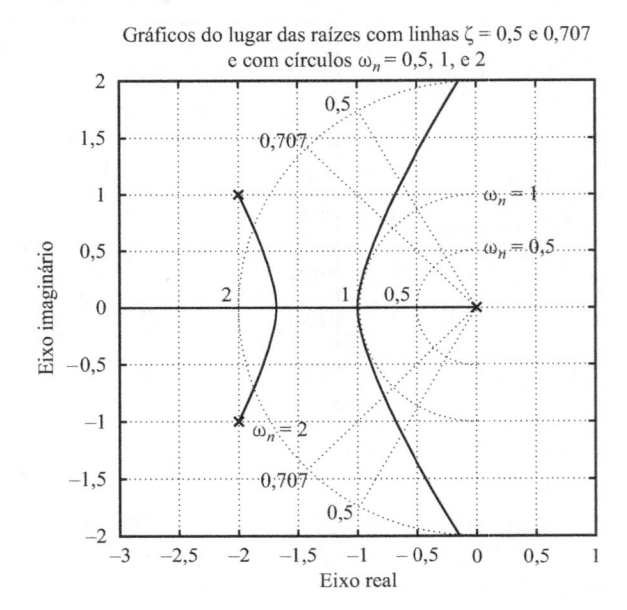

Sistemas condicionalmente estáveis. Considere o sistema com realimentação negativa mostrado na Figura 6.24. Podemos traçar o gráfico do lugar das raízes para esse sistema, aplicando as regras e procedimentos gerais para a construção do lugar das raízes ou usar o MATLAB para obter gráficos de lugar das raízes. O Programa 6.7 em MATLAB vai traçar o diagrama de lugar das raízes para o sistema. A Figura 6.25 mostra o gráfico resultante.

```
Programa 6.7 em MATLAB

num = [1 2 4];
den = conv(conv([1 4 0],[1 6]), [1 1.4 1]);
rlocus(num, den)
v = [-7 3 -5 5]; axis(v); axis('square')
grid
title(''Gráfico do Lugar das Raízes de G(s) = K(s^2 + 2s + 4)/[s(s + 6)(s ^2 + 1.4s + 1)]'')
text(1.0, 0.55,'K = 12')
text(1.0,3.0,'K = 73')
text(1.0,4.15,'K = 154')
```

Pode-se ver pelo gráfico da Figura 6.25 que o sistema é estável apenas para amplitudes limitadas do valor de K, ou seja, $0 < K < 12$ e $73 < K < 154$. O sistema torna-se instável se $12 < K < 73$ e se $154 < K$. (Se K assumir um valor correspondente a uma operação instável, o sistema pode deixar de funcionar ou tornar-se não linear em virtude da não linearidade resultante de saturação que pode existir.) Tal sistema é chamado condicionalmente estável.

Na prática, os sistemas condicionalmente estáveis não são desejáveis. A estabilidade condicional é perigosa, mas ocorre em certos sistemas — particularmente em sistemas que tenham um ramo direto instável. Um ramo direto instável pode ocorrer se o sistema tiver uma malha interna. Aconselha-se evitar tal estabilidade condicional já que, se o ganho cair abaixo do valor

FIGURA 6.24
Sistema de controle.

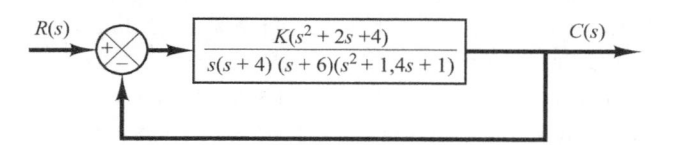

FIGURA 6.25
Gráfico do lugar das raízes de um sistema condicionalmente estável.

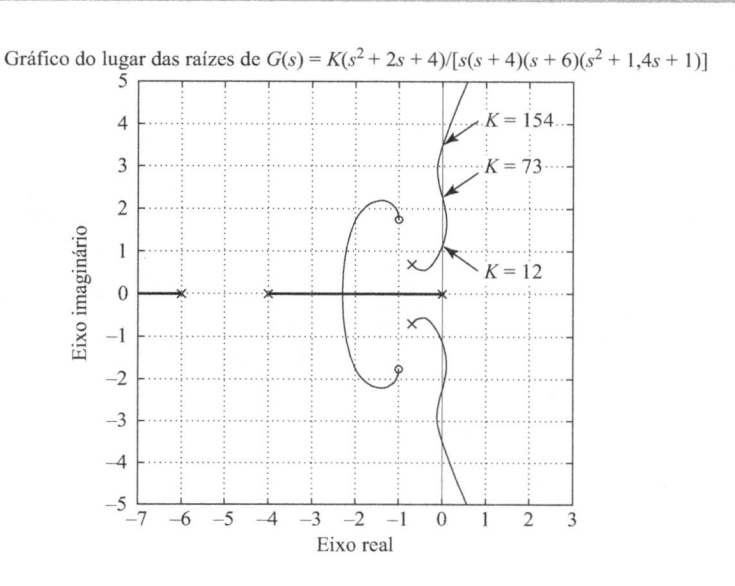

crítico, seja qual for o motivo, o sistema se tornará instável. Note que a inclusão de uma rede de compensação adequada eliminará a estabilidade condicional. [A inclusão de um zero fará que o lugar das raízes se incline para a esquerda. (Veja a Seção 6.5.) Portanto, a estabilidade condicional pode ser eliminada incluindo-se a compensação adequada.]

Sistemas de fase não mínima. Se todos os polos e zeros do sistema estiverem no semiplano s esquerdo, então o sistema é chamado sistema de *fase mínima*. Se o sistema tiver pelo menos um polo ou zero no semiplano s direito, será denominado sistema de *fase não mínima*. O termo fase não mínima vem das características de mudança de fase de tal sistema quando sujeito a entradas senoidais.

Considere o sistema mostrado na Figura 6.26(a). Para esse sistema

$$G(s) = \frac{K(1 - T_a s)}{s(Ts + 1)} \quad (T_a > 0), \quad H(s) = 1$$

Este é um sistema de fase não mínima, já que há um zero no semiplano s direito. Para esse sistema, a condição angular é

$$\angle G(s) = \left\lfloor -\frac{K(T_a s - 1)}{s(Ts + 1)} \right.$$

$$= \left\lfloor \frac{K(T_a s - 1)}{s(Ts + 1)} \right. + 180°$$

$$= \pm 180°(2k + 1) \quad (k = 0, 1, 2, \ldots)$$

ou

$$\left\lfloor \frac{K(T_a s - 1)}{s(Ts + 1)} \right. = 0° \tag{6.16}$$

O lugar das raízes pode ser obtido a partir da Equação 6.16. A Figura 6.26(b) mostra um gráfico de lugar das raízes para esse sistema. Pelo diagrama, vemos que o sistema é estável se o ganho K for menor que $1/T_a$.

Para obter um gráfico de lugar das raízes com o MATLAB, digite o numerador e o denominador como de costume. Por exemplo, se $T = 1$ s e $T_a = 0{,}5$ s, digite os seguintes num e den no programa:

```
num = [-0,5 1]
dem = [1 1 0]
```

O Programa 6.8 em MATLAB resulta no lugar das raízes mostrado na Figura 6.27.

FIGURA 6.26
(a) Sistema de fase não mínima;
(b) gráfico do lugar das raízes.

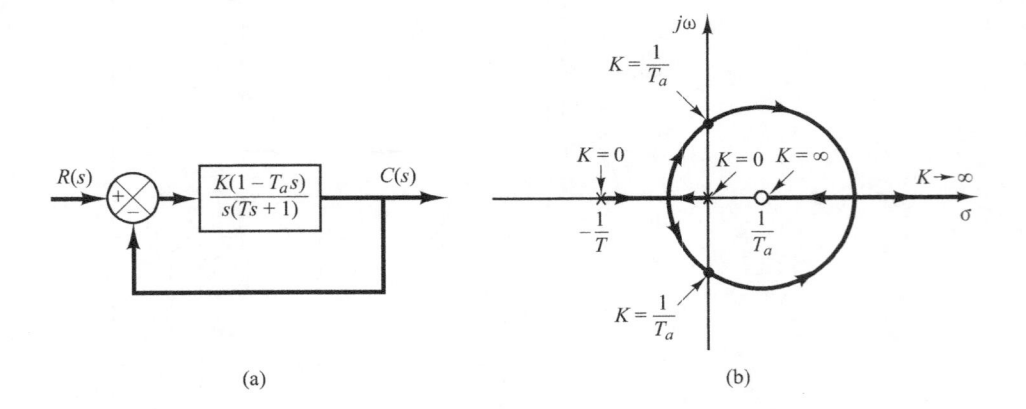

FIGURA 6.27
Gráfico do lugar das raízes de

$$G(s) = \frac{K(1 - 0,5s)}{s(s + 1)}$$

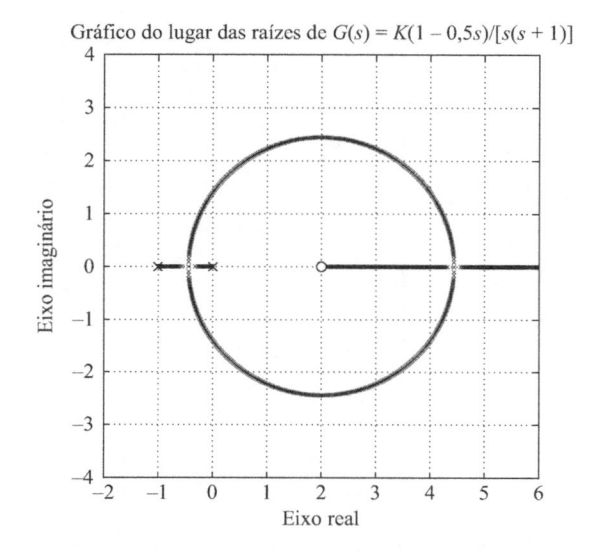

Gráfico do lugar das raízes de $G(s) = K(1 - 0,5s)/[s(s + 1)]$

Programa 6.8 em MATLAB

```
num = [0 -0.5 1];
den = [1 1 0];
k1 = 0:0.01:30;
k2 = 30:1:100;
K3 = 100:5:500;
K = [k1 k2 k3];
rlocus(num,den,K)
v = [-2 6 -4 4]; axis(v); axis('square')
grid
title('Gráfico do Lugar das Raízes de G(s) = K(1 - 0.5s)/[s(s + 1)]')
% Posicione a marca 'x' de cada um dos 2 polos de malha aberta.
% Posicione a marca 'o' do zero de malha aberta.
gtext('x')
gtext('x')
gtext('o')
```

Ortogonalidade do lugar das raízes e lugares de ganho constante. Considere o sistema de realimentação negativa cuja função de transferência de malha aberta é $G(s)H(s)$. No plano $G(s)H(s)$, os lugares em que $|G(s)H(s)|$ = constante são círculos com centro na origem e os lugares correspondentes a $\underline{/G(s)H(s)} = \pm 180°(2k + 1)$, onde ($k = 0, 1, 2, ...$), se situam no eixo real negativo do plano $G(s)H(s)$, como mostra a Figura 6.28. [Note que o plano complexo utilizado aqui não é o plano s, mas o plano $G(s)H(s)$.]

Os lugares das raízes e os lugares de ganho constante no plano s são mapeamentos conformes dos lugares de $\underline{/G(s)H(s)} = \pm 180°(2k + 1)$, e de $|G(s)H(s)|$ = constante no plano $G(s)H(s)$.

Como a fase constante e os lugares de ganho constante no plano $G(s)H(s)$ são ortogonais, os lugares das raízes e os lugares de ganho constante no plano s são ortogonais. A Figura 6.29(a) mostra os lugares das raízes e os lugares de ganho constante para o seguinte sistema:

$$G(s) = \frac{K(s + 2)}{s^2 + 2s + 3}, \quad H(s) = 1$$

Note que, como a configuração de polos e zeros é simétrica em relação ao eixo real, os lugares de ganho constante também são simétricos em relação ao eixo real.

A Figura 6.29(b) mostra o lugar das raízes e os lugares de ganho constante para o sistema:

$$G(s) = \frac{K}{s(s + 1)(s + 2)}, \quad H(s) = 1$$

FIGURA 6.28
Diagrama de ganho constante e lugares de fase constante no plano $G(s)H(s)$.

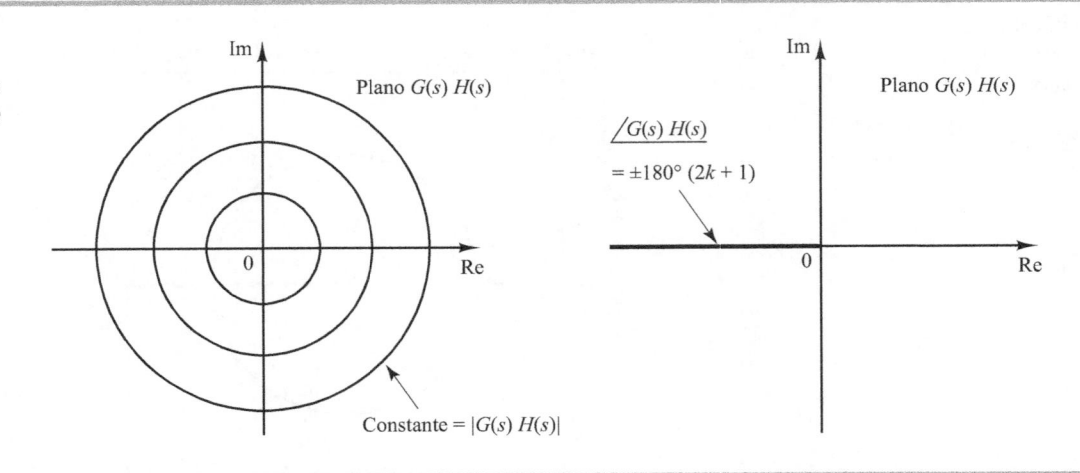

FIGURA 6.29
Gráfico do lugar das raízes e lugares de ganho constante. (a) Sistema com $G(s) = K(s + 2)/(s^2 + 2s + 3)$, $H(s) = 1$; (b) sistema com $G(s) = K/[s(s + 1)(s + 2)]$, $H(s) = 1$.

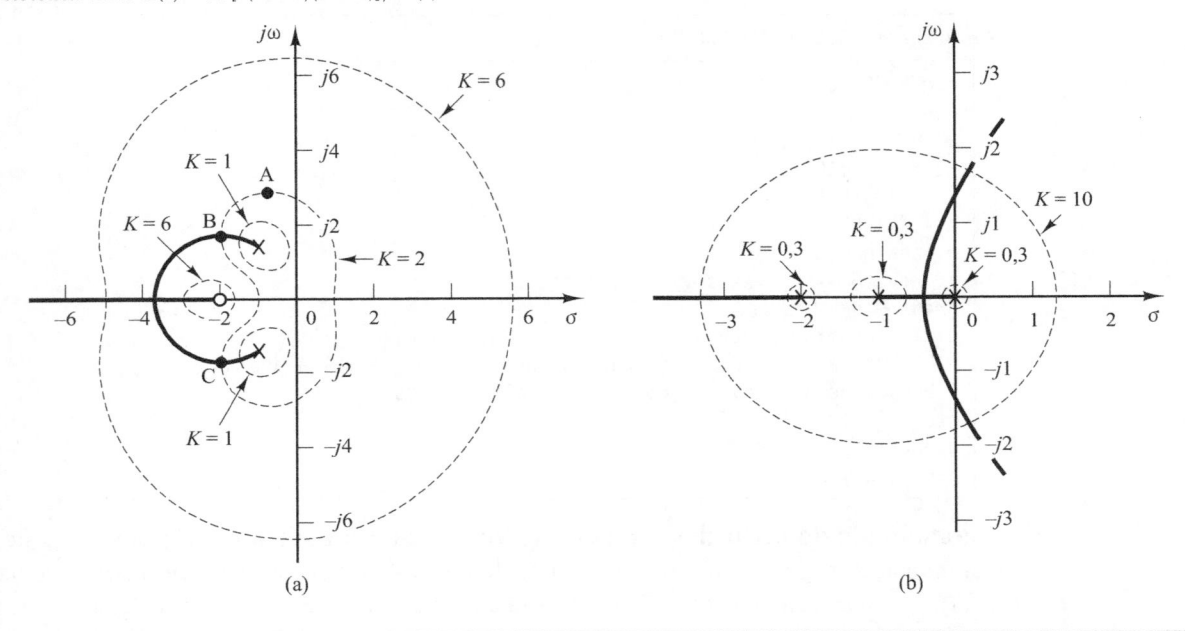

Observe que, como a configuração dos polos no plano s é simétrica em relação ao eixo real e como a linha paralela ao eixo imaginário passa pelo ponto ($\sigma = -1$, $\omega = 0$), os lugares de ganho constante são simétricos em relação à linha $\omega = 0$ (eixo real) e à linha $\sigma = -1$.

Verifica-se nas figuras 6.29(a) e (b) que cada ponto no plano s tem o valor correspondente de K. Se for utilizado o comando rlocfind (apresentado a seguir), o MATLAB vai fornecer o valor de K do ponto específico, assim como os polos de malha fechada mais próximos, que correspondem a esse valor de K.

Determinando o valor do ganho K em um ponto arbitrário no lugar das raízes. Na análise de sistemas de malha fechada pelo MATLAB, é necessário, frequentemente, determinar o valor do ganho K em um ponto arbitrário do lugar das raízes. Isso pode ser feito com a utilização do comando rlocfind, como segue:

$$[K, r] = \text{rlocfind(num, den)}$$

O comando rlocfind, que deve seguir um comando rlocus, sobrepõe coordenadas x-y móveis na tela. Com o mouse, posiciona-se a origem das coordenadas x-y sobre o ponto desejado no lugar das raízes e pressiona-se o botão do mouse. Em seguida, o MATLAB exibe na tela as coordenadas daquele ponto, o valor do ganho naquele ponto e os polos de malha fechada correspondentes a esse valor de ganho.

Se o ponto selecionado não estiver no lugar das raízes, tal como o ponto A na Figura 6.29(a), o comando rlocfind fornece as coordenadas desse ponto selecionado, o valor do ganho desse ponto, como $K = 2$, e a posição dos polos de malha fechada, como os pontos B e C, correspondentes a esse valor de K. [Note que cada ponto no plano s tem um valor de ganho. Veja, por exemplo, as figuras 6.29(a) e (b).]

6.4 | Gráficos do lugar das raízes para sistemas com realimentação positiva

Lugar das raízes para sistemas com realimentação positiva.[1] Em um sistema de controle complexo pode haver uma malha de realimentação positiva interna, como mostra a Figura 6.30. Essa malha é normalmente estabilizada pela malha externa. A seguir, avaliaremos apenas a malha de realimentação positiva interna. A função de transferência de malha fechada da malha interna é:

$$\frac{C(s)}{R(s)} = \frac{G(s)}{1 - G(s)H(s)}$$

A equação característica é:

$$1 - G(s)H(s) = 0 \qquad (6.17)$$

Essa equação pode ser resolvida por um método análogo ao utilizado na Seção 6.2, para o caso do lugar das raízes. A condição de ângulo, entretanto, deve ser alterada.

A Equação 6.17 pode ser reescrita como:

$$G(s)H(s) = 1$$

que é equivalente às duas equações a seguir:

$$\underline{/G(s)H(s)} = 0° \pm k360° \qquad (k = 0, 1, 2, ...)$$

$$|G(s)H(s)| = 1$$

Para o caso de realimentação positiva, a soma total de todos os ângulos dos polos e zeros de malha aberta deve ser igual a $0° \pm k360°$. Assim, esse lugar das raízes segue uma condição angular de $0°$ em vez da condição de $180°$, considerada previamente. A condição de módulo permanece inalterada.

Para ilustrar o gráfico do lugar das raízes de um sistema com realimentação positiva, utilizaremos as seguintes funções de transferência $G(s)$ e $H(s)$ como exemplo.

$$G(s) = \frac{K(s + 2)}{(s + 3)(s^2 + 2s + 2)}, \quad H(s) = 1$$

O ganho K é admitido como positivo.

FIGURA 6.30
Sistema de controle.

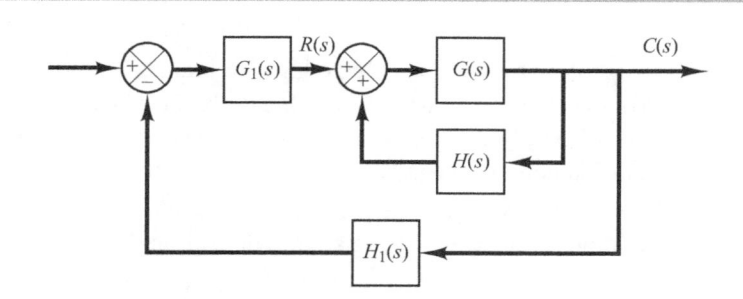

[1] Veja Wojcik nas Referências ao final do livro.

As regras para a construção do lugar das raízes, dadas na Seção 6.2, devem ser modificadas da seguinte maneira:

A Regra 2 é modificada como segue: se o número total de polos e zeros reais à direita do ponto de teste no eixo real for par, então esse ponto de teste estará posicionado no lugar das raízes.

A Regra 3 é modificada como segue:

$$\text{Ângulos das assíntotas} = \frac{\pm k360°}{n - m}, \quad (k = 0, 1, 2, \ldots)$$

onde n = número de polos finitos de $G(s)H(s)$
m = número de zeros finitos de $G(s)H(s)$

A Regra 5 é modificada como segue: o cálculo do ângulo de partida de um polo complexo de malha aberta (ou do ângulo de chegada) de um polo complexo de malha aberta (ou em um zero complexo) pode ser determinado subtraindo de 0° a soma de todos os ângulos dos vetores com origem nos outros polos e zeros que se dirigem ao polo complexo (ou ao zero complexo) em questão, incluindo os sinais apropriados.

As demais regras para a construção do gráfico do lugar das raízes permanecem as mesmas. Agora, vamos aplicar as regras modificadas para a construção do gráfico do lugar das raízes.

1. Posicione os polos de malha aberta ($s = -1 + j$, $s = -1 - j$, $s = -3$) e zero ($s = -2$) no plano complexo. À medida que K cresce de 0 a ∞, os polos de malha fechada têm origem nos polos de malha aberta e terminam nos zeros de malha aberta (finitos ou infinitos), exatamente como nos casos de sistemas com realimentação negativa.

2. Determine os lugares das raízes no eixo real. Os lugares das raízes existem no eixo real entre −2 e ±∞ e entre −3 e −∞.

3. Determine as assíntotas do lugar das raízes. Para o presente sistema,

$$\text{Ângulos das assíntotas} = \frac{\pm k360°}{3 - 1} = \pm 180°$$

Isso significa simplesmente que as assíntotas estão sobre o eixo real.

4. Determine os pontos de partida e de chegada. Dado que a equação característica é:

$$(s + 3)(s^2 + 2s + 2) - K(s + 2) = 0$$

obtemos:

$$K = \frac{(s + 3)(s^2 + 2s + 2)}{s + 2}$$

Derivando K em relação a s, obtemos:

$$\frac{dK}{ds} = \frac{2s^3 + 11s^2 + 20s + 10}{(s + 2)^2}$$

Note que

$$2s^3 + 11s^2 + 20s + 10 = 2(s + 0{,}8)(s^2 + 4{,}7s + 6{,}24)$$
$$= 2(s + 0{,}8)(s + 2{,}35 + j0{,}77)(s + 2{,}35 - j0{,}77)$$

O ponto $s = -0{,}8$ está sobre o lugar das raízes. Como esse ponto se situa entre dois zeros (um zero finito e outro infinito), é de fato um ponto de chegada do eixo real. Os pontos $s = -2{,}35 \pm j0{,}77$ não satisfazem a condição angular e, portanto, não são nem pontos de partida nem de chegada.

5. Determine o ângulo de partida do lugar das raízes de um polo complexo. Para o polo complexo em $s = -1 + j$, o ângulo de partida θ é:

$$\theta = 0° - 27° - 90° + 45°$$

ou

$$\theta = -72°$$

(O ângulo de partida do polo complexo em $s = -1 - j$ é 72°.)

6. Escolha um ponto de teste em uma região ampla, próxima ao eixo $j\omega$ e à origem, e aplique a condição angular. Determine um número suficiente de pontos que satisfaça a condição angular.

A Figura 6.31 mostra o lugar das raízes do sistema dado com realimentação positiva. O lugar das raízes é mostrado com linhas e uma curva tracejadas.

Note que se

$$K > \left.\frac{(s+3)(s^2+2s+2)}{s+2}\right|_{s=0} = 3$$

uma das raízes reais entra no semiplano direito do plano s. Então, para valores de K maiores que 3, o sistema torna-se instável. (Para $K > 3$, o sistema deve ser estabilizado com uma malha externa.)

Note que a função de transferência para o sistema com realimentação positiva é dada por:

$$\frac{C(s)}{R(s)} = \frac{G(s)}{1 - G(s)H(s)}$$

$$= \frac{K(s+2)}{(s+3)(s^2+2s+2) - K(s+2)}$$

Para comparar o gráfico do lugar das raízes desse sistema e o do sistema correspondente com realimentação negativa, a Figura 6.32 mostra o lugar das raízes do sistema com realimentação negativa cuja função de transferência é dada por:

$$\frac{C(s)}{R(s)} = \frac{K(s+2)}{(s+3)(s^2+2s+2) + K(s+2)}$$

FIGURA 6.31
Gráfico do lugar das raízes para um sistema com realimentação positiva com $G(s) = K(s+2)/[(s+3)(s^2+2s+2)]$, $H(s) = 1$.

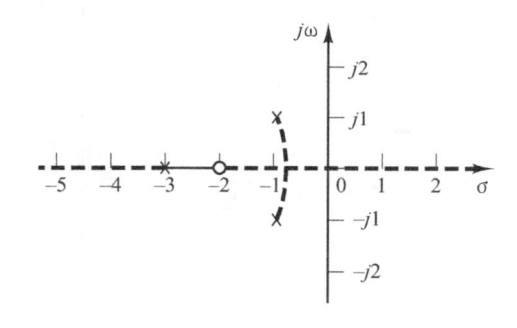

FIGURA 6.32
Gráfico do lugar das raízes para um sistema com realimentação negativa com $G(s) = K(s+2)/[(s+3)(s^2+2s+2)]$, $H(s) = 1$.

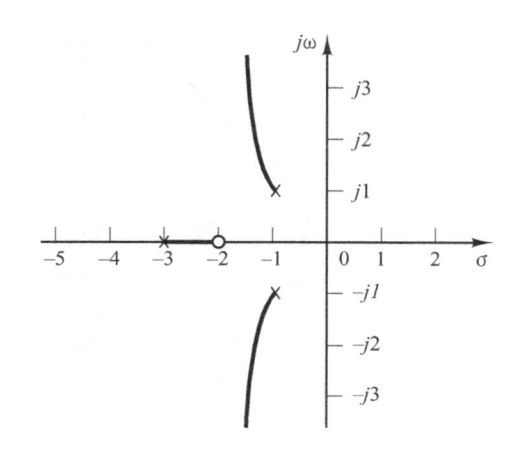

A Tabela 6.2 mostra vários gráficos do lugar das raízes de sistemas com realimentação positiva e realimentação negativa. As funções de transferência de malha fechada são dadas por:

$$\frac{C}{R} = \frac{G}{1 + GH}, \quad \text{para sistemas com realimentação negativa}$$

$$\frac{C}{R} = \frac{G}{1 - GH}, \quad \text{para sistemas com realimentação positiva}$$

onde GH é a função de transferência de malha aberta. Na Tabela 6.2, nos gráficos do lugar das raízes dos sistemas com realimentação negativa, as linhas e as curvas estão traçadas com linhas contínuas e, nos gráficos dos sistemas com realimentação positiva, estão com linhas e curvas tracejadas.

TABELA 6.2
Gráficos do lugar das raízes de sistemas com realimentação positiva e com realimentação negativa.

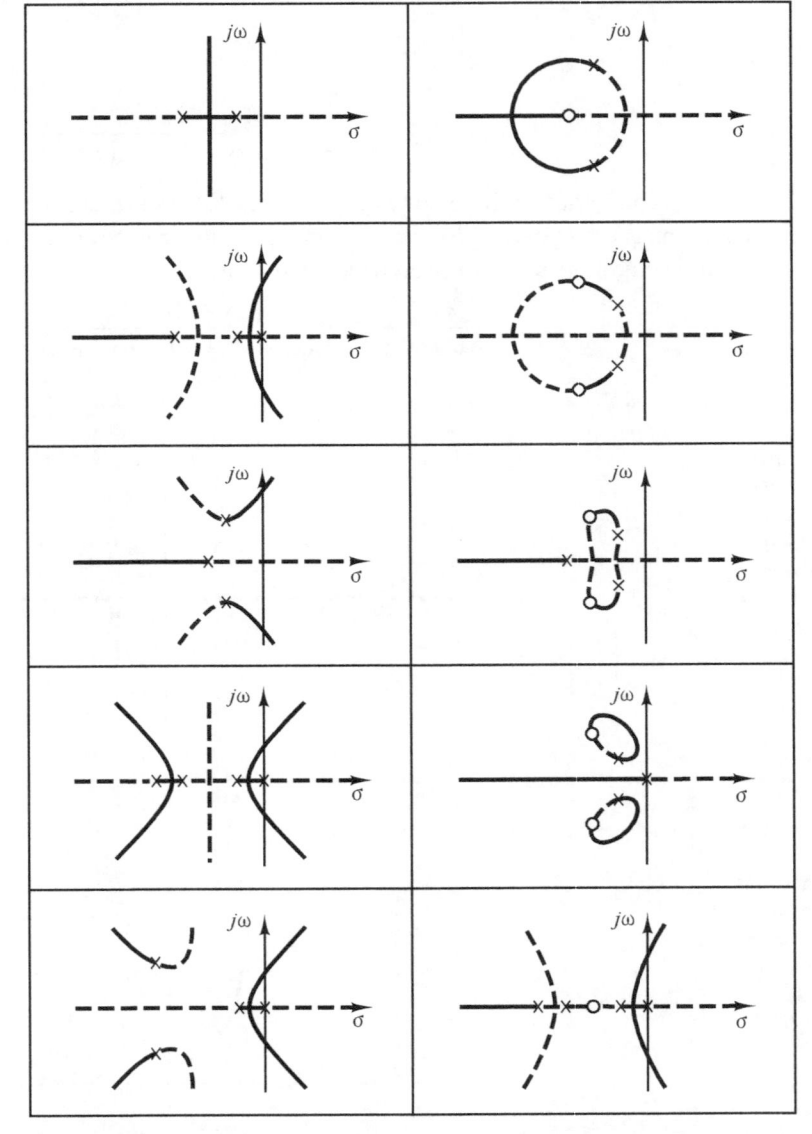

As linhas e curvas contínuas correspondem aos sistemas com realimentação negativa; as linhas e as curvas tracejadas correspondem aos sistemas com realimentação positiva.

6.5 | Abordagem do lugar das raízes no projeto de sistemas de controle

Considerações preliminares de projeto. Na construção de um sistema de controle, sabemos que uma modificação adequada na dinâmica da planta pode ser uma maneira simples de atender às especificações de desempenho. Isso, no entanto, pode não ser possível em muitas situações práticas porque a planta pode ser fixa e não ser passível de modificações. Nesses casos, devemos ajustar outros parâmetros que não aqueles da planta fixa. Neste livro, consideramos que a planta é dada e inalterável.

Na prática, o gráfico do lugar das raízes de um sistema pode indicar que o desempenho desejado não pode ser atingido simplesmente com o ajuste de ganho (ou de algum outro parâmetro ajustável). De fato, em alguns casos, o sistema pode ser instável em todos os valores de ganho (ou de outro parâmetro ajustável). Torna-se então necessário remodelar os lugares das raízes para atender às especificações de desempenho.

Os problemas de projeto, portanto, tornam-se aqueles de melhorar o desempenho do sistema por meio da inclusão de um compensador. A compensação de um sistema de controle fica reduzida ao projeto de um filtro cujas características tendem a compensar as características indesejáveis e inalteráveis da planta.

Projeto pelo método de lugar das raízes. O projeto pelo método de lugar das raízes baseia-se na modificação do lugar das raízes do sistema, por meio do acréscimo de polos e zeros à função de transferência de malha aberta do sistema, forçando o lugar das raízes a passar pelos polos de malha fechada desejados no plano s. A característica do projeto pelo método do lugar das raízes é que ele se baseia no pressuposto de que o sistema de malha fechada tem um par dominante de polos de malha fechada. Isso significa que o efeito dos zeros e polos adicionais não afeta muito as características de resposta.

No projeto de um sistema de controle, se for necessário outro ajuste além do ganho (ou de outro parâmetro), devemos modificar o lugar das raízes original pela inserção de um compensador apropriado. Uma vez que os efeitos da adição de polos e/ou zeros no gráfico do lugar das raízes forem perfeitamente compreendidos, podemos determinar facilmente a localização do(s) polo(s) e zero(s) do compensador que vão remodelar o lugar das raízes conforme o desejado. Em essência, no projeto pelo método do lugar das raízes, o lugar das raízes do sistema é modificado por meio de um compensador, de modo que um par de polos de malha fechada dominantes possa ser colocado na posição desejada.

Compensação em série e compensação em paralelo (ou por realimentação). As figuras 6.33(a) e (b) mostram os esquemas de compensação comumente utilizados pelos sistemas de controle com realimentação. A Figura 6.33(a) mostra a configuração em que o compensador $G_c(s)$ é colocado em série com a planta. Esse esquema é chamado *compensação em série*.

A alternativa para a compensação em série é retornar o(s) sinal(is) a partir de determinado(s) elemento(s) e inserir um compensador no ramo da realimentação interna resultante, como mostra a Figura 6.33(b). Essa compensação é chamada *compensação em paralelo* ou *compensação por realimentação*.

Na compensação de um sistema de controle, normalmente vemos que o problema se reduz ao projeto adequado de um compensador em série ou em paralelo. A escolha entre o compensador em série e o compensador em paralelo depende da natureza dos sinais no sistema, do nível de potência nos vários pontos, dos componentes disponíveis, da experiência do projetista, de considerações econômicas, entre outras.

Em geral, a compensação em série pode ser mais simples que a compensação em paralelo; entretanto, a compensação em série requer, frequentemente, amplificadores adicionais para aumentar o ganho e/ou produzir isolamento. (Para evitar dissipação de potência, o compensador em série é colocado no ponto de menor potência do ramo direto.) Deve-se notar que, em geral, o número de componentes requeridos na compensação em paralelo será menor que o número de componentes

FIGURA 6.33
(a) Compensação em série;
(b) compensação em paralelo ou por realimentação.

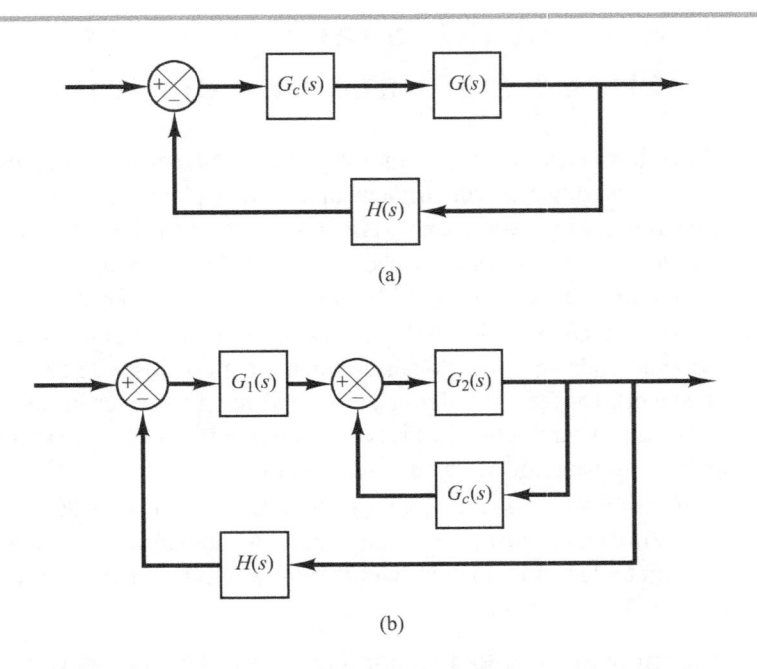

na compensação em série, desde que esteja disponível um sinal adequado, porque a transferência de energia ocorre do nível mais alto de potência para o nível mais baixo. (Isso significa que amplificadores adicionais podem ser desnecessários.)

Nas seções 6.6 a 6.9, discutiremos primeiro as técnicas de compensação em série e depois apresentaremos uma técnica de compensação em paralelo utilizando o projeto de um sistema de controle com realimentação de velocidade.

Compensadores comumente usados. Se for necessário um compensador para satisfazer às especificações de desempenho, o projetista deve implementar um dispositivo físico que tenha a função de transferência prescrita para o compensador.

Vários dispositivos físicos têm sido utilizados para esse fim. De fato, muitas ideias excelentes e úteis para a construção física de compensadores podem ser encontradas na literatura.

Se for aplicada uma excitação senoidal à entrada de uma rede e a resposta em regime permanente (que também é senoidal) tiver um avanço de fase, então a rede será chamada rede de avanço de fase. (O valor do ângulo de avanço de fase é uma função da frequência de entrada.) Se a resposta em regime permanente tiver um atraso de fase, então a rede será denominada rede de atraso de fase. Em uma rede de atraso e avanço de fase, tanto o atraso como o avanço de fase ocorrem no sinal de saída, mas em regiões de frequências diferentes; o atraso de fase ocorre na região de baixa frequência e o avanço de fase ocorre na região de alta frequência. Um compensador com características de uma estrutura de avanço de fase, de atraso de fase ou de atraso e avanço de fase é chamado compensador por avanço de fase, compensador por atraso de fase ou compensador por atraso e avanço de fase, respectivamente.

Entre os vários tipos de compensadores são amplamente empregados os compensadores por avanço de fase, compensadores por atraso de fase, compensadores por atraso e avanço de fase e compensadores por realimentação de velocidade (tacométricos). Neste capítulo, a maior parte das discussões estará limitada a esses tipos. Os compensadores por avanço de fase, atraso de fase e atraso e avanço de fase podem ser dispositivos eletrônicos (como circuitos com amplificadores operacionais) ou redes RC (elétricas, mecânicas, pneumáticas, hidráulicas ou uma combinação desses tipos) e amplificadores.

Compensadores em série usados frequentemente em sistemas de controle são os compensadores por avanço de fase, por atraso de fase e por atraso e avanço de fase. Os controladores PID que são frequentemente usados nos sistemas de controle industriais são discutidos no Capítulo 8.

Note que, no projeto de um sistema de controle pelo método do lugar das raízes ou pelo método de resposta em frequência, o resultado final não é único porque a melhor solução, ou a solução ótima, pode não ser precisamente definida se forem dadas as especificações de domínio do tempo ou de domínio de frequência.

Efeitos da adição de polos. A adição de um polo à função de transferência de malha aberta tem o efeito de deslocar o lugar das raízes para a direita, tendendo a diminuir a estabilidade relativa do sistema e fazendo com que a acomodação da resposta seja mais lenta. (Lembre-se de que a adição de um controle integral acrescenta um polo na origem, tornando assim o sistema menos estável.) A Figura 6.34 mostra exemplos de lugares das raízes que ilustram os efeitos da adição de um polo a um sistema com um único polo e da adição de dois polos a um sistema com um único polo.

FIGURA 6.34
(a) Gráfico do lugar das raízes de um sistema com um único polo;
(b) gráfico do lugar das raízes de um sistema com dois polos;
(c) gráfico do lugar das raízes de um sistema com três polos.

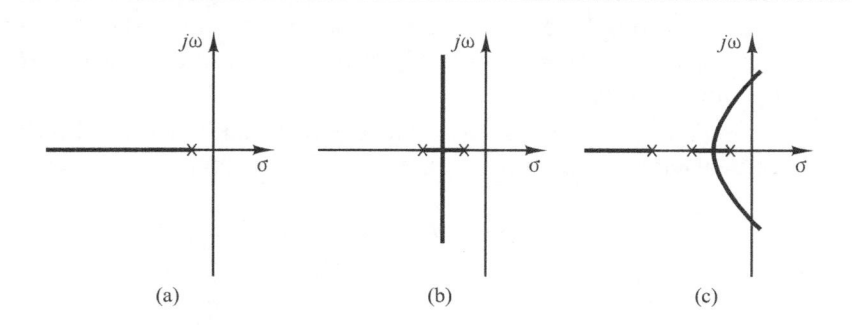

Efeitos da adição de zeros. A adição de um zero à função de transferência de malha aberta tem o efeito de deslocar o lugar das raízes para a esquerda, tendendo a tornar o sistema mais estável e mais rápida a acomodação da resposta. (Fisicamente, a adição de um zero na função de transferência do ramo direto significa adicionar um controle derivativo ao sistema. O efeito desse controle é introduzir certo grau de antecipação no sistema e aumentar a velocidade da resposta transitória.) A Figura 6.35(a) mostra o lugar das raízes de um sistema que é estável para pequenos valores de ganho, mas é instável para valores elevados. As figuras 6.35(b), (c) e (d) mostram os gráficos do lugar das raízes do sistema quando um zero é adicionado à função de transferência de malha aberta. Note que, quando um zero é inserido no sistema da Figura 6.35(a), ele se torna estável para todos os valores de ganho.

FIGURA 6.35
(a) Gráfico do lugar das raízes de um sistema com três polos;
(b), (c) e (d) gráficos do lugar das raízes que mostram os efeitos da adição de um zero ao sistema com três polos.

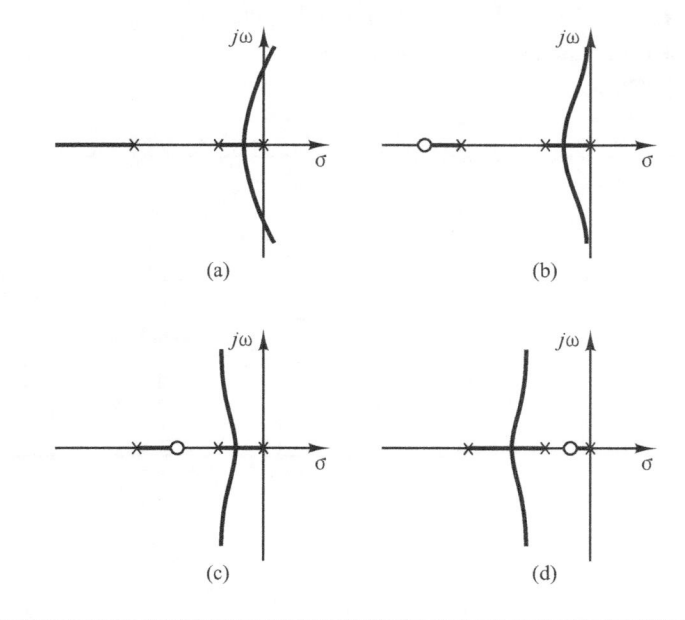

6.6 | Compensação por avanço de fase

Na Seção 6.5, apresentamos uma introdução à compensação de sistemas de controle e discutimos o material preliminar para o método do lugar das raízes no projeto de sistemas de controle e sua compensação. Nesta seção, trataremos do projeto de sistemas de controle utilizando-se a técnica de compensação por avanço de fase. No projeto de um sistema de controle, colocamos um compensador em série com a função de transferência inalterável $G(s)$ para obter um comportamento desejável. Então, o maior problema torna-se a escolha criteriosa do(s) polo(s) e zero(s) do compensador $G_c(s)$ onde deverão estar os polos de malha fechada dominantes no lugar desejado do plano s, de forma a atender às especificações de desempenho.

Compensadores por avanço de fase e compensadores por atraso de fase. Existem várias maneiras de construir compensadores de avanço de fase e de atraso de fase, como as redes eletrônicas, utilizando amplificadores operacionais, redes elétricas RC e sistemas mecânicos do tipo mola-amortecedor.

A Figura 6.36 mostra um circuito eletrônico que utiliza amplificadores operacionais. A função de transferência para esse circuito foi obtida no Capítulo 3, como segue (veja a Equação 3.36):

$$\frac{E_o(s)}{E_i(s)} = \frac{R_2 R_4}{R_1 R_3} \frac{R_1 C_1 s + 1}{R_2 C_2 s + 1} = \frac{R_4 C_1}{R_3 C_2} \frac{s + \dfrac{1}{R_1 C_1}}{s + \dfrac{1}{R_2 C_2}}$$

$$= K_c \alpha \frac{Ts + 1}{\alpha Ts + 1} = K_c \frac{s + \dfrac{1}{T}}{s + \dfrac{1}{\alpha T}}$$

(6.18)

onde

$$T = R_1 C_1, \quad \alpha T = R_2 C_2, \quad K_c = \frac{R_4 C_1}{R_3 C_2}$$

Observe que

$$K_c \alpha = \frac{R_4 C_1}{R_3 C_2} \frac{R_2 C_2}{R_1 C_1} = \frac{R_2 R_4}{R_1 R_3}, \quad \alpha = \frac{R_2 C_2}{R_1 C_1}$$

Essa rede tem um ganho dc de $K_c \alpha = R_2 R_4/(R_1 R_3)$.

A partir da Equação 6.18, vemos que essa rede é uma rede de avanço de fase, se $R_1 C_1 > R_2 C_2$, ou $\alpha < 1$. Essa rede será de atraso de fase se $R_1 C_1 < R_2 C_2$. As configurações dos polos e zeros dessa rede quando $R_1 C_1 > R_2 C_2$ e quando $R_1 C_1 < R_2 C_2$, são mostradas nas figuras 6.37(a) e (b), respectivamente.

FIGURA 6.36
Circuito eletrônico que é uma rede de avanço de fase se $R_1 C_1 > R_2 C_2$ e uma rede de atraso de fase, se $R_1 C_1 < R_2 C_2$.

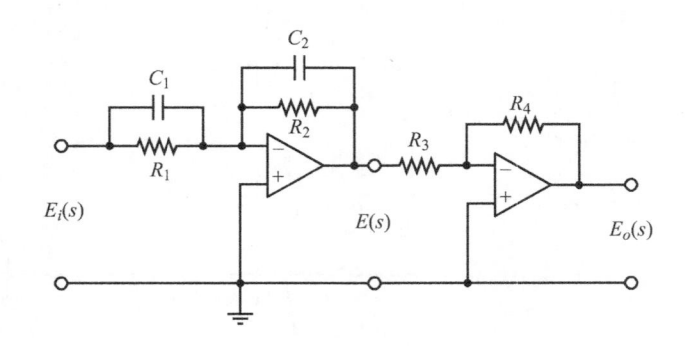

FIGURA 6.37
Configurações de polos e zeros: (a) rede por avanço de fase; (b) rede por atraso de fase.

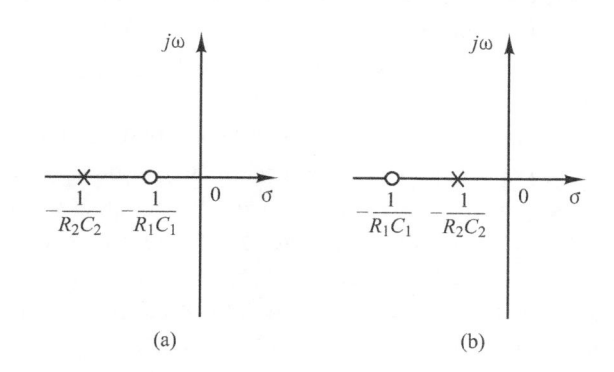

(a) Polos e zeros em $-\frac{1}{R_2C_2}$ (×) e $-\frac{1}{R_1C_1}$ (○)

(b) Polos e zeros em $-\frac{1}{R_1C_1}$ (○) e $-\frac{1}{R_2C_2}$ (×)

Técnicas de compensação por avanço de fase baseadas no método do lugar das raízes. O método do lugar das raízes para projetos é muito eficiente quando as especificações são dadas em termos de grandezas no domínio do tempo, como o coeficiente de amortecimento e a frequência natural não amortecida dos polos de malha fechada dominantes, máximo sobressinal, tempo de subida e tempo de acomodação.

Considere o problema de um projeto no qual o sistema original seja instável para todos os valores de ganho ou que seja estável, mas apresente características de resposta transitória indesejáveis. Nesses casos, é necessário redesenhar o lugar das raízes na região próxima ao eixo $j\omega$ e à origem, de modo que os polos de malha fechada dominantes tenham localização desejada no plano complexo. Esse problema pode ser resolvido pela inserção de um compensador por avanço de fase apropriado em cascata, com função de transferência no ramo direto.

Os procedimentos para o projeto de um compensador por avanço de fase para o sistema da Figura 6.38 pelo método do lugar das raízes podem ser enunciados como segue:

1. Com base nas especificações de desempenho, determine a localização desejada dos polos de malha fechada dominantes.
2. Desenhe o gráfico do lugar das raízes do sistema não compensado (sistema original) e verifique se é possível, apenas com o ajuste do ganho, obter os polos de malha fechada desejados. Caso não seja possível, calcule a deficiência de ângulo ϕ. Esse ângulo deve ser completado pelo compensador por avanço de fase, desde que o novo lugar das raízes passe pela localização desejada dos polos de malha fechada dominantes.
3. Suponha que o compensador por avanço de fase $G_c(s)$ seja

$$G_c(s) = K_c \alpha \frac{Ts+1}{\alpha Ts+1} = K_c \frac{s+\dfrac{1}{T}}{s+\dfrac{1}{\alpha T}}, \quad (0 < \alpha < 1)$$

onde α e T são determinados com base na deficiência angular. K_c é determinado a partir do requisito de ganho de malha aberta.

4. Se não forem especificadas as constantes de erro estático, determine a posição do polo e do zero do compensador por avanço de fase, de modo que esse compensador complete o ângulo ϕ necessário. Se não for imposto nenhum outro requisito ao sistema, tente fazer

FIGURA 6.38
Sistema de controle.

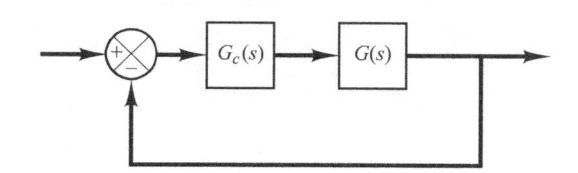

que o valor de α seja o maior possível. Um valor elevado de α geralmente resulta em um valor elevado de K_v, o que é desejável. Observe que:

$$K_v = \lim_{s \to 0} sG_c(s)G(s) = K_c \alpha \lim_{s \to 0} sG_c(s)$$

5. Determine o valor de K_c do compensador de avanço de fase, a partir da condição de módulo.

Uma vez projetado o compensador, verifique se todas as especificações de desempenho foram alcançadas. Se o sistema compensado não satisfizer às especificações de desempenho, então repita os procedimentos de projeto, ajustando o polo e o zero do compensador, até que essas especificações sejam atendidas. Se for requerida uma constante de erro estático de valor elevado, acrescente uma rede de atraso de fase em cascata ou substitua o compensador por avanço de fase por um compensador por atraso e avanço de fase.

Note que, se os polos de malha fechada selecionados como dominantes não forem realmente dominantes, será necessário modificar a posição desse par de polos dominantes. (Os outros polos de malha fechada que não os dominantes apenas modificam a resposta obtida a partir desses polos dominantes. A importância das modificações depende da localização dos polos de malha fechada remanescentes.) Além disso, os zeros de malha fechada afetam a resposta, se estiverem situados próximos da origem.

Exemplo 6.6 Considere o sistema mostrado na Figura 6.39(a). A função de transferência do ramo direto é:

$$G(s) = \frac{10}{s(s+1)}$$

O gráfico do lugar das raízes desse sistema é mostrado na Figura 6.39(b). A função de transferência de malha fechada é:

$$\frac{C(s)}{R(s)} = \frac{10}{s^2 + s + 10}$$

$$= \frac{10}{(s + 0,5 + j3,1225)(s + 0,5 - j3,1225)}$$

Os polos de malha fechada estão situados em

$$s = -0,5 \pm j3,1225$$

O coeficiente de amortecimento dos polos de malha fechada é $\zeta = (1/2)/\sqrt{10} = 0,1581$. A frequência natural não amortecida dos polos de malha fechada é $\omega_n = \sqrt{10} = 3,1623$ rad/s. Como o coeficiente

FIGURA 6.39
(a) Sistema de controle;
(b) gráfico do lugar das raízes.

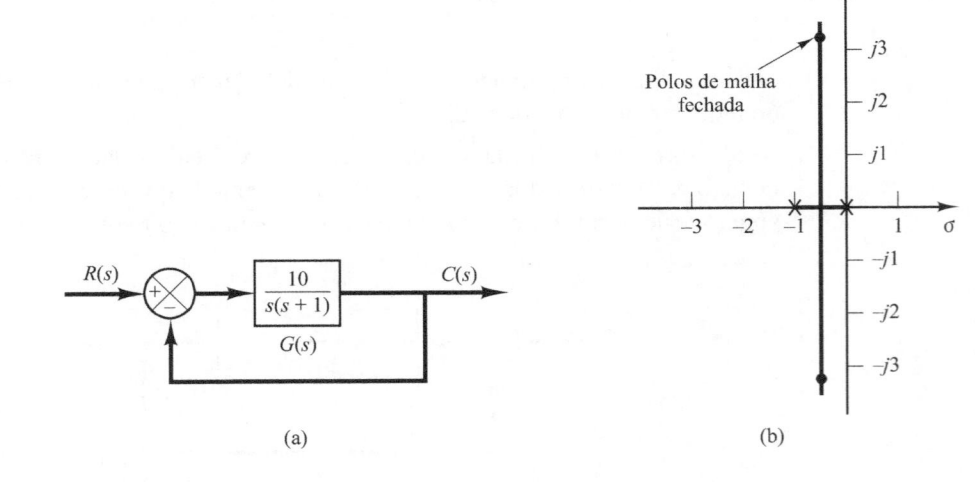

de amortecimento é muito pequeno, o sistema terá um grande sobressinal na resposta em degrau, o que não é desejável.

Deseja-se projetar um compensador por avanço de fase $G_c(s)$ como mostra a Figura 6.40(a), de forma que os polos de malha fechada dominantes tenham um coeficiente de amortecimento de $\zeta = 0,5$ e a frequência natural não amortecida $\omega_n = 3$ rad/s. As localizações desejadas dos polos de malha fechada dominantes podem ser determinadas por:

$$s^2 + 2\zeta\omega_n s + \omega_n^2 = s^2 + 3s + 9$$
$$= (s + 1,5 + j2,5981)(s + 1,5 - j2,5981)$$

Segue-se que

$$s = -1,5 \pm j2,5981$$

[Veja a Figura 6.40(b).] Em alguns casos, depois de obtido o lugar das raízes do sistema original, os polos de malha fechada dominantes podem ser movidos para a posição desejada simplesmente pelo ajuste do ganho. Entretanto, este não é o caso do sistema em questão. Por essa razão, vamos inserir um compensador por avanço de fase no ramo direto.

Um procedimento geral para determinar o compensador por avanço de fase é o seguinte: primeiro, determine a soma dos ângulos junto a um dos polos de malha fechada dominantes na posição desejada, com os polos e zeros de malha aberta do sistema original, e em seguida o ângulo ϕ necessário a ser acrescentado para que a soma total dos ângulos seja igual a $\pm 180°(2k + 1)$. O compensador por avanço de fase deve contribuir com esse ângulo ϕ. (Se o ângulo ϕ for muito grande, então podem ser necessárias duas ou mais redes de avanço de fase, e não uma única.)

Considere que o compensador $G_c(s)$ tem a seguinte função de transferência:

$$G_c(s) = K_c \alpha \frac{Ts + 1}{\alpha Ts + 1} = K_c \frac{s + \dfrac{1}{T}}{s + \dfrac{1}{\alpha T}}, \quad (0 < \alpha < 1)$$

O ângulo, entre o polo na origem e o polo de malha fechada dominante em $s = -1,5 + j2,5981$ é 120°. O ângulo do polo em $s = -1$ ao polo de malha fechada desejado é 100,894°. Portanto, a deficiência angular é

$$\text{Deficiência angular} = 180° - 120° - 100,894° = -40,894°$$

A deficiência angular de 40,894° deve ser preenchida por um compensador de avanço de fase.

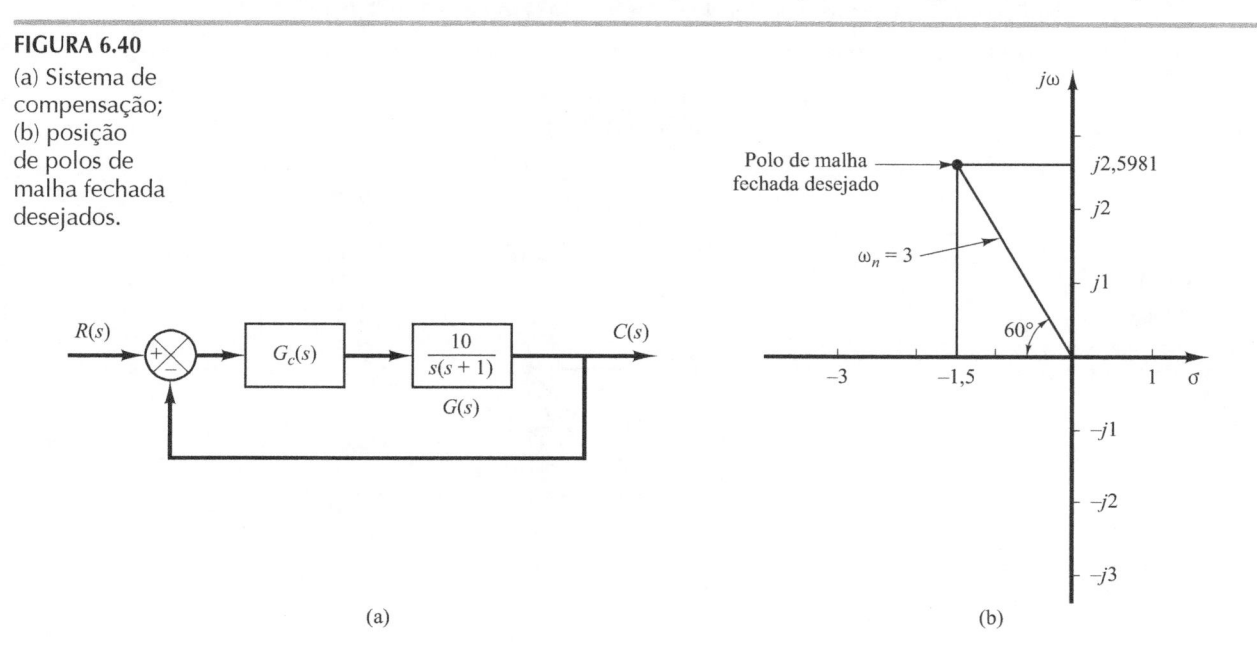

FIGURA 6.40
(a) Sistema de compensação;
(b) posição de polos de malha fechada desejados.

(a)

(b)

Note que a solução para esse problema não é única. Existe uma infinidade de soluções. Apresentaremos duas possibilidades de solução, a seguir.

Método 1. Há muitas maneiras de determinar a localização do zero e do polo do compensador por avanço de fase. A seguir, apresentaremos um procedimento para obter o maior valor possível para α. (Note que um valor maior de α resulta em um valor de K_v maior. Na maioria dos casos, quanto maior o valor de K_v, melhor é o desempenho do sistema.) Primeiro, trace uma reta horizontal passando pelo ponto P, a localização desejada para um dos polos de malha fechada dominantes. Isso é mostrado na Figura 6.41 pela reta PA. Trace também uma reta conectando o ponto P à origem. Trace a bissetriz do ângulo entre as retas PA e PO, como mostra a Figura 6.41. Desenhe duas retas PC e PD que formem ângulos $\pm\phi/2$ com a bissetriz PB. As intersecções de PC e PD com o eixo real negativo fornecem as localizações necessárias para o polo e o zero da rede de avanço de fase. O compensador assim projetado fará que o ponto P seja um ponto de compensação do sistema sobre o lugar das raízes. O ganho de malha aberta será determinado pela condição de módulo.

No sistema considerado, o ângulo de $G(s)$ no polo de malha fechada desejado é:

$$\left. \angle \frac{10}{s(s+1)} \right|_{s=-1,5+j2,5981} = -220,894°$$

Assim, se for necessário forçar o lugar das raízes a passar pelo polo de malha fechada desejado, o compensador por avanço de fase deve contribuir com $\phi = 40,894°$ nesse ponto. Seguindo o procedimento de projeto apresentado anteriormente, podemos determinar o polo e o zero do compensador por avanço de fase.

Considerando a Figura 6.42, seccionando o ângulo APO em duas partes iguais e tomando 40,894°/2 de cada lado, encontram-se os lugares do zero e do polo, como segue:

$$\text{zero em } s = -1,9432$$

$$\text{polo em } s = -4,6458$$

Assim, $G_c(s)$ pode ser dado como

$$G_c(s) = K_c \frac{s + \frac{1}{T}}{s + \frac{1}{\alpha T}} = K_c \frac{s + 1,9432}{s + 4,6458}$$

(Para esse compensador o valor de α é $\alpha = 1,9432/4,6458 = 0,418$.)

O valor de K_c pode ser determinado a partir da condição de módulo.

$$\left| K_c \frac{s + 1,9432}{s + 4,6458} \frac{10}{s(s+1)} \right|_{s=-1,5+j2,5981} = 1$$

ou

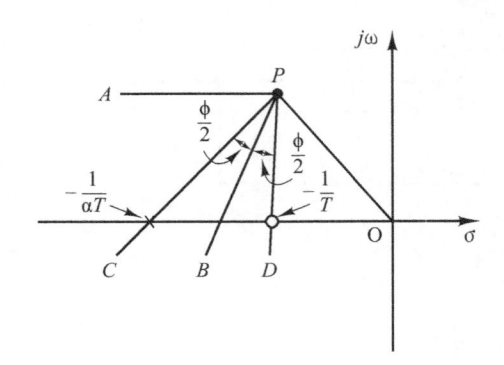

FIGURA 6.41
Determinação do polo e do zero de uma rede de avanço de fase.

FIGURA 6.42
Determinação do polo e do zero de um compensador por avanço de fase.

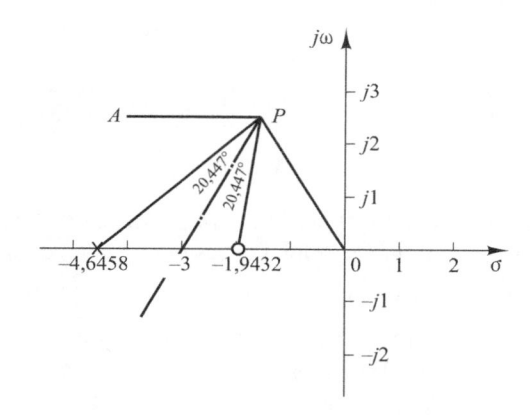

$$K_c = \left| \frac{(s + 4,6458)s(s + 1)}{10(s + 1,9432)} \right|_{s = -1,5 + j2,5981} = 1,2287$$

Logo, o compensador por avanço de fase $G_c(s)$ projetado é dado por

$$G_c(s) = 1,2287 \frac{s + 1,9432}{s + 4,6458}$$

Portanto, a função de transferência de malha aberta do sistema projetado torna-se

$$G_c(s)G(s) = 1,2287 \left(\frac{s + 1,9432}{s + 4,6458} \right) \frac{10}{s(s + 1)}$$

e a função de transferência de malha fechada torna-se

$$\frac{C(s)}{R(s)} = \frac{12,287(s + 1,9432)}{s(s + 1)(s + 4,6458) + 12,287(s + 1,9432)}$$

$$= \frac{12,287s + 23,876}{s^3 + 5,646s^2 + 16,933s + 23,876}$$

A Figura 6.43 mostra o gráfico de lugar das raízes para o sistema projetado.

FIGURA 6.43
Gráfico do lugar das raízes do sistema projetado.

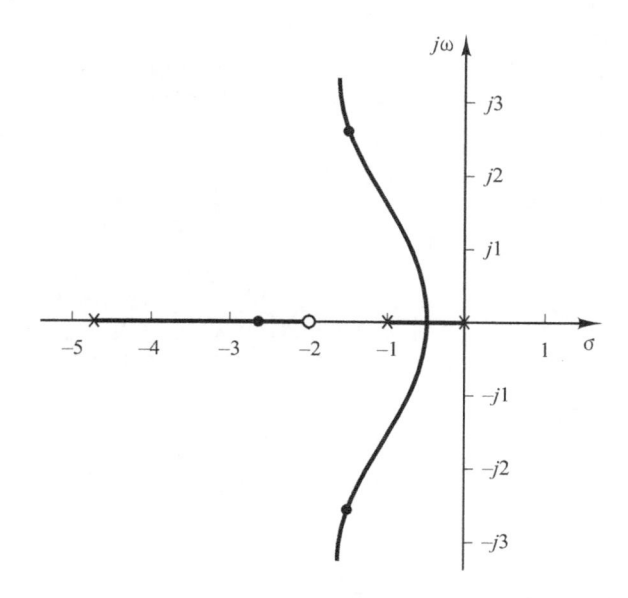

Vale a pena verificar a constante de erro estático de velocidade K_v para o sistema projetado.

$$K_v = \lim_{s \to 0} s G_c(s) G(s)$$

$$= \lim_{s \to 0} s \left[1,2287 \frac{s + 1,9432}{s + 4,6458} \frac{10}{s(s+1)} \right]$$

$$= 5,139$$

Note que o terceiro polo de malha fechada do sistema projetado é encontrado pela divisão da equação característica pelos fatores conhecidos como segue:

$$s^3 + 5,646s^2 + 16,933s + 23,875 = (s + 1,5 + j2,5981)(s + 1,5 - j2,5981)(s + 2,65)$$

O método de compensação precedente nos possibilita situar os polos dominantes de malha fechada nos pontos desejados do plano complexo. O terceiro polo em $s = -2,65$ está bastante próximo do zero adicionado em $s = -1,9432$. Assim, o efeito desse polo sobre a resposta transitória é relativamente pequeno. Desde que nenhuma restrição tenha sido imposta ao polo não dominante e que não haja nenhuma especificação relativa ao valor da constante de erro estático de velocidade, concluímos que o atual projeto é satisfatório.

Método 2. Se determinarmos o zero do compensador de avanço de fase em $s = -1$, de forma que ele cancele o polo da planta em $s = -1$, o polo compensador deverá estar localizado em $s = -3$. (Veja a Figura 6.44.) Então, o compensador de avanço torna-se

$$G_c(s) = K_c \frac{s + 1}{s + 3}$$

O valor de K_c pode ser determinado por meio da condição de módulo.

$$\left| K_c \frac{s + 1}{s + 3} \frac{10}{s(s + 1)} \right|_{s = -1,5 + j2,5981} = 1$$

ou

$$K_c = \left| \frac{s(s + 3)}{10} \right|_{s = -1,5 + j2,5981} = 0,9$$

Então,

$$G_c(s) = 0,9 \frac{s + 1}{s + 3}$$

FIGURA 6.44
Polo compensador e zero compensador.

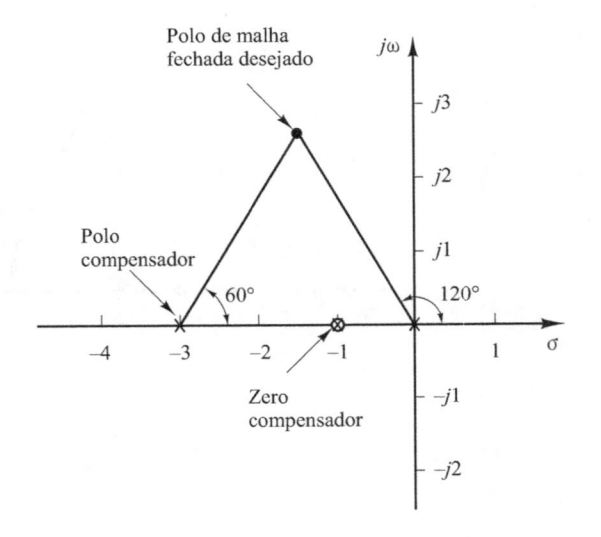

A função de transferência de malha aberta do sistema projetado é

$$G_c(s)G(s) = 0,9\frac{s+1}{s+3}\frac{10}{s(s+1)} = \frac{9}{s(s+3)}$$

A função de transferência de malha fechada do sistema projetado é

$$\frac{C(s)}{R(s)} = \frac{9}{s^2+3s+9}$$

Note que, no caso em questão, o zero ou o compensador de avanço de fase cancelará um polo da planta, resultando em um sistema de segunda ordem, em lugar de um sistema de terceira ordem como projetamos por meio do Método 1.

A constante do erro estático de velocidade para o caso em questão é obtida como segue:

$$K_v = \lim_{s\to 0} sG(s)G(s)$$

$$= \lim_{s\to 0} s\left[\frac{9}{s(s+3)}\right] = 3$$

Observe que o sistema projetado pelo Método 1 resulta em um valor maior para a constante de erro estático de velocidade. Isso significa que o sistema projetado pelo Método 1 terá erros menores de estado permanente nas entradas em rampa do que o sistema projetado pelo Método 2.

Para variações na combinação de zero e polo do compensador que acrescentem 40,894°, o valor de K_v será diferente. Embora alguma mudança possa ser feita no valor de K_v por meio da alteração do lugar de polo e de zero do compensador de avanço de fase, se for desejável um grande aumento no valor K_v, será preciso mudar o compensador de avanço de fase para um compensador de atraso e avanço de fase.

Comparação das respostas ao degrau dos sistemas compensados e não compensados. A seguir, examinaremos as respostas ao degrau unitário e à rampa unitária dos três sistemas: o sistema original não compensado, o sistema projetado pelo Método 1 e o sistema projetado pelo Método 2. O programa do MATLAB utilizado para obter as curvas de resposta ao degrau unitário é o Programa 6.9 em MATLAB, onde num1 e den1 indicam o numerador e o denominador do sistema projetado pelo Método 1 e num2 e den2 indicam o sistema projetado pelo Método 2. Num e den também são utilizados para o sistema sem compensação original. A Figura 6.45 mostra as curvas de resposta ao degrau unitário resultantes. O programa em MATLAB para obter as curvas de resposta à rampa unitária dos

```
Programa 6.9 em MATLAB

% ***** Resposta ao degrau unitário do sistema compensado e não compensado *****
num1 = [12.287 23.876];
den1 = [1 5.646 16.933 23.876];
num2 = [9];
den2 = [1 3 9];
num = [10];
den = [1 1 10];
t = 0:0.05:5;
c1 = step(num1,den1,t);
c2 = step(num2,den2,t);
c = step(num,den,t);
plot(t,c1,'-',t,c2,'.',t,c,'x')
grid
title('Resposta ao degrau unitário do sistema compensado e não compensado')
xlabel('t (s)')
ylabel('Saídas c1, c2, e c')
text(1.51,1.48,'Sistema compensado (Método 1)')
text(0.9,0.48,'Sistema compensado (Método 2)')
text(2.51,0.67,'Sistema não compensado')
```

FIGURA 6.45
Curvas de resposta ao degrau unitário para os sistemas projetados e para o sistema original sem compensação.

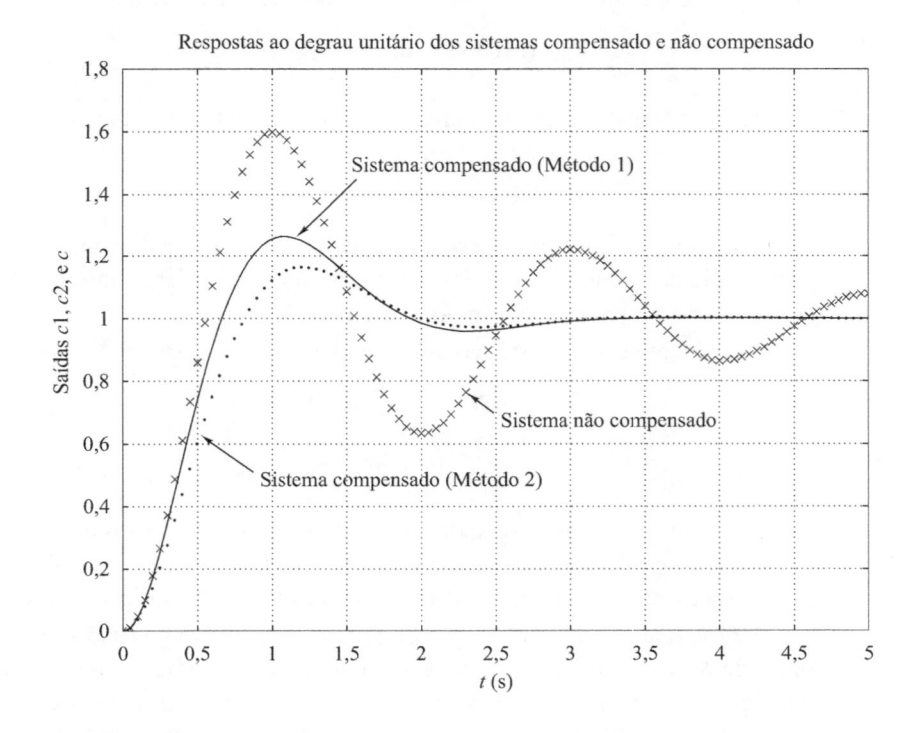

sistemas projetados é o Programa 6.10 em MATLAB, no qual usamos o comando step para obter respostas de rampa unitária, utilizando os numeradores e denominadores dos sistemas projetados com o Método 1 e com o Método 2 como segue:

num1 = [12,287 23,876]
den1 = [1 5,646 16,933 23,876 0]
num2 = [9]
den2 = [1 3 9 0]

A Figura 6.46 mostra as curvas de resposta à rampa unitária resultantes.

```
Programa 6.10 em MATLAB
% ***** Resposta à rampa unitária do sistema compensado *****
num1 = [12.287 23.876];
den1 = [1 5.646 16.933 23.876 0];
num2 = [9];
den2 = [1 3 9 0];
t = 0:0.05:5;
c1 = step(num1,den1,t);
c2 = step(num2,den2,t);
plot(t,c1,'-',t,c2,'.',t,t,'-')
grid
title('Resposta à rampa unitária do sistema compensado')
xlabel('t (s)')
ylabel('Entrada em rampa unitária e Saídas c1 e c2')
text(2.55,3.8,'Entrada')
text(0.55,2.8,'Sistema compensado (Método 1)')
text(2.35,1.75,'Sistema compensado (Método 2)')
```

Ao examinar essas curvas de resposta, note que o sistema compensado projetado pelo Método 1 exibe um sobressinal um pouco maior na resposta ao degrau do que o sistema compensado projetado pelo Método 2. No entanto, o primeiro tem melhores características de resposta para a entrada em rampa do que o segundo. Portanto, é difícil dizer qual o melhor. A decisão quanto

FIGURA 6.46
Curvas de resposta à rampa unitária de sistemas projetados.

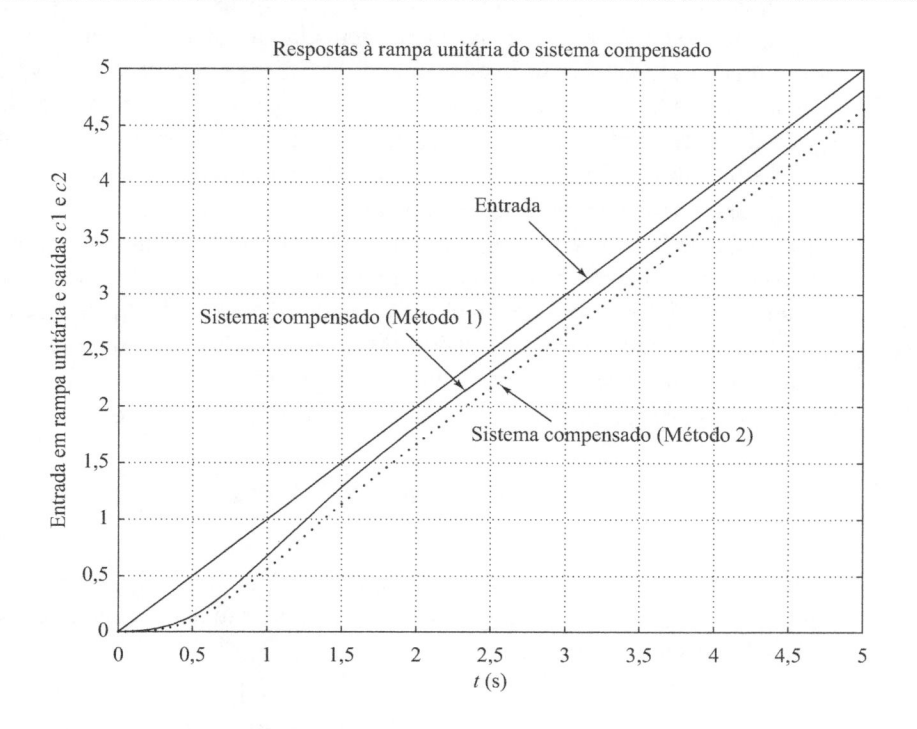

à escolha deve ser feita conforme os requisitos de resposta (como sobressinais menores para entradas do tipo degrau, ou erros de estado permanente menores após uma entrada em rampa ou entrada variável) esperados no sistema projetado. Se houver o requisito tanto de sobressinais menores nas entradas em degrau quanto de erros de estado permanente menores após alterações na entrada, é possível que seja necessário usar um compensador de atraso e avanço de fase. (Veja a Seção 6.8 quanto às técnicas para compensadores de atraso e avanço de fase.)

6.7 | Compensação por atraso de fase

Compensador eletrônico por atraso de fase usando amplificadores operacionais. A configuração do compensador eletrônico por atraso de fase com a utilização de amplificadores operacionais é a mesma que a do compensador por avanço de fase mostrado na Figura 6.36. Escolhendo $R_2C_2 > R_1C_1$ no circuito mostrado na Figura 6.36, este se torna um compensador por atraso de fase. Com base na Figura 6.36, a função de transferência do compensador por atraso de fase é dada por:

$$\frac{E_o(s)}{E_i(s)} = \hat{K}_c \beta \frac{Ts + 1}{\beta Ts + 1} = \hat{K}_c \frac{s + \dfrac{1}{T}}{s + \dfrac{1}{\beta T}}$$

onde

$$T = R_1C_1, \quad \beta T = R_2C_2, \quad \beta = \frac{R_2C_2}{R_1C_1} > 1, \quad \hat{K}_c = \frac{R_4C_1}{R_3C_2}$$

Note que utilizamos β no lugar de α nas expressões apresentadas. [No compensador por avanço de fase, usamos α para indicar a relação $R_2C_2/(R_1C_1)$, que era menor que 1 ou $0 < \alpha < 1$.] Neste capítulo, vamos supor sempre que $0 < \alpha < 1$ e $\beta > 1$.

Técnicas de compensação por atraso de fase baseadas no método do lugar das raízes. Considere o problema de determinar uma rede de compensação apropriada para o caso em que o sistema apresente resposta transitória com características satisfatórias, mas as características em regime permanente sejam insatisfatórias. A compensação, nesse caso, consiste essencialmente no aumento do ganho de malha aberta, sem alterar apreciavelmente as características da resposta transitória. Isso significa que o lugar das raízes nas proximidades dos polos dominantes de malha fechada não deve ser modificado significativamente, mas o ganho de malha aberta deve ser aumentado tanto quanto necessário. Isso pode ser obtido se for colocado um compensador por atraso de fase em cascata com a função de transferência do ramo direto dada.

Para evitar uma modificação apreciável no lugar das raízes, a contribuição angular da rede de atraso de fase deve ser limitada a um valor pequeno, digamos inferior a 5°. Para assegurar que isso ocorra, colocamos o polo e o zero da rede de atraso de fase relativamente próximos um do outro e próximos da origem do plano s. Então, os polos de malha fechada do sistema compensado serão apenas um pouco deslocados das posições originais. Por essa razão, as características da resposta transitória terão apenas uma ligeira alteração.

Considere um compensador por atraso de fase $G_c(s)$, onde

$$G_c(s) = \hat{K}_c \beta \frac{Ts + 1}{\beta Ts + 1} = \hat{K}_c \frac{s + \dfrac{1}{T}}{s + \dfrac{1}{\beta T}} \qquad (6.19)$$

Se colocarmos o zero e o polo do compensador por atraso de fase muito próximos um do outro, então $s = s_1$, onde s_1 é um dos polos dominantes de malha fechada, os módulos de $s_1 = (1/T)$ e $s_1 + [1/(\beta T)]$ serão quase iguais ou

$$|G_c(s_1)| = \left| \hat{K}_c \frac{s_1 + \dfrac{1}{T}}{s_1 + \dfrac{1}{\beta T}} \right| \doteq \hat{K}_c$$

Para fazer que a contribuição angular da porção de atraso de fase do compensador seja pequena, será necessário que

$$-5° < \left/ \frac{s_1 + \dfrac{1}{T}}{s_1 + \dfrac{1}{\beta T}} \right. < 0°$$

Isso quer dizer que, se o ganho $\hat{K}_c$ do compensador por atraso de fase for definido como igual a 1, as características da resposta transitória não serão alteradas. (Isso significa que o ganho resultante da função de transferência de malha aberta pode ser aumentado de um fator β, onde $\beta > 1$.) Se o polo e o zero forem colocados muito próximos da origem, então o valor de β pode ser aumentado. (Pode-se utilizar um valor alto de β, se for possível a implementação física de um compensador por atraso de fase.) Note que o valor de T deve ser elevado, mas seu valor exato não é crítico. Entretanto, não deve ser muito alto, para evitar dificuldades na implementação do compensador por atraso de fase, em decorrência dos componentes físicos.

Um aumento do ganho significa um aumento das constantes de erro estático. Se a função de transferência de malha aberta do sistema não compensado for $G(s)$, então a constante de erro estático de velocidade K_v do sistema não compensado será:

$$K_v = \lim_{s \to 0} sG(s)$$

Se for escolhido um compensador como o que é dado pela Equação 6.19, então, para o sistema compensado com a função de transferência de malha aberta $G_c(s)G(s)$, a constante de erro estático de velocidade se tornará:

$$\hat{K}_v = \lim_{s \to 0} sG_c(s)G(s) = \lim_{s \to 0} G_c(s)K_v = \hat{K}_c \beta K_v$$

onde K_v é a constante de erro estático de velocidade do sistema não compensado.

Assim, se o compensador for o dado pela Equação 6.19, então a constante de erro estático de velocidade deverá ser multiplicada por $\hat{K}_c\beta$, onde $\hat{K}_c$ é aproximadamente a unidade.

O principal efeito negativo da compensação por atraso de fase é que o zero do compensador que será gerado próximo da origem cria um polo de malha fechada também próximo da origem. Esse polo de malha fechada e esse zero do compensador produzirão uma 'cauda' alongada de pequena amplitude na resposta ao degrau, aumentando, assim, o tempo de acomodação.

Procedimentos de projeto de compensação por atraso de fase pelo método do lugar das raízes. O procedimento para o projeto de compensadores por atraso de fase, para o sistema da Figura 6.47 pelo método do lugar das raízes, pode ser enunciado como segue (vamos supor que o sistema não compensado satisfaça às especificações da resposta transitória por meio do simples ajuste do ganho; se não for esse o caso, considere como referência a Seção 6.8):

1. Desenhe o gráfico do lugar das raízes para o sistema não compensado, no qual a função de transferência de malha aberta é $G(s)$. Com base nas especificações da resposta transitória, localize os polos dominantes de malha fechada sobre o lugar das raízes.

2. Suponha que a função de transferência do compensador por atraso de fase seja dada pela Equação 6.19:

$$G_c(s) = \hat{K}_c \beta \frac{Ts + 1}{\beta Ts + 1} = \hat{K}_c \frac{s + \dfrac{1}{T}}{s + \dfrac{1}{\beta T}}$$

Então, a função de transferência de malha aberta do sistema compensado torna-se $G_c(s)G(s)$.

3. Calcule a particular constante de erro estático especificada no problema.

4. Determine o acréscimo na constante de erro estático necessário para satisfazer às especificações.

5. Determine o polo e o zero do compensador por atraso de fase que produzam o aumento necessário no valor em particular da constante de erro estático, sem modificar apreciavelmente o lugar das raízes. (Note que a relação entre o valor do ganho requerido pelas especificações e o ganho encontrado no sistema não compensado deve ser igual à relação entre a distância do zero à origem e a distância do polo à origem.)

6. Desenhe o novo gráfico do lugar das raízes para o sistema compensado. Posicione os polos dominantes de malha fechada desejados sobre o lugar das raízes. (Se a contribuição angular da rede de atraso for muito pequena, isto é, de uns poucos graus, então o lugar das raízes original e o novo serão quase idênticos. Caso contrário, haverá uma pequena discrepância entre eles. Localize, então, sobre o novo lugar das raízes, os polos dominantes de malha fechada desejados, com base nas especificações da resposta transitória.)

7. Ajuste o ganho $\hat{K}_c$ do compensador a partir da condição de módulo, de modo que os polos dominantes de malha fechada se situem na posição desejada. ($\hat{K}_c$ será aproximadamente 1.)

FIGURA 6.47
Sistema de controle.

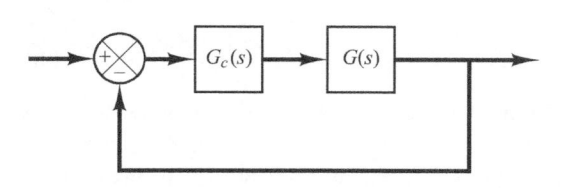

Exemplo 6.7 Considere o sistema mostrado na Figura 6.48(a). A função de transferência do ramo direto é:

$$G(s) = \frac{1,06}{s(s+1)(s+2)}$$

FIGURA 6.48
(a) Sistema de controle;
(b) gráfico do lugar das raízes.

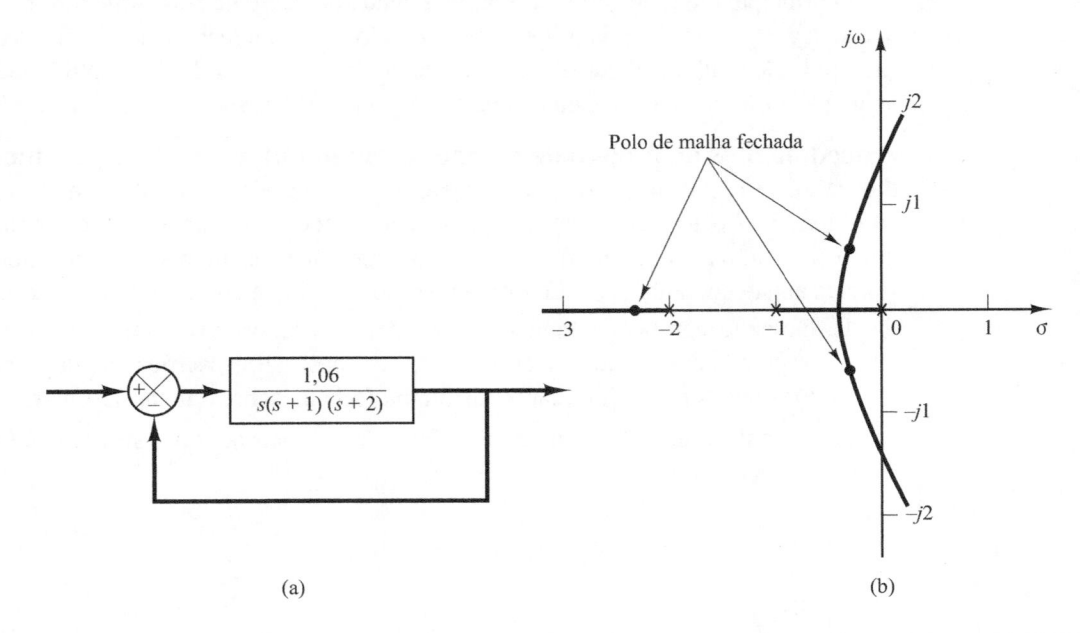

A Figura 6.48(b) mostra o gráfico do lugar das raízes do sistema. A função de transferência de malha fechada é:

$$\frac{C(s)}{R(s)} = \frac{1,06}{s(s+1)(s+2)+1,06}$$

$$= \frac{1,06}{(s+0,3307-j0,5864)(s+0,3307+j0,5864)(s+2,3386)}$$

Os polos dominantes de malha fechada são:

$$s = -0,3307 \pm j0,5864$$

O coeficiente de amortecimento dos polos dominantes de malha fechada é $\zeta = 0,491$. A frequência natural não amortecida dos polos de malha fechada dominantes é 0,673 rad/s. A constante de erro estático de velocidade é 0,53 s^{-1}.

É desejável aumentar a constante de erro estático de velocidade K_v para aproximadamente 5 s^{-1}, sem que haja modificação significativa na posição dos polos dominantes de malha fechada.

Para atender a essa especificação, vamos inserir um compensador por atraso de fase em cascata com a função de transferência de ramo direto, de acordo com a Equação 6.19. Para aumentar a constante de erro estático de velocidade por um fator em torno de 10, escolhemos $\beta = 10$ e posicionamos o zero e o polo do compensador por atraso de fase em $s = -0,05$ e $s = -0,005$, respectivamente. A função de transferência do compensador por atraso de fase vem a ser:

$$G_c(s) = \hat{K}_c \frac{s+0,05}{s+0,005}$$

A contribuição angular dessa rede de atraso de fase próxima de um polo de malha fechada dominante é de aproximadamente 4°. Pelo fato de essa contribuição angular não ser muito pequena, existe uma ligeira alteração no novo lugar das raízes, próximo aos polos dominantes de malha fechada desejados.

A função de transferência de malha aberta do sistema compensado torna-se:

$$G_c(s)G(s) = \hat{K}_c \frac{s+0,05}{s+0,005} \frac{1,06}{s(s+1)(s+2)}$$

$$= \frac{K(s+0,05)}{s(s+0,005)(s+1)(s+2)}$$

onde
$$K = 1{,}06\hat{K}_c$$
A Figura 6.49 mostra o gráfico de blocos do sistema compensado. A Figura 6.50(a) exibe o gráfico do lugar das raízes do sistema compensado próximo dos polos dominantes de malha fechada e inclui também o gráfico do lugar das raízes do sistema original. A Figura 6.50 (b) expõe o gráfico do lugar das raízes do sistema compensado próximo à origem. O Programa 6.11 em MATLAB gera os gráficos do lugar das raízes mostrados pelas figuras 6.50 (a) e (b).

FIGURA 6.49
Sistema compensado.

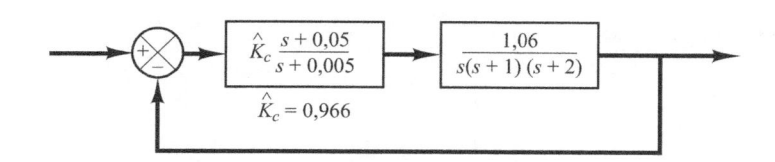

Diagrama de blocos: entrada em somador (+/−) → $\hat{K}_c \dfrac{s+0{,}05}{s+0{,}005}$ → $\dfrac{1{,}06}{s(s+1)(s+2)}$ → saída, com realimentação $\hat{K}_c = 0{,}966$.

```
Programa 6.11 em MATLAB

% ***** Gráficos de lugar das raízes dos sistemas compensado e
% não compensado *****
% ***** Digite os numeradores e denominadores dos
% sistemas compensado e não compensado *****
numc = [1 0.05];
denc = [1 3.005 2.015 0.01 0];
num = [1.06];
den = [1 3 2 0];
% ***** Digite o comando rlocus. Esboce o gráfico do lugar das raízes
% de ambos os sistemas *****
rlocus(numc,denc)
hold
Current plot held
rlocus(num,den)
v = [-3 1 -2 2]; axis(v); axis('square')
grid
text(-2.8,0.2,'Sistema compensado')
text(-2.8,1.2,'Sistema não compensado')
text(-2.8,0.58,'Polo de malha fechada original')
text(-0.1,0.85,'Novo polo de')
text(-0.1,0.62,'malha fechada')
title('Gráficos do lugar das raízes dos sistemas compensado e não compensado')
hold
Current plot released
% ***** Trace o gráfico do lugar das raízes do sistema compensado
% próximo da origem *****
rlocus(numc,denc)
v = [-0.6 0.6 -0.6 0.6]; axis(v); axis('square')
grid
title('Gráfico do lugar das raízes do sistema compensado próximo da origem')
```

Se o coeficiente de amortecimento dos novos polos dominantes de malha fechada permanecer o mesmo, então os polos serão obtidos a partir do novo gráfico do lugar das raízes como segue:
$$s_1 = -0{,}31 + j0{,}55, \qquad s_2 = -0{,}31 - j0{,}55$$
O ganho de malha aberta K é determinado a partir da condição de módulo como segue:

FIGURA 6.50
(a) Gráfico do lugar das raízes do sistema compensado e do sistema não compensado;
(b) gráfico do lugar das raízes do sistema compensado próximo da origem.

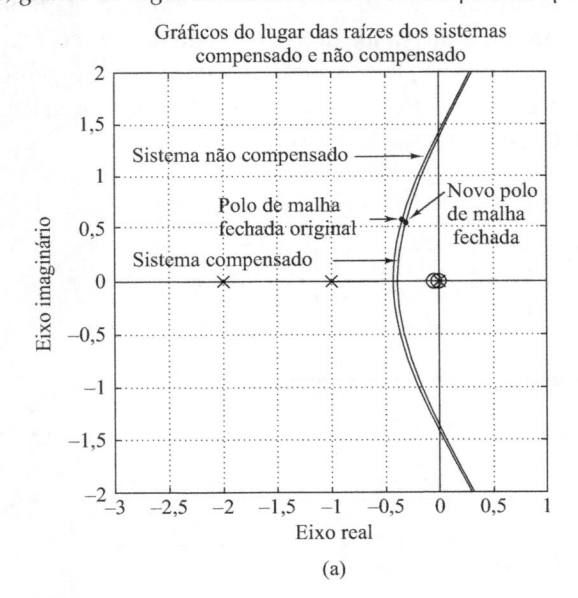

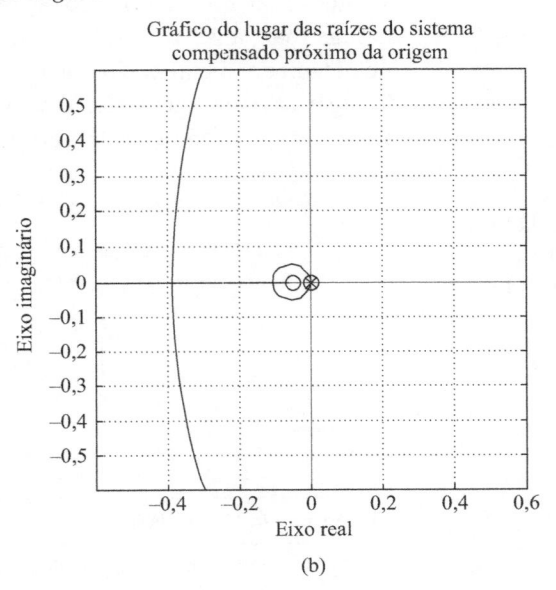

$$K = \left| \frac{s(s+0,005)(s+1)(s+2)}{s+0,05} \right|_{s=-0,31+j0,55}$$

$$= 1,0235$$

Então, o ganho do compensador por atraso de fase $\hat{K}_c$ é determinado como:

$$\hat{K}_c = \frac{K}{1,06} = \frac{1,0235}{1,06} = 0,9656$$

Assim, a função de transferência do compensador por atraso de fase projetado é:

$$G_c(s) = 0,9656 \frac{s+0,05}{s+0,005} = 9,656 \frac{20s+1}{200s+1} \qquad (6.20)$$

Portanto, o sistema compensado tem a seguinte função de transferência de malha aberta:

$$G_1(s) = \frac{1,0235(s+0,05)}{s(s+0,005)(s+1)(s+2)}$$

$$= \frac{5,12(20s+1)}{s(200s+1)(s+1)(0,5s+1)}$$

A constante de erro estático de velocidade K_v é:

$$K_v = \lim_{s \to 0} sG_1(s) = 5,12 \text{ s}^{-1}$$

No sistema compensado, a constante de erro estático de velocidade aumentou para 5,12 s^{-1} ou 5,12/0,53 = 9,66 vezes o valor original. (O erro estacionário a uma excitação em rampa decresceu para cerca de 10% do valor do erro do sistema original.) Assim, o objetivo principal do projeto de aumentar a constante de erro estático para aproximadamente 5 s^{-1} foi essencialmente alcançado.

Note que, como o polo e o zero do compensador por atraso de fase estão muito próximos entre si e posicionados muito perto da origem, o efeito sobre a forma do lugar das raízes original é pequeno. Exceto pela presença de uma pequena região do lugar das raízes próxima à origem, os lugares das raízes dos sistemas não compensado e compensado serão muito semelhantes. Entretanto, o valor da constante de erro estático de velocidade do sistema compensado é 9,66 vezes maior que o do sistema não compensado.

Os outros dois polos de malha fechada do sistema compensado são encontrados em:
$$s_3 = -2,326, \quad s_4 = -0,0549$$
A inserção do compensador por atraso de fase aumenta a ordem do sistema de 3 para 4, acrescentando um polo adicional de malha fechada próximo do zero do compensador de atraso de fase. (O polo de malha fechada adicionado em $s = -0,0549$ fica próximo de zero em $s = -0,05$.) Esse par de zero e polo produz uma 'cauda' longa, de pequena amplitude na resposta transitória, como será visto adiante na resposta ao degrau unitário. Como o polo em $s = -2,326$ está muito distante do eixo $j\omega$ em comparação com os polos dominantes de malha fechada, o efeito desse polo sobre a resposta transitória também é pequeno. Por essa razão, pode-se considerar os polos em $s = -0,31 \pm j0,55$ como os polos dominantes de malha fechada.

A frequência natural não amortecida dos polos dominantes de malha fechada do sistema compensado é 0,631 rad/s. Esse valor é aproximadamente 6% menor que o valor original, 0,673 rad/s. Isso implica que a resposta transitória do sistema compensado fica mais lenta que a resposta do sistema original. A resposta levará mais tempo para se acomodar. O máximo sobressinal na resposta ao degrau será maior no sistema compensado. Se esses efeitos adversos puderem ser tolerados, a compensação por atraso de fase que foi discutida aqui se apresentará como uma solução satisfatória para esse problema de projeto.

Em seguida, vamos comparar as respostas a uma rampa unitária do sistema compensado com a do sistema não compensado e verificar que o desempenho em regime permanente é muito melhor no sistema compensado do que no não compensado.

Para obter a resposta a uma rampa unitária com o MATLAB, utilizamos o comando step para o sistema $C(s)/[sR(s)]$. Como $C(s)/[sR(s)]$ para o sistema compensado é:

$$\frac{C(s)}{sR(s)} = \frac{1,0235(s + 0,05)}{s[s(s + 0,005)(s + 1)(s + 2) + 1,0235(s + 0,05)]}$$

$$= \frac{1,0235s + 0,0512}{s^5 + 3,005s^4 + 2,015s^3 + 1,0335s^2 + 0,0512s}$$

temos:

```
          numc = [1,0235  0,0512]
   denc = [1  3,005  2,015  1,0335  0,0512  0]
```

Além disso, $C(s)/[sR(s)]$ para o sistema não compensado é:

$$\frac{C(s)}{sR(s)} = \frac{1,06}{s[s(s + 1)(s + 2) + 1,06]}$$

$$= \frac{1,06}{s^4 + 3s^3 + 2s^2 + 1,06s}$$

Então,

```
         num = [1,06]
      den = [1  3  2  1,06  0]
```

O Programa 6.12 em MATLAB produz o gráfico das curvas de resposta a uma rampa unitária. A Figura 6.51 mostra o resultado. Fica claro que o sistema compensado apresenta um erro estacionário muito menor (um décimo do erro estacionário do original) ao seguir uma entrada em rampa unitária.

Programa 6.12 em MATLAB

```
% ***** Respostas à rampa unitária dos sistemas compensado e
% não compensado *****

% ***** A resposta à rampa unitária será obtida como a resposta ao
% degrau unitário do sistema C(s)/[sR(s)] *****
% ***** Digite os numeradores e denominadores de C1(s)/[sR(s)]
% e C2(s)/[sR(s)], onde C1(s) e C2(s) são transformados em Laplace
% dos sinais de saída dos sistemas compensado e não compensado,
respectivamente. *****

numc = [1.0235 0.0512];
denc = [1 3.005 2.015 1.0335 0.0512 0];
num = [1.06];
den = [1 3 2 1.06 0];

% ***** Especifique o intervalo de tempo (tal como t= 0:0.1:50) e
% digite o comando step e o comando plot. *****

t = 0:0.1:50;
c1 = step(numc,denc,t);
c2 = step(num,den,t);
plot(t,c1,'-',t,c2,'.',t,t,'--')
grid
text(2.2,27,'Sistema compensado');
text(26,21.3,'Sistema não compensado');
title('Respostas à rampa unitária dos sistemas compensado e não compensado')
xlabel('t (s)');
ylabel('Saídas c1 e c2')
```

FIGURA 6.51
Resposta dos sistemas compensado e não compensado a uma entrada em rampa. (O compensador é dado pela Equação 6.20.)

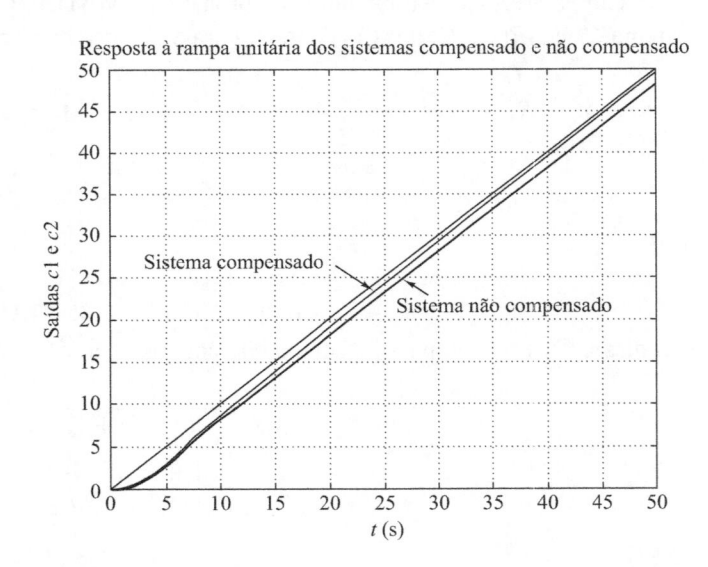

O Programa 6.13 em MATLAB fornece as curvas de resposta ao degrau unitário dos sistemas compensado e não compensado. A Figura 6.52 mostra as curvas de resposta ao degrau unitário desses sistemas. Note que o sistema compensado por atraso de fase apresenta um máximo sobressinal maior e uma resposta mais lenta que o sistema original não compensado. Observe que um par constituído por um polo em $s = -0,0549$ e um zero em $s = -0,05$ gera uma cauda de pequena amplitude e longa duração na resposta transitória. Se o valor mais alto do máximo sobressinal e a resposta mais lenta não forem desejados, torna-se necessário utilizar um compensador por atraso e avanço de fase, como apresentado na Seção 6.8.

Programa 6.13 em MATLAB

```
% ***** Respostas ao degrau unitário dos sistemas compensado e
% não compensado *****
% ***** Digite os numeradores o denominadores dos sistemas compensado e
% não compensado *****
numc = [1.0235 0.0512];
denc = [1 3.005 2.015 1.0335 0.0512];
num = [1.06];
den = [1 3 2 1.06];
% ***** Especifique o intervalo de tempo (tal como t = 0:0.1:40) e
% digite o comando step e o comando plot. *****
t = 0:0.1:40;
c1 = step(numc,denc,t);
c2 = step(num,den,t);
plot(t,c1,'-',t,c2,'.')
grid
text(13,1.12,'Sistema compensado')
text(13.6,0.88,'Sistema não compensado')
title('Respostas ao degrau unitário dos sistemas compensado e não compensado')
xlabel('t (s)')
ylabel('Saídas c1 e c2')
```

FIGURA 6.52
Respostas ao degrau unitário dos sistemas compensado e não compensado. (O compensador é dado pela Equação 6.20.)

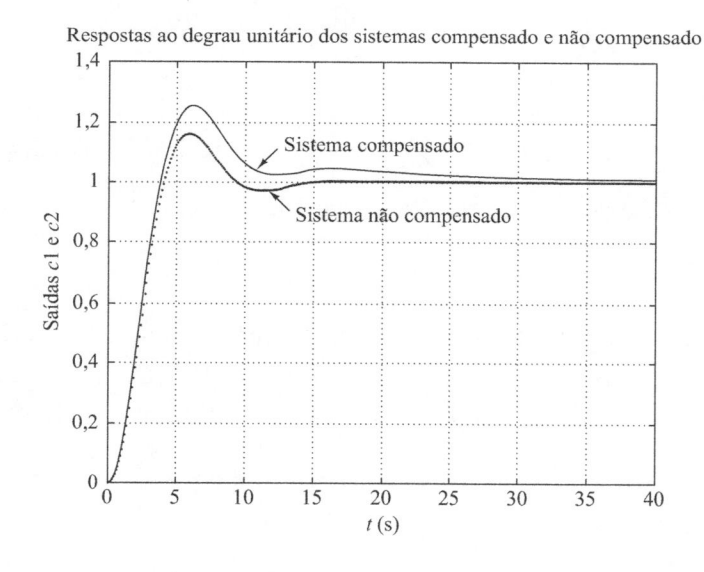

Comentários. Entretanto, deve-se observar que, em certas circunstâncias, tanto o compensador por avanço de fase como o compensador por atraso de fase podem satisfazer às especificações dadas (tanto as especificações da resposta transitória como as de regime permanente). Assim, ambas as formas de compensação podem ser utilizadas.

6.8 | Compensação por atraso e avanço de fase

A compensação por avanço de fase basicamente aumenta tanto a velocidade de resposta como a estabilidade do sistema. A compensação por atraso de fase melhora a precisão do sistema em regime permanente, mas reduz a velocidade de resposta.

Se for desejado melhorar não só a resposta transitória, mas também a resposta em regime permanente, pode-se utilizar simultaneamente o compensador por avanço de fase e o compensador por atraso de fase. No entanto, em vez de inserir os compensadores por avanço de fase e por atraso de fase como elementos separados, é econômico utilizar um único compensador por atraso e avanço de fase.

O compensador por atraso e avanço de fase combina as vantagens da compensação por atraso de fase e por avanço de fase. Como o compensador por atraso e avanço de fase possui dois polos e dois zeros, essa compensação aumenta a ordem do sistema em duas unidades, a menos que ocorra o cancelamento de polo(s) e zero(s) no sistema compensado.

Compensador eletrônico por atraso e avanço de fase com a utilização de amplificadores operacionais. A Figura 6.53 mostra um compensador eletrônico por atraso e avanço de fase com a utilização de amplificadores operacionais. A função de transferência desse compensador pode ser obtida como segue: a impedância complexa Z_1 é dada por:

$$\frac{1}{Z_1} = \frac{1}{R_1 + \frac{1}{C_1 s}} + \frac{1}{R_3}$$

ou

$$Z_1 = \frac{(R_1 C_1 s + 1) R_3}{(R_1 + R_3) C_1 s + 1}$$

Da mesma maneira, a impedância complexa Z_2 é dada por:

$$Z_2 = \frac{(R_2 C_2 s + 1) R_4}{(R_2 + R_4) C_2 s + 1}$$

Tem-se, então,

$$\frac{E(s)}{E_i(s)} = -\frac{Z_2}{Z_1} = -\frac{R_4}{R_3} \frac{(R_1 + R_3) C_1 s + 1}{R_1 C_1 s + 1} \cdot \frac{R_2 C_2 + 1}{(R_2 + R_4) C_2 s + 1}$$

A função de transferência do inversor de sinal é:

$$\frac{E_o(s)}{E(s)} = -\frac{R_6}{R_5}$$

Assim, a função de transferência do compensador mostrado na Figura 6.53 é:

$$\frac{E_o(s)}{E_i(s)} = \frac{E_o(s)}{E(s)} \frac{E(s)}{E_i(s)} = \frac{R_4 R_6}{R_3 R_5} \left[\frac{(R_1 + R_3) C_1 s + 1}{R_1 C_1 s + 1} \right] \left[\frac{R_2 C_2 s + 1}{(R_2 + R_4) C_2 s + 1} \right] \qquad (6.21)$$

FIGURA 6.53
Compensador por avanço e atraso de fase.

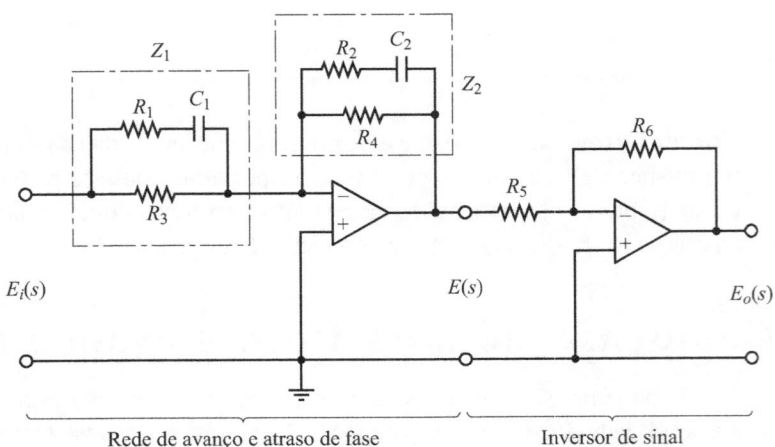

Rede de avanço e atraso de fase — Inversor de sinal

Vamos definir:

$$T_1 = (R_1 + R_3)C_1, \quad \frac{T_1}{\gamma} = R_1 C_1, \quad T_2 = R_2 C_2, \quad \beta T_2 = (R_2 + C_4)C_2$$

A Equação 6.21 torna-se:

$$\frac{E_o(s)}{E_i(s)} = K_c \frac{\beta}{\gamma} \left(\frac{T_1 s + 1}{\frac{T_1}{\gamma} s + 1} \right) \left(\frac{T_2 s + 1}{\beta T_2 s + 1} \right) = K_c \frac{\left(s + \frac{1}{T_1}\right)\left(s + \frac{1}{T_2}\right)}{\left(s + \frac{\gamma}{T_1}\right)\left(s + \frac{1}{\beta T_2}\right)} \quad (6.22)$$

onde

$$\gamma = \frac{R_1 + R_3}{R_1} > 1, \quad \beta = \frac{R_2 + R_4}{R_2} > 1, \quad K_c = \frac{R_2 R_4 R_6}{R_1 R_3 R_5} \frac{R_1 + R_3}{R_2 + R_4}$$

Observe que γ é frequentemente escolhido como igual a β.

Técnicas de compensação por atraso e avanço de fase baseadas no método do lugar das raízes. Considere o sistema mostrado na Figura 6.54. Suponha que tenha sido utilizado o compensador por atraso e avanço de fase:

$$G_c(s) = K_c \frac{\beta}{\gamma} \frac{(T_1 s + 1)(T_2 s + 1)}{\left(\frac{T_1}{\gamma} s + 1\right)(\beta T_2 s + 1)} = K_c \left(\frac{s + \frac{1}{T_1}}{s + \frac{\gamma}{T_1}} \right) \left(\frac{s + \frac{1}{T_2}}{s + \frac{1}{\beta T_2}} \right) \quad (6.23)$$

onde $\beta > 1$ e $\gamma > 1$. (Considere K_c pertencente à porção de avanço de fase do compensador por atraso e avanço de fase.)

No projeto de compensadores por atraso e avanço de fase, consideram-se dois casos: $\gamma \neq \beta$ e $\gamma = \beta$.

Caso 1. $\gamma \neq \beta$. Nesse caso, o procedimento de projeto é uma combinação de um projeto de compensador por avanço de fase e de um compensador por atraso de fase. O procedimento do projeto do compensador por atraso e avanço de fase é o seguinte:

1. Com base nas especificações de desempenho dadas, determine a localização desejada dos polos dominantes de malha fechada.
2. Utilizando a função de transferência de malha aberta $G(s)$ do sistema não compensado, determine a deficiência angular ϕ para que os polos dominantes de malha fechada estejam na posição desejada. A parte de avanço de fase do compensador por atraso e avanço de fase deve contribuir com esse ângulo ϕ.
3. Supondo que adiante será escolhido T_2 suficientemente alto para que o módulo da parte de atraso de fase

$$\left| \frac{s_1 + \frac{1}{T_2}}{s_1 + \frac{1}{\beta T_2}} \right|$$

seja aproximadamente igual à unidade, onde $s = s_1$ é um dos polos dominantes de malha fechada, escolha os valores de T_1 e γ a partir do requisito

FIGURA 6.54
Sistema de controle.

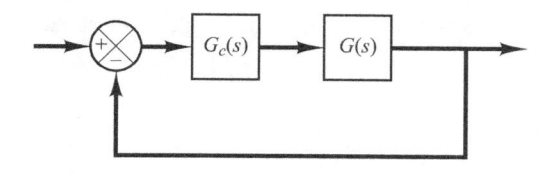

$$\left|\frac{s_1 + \dfrac{1}{T_1}}{s_1 + \dfrac{\gamma}{T_1}}\right. = \phi$$

A escolha de T_1 e γ não é única. (Uma infinidade de pares de T_1 e γ é possível.) Então, determine o valor de K_c da condição de módulo

$$\left| K_c \frac{s_1 + \dfrac{1}{T_1}}{s_1 + \dfrac{\gamma}{T_1}} G(s_1) \right| = 1$$

4. Se a constante de erro estático de velocidade K_v for especificada, determine o valor de β que satisfaça esse requisito para K_v. A constante de erro estático de velocidade K_v é dada por:

$$K_v = \lim_{s \to 0} s G_c(s) G(s)$$

$$= \lim_{s \to 0} s K_c \left(\frac{s + \dfrac{1}{T_1}}{s + \dfrac{\gamma}{T_1}}\right)\left(\frac{s + \dfrac{1}{T_2}}{s + \dfrac{1}{\beta T_2}}\right) G(s)$$

$$= \lim_{s \to 0} s K_c \frac{\beta}{\gamma} G(s)$$

onde K_c e γ já foram determinados no passo 3. Assim, dado o valor de K_v, pode-se determinar o valor de β com base nessa última equação. Então, utilizando o valor de β assim determinado, escolha o valor de T_2 tal que

$$\left| \frac{s_1 + \dfrac{1}{T_2}}{s_1 + \dfrac{1}{\beta T_2}} \right| \doteq 1$$

$$-5° < \left|\frac{s_1 + \dfrac{1}{T_2}}{s_1 + \dfrac{1}{\beta T_2}}\right. < 0°$$

(O Exemplo 6.8 ilustra o procedimento de projeto apresentado.)

<u>Caso 2</u>. $\gamma = \beta$. Se for requerido que $\gamma = \beta$ na Equação 6.23, então o procedimento de projeto para o compensador por atraso e avanço de fase pode ser modificado como segue:

1. Com base nas especificações de desempenho dadas, determine a posição desejada dos polos dominantes de malha fechada.

2. O compensador por atraso e avanço de fase, dado pela Equação 6.23, é modificado para:

$$G_c(s) = K_c \frac{(T_1 s + 1)(T_2 s + 1)}{\left(\dfrac{T_1}{\beta} s + 1\right)(\beta T_2 s + 1)} = K_c \frac{\left(s + \dfrac{1}{T_1}\right)\left(s + \dfrac{1}{T_2}\right)}{\left(s + \dfrac{\beta}{T_1}\right)\left(s + \dfrac{1}{\beta T_2}\right)} \qquad (6.24)$$

onde $\beta > 1$. A função de transferência de malha aberta do sistema compensado é $G_c(s) G(s)$. Se a constante de erro estático de velocidade K_v for especificada, determine o valor do coeficiente K_c a partir da seguinte equação:

$$K_v = \lim_{s \to 0} s G_c(s) G(s)$$

$$= \lim_{s \to 0} s K_c G(s)$$

3. Para obter a posição desejada dos polos dominantes de malha fechada, determine a contribuição angular φ que deve ser fornecida pela porção de avanço de fase do compensador de atraso e avanço de fase.

4. Para o compensador por atraso e avanço de fase, será escolhido mais à frente um valor de T_2 suficientemente grande para que o módulo dado por:

$$\left| \frac{s_1 + \dfrac{1}{T_2}}{s_1 + \dfrac{1}{\beta T_2}} \right|$$

seja aproximadamente igual à unidade, onde $s = s_1$ é um dos polos dominantes de malha fechada. Determine os valores de T_1 e β com base nas condições de módulo e de ângulo:

$$\left| K_c \left(\frac{s_1 + \dfrac{1}{T_1}}{s_1 + \dfrac{\beta}{T_1}} \right) G(s_1) \right| = 1$$

$$\underline{/\frac{s_1 + \dfrac{1}{T_1}}{s_1 + \dfrac{\beta}{T_1}}} = \phi$$

5. Utilizando o valor de β determinado, escolha o valor de T_2 para que:

$$\left| \frac{s_1 + \dfrac{1}{T_2}}{s_1 + \dfrac{1}{\beta T_2}} \right| \doteq 1$$

$$-5° < \underline{/\frac{s_1 + \dfrac{1}{T_2}}{s_1 + \dfrac{1}{\beta T_2}}} < 0°$$

O valor de βT_2, a maior constante de tempo do compensador por atraso e avanço de fase, não deve ser muito grande, para que seja fisicamente realizável. (Um exemplo de projeto de compensador por atraso e avanço de fase com $\gamma = \beta$ é dado no Exemplo 6.9.)

Exemplo 6.8 Considere o sistema de controle mostrado na Figura 6.55. A função de transferência de ramo direto é:

$$G(s) = \frac{4}{s(s + 0,5)}$$

Esse sistema possui polos de malha fechada em

$$s = -0,2500 \pm j1,9843$$

O coeficiente de amortecimento é 0,125, a frequência natural não amortecida é 2 rad/s e a constante de erro estático de velocidade é 8 s^{-1}.

É desejável tornar o coeficiente de amortecimento dos polos dominantes de malha fechada igual a 0,5 e aumentar a frequência natural não amortecida para 5 rad/s e a constante de erro

FIGURA 6.55
Sistema de controle.

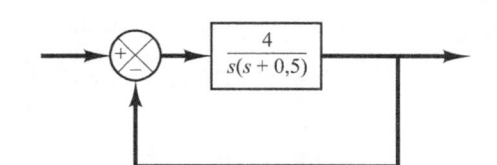

estático de velocidade para 80 s^{-1}. Projete um compensador apropriado para atender a todas as especificações de desempenho.

Vamos supor que seja utilizado um compensador por atraso e avanço de fase com a função de transferência

$$G_c(s) = K_c \left(\frac{s + \dfrac{1}{T_1}}{s + \dfrac{\gamma}{T_1}} \right) \left(\frac{s + \dfrac{1}{T_2}}{s + \dfrac{1}{\beta T_2}} \right) \quad (\gamma > 1, \beta > 1)$$

onde γ é diferente de β. Então, a função de transferência em malha aberta do sistema compensado será:

$$G_c(s)G(s) = K_c \left(\frac{s + \dfrac{1}{T_1}}{s + \dfrac{\gamma}{T_1}} \right) \left(\frac{s + \dfrac{1}{T_2}}{s + \dfrac{1}{\beta T_2}} \right) G(s)$$

A partir das especificações de desempenho, os polos dominantes de malha fechada devem situar-se em

$$s = -2{,}50 \pm j4{,}33$$

Como

$$\left. \underline{/\frac{4}{s(s+0{,}5)}} \right|_{s=-2{,}50+j4{,}33} = -235°$$

a parte relativa ao avanço de fase do compensador por atraso e avanço de fase deve contribuir com 55°, de modo que o lugar das raízes passe pela localização desejada dos polos dominantes de malha fechada.

No projeto da parte de avanço de fase do compensador, primeiro são determinadas as posições do zero e do polo que fornecerão a contribuição de 55°. Existem muitas possibilidades de escolha, mas aqui foi adotado o zero em $s = -0{,}5$ de maneira que cancele o polo da planta em $s = -0{,}5$. Uma vez escolhido o zero, o polo pode ser localizado de modo que a contribuição angular seja 55°. Por um cálculo simples ou por meio de análise gráfica, verifica-se que o polo deve situar-se em $s = -5{,}021$. Assim, a parte relativa ao avanço de fase do compensador será:

$$K_c \frac{s + \dfrac{1}{T_1}}{s + \dfrac{\gamma}{T_1}} = K_c \frac{s + 0{,}5}{s + 5{,}02}$$

Assim,

$$T_1 = 2, \quad \gamma = \frac{5{,}02}{0{,}5} = 10{,}04$$

Em seguida, determine o valor de K_c com base na condição de módulo:

$$\left| K_c \frac{s + 0{,}5}{s + 5{,}02} \frac{4}{s(s + 0{,}5)} \right|_{s = -2{,}5 + j4{,}33} = 1$$

Então,

$$K_c \left| \frac{(s + 5{,}02)s}{4} \right|_{s = -2{,}5 + j4{,}33} = 6{,}26$$

A parte de atraso de fase do compensador pode ser projetada como segue: primeiro, determina-se o valor de β para satisfazer o requisito da constante de erro estático de velocidade:

$$K_v = \lim_{s \to 0} sG_c(s)G(s) = \lim_{s \to 0} sK_c \frac{\beta}{\gamma} G(s)$$

$$= \lim_{s \to 0} s(6{,}26) \frac{\beta}{10{,}04} \frac{4}{s(s + 0{,}5)} = 4{,}988\beta = 80$$

Então, β é determinado como:

$$\beta = 16{,}04$$

Por fim, escolhe-se um valor de T_2 tal que satisfaça as duas condições a seguir:

$$\left| \frac{s + \dfrac{1}{T_2}}{s + \dfrac{1}{16{,}04 T_2}} \right|_{s=-2{,}50+j4{,}33} \doteq 1, \quad -5° < \left/ \frac{s + \dfrac{1}{T_2}}{s + \dfrac{1}{16{,}04 T_2}} \right._{s=-2{,}50+j4{,}33} < 0°$$

Podemos escolher vários valores para T_2 e verificar se as condições de módulo e angular são satisfeitas. Com cálculos simples, chegamos a $T_2 = 5$.

$$1 > \text{módulo} > 0{,}98, \qquad -2{,}10° < \text{ângulo} < 0°$$

Como $T_2 = 5$ satisfaz as duas condições, podemos escolher

$$T_2 = 5$$

Agora, a função de transferência do compensador por atraso e avanço de fase projetado é dada por:

$$G_c(s) = (6{,}26)\left(\frac{s + \dfrac{1}{2}}{s + \dfrac{10{,}04}{2}} \right)\left(\frac{s + \dfrac{1}{5}}{s + \dfrac{1}{16{,}04 \times 5}} \right)$$

$$= 6{,}26 \left(\frac{s + 0{,}5}{s + 5{,}02} \right)\left(\frac{s + 0{,}2}{s + 0{,}01247} \right)$$

$$= \frac{10(2s + 1)(5s + 1)}{(0{,}1992s + 1)(80{,}19s + 1)}$$

O sistema compensado terá a função de transferência de malha aberta:

$$G_c(s)G(s) = \frac{25{,}04(s + 0{,}2)}{s(s + 5{,}02)(s + 0{,}01247)}$$

Em virtude do cancelamento dos termos $(s + 0{,}5)$, o sistema compensado é de terceira ordem. (Matematicamente, esse cancelamento é exato, mas na prática ele não é exato porque a dedução do modelo matemático do sistema envolve, em geral, algumas aproximações e, como resultado, as constantes de tempo não são precisas.) O gráfico do lugar das raízes do sistema compensado é mostrado na Figura 6.56(a). Uma visão aumentada do gráfico do lugar das raízes próximo à origem é mostrada na Figura 6.56(b). Pelo fato de a contribuição angular da parte de atraso de fase do compensador de atraso e avanço de fase ser muito pequena, há apenas um pequeno deslocamento da posição desejada, $s = -2{,}5 \pm j4{,}33$. A equação característica para o sistema compensado é:

$$s(s + 5{,}02)(s + 0{,}01247) + 25{,}04(s + 0{,}2) = 0$$

ou

$$s^3 + 5{,}0325s^2 + 25{,}1026s + 5{,}008$$
$$= (s + 2{,}4123 + j4{,}2756)(s + 2{,}4123 - j4{,}2756)(s + 0{,}2078) = 0$$

Então, os novos polos de malha fechada ficam localizados em

$$s = -2{,}4123 \pm j4{,}2756$$

O novo coeficiente de amortecimento é $\zeta = 0{,}491$. Portanto, o sistema compensado atende a todas as especificações de desempenho requeridas. O terceiro polo de malha fechada do sistema compensado está localizado em $s = -0{,}2078$. Como esse polo está muito próximo do zero situado em $s = -0{,}2$, o efeito desse polo na resposta é pequeno. (Note que, em geral, se um polo e um zero estiverem situados próximos um do outro, sobre o semieixo real negativo e próximo à origem, então essa combinação de polo e zero produzirá uma espécie de cauda alongada de pequena amplitude na resposta transitória.)

FIGURA 6.56
(a) Gráfico do lugar das raízes do sistema compensado;
(b) gráfico do lugar das raízes próximo da origem.

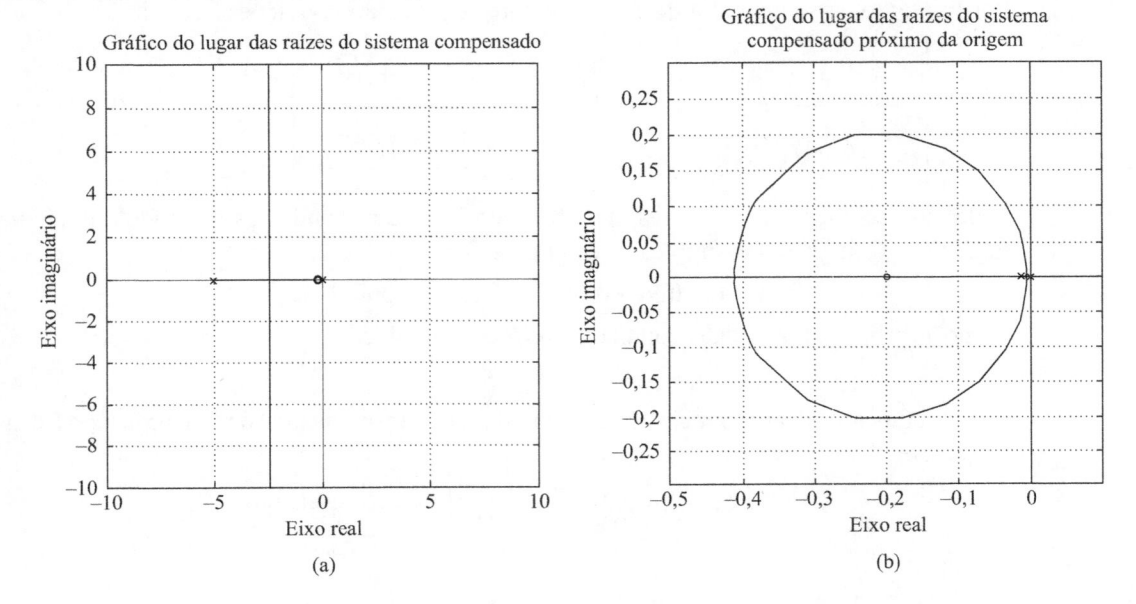

Gráfico do lugar das raízes do sistema compensado

(a)

Gráfico do lugar das raízes do sistema compensado próximo da origem

(b)

As curvas de resposta ao degrau unitário e as curvas de resposta à rampa unitária, antes e depois da compensação, são mostradas na Figura 6.57. (Observe que há uma longa 'cauda' de baixa amplitude na resposta ao degrau unitário do sistema compensado.)

FIGURA 6.57
Curvas da resposta transitória dos sistemas compensado e não compensado. (a) Curvas de resposta ao degrau unitário; (b) curvas de resposta à rampa unitária.

Respostas ao degrau unitário dos sistemas compensado e não compensado

(a)

Respostas à rampa unitária dos sistemas compensado e não compensado

Erro estacionário do sistema compensado = 0,0125
Erro estacionário do sistema não compensado = 0,125

(b)

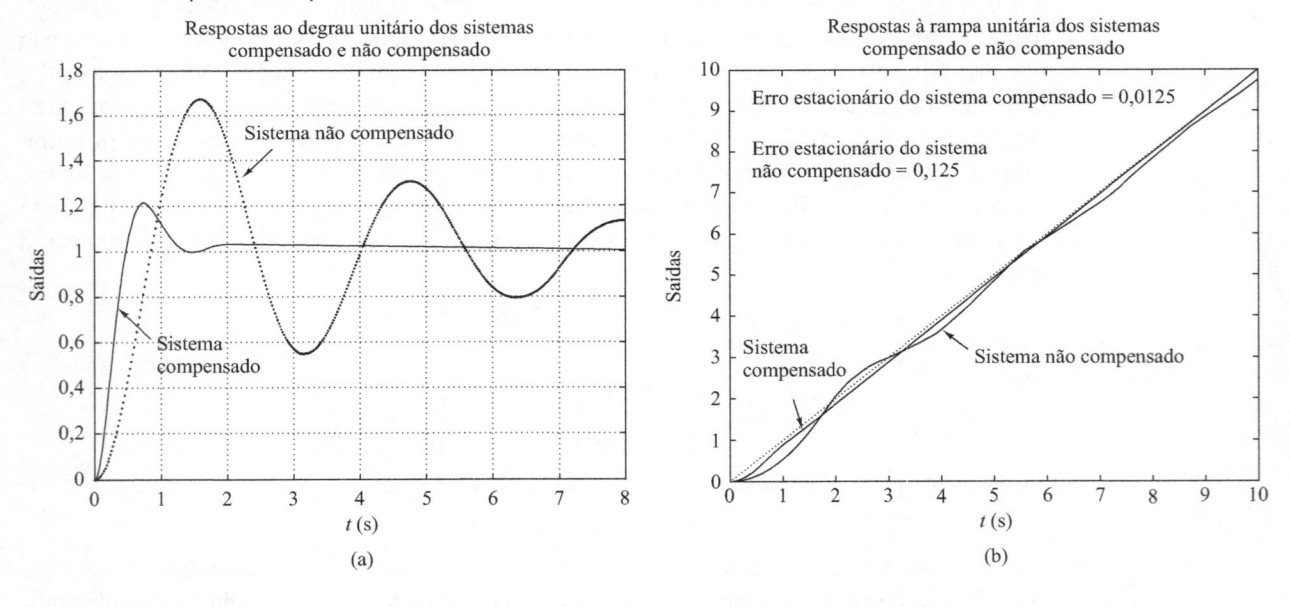

Exemplo 6.9 Considere novamente o sistema de controle do Exemplo 6.8. Suponha que seja utilizado um compensador por atraso e avanço de fase, na forma dada pela Equação 6.24 ou

$$G_c(s) = K_c \frac{\left(s + \dfrac{1}{T_1}\right)\left(s + \dfrac{1}{T_2}\right)}{\left(s + \dfrac{\beta}{T_1}\right)\left(s + \dfrac{1}{\beta T_2}\right)} \quad (\beta > 1)$$

Supondo que as especificações sejam as mesmas dadas no Exemplo 6.8, projete um compensador $G_c(s)$.

As localizações desejadas para os polos dominantes de malha fechada são:

$$s = -2{,}50 \pm j4{,}33$$

A função de transferência de malha aberta do sistema compensado é:

$$G_c(s)G(s) = K_c \frac{\left(s + \dfrac{1}{T_1}\right)\left(s + \dfrac{1}{T_2}\right)}{\left(s + \dfrac{\beta}{T_1}\right)\left(s + \dfrac{1}{\beta T_2}\right)} \cdot \frac{4}{s(s + 0{,}5)}$$

Como o requisito da constante de erro estático de velocidade K_v é 80 s^{-1}, temos:

$$K_v = \lim_{s \to 0} s G_c(s)G(s) = \lim_{s \to 0} K_c \frac{4}{0{,}5} = 8K_c = 80$$

Portanto,

$$K_c = 10$$

A constante de tempo T_1 e o valor de β são determinados a partir de:

$$\left|\frac{s + \dfrac{1}{T_1}}{s + \dfrac{\beta}{T_1}}\right|\left|\frac{40}{s(s + 0{,}5)}\right|_{s = -2{,}5 + j4{,}33} = \left|\frac{s + \dfrac{1}{T_1}}{s + \dfrac{\beta}{T_1}}\right|\frac{8}{4{,}77} = 1$$

$$\left|\underline{\frac{s + \dfrac{1}{T_1}}{s + \dfrac{\beta}{T_1}}}\right|_{s = -2{,}5 + j4{,}33} = 55°$$

(A deficiência angular de 55° foi obtida no Exemplo 6.8.) Com base na Figura 6.58, podemos localizar facilmente os pontos A e B, tais que

$$\underline{/APB} = 55°, \quad \frac{\overline{PA}}{\overline{PB}} = \frac{4{,}77}{8}$$

(Utilize abordagem gráfica ou trigonométrica.) O resultado é:

$$\overline{AO} = 2{,}38, \quad \overline{BO} = 8{,}34$$

ou

$$T_1 = \frac{1}{2{,}38} = 0{,}420, \quad \beta = 8{,}34 T_1 = 3{,}503$$

A parte relativa ao avanço de fase da rede de atraso e avanço de fase torna-se, então,

$$10\left(\frac{s + 2{,}38}{s + 8{,}34}\right)$$

Para a porção relativa ao atraso de fase, podemos escolher T_2 de forma que satisfaça às condições:

$$\left|\frac{s + \dfrac{1}{T_2}}{s + \dfrac{1}{3{,}503 T_2}}\right|_{s = -2{,}50 + j4{,}33} \doteq 1, \quad -5° < \left|\underline{\frac{s + \dfrac{1}{T_2}}{s + \dfrac{1}{3{,}503 T_2}}}\right|_{s = -2{,}50 + j4{,}33} < 0°$$

FIGURA 6.58
Determinação da localização desejada do polo e do zero.

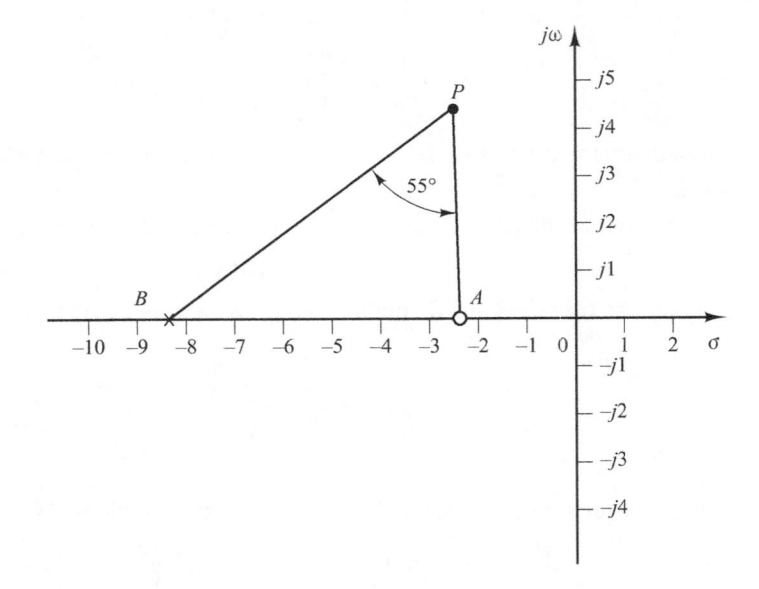

Com cálculos simples, constatamos que $T_2 = 5$, então

$$1 > \text{módulo} > 0{,}98, \qquad -1{,}5° < \text{ângulo} < 0°$$

e se escolhermos $T_2 = 10$, temos

$$1 > \text{módulo} > 0{,}99, \qquad -1° < \text{ângulo} < 0°$$

Como T_2 é uma das constantes de tempo do compensador por atraso e avanço de fase, não deve ser muito grande. Se $T_2 = 10$ for aceitável do ponto de vista prático, podemos escolher $T_2 = 10$. Então

$$\frac{1}{\beta T_2} = \frac{1}{3{,}503 \times 10} = 0{,}0285$$

Assim, o compensador por atraso e avanço de fase torna-se:

$$G_c(s) = (10)\left(\frac{s+2{,}38}{s+8{,}34}\right)\left(\frac{s+0{,}1}{s+0{,}0285}\right)$$

O sistema compensado terá a função de transferência de malha aberta

$$G_c(s)G(s) = \frac{40(s+2{,}38)(s+0{,}1)}{(s+8{,}34)(s+0{,}0285)s(s+0{,}5)}$$

Nenhum cancelamento ocorre nesse caso e o sistema compensado é de quarta ordem. Pelo fato de a contribuição angular da parte relativa ao atraso de fase da rede de atraso e avanço ser muito pequena, os polos dominantes de malha fechada ficam muito próximos da localização desejada. De fato, a localização dos polos dominantes de malha fechada pode ser encontrada a partir da seguinte equação característica: a equação característica do sistema compensado é

$$(s+8{,}34)(s+0{,}0285)s(s+0{,}5) + 40(s+2{,}38)(s+0{,}1) = 0$$

que pode ser simplificada para

$$s^4 + 8{,}8685s^3 + 44{,}4219s^2 + 99{,}3188s + 9{,}52$$
$$= (s+2{,}4539+j4{,}3099)(s+2{,}4539-j4{,}3099)(s+0{,}1003)(s+3{,}8604) = 0$$

Os polos dominantes de malha fechada estão localizados em:

$$s = -2{,}4539 \pm j4{,}3099$$

Os outros polos de malha fechada estão localizados em:

$$s = -0{,}1003; \qquad s = -3{,}8604$$

Como o polo de malha fechada em $s = -0{,}1003$ está muito próximo de um zero em $s = -0{,}1$, eles quase se cancelam. Assim, o efeito desse polo de malha fechada é muito pequeno. O polo de malha fechada restante ($s = -3{,}8604$) não cancela completamente o zero em $s = -2{,}4$. O efeito desse zero é causar maior sobressinal na resposta ao degrau do que no caso de um sistema semelhante, mas sem esse zero. A Figura 6.59(a) mostra as curvas de resposta ao degrau unitário dos sistemas compensado e não compensado. As curvas de resposta à rampa unitária de ambos os sistemas estão representadas na Figura 6.59(b).

O máximo sobressinal na resposta ao degrau do sistema compensado é aproximadamente 38%. (Este é bem mais elevado que o máximo sobressinal de 21% do projeto apresentado no Exemplo 6.8.) É possível reduzir o máximo sobressinal de um pequeno valor a partir de 38%, mas não para 20% se for requerido $\gamma = \beta$, como neste exemplo. Note que, por não se exigir $\gamma = \beta$, temos um parâmetro adicional a ser ajustado, o que permite reduzir o máximo sobressinal.

FIGURA 6.59
(a) Curvas de resposta ao degrau unitário dos sistemas compensado e não compensado; (b) curvas de resposta à rampa unitária para ambos os sistemas.

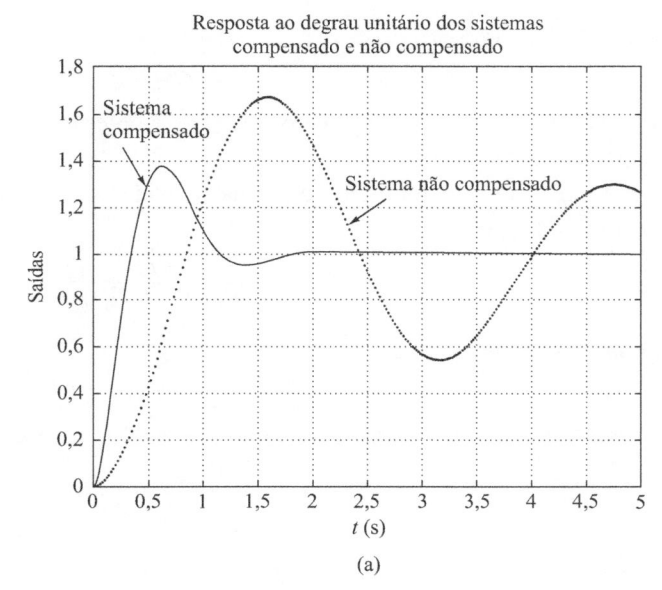

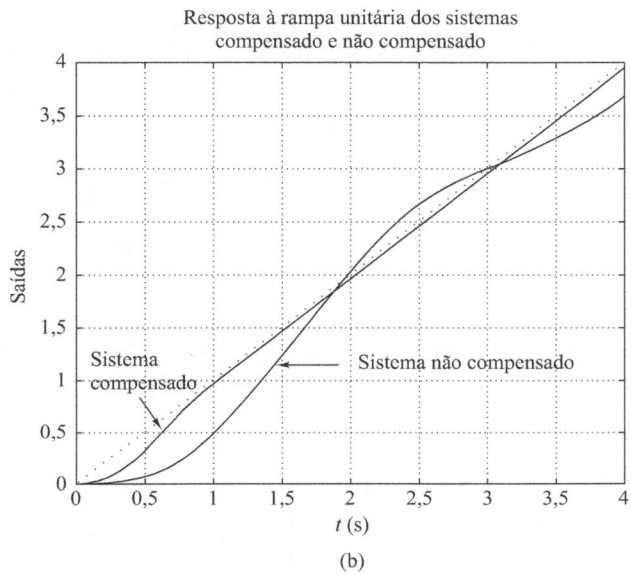

6.9 | Compensação em paralelo

Foram apresentadas até aqui técnicas de compensação em série com a utilização de compensadores por avanço de fase, por atraso de fase ou por atraso e avanço de fase. Nesta seção discutiremos as técnicas de compensação em paralelo. Como no projeto de compensação em paralelo o controlador (ou compensador) fica na malha interna, o projeto pode parecer mais complicado que no caso da compensação em série. Entretanto, isso não acontecerá se a equação característica for reescrita de modo que fique com a mesma forma da equação característica do sistema compensado em série. Nesta seção, será apresentado um problema de projeto simples, que envolve compensação em paralelo.

Princípio básico de projeto de um sistema compensado em paralelo. Com base na Figura 6.60(a), a função de transferência de malha fechada do sistema com compensação em série é:

$$\frac{C}{R} = \frac{G_c G}{1 + G_c GH}$$

A equação característica é:

$$1 + G_c GH = 0$$

Dados G e H, o problema de projeto vem a ser a determinação do compensador G_c que satisfaça às especificações dadas.

A função de transferência de malha fechada do sistema com compensação em paralelo [Figura 6.60(b)] é:

$$\frac{C}{R} = \frac{G_1 G_2}{1 + G_2 G_c + G_1 G_2 H}$$

A equação característica é:

$$1 + G_1 G_2 H + G_2 G_c = 0$$

Dividindo essa equação característica pela soma dos termos que não contêm G_c, obtemos:

$$1 + \frac{G_c G_2}{1 + G_1 G_2 H} = 0 \tag{6.25}$$

FIGURA 6.60
(a) Compensação em série;
(b) compensação em paralelo ou por realimentação.

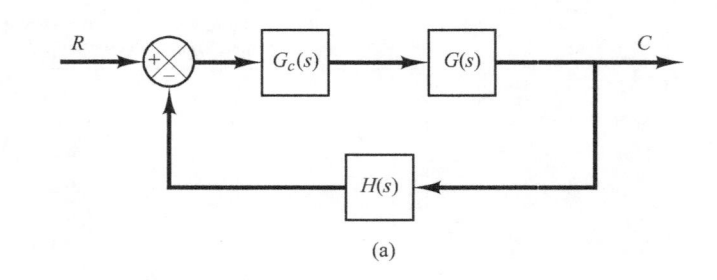

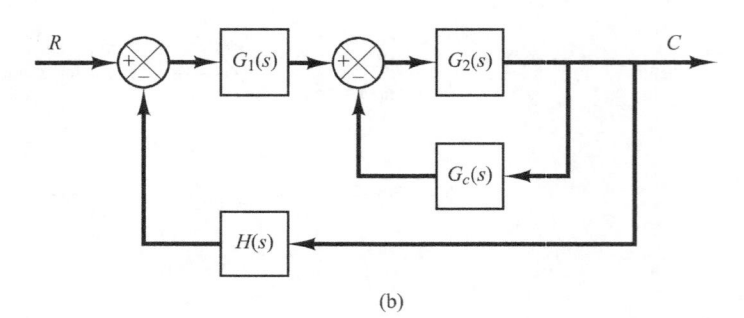

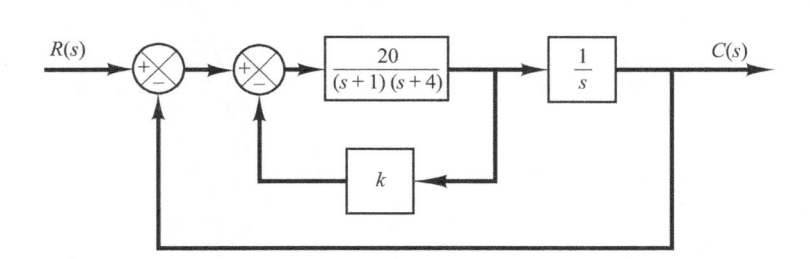

Se definirmos

$$G_f = \frac{G_2}{1 + G_1 G_2 H}$$

a Equação 6.25 torna-se:

$$1 + G_c G_f = 0$$

Como G_f é uma função de transferência fixa, o projeto de G_c será o mesmo que no caso da compensação em série. Então, o mesmo método se aplica ao sistema com compensação em paralelo.

Sistemas com realimentação de velocidade. Um sistema com realimentação de velocidade (sistema com realimentação tacométrica) é um exemplo de sistema com compensação em paralelo. O controlador (ou compensador) nesse sistema é um elemento de ganho. O ganho do componente de realimentação na malha interna deve ser adequadamente determinado para que o sistema como um todo satisfaça às especificações de projeto dadas. A característica desse sistema com realimentação de velocidade é que o parâmetro variável não aparece como fator de multiplicação na função de transferência de malha aberta, de maneira que a aplicação direta da técnica de projeto pelo lugar das raízes não é possível. Entretanto, se a equação característica for reescrita de modo que o parâmetro variável apareça como um fator de multiplicação, então o projeto pelo método do lugar das raízes se tornará possível.

Um exemplo de projeto de sistema de controle que utiliza a técnica de compensação em paralelo é apresentado no Exemplo 6.10.

Exemplo 6.10 Considere o sistema mostrado na Figura 6.61. Desenhe o gráfico do lugar das raízes. Em seguida, determine o valor de k para que o coeficiente de amortecimento do polo dominante de malha fechada seja 0,4.

Aqui, o sistema envolve realimentação de velocidade. A função de transferência de malha aberta é:

$$\text{Função de transferência de malha aberta} = \frac{20}{s(s+1)(s+4) + 20ks}$$

Note que a variável ajustável k não aparece como um fator de multiplicação. A equação característica do sistema é:

$$s^3 + 5s^2 + 4s + 20ks + 20 = 0 \tag{6.26}$$

Definindo

$$20k = K$$

a Equação 6.26 torna-se

$$s^3 + 5s^2 + 4s + Ks + 20 = 0 \tag{6.27}$$

Dividindo ambos os lados da Equação 6.27 pela soma dos termos que não contêm K, obtém-se:

$$1 + \frac{Ks}{s^3 + 5s^2 + 4s + 20} = 0$$

ou

FIGURA 6.61
Sistema de controle.

$$1 + \frac{Ks}{(s+j2)(s-j2)(s+5)} = 0 \qquad (6.28)$$

A Equação 6.28 tem a forma da Equação 6.11.

Vamos esboçar agora o lugar das raízes do sistema dado pela Equação 6.28. Note que os polos de malha aberta estão localizados em $s = j2$, $s = -j2$ e $s = -5$ e o zero de malha aberta está localizado em $s = 0$. O lugar das raízes existe sobre o eixo real, entre 0 e –5. Como

$$\lim_{s \to \infty} \frac{Ks}{(s+j2)(s-j2)(s+5)} = \lim_{s \to \infty} \frac{K}{s^2}$$

temos

$$\text{Ângulos da assíntota} = \frac{\pm 180°(2k+1)}{2} = \pm 90°$$

A intersecção das assíntotas com o eixo real pode ser encontrada a partir de:

$$\lim_{s \to \infty} \frac{Ks}{s^3 + 5s^2 + 4s + 20} = \lim_{s \to \infty} \frac{K}{s^2 + 5s + \cdots} = \lim_{s \to \infty} \frac{K}{(s+2,5)^2}$$

como

$$s = -2,5$$

O ângulo de partida (ângulo θ) do polo em $s = j2$ é obtido como segue:

$$\theta = 180° - 90° - 21,8° + 90° = 158,2°$$

Portanto, o ângulo de partida do polo $s = j2$ é 158,2°. A Figura 6.62 mostra o gráfico do lugar das raízes do sistema. Note que dois ramos do lugar das raízes têm origem nos polos em $s = \pm j2$ e terminam nos zeros no infinito. O ramo restante tem origem no polo em $s = -5$ e termina no zero em $s = 0$.

FIGURA 6.62
Gráfico do lugar das raízes do sistema mostrado na Figura 6.61.

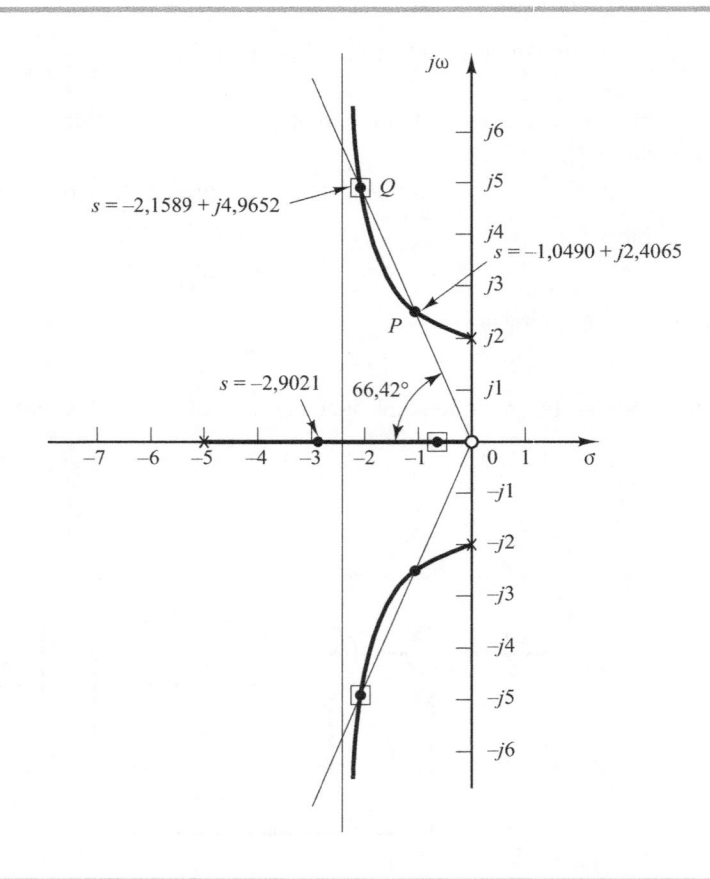

Note que os polos de malha fechada com $\zeta = 0{,}4$ devem se situar sobre as retas que passam pela origem e formam os ângulos de $\pm 66{,}42°$ com o semieixo real negativo. Nesse caso, existem duas intersecções do ramo do lugar das raízes no semiplano superior do plano s e a reta cujo ângulo é 66,42°. Portanto, dois valores de K vão fornecer o coeficiente de amortecimento dos polos de malha fechada $\zeta = 0{,}4$. No ponto P, o valor de K é:

$$K = \left| \frac{(s+j2)(s-j2)(s+5)}{s} \right|_{s=-1,0490+j2,4065} = 8{,}9801$$

Consequentemente,

$$k = \frac{K}{20} = 0{,}4490 \quad \text{no ponto } P$$

No ponto Q, o valor de K é:

$$K = \left| \frac{(s+j2)(s-j2)(s+5)}{s} \right|_{s=-2,1589+j4,9652} = 28{,}260$$

Consequentemente,

$$k = \frac{K}{20} = 1{,}4130 \quad \text{no ponto } Q$$

Assim, temos duas soluções para esse problema. Para $k = 0{,}4490$, os três polos de malha fechada estão localizados em:

$$s = -1{,}0490 + j2{,}4065, \quad s = -1{,}0490 - j2{,}4065, \quad s = -2{,}9021$$

Para $k = 1{,}4130$, os três polos de malha fechada estão localizados em:

$$s = -2{,}1589 + j4{,}9652, \quad s = -2{,}1589 - j4{,}9652, \quad s = -0{,}6823$$

É importante evidenciar que o zero na origem é o zero de malha aberta, mas não o zero de malha fechada. Isso fica claro porque o sistema original mostrado na Figura 6.61 não tem um zero de malha fechada, pois

$$\frac{G(s)}{R(s)} = \frac{20}{s(s+1)(s+4) + 20(1+ks)}$$

O zero de malha aberta em $s = 0$ foi introduzido no processo de modificação da equação característica, de modo que a variável ajustável $K = 20k$ se apresentasse como fator de multiplicação.

Foram obtidos dois valores diferentes de k que satisfazem o requisito de ser o coeficiente de amortecimento dos polos dominantes de malha fechada igual a 0,4. A função de transferência de malha fechada com $k = 0{,}4490$ é dada por:

$$\frac{C(s)}{R(s)} = \frac{20}{s^3 + 5s^2 + 12{,}98s + 20}$$

$$= \frac{20}{(s+1{,}0490+j2{,}4065)(s+1{,}0490-j2{,}4065)(s+2{,}9021)}$$

A função de transferência de malha fechada com $k = 1{,}4130$ é dada por:

$$\frac{C(s)}{R(s)} = \frac{20}{s^3 + 5s^2 + 32{,}26s + 20}$$

$$= \frac{20}{(s+2{,}1589+j4{,}9652)(s+2{,}1589-j4{,}9652)(s+0{,}6823)}$$

Note que o sistema no qual $k = 0{,}4490$ tem um par de polos complexos conjugados dominantes de malha fechada, enquanto no sistema com $k = 1{,}4130$ o polo dominante de malha fechada em $s = -0{,}6823$ é real e os polos complexos conjugados de malha fechada não são dominantes. Nesse caso, a resposta característica é determinada essencialmente pelo polo real de malha fechada.

Vamos comparar as respostas ao degrau unitário de ambos os sistemas. O Programa 6.14 em MATLAB pode ser utilizado para traçar as curvas de resposta ao degrau unitário no mesmo diagrama. A Figura 6.63 mostra as curvas de resposta ao degrau unitário resultantes [$c_1(t)$ para $k = 0{,}4490$ e $c_2(t)$ para $k = 1{,}4130$].

```
Programa 6.14 em MATLAB

% ---------- Resposta ao degrau unitário ----------
% ***** Digites os numeradores e denominadores dos sistemas com
% k = 0.4490 e k = 1.4130, respectivamente. *****
num1 = [20];
den1 = [1 5 12.98 20];
num2 = [20];
den2 = [1 5 32.26 20];
t = 0:0.1:10;
c1 = step(num1,den1,t);
c2 = step(num2,den2,t);
plot(t,c1,t,c2)
text(2.5,1.12,'k = 0.4490')
text(3.7,0.85,'k = 1.4130')
grid
title('Respostas ao degrau unitário dos dois sistemas')
xlabel('t (s)')
ylabel('Saídas c1 e c2')
```

FIGURA 6.63
Curvas de resposta ao degrau unitário do sistema mostrado na Figura 6.61 para um coeficiente de amortecimento ζ dos polos dominantes de malha fechada igual a 0,4. (Dois valores possíveis de k resultam em um coeficiente de amortecimento ζ igual a 0,4.)

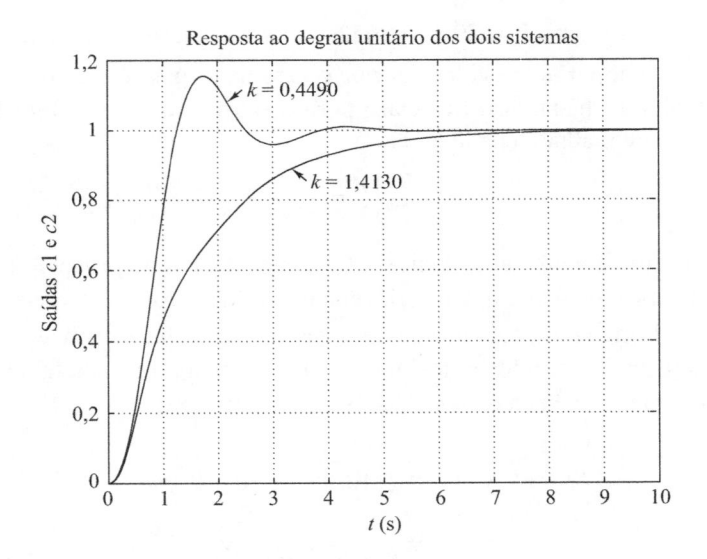

Na Figura 6.63, observamos que a resposta do sistema com $k = 0{,}4490$ é oscilatória. (O efeito do polo de malha fechada em $s = -2{,}9021$ sobre a resposta em degrau unitário é pequeno.) Para o sistema com $k = 1{,}4130$, as oscilações devidas aos polos de malha fechada em $s = -2.1589 \pm j4.9652$ são atenuadas mais rapidamente do que a resposta puramente exponencial devida somente ao polo de malha fechada em $s = -0{,}6823$.

O sistema com $k = 0{,}4490$ (que apresenta uma resposta mais rápida com um máximo sobressinal relativamente pequeno) tem uma característica de resposta bem melhor do que o sistema com $k = 1{,}4130$ (que apresenta uma resposta superamortecida lenta.) Portanto, pode-se escolher $k = 0{,}4490$ para o sistema em questão.

Exemplos de problemas com soluções

A.6.1 Desenhe o lugar das raízes do sistema mostrado da Figura 6.64(a). (Suponha que o ganho K seja positivo.) Observe que, para valores de K pequenos ou grandes, o sistema é superamortecido e, para valores médios de K, é subamortecido.

Solução. Eis o procedimento para traçar o gráfico do lugar das raízes:

1. Localize os polos e zeros de malha aberta no plano complexo. Existe o lugar das raízes no eixo real negativo entre 0 e –1 e entre –2 e –3.
2. O número de polos de malha aberta e de zeros finitos é o mesmo. Isso significa que não há assíntotas na região complexa do plano s.
3. Determine os pontos de partida e de chegada ao eixo real. A equação característica do sistema é:

$$1 + \frac{K(s+2)(s+3)}{s(s+1)} = 0$$

ou

$$K = -\frac{s(s+1)}{(s+2)(s+3)}$$

Os pontos de partida e de chegada são determinados a partir de

$$\frac{dK}{ds} = -\frac{(2s+1)(s+2)(s+3) - s(s+1)(2s+5)}{[(s+2)(s+3)]^2}$$

$$= -\frac{4(s+0,634)(s+2,366)}{[(s+2)(s+3)]^2}$$

$$= 0$$

como segue:

$$s = -0,634, \qquad s = -2,366$$

Note que ambos os pontos estão sobre o lugar das raízes. Portanto, eles são realmente pontos de partida e de chegada. No ponto $s = -0,634$, o valor de K é:

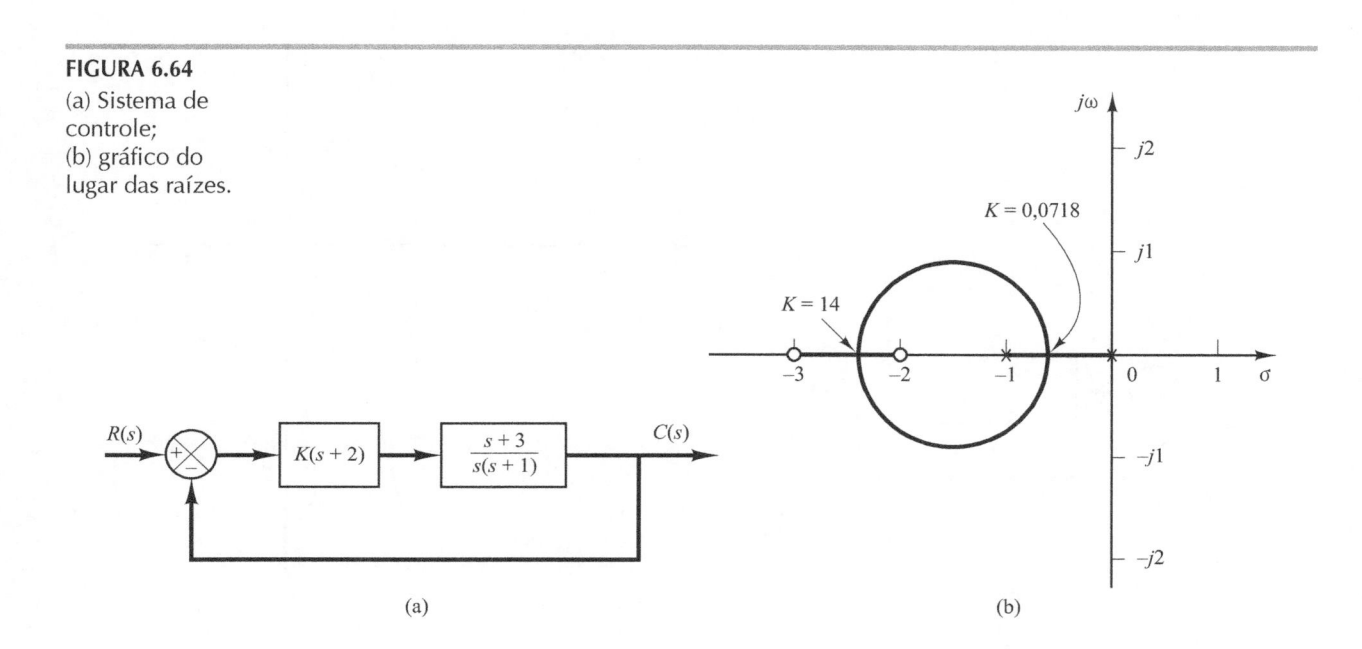

FIGURA 6.64
(a) Sistema de controle;
(b) gráfico do lugar das raízes.

$$K = -\frac{(-0{,}634)(0{,}366)}{(1{,}366)(2{,}366)} = 0{,}0718$$

Da mesma maneira, em $s = -2{,}366$,

$$K = -\frac{(-2{,}366)(-1{,}366)}{(-0{,}366)(0{,}634)} = 14$$

(Pelo fato de o ponto $s = -0{,}634$ estar entre dois polos, ele é um ponto de partida, e pelo fato de o ponto $s = -2{,}366$ estar entre dois zeros, ele é um ponto de chegada.)

4. Determine um número suficiente de pontos que satisfaça à condição angular. (Pode-se verificar que o lugar das raízes possui um círculo com o centro em −1,5, que passa pelos pontos de partida e de chegada.) O gráfico do lugar das raízes para esse sistema é mostrado na Figura 6.64(b).

Note que o sistema é estável para todos os valores positivos de K, já que todo o lugar das raízes se situa no semiplano esquerdo do plano s.

Pequenos valores de K ($0 < K < 0{,}0718$) correspondem a um sistema superamortecido. Valores intermediários de K ($0{,}0718 < K < 14$) correspondem a um sistema subamortecido. Por fim, valores grandes de K ($14 < K$) correspondem a um sistema superamortecido. Com um valor grande de K, o regime permanente pode ser atingido muito mais rapidamente do que com valores pequenos de K.

O valor de K deve ser ajustado de modo que o desempenho do sistema seja ótimo, de acordo com um dado índice de desempenho.

A.6.2 Desenhe o lugar das raízes do sistema de controle mostrado na Figura 6.65(a).

Solução. Existe um ramo do lugar das raízes, no eixo real entre os pontos $s = -1$ e $s = -3{,}6$. As assíntotas podem ser determinadas como segue:

$$\text{Ângulos das assíntotas} = \frac{\pm 180°(2k + 1)}{3 - 1} = 90°, -90°$$

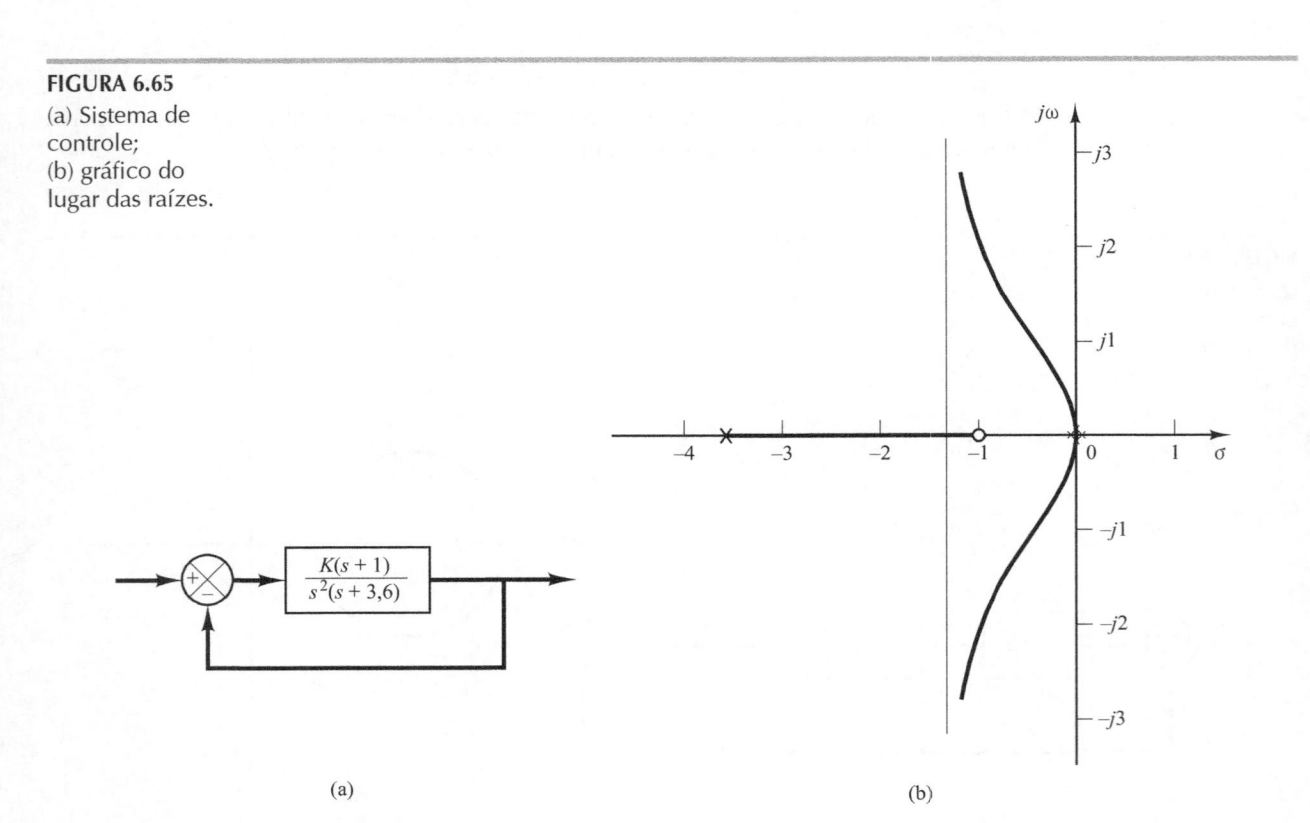

FIGURA 6.65
(a) Sistema de controle;
(b) gráfico do lugar das raízes.

A intersecção das assíntotas com o eixo real é dada por:

$$s = -\frac{0 + 0 + 3,6 - 1}{3 - 1} = -1,3$$

Como a equação característica é

$$s^3 + 3,6s^2 + K(s + 1) = 0$$

temos:

$$K = -\frac{s^3 + 3,6s^2}{s + 1}$$

Os pontos de partida e de chegada são encontrados por

$$\frac{dK}{ds} = -\frac{(3s^2 + 7,2s)(s + 1) - (s^3 + 3,6s^2)}{(s + 1)^2} = 0$$

ou

$$s^3 + 3,3s^2 + 3,6\,s = 0$$

de onde obtemos:

$$s = 0, \quad s = -1,65 + j0,9367, \quad s\,-1,65 - j0,9367$$

O ponto $s = 0$ corresponde realmente a um ponto de partida. Os pontos $s = 1,65 \pm j0,9367$, no entanto, não são pontos de partida nem de chegada, porque os valores correspondentes de K são números complexos.

Para testar os pontos onde os ramos do lugar das raízes cruzam o eixo imaginário, substituímos $s = j\omega$ na equação característica, obtendo:

$$(j\omega)^3 + 3,6\,(j\omega)^2 + K j\omega + K = 0$$

ou

$$(K - 3,6\omega)^2 + j\omega\,(K - \omega^2) = 0$$

Note que essa equação somente será satisfeita se $\omega = 0$, $K = 0$. Em virtude da presença de um duplo polo na origem, o lugar das raízes é tangente ao eixo $j\omega$ em $\omega = 0$. Os ramos do lugar das raízes não cruzam o eixo $j\omega$. A Figura 6.65(b) é o gráfico do lugar das raízes do sistema.

A.6.3 Desenhe o lugar das raízes do sistema mostrado na Figura 6.66(a).

Solução. Existe um ramo do lugar das raízes entre os pontos $s = -0,4$ e $s = -3,6$. Os ângulos das assíntotas podem ser determinados como segue:

$$\text{Ângulos das assíntotas} = \frac{\pm 180°(2k + 1)}{3 - 1} = 90°, -90°$$

A intersecção das assíntotas com o eixo real é dada por:

$$s = -\frac{0 + 0 + 3,6 - 0,4}{3 - 1} = -1,6$$

Em seguida, encontramos o ponto de partida. Como a equação característica é:

$$s^3 + 3,6s^2 + Ks + 0,4K = 0$$

temos:

$$K = -\frac{s^3 + 3,6s^2}{s + 0,4}$$

Os pontos de partida e de chegada ficam determinados com o auxílio da equação

$$\frac{dK}{ds} = -\frac{(3s^2 + 7,2s)(s + 0,4) - (s^3 + 3,6s^2)}{(s + 0,4)^2} = 0$$

FIGURA 6.66
(a) Sistema de controle;
(b) gráfico do lugar das raízes.

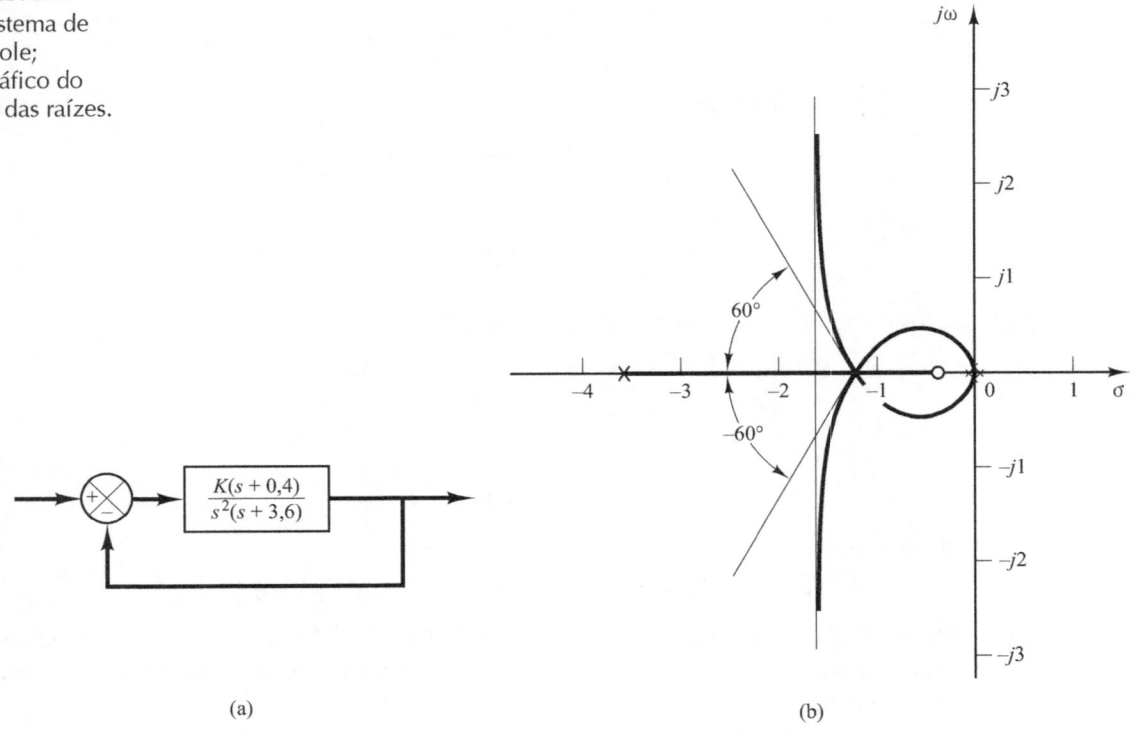

da qual resulta:

$$s^3 + 2{,}4s^2 + 1{,}44s = 0$$

ou

$$s(s + 1{,}2)^2 = 0$$

Então, os pontos de partida e de chegada são $s = 0$ e $s = -1{,}2$. Note que $s = -1{,}2$ é uma raiz dupla. Quando uma raiz dupla ocorre em $dK/ds = 0$ no ponto $s = -1{,}2$, $d^2K/(ds^2) = 0$ nesse ponto. O valor do ganho K no ponto $s = -1{,}2$ é:

$$K = -\left.\frac{s^3 + 3{,}6s^2}{s + 4}\right|_{s=-1{,}2} = 4{,}32$$

Isso significa que, com $K = 4{,}32$, a equação característica tem uma raiz tripla no ponto $s = -1{,}2$. Isso pode ser facilmente verificado como segue:

$$s^3 + 3{,}6s^2 + 4{,}32s + 1{,}728 = (s + 1{,}2)^3 = 0$$

Então, os ramos da raiz tripla se encontram no ponto $s = -1{,}2$. Os ângulos de partida dos ramos do lugar das raízes no ponto $s = -1{,}2$ que tendem às assíntotas são $\pm 180°/3$, isto é, $60°$ e $-60°$. (Veja o Problema A.6.4.)

Por fim, devemos examinar os ramos do lugar das raízes que cruzam o eixo imaginário. Pela substituição de $s = j\omega$ na equação característica, temos:

$$(j\omega)^3 + 3{,}6(j\omega)^2 + K(j\omega) + 0{,}4K = 0$$

ou

$$(0{,}4K - 3{,}6\omega^2) + j\omega(K - \omega^2) = 0$$

Essa equação só é satisfeita se $\omega = 0$ e $K = 0$. No ponto $\omega = 0$, o lugar das raízes é tangente ao eixo $j\omega$ por causa de um polo duplo na origem. Não há pontos onde os ramos do lugar das raízes cruzem o eixo imaginário.

Um gráfico do lugar das raízes para esse sistema é mostrado na Figura 6.66(b).

A.6.4 Obtenha para o Problema A.6.3 a equação dos ramos do lugar das raízes do sistema mostrado na Figura 6.66(a). Mostre que os ramos do lugar das raízes cruzam o eixo real, no ponto de partida do eixo real, com ângulos de ±60°.

Solução. As equações dos ramos do lugar das raízes podem ser obtidas a partir da condição angular

$$\left/ \frac{K(s+0,4)}{s^2(s+3,6)} \right. = \pm 180°(2k+1)$$

que pode ser escrita como:

$$\underline{/s+0,4} - 2\underline{/s} - \underline{/s+3,6} = \pm 180°(2k+1)$$

Substituindo $s = \sigma + j\omega$, obtemos:

$$\underline{/\sigma + j\omega + 0,4} - 2\underline{/\sigma + j\omega} - \underline{/\sigma + j\omega + 3,6} = \pm 180°(2k+1)$$

ou

$$\text{tg}^{-1}\left(\frac{\omega}{\sigma+0,4}\right) - 2\,\text{tg}^{-1}\left(\frac{\omega}{\sigma}\right) - \text{tg}^{-1}\left(\frac{\omega}{\sigma+3,6}\right) \pm 180°(2k+1)$$

Rearranjando os termos, temos:

$$\text{tg}^{-1}\left(\frac{\omega}{\sigma+0,4}\right) - \text{tg}^{-1}\left(\frac{\omega}{\sigma}\right) = \text{tg}^{-1}\left(\frac{\omega}{\sigma}\right) + \text{tg}^{-1}\left(\frac{\omega}{\sigma+3,6}\right) \pm 180°(2k+1)$$

Considerando as tangentes de ambos os lados dessa última equação e notando que:

$$\text{tg}\left[\text{tg}^{-1}\left(\frac{\omega}{\sigma+3,6}\right) \pm 180°(2k+1)\right] = \frac{\omega}{\sigma+3,6}$$

obtemos:

$$\frac{\dfrac{\omega}{\sigma+0,4} - \dfrac{\omega}{\sigma}}{1 + \dfrac{\omega}{\sigma+0,4}\dfrac{\omega}{\sigma}} = \frac{\dfrac{\omega}{\sigma} + \dfrac{\omega}{\sigma+3,6}}{1 - \dfrac{\omega}{\sigma}\dfrac{\omega}{\sigma+3,6}}$$

que pode ser simplificada como segue:

$$\frac{\omega\sigma - \omega(\sigma+0,4)}{(\sigma+0,4)\sigma + \omega^2} = \frac{\omega(\sigma+3,6) + \omega\sigma}{\sigma(\sigma+3,6) - \omega^2}$$

ou

$$\omega(\sigma^3 + 2,4\sigma^2 + 1,44\sigma + 1,6\omega^2 + \sigma\omega^2) = 0$$

que pode ser ainda mais simplificada como:

$$\omega[\sigma(\sigma+1,2)^2 + (\sigma+1,6)\omega^2] = 0$$

Para $\sigma \neq -1,6$, podemos escrever essa última equação como:

$$\omega\left[\omega - (\sigma+1,2)\sqrt{\frac{-\sigma}{\sigma+1,6}}\right]\left[\omega + (\sigma+1,2)\sqrt{\frac{-\sigma}{\sigma+1,6}}\right] = 0$$

o que nos fornece as seguintes equações para o lugar das raízes:

$$\omega = 0$$

$$\omega = (\sigma+1,2)\sqrt{\frac{-\sigma}{\sigma+1,6}}$$

$$\omega = -(\sigma+1,2)\sqrt{\frac{-\sigma}{\sigma+1,6}}$$

A equação ω = 0 representa o eixo real. O lugar das raízes para $0 \le K \le \infty$ encontra-se entre $s = -0,4$ e $s = -3,6$. (O eixo real, além desse segmento linear e da origem $s = 0$, corresponde ao lugar das raízes para $-\infty \le K < 0$.)

As equações

$$\omega = \pm(\sigma + 1,2)\sqrt{\frac{-\sigma}{\sigma + 1,6}} \quad (6.29)$$

representam os ramos complexos para $0 \le K \le \infty$. Esses dois ramos situam-se entre $\sigma = -1,6$ e $\sigma = 0$. [Veja a Figura 6.66(b).] As inclinações dos ramos complexos do lugar das raízes no ponto de partida ($\sigma = -1,2$) podem ser obtidas avaliando $d\omega/d\sigma$ na Equação 6.29 no ponto $\sigma = -1,2$.

$$\left.\frac{d\omega}{d\sigma}\right|_{\sigma=-1,2} = \pm\sqrt{\frac{-\sigma}{\sigma + 1,6}}\bigg|_{\sigma=-1,2} = \pm\sqrt{\frac{1,2}{0,4}} = \pm\sqrt{3}$$

Como $tg^{-1}\sqrt{3} = 60°$, os ramos do lugar das raízes cruzam o eixo real com ângulos de $\pm 60°$.

A.6.5 Considere o sistema da Figura 6.67(a). Trace o gráfico do lugar das raízes desse sistema. Observe que, para valores de K pequenos ou grandes, o sistema é subamortecido e, para valores intermediários de K, ele é superamortecido.

Solução. Existe um ramo do lugar das raízes entre a origem e $-\infty$. Os ângulos das assíntotas dos ramos do lugar das raízes são obtidos como segue:

$$\text{Ângulos das assíntotas} = \frac{\pm 180°(2k+1)}{3} = 60°, -60°, -180°$$

A intersecção das assíntotas com o eixo real fica localizada no eixo real em:

$$s = -\frac{0 + 2 + 2}{3} = -1,3333$$

Os pontos de partida e de chegada ao eixo real são localizados por $dK/ds = 0$. Como a equação característica é:

$$s^3 + 4s^2 + 5s + K = 0$$

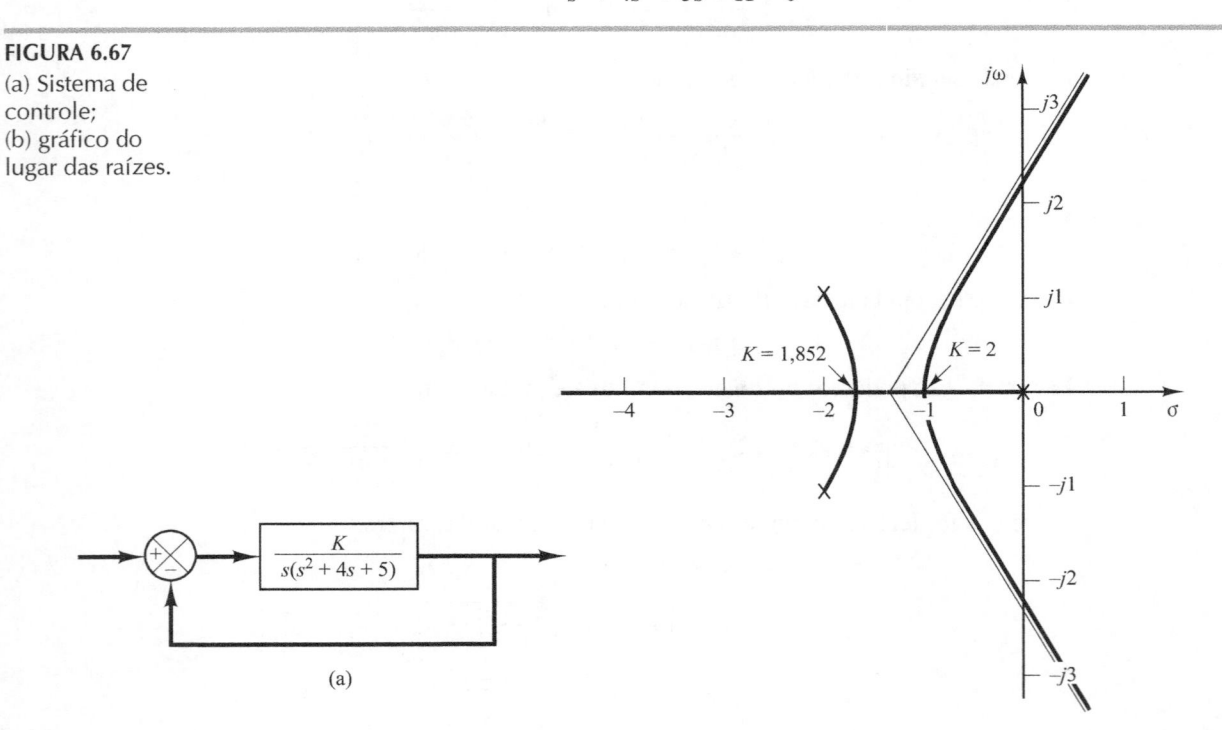

FIGURA 6.67
(a) Sistema de controle;
(b) gráfico do lugar das raízes.

temos:
$$K = -(s^3 + 4s^2 + 5s)$$

Então, impomos:
$$\frac{dK}{ds} = -(3s^2 + 8s + 5) = 0$$

de onde resulta:
$$s = -1, \quad s = -1{,}6667$$

Como esses dois pontos pertencem ao lugar das raízes, eles são efetivamente pontos de partida e de chegada. (No ponto $s = -1$, o valor de K é 2 e, no ponto $s = -1{,}6667$, o valor de K é 1,852.)

O ângulo de partida do polo complexo no semiplano superior do plano s é obtido com o auxílio da equação
$$\theta = 180° - 153{,}43° - 90°$$

ou
$$\theta = -63{,}43$$

O ramo do lugar das raízes que parte do polo complexo no semiplano superior do plano s chega ao eixo real no ponto $s = -1{,}6667$.

Em seguida, determinamos os pontos em que os ramos do lugar das raízes cruzam o eixo imaginário. Substituindo $s = j\omega$ na equação característica, temos:
$$(j\omega)^3 + 4(j\omega)^2 + 5(j\omega) + K = 0$$

ou
$$(K - 4\omega^2) + j\omega(5 - \omega^2) = 0$$

e, a partir dele, obtemos:
$$\omega = \pm\sqrt{5}, \quad K = 20 \quad \text{ou} \quad \omega = 0, \quad K = 0$$

Os ramos do lugar das raízes cruzam o eixo imaginário nos pontos $\omega = \sqrt{5}$ e $\omega = -\sqrt{5}$. O ramo do lugar das raízes sobre o eixo real toca o eixo $j\omega$ em $\omega = 0$. A Figura 6.67(b) mostra o gráfico do lugar das raízes do sistema.

Note que, como esse sistema é de terceira ordem, existem três polos de malha fechada. A natureza da resposta do sistema à determinada entrada depende da localização dos polos de malha fechada.

Para $0 < K < 1{,}852$, existe um par de polos complexos conjugados e um polo real, todos de malha fechada. Para $1{,}852 \leq K \leq 2$, existem três polos reais de malha fechada. Por exemplo, os polos de malha fechada estão localizados em:

$$s = -1{,}667, \quad s = -1{,}667, \quad s = -0{,}667, \quad \text{para } K = 1{,}852$$
$$s = -1, \quad s = -1, \quad s = -2, \quad \text{para } K = 2$$

Para $2 < K$, existe um conjunto de polos de malha fechada formado por um par de polos complexos conjugados e um polo real. Assim, pequenos valores de K ($0 < K < 1{,}852$) correspondem a um sistema subamortecido. (Como o polo dominante é o polo real de malha fechada, apenas uma pequena oscilação pode ser notada na resposta transitória.) Valores intermediários de K ($1{,}852 \leq K \leq 2$) correspondem a um sistema subamortecido. Valores grandes de K ($2 < K$) correspondem a um sistema subamortecido. Para valores grandes de K, o sistema responde muito mais rapidamente do que para valores pequenos de K.

A.6.6 Trace o lugar das raízes do sistema mostrado na Figura 6.68(a).

Solução. Os polos de malha aberta estão localizados em $s = 0$, $s = -1$, $s = -2 + j3$ e $s = -2 - j3$. Existe um ramo do lugar das raízes no eixo real entre os pontos $s = 0$ e $s = -1$. Os ângulos das assíntotas são determinados como:

FIGURA 6.68
(a) Sistema de controle;
(b) gráfico do lugar das raízes.

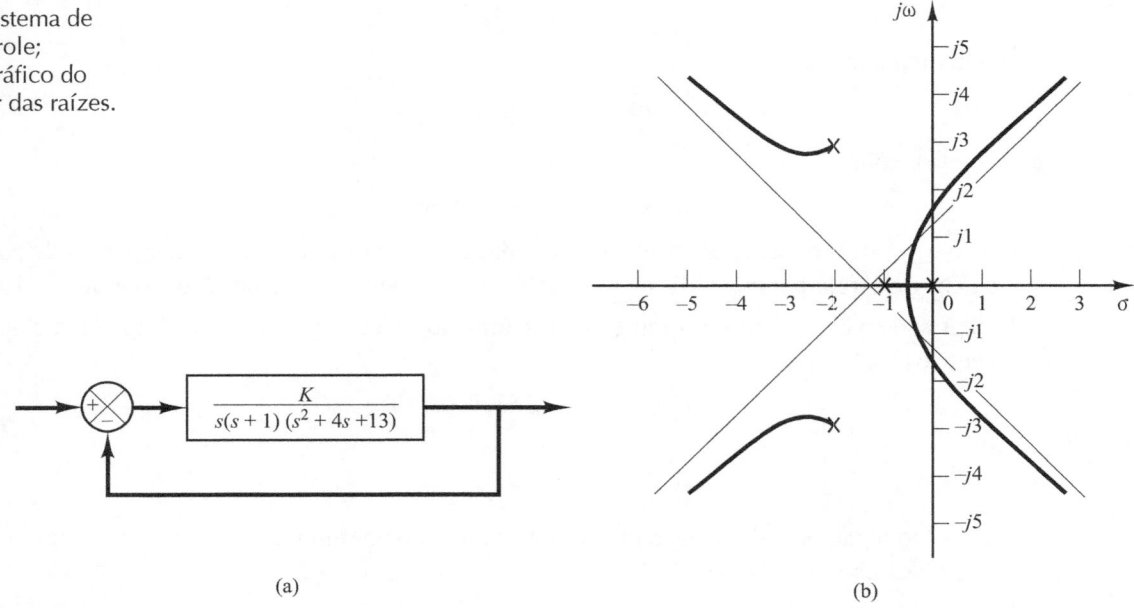

(a) Diagrama de blocos: $\dfrac{K}{s(s+1)(s^2+4s+13)}$

(b) Gráfico do lugar das raízes no plano s.

$$\text{Ângulos das assíntotas} = \frac{\pm 180°(2k+1)}{4} = 45°, -45°, 135°, -135°$$

A intersecção das assíntotas com o eixo real é determinada a partir de

$$s = -\frac{0+1+2+2}{4} = -1,25$$

Os pontos de partida e de chegada são obtidos a partir de $dK/ds = 0$. Como

$$K = -s(s+1)(s^2+4s+13) = -(s^4+5s^3+17s^2+13s)$$

temos:

$$\frac{dK}{ds} = -(4s^3+15s^2+34s+13) = 0$$

do que resulta:

$$s = -0,467, \qquad s = -1,642 + j2,067, \qquad s = -1,642 - j2,067$$

O ponto $s = -0,467$ pertence ao lugar das raízes. Portanto, trata-se realmente de um ponto de partida. O valor dos ganhos K nos pontos $s = -1,642 \pm j2,067$ são números complexos. Como os valores de ganhos não são reais e positivos, esses pontos não são pontos de partida nem de chegada.

O ângulo de partida do polo complexo situado no semiplano superior do plano s é:

$$\theta = 180° - 123,69° - 108,44° - 90°$$

ou

$$\theta = -142,13°$$

Em seguida, determinamos os pontos em que o lugar das raízes cruza o eixo $j\omega$. A equação característica é:

$$s^4 + 5s^3 + 17s^2 + 13s + K = 0$$

Substituindo $s = j\omega$ na equação característica, temos:

$$(j\omega)^4 + 5(j\omega)^3 + 17(j\omega)^2 + 13(j\omega) + K = 0$$

ou

$$(K + \omega^4 - 17\omega^2) + j\omega(13 - 5\omega^2) = 0$$

da qual obtemos:

$$\omega = \pm 1{,}6125, \quad K = 37{,}44 \quad \text{ou} \quad \omega = 0, \quad K = 0$$

Os ramos do lugar das raízes que se estendem para o semiplano direito do plano s cruzam o eixo imaginário em $\omega = \pm 1{,}6125$. Além disso, o ramo do lugar das raízes sobre o eixo real toca o eixo imaginário em $\omega = 0$. A Figura 6.68(b) mostra o gráfico do lugar das raízes do sistema. Note que os ramos do lugar das raízes que se estendem para o semiplano direito do plano s cruzam as respectivas assíntotas.

A.6.7 Desenhe o lugar das raízes do sistema mostrado na Figura 6.69(a). Determine os valores de K para os quais o sistema é estável.

Solução. Os polos de malha aberta estão localizados em $s = 1$, $s = -2 + j\sqrt{3}$ e $s = -2 - j\sqrt{3}$. Um ramo do lugar das raízes existe no eixo real entre os pontos $s = 1$ e $s = -\infty$. As assíntotas dos ramos do lugar das raízes são determinadas como segue:

$$\text{Ângulos das assíntotas} = \frac{\pm 180°(2k + 1)}{3} = 60°, -60°, 180°$$

A intersecção das assíntotas com o eixo real é obtida por:

$$s = -\frac{-1 + 2 + 2}{3} = -1$$

Os pontos de partida e de chegada ao eixo real podem ser localizados a partir de $dK/ds = 0$. Como

$$K = -(s - 1)(s^2 + 4s + 7) = -(s^3 + 3s^2 + 3s - 7)$$

temos:

$$\frac{dK}{ds} = -(3s^2 + 6s + 3) = 0$$

ou seja,

$$(s + 1)^2 = 0$$

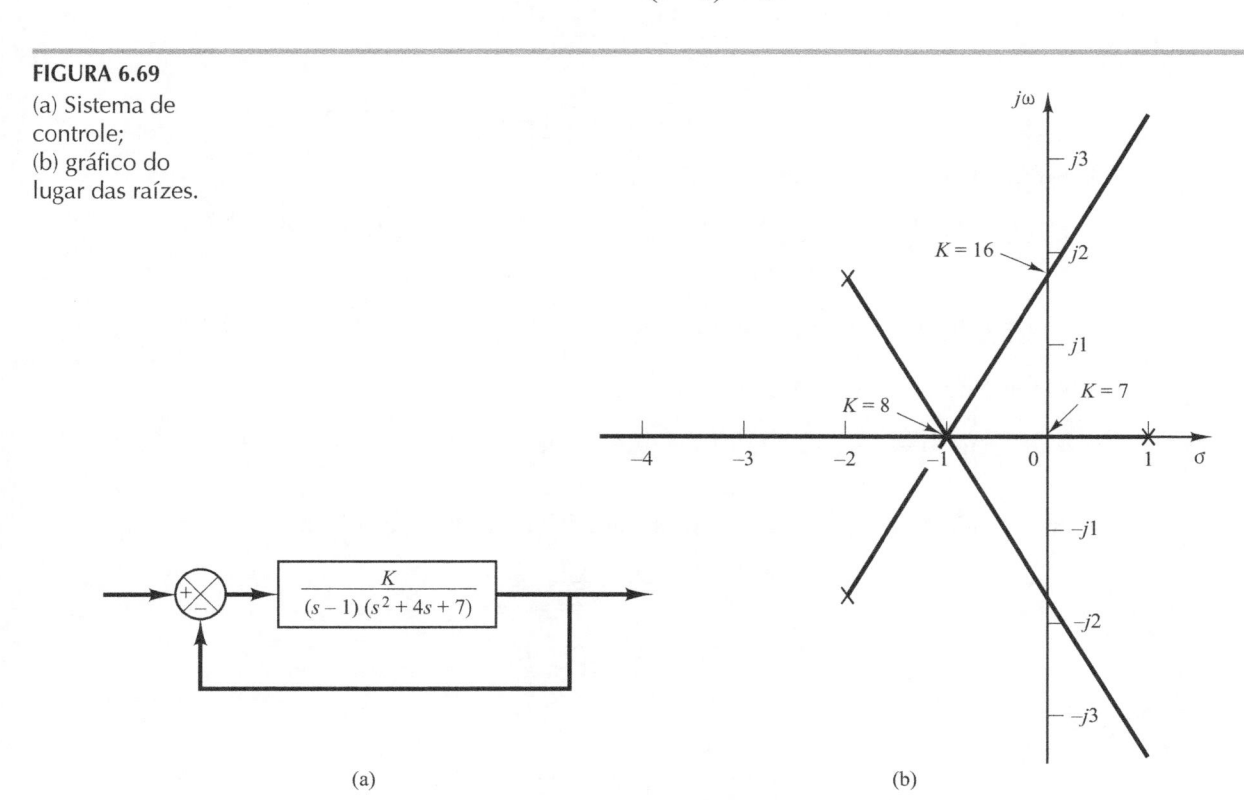

FIGURA 6.69
(a) Sistema de controle;
(b) gráfico do lugar das raízes.

Então, a equação $dK/ds = 0$ tem uma raiz dupla em $s = -1$. (Isso significa que a equação característica tem uma raiz tripla em $s = -1$.) O ponto de encontro está localizado em $s = -1$. Três ramos do lugar das raízes se cruzam nesse ponto de encontro. Os ângulos de partida dos ramos nesse ponto de encontro são $\pm 180°/3$, isto é, $60°$ e $-60°$.

Em seguida, vamos determinar os pontos onde os ramos do lugar das raízes cruzam o eixo imaginário. Notando que a equação característica é:

$$(s - 1)(s^2 + 4s + 7) + K = 0$$

ou

$$s^3 + 3s^2 + 3s - 7 + K = 0$$

substituímos $s = j\omega$ nessa equação e obtemos:

$$(j\omega)^3 + 3(j\omega)^2 + 3(j\omega) - 7 + K = 0$$

Reescrevendo essa última equação, obtemos:

$$(K - 7 - 3\omega^2) + j\omega(3 - \omega^2) = 0$$

Essa equação é satisfeita quando

$$\omega = \pm\sqrt{3}, \qquad K = 7 + 3\omega^2 = 16 \quad \text{ou} \quad \omega = 0, \qquad K = 7$$

Os ramos do lugar das raízes cruzam o eixo imaginário em $\omega = \pm\sqrt{3}$ (onde $K = 16$) e $\omega = 0$ (onde $K = 7$). Como o valor de K na origem é 7, o intervalo dos valores do ganho K para estabilidade é:

$$7 < K < 16$$

A Figura 6.69(b) mostra o gráfico do lugar das raízes para esse sistema. Note que todos os ramos são retilíneos.

O fato de os ramos do lugar das raízes serem retilíneos pode ser verificado como a seguir: como a condição angular é

$$\left/ \frac{K}{(s - 1)(s + 2 + j\sqrt{3})(s + 2 - j\sqrt{3})} \right. = \pm 180°(2k + 1)$$

temos:

$$-\left/\underline{s - 1}\right. - \left/\underline{s + 2 + j\sqrt{3}}\right. - \left/\underline{s + 2 - j\sqrt{3}}\right. = \pm 180°(2k + 1)$$

Substituindo $s = \sigma + j\omega$ nessa última equação,

$$\left/\underline{\sigma - 1 + j\omega}\right. + \left/\underline{\sigma + 2 + j\omega + j\sqrt{3}}\right. + \left/\underline{\sigma + 2 + j\omega - j\sqrt{3}}\right. = \pm 180°(2k + 1)$$

ou

$$\left/\underline{\sigma + 2 + j(\omega + \sqrt{3})}\right. + \left/\underline{\sigma + 2 + j(\omega - \sqrt{3})}\right. = -\left/\underline{\sigma - 1 + j\omega}\right. \pm 180°(2k + 1)$$

que pode ser reescrita como:

$$\operatorname{tg}^{-1}\left(\frac{\omega + \sqrt{3}}{\sigma + 2}\right) + \operatorname{tg}^{-1}\left(\frac{\omega - \sqrt{3}}{\sigma + 2}\right) = \operatorname{tg}^{-1}\left(\frac{\omega}{\sigma - 1}\right) \pm 180°(2k + 1)$$

Considerando as tangentes de ambos os lados da última equação, obtemos:

$$\frac{\dfrac{\omega + \sqrt{3}}{\sigma + 2} + \dfrac{\omega - \sqrt{3}}{\sigma + 2}}{1 - \left(\dfrac{\omega + \sqrt{3}}{\sigma + 2}\right)\left(\dfrac{\omega - \sqrt{3}}{\sigma + 2}\right)} = -\frac{\omega}{\sigma - 1}$$

ou

$$\frac{2\omega(\sigma + 2)}{\sigma^2 + 4\sigma + 4 - \omega^2 + 3} = \frac{\omega}{\sigma - 1}$$

que pode ser simplificada para:
$$2\omega(\sigma+2)(\sigma-1) = -\omega(\sigma^2+4\sigma+7-\omega^2)$$
ou
$$\omega(3\sigma^2+6\sigma+3-\omega^2)=0$$

A simplificação adicional dessa última equação permite escrever
$$\omega\left(\sigma+1+\frac{1}{\sqrt{3}}\omega\right)\left(\sigma+1-\frac{1}{\sqrt{3}}\omega\right)=0$$

que define três linhas:
$$\omega=0, \quad \sigma+1+\frac{1}{\sqrt{3}}\omega=0, \quad \sigma+1-\frac{1}{\sqrt{3}}\omega=0$$

Assim, os ramos do lugar das raízes consistem em três linhas retas. Note que o lugar das raízes para $K > 0$ consiste nas três semirretas mostradas na Figura 6.69(b). (Veja que cada semirreta parte dos polos de malha aberta e se estende ao infinito na direção de 180°, 60° ou −60°, medidos a partir do eixo real.) A parte restante das linhas retas corresponde a $K < 0$.

A.6.8 Considere um sistema com realimentação unitária com a seguinte função de transferência do ramo direto:
$$G(s) = \frac{K}{s(s+1)(s+2)}$$

Desenhe o lugar das raízes e suas assíntotas com o MATLAB.

Solução. Desenharemos o lugar das raízes e as assíntotas em um diagrama. Como a função de transferência no ramo direto é dada por
$$G(s) = \frac{K}{s(s+1)(s+2)}$$
$$= \frac{K}{s^3+3s^2+2s}$$

a equação para as assíntotas pode ser obtida como segue: notando que
$$\lim_{s\to\infty}\frac{K}{s^3+3s^2+2s} \doteq \lim_{s\to\infty}\frac{K}{s^3+3s^2+3s+1} = \frac{K}{(s+1)^3}$$

a equação para as assíntotas pode ser dada por
$$G_a(s) = \frac{K}{(s+1)^3}$$

Assim, para o sistema, temos:
```
num = [1]
den = [1 3 2 0]
```
e para as assíntotas:
```
numa = [1]
dena = [1 3 3 1]
```
Usando os seguintes comandos de lugar das raízes e plot
```
r = rlocus(num,den)
a = rlocus(numa,dena)
  plot([r a])
```
o número de linhas de r e de a deve ser o mesmo. Para garantir isso, incluímos a constante de ganho K nos comandos. Por exemplo,
```
K1 = 0:0.1:0.3;
K2 = 0.3:0.005:0.5;
```

```
            K3 = 0.5:0.5:10;
            K4 = 10:5:100;
             K = [K1 K2 K3 K4]
             r = rlocus(num,den,K)
             a = rlocus(numa,dena,K)
             y = [r a]
               plot(y, '-')
```

O Programa 6.15 em MATLAB gerará o gráfico do lugar das raízes e suas assíntotas, como mostra a Figura 6.70.

Programa 6.15 em MATLAB
```
% ---------- Gráficos do lugar das raízes ----------
num = [1];
den = [1 3 2 0];
numa = [1];
dena = [1 3 3 1];
K1 = 0:0.1:0.3;
K2 = 0.3:0.005:0.5;
K3 = 0.5:0.5:10;
K4 = 10:5:100;
K = [K1 K2 K3 K4];
r = rlocus(num,den,K);
a = rlocus(numa,dena,K);
y = [r a];
plot(y,'-')
v = [-4 4 -4 4]; axis(v)
grid
title('Gráfico do lugar das raízes de G(s) = K/[s(s + 1)(s + 2)] e assíntotas')
xlabel('Eixo real')
ylabel('Eixo imaginário')
% ***** Desenhe manualmente na cópia impressa os polos em malha aberta *****
```

Pode-se desenhar dois ou mais gráficos no mesmo diagrama, usando o comando hold. O Programa 6.16, em MATLAB, utiliza o comando hold. A Figura 6.71 mostra o gráfico do lugar das raízes resultante.

FIGURA 6.70
Gráfico do lugar das raízes.

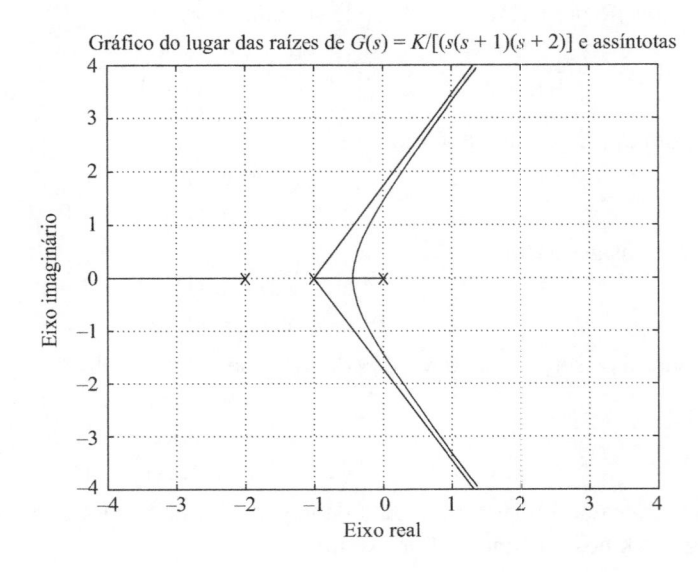

Programa 6.16 em MATLAB

```
% ------------ Gráficos do lugar das raízes ------------
num = [1];
den = [1 3 2 0];
numa = [1];
dena = [1 3 3 1];
K1 = 0:0.1:0.3;
K2 = 0.3:0.005:0.5;
K3 = 0.5:0.5:10;
K4 = 10:5:100;
K = [K1 K2 K3 K4];
r = rlocus(num,den,K);
a = rlocus(numa,dena,K);
plot(r,'o')
hold
Current plot held
plot(a,'-')
v = [-4 4 -4 4]; axis(v)
grid
title('Gráfico do lugar das raízes de G(s) = K/[s(s+1)(s+2)] e assíntotas')
xlabel('Eixo real')
ylabel('Eixo imaginário')
```

FIGURA 6.71
Gráfico do lugar das raízes.

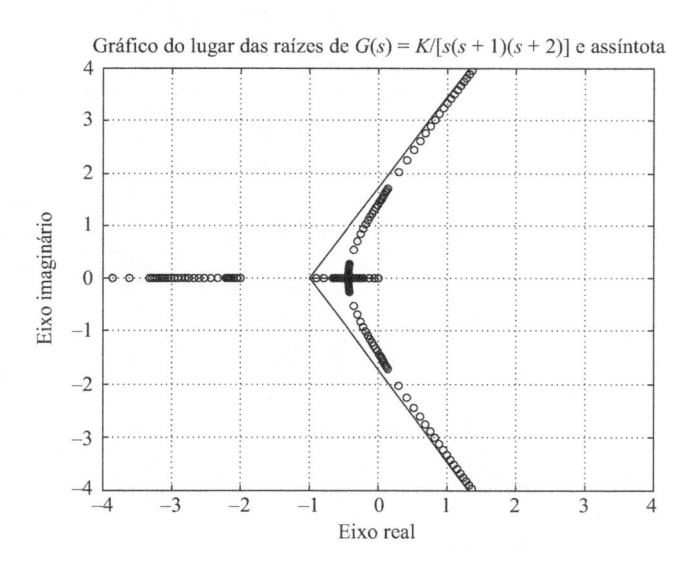

A.6.9 Desenhe e faça o gráfico do lugar das raízes e as assíntotas de um sistema com realimentação unitária cuja função de transferência no ramo direto é a seguinte:

$$G(s) = \frac{K}{(s^2 + 2s + 2)(s^2 + 2s + 5)}$$

Determine os pontos exatos onde os lugares das raízes cruzam o eixo $j\omega$.

Solução. A função de transferência do ramo direto $G(s)$ pode ser escrita como:

$$G(s) = \frac{K}{s^4 + 4s^3 + 11s^2 + 14s + 10}$$

Observe que, à medida que s se aproxima do infinito, $\lim_{s \to \infty} G(s)$ pode ser escrita como

$$\lim_{s\to\infty} G(s) = \lim_{s\to\infty} \frac{K}{s^4 + 4s^3 + 11s^2 + 14s + 10}$$

$$\doteq \lim_{s\to\infty} \frac{K}{s^4 + 4s^3 + 6s^2 + 4s + 1}$$

$$= \lim_{s\to\infty} \frac{K}{(s+1)^4}$$

onde usamos a seguinte fórmula:

$$(s+a)^4 = s^4 + 4as^3 + 6a^2s^2 + 4a^3s + a^4$$

A expressão

$$\lim_{s\to\infty} G(s) = \lim_{s\to\infty} \frac{K}{(s+1)^4}$$

fornece a equação para as assíntotas.

O Programa 6.17 em MATLAB permite desenhar o gráfico do lugar das raízes de $G(s)$ e suas assíntotas. Observe que o numerador e o denominador de $G(s)$ são

num = [1]
nen = [1 4 11 14 10]

Para o numerador e o denominador das assíntotas $\lim_{s\to\infty} G(s)$, usamos

numa = [1]
dena = [1 4 6 4 1]

A Figura 6.72 mostra o gráfico do lugar das raízes e das assíntotas.

Como a equação característica do sistema é

$$(s^2 + 2s + 2)(s^2 + 2s + 5) + K = 0$$

Programa 6.17 em MATLAB

```
% ***** Gráfico do lugar das raízes *****
num = [1];
den = [1 4 11 14 10];
numa = [1];
dena = [1 4 6 4 1];
r = rlocus(num,den);
plot(r,'-')
hold
Current plot held
plot(r,'o')
rlocus(numa,dena);
v = [-6 4 -5 5]; axis(v); axis('square')
grid
title('Gráfico do lugar das raízes e assíntota')
```

os pontos onde os lugares das raízes cruzam o eixo imaginário podem ser encontrados substituindo-se $s = j\omega$ com a equação característica como segue:

$$[(j\omega)^2 + 2j\omega + 2][j\omega)^2 + 2j\omega + 5] + K$$
$$= (\omega^4 - 11\omega^2 + 10 + K) + j(-4\omega^3 + 14\omega) = 0$$

e igualando a parte imaginária a zero. O resultado é

$$\omega = \pm 1{,}8708$$

Portanto, os pontos exatos onde os lugares das raízes atravessam o eixo $j\omega$ são $\omega = \pm 1{,}8708$. Igualando a parte real a zero, constatamos que o valor do ganho K no ponto de cruzamento é 16,25.

FIGURA 6.72
Gráfico do lugar das raízes e assíntotas.

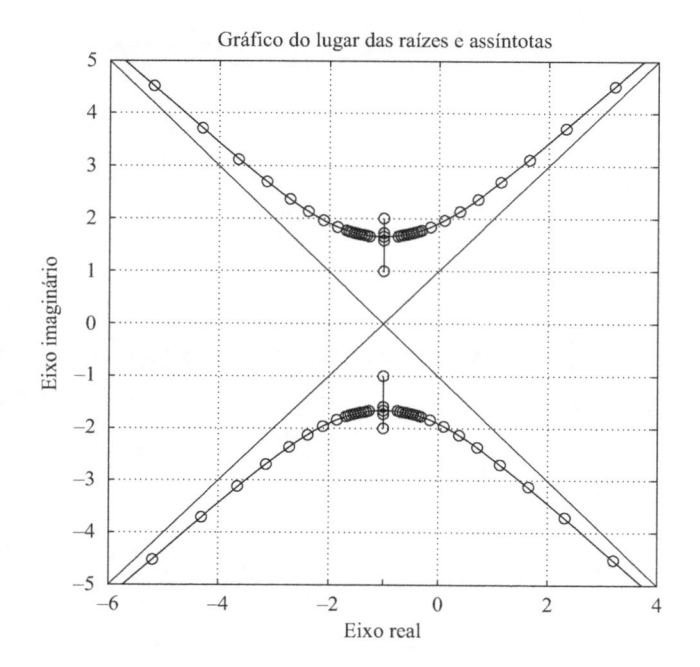

Gráfico do lugar das raízes e assíntotas

A.6.10 Considere um sistema com realimentação unitária cuja função de transferência do ramo direto $G(s)$ é dada por

$$G(s) = \frac{K(s+1)}{(s^2 + 2s + 2)(s^2 + 2s + 5)}$$

Desenhe o gráfico do lugar das raízes utilizando o MATLAB.

Solução. A função de transferência do ramo direto $G(s)$ pode ser escrita como

$$G(s) = \frac{K(s+1)}{s^4 + 4s^3 + 11s^2 + 14s + 10}$$

Uma opção de programa MATLAB para desenhar o gráfico do lugar das raízes está no Programa 6.18 em MATLAB. A Figura 6.73 mostra o gráfico resultante.

```
Programa 6.18 em MATLAB

num = [1 1];
den = [1 4 11 14 10];
K1 = 0:0.1:2;
K2 = 2:0.0.2:2.5;
K3 = 2.5:0.5:10;
K4 = 10:1:50;
K = [K1 K2 K3 K4]
r = rlocus(num,den,K);
plot(r, 'o')
v = [-8 2 -5 5]; axis(v); axis('square')
grid
title('Gráfico do lugar das raízes de G(s) = K(s+1)/[(s^2+2s+2)(s^2+2s+5)]')
xlabel('Eixo real')
ylabel('Eixo imaginário')
```

FIGURA 6.73
Gráfico do lugar das raízes.

Gráfico do lugar das raízes de $G(s) = K(s+1)/[(s^2+2s+2)(s^2+2s+5)]$

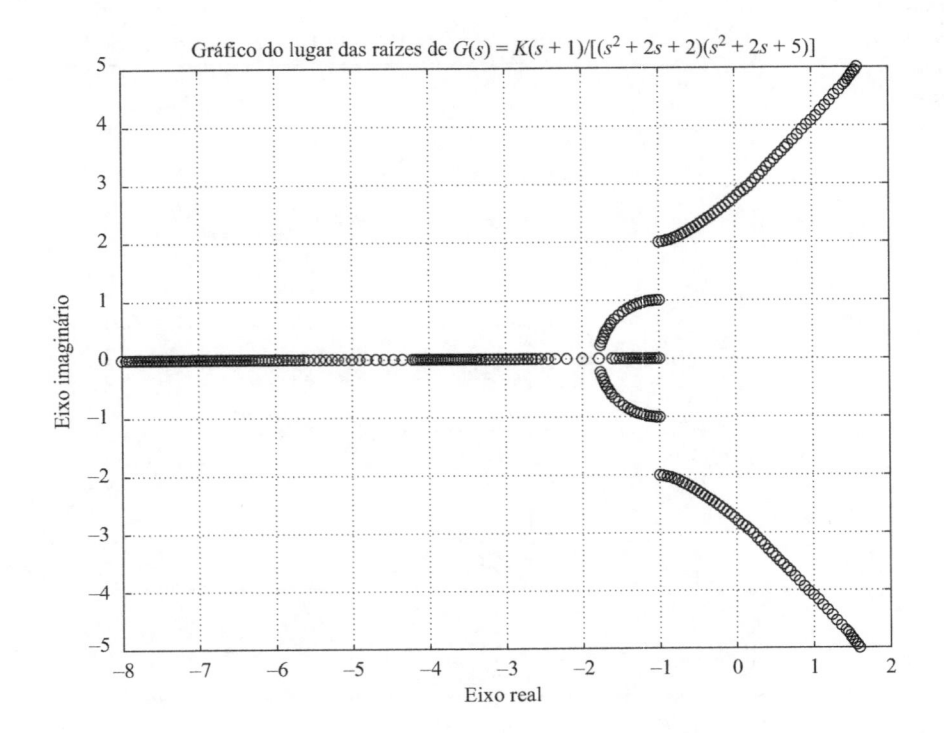

A.6.11 Obtenha a função de transferência do sistema mecânico mostrado na Figura 6.74. Suponha que o deslocamento x_i seja a entrada e o deslocamento x_o seja a saída do sistema.

Solução. Com base no diagrama, obtemos as seguintes equações de movimento:

$$b_2(\dot{x}_i - \dot{x}_o) = b_1(\dot{x}_o - \dot{y})$$

$$b_1(\dot{x}_o - \dot{y}) = ky$$

Considerando as transformadas de Laplace dessas duas equações e supondo as condições iniciais nulas e em seguida eliminando $Y(s)$, obtemos:

$$\frac{X_o(s)}{X_i(s)} = \frac{b_2}{b_1 + b_2} \cdot \frac{\dfrac{b_1}{k}s + 1}{\dfrac{b_2}{b_1 + b_2} \dfrac{b_1}{k}s + 1}$$

FIGURA 6.74
Sistema mecânico.

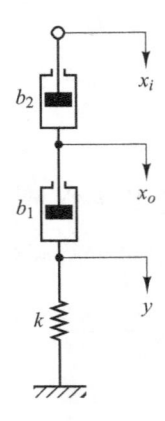

Esta é a função de transferência entre $X_o(s)$ e $X_i(s)$. Definindo:

$$\frac{b_1}{k} = T, \quad \frac{b_2}{b_1 + b_2} = \alpha < 1$$

obtemos

$$\frac{X_o(s)}{X_i(s)} = \alpha \frac{Ts + 1}{\alpha Ts + 1} = \frac{s + \dfrac{1}{T}}{s + \dfrac{1}{\alpha T}}$$

Esse sistema é uma estrutura mecânica de avanço de fase.

A.6.12 Obtenha a função de transferência do sistema mecânico mostrado na Figura 6.75. Suponha que o deslocamento x_i seja a entrada e o deslocamento x_o seja a saída.

Solução. As equações do movimento desse sistema são:

$$b_2(\dot{x}_i - \dot{x}_o) = k_2(x_i - x_o) = b_1(\dot{x}_o - \dot{y})$$

$$b_1(\dot{x}_o - \dot{y}) = k_1 y$$

Considerando as transformadas de Laplace dessas duas equações e supondo condições iniciais nulas, obtemos:

$$b_2[sX_i(s) - sX_o(s)] + k_2[X_i(s) - X_o(s)] = b_1[sX_o(s) - sY(s)]$$

$$b_1[sX_o(s) - sY(s)] = k_1 Y(s)$$

Se for eliminado $Y(s)$ das duas últimas equações, obteremos a função de transferência $X_o(s)/X_i(s)$ como:

$$\frac{X_o(s)}{X_i(s)} = \frac{\left(\dfrac{b_1}{k_1}s + 1\right)\left(\dfrac{b_2}{k_2}s + 1\right)}{\left(\dfrac{b_1}{k_1}s + 1\right)\left(\dfrac{b_2}{k_2}s + 1\right) + \dfrac{b_1}{k_2}s}$$

Defina

$$T_1 = \frac{b_1}{k_1}, \quad T_2 = \frac{b_2}{k_2},$$

Se k_1, k_2, b_1 e b_2 forem escolhidos de forma que haja um β que satisfaça à seguinte equação:

$$\frac{b_1}{k_1} + \frac{b_2}{k_2} + \frac{b_1}{k_2} = \frac{T_1}{\beta} + \beta T_2 \quad (\beta > 1) \tag{6.30}$$

FIGURA 6.75
Sistema mecânico.

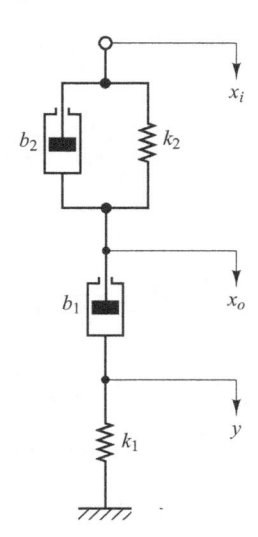

Então, $X_o(s)/X_i(s)$ pode ser determinada por

$$\frac{X_o(s)}{X_i(s)} = \frac{(T_1 s + 1)(T_2 s + 1)}{\left(\frac{T_1}{\beta}s + 1\right)(\beta T_2 s + 1)} = \frac{\left(s + \frac{1}{T_1}\right)\left(s + \frac{1}{T_2}\right)}{\left(s + \frac{\beta}{T_1}\right)\left(s + \frac{1}{\beta T_2}\right)}$$

(Note que, dependendo da escolha de k_1, k_2, b_1 e b_2, pode não haver β que satisfaça à Equação 6.30.) Se tal β existir e for um dado s_1 (onde $s = s_1$ é um dos polos de malha fechada dominantes do sistema de controle para o qual desejamos usar esse dispositivo mecânico), as seguintes condições são satisfeitas:

$$\left| \frac{s_1 + \frac{1}{T_2}}{s_1 + \frac{1}{\beta T_2}} \right| \doteq 1, \quad -5° < \underline{\left/ \frac{s_1 + \frac{1}{T_2}}{s_1 + \frac{1}{\beta T_2}} \right.} < 0°$$

e então o sistema mecânico mostrado na Figura 6.75 funciona como compensador de atraso e avanço de fase.

A.6.13 Considere o modelo de sistema de controle de um veículo espacial mostrado na Figura 6.76. Projete um compensador de avanço de fase $G_c(s)$ tal que o coeficiente de amortecimento ζ e a frequência natural não amortecida ω_n dos polos dominantes de malha fechada sejam 0,5 e 2 rad/s, respectivamente.

Solução.

Primeira tentativa: suponha que o compensador por avanço de fase $G_c(s)$ seja:

$$G_c(s) = K_c \left(\frac{s + \frac{1}{T}}{s + \frac{1}{\alpha T}} \right) \quad (0 < \alpha < 1)$$

A partir das especificações, $\zeta = 0,5$ e $\omega_n = 2$ rad/s, os polos dominantes de malha fechada devem estar localizados em:

$$s = -1 \pm j\sqrt{3}$$

Devemos calcular primeiro a deficiência angular nesse polo de malha fechada.

Deficiência angular = $-120° - 120° - 10,8934° + 180°$
$= -70,8934$

Essa deficiência angular deve ser compensada por um compensador de avanço de fase. Existem muitas maneiras de determinar a localização dos polos e zeros da rede de avanço de fase. Vamos escolher o zero do compensador em $s = -1$. Então, com base na Figura 6.77, temos a seguinte equação:

$$\frac{1,73205}{x - 1} = \text{tg}(90° - 70,8934°) = 0,34641$$

ou

$$x = 1 + \frac{1,73205}{0,34641} = 6$$

FIGURA 6.76
Sistema de controle de veículo espacial.

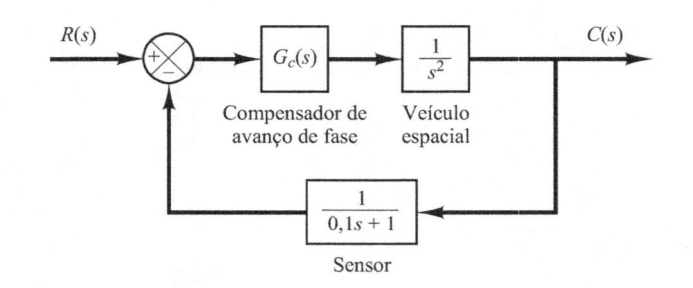

FIGURA 6.77
Determinação do polo da rede de avanço de fase.

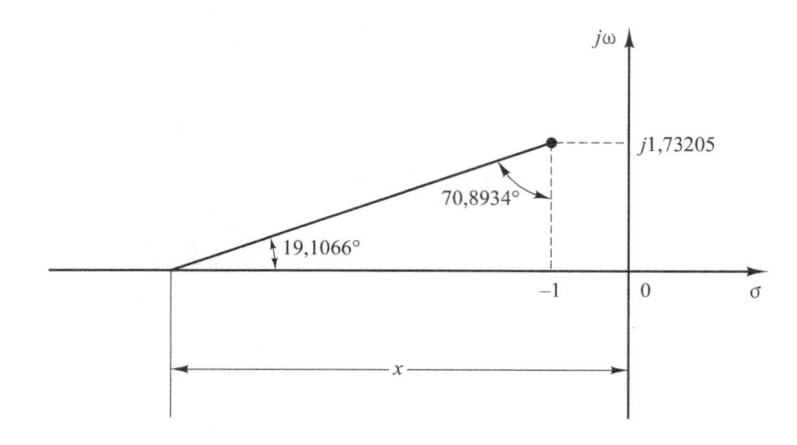

Portanto,
$$G_c(s) = K_c \frac{s+1}{s+6}$$

O valor de K_c pode ser determinado com base na condição de módulo

$$K_c \left| \frac{s+1}{s+6} \frac{1}{s^2} \frac{1}{0,1s+1} \right|_{s=-1+j\sqrt{3}} = 1$$

como segue:

$$K_c \left| \frac{(s+6)s^2(0,1s+1)}{s+1} \right|_{s=-1+j\sqrt{3}} = 11,2000$$

Assim,

$$G_c(s) = 11,2 \frac{s+1}{s+6}$$

Como a função de transferência de malha aberta torna-se

$$G_c(s)G(s)H(s) = 11,2 \frac{s+1}{(s+6)s^2(0,1s+1)}$$

$$= \frac{11,2(s+1)}{0,1s^4 + 1,6s^3 + 6s^2}$$

um gráfico do lugar das raízes do sistema compensado pode ser obtido facilmente com o MATLAB, digitando-se num e den e utilizando-se o comando rlocus. O resultado é mostrado na Figura 6.78.

A função de transferência de malha fechada do sistema compensado torna-se:

$$\frac{C(s)}{R(s)} = \frac{11,2(s+1)(0,1s+1)}{(s+6)s^2(0,1s+1) + 11,2(s+1)}$$

A Figura 6.79 mostra a curva de resposta ao degrau unitário. Mesmo que o coeficiente de amortecimento dos polos dominantes de malha fechada seja 0,5, o valor do sobressinal está muito acima do esperado. Uma visão mais detalhada do gráfico do lugar das raízes indica que a presença do zero em $s = -1$ aumenta o valor do máximo sobressinal. [Em geral, se um ou mais zeros de malha fechada (um ou mais zeros do compensador) ficam à direita do par dominante de polos complexos conjugados, então esses polos dominantes já não são mais dominantes.] Se um máximo sobressinal elevado não puder ser tolerado, o(s) zero(s) do compensador deve(m) ser deslocado(s) o suficiente para a esquerda.

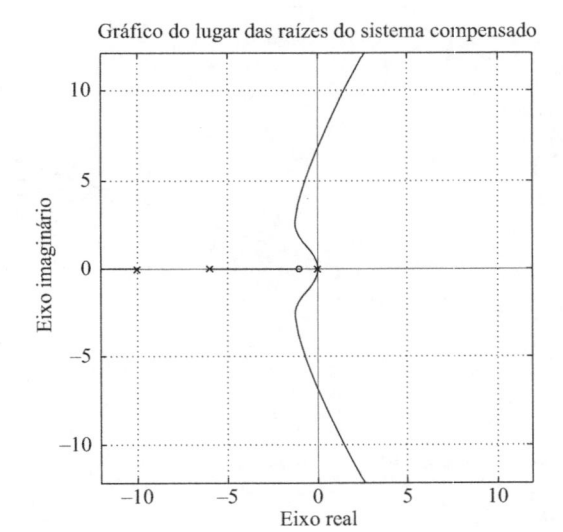

FIGURA 6.78
Gráfico do lugar das raízes do sistema compensado.

Gráfico do lugar das raízes do sistema compensado

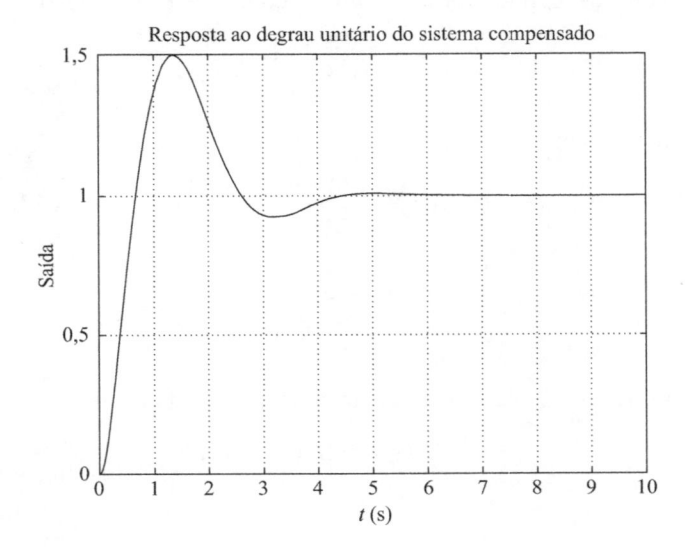

FIGURA 6.79
Resposta ao degrau unitário do sistema compensado.

Resposta ao degrau unitário do sistema compensado

Nesse projeto, é desejável modificar o compensador e fazer que o máximo sobressinal seja menor. Isso pode ser feito pela modificação do compensador por avanço de fase, como será apresentado na segunda tentativa, a seguir.

Segunda tentativa: para modificar a forma do lugar das raízes, podemos utilizar duas redes por avanço de fase, cada uma contribuindo com metade do ângulo de avanço de fase, que é 70,8934°/2 = 35,4467°. Vamos escolher a localização dos zeros em $s = -3$. (Esta é uma escolha arbitrária. Podem ser feitas outras escolhas, como $s = -2,5$ e $s = -4$.)

Uma vez escolhidos os dois zeros em $s = -3$, a localização necessária dos polos pode ser determinada como mostra a Figura 6.80 ou

$$\frac{1,73205}{y-1} = \text{tg}(40,89334° - 35,4467°)$$

$$= \text{tg}\, 5,4466° = 0,09535$$

FIGURA 6.80
Determinação do polo da rede de avanço de fase.

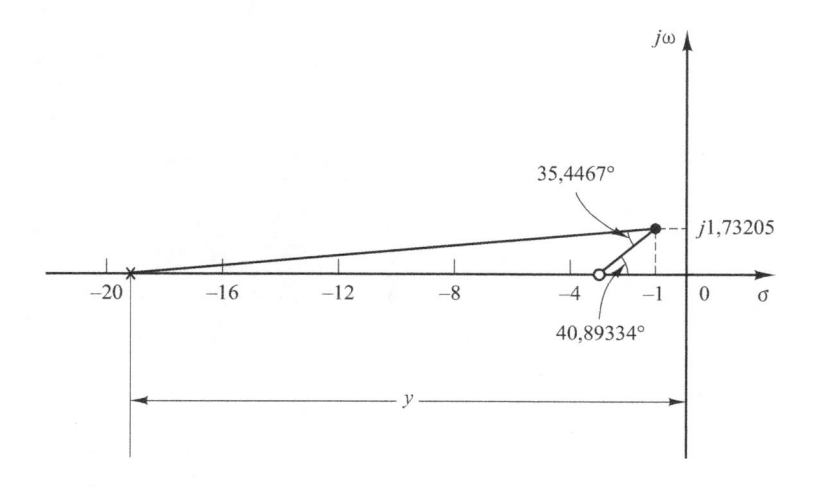

do que resulta:

$$y = 1 + \frac{1,73205}{0,09535} = 19,1652$$

Então, o compensador por avanço de fase terá a seguinte função de transferência:

$$G_c(s) = K_c \left(\frac{s+3}{s+19,1652} \right)^2$$

O valor de K_c pode ser determinado com base na condição de módulo, como segue:

$$\left| K_c \left(\frac{s+3}{s+19,1652} \right)^2 \frac{1}{s^2} \frac{1}{0,1s+1} \right|_{s=-1+j\sqrt{3}} = 1$$

ou

$$K_c = 174,3864$$

Então, o compensador por avanço de fase projetado é:

$$G_c(s) = 174,3864 \left(\frac{s+3}{s+19,1652} \right)^2$$

Assim, a função de transferência de malha aberta torna-se:

$$G_c(s)G(s)H(s) = 174,3864 \left(\frac{s+3}{s+19,1652} \right)^2 \frac{1}{s^2} \frac{1}{0,1s+1}$$

A Figura 6.81(a) mostra o gráfico do lugar das raízes do sistema compensado. Note que não existe zero de malha fechada próximo à origem. Uma visão ampliada do gráfico do lugar das raízes próximo à origem é mostrada na Figura 6.81(b).

A função de transferência de malha fechada é:

$$\frac{C(s)}{R(s)} = \frac{174,3864(s+3)^2(0,1s+1)}{(s+19,1652)^2 s^2 (0,1s+1) + 174,3864(s+3)^2}$$

Os polos de malha fechada encontrados são os seguintes:

$$s = -1 \pm j1,73205$$

$$s = -9,1847 \pm j7,4814$$

$$s = -27,9606$$

FIGURA 6.81
(a) Gráfico do lugar das raízes do sistema compensado; (b) gráfico do lugar das raízes próximo à origem.

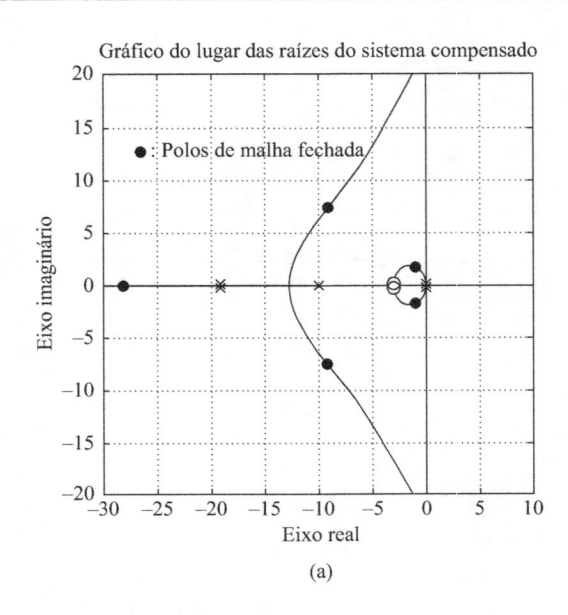

Gráfico do lugar das raízes do sistema compensado

● : Polos de malha fechada

(a)

Gráfico do lugar das raízes do sistema compensado próximo a origem

● : Polos de malha fechada

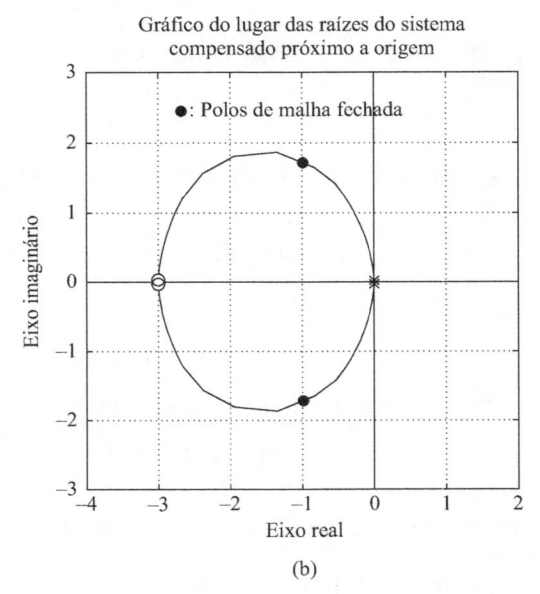

(b)

As figuras 6.82(a) e (b) mostram as respostas ao degrau unitário e à rampa unitária do sistema compensado. A curva de resposta ao degrau unitário é razoável e a resposta à rampa unitária parece aceitável. Observe que, na resposta à rampa unitária, a saída está um pouco adiantada em relação à entrada. Isso ocorre porque o sistema tem uma função de transferência de realimentação igual a $1/(0,1s + 1)$. Se for construído o gráfico do sinal de realimentação em função de t, juntamente com a entrada em rampa unitária, nota-se que, em regime permanente, o primeiro não estará à frente da entrada em rampa. Veja a Figura 6.82(c).

FIGURA 6.82
(a) Resposta ao degrau unitário do sistema compensado;
(b) resposta à rampa unitária do sistema compensado;
(c) gráfico do sinal de realimentação em função de t na resposta à rampa unitária.

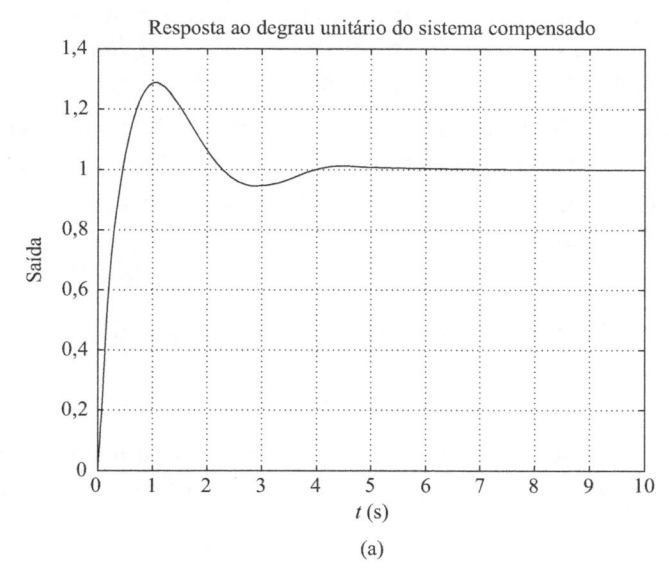

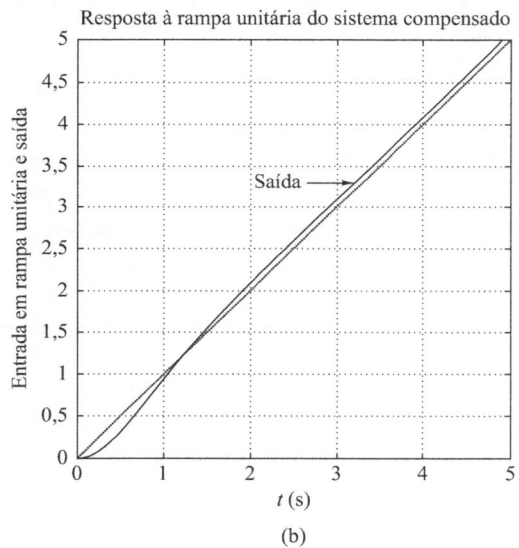

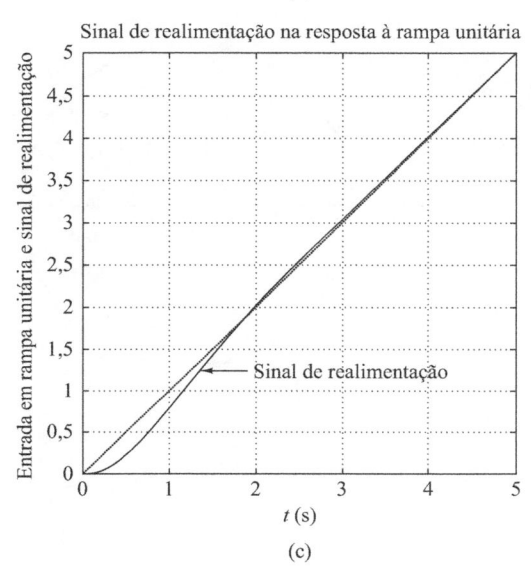

A.6.14 Considere um sistema com uma planta instável como mostra a Figura 6.83(a). Utilizando o método do lugar das raízes, projete um controlador proporcional-derivativo (isto é, determine os valores de K_p e de T_d) para que o coeficiente de amortecimento ζ do sistema de malha fechada seja 0,7 e a frequência natural não amortecida ω_n seja 0,5 rad/s.

Solução. Note que a função de transferência de malha aberta possui dois polos em $s = 1,085$ e $s = -1,085$ e um zero em $s = -1/T_d$, que ainda não é conhecido.

Como os polos de malha fechada desejados devem ter $\omega_n = 0,5$ rad/s e $\zeta = 0,7$, eles devem estar situados em:

$$s = 0,5 \angle 180° \pm 45,573°$$

($\zeta = 0,7$ corresponde a uma reta cujo ângulo com o eixo real negativo é de 45,573°.) Assim, os polos de malha fechada desejados estão em:

$$s = -0,35 \pm j0,357$$

Os polos de malha aberta e o polo desejado de malha fechada no semiplano superior estão localizados no diagrama da Figura 6.83(b). A deficiência angular no ponto $s = -0,35 + j0,357$ é:

$$-166,026° - 25,913° + 180° = -11,939$$

Isso significa que o zero em $s = -1/T_d$ deve contribuir com 11,939°, o qual, por sua vez, determina a localização do zero, como segue:

$$s = -\frac{1}{T_d} = -2,039$$

FIGURA 6.83
(a) Controle PD de uma planta instável;
(b) gráfico do lugar das raízes do sistema.

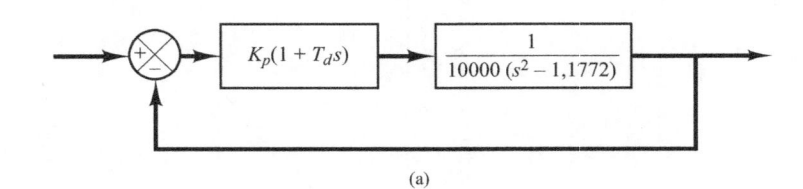

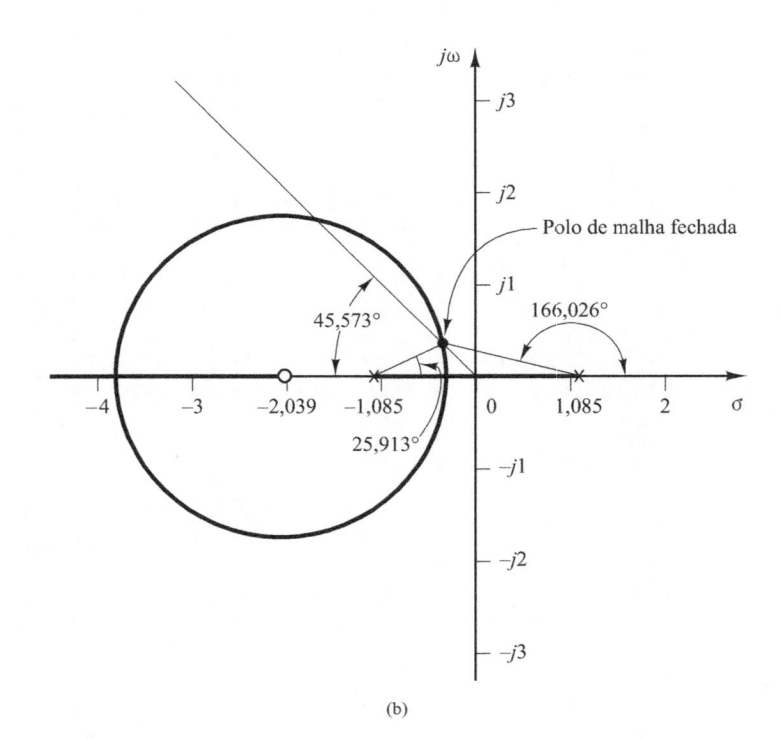

Portanto, tem-se:

$$K_p(1 + T_d s) = K_p T_d \left(\frac{1}{T_d} + s\right) = K_p T_d (s + 2{,}039) \quad (6.31)$$

O valor de T_d é:

$$T_d = \frac{1}{2{,}039} = 0{,}4904$$

O valor do ganho K_p pode ser determinado com base na condição de módulo como segue:

$$\left| K_p T_d \frac{s + 2{,}039}{10000(s^2 - 1{,}1772)} \right|_{s = -0{,}35 + j0{,}357} = 1$$

ou

$$K_p T_d = 6999{,}5$$

Então,

$$K_p = \frac{6999{,}5}{0{,}4904} = 14273$$

Substituindo os valores numéricos de T_d e K_p na Equação 6.31, obtemos:

$$K_p(1 + T_d s) = 14273(1 + 0{,}4904s = 6999{,}5(s + 2{,}039)$$

que é a função de transferência do controlador proporcional-derivativo desejado.

A.6.15 Considere o sistema de controle mostrado na Figura 6.84. Projete um compensador por atraso de fase $G_c(s)$ tal que a constante de erro estático de velocidade K_v seja 50 s^{-1}, sem modificar apreciavelmente a localização original dos polos de malha fechada, que estão em $s = -2 \pm j\sqrt{6}$.

Solução. Suponha que a função de transferência do compensador por atraso de fase seja:

$$G_c(s) = \hat{K}_c \frac{s + \dfrac{1}{T}}{s + \dfrac{1}{\beta T}} \quad (\beta > 1)$$

Como K_v foi especificado em 50 s^{-1}, tem-se:

$$K_v = \lim_{s \to 0} s G_c(s) \frac{10}{s(s+4)} = \hat{K}_c \beta 2{,}5 = 50$$

Assim,

$$\hat{K}_c \beta = 20$$

Agora, escolha $\hat{K}_c = 1$. Então,

$$\beta = 20$$

Escolha $T = 10$. Então, o compensador por atraso de fase pode ser dado por:

$$G_c(s) \frac{s + 0{,}1}{s + 0{,}005}$$

A contribuição angular do compensador por atraso de fase no polo $s = -2 + j\sqrt{6}$ de malha fechada é

FIGURA 6.84
Sistema de controle.

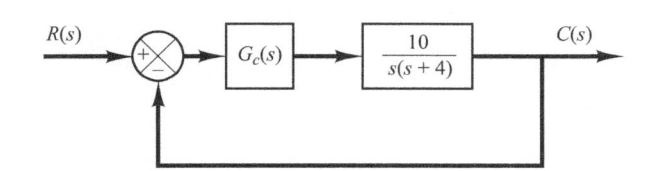

$$\angle G_c(s)\Big|_{s=-2+j\sqrt{6}} = \text{tg}^{-1}\frac{\sqrt{6}}{-1,9} - \text{tg}^{-1}\frac{\sqrt{6}}{-1,995}$$

$$= -1,3616°$$

que é pequena. O valor de $G_c(s)$ em $s = -2 + j6$ é 0,981. Portanto, a modificação na posição dos polos dominantes de malha fechada também é muito pequena.

A função de transferência de malha aberta do sistema torna-se:

$$G_c(s)G(s) = \frac{s+0,1}{s+0,005}\frac{10}{s(s+4)}$$

A função de transferência de malha fechada é:

$$\frac{C(s)}{R(s)} = \frac{10s+1}{s^3 + 4,005s^2 + 10,02s + 1}$$

Para comparar as características da resposta transitória antes e depois da compensação, as respostas ao degrau unitário e à rampa unitária dos sistemas compensado e não compensado são mostradas nas figuras 6.85(a) e (b), respectivamente. O erro estacionário na resposta à rampa unitária é mostrado na Figura 6.85(c). O compensador por atraso de fase projetado é aceitável.

FIGURA 6.85
(a) Respostas ao degrau unitário dos sistemas compensado e não compensado; (b) respostas à rampa unitária de ambos os sistemas; (c) respostas à rampa unitária que mostra os erros estacionários.

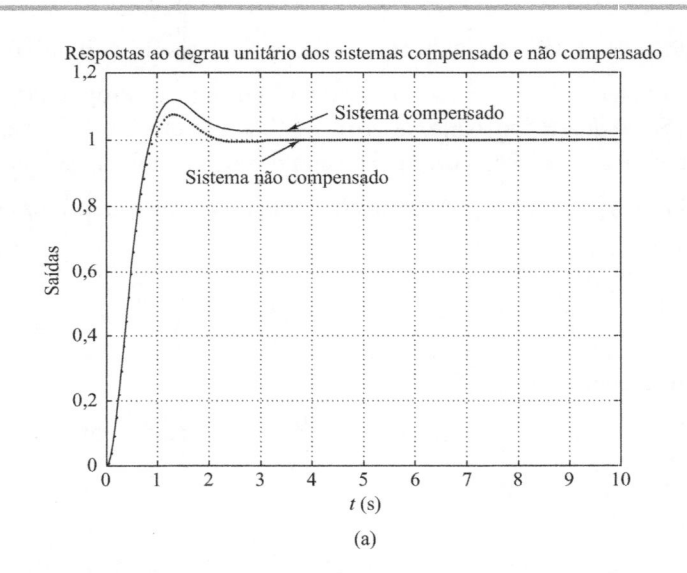

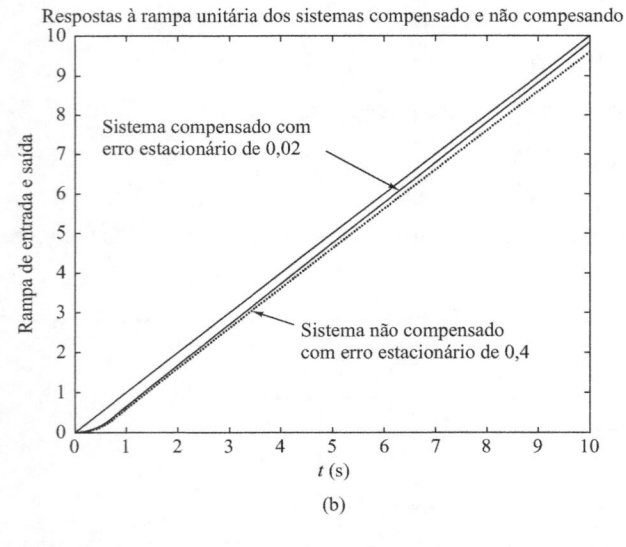

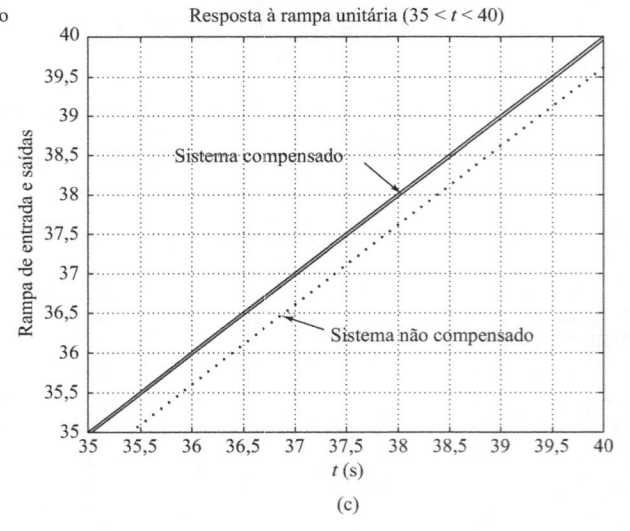

A.6.16 Considere um sistema de controle com realimentação unitária cuja função de transferência do ramo direto é dada por:

$$G(s) = \frac{10}{s(s+2)(s+8)}$$

Projete um compensador que os polos de malha fechada dominantes estejam localizados em $s = -2 \pm j2\sqrt{3}$ e a constante de erro estático de velocidade K_v seja igual a 80 s^{-1}.

Solução. A constante de erro estático de velocidade do sistema não compensado é $K_v = \frac{10}{16} = 0{,}625$. Como desejamos $K_v = 80$, torna-se necessário multiplicar o ganho de malha aberta por 128. (Isso significa que necessitamos também de um compensador por atraso de fase.) O gráfico do lugar das raízes do sistema sem compensação mostra que não é possível trazer os polos dominantes de malha fechada para $-2 \pm j2\sqrt{3}$ apenas pelo ajuste do ganho. Veja a Figura 6.86. (Isso significa que também é necessário um compensador por avanço de fase.) Então, utilizaremos um compensador por atraso e avanço de fase.

Vamos supor que a função de transferência do compensador por atraso e avanço de fase seja:

$$G(s) = K_c \left(\frac{s + \frac{1}{T_1}}{s + \frac{\beta}{T_1}} \right) \left(\frac{s + \frac{1}{T_2}}{s + \frac{1}{\beta T_2}} \right)$$

onde $K_c = 128$. Isso porque

$$K_v = \lim_{s \to 0} s G_c(s) G(s) = \lim_{s \to 0} s K_c G(s) = K_c \frac{10}{16} = 80$$

e obtemos $K_c = 128$. A deficiência angular no polo desejado de malha fechada $s = -2 \pm j2\sqrt{3}$ é:

Deficiência angular $= -120° - 90° - 30° + 180° = -60°$

A parte de avanço de fase do compensador por atraso e avanço de fase deve contribuir com 60°. Para escolhermos T_1, podemos utilizar o método gráfico apresentado na Seção 6.8.

A parte relativa ao avanço de fase deve satisfazer às seguintes condições:

$$\left| 128 \left(\frac{s_1 + \frac{1}{T_1}}{s_1 + \frac{\beta}{T_1}} \right) G(s_1) \right|_{s_1 = -2 + j2\sqrt{3}} = 1$$

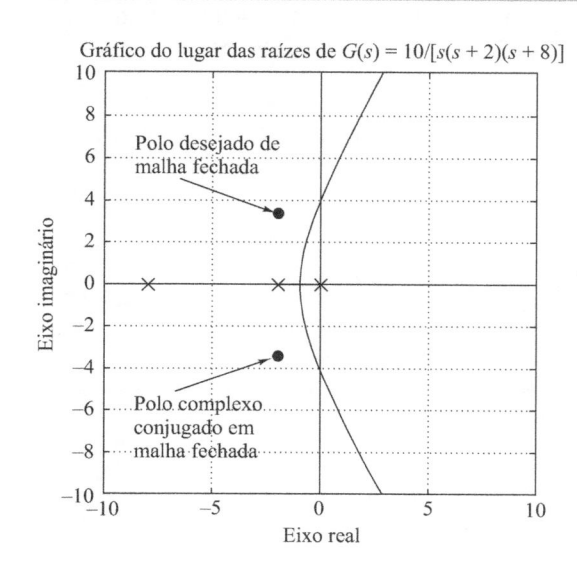

FIGURA 6.86
Gráfico do lugar das raízes de $G(s) = 10/[s(s+2)(s+8)]$.

e

$$\left|\frac{s_1 \frac{1}{T_1}}{s_1 \frac{\beta}{T_1}}\right|_{s_1=-2+j2\sqrt{3}} = 60°$$

A primeira condição pode ser simplificada como segue:

$$\left|\frac{s_1 \frac{1}{T_1}}{s_1 \frac{\beta}{T_1}}\right|_{s_1=-2+j2\sqrt{3}} = \frac{1}{13,3333}$$

Utilizando o mesmo método da Seção 6.8, o zero ($s = 1/T_1$) e o polo ($s = \beta/T_1$) podem ser determinados como segue:

$$\frac{1}{T_1} = 3,70, \quad \frac{\beta}{T_1} = 53,35$$

Veja a Figura 6.87. O valor de β fica determinado como:

$$\beta = 14,419$$

Para a porção de atraso de fase do compensador, escolhemos:

$$\frac{1}{\beta T_2} = 0,01$$

Então,

$$\frac{1}{T_2} = 0,1442$$

Notando que:

$$\left|\frac{s_1 + 0,1442}{s_1 + 0,01}\right|_{s_1=-2+j2\sqrt{3}} = 0,9837$$

$$\left/\frac{s_1 + 0,1442}{s_1 + 0,01}\right._{s_1=-2+j2\sqrt{3}} = -1,697°$$

a contribuição angular da parte de atraso de fase é $-1,697°$ e a contribuição de módulo é 0,9837. Isso significa que os polos de malha fechada dominantes ficam próximos da localização desejada $s = -2 \pm j2\sqrt{3}$. Assim, o compensador projetado,

FIGURA 6.87
Determinação gráfica do zero e do polo da parte de avanço de fase do compensador.

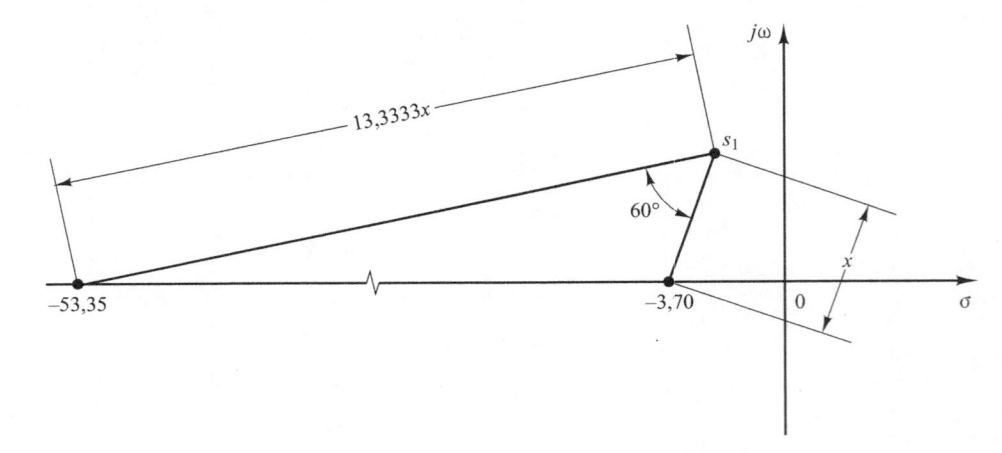

$$G_c(s) = 128\left(\frac{s+3,70}{s+53,35}\right)\left(\frac{s+0,1442}{s+0,01}\right)$$

é aceitável. A função de transferência do ramo direto do sistema torna-se:

$$G_c(s)G(s) = \frac{1.280(s+3,7)(s+0,1442)}{s(s+53,35)(s+0,01)(s+2)(s+8)}$$

Um gráfico do lugar das raízes do sistema compensado é mostrado na Figura 6.88(a). Um gráfico ampliado do lugar das raízes próximo à origem é exposto na Figura 6.88(b).

Para constatar a melhora do desempenho do sistema compensado, veja as respostas ao degrau unitário e à rampa unitária dos sistemas compensado e não compensado mostrados nas figuras 6.89(a) e (b), respectivamente.

FIGURA 6.88
(a) Gráfico do lugar das raízes do sistema compensado; (b) gráfico do lugar das raízes próximo à origem.

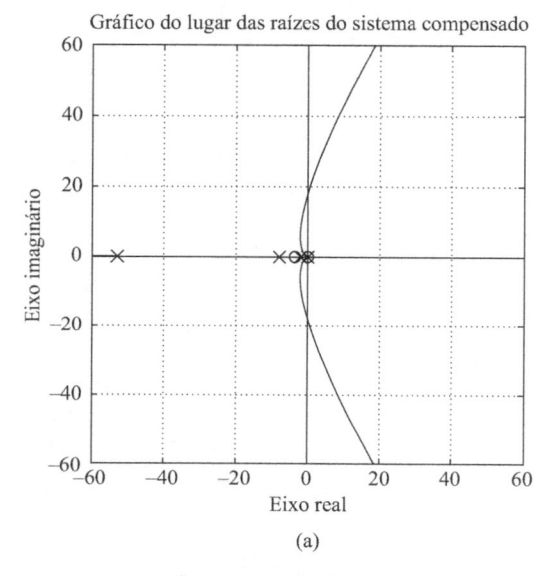

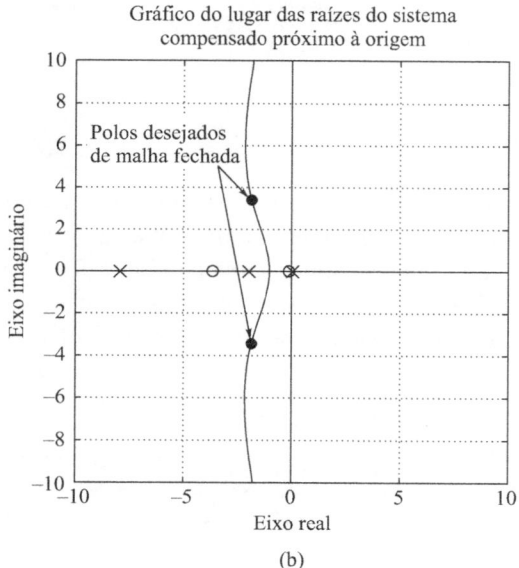

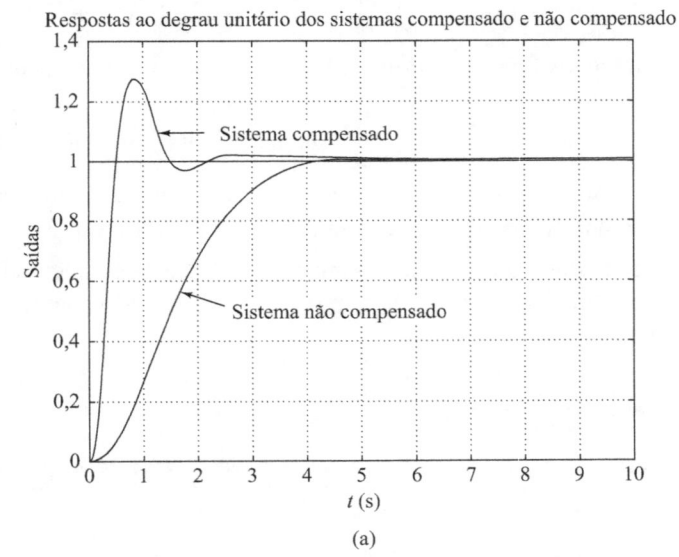

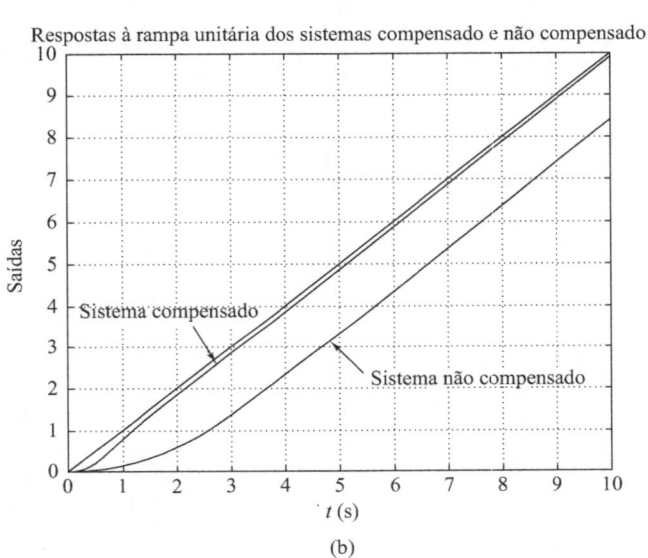

FIGURA 6.89
(a) Respostas ao degrau unitário dos sistemas compensado e não compensado;
(b) respostas à rampa unitária de ambos os sistemas.

Respostas ao degrau unitário dos sistemas compensado e não compensado

(a)

Respostas à rampa unitária dos sistemas compensado e não compensado

(b)

A.6.17 Considere o sistema mostrado na Figura 6.90. Projete um compensador por atraso e avanço de fase de forma que a constante de erro estático de velocidade K_v seja 50 s^{-1} e o coeficiente de amortecimento ζ dos polos dominantes de malha fechada seja 0,5. (Escolha o zero da porção de avanço de fase do compensador por atraso e avanço, de modo que cancele o polo em $s = -1$ da planta.) Determine todos os polos de malha fechada do sistema compensado.

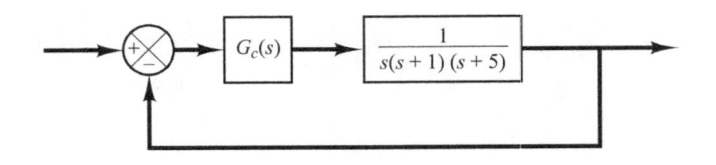

FIGURA 6.90
Sistema de controle.

$$G_c(s) \quad \frac{1}{s(s+1)(s+5)}$$

Solução. Vamos utilizar o compensador por atraso e avanço de fase dado por:

$$G_c(s) = K_c \left(\frac{s + \frac{1}{T_1}}{s + \frac{\beta}{T_1}}\right)\left(\frac{s + \frac{1}{T_2}}{s + \frac{1}{\beta T_2}}\right) = K_c \frac{(T_1 s + 1)(T_2 s + 1)}{\left(\frac{T_1}{\beta} s + 1\right)(\beta T_2 s + 1)}$$

onde $\beta > 1$. Então,

$$K_v = \lim_{s \to 0} s G_c(s) G(s)$$

$$= \lim_{s \to 0} s \frac{K_c (T_1 s + 1)(T_2 s + 1)}{\left(\frac{T_1}{\beta} s + 1\right)(\beta T_2 + 1)} \frac{1}{s(s+1)(s+5)}$$

$$= \frac{K_c}{5}$$

A especificação $K_v = 50 \text{ sec}^{-1}$ determina o valor de K_c ou

$$K_c = 250$$

Escolhemos agora $T_1 = 1$, para que $s + (1/T_1)$ cancele o termo $(s+1)$ da planta. A parte de avanço de fase torna-se, então,

$$\frac{s+1}{s+\beta}$$

Para a parte de atraso de fase do compensador é requerido:

$$\left|\frac{s_1 + \frac{1}{T_2}}{s_1 + \frac{1}{\beta T_2}}\right| \doteq 1, \quad -5° < \left/\frac{s_1 + \frac{1}{T_2}}{s_1 + \frac{1}{\beta T_2}}\right. < 0°$$

onde $s = s_1$ é um dos polos dominantes de malha fechada. Observando-se esses requisitos para a parte de atraso de fase do compensador, para $s = s_1$, a função de transferência de malha aberta torna-se:

$$G_c(s_1) G(s_1) \doteq K_c \left(\frac{s_1+1}{s_1+\beta}\right) \frac{1}{s_1(s_1+1)(s_1+5)} = K_c \frac{1}{s_1(s_1+\beta)(s_1+5)}$$

Então, em $s = s_1$, as seguintes condições de módulo e de ângulo devem ser satisfeitas:

$$\left|K_c \frac{1}{s_1(s_1+\beta)(s_1+5)}\right| = 1 \tag{6.32}$$

$$\left/K_c \frac{1}{s_1(s_1+\beta)(s_1+5)}\right. = \pm 180°(2k+1) \tag{6.33}$$

onde $k = 0, 1, 2, \ldots$. Nas equações 6.32 e 6.33, β e s_1 são desconhecidos. Sendo o coeficiente de amortecimento dos polos dominantes de malha fechada especificado como $\zeta = 0,5$, o polo de malha fechada $s = s_1$ pode ser escrito como:

$$s_1 = -x + j\sqrt{3}\,x$$

onde x ainda é indeterminado.

Note que a condição de módulo, Equação 6.32, pode ser reescrita como:

$$\left|\frac{K_c}{(-x+j\sqrt{3}\,x)(-x+\beta+j\sqrt{3}\,x)(-x+5+j\sqrt{3}\,x)}\right| = 1$$

Observando que $K_c = 250$, temos:

$$x\sqrt{(\beta-x)^2 + 3x^2}\sqrt{(5-x)^2 + 3x^2} = 125 \tag{6.34}$$

A condição de ângulo, Equação 6.33, pode ser reescrita como:

$$\left/ K_c \frac{1}{(-x + j\sqrt{3}\,x)(-x + \beta + j\sqrt{3}\,x)(-x + 5 + j\sqrt{3}\,x)} \right.$$

$$= -120° - \text{tg}^{-1}\left(\frac{\sqrt{3}\,x}{-x + \beta}\right) - \text{tg}^{-1}\left(\frac{\sqrt{3}\,x}{-x + 5}\right) = -180°$$

ou

$$\text{tg}^{-1}\left(\frac{\sqrt{3}\,x}{-x + \beta}\right) + \text{tg}^{-1}\left(\frac{\sqrt{3}\,x}{-x + 5}\right) = 60° \tag{6.35}$$

Devemos resolver as equações 6.34 e 6.35 para β e x. Utilizando o método de tentativa e erro, é possível obtermos os seguintes resultados:

$$\beta = 16{,}025, \qquad x = 1{,}9054$$

Assim,

$$s_1 = -1{,}9054 + j\sqrt{3}\,(1{,}9054) = -1{,}9054 + j3{,}3002$$

A parte de atraso de fase do compensador por atraso e avanço de fase pode ser determinada a seguir. Notando que o polo e o zero da parte de atraso de fase do compensador devem estar localizados perto da origem, podemos escolher:

$$\frac{1}{\beta T_2} = 0{,}01$$

Ou seja,

$$\frac{1}{T_2} = 0{,}16025 \quad \text{ou} \quad T_2 = 6{,}25$$

Com a escolha de $T_2 = 6{,}25$, encontramos:

$$\left|\frac{s_1 + \dfrac{1}{T_2}}{s_1 + \dfrac{1}{\beta T_2}}\right| = \left|\frac{-1{,}9054 + j3{,}3002 + 0{,}16025}{-1{,}9054 + j3{,}3002 + 0{,}01}\right| \tag{6.36}$$

$$= \left|\frac{-1{,}74515 + j3{,}3002}{-1{,}89054 + j3{,}3002}\right| = 0{,}98 \doteq 1$$

e

$$\left/ \frac{s_1 + \dfrac{1}{T_2}}{s_1 + \dfrac{1}{\beta T_2}} \right. = \left/ \frac{-1{,}9054 + j3{,}3002 + 0{,}16025}{-1{,}9054 + j3{,}3002 + 0{,}01} \right.$$

$$= \text{tg}^{-1}\left(\frac{3{,}3002}{-1{,}74515}\right) - \text{tg}^{-1}\left(\frac{3{,}3002}{-1{,}89054}\right) = -1{,}937° \tag{6.37}$$

Como

$$-5° < -1{,}937° < 0$$

nossa escolha de $T_2 = 6{,}25$ é aceitável. Então, o compensador por atraso e avanço de fase que acabamos de projetar pode ser escrito como:

$$G_c(s) = 250\left(\frac{s + 1}{s + 16{,}025}\right)\left(\frac{s + 0{,}16025}{s + 0{,}01}\right)$$

Consequentemente, o sistema compensado tem a seguinte função de transferência de malha aberta:

$$G_c(s)G(s) = \frac{250(s + 0{,}16025)}{s(s + 0{,}01)(s + 5)(s + 16{,}025)}$$

Um gráfico do lugar das raízes do sistema compensado é apresentado na Figura 6.91(a). Uma ampliação do gráfico do lugar das raízes próximo à origem é mostrada na Figura 6.91(b).

A função de transferência de malha fechada torna-se:

$$\frac{C(s)}{R(s)} = \frac{250(s + 0,16025)}{s(s + 0,01)(s + 5)(s + 16,025) + 250(s + 0,16025)}$$

Os polos de malha fechada ficam localizados em:

$$s = -1,8308 \pm j3,2359$$
$$s = -0,1684$$
$$s = -17,205$$

Note que os polos dominantes de malha fechada $s = -1,8308 \pm j3,2359$ diferem dos polos dominantes de malha fechada $s = \pm s_1$ admitidos no cálculo de β e T_2. Pequenos desvios dos polos dominantes de malha fechada $= -1,8308 \pm j3,2359$ em relação a $s = \pm s_1 = -1,9054 \pm j3,3002$ são causados pelas aproximações ocorridas na determinação da parte de atraso de fase do compensador. (Veja as equações 6.36 e 6.37.)

FIGURA 6.91
(a) Gráfico do lugar das raízes do sistema compensado;
(b) gráfico do lugar das raízes próximo à origem.

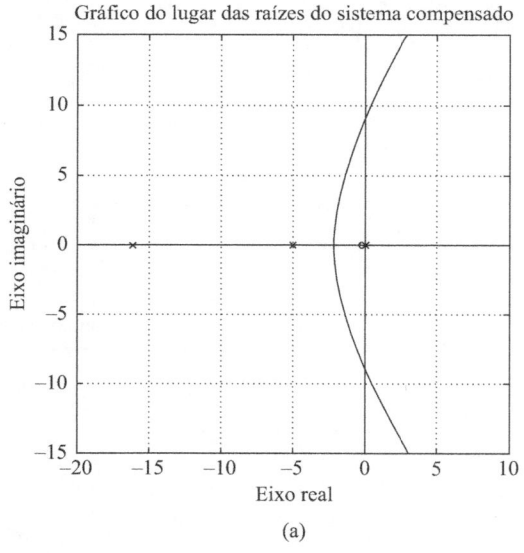

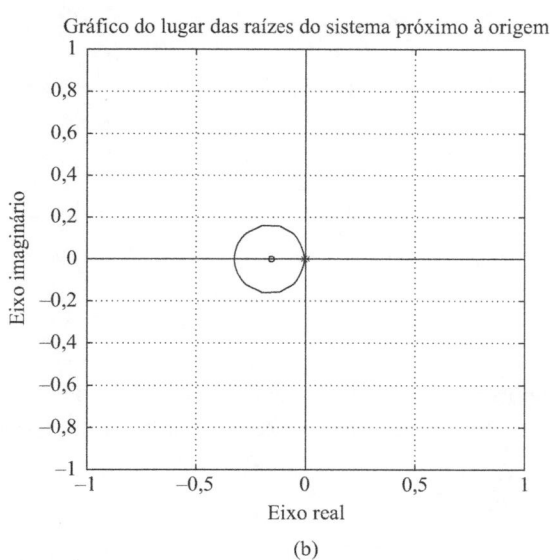

As figuras 6.92(a) e (b) mostram a resposta ao degrau unitário e à rampa unitária, respectivamente, do sistema projetado. Note que o polo de malha fechada em $s = -0,1684$ quase cancela o zero em $s = -0,16025$. Entretanto, esse par de polo e zero de malha fechada localizado próximo à origem produz uma cauda alongada de pequena amplitude. Como o polo de malha fechada em $s = -17,205$ está localizado muito longe à esquerda em relação aos polos de malha fechada em $s = -1,8308 \pm j3,2359$, o efeito desse polo real na resposta do sistema é muito pequeno. Portanto, os polos de malha fechada em $s = -1,8308 \pm j3,2359$ são, na verdade, os polos dominantes de malha fechada que determinam as características da resposta do sistema de malha fechada. Na resposta à rampa unitária, o erro estacionário de acompanhamento à rampa de entrada torna-se $1/K_v = \dfrac{1}{50} = 0,02$.

FIGURA 6.92
(a) Resposta ao degrau unitário do sistema compensado; (b) resposta à rampa unitária do sistema compensado.

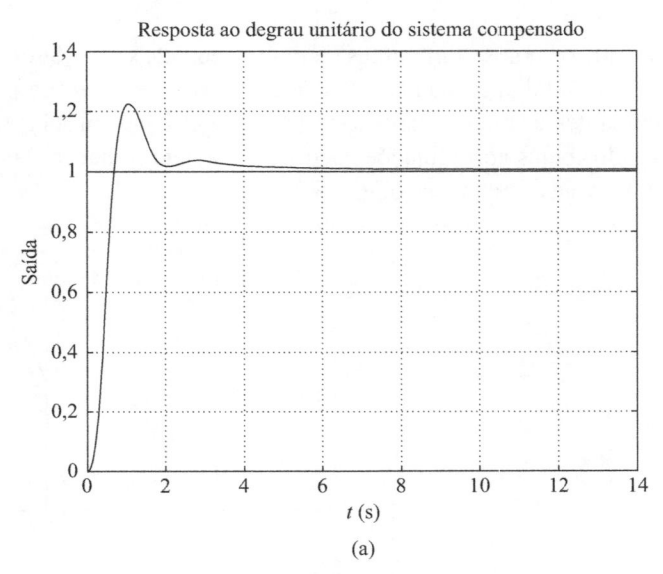

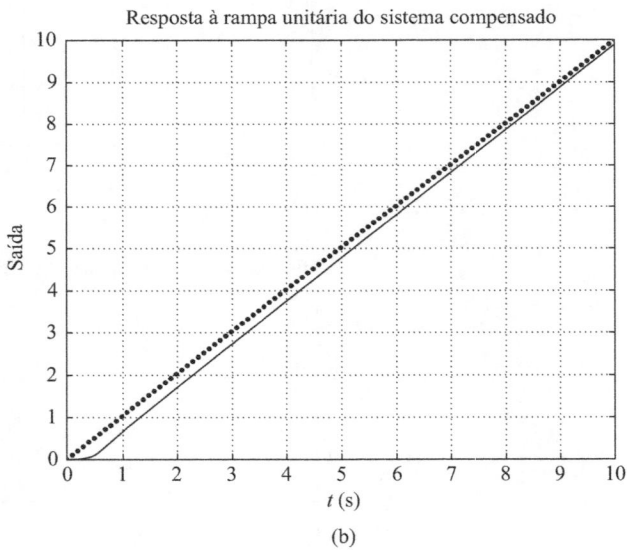

A.6.18 A Figura 6.93(a) é um diagrama de blocos do modelo de um sistema de controle de variação de posição. A função de transferência de malha fechada desse sistema é:

$$\frac{C(s)}{R(s)} = \frac{2s + 0,1}{s^3 + 0,1s^2 + 6s + 0,1}$$

$$= \frac{2(s + 0,05)}{(s + 0,0417 + j2,4489)(s + 0,0417 - j2,4489)(s + 0,0167)}$$

FIGURA 6.93
(a) Sistema de controle de variação de posição;
(b) resposta ao degrau unitário.

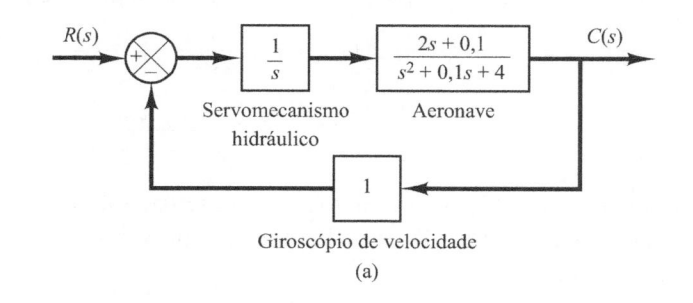

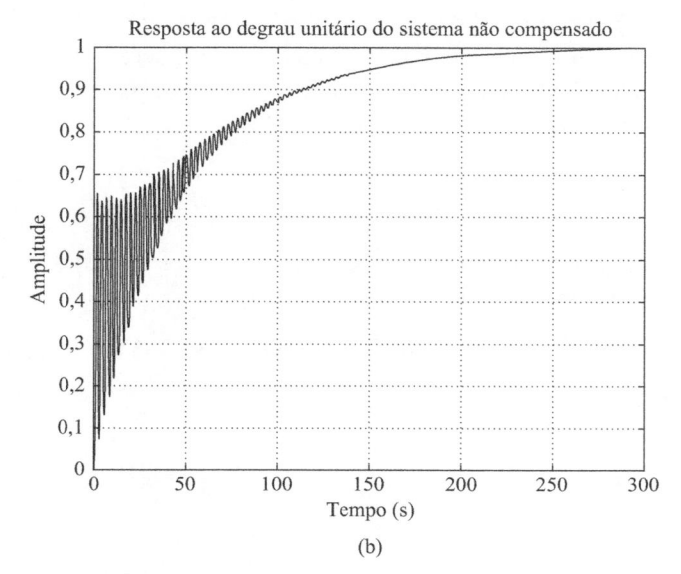

A resposta ao degrau unitário desse sistema é mostrada na Figura 6.93(b). A resposta mostra oscilações de alta frequência no início, em razão dos polos em $s = -0{,}0417 \pm j2{,}4489$. A resposta é dominada pelo polo em $s = -0{,}0167$. O tempo de acomodação é aproximadamente 240 s.

É desejável acelerar a resposta e também eliminar o modo oscilatório no início da resposta. Projete um compensador adequado que os polos dominantes de malha fechada estejam em $s = -2 \pm j2\sqrt{3}$.

Solução. A Figura 6.94 mostra um diagrama de blocos do sistema compensado. Note que o zero de malha aberta em $s = -0{,}05$ e o polo em $s = 0$ geram um polo de malha fechada entre $s = 0$ e $s = -0{,}05$. Esse polo de malha fechada torna-se um polo dominante de malha fechada e faz que a resposta seja muito lenta. Então, é necessário substituir esse zero por um zero que esteja localizado longe do eixo $j\omega$, por exemplo, um zero em $s = -4$.

Agora, escolhemos um compensador da seguinte maneira:

$$G_c(s) = \hat{G}_c(s)\frac{s+4}{2s+0{,}1}$$

FIGURA 6.94
Sistema de controle de variação de posição.

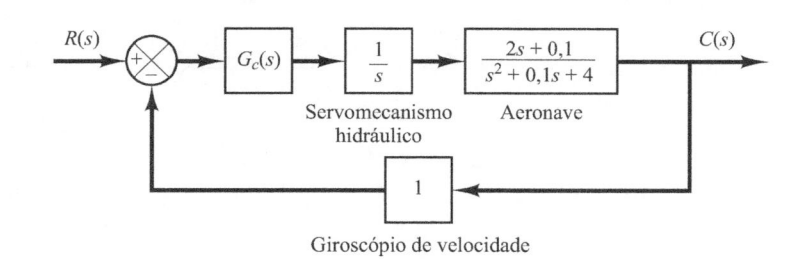

Então, a função de transferência de malha fechada do sistema compensado torna-se:

$$G_c(s)G(s) = \hat{G}_c(s)\frac{s+4}{2s+0,1}\frac{1}{s}\frac{2s+0,1}{s^2+0,1s+4}$$

$$= \hat{G}_c(s)\frac{s+4}{s(s^2+0,1s+4)}$$

Para determinar $\hat{G}_c(s)$ pelo método do lugar das raízes, necessitamos encontrar a deficiência angular no polo desejado de malha fechada em $s = -2 + j2\sqrt{3}$. A deficiência angular pode ser encontrada como segue:

Deficiência angular = $-143,088° - 120° - 109,642 + 60° + 180° = -132,73°$

Portanto, o compensador de avanço $\hat{G}_c(s)$ deve acrescentar 132,73°. Como a deficiência angular é –132,73°, são necessários dois compensadores por avanço de fase, cada um contribuindo com 66,365°. Assim, $\hat{G}_c(s)$ terá a seguinte forma:

$$\hat{G}_c(s) = K_c\left(\frac{s+s_z}{s+s_p}\right)^2$$

Suponha que tenham sido escolhidos dois zeros em $s = -2$. Então, os dois polos dos compensadores podem ser obtidos a partir da relação

$$\frac{3,4641}{s_p - 2} = \text{tg}(90° - 66,365°) = 0,4376169$$

ou

$$s_p = 2 + \frac{3,4641}{0,4376169}$$

$$= 9,9158$$

(Veja a Figura 6.95.) Portanto,

$$\hat{G}_c(s) = K_c\left(\frac{s+2}{s+9,9158}\right)^2$$

O compensador completo $G_c(s)$ para esse sistema será:

$$G_c(s) = \hat{G}_c(s)\frac{s+4}{2s+0,1} = K_c\frac{(s+2)^2}{(s+9,9158)^2}\frac{s+4}{2s+0,1}$$

O valor de K_c pode ser determinado com base na condição de módulo. Como a função de transferência de malha aberta é:

FIGURA 6.95
Polo e zero de $\hat{G}_c(s)$.

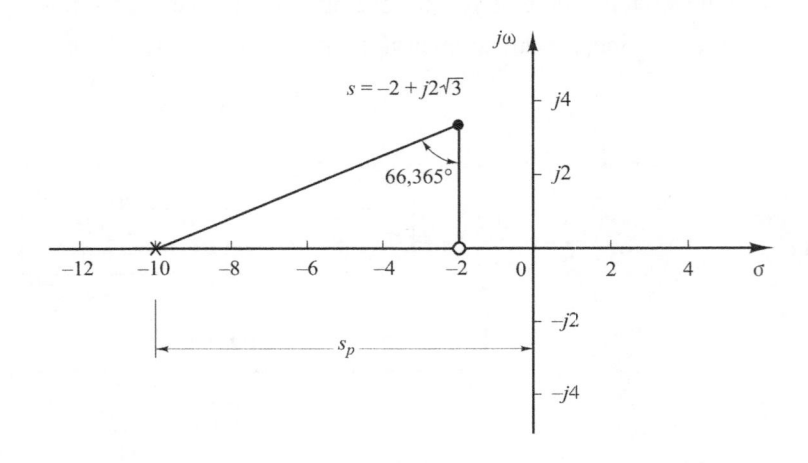

$$G_c(s)G(s) = K_c \frac{(s+2)^2(s+4)}{(s+9,9158)^2 s(s^2+0,1s+4)}$$

a condição de módulo torna-se:

$$\left| K_c \frac{(s+2)^2(s+4)}{(s+9,9158)^2 s(s^2+0,1s+4)} \right|_{s=-2+j2\sqrt{3}} = 1$$

Então,

$$K_c = \left| \frac{(s+9,9158)^2 s(s^2+0,1s+4)}{(s+2)^2(s+4)} \right|_{s=-2+j2\sqrt{3}}$$

$$= 88,0227$$

Assim, o compensador $G_c(s)$ torna-se:

$$G_c(s) = 88,0227 \frac{(s+2)^2(s+4)}{(s+9,9158)^2(2s+0,1)}$$

A função de transferência de malha aberta é dada por:

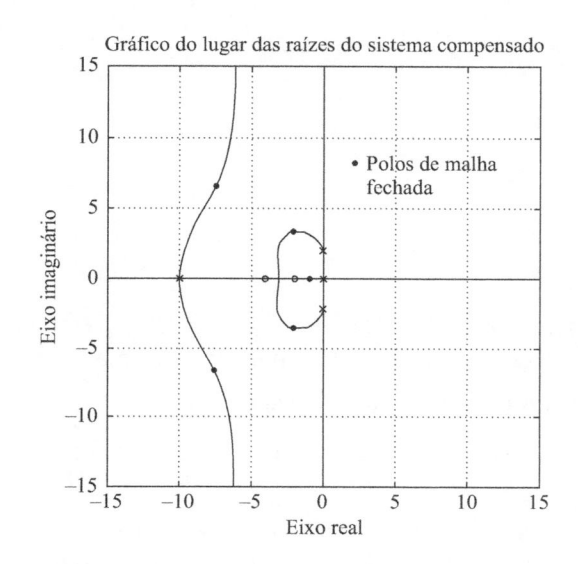

$$G_c(s)G(s) = \frac{88,0227(s+2)^2(s+4)}{(s+9,9158)^2 s(s^2+0,1s+4)}$$

O gráfico do lugar das raízes do sistema compensado é mostrado na Figura 6.96. Os polos de malha fechada desse sistema compensado estão indicados no gráfico. Os polos de malha fechada, raízes da equação característica

$$(s+9,9158)^2 s(s^2+0,1s+4) + 88,0227(s+2)2(s+4) = 0$$

são os seguintes:

$$s = -2,0000 \pm j3,4641$$

$$s = -7,5224 \pm j6,5326$$

$$s = -0,8868$$

Agora que o compensador foi projetado, vamos examinar as características da resposta transitória utilizando o MATLAB. A função de transferência de malha fechada é dada por:

FIGURA 6.96
Gráfico do lugar das raízes do sistema compensado.

$$\frac{C(s)}{R(s)} = \frac{88,0227(s+2)^2(s+4)}{(s+9,9158)^2 s(s^2+0,1s+4) + 88,0227(s+2)^2(s+4)}$$

As figuras 6.97(a) e (b) mostram os gráficos de resposta ao degrau unitário e da resposta à rampa unitária do sistema compensado. Essas curvas de resposta mostram que o sistema projetado é aceitável.

FIGURA 6.97
(a) Resposta ao degrau unitário do sistema compensado; (b) resposta à rampa unitária do sistema compensado.

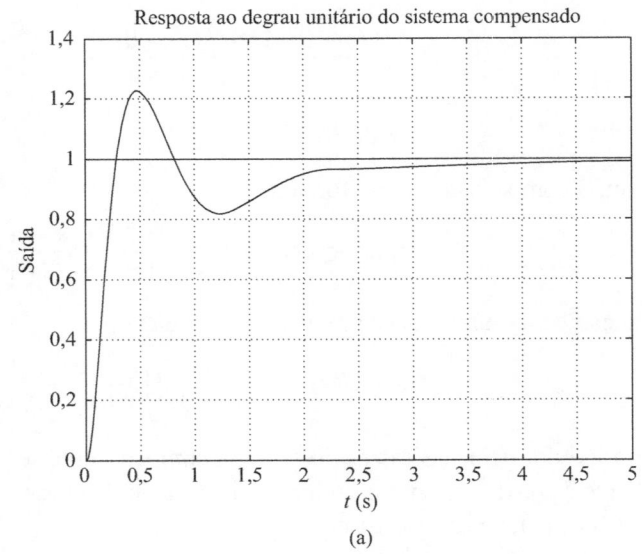

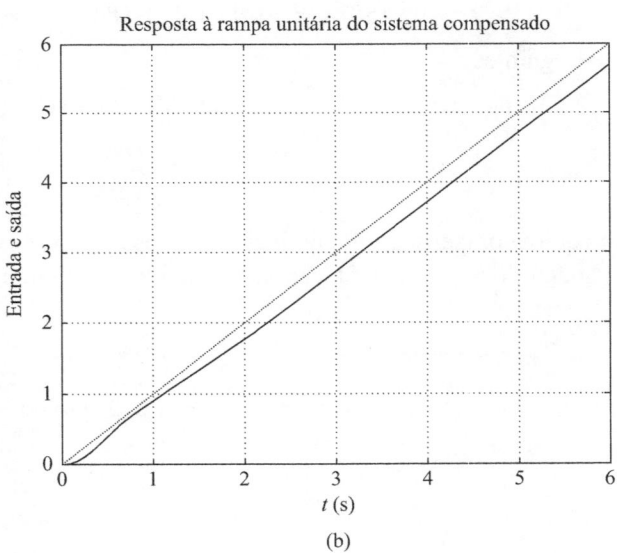

A.6.19 Considere o sistema mostrado na Figura 6.98(a). Determine o valor de a de modo que o coeficiente de amortecimento ζ dos polos dominantes de malha fechada seja 0,5.

Solução. A equação característica é:

$$1 + \frac{10(s+a)}{s(s+1)(s+8)} = 0$$

A variável a não é um fator de multiplicação. Então, devemos modificar a equação característica. Assim, a equação característica pode ser escrita como:

FIGURA 6.98
(a) Sistema de controle;
(b) gráfico do lugar das raízes, onde $K = 10a$.

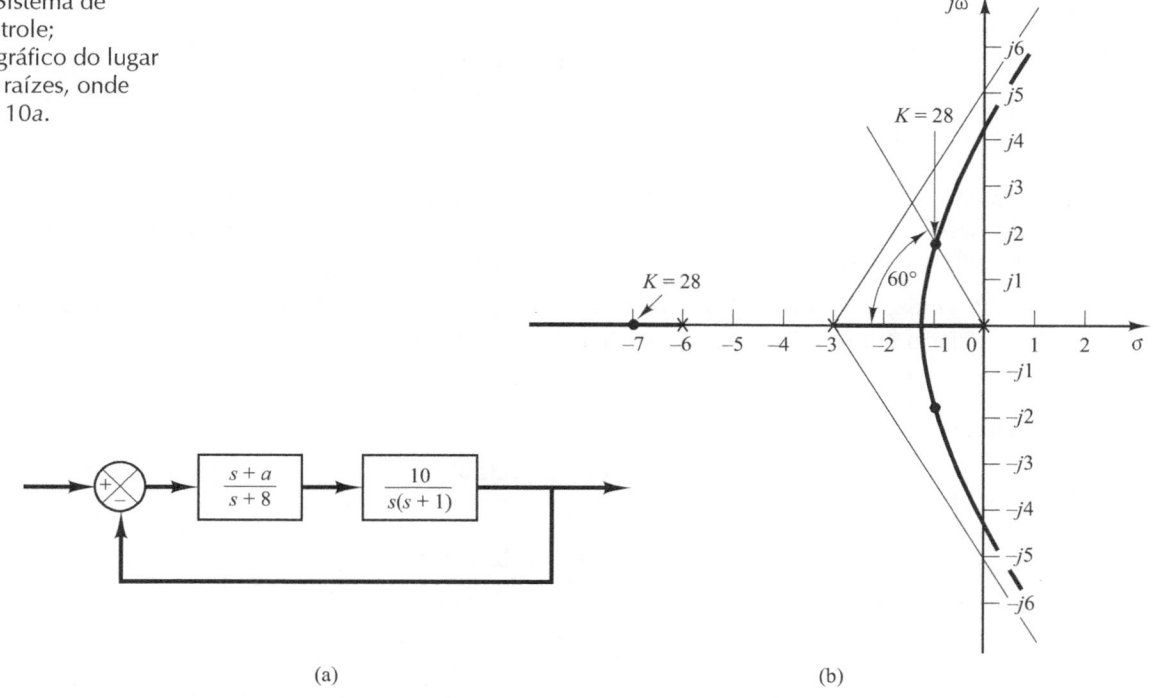

$$s^3 + 9s^2 + 18s + 10a = 0$$

reescrevemos essa equação de modo que a apareça como um fator de multiplicação como segue:

$$1 + \frac{10a}{s(s^2 + 9s + 18)} = 0$$

Defina:

$$10a = K$$

Então, a equação característica torna-se:

$$1 + \frac{K}{s(s^2 + 9s + 18)} = 0$$

Note que a forma dessa equação característica é adequada para a construção do lugar das raízes. Esse sistema possui três polos e nenhum zero. Os três polos estão em $s = 0$, $s = -3$ e $s = -6$. Existe um ramo do lugar das raízes sobre o eixo real, entre os pontos $s = 0$ e $s = -3$. Existe também outro ramo entre os pontos $s = -6$ e $s = -\infty$.

As assíntotas do lugar das raízes serão encontradas como segue:

$$\text{Ângulos das assíntotas} = \frac{\pm 180°(2k + 1)}{3} = 60°, -60°, 180°$$

A intersecção das assíntotas com o eixo real é obtida a partir de:

$$s = -\frac{0 + 3 + 6}{3} = -3$$

Os pontos de partida do eixo real e de chegada no eixo real podem ser determinados a partir de $dK/ds = 0$, onde

$$K = -(s^3 + 9s^2 + 18s)$$

Agora, definimos:

$$\frac{dK}{ds} = -(3s^2 + 18s + 18) = 0$$

de onde vem:

$$s^2 + 6s + 6 = 0$$

ou

$$s = -1{,}268, \qquad s = -4{,}732$$

O ponto $s = -1{,}268$ está sobre um ramo do lugar das raízes. Consequentemente, o ponto $s = -1{,}268$ é de fato um ponto de partida do eixo real. Entretanto, o ponto $s = -4{,}732$ não está sobre o lugar das raízes e, portanto, não é ponto nem de partida nem de chegada.

Em seguida, vamos determinar os pontos em que os ramos do lugar das raízes cruzam o eixo imaginário. Substituindo $s = j\omega$ na equação característica, que é:

$$s^3 + 9s^2 + 18s + K = 0$$

resulta em:

$$(j\omega)^3 + 9(j\omega)^2 + 18(j\omega) + K = 0$$

ou

$$(K - 9\omega^2) + j\omega(18 - \omega^2) = 0$$

de onde obtemos:

$$\omega = \pm 3\sqrt{2}, \qquad K = 9\omega^2 = 162 \quad \text{ou} \quad \omega = 0, \qquad K = 0$$

Os pontos de cruzamento estão em $\omega = \pm 3\sqrt{2}$ e o valor correspondente do ganho K é 162. Um ramo do lugar das raízes também toca o eixo imaginário em $\omega = 0$. A Figura 6.98(b) mostra um esboço do lugar das raízes do sistema.

Como o coeficiente de amortecimento dos polos dominantes de malha fechada foi especificado como 0,5, o polo de malha fechada desejado no semiplano superior do plano s fica localizado na intersecção do ramo do lugar das raízes nesse semiplano s com a reta que tem uma inclinação de 60° em relação ao semieixo real negativo. Os polos dominantes de malha fechada desejados ficam localizados em:

$$s = -1 + j1{,}732, \qquad s = -1 - j1{,}732$$

Nesses pontos, o valor do ganho K é 28. Então,

$$a = \frac{K}{10} = 2{,}8$$

Como o sistema possui dois ou mais polos do que zeros (de fato, três polos e nenhum zero), o terceiro polo pode ser localizado no eixo real negativo com base no fato de que a soma dos três polos de malha fechada seja -9. Então, conclui-se que o terceiro polo está em:

$$s = -9 - (-1 + j1{,}732) - (-1 - j1{,}732)$$

ou

$$s = -7$$

A.6.20 Considere o sistema mostrado na Figura 6.99(a). Desenhe o lugar das raízes do sistema com realimentação de velocidade em que o ganho k varia de zero a infinito. Determine o valor de k, de modo que os polos de malha fechada tenham o coeficiente de amortecimento ζ igual a 0,7.

Solução. A função de transferência de malha aberta é:

$$\text{Função de transferência de malha aberta} = \frac{10}{(s + 1 + 10k)s}$$

Como k não é um fator de multiplicação, modificamos a equação de modo que k apareça como tal. Sendo a equação característica

$$s^2 + s + 10ks + 10 = 0$$

FIGURA 6.99
(a) Sistema de controle;
(b) gráfico do lugar das raízes, onde $K = 10k$.

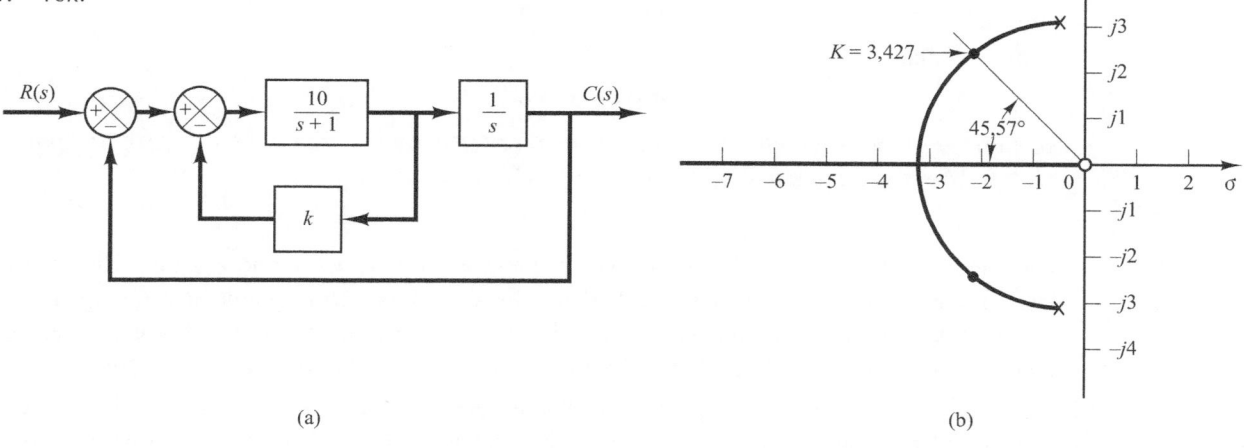

reescrevemos a equação como segue:

$$1 + \frac{10ks}{s^2 + s + 10} = 0 \tag{6.38}$$

Defina:

$$10k = K$$

Então, a Equação 6.38 torna-se

$$1 + \frac{Ks}{s^2 + s + 10} = 0$$

Observe que o sistema tem um zero em $s = 0$ e dois polos em $s = -0,5 \pm j3,1225$. Como esse sistema possui dois polos e um zero, é possível que exista um lugar das raízes circular. De fato, esse sistema tem um lugar das raízes circular, como veremos. Como a condição de ângulo é:

$$\angle \frac{Ks}{s^2 + s + 10} = \pm 180°(2k + 1)$$

temos:

$$\angle s - \angle s + 0,5 + j3,1225 - \angle s + 0,5 - j3,1225 = \pm 180°(2k + 1)$$

Substituindo $s = \sigma + j\omega$ nessa última equação e reorganizando os termos, obtemos:

$$\angle \sigma + 0,5 + j(\omega + 3,1225) + \angle \sigma + 0,5 + j(\omega + 3,1225) = \angle \sigma + j\omega \pm 180°(2k + 1)$$

que pode ser reescrita como:

$$\text{tg}^{-1}\left(\frac{\omega + 3,1225}{\sigma + 0,5}\right) + \text{tg}^{-1}\left(\frac{\omega - 3,1225}{\sigma + 0,5}\right) = \text{tg}^{-1}\left(\frac{\omega}{\sigma}\right) \pm 180°(2k + 1)$$

Considerando as tangentes de ambos os lados dessa última equação, obtemos:

$$\frac{\dfrac{\omega + 3,1225}{\sigma + 0,5} + \dfrac{\omega - 3,1225}{\sigma + 0,5}}{-1\left(\dfrac{\omega + 3,1225}{\sigma + 0,5}\right)\left(\dfrac{\omega - 3,1225}{\sigma + 0,5}\right)} = \frac{\omega}{\sigma}$$

que pode ser simplificada para:

$$\frac{2\omega(\sigma + 0,5)}{(\sigma + 0,5)^2 - (\omega^2 - 3,1225^2)} = \frac{\omega}{\sigma}$$

ou

$$\omega(\sigma^2 - 10 + \omega^2) = 0$$

do que resulta:

$$\omega = 0 \text{ ou } \sigma^2 + \omega^2 = 10$$

Note que $\omega = 0$ corresponde ao eixo real. O eixo real negativo (entre $s = 0$ e $s = -\infty$) corresponde a $K \geq 0$ e o eixo real positivo corresponde a $K < 0$. A equação

$$\sigma^2 + \omega^2 = 10$$

é uma equação de uma circunferência com centro em $\sigma = 0$, $\omega = 0$ e raio igual a $\sqrt{10}$. A parte dessa circunferência que está à esquerda dos polos complexos corresponde ao lugar das raízes para $K > 0$. (A parte da circunferência que fica à direita dos polos complexos corresponde ao lugar das raízes para $K < 0$.) A Figura 6.99(b) mostra o gráfico do lugar das raízes para $K > 0$.

Como desejamos $\zeta = 0,7$ para os polos de malha fechada, determinamos a intersecção do ramo circular do lugar das raízes com uma reta que forma um ângulo de 45,57° (note que $\cos 45{,}57° = 0{,}7$) com o semieixo real negativo. A intersecção está em $s = -2{,}214 + j2{,}258$. O ganho K correspondente a esse ponto é 3,427. Então, o valor desejado do ganho k do ramo de realimentação de velocidade é:

$$k = \frac{K}{10} = 0{,}3427$$

Problemas

B.6.1 Trace o gráfico do lugar das raízes do sistema de controle de malha fechada, sendo

$$G(s) = \frac{K(s+1)}{s^2}, \quad H(s) = 1$$

B.6.2 Trace o gráfico do lugar das raízes do sistema de controle de malha fechada, sendo

$$G(s) = \frac{K}{s(s+1)(s^2+4s+5)}, \quad H(s) = 1$$

B.6.3 Trace o gráfico do lugar das raízes do sistema, sendo

$$G(s) = \frac{K}{s(s+0{,}5)(s^2+0{,}6s+10)}, \quad H(s) = 1$$

B.6.4 Trace o gráfico do lugar das raízes para um sistema de controle, sendo

$$G(s) = \frac{K(s^2+6s+10)}{s^2+2s+10}, \quad H(s) = 1$$

são arcos do círculo cujo centro é a origem e cujo raio é igual a $\sqrt{10}$.

B.6.5 Trace o gráfico do lugar das raízes para um sistema de controle de malha fechada, sendo

$$G(s) = \frac{K(s+0{,}2)}{s^2(s+3{,}6)}, \quad H(s) = 1$$

B.6.6 Trace o gráfico do lugar das raízes para um sistema de controle de malha fechada, sendo

$$G(s) = \frac{K(s+9)}{s(s^2+4s+11)}, \quad H(s) = 1$$

Situe os polos de malha fechada no lugar das raízes cujos polos dominantes tenham coeficiente de amortecimento igual a 0,5. Determine o valor correspondente ao ganho K.

B.6.7 Trace o gráfico do lugar das raízes do sistema mostrado na Figura 6.100. Determine o intervalo de valores do ganho K que corresponde à estabilidade.

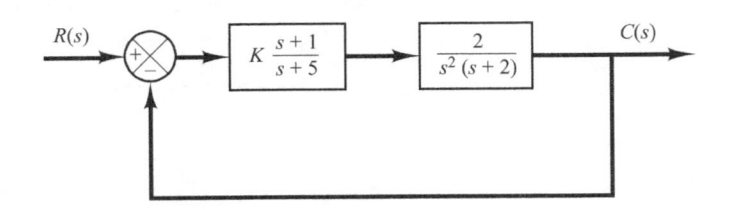

FIGURA 6.100
Sistema de controle.

B.6.8 Considere um sistema de controle com realimentação unitária com a seguinte função de transferência de ramo direto:

$$G(s) = \frac{K}{s(s^2 + 4s + 8)}$$

Desenhe o lugar das raízes do sistema. Se o valor do ganho K for igual a 2, onde se situam os polos de malha fechada?

B.6.9 Considere o sistema no qual a função de transferência de malha aberta é dada por:

$$G(s)H(s) = \frac{K(s - 0,6667)}{s^4 + 3,3401s^3 + 7,0325s^2}$$

Mostre que a equação para as assíntotas é dada por

$$G_a(s)H_a(s) = \frac{K}{s^3 + 4,0068s^2 + 5,3515s + 2,3825}$$

Trace o gráfico do lugar das raízes e das assíntotas do sistema, utilizando o MATLAB.

B.6.10 Considere o sistema com realimentação unitária em que a função de transferência de ramo direto é:

$$G(s) = \frac{K}{s(s + 1)}$$

O lugar de ganho constante do sistema para dado valor de K é definido pela seguinte equação:

$$\left| \frac{K}{s(s+1)} \right| = 1$$

Mostre que os lugares de ganho constante para $0 \leq K \leq \infty$ podem ser dados por:

$$[\sigma(\sigma + 1) + \omega^2]^2 + \omega^2 = K^2$$

Esboce os lugares de ganho constante para $K = 1, 2, 5, 10$ e 20 no plano s.

B.6.11 Considere o sistema mostrado na Figura 6.101. Trace o gráfico do lugar das raízes utilizando o MATLAB. Situe os polos de malha fechada para o ganho K for igual a 2.

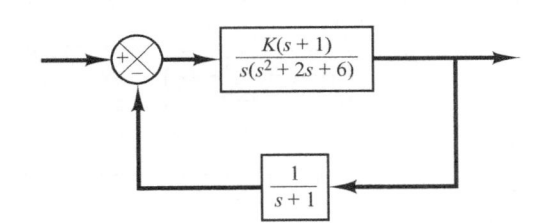

FIGURA 6.101
Sistema de controle.

B.6.12 Trace os gráficos do lugar das raízes para os sistemas de fase não mínima mostrados na Figura 6.102(a) e (b), respectivamente.

FIGURA 6.102
(a) e (b) Sistema de fase não mínima.

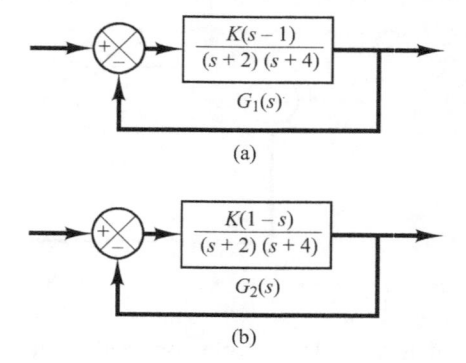

$$G_1(s) = \frac{K(s-1)}{(s+2)(s+4)}$$

(a)

$$G_2(s) = \frac{K(1-s)}{(s+2)(s+4)}$$

(b)

B.6.13 Considere o sistema mecânico mostrado na Figura 6.103, que consiste em uma mola e dois amortecedores. Obtenha a função de transferência do sistema. O deslocamento x_i é a entrada e o deslocamento x_o é a saída. Nesse sistema, a estrutura mecânica é de avanço de fase ou de atraso de fase?

FIGURA 6.103
Sistema mecânico.

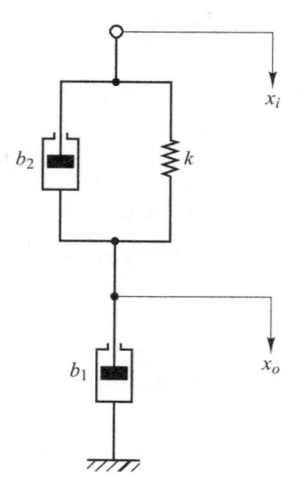

B.6.14 Considere o sistema mostrado na Figura 6.104. Desenhe o gráfico do lugar das raízes do sistema. Determine o valor de K para que o coeficiente de amortecimento ζ dos polos dominantes de malha fechada seja 0,5. Em seguida, determine todos os polos de malha fechada. Trace o diagrama das curvas de resposta ao degrau unitário usando o MATLAB.

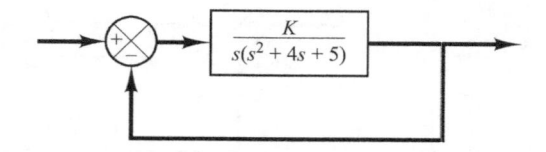

FIGURA 6.104
Sistema de controle.

$$\frac{K}{s(s^2+4s+5)}$$

B.6.15 Determine os valores de K, T_1 e T_2 do sistema mostrado na Figura 6.105 para que os polos dominantes de malha fechada tenham coeficiente de amortecimento $\zeta = 0{,}5$ e a frequência natural não amortecida $\omega_n = 3$ rad/s.

FIGURA 6.105
Sistema de controle.

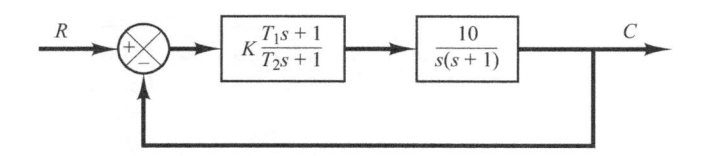

$$R \to \bigotimes_{+,-} \to K\frac{T_1 s + 1}{T_2 s + 1} \to \frac{10}{s(s+1)} \to C$$

B.6.16 Considere o sistema de controle mostrado na Figura 6.106. Determine o ganho K e a constante de tempo T do controlador $G_c(s)$ tal que os polos de malha fechada estejam localizados em $s = -2 \pm j2$.

FIGURA 6.106
Sistema de controle.

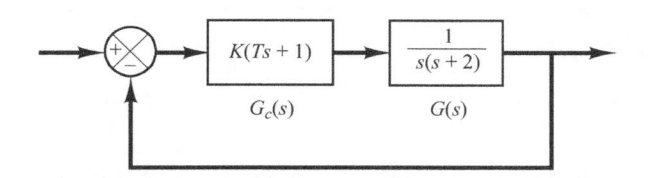

$$\to \bigotimes_{+,-} \to \underbrace{K(Ts+1)}_{G_c(s)} \to \underbrace{\frac{1}{s(s+2)}}_{G(s)} \to$$

B.6.17 Considere o sistema mostrado na Figura 6.107. Projete um compensador de avanço de fase que os polos dominantes estejam localizados em $s = -2 \pm j2\sqrt{3}$. Trace a curva de resposta ao degrau unitário do sistema projetado com o MATLAB.

FIGURA 6.107
Sistema de controle.

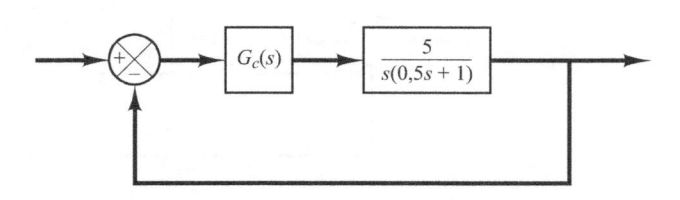

$$\to \bigotimes_{+,-} \to G_c(s) \to \frac{5}{s(0{,}5s+1)} \to$$

B.6.18 Considere o sistema mostrado na Figura 6.108. Projete um compensador de modo que os polos dominantes de malha fechada fiquem localizados em $s = -1 \pm j1$.

FIGURA 6.108
Sistema de controle.

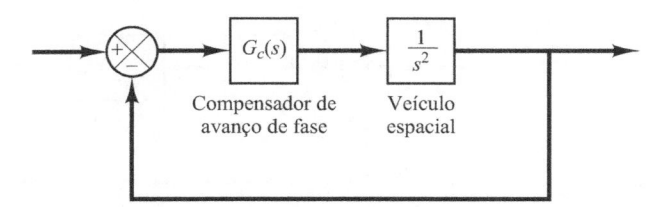

$$\to \bigotimes_{+,-} \to \underbrace{G_c(s)}_{\text{Compensador de avanço de fase}} \to \underbrace{\frac{1}{s^2}}_{\text{Veículo espacial}} \to$$

B.6.19 Considerando o sistema mostrado na Figura 6.109, projete um compensador cuja constante de erro estático K_v seja 20 s^{-1} sem modificação apreciável da localização original ($s = -2 \pm j2\sqrt{3}$) do par de polos complexos conjugados de malha fechada.

FIGURA 6.109
Sistema de controle.

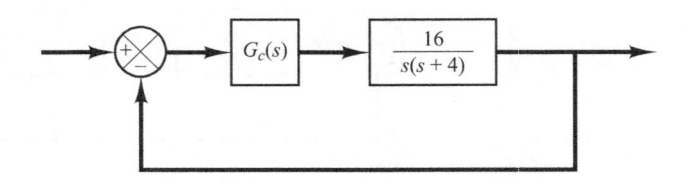

$$\rightarrow \otimes \rightarrow G_c(s) \rightarrow \frac{16}{s(s+4)} \rightarrow$$

B.6.20 Considere o sistema de posicionamento angular mostrado na Figura 6.110. Os polos dominantes de malha fechada estão localizados em $s = -3{,}60 \pm j4{,}80$. O coeficiente de amortecimento ζ dos polos dominantes de malha fechada é 0,6. A constante de erro estático de velocidade K_v é 4,1 s^{-1}, o que significa que, para uma entrada em rampa de 360°/s, o erro estático de acompanhamento da rampa é:

$$e_v = \frac{\theta_i}{K_v} = \frac{360°/\text{s}}{4{,}1\text{s}^{-1}} = 87{,}8°$$

Deseja-se diminuir e_v para um décimo do valor atual ou aumentar o valor da constante de erro estático de velocidade K_v para 41 s^{-1}. Deseja-se também manter o coeficiente de amortecimento ζ dos polos dominantes de malha fechada em 0,6. É permitida uma pequena modificação na frequência natural não amortecida ω_n dos polos dominantes de malha fechada. Projete um compensador por atraso de fase apropriado para aumentar a constante de erro estático de velocidade conforme desejado.

FIGURA 6.110
Sistema de posicionamento angular.

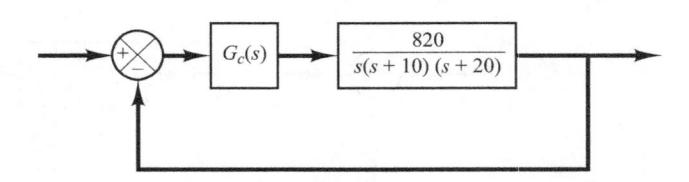

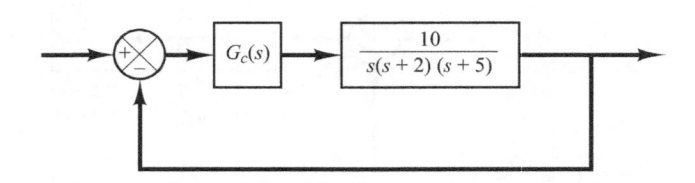

$$\rightarrow \otimes \rightarrow G_c(s) \rightarrow \frac{820}{s(s+10)(s+20)} \rightarrow$$

B.6.21 Considere o sistema de controle mostrado na Figura 6.111. Projete um compensador de modo que os polos dominantes de malha fechada estejam localizados em $s = -2 \pm j2\sqrt{3}$ e a constante de erro estático de velocidade K_v seja 50 s^{-1}.

FIGURA 6.111
Sistema de controle.

$$\rightarrow \otimes \rightarrow G_c(s) \rightarrow \frac{10}{s(s+2)(s+5)} \rightarrow$$

B.6.22 Considere o sistema mostrado na Figura 6.112. Projete um compensador tal que a curva de resposta ao degrau unitário apresente um máximo sobressinal de 30% ou menos e o tempo de acomodação seja de 3 s ou menos.

FIGURA 6.112
Sistema de controle.

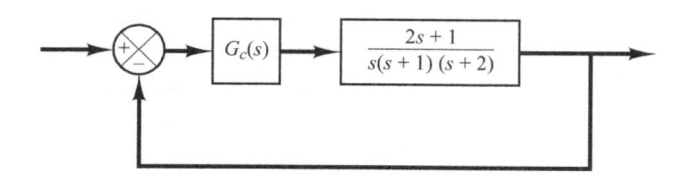

$$\rightarrow \otimes \rightarrow G_c(s) \rightarrow \frac{2s+1}{s(s+1)(s+2)} \rightarrow$$

B.6.23 Considere o sistema de controle mostrado na Figura 6.113. Projete um compensador de modo que a curva de resposta ao degrau unitário apresente um máximo sobressinal de 25% ou menos e o tempo de acomodação seja de 5 s ou menos.

FIGURA 6.113
Sistema de controle.

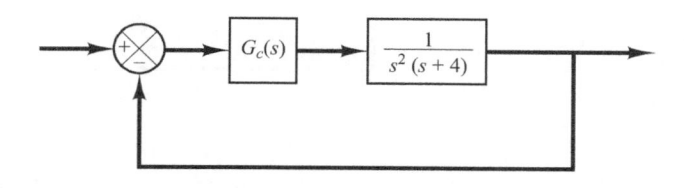

$$\rightarrow \otimes \rightarrow G_c(s) \rightarrow \frac{1}{s^2(s+4)} \rightarrow$$

B.6.24 Considere o sistema de controle com realimentação de velocidade mostrado na Figura 6.114. Determine os valores do ganho do amplificador K e do ganho da realimentação de velocidade K_h, de modo que sejam satisfeitas as seguintes especificações:
 1. Coeficiente de amortecimento dos polos de malha fechada de 0,5
 2. Tempo de acomodação ≤ 2 s
 3. Constante de erro estático de velocidade $K_v \geq 50$ s^{-1}
 4. $0 < K_h < 1$

FIGURA 6.114
Sistema de controle.

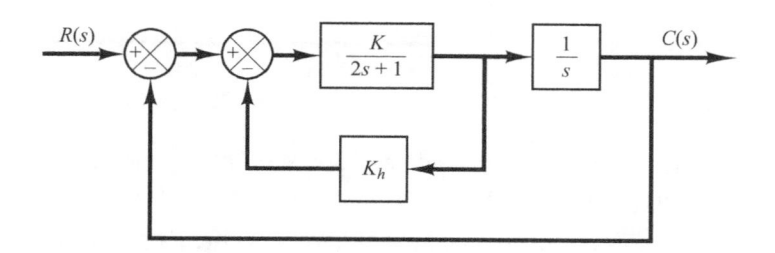

B.6.25 Considere o sistema mostrado na Figura 6.115. O sistema possui realimentação de velocidade. Determine o valor do ganho K de modo que os polos dominantes de malha fechada tenham um coeficiente de amortecimento igual a 0,5. Utilizando o ganho K assim determinado, obtenha a resposta ao degrau unitário do sistema.

FIGURA 6.115
Sistema de controle.

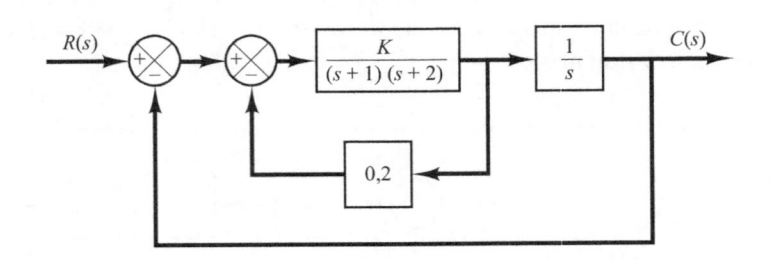

B.6.26 Considere o sistema mostrado na Figura 6.116. Construa o gráfico do lugar das raízes quando *a* varia de zero a ∞. Determine o valor de *a* para que o coeficiente de amortecimento dos polos dominantes de malha fechada seja 0,5.

FIGURA 6.116
Sistema de controle.

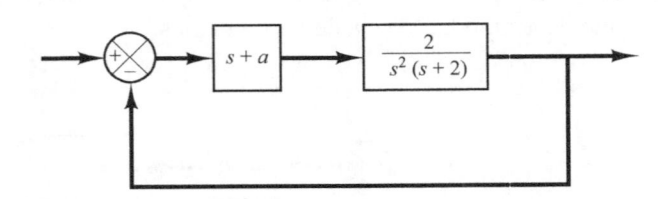

B.6.27 Considere o sistema mostrado na Figura 6.117. Desenhe o gráfico do lugar das raízes para valores de *k* que variem de 0 a ∞. Qual é o valor de *k* para que o coeficiente de amortecimento dos polos dominantes de malha fechada seja 0,5? Determine a constante de erro estático de velocidade do sistema para esse valor de *k*.

FIGURA 6.117
Sistema de controle.

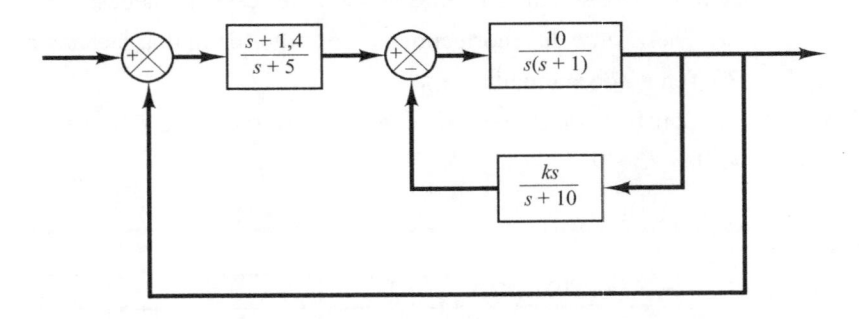

B.6.28 Considere o sistema mostrado na Figura 6.118. Supondo que o valor do ganho *K* varie de 0 a ∞, construa o gráfico do lugar das raízes quando K_h = 0,1, 0,3 e 0,5.

Compare as respostas ao degrau unitário do sistema para os três casos a seguir:

(1) $K = 10$, $K_h = 0,1$

(2) $K = 10$, $K_h = 0,3$

(3) $K = 10$, $K_h = 0,5$

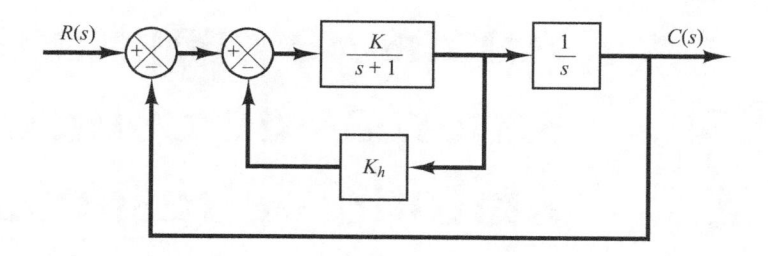

FIGURA 6.118
Sistema de controle.

CAPÍTULO 7
Análise e projeto de sistemas de controle pelo método de resposta em frequência

7.1 | Introdução

O termo *resposta em frequência* significa a resposta em regime permanente de um sistema a uma entrada senoidal. Nos métodos de resposta em frequência, variamos a frequência do sinal de entrada dentro de certo intervalo e estudamos a resposta resultante.

Neste capítulo, apresentamos os métodos de resposta em frequência para análise e projeto de sistemas de controle. A informação que obtemos com base nessa análise é diferente da que é obtida na análise com base no lugar das raízes. De fato, os métodos da resposta em frequência e do lugar das raízes são complementares. Uma vantagem do método da resposta em frequência é que podemos utilizar os dados obtidos diretamente a partir das medições feitas nos sistemas físicos sem a necessidade de recorrermos aos respectivos modelos matemáticos. Em muitos projetos práticos de sistemas de controle, ambos os métodos são empregados. Os engenheiros de controle devem estar familiarizados com os dois.

Os métodos de resposta em frequência foram desenvolvidos entre as décadas de 1930 e 1940 por Nyquist, Bode, Nichols e muitos outros. Os métodos de resposta em frequência são dos mais poderosos na teoria de controle convencional. Também são indispensáveis na teoria de controle robusto.

O critério de estabilidade de Nyquist nos possibilita pesquisar tanto a estabilidade absoluta como a relativa dos sistemas lineares de malha fechada, com base no conhecimento de suas características de resposta em frequência de malha aberta. Uma vantagem do método de resposta em frequência é que seus testes são, em geral, simples e podem ser realizados com exatidão, com a utilização de geradores de sinais senoidais facilmente acessíveis e equipamentos de medição precisos. Muitas vezes, as funções de transferência de componentes complicados podem ser determinadas experimentalmente por meio de testes de resposta em frequência. Além disso, o enfoque dessa resposta apresenta a vantagem de permitir que se projete um sistema de maneira que os efeitos de ruídos indesejáveis sejam desprezíveis e que essa análise e esse projeto possam ser estendidos a certos sistemas de controle não lineares.

Embora a resposta em frequência de um sistema de controle apresente um quadro qualitativo da resposta transitória, a correlação entre a resposta em frequência e a resposta transitória é indireta, exceto para o caso de sistemas de segunda ordem. No projeto de um sistema de malha fechada, ajustamos as características da resposta em frequência da função de transferência de malha aberta, utilizando vários critérios de projeto, para obter características aceitáveis da resposta transitória do sistema.

Obtenção das respostas em regime permanente às entradas senoidais. Vamos mostrar que a resposta em regime permanente da função de transferência de um sistema pode ser obtida diretamente a partir da função de transferência senoidal — isto é, a função de transferência na qual s é substituído por $j\omega$, onde ω é a frequência.

Considere o sistema linear, estável e invariante no tempo mostrado na Figura 7.1. A entrada e a saída do sistema, cuja função de transferência é $G(s)$, são designadas por $x(t)$ e $y(t)$, respectivamente. Se a entrada $x(t)$ for um sinal senoidal, a saída em regime permanente também será um sinal senoidal com a mesma frequência, mas possivelmente o módulo e o ângulo de fase serão diferentes.

Vamos supor que o sinal de entrada seja dado por:

$$x(t) = X \operatorname{sen} \omega t$$

[Neste livro, 'ω' é sempre medida em rad/s. Quando a frequência é medida em ciclos/s, usamos a notação 'f'. Ou seja, $\omega = 2\pi f$.]

Considere que a função de transferência $G(s)$ do sistema possa ser escrita como uma relação de dois polinômios em s, ou seja,

$$G(s) = \frac{p(s)}{q(s)} = \frac{p(s)}{(s+s_1)(s+s_2)\cdots(s+s_n)}$$

A transformada de Laplace da saída $Y(s)$ é, então,

$$Y(s) = G(s)X(s) = \frac{p(s)}{q(s)}X(s) \tag{7.1}$$

onde $X(s)$ é a transformada de Laplace da entrada $x(t)$.

Será mostrado que, depois de esperar até que as condições de regime permanente tenham sido alcançadas, a resposta em frequência pode ser calculada substituindo-se s por $j\omega$ na função de transferência. Será mostrado também que a resposta em regime permanente pode ser dada por:

$$G(j\omega) = Me^{j\phi} = M\underline{/\phi}$$

onde M é a relação de amplitude entre a saída e a entrada senoidal e ϕ é a defasagem, ou diferença de fase, entre a entrada senoidal e a saída senoidal. No teste da resposta em frequência, varia-se a frequência de entrada ω, de modo que seja coberto todo o intervalo de frequências de interesse.

A resposta em regime permanente de um sistema linear, estável, invariante no tempo a uma entrada senoidal não depende das condições iniciais. (Assim, podemos supor que as condições iniciais sejam nulas.) Se $Y(s)$ tiver somente polos distintos, então a expansão em frações parciais da Equação 7.1 quando $x(t) = X \operatorname{sen} \omega t$ resulta em:

$$\begin{aligned}Y(s) &= G(s)X(s) = G(s)\frac{\omega X}{s^2 + \omega^2} \\ &= \frac{a}{s+j\omega} + \frac{\bar{a}}{s-j\omega} + \frac{b_1}{s+s_1} + \frac{b_2}{s+s_2} + \cdots + \frac{b_n}{s+s_n}\end{aligned} \tag{7.2}$$

onde a e b_i (sendo $i = 1, 2, \ldots, n$) são constantes e $\bar{a}$ é o complexo conjugado de a. A transformada inversa de Laplace da Equação 7.2 é:

$$y(t) = ae^{-j\omega t} + \bar{a}e^{j\omega t} + b_1 e^{-s_1 t} + b_2 e^{-s_2 t} + \ldots + b_n e^{-s_n t} \quad (t \geq 0) \tag{7.3}$$

Para um sistema estável, $-s_1, -s_2, \ldots, -s_n$ têm partes reais negativas. Portanto, conforme t tende a infinito, os termos $e^{-s_1 t}, e^{-s_2 t}, \ldots$ e $e^{-s_n t}$ tendem a zero. Assim, todos os termos do lado direito da Equação 7.3, exceto os dois primeiros, se anulam em regime permanente.

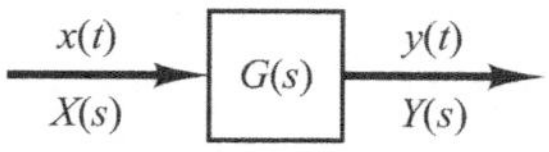

FIGURA 7.1
Sistema estável, linear, invariante no tempo.

Se $Y(s)$ possuir polos múltiplos s_j de multiplicidade m_j, então $y(t)$ terá termos como $t^{h_j}e^{-s_jt}$ ($h_j = 0, 1, 2, \ldots, m_j - 1$). Para um sistema estável, os termos $t^{h_j}e^{-s_jt}$ tendem a zero, à medida que t tende a infinito.

Assim, independentemente de o sistema ter ou não todos os polos distintos, a resposta em regime permanente torna-se:

$$y_{ss}(t) = ae^{-j\omega t} = \bar{a}e^{j\omega t} \tag{7.4}$$

onde a constante a pode ser calculada com base na Equação 7.2, como segue:

$$a = G(s)\frac{\omega X}{s^2 + \omega^2}(s + j\omega)\bigg|_{s=-j\omega} = \frac{XG(-j\omega)}{2j}$$

Note que

$$\bar{a} = G(s)\frac{\omega X}{s^2 + \omega^2}(s - j\omega)\bigg|_{s=j\omega} = \frac{XG(j\omega)}{2j}$$

Como $G(j\omega)$ é uma grandeza complexa, ela pode ser escrita da seguinte maneira:

$$G(j\omega) = |G(j\omega)|e^{j\phi}$$

onde $|G(j\omega)|$ representa o módulo e ϕ representa o ângulo de $G(j\omega)$, ou seja,

$$\phi = \underline{/G(j\omega)} = \mathrm{tg}^{-1}\left[\frac{\text{parte imaginária de } G(j\omega)}{\text{parte real de } G(j\omega)}\right]$$

O ângulo ϕ pode ser negativo, positivo ou zero. Da mesma maneira, obtemos a seguinte expressão de $G(-j\omega)$:

$$G(-j\omega) = |G(-j\omega)|e^{-j\phi} = |G(j\omega)|\,e^{-j\phi}$$

Notando então que

$$a = -\frac{X|G(j\omega)|e^{-j\phi}}{2j}, \quad \bar{a} = \frac{X|G(j\omega)|e^{j\phi}}{2j}$$

a Equação 7.4 pode ser escrita como:

$$y_{ss}(t) = X|G(j\omega)|\frac{e^{j(\omega t + \phi)} - e^{-j(\omega t + \phi)}}{2j}$$

$$= X|G(j\omega)|\mathrm{sen}(\omega t + \phi)$$

$$= Y\mathrm{sen}(\omega t + \phi) \tag{7.5}$$

onde $Y = X|G(j\omega)|$. Vemos que, se um sistema estável, linear, invariante no tempo for submetido a uma entrada senoidal, terá, em regime permanente, uma saída senoidal com a mesma frequência da entrada. No entanto, em geral, a amplitude e a fase da saída serão diferentes da amplitude e da fase da entrada. De fato, a amplitude da saída é dada pelo produto da amplitude da entrada por $|G(j\omega)|$, enquanto o ângulo de fase da saída difere do ângulo de fase da entrada pelo valor $\phi = \underline{/G(j\omega)}$. A Figura 7.2 mostra um exemplo de sinais senoidais de entrada e de saída.

FIGURA 7.2
Sinais senoidais de entrada e de saída.

Entrada $x(t) = X\,\mathrm{sen}\,\omega t$
Saída $y(t) = Y\,\mathrm{sen}\,(\omega t + \phi)$

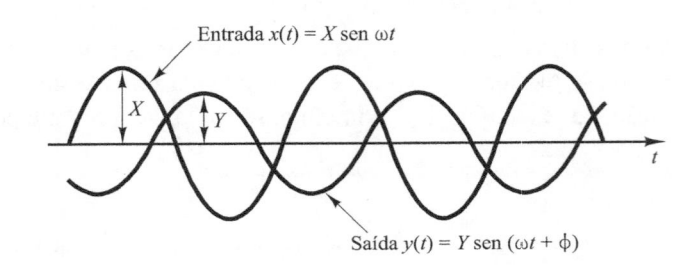

Do que acabamos de ver, concluímos este importante resultado: para entradas senoidais,

$$|G(j\omega)| = \left|\frac{Y(j\omega)}{X(j\omega)}\right| = \text{relação de amplitude entre a saída senoidal e a entrada senoidal}$$

$$\angle G(j\omega) = \angle \frac{Y(j\omega)}{X(j\omega)} = \text{defasagem da saída senoidal em relação à entrada senoidal}$$

Em consequência, a resposta em regime permanente de um sistema a uma entrada senoidal pode ser obtida diretamente a partir de:

$$\frac{Y(j\omega)}{X(j\omega)} = G(j\omega)$$

A função $G(j\omega)$ é chamada função de transferência senoidal. É a relação entre $Y(j\omega)$ e $X(j\omega)$, trata-se de uma grandeza complexa e pode ser representada pelo módulo e pelo ângulo de fase, tendo a frequência como parâmetro. A função de transferência senoidal de qualquer sistema linear é obtida pela substituição de s por $j\omega$ na função de transferência do sistema.

Como já mencionado no Capítulo 6, um ângulo de fase positivo é denominado avanço de fase e um ângulo de fase negativo e conhecido como atraso de fase. Uma rede que tenha as características de avanço de fase é chamada rede de avanço de fase, enquanto uma rede que tenha as características de atraso de fase é denominada rede de atraso de fase.

Exemplo 7.1 Considere o sistema mostrado na Figura 7.3. A função de transferência $G(s)$ é:

$$G(s) = \frac{K}{Ts + 1}$$

Para a entrada senoidal $x(t) = X \operatorname{sen} \omega t$, a saída em regime permanente $y_{ss}(t)$ pode ser encontrada como a seguir:

Substituindo $j\omega$ por s em $G(s)$, temos:

$$G(j\omega) = \frac{K}{jT\omega + 1}$$

A relação de amplitude entre a saída e a entrada é:

$$|G(j\omega)| = \frac{K}{\sqrt{1 + T^2\omega^2}}$$

enquanto o ângulo de fase ϕ é:

$$\phi = \angle G(j\omega) = -\operatorname{tg}^{-1} T\omega$$

Assim, a resposta em regime permanente $y_{ss}(t)$ à entrada $x(t) = X \operatorname{sen} \omega t$ pode ser obtida a partir da Equação 7.5, como segue:

$$y_{ss}(t) = \frac{XK}{\sqrt{1 + T^2\omega^2}} \operatorname{sen}(\omega t - \operatorname{tg}^{-1} T\omega) \qquad (7.6)$$

Pode-se ver, a partir da Equação 7.6, que, se ω for pequeno, a amplitude da resposta em regime permanente $y_{ss}(t)$ será quase K vezes a amplitude da entrada. Se ω for pequeno, a defasagem da saída será pequena. Se ω for grande, a amplitude da saída será pequena e quase inversamente proporcional a ω. A defasagem aproxima-se de $-90°$ à medida que ω tende ao infinito. Esta é uma rede de atraso de fase.

FIGURA 7.3
Sistema de primeira ordem.

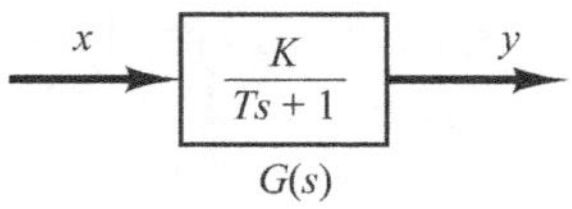

Exemplo 7.2 Considere a rede dada por:

$$G(s) = \frac{s + \dfrac{1}{T_1}}{s + \dfrac{1}{T_2}}$$

Determine se esta é uma rede de avanço ou de atraso de fase.

Para a entrada senoidal $x(t) = X \operatorname{sen} \omega t$, a saída em regime permanente $y_{ss}(t)$ pode ser encontrada como segue:

Como

$$G(j\omega) = \frac{j\omega + \dfrac{1}{T_1}}{j\omega + \dfrac{1}{T_2}} = \frac{T_2(1 + T_1 j\omega)}{T_1(1 + T_2 j\omega)}$$

temos:

$$|G(j\omega)| = \frac{T_2 \sqrt{1 + T_1^2 \omega^2}}{T_1 \sqrt{1 + T_2^2 \omega^2}}$$

e

$$\phi = \underline{/G(j\omega)} = \operatorname{tg}^{-1} T_1 \omega - \operatorname{tg}^{-1} T_2 \omega$$

Assim, a saída em regime permanente é:

$$y_{ss}(t) = \frac{X T_2 \sqrt{1 + T_1^2 \omega^2}}{T_1 \sqrt{1 + T_2^2 \omega^2}} \operatorname{sen}(\omega t + \operatorname{tg}^{-1} T_1 \omega - \operatorname{tg}^{-1} T_2 \omega)$$

Com base nessa expressão, concluímos que, se $T_1 > T_2$, então $\operatorname{tg}^{-1} T_1 \omega - \operatorname{tg}^{-1} T_2 \omega > 0$. Assim, se $T_1 > T_2$, então a rede será de avanço de fase. Se $T_1 < T_2$, então a rede será uma rede de atraso de fase.

Apresentação das características da resposta em frequência na forma gráfica. A função de transferência senoidal, uma função complexa da frequência ω, é caracterizada por seu módulo e ângulo de fase, com a frequência como parâmetro. Existem três representações das funções de transferência senoidais, utilizadas comumente:

1. Diagrama de Bode ou gráfico logarítmico.
2. Diagrama de Nyquist ou diagrama polar.
3. Diagrama do logaritmo do módulo *versus* ângulo de fase (carta de Nichols).

Discutiremos essas representações em detalhes neste capítulo. Discutiremos também a obtenção dos diagramas de Bode e de Nyquist e das cartas de Nichols utilizando o MATLAB.

Visão geral do capítulo. A Seção 7.1 traz uma introdução à resposta em frequência. A Seção 7.2 apresenta diagramas de Bode de funções de transferência de vários sistemas. A Seção 7.3 trata dos diagramas polares de funções de transferência. A Seção 7.4 exibe os diagramas de módulo *versus* ângulo de fase. A Seção 7.5 fornece em detalhes o critério de estabilidade de Nyquist. A Seção 7.6 discute a análise de estabilidade utilizando o critério de estabilidade de Nyquist. A Seção 7.7 introduz medidas para análise de estabilidade relativa. A Seção 7.8 apresenta um método para a obtenção da resposta em frequência de malha fechada a partir da resposta em frequência de malha aberta, pelo uso das circunferências M e N. Discute-se também o uso da carta de Nichols. A Seção 7.9 trata da determinação da função de transferência com base no levantamento experimental. A Seção 7.10 apresenta aspectos introdutórios de projeto de sistemas de controle pela resposta em frequência. As seções 7.11, 7.12 e 7.13 abordam em detalhes as técnicas de compensação por avanço de fase, compensação por atraso de fase e compensação por atraso e avanço de fase, respectivamente.

7.2 | Diagramas de Bode

Diagramas de Bode ou gráficos logarítmicos. Um diagrama de Bode é constituído por dois gráficos: um é o gráfico do logaritmo do módulo de uma função de transferência senoidal; o outro é o gráfico do ângulo de fase. Ambos são traçados em relação à frequência em escala logarítmica.

A representação padrão do logaritmo do módulo de $G(j\omega)$ é $20\log|G(j\omega)|$, onde a base do logaritmo é 10. A unidade utilizada nessa representação do módulo é o decibel, normalmente abreviado como dB. Na representação logarítmica, as curvas são desenhadas em papel semilog, com a utilização da escala logarítmica para a frequência e a escala linear tanto para módulo (mas em decibéis) como para ângulo (em graus). (O intervalo da frequência de interesse determina o número de ciclos logarítmicos requeridos na abscissa.)

A principal vantagem de utilizar o diagrama de Bode é que a multiplicação dos módulos pode ser convertida em soma. Além disso, existe um meio simples de esboçar uma curva aproximada do logaritmo do módulo, baseada em aproximações assintóticas. Essas aproximações por retas assíntotas são suficientes se forem desejadas apenas informações aproximadas sobre as características da resposta em frequência. Se for necessária a curva exata, as correções poderão ser feitas facilmente nesses gráficos assintóticos básicos. A expansão da faixa de baixas frequências pelo uso da escala logarítmica de frequência é muito vantajosa, visto que as características dos sistemas em baixas frequências, na prática, são as mais importantes. O fato de não ser possível traçar as curvas até a frequência zero em virtude da escala logarítmica ($\log 0 = -\infty$) não cria nenhum problema sério.

Note que a determinação experimental de uma função de transferência pode ser feita de modo simples, se os dados da resposta em frequência forem apresentados sob a forma de um diagrama de Bode.

Fatores básicos de $G(j\omega)H(j\omega)$. Conforme foi afirmado anteriormente, a principal vantagem em utilizar o gráfico logarítmico é a relativa facilidade de traçar as curvas de resposta em frequência. Os fatores básicos que ocorrem habitualmente em qualquer função de transferência $G(j\omega)H(j\omega)$ são:

1. Ganho K
2. Fatores integral e derivativo $(j\omega)^{\mp 1}$
3. Fatores de primeira ordem $(1+j\omega T)^{\mp 1}$
4. Fatores quadráticos $[1 + 2\zeta(j\omega/\omega_n) + (j\omega/\omega_n)^2]^{\mp 1}$

Uma vez familiarizados com os gráficos logarítmicos desses fatores básicos, é possível utilizá-los na construção de um gráfico logarítmico composto para qualquer forma geral de $G(j\omega)H(j\omega)$, esboçando as curvas para cada fator e adicionando graficamente as curvas individuais, porque a adição do logaritmo dos ganhos corresponde à sua multiplicação.

O ganho K. Um número maior que uma unidade possui um valor positivo em decibéis, enquanto um número menor que uma unidade tem valor negativo. A curva de módulo em dB de um ganho constante K é uma reta horizontal de valor $20\log K$ decibéis. O ângulo de fase do ganho K é zero. O efeito da variação do ganho K na função de transferência é deslocar para cima ou para baixo a curva de módulo em dB da função de transferência em um valor constante correspondente, mas isso não tem nenhum efeito sobre a curva de ângulo de fase.

Um gráfico de conversão de um número em decibel está indicado na Figura 7.4. O valor em decibel de qualquer número pode ser obtido com o auxílio desse gráfico. Quando um número aumenta em um fator de 10, o valor correspondente em decibel fica acrescido de 20. Esse resultado pode ser verificado a partir do seguinte:

$$20\log(K \times 10) = 20\log K + 20$$

De maneira semelhante,

$$20\log(K \times 10^n) = 20\log K + 20n$$

FIGURA 7.4
Gráfico de conversão de um número em decibel.

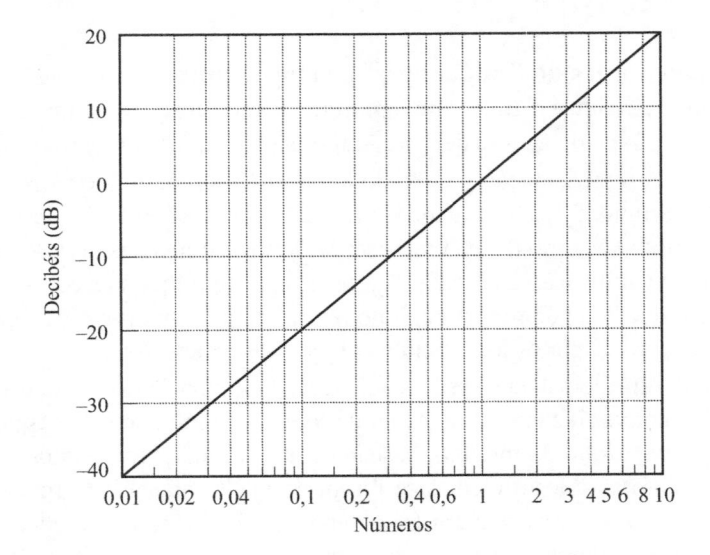

Observe que, quando expresso em decibéis, o recíproco de um número difere de seu valor apenas no sinal, isto é, para o número K,

$$20 \log K = -20 \log \frac{1}{K}$$

Fatores integral e derivativo $(j\omega)^{\mp 1}$. O valor logarítmico de $1/j\omega$ em decibéis é:

$$20 \log \left| \frac{1}{j\omega} \right| = -20 \log \omega \text{ dB}$$

O ângulo de fase de $1/j\omega$ é constante e igual a $-90°$.

Nos diagramas de Bode, as relações de frequência são expressas em termos de oitavas ou de décadas. Uma oitava é um intervalo de frequência de ω_1 a $2\omega_1$, onde ω_1 é qualquer valor de frequência. Uma década corresponde a um intervalo de frequência de ω_1 a $10\omega_1$, onde, novamente, ω_1 é qualquer valor de frequência. (Na escala logarítmica do papel semilog, qualquer relação de frequência dada pode ser representada pela mesma distância horizontal. Por exemplo, a distância horizontal entre $\omega = 1$ e $\omega = 10$ é igual a distância entre $\omega = 3$ e $\omega = 30$.)

Se for construído um gráfico de $-20 \log \omega$ dB *versus* ω em escala logarítmica, o resultado será uma reta. Para traçar essa reta, é necessário localizar um ponto (0 dB, $\omega = 1$) sobre ela. Como

$$(-20 \log 10\omega) \text{ dB} = (-20 \log \omega - 20) \text{ dB}$$

a inclinação da reta será -20 dB/década (ou -6 dB/oitava).

De maneira semelhante, o módulo de $j\omega$ em decibéis é

$$20 \log |j\omega| = 20 \log \omega \text{ dB}$$

O ângulo de fase de $j\omega$ é constante e igual a $90°$. A curva do logaritmo do módulo é uma reta com inclinação de 20 dB/década. As figuras 7.5(a) e (b) mostram as curvas de resposta em frequência para $1/j\omega$ e $j\omega$, respectivamente. Pode-se ver com clareza que as diferenças nas curvas das respostas em frequência dos fatores $1/j\omega$ e $j\omega$ estão nos sinais das inclinações das curvas do logaritmo do módulo e nos sinais dos ângulos de fase. Ambas as grandezas logarítmicas tornam-se iguais a 0 dB em $\omega = 1$.

Se a função de transferência possuir o fator $(1/j\omega)^n$ ou $(j\omega)^n$, as grandezas logarítmicas se tornarão, respectivamente,

$$20 \log \left| \frac{1}{(j\omega)^n} \right| = -n \times 20 \log |j\omega| = -20n \log \omega \text{ dB}$$

FIGURA 7.5
(a) Diagrama de Bode de $G(j\omega) = 1/j\omega$;
(b) diagrama de Bode de $G(j\omega) = j\omega$.

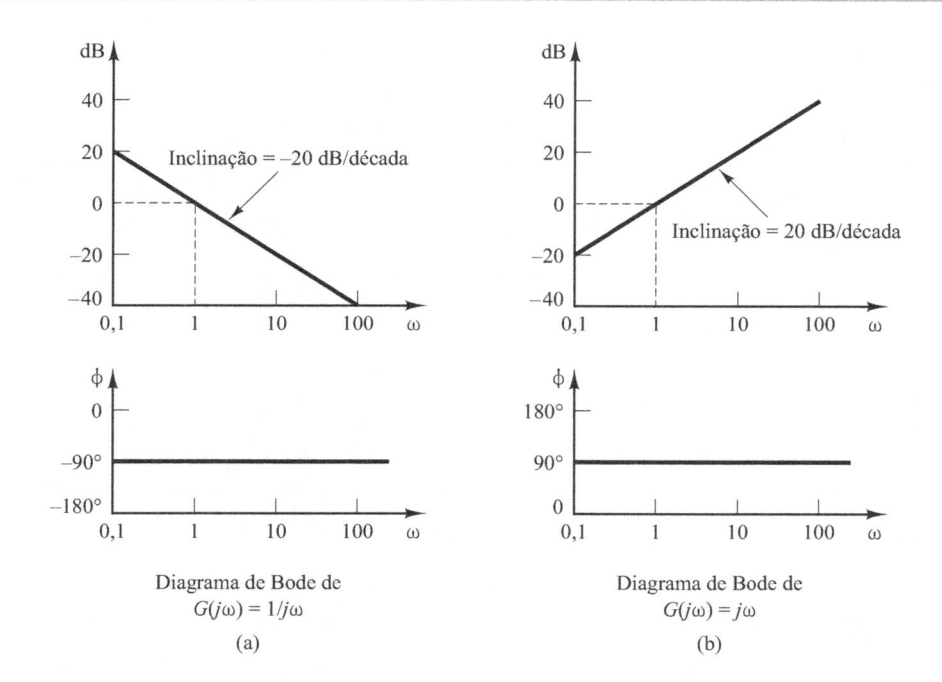

Diagrama de Bode de
$G(j\omega) = 1/j\omega$
(a)

Diagrama de Bode de
$G(j\omega) = j\omega$
(b)

ou

$$20 \log |(j\omega)^n| = n \times 20 \log |j\omega| = 20n \log \omega \text{ dB}$$

As inclinações das curvas do módulo em dB para os fatores $(1/j\omega)^n$ e $(j\omega)^n$ são, respectivamente, $-20n$ dB/década e $20n$ dB/década. O ângulo de fase de $(1/j\omega)^n$ é igual a $-90° \times n$ em toda a faixa de frequência, enquanto o de $(j\omega)^n$ é igual a $90° \times n$ em toda a faixa de frequência. As curvas de módulo passarão pelo ponto (0 dB, $\omega = 1$).

Fatores de primeira ordem $(1 + j\omega T)^{\mp 1}$. O módulo em dB do fator de primeira ordem $1/(1 + j\omega T)$ é:

$$20 \log \left| \frac{1}{1 + j\omega T} \right| = -20 \log \sqrt{1 + \omega^2 T^2} \text{ dB}$$

Para baixas frequências, como $\omega \ll 1/T$, o módulo em dB pode ser aproximado por:

$$-20 \log \sqrt{1 + \omega^2 T^2} \doteq -20 \log 1 = 0 \text{ dB}$$

Assim, a curva de módulo em dB em baixas frequências é uma reta de 0 dB constante. Para altas frequências, como $\omega \gg 1/T$,

$$-20 \log \sqrt{1 + \omega^2 T^2} \doteq -20 \log \omega T \text{ dB}$$

Esta é uma expressão aproximada para a faixa de altas frequências. Em $\omega = 1/T$, o valor do módulo é de 0 dB; em $\omega = 10/T$, o módulo é de -20 dB. Portanto, o valor de $-20 \log \omega T$ dB decresce em 20 dB para cada década de ω. Para $\omega \gg 1/T$, a curva de módulo em dB é, então, uma reta com uma inclinação de -20 dB/década (ou -6 dB/oitava).

Nossa análise mostra que a representação logarítmica da curva de resposta em frequência do fator $1/(1 + j\omega T)$ pode ser aproximada por duas retas assíntotas, uma em 0 dB para a faixa de frequência $0 < \omega < 1/T$ e outra reta com inclinação de -20 dB/década (ou -6 dB/oitava) para a faixa de frequência $1/T < \omega < \infty$. A Figura 7.6 mostra a curva exata do módulo em dB, as assíntotas e a curva exata (vértice) do ângulo de fase.

A frequência na qual as duas assíntotas se encontram é chamada frequência de *canto* ou frequência de *mudança de inclinação* ('quebra'). Para o fator $1/(1 + j\omega T)$, a frequência $\omega = 1/T$ é a frequência de canto, visto que em $\omega = 1/T$ as duas assíntotas têm o mesmo valor. (A expressão

FIGURA 7.6
Curva de módulo em dB com as assíntotas e a curva de ângulo de fase de $1/(1 + j\omega T)$.

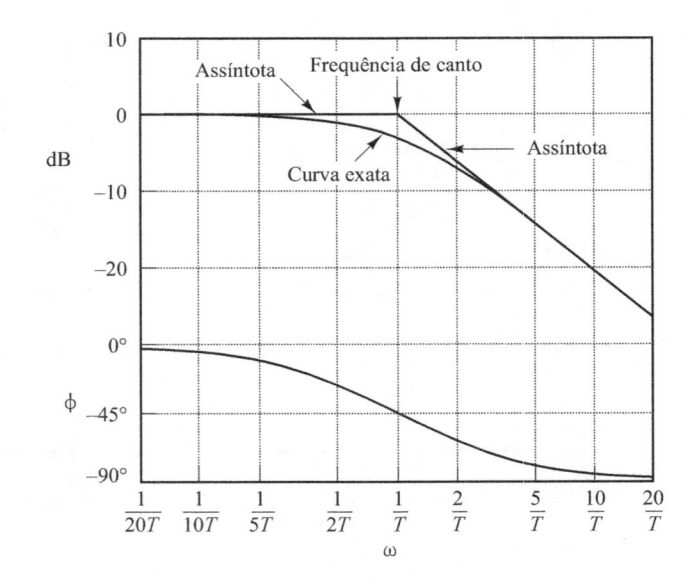

assintótica na baixa frequência em $\omega = 1/T$ é 20 log 1 dB = 0 dB e a expressão assintótica na alta frequência em $\omega = 1/T$ é também 20 log 1 dB = 0 dB.) A frequência de canto divide a resposta em frequência em duas regiões: a curva da região de baixa frequência e a curva da região de alta frequência. A frequência de canto é muito importante no esboço das curvas logarítmicas de resposta em frequência.

O ângulo de fase exato ϕ do fator $1/(1 + j\omega T)$ é:

$$\phi = -\text{tg}^{-1}\omega T$$

Na frequência zero, o ângulo de fase é 0°. Na frequência de canto, o ângulo de fase é:

$$\phi = -\text{tg}^{-1}\frac{T}{T} = -\text{tg}^{-1}1 = -45°$$

No infinito, o ângulo de fase torna-se igual a $-90°$. Como o ângulo de fase é dado pela função arco tangente, ele é simétrico em relação ao ponto de inflexão em $\phi = -45°$.

O erro na curva de grandeza causado pelo uso das assíntotas pode ser calculado. O erro máximo ocorre na frequência de canto e é aproximadamente igual a -3 dB, visto que:

$$-20\log\sqrt{1+1} + 20\log 1 = -10\log 2 = -3{,}03 \text{ dB}$$

O erro em uma oitava abaixo da frequência de canto, isto é, em $\omega = 1/(2T)$, é:

$$-20\log\sqrt{\frac{1}{4}+1} + 20\log 1 = -20\log\frac{\sqrt{5}}{2} = -0{,}97 \text{ dB}$$

O erro em uma oitava acima da frequência de canto, isto é, em $\omega = 2/T$, é:

$$-20\log\sqrt{2^2+1} + 20\log 2 = -20\log\frac{\sqrt{5}}{2} = -0{,}97 \text{ dB}$$

Portanto, o erro em uma oitava abaixo ou acima da frequência de canto é aproximadamente igual a -1 dB. De maneira semelhante, o erro em uma década abaixo ou acima da frequência de canto é aproximadamente $-0{,}04$ dB. A Figura 7.7 mostra que o erro em decibéis, em decorrência do uso da expressão assintótica da curva de resposta em frequência de $1/(1 + j\omega T)$, é simétrico em relação à frequência de canto.

Como as assíntotas são fáceis de desenhar e estão suficientemente próximas da curva exata, o uso dessas aproximações no traçado dos diagramas de Bode é conveniente para determinar, com rapidez e um mínimo de cálculo, a natureza geral das características da resposta em frequência e podem ser usadas na maioria dos projetos preliminares. Se forem desejadas curvas de resposta em frequência mais precisas, podemos fazer correções facilmente, com base na curva indicada na Figura 7.7. Na prática, a curva precisa de resposta em frequência pode ser traçada se forem introduzidas uma correção de 3 dB na frequência de canto e uma correção de 1 dB nos pontos uma oitava abaixo e acima da frequência de canto e se, em seguida, esses pontos forem ligados por uma curva suave.

Note que uma variação na constante de tempo T desloca a frequência de canto para a esquerda ou para a direita, mas a forma das curvas de módulo em dB e do ângulo de fase permanece a mesma.

A função de transferência $1/(1 + j\omega T)$ tem as características de um filtro passa-baixa. Para as frequências acima de $\omega = 1/T$, o módulo em dB cai rapidamente em direção a $-\infty$. Isso se deve essencialmente à presença da constante de tempo. No filtro passa-baixa, a saída pode seguir, com fidelidade, a entrada senoidal a baixas frequências. Entretanto, à medida que a frequência de entrada aumenta, a saída não pode seguir mais a entrada, porque é necessário certo intervalo de tempo para o sistema atingir uma amplitude elevada. Assim, em altas frequências, a amplitude da saída tende a zero e o ângulo de fase da saída tende a $-90°$. Portanto, se a função de entrada contém muitos harmônicos, então os componentes de baixa frequência são reproduzidos com fidelidade na saída, enquanto os componentes de alta frequência são atenuados na amplitude e defasados na fase. Assim, um elemento de primeira ordem fornece uma duplicação exata, ou quase exata, somente para fenômenos constantes ou lentamente variáveis.

Uma vantagem do diagrama de Bode é que para fatores recíprocos — por exemplo, o fator $1 + j\omega T$ — as curvas de módulo em dB e do ângulo de fase necessitam trocar apenas o sinal, visto que

$$20\log|1 + j\omega T| = -20\log\left|\frac{1}{1 + j\omega T}\right|$$

e

$$\underline{/1 + j\omega T} = \text{tg}^{-1}\omega T = -\underline{/\frac{1}{1 + j\omega T}}$$

A frequência de canto é a mesma para ambos os casos. A inclinação da assíntota de alta frequência de $1 + j\omega T$ é 20 dB/década e o ângulo de fase varia de $0°$ a $90°$, conforme a frequência ω aumenta de zero a infinito. A Figura 7.8 mostra a curva de módulo em dB, juntamente com as assíntotas e o ângulo de fase do fator $1 + j\omega T$.

Para traçar a curva de ângulo de fase com precisão, devem ser localizados vários pontos sobre a curva. Os ângulos de fase de $(1 + j\omega T)^{\mp 1}$ são:

FIGURA 7.7
Erro do módulo em dB na expressão assintótica da curva de resposta em frequência $1/(1 + j\omega T)$.

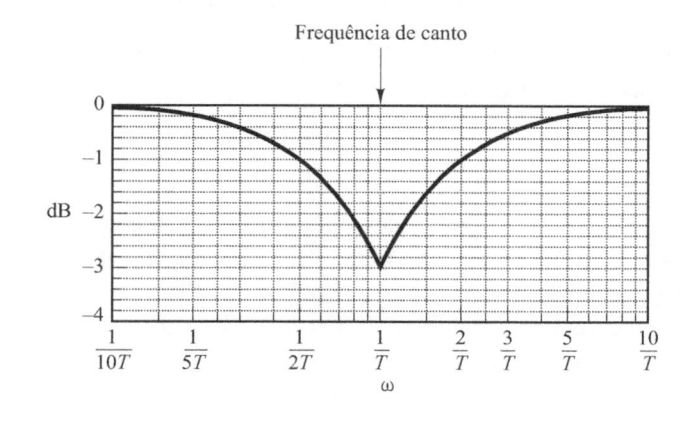

FIGURA 7.8
Curva de módulo em dB, juntamente com a assíntota e a curva de ângulo de fase de $1 + j\omega T$.

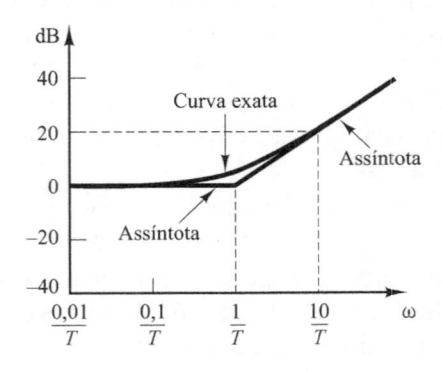

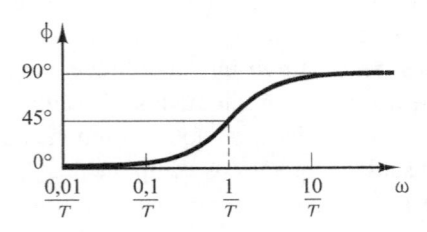

$$\mp 45° \quad \text{em} \quad \omega = \frac{1}{T}$$

$$\mp 26,6° \quad \text{em} \quad \omega = \frac{1}{2T}$$

$$\mp 5,7° \quad \text{em} \quad \omega = \frac{1}{10T}$$

$$\mp 63,4° \quad \text{em} \quad \omega = \frac{2}{T}$$

$$\mp 84,3° \quad \text{em} \quad \omega = \frac{10}{T}$$

Para os casos em que dada função de transferência possui termos como $(1 + j\omega T)^{\mp n}$, pode ser feita uma construção assintótica similar. A frequência de canto ainda está em $\omega = 1/T$, e as assíntotas são linhas retas. A assíntota de baixa frequência é uma reta horizontal em 0 dB, enquanto a assíntota de alta frequência tem uma inclinação de $-20n$ dB/década ou $20n$ dB/década. O erro envolvido nas expressões assintóticas é n vezes o correspondente a $(1 + j\omega T)^{\mp 1}$. O ângulo de fase é n vezes o correspondente a $(1 + j\omega T)^{\mp 1}$ em cada ponto de frequência.

Fatores quadráticos $[1 + 2\zeta(j\omega/\omega_n) + (j\omega/\omega_n)^2]^{\mp 1}$. Os sistemas de controle frequentemente possuem fatores quadráticos da forma:

$$G(j\omega) = \frac{1}{1 + 2\zeta\left(j\dfrac{\omega}{\omega_n}\right) + \left(j\dfrac{\omega}{\omega_n}\right)^2} \tag{7.7}$$

Se $\zeta > 1$, esse fator quadrático pode ser expresso como um produto de dois fatores de primeira ordem com polos reais. Se $0 < \zeta < 1$, esse fator quadrático é um produto de dois fatores complexos conjugados. As aproximações assintóticas para as curvas de resposta em frequência não são precisas para um fator com baixos valores de ζ, pois o módulo e a fase do fator quadrático dependem tanto da frequência de canto como do coeficiente de amortecimento ζ.

Pode-se obter da seguinte forma a curva assintótica de resposta em frequência: como

$$20\log = \left|\frac{1}{1 + 2\zeta\left(j\dfrac{\omega}{\omega_n}\right) + \left(j\dfrac{\omega}{\omega_n}\right)^2}\right| = -20\log\sqrt{\left(1 - \dfrac{\omega^2}{\omega_n^2}\right)^2 + \left(2\zeta\dfrac{\omega}{\omega_n}\right)^2}$$

para baixas frequências, como $\omega \ll \omega_n$, o módulo em dB passa a ser:

$$-20 \log 1 = 0 \text{ dB}$$

Portanto, a assíntota de baixa frequência é uma reta horizontal em 0 dB. Para altas frequências como $\omega \gg \omega_n$, o módulo em dB passa a ser:

$$-20 \log \frac{\omega^2}{\omega_n^2} = -40 \log \frac{\omega}{\omega_n} \text{ dB}$$

A equação da assíntota de alta frequência é uma reta que possui uma inclinação de -40 dB/década, desde que

$$-40 \log \frac{10\omega}{\omega_n} = -40 - 40 \log \frac{\omega}{\omega_n}$$

A assíntota de alta frequência cruza a de baixa frequência em $\omega = \omega_n$, pois nessa frequência

$$-40 \log \frac{\omega_n}{\omega_n} = -40 \log 1 = 0 \text{ dB}$$

Essa frequência, ω_n, é a frequência de canto do fator quadrático considerado.

As duas assíntotas que foram deduzidas são independentes do valor de ζ. Próximo à frequência $\omega = \omega_n$, ocorre um pico de ressonância, como pode ser esperado a partir da Equação 7.7. O coeficiente de amortecimento ζ determina a amplitude desse pico de ressonância. Obviamente, existem erros na aproximação através de retas assíntotas. A amplitude do erro depende do valor de ζ. Ele será grande para valores pequenos de ζ. A Figura 7.9 mostra as curvas exatas de módulo em dB, juntamente com as retas assíntotas e as curvas exatas do ângulo de fase do fator quadrá-

FIGURA 7.9
Curva de módulo em dB com as assíntotas e as curvas de ângulo de fase da função de transferência quadrática dadas pela Equação 7.7.

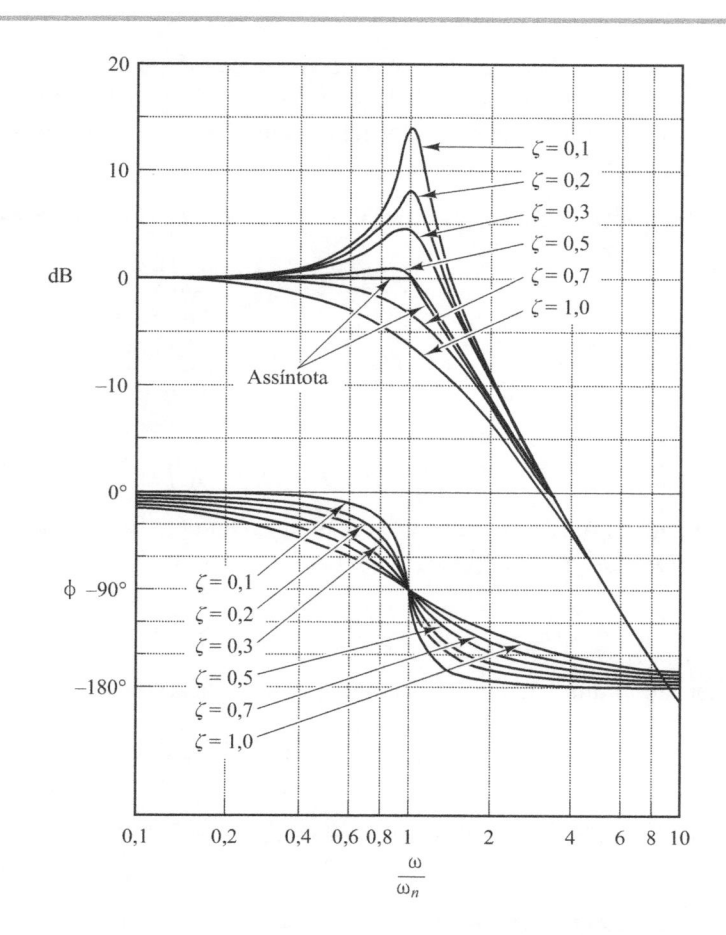

tico dado pela Equação 7.7 para alguns valores de ζ. Se forem desejadas correções nas curvas assintóticas, as correções necessárias em um número suficiente de pontos podem ser obtidas a partir da Figura 7.9.

O ângulo de fase do fator quadrático $[1 + 2\zeta(j\omega/\omega_n) + (j\omega/\omega_n)^2]^{-1}$ é:

$$\phi = \left/ \frac{1}{1 + 2\zeta\left(j\dfrac{\omega}{\omega_n}\right) + \left(j\dfrac{\omega}{\omega_n}\right)^2} \right. = -\operatorname{tg}^{-1}\left[\frac{2\zeta\dfrac{\omega}{\omega_n}}{1 - \left(\dfrac{\omega}{\omega_n}\right)^2}\right] \quad (7.8)$$

O ângulo de fase é uma função tanto de ω como de ζ. Em $\omega = 0$, o ângulo de fase é igual a $0°$. Na frequência de canto $\omega = \omega_n$, o ângulo de fase é $-90°$ independentemente de ζ, dado que:

$$\phi = -\operatorname{tg}^{-1}\left(\frac{2\zeta}{0}\right) = -\operatorname{tg}^{-1}\infty = -90°$$

Em $\omega = \infty$, o ângulo de fase torna-se $-180°$. A curva de ângulo é antissimétrica em relação ao ponto de inflexão — o ponto onde $\phi = -90°$. Não existem meios simples de traçar essas curvas de ângulo de fase. É necessário referir-se às curvas de ângulo de fase indicadas na Figura 7.9.

As curvas de resposta em frequência do fator

$$1 + 2\zeta\left(j\frac{\omega}{\omega_n}\right) + \left(j\frac{\omega}{\omega_n}\right)^2$$

podem ser obtidas simplesmente pela inversão do sinal do módulo em dB e das curvas de ângulo de fase do fator

$$\frac{1}{1 + 2\zeta\left(j\dfrac{\omega}{\omega_n}\right) + \left(j\dfrac{\omega}{\omega_n}\right)^2}$$

Para obter as curvas de resposta em frequência de dada função quadrática, deve-se inicialmente determinar o valor da frequência de canto ω_n e do coeficiente de amortecimento ζ. Então, utilizando a família de curvas dada pela Figura 7.9, podem ser construídas as curvas de resposta em frequência.

A frequência de ressonância ω_r e o valor de pico de ressonância M_r. O módulo de

$$G(j\omega) = \frac{1}{1 + 2\zeta\left(j\dfrac{\omega}{\omega_n}\right) + \left(j\dfrac{\omega}{\omega_n}\right)^2}$$

é:

$$|G(j\omega)| = \frac{1}{\sqrt{\left(1 - \dfrac{\omega^2}{\omega_n^2}\right)^2 + \left(2\zeta\dfrac{\omega}{\omega_n}\right)^2}} \quad (7.9)$$

Se $|G(j\omega)|$ apresentar um valor de pico em alguma frequência, esta é denominada frequência de *ressonância*. Se o numerador de $|G(j\omega)|$ for constante, ocorrerá um valor de pico de $|G(j\omega)|$ quando

$$g(\omega) = \left(1 - \frac{\omega^2}{\omega_n^2}\right)^2 + \left(2\zeta\frac{\omega}{\omega_n}\right)^2 \quad (7.10)$$

for um mínimo. Como a Equação 7.10 pode ser escrita como:

$$g(\omega) = \left[\frac{\omega^2 - \omega_n^2(1 - 2\zeta^2)}{\omega_n^2}\right]^2 + 4\zeta^2(1 - \zeta^2) \quad (7.11)$$

o valor mínimo de $g(\omega)$ ocorre em $\omega = \omega_n\sqrt{1 - 2\zeta^2}$. Portanto, a frequência de ressonância ω_r é:

$$\omega_r = \omega_n\sqrt{1 - 2\zeta^2}, \quad \text{para } 0 \leq \zeta \leq 0{,}707 \quad (7.12)$$

Conforme o coeficiente de amortecimento ζ tender a zero, a frequência de ressonância tenderá a ω_n. Para $0 < \zeta \leq 0{,}707$, **a frequência de ressonância ω_r é menor que a frequência natural** amortecida $\omega_d = \omega_n\sqrt{1-2\zeta^2}$, que é apresentada na resposta transitória. Pode-se ver na Equação 7.12 que, para $\zeta > 0{,}707$, não existe pico de ressonância. O valor de $|G(j\omega)|$ decresce monotonicamente com o aumento da frequência ω. (A grandeza é menor que 0 dB para todos os valores de $\omega > 0$. Lembre-se de que, para $0{,}7 < \zeta < 1$, a resposta ao degrau é oscilatória, mas as oscilações são bastante amortecidas e dificilmente são perceptíveis.)

Para $0 \leq \zeta \leq 0{,}707$, o valor do pico de ressonância, $M_r = |G(j\omega_r)|$, pode ser determinado substituindo-se a Equação 7.12 na Equação 7.9. Para $0 \leq \zeta \leq 0{,}707$,

$$M_r = |G(j\omega)|_{\max} = |G(j\omega_r)| = \frac{1}{2\zeta\sqrt{1-\zeta^2}} \tag{7.13}$$

Para $\zeta > 0{,}707$,

$$M_r = 1 \tag{7.14}$$

À medida que ζ tende a zero, M_r tende ao infinito. Isso significa que, se o sistema não amortecido for excitado em sua frequência natural, o valor de $G(j\omega)$ se tornará infinito. A Figura 7.10 mostra a relação entre M_r e ζ.

O ângulo de fase de $G(j\omega)$ na frequência em que ocorre o pico de ressonância pode ser obtido substituindo-se a Equação 7.12 na Equação 7.8. Assim, na frequência de ressonância ω_r,

$$\underline{/G(j\omega_r)} = -\mathrm{tg}^{-1}\frac{\sqrt{1-2\zeta^2}}{\zeta} = -90° + \mathrm{sen}^{-1}\frac{\zeta}{\sqrt{1-\zeta^2}}$$

FIGURA 7.10
Curva M_r versus ζ do sistema de segunda ordem $1/[1 + 2\zeta(j\omega/\omega_n) + (j\omega/\omega_n)^2]$.

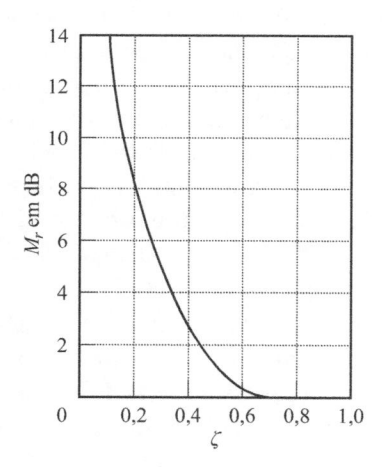

Procedimento geral para a construção do diagrama de Bode. O MATLAB fornece um meio fácil para a construção dos diagramas de Bode. (O método do MATLAB é apresentado adiante, nesta seção.). Aqui, entretanto, consideraremos o caso em que desejamos construir os diagramas de Bode manualmente, sem utilizar o MATLAB.

De início, reescrevemos a função de transferência senoidal $G(j\omega)H(j\omega)$ como produto de fatores básicos, discutidos anteriormente. Em seguida, identificamos a frequência de canto associada a esses fatores básicos. Por fim, traçamos as curvas assintóticas de módulo em dB com as inclinações apropriadas entre as frequências de canto. A curva exata, que fica muito próxima da curva assintótica, pode ser obtida fazendo-se as correções apropriadas.

A curva de ângulo de fase de $G(j\omega)H(j\omega)$ pode ser desenhada adicionando-se as curvas de ângulo de fase dos fatores individuais.

O uso dos diagramas de Bode com o emprego de aproximações assintóticas requer muito menos tempo do que outros métodos que podem ser utilizados para a determinação da resposta em frequência de uma função de transferência. A facilidade de construção das curvas de resposta em frequência de dada função de transferência e a facilidade de modificação da curva de resposta em frequência, quando for adicionada compensação, são as principais razões pelas quais os diagramas de Bode são frequentemente utilizados na prática.

Exemplo 7.3 Desenhe o diagrama de Bode da seguinte função de transferência:

$$G(j\omega) = \frac{10(j\omega + 3)}{(j\omega)(j\omega + 2)[(j\omega)^2 + j\omega + 2]}$$

Efetue as correções para que a curva de módulo em dB seja precisa.

Para evitar possíveis erros na construção da curva de módulo em dB, é desejável pôr $G(j\omega)$ na forma normalizada a seguir, onde as assíntotas de baixa frequência dos fatores de primeira ordem e do fator de segunda ordem são a reta de 0 dB:

$$G(j\omega) = \frac{7,5\left(\frac{j\omega}{3} + 1\right)}{(j\omega)\left(\frac{j\omega}{2} + 1\right)\left[\frac{(j\omega)^2}{2} + \frac{j\omega}{2} + 1\right]}$$

Essa função é composta pelos seguintes fatores:

$$7,5, \quad (j\omega)^{-1}, \quad 1 + j\frac{\omega}{3}, \quad \left(1 + j\frac{\omega}{2}\right)^{-1}, \quad \left[1 + j\frac{\omega}{2} + \frac{(j\omega)^2}{2}\right]^{-1}$$

As frequências de canto do terceiro, quarto e quinto termos são $\omega = 3$, $\omega = 2$ e $\omega = \sqrt{2}$, respectivamente. Note que o último termo tem o coeficiente de amortecimento de 0,3536.

Para construir o diagrama de Bode, as curvas assintóticas de cada um dos fatores são mostradas separadamente na Figura 7.11. A curva composta é então obtida adicionando-se algebricamente as curvas individuais, também mostradas na Figura 7.11. Note que, quando as curvas assintóticas individuais são adicionadas a cada frequência, a inclinação da curva composta é cumulativa. Abaixo de $\omega = \sqrt{2}$, o gráfico tem uma inclinação de -20 dB/década. Na primeira frequência de canto $\omega = \sqrt{2}$, a inclinação muda para -60 dB/década, que continua até a próxima frequência de canto $\omega = 2$, onde a inclinação passa a ser -80 dB/década. Na última frequência de canto $\omega = 3$, a inclinação muda para -60 dB/década.

Uma vez que essa curva aproximada de módulo em dB tenha sido desenhada, a curva real pode ser obtida adicionando-se as correções a cada frequência de canto e às frequências uma oitava abaixo e acima das frequências de canto. Para os fatores de primeira ordem $(1 + j\omega T)^{\mp 1}$, as correções são ± 3 dB na frequência de canto e ± 1 dB nas frequências uma oitava abaixo e acima da frequência de canto. As correções necessárias para o fator quadrático são obtidas a partir da Figura 7.9. A curva exata de módulo em dB de $G(j\omega)$ é a curva tracejada mostrada na Figura 7.11.

Note que qualquer modificação na inclinação da curva de módulo é feita apenas nas frequências de canto da função de transferência $G(j\omega)$. Portanto, em vez de construir as curvas individuais de módulo e adicioná-las, como foi mostrado, podemos traçar a curva de módulo sem desenhar as curvas individuais. Podemos começar por desenhar a porção de menor frequência da reta (isto é, a reta com a inclinação -20 dB/década para $\omega < \sqrt{2}$). À medida que a frequência aumenta, obtemos o efeito dos polos complexos conjugados (termo quadrático) na frequência de canto $\omega = \sqrt{2}$. Os polos complexos conjugados fazem que as inclinações da curva de módulo mudem de -20 para -60 dB/década. Na frequência de canto seguinte, $\omega = 2$, o efeito do polo é mudar a inclinação para -80 dB/década. Por fim, na frequência de canto $\omega = 3$, o efeito do zero é mudar a inclinação de -80 para -60 dB/década.

Para a construção da curva completa de ângulo de fase, devem ser esboçadas as curvas de ângulo de fase de todos os fatores. A soma algébrica de todas as curvas de ângulo de fase fornece a curva completa de ângulo de fase, como mostra a Figura 7.11.

FIGURA 7.11
Diagrama de Bode do sistema considerado no Exemplo 7.3.

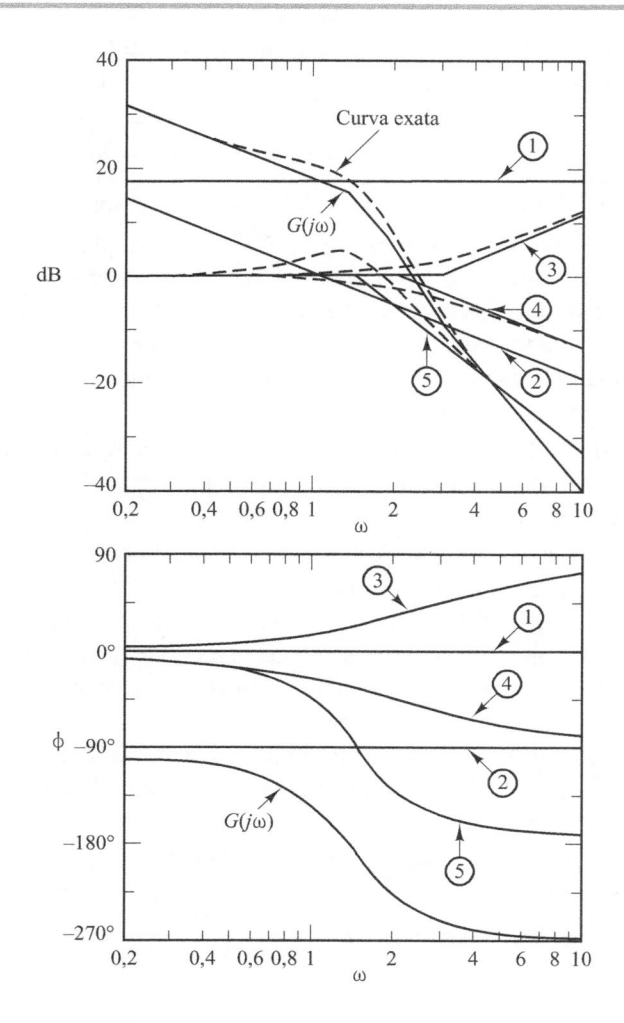

Sistemas de fase mínima e sistemas de fase não mínima. As funções de transferência que não possuem polos nem zeros no semiplano direito do plano s são funções de transferência de fase mínima, enquanto as que possuem polos e zeros no semiplano direito do plano s são funções de transferência de fase não mínima. Os sistemas com funções de transferência de fase mínima são denominados *sistemas de fase mínima*, ao passo que aqueles com funções de transferência de fase não mínima são denominados *sistemas de fase não mínima*.

Para os sistemas com as mesmas características de módulo, a gama de valores do ângulo de fase da função de transferência de fase mínima é mínima entre todos esses sistemas, enquanto a gama de valores do ângulo de fase de qualquer função de transferência de fase não mínima é maior que esse mínimo.

Note que, para um sistema de fase mínima, a função de transferência pode ser determinada univocamente apenas a partir da curva de módulo. Para um sistema de fase não mínima, isso não acontece. Multiplicando qualquer função de transferência por filtros passa-tudo, a curva de módulo não se altera, mas a curva de ângulo de fase é modificada.

Considere como exemplo os dois sistemas cujas funções de transferência senoidal são, respectivamente,

$$G_1(j\omega) = \frac{1 + j\omega T}{1 + j\omega T_1}, \quad G_2(j\omega) = \frac{1 + j\omega T}{1 + j\omega T_1}, \quad 0 < T < T_1$$

As configurações de polos e zeros desses sistemas são mostradas na Figura 7.12. As duas funções de transferência senoidais têm as mesmas características de módulo, mas diferentes características de ângulo de fase, como mostra a Figura 7.13. Esses dois sistemas diferem entre si pelo fator

$$G(j\omega) = \frac{1 - j\omega T}{1 + j\omega T}$$

O módulo do fator $(1 - j\omega T)/(1 + j\omega T)$ é sempre a unidade. O ângulo de fase, no entanto, é igual $-2\ \text{tg}^{-1}\omega T$ e varia de 0° a $-180°$, à medida que ω varia de zero a infinito.

Conforme já foi dito, para um sistema de fase mínima, as características de módulo e de **ângulo de fase estão relacionadas univocamente**. Isso quer dizer que, se a curva de módulo de um sistema for especificada para toda a gama de valores de frequência de zero a infinito, a curva de ângulo de fase será determinada de forma única e vice-versa. Isso, entretanto, não ocorre com os sistemas de fase não mínima.

As situações de fase não mínima podem surgir de duas maneiras diferentes. Uma delas é simplesmente quando um sistema inclui um elemento ou elementos de fase não mínima. A outra situação pode ocorrer no caso em que se tenha uma malha interna instável.

Para um sistema de fase mínima, o ângulo de fase em ω = ∞ **torna-se** $-90°(q-p)$, onde p e q são os graus dos polinômios do numerador e do denominador da função de transferência, respectivamente. No sistema de fase não mínima, o ângulo de fase em ω = ∞ **difere do** $-90°(q-p)$. Em qualquer dos dois sistemas, a inclinação da curva de módulo em dB em ω = ∞ é igual a $-20(q-p)$ dB/década. Portanto, é possível detectar se o sistema é de fase mínima pelo exame da inclinação tanto da assíntota de alta frequência da curva de módulo em dB quanto pelo ângulo de fase em ω = ∞. Se a inclinação da curva de módulo em dB, conforme ω tende ao infinito, for $-20(q-p)$ dB/década e o ângulo de fase em ω = ∞ for igual a $-90°(q-p)$, então o sistema será de fase mínima.

Os sistemas de fase não mínima são lentos na resposta, em virtude do comportamento incorreto no início da resposta. Na maioria dos sistemas de controle práticos, o atraso de fase excessivo

FIGURA 7.12
Configurações de polos e zeros de um sistema de fase mínima $G_1(s)$ e de um sistema de fase não mínima $G_2(s)$.

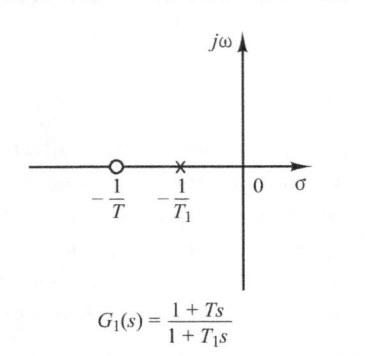

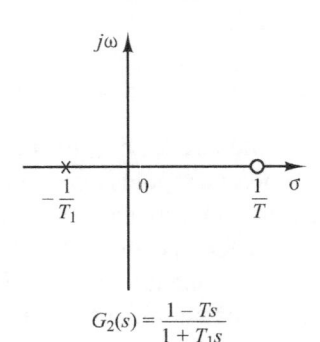

$$G_1(s) = \frac{1 + Ts}{1 + T_1 s} \qquad G_2(s) = \frac{1 - Ts}{1 + T_1 s}$$

FIGURA 7.13
Características do ângulo de fase dos sistemas $G_1(s)$ e $G_2(s)$, mostrados na Figura 7.12.

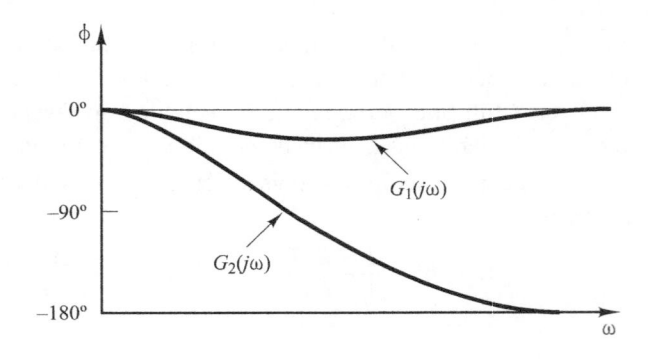

deve ser evitado cuidadosamente. No projeto de um sistema, se a velocidade de resposta for de importância fundamental, não se deverá utilizar componentes de fase não mínima. (Um exemplo comum de elementos de fase não mínima que podem estar presentes em sistemas de controle é o retardo de transporte ou tempo morto.)

Deve-se notar que as técnicas de análise e projeto de resposta em frequência a serem apresentadas neste e no próximo capítulo são válidas para sistemas tanto de fase mínima como de fase não mínima.

Retardo de transporte. O retardo de transporte, que também é chamado tempo morto, tem comportamento de fase não mínima e apresenta um atraso de fase excessivo, sem atenuação nas altas frequências. Esses retardos de transporte normalmente existem nos sistemas térmicos, hidráulicos e pneumáticos.

Considere o retardo de transporte dado por:

$$G(j\omega) = e^{-j\omega T}$$

O módulo é sempre igual à unidade, pois

$$|G(j\omega)| = |\cos \omega T - j \operatorname{sen} \omega T| = 1$$

Portanto, o módulo em dB do retardo de transporte $e^{-j\omega T}$ é igual a 0 dB. O ângulo de fase do retardo de transporte é:

$$\underline{/G(j\omega)} = -\omega T \quad \text{(radianos)}$$
$$= -57{,}3\,\omega T \quad \text{(graus)}$$

O ângulo de fase varia linearmente com a frequência ω. A característica do ângulo de fase do retardo de transporte é mostrada na Figura 7.14.

FIGURA 7.14
Característica do ângulo de fase do retardo de transporte.

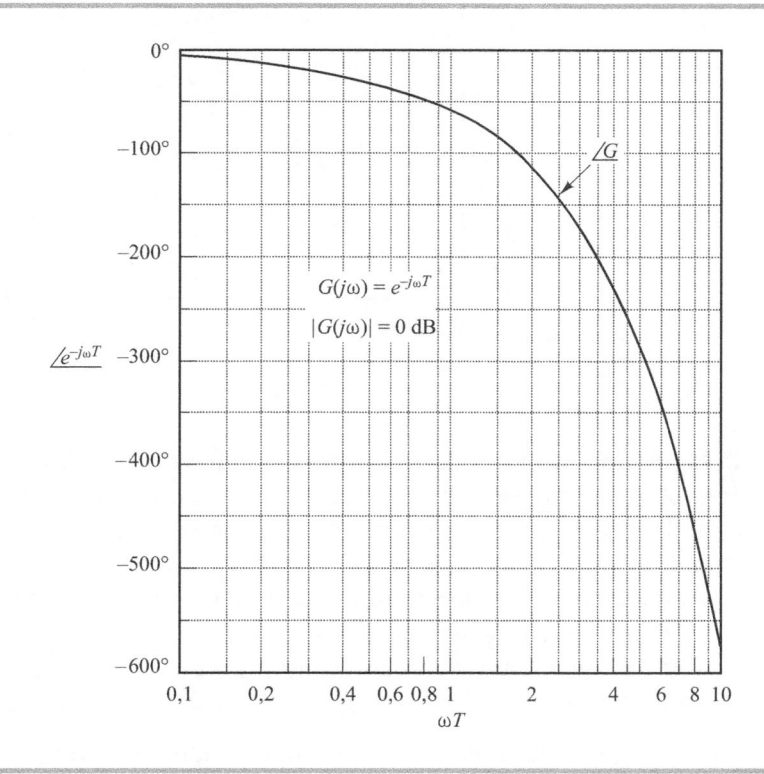

Exemplo 7.4 Construa o diagrama de Bode da seguinte função de transferência:

$$G(j\omega) = \frac{e^{-j\omega L}}{1 + j\omega T}$$

O módulo em dB é:

$$20\log|G(j\omega)| = 20\log|e^{-j\omega L}| + 20\log\left|\frac{1}{1+j\omega T}\right|$$

$$= 0 + 20\log\left|\frac{1}{1+j\omega T}\right|$$

O ângulo de fase de $G(j\omega)$ é:

$$\underline{/G(j\omega)} = \underline{/e^{-j\omega L}} + \underline{\bigg/\frac{1}{1+j\omega T}}$$

$$= -\omega L - \text{tg}^{-1}\omega T$$

As curvas de módulo em dB e de ângulo de fase dessa função de transferência com $L = 0,5$ e $T = 1$ estão indicadas na Figura 7.15.

FIGURA 7.15
Diagrama de Bode do sistema $e^{-j\omega L}/(1 + j\omega T)$ com $L = 0,5$ e $T = 1$.

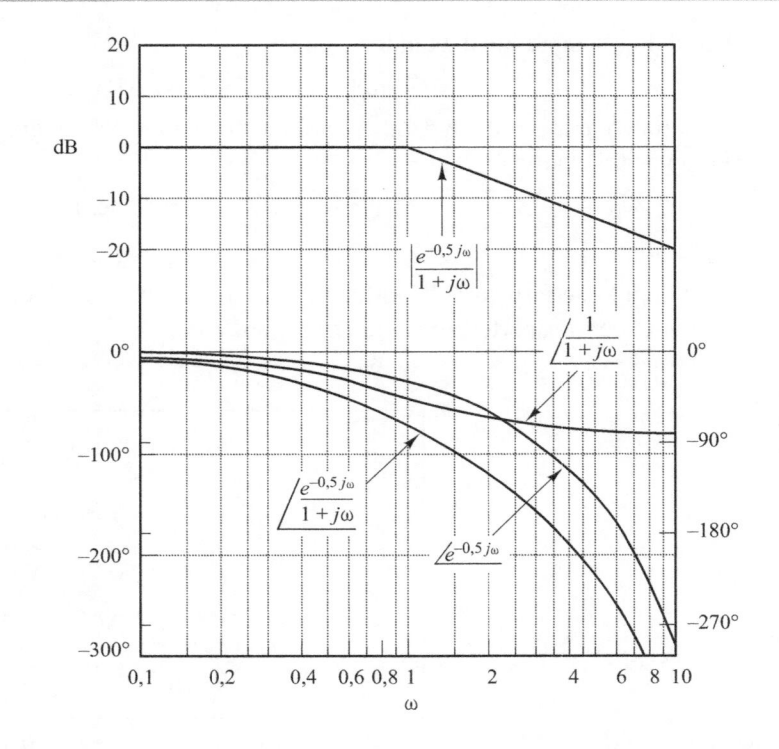

Relacionamento entre tipo de sistema e curva de módulo em dB. Considere o sistema de controle com realimentação unitária. As constantes de erro estático de posição, de velocidade e de aceleração descrevem o comportamento de baixa frequência dos tipos 0, 1 e 2, respectivamente. Para dado sistema, apenas uma das constantes de erro estático é finita e significativa. (Quanto maior o valor da constante de erro estático finita, maior o ganho de malha quando ω tende a zero.)

O tipo de sistema determina a inclinação da curva de módulo em dB em baixas frequências. Portanto, a informação relativa ao erro estático de um sistema de controle para dada entrada pode ser determinada a partir da observação da região de baixas frequências da curva de módulo em dB.

Determinação das constantes de erro estático de posição. Considere o sistema de controle com realimentação unitária indicado na Figura 7.16. Suponha que a função de transferência de malha aberta seja dada por:

$$G(s) = \frac{K(T_a s + 1)(T_b s + 1)\cdots(T_m s + 1)}{s^N(T_1 s + 1)(T_2 s + 1)\cdots(T_p s + 1)}$$

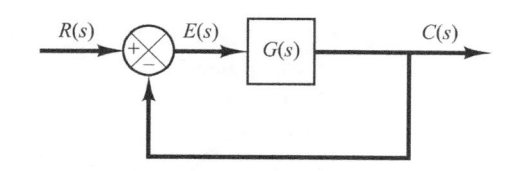

FIGURA 7.16
Sistema de controle com realimentação unitária.

ou

$$G(j\omega) = \frac{K(T_a j\omega + 1)(T_b j\omega + 1)\cdots(T_m j\omega + 1)}{(j\omega)^N (T_1 j\omega + 1)(T_2 j\omega + 1)\cdots(T_p j\omega + 1)}$$

A Figura 7.17 mostra um exemplo do diagrama do módulo em dB de um sistema do tipo 0. Nesse sistema, o módulo de $G(j\omega)$ nas baixas frequências é igual a K_p ou

$$\lim_{\omega \to \infty} G(j\omega) = K = K_p$$

O resultado é que a assíntota de baixa frequência é uma reta horizontal de $20 \log K_p$ dB.

Determinação da constante de erro estático de velocidade. Considere o sistema de controle com realimentação unitária mostrado na Figura 7.16. A Figura 7.18 mostra um exemplo do diagrama de módulo em dB de um sistema do tipo 1. A intersecção do segmento inicial -20 dB/década (ou sua extensão) com a reta $\omega = 1$ vale $20 \log K_v$. Pode-se ver isso a seguir. Em um sistema tipo 1,

$$G(j\omega) = \frac{K_v}{j\omega}, \quad \text{para } \omega \ll 1$$

Então,

$$20 \log \left| \frac{K_v}{j\omega} \right|_{\omega = 1} = 20 \log K_v$$

A intersecção do segmento inicial de -20 dB/década (ou sua extensão) com o eixo de 0 dB ocorre em uma frequência numericamente igual a K_v. Para verificar isso, defina a frequência nessa intersecção como ω_1; então,

$$\left| \frac{K_v}{j\omega_1} \right| = 1$$

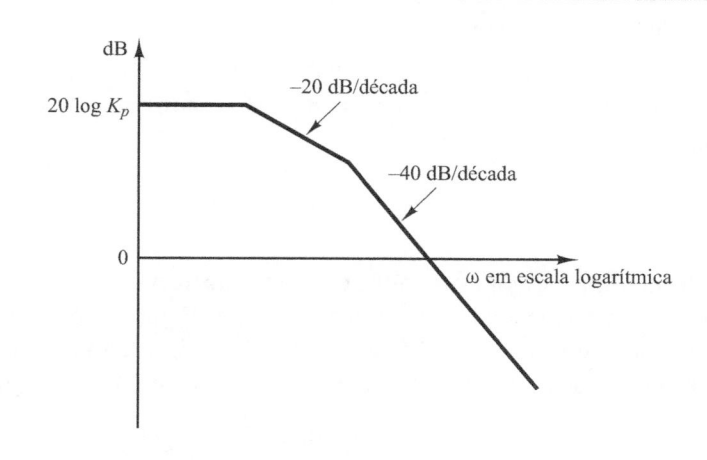

FIGURA 7.17
Curva de módulo em dB de um sistema tipo 0.

FIGURA 7.18
Curva de módulo em dB de um sistema tipo 1.

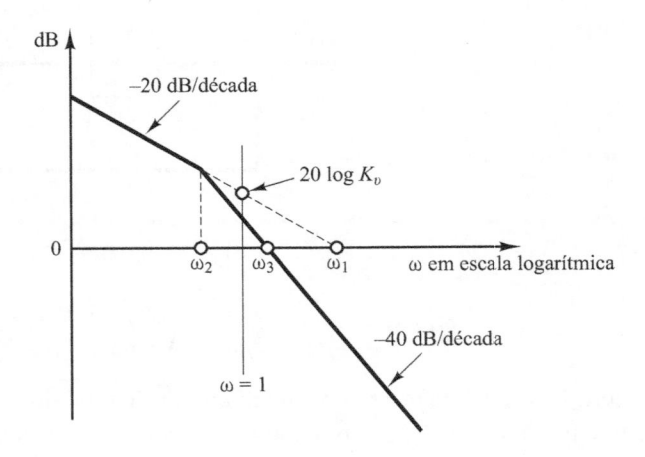

ou

$$K_v = \omega_1$$

Como exemplo, considere o sistema do tipo 1 com realimentação unitária cuja função de transferência de malha aberta é:

$$G(s) = \frac{K}{s(Js + F)}$$

Se definirmos a frequência de canto como ω_2 e a frequência de intersecção do segmento de -40 dB/década (ou sua extensão) com o eixo de 0 dB, como ω_3, então

$$\omega_2 = \frac{F}{J}, \quad \omega_3^2 = \frac{K}{J}$$

Como

$$\omega_1 = K_v = \frac{K}{F}$$

segue-se que:

$$\omega_1 \omega_2 = \omega_3^2$$

ou

$$\frac{\omega_1}{\omega_3} = \frac{\omega_3}{\omega_2}$$

No diagrama de Bode,

$$\log \omega_1 - \log \omega_3 = \log \omega_3 - \log \omega_2$$

Então, o ponto ω_3 está justamente no meio, entre os pontos ω_2 e ω_1. O coeficiente de amortecimento ζ do sistema é, então,

$$\zeta = \frac{F}{2\sqrt{KJ}} = \frac{\omega_2}{2\omega_3}$$

Determinação da constante de erro estático de aceleração. Considere o sistema de controle com realimentação unitária mostrado na Figura 7.16. A Figura 7.19 mostra um exemplo do diagrama de módulo em dB de um sistema do tipo 2. A intersecção do segmento inicial -40 dB/década (ou sua extensão) com a reta $\omega = 1$ tem módulo de $20 \log K_a$. Como em baixas frequências,

$$G(j\omega) = \frac{K_a}{(j\omega)^2}, \quad \text{para } \omega \ll 1$$

FIGURA 7.19
Curva de módulo em dB de um sistema tipo 2.

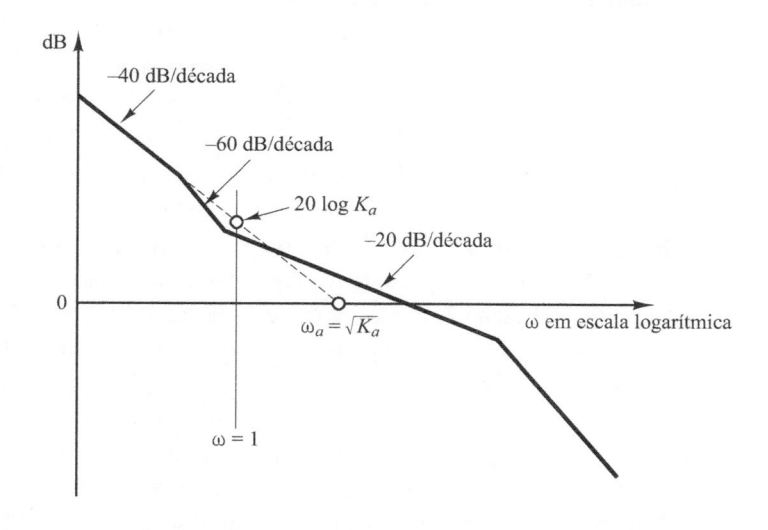

resulta que:

$$20\log\left|\frac{K_a}{(j\omega)^2}\right|_{\omega=1} = 20\log K_a$$

A frequência ω_a na intersecção do segmento inicial -40 dB/década (ou sua extensão) com a reta 0 dB nos fornece o valor numérico da raiz quadrada de K_a. Isso pode ser visto como segue:

$$20\log\left|\frac{K_a}{(j\omega_a)^2}\right| = 20\log 1 = 0$$

do que resulta:

$$\omega_a = \sqrt{K_a}$$

Construção do diagrama de Bode com o MATLAB. O comando bode calcula módulos e ângulos de fase da resposta em frequência de sistemas contínuos no tempo, lineares e invariantes no tempo.

Quando o comando bode (sem os argumentos do lado esquerdo) é digitado no computador, o MATLAB gera um diagrama na tela do monitor. Os comandos bode utilizados com maior frequência são:

```
bode(num,den)
bode(num,den,w)
bode(A,B,C,D)
bode(A,B,C,D,w)
bode(A,B,C,D,iu,w)
bode(sys)
```

Quando for executado com argumentos do lado esquerdo, como

```
[mag,phase,w] = bode(num,den,w)
```

o comando bode retorna a resposta em frequência do sistema por meio das matrizes mag, phase e w. Nenhum gráfico é traçado na tela do monitor. As matrizes mag e phase contêm os módulos e os ângulos de fase da resposta em frequência do sistema, calculados em relação às frequências especificadas pelo usuário. Obtém-se o ângulo de fase em graus. O módulo pode ser convertido em decibéis pelo comando

```
magdB = 20*log10(mag)
```

Outros comandos de Bode com argumentos no lado esquerdo são:

[mag,phase,w] = bode(num,den)
[mag,phase,w] = bode(num,den,w)
[mag,phase,w] = bode(A,B,C,D)
[mag,phase,w] = bode(A,B.C,D,w)
[mag,phase,w] = bode(A,B,C,D,iu,w)
[mag,phase,w] = bode(sys)

Para especificar a faixa de frequência, utilize o comando logspace(d1,d2) ou logspace(d1,d2,n). O comando logspace(d1,d2) gera um vetor de 50 pontos igualmente espaçados em uma escala logarítmica entre as décadas 10d1 e 10d2. (Os 50 pontos incluem ambos os pontos extremos. Existem 48 pontos entre os pontos extremos.) Para gerar 50 pontos entre 0,1 rad/s e 100 rad/s, utilize o comando

w = logspace(-1,2)

O comando logspace(d1,d2,n) gera n pontos igualmente espaçados em uma escala logarítmica entre as décadas 10^{d1} e 10^{d2} (os n pontos incluem ambos os extremos). Por exemplo, para gerar 100 pontos entre 1 rad/s e 1.000 rad/s, digite o seguinte comando:

w = logspace(0,3,100)

Para incorporar os pontos de frequências especificados pelo usuário no traçado de diagramas de Bode, o comando bode deve incluir o vetor de frequência w, como bode (num,den,w) e [mag,phase,w] = bode(A,B,C,D,w).

Exemplo 7.5 Considere a seguinte função de transferência:

$$G(s) = \frac{25}{s^2 + 4s + 25}$$

Construa o diagrama de Bode para essa função de transferência.

Quando o sistema estiver definido na forma

$$G(s) = \frac{\text{num}(s)}{\text{den}(s)}$$

utilize o comando bode(num,den) para desenhar o diagrama de Bode. [Quando numerador e denominador contiverem os coeficientes polinomiais de s, em ordem decrescente do expoente, o comando bode(num,den) desenha o diagrama de Bode.] O Programa 7.1 em MATLAB traça o diagrama de Bode para esse sistema. A Figura 7.20 apresenta o diagrama de Bode resultante.

```
Programa 7.1 em MATLAB

num = [25];
den = [1 4 25];
bode(num,den)
title('Diagrama de Bode de G(s) = 25/(s^2 + 4s + 25)')
```

FIGURA 7.20

Diagrama de Bode de $G(s) = \dfrac{25}{s^2 + 4s + 25}$.

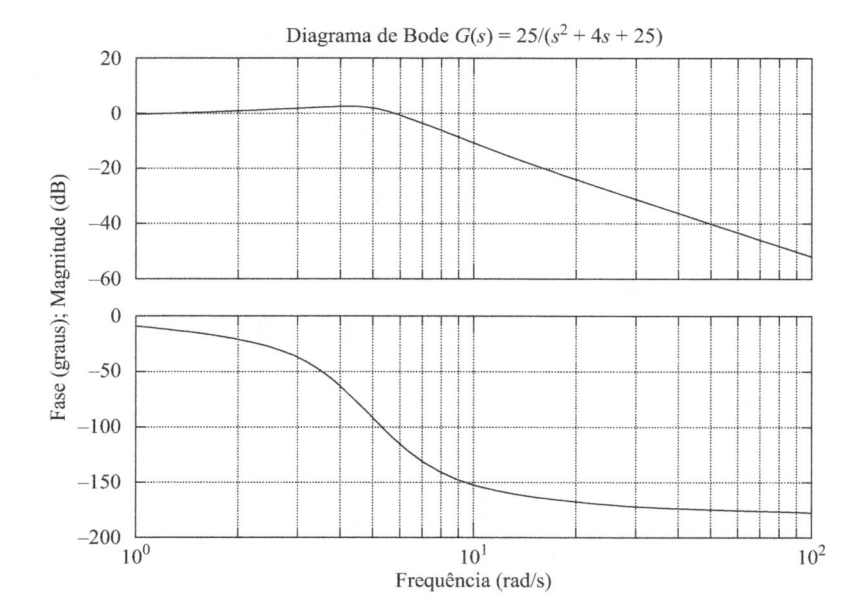

Diagrama de Bode $G(s) = 25/(s^2 + 4s + 25)$

Exemplo 7.6 Considere o sistema indicado na Figura 7.21. A função de transferência de malha aberta é:

$$G(s) = \frac{9(s^2 + 0,2s + 1)}{s(s^2 + 1,2s + 9)}$$

Trace o diagrama de Bode.

O Programa 7.2 em MATLAB gera o diagrama de Bode para esse sistema. A Figura 7.22 mostra o diagrama resultante. A faixa de frequências, nesse caso, é determinada automaticamente como o intervalo entre 0,01 e 10 rad/s.

```
Programa 7.2 em MATLAB

num = [9 1.8 9];
den = [1 1.2 9 0];
bode(num,den)
title('Diagrama de Bode de G(s) = 9(s^2 + 0.2s + 1)/[s(s^2 + 1.2s + 9)]')
```

Se for desejável traçar o diagrama de Bode para o intervalo entre 0,01 e 1.000 rad/s, digite o seguinte comando:

w = logspace(-2,3,100)

Esse comando gera 100 pontos espaçados regularmente em escala logarítmica entre 0,01 e 100 rad/s. (Note que esse vetor w especifica as frequências em radianos por segundo nas quais a resposta em frequência será calculada.)

Se utilizarmos o comando

bode(num,den,w)

FIGURA 7.21

Sistema de controle.

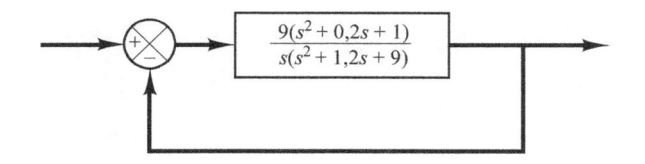

FIGURA 7.22
Diagrama de Bode de
$G(s) = \dfrac{9(s^2 + 0,2s + 1)}{s(s^2 + 1,2s + 9)}$.

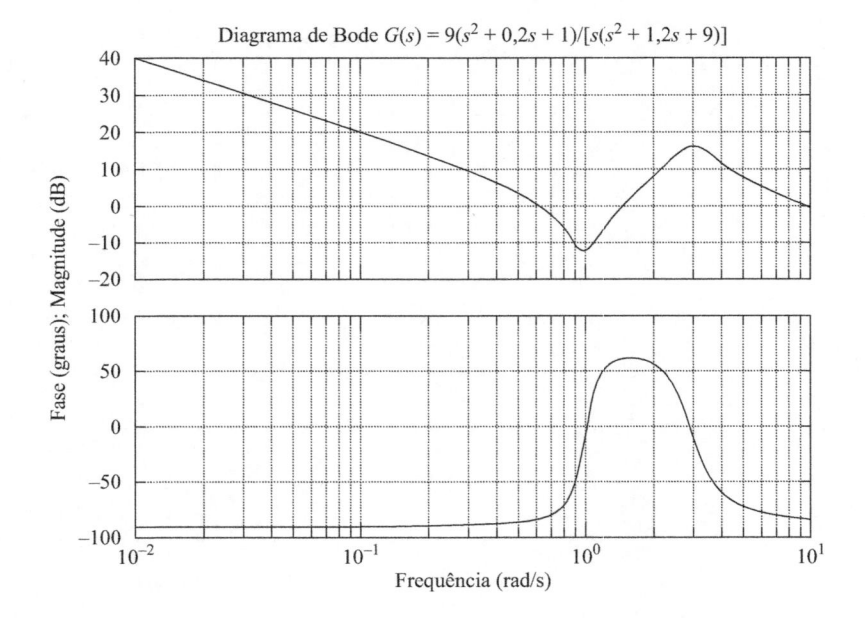

então a faixa de frequência será a que foi definida pelo usuário, mas a gama de valores do módulo e do ângulo de fase será determinada automaticamente. Veja o Programa 7.3 em MATLAB e o diagrama resultante na Figura 7.23.

```
Programa 7.3 em MATLAB

num = [9 1.8 9];
den = [1 1.2 9 0];
w = logspace(-2,3,100);
bode(num,den,w)
title('Diagrama de Bode de G(s) = 9(s^2 + 0.2s + 1)/[s(s^2 + 1.2s + 9)]')
```

FIGURA 7.23
Diagrama de Bode de
$G(s) = \dfrac{9(s^2 + 0,2s + 1)}{s(s^2 + 1,2s + 9)}$.

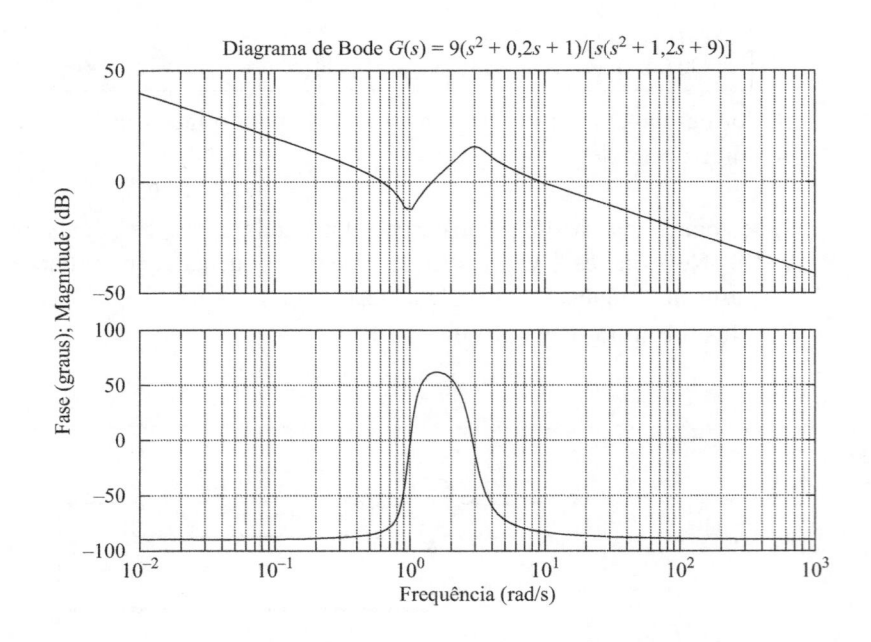

Obtenção do diagrama de Bode dos sistemas definidos no espaço de estados. Considere o sistema definido por:

$$\dot{x} = Ax + Bu$$

$$y = Cx + Du$$

onde x = vetor de estado (vetor n)
 y = vetor de saída (vetor m)
 u = vetor de controle (vetor r)
 A = matriz de estado (matriz $n \times n$)
 B = matriz de controle (matriz $n \times r$)
 C = matriz de saída (matriz $m \times n$)
 D = matriz de transmissão direta (matriz $m \times r$)

Podemos obter o diagrama de Bode desse sistema, executando o comando

```
bode(A,B,C,D)
```

ou outros, relacionados no início desta seção.

O comando `bode (A,B,C,D)` produz uma série de diagramas de Bode, um para cada entrada do sistema, com a gama de valores de frequência determinada automaticamente. (Serão utilizados mais pontos quando a resposta do sistema estiver mudando rapidamente.)

O comando `bode (A,B,C,D,iu)`, onde `iu` é a *i*-ésima entrada no sistema, produz os diagramas de Bode da entrada `iu` para todas as saídas ($y_1, y_2, \ldots, y_m$) do sistema, com o intervalo de valores de frequência determinado automaticamente. (O escalar `iu` é um índice nas entradas do sistema e especifica qual entrada deve ser utilizada na construção do diagrama de Bode.) Se o vetor de controle **u** tiver três entradas, tais que

$$\mathbf{u} = \begin{bmatrix} u_1 \\ u_2 \\ u_3 \end{bmatrix}$$

então `iu` deverá ser definido como 1, 2 ou 3.

Se o sistema tiver apenas uma entrada u, então um dos seguintes comandos pode ser selecionado:

```
bode(A,B,C,D)
```

ou

```
bode(A,B,C,D,1)
```

Exemplo 7.7 Considere o seguinte sistema:

$$\begin{bmatrix} \dot{x}_1 \\ \dot{x}_2 \end{bmatrix} = \begin{bmatrix} 0 & 1 \\ -25 & -4 \end{bmatrix} \begin{bmatrix} x_1 \\ x_2 \end{bmatrix} + \begin{bmatrix} 0 \\ 25 \end{bmatrix} u$$

$$y = \begin{bmatrix} 1 & 0 \end{bmatrix} \begin{bmatrix} x_1 \\ x_2 \end{bmatrix}$$

Esse sistema tem uma entrada u e uma saída y. Utilizando o comando

```
bode(A,B,C,D)
```

e executando no computador o Programa 7.4 em MATLAB, obtemos o diagrama de Bode mostrado na Figura 7.24.

```
Programa 7.4 em MATLAB

A = [0 1;-25 -4];
B = [0;25];
C = [1 0];
D = [0];
bode(A,B,C,D)
title('Diagrama de Bode')
```

FIGURA 7.24
Diagrama de Bode do sistema considerado no Exemplo 7.7.

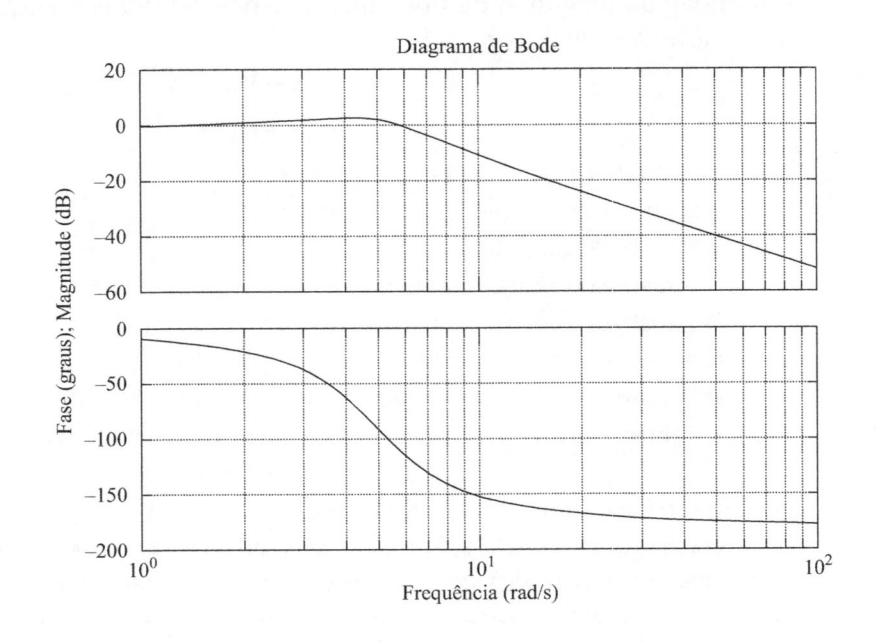

Se substituirmos o comando bode(A,B,C,D) no Programa 7.4 em MATLAB por:
bode(A,B,C,D,1)
então o MATLAB vai produzir o diagrama de Bode idêntico ao que se vê na Figura 7.24.

7.3 | Diagramas polares

O diagrama polar de uma função de transferência senoidal $G(j\omega)$ é um gráfico do módulo de $G(j\omega)$ *versus* o ângulo de fase de $G(j\omega)$ em coordenadas polares, com ω variando de zero a infinito. Assim, o diagrama polar é o lugar dos vetores $|G(j\omega)|\,\underline{/G(j\omega)}$ com ω variando de zero ao infinito. Note que no diagrama polar, um ângulo de fase positivo (negativo) é medido no sentido anti-horário (horário), a partir do eixo real positivo. O diagrama polar é frequentemente chamado diagrama de Nyquist. Um exemplo desse tipo de diagrama é apresentado na Figura 7.25. Cada ponto no diagrama polar de $G(j\omega)$ representa o ponto terminal de um vetor para determinado

FIGURA 7.25
Diagrama polar.

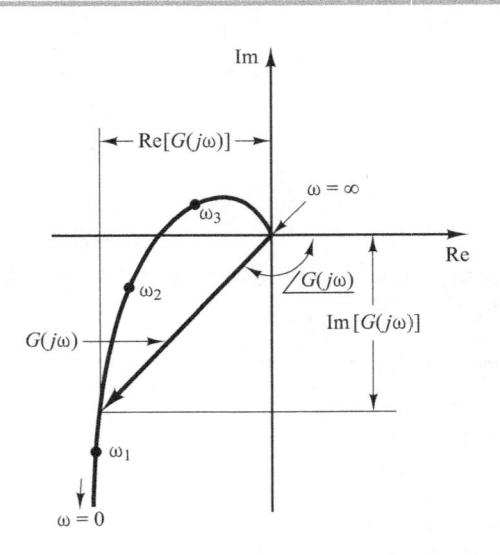

valor de ω. No diagrama polar, é importante indicar os valores da frequência ao longo da curva. As projeções de $G(j\omega)$ nos eixos real e imaginário são seus componentes real e imaginário.

O MATLAB pode ser utilizado para a obtenção do diagrama polar $G(j\omega)$ ou para obter $|G(j\omega)|$ e $\underline{/G(j\omega)}$ com precisão e para vários valores de ω no intervalo de interesse dos valores de frequência.

Uma vantagem em utilizar um diagrama polar é que este representa as características da resposta em frequência de um sistema em toda a faixa de frequências em um único gráfico. Uma desvantagem é que o diagrama não indica claramente as contribuições de cada fator individual sobre a função de transferência de malha aberta.

Fatores integral e derivativo $(j\omega)^{\mp 1}$. O diagrama polar de $|G(j\omega)| = 1/j\omega$ é o eixo imaginário negativo, visto que

$$G(j\omega) = \frac{1}{j\omega} = -j\frac{1}{\omega} = \frac{1}{\omega}\underline{/-90°}$$

O diagrama polar de $G(j\omega) = j\omega$ é o eixo imaginário positivo.

Fatores de primeira ordem $(1 + j\omega T)^{\mp 1}$. Para a função de transferência senoidal

$$G(j\omega) = \frac{1}{1 + j\omega T} = \frac{1}{\sqrt{1 + \omega^2 T^2}}\underline{/-\text{tg}^{-1}\omega T}$$

os valores de $G(j\omega)$ em $\omega = 0$ e $\omega = 1/T$ são, respectivamente,

$$G(j0) = 1\underline{/0°} \quad \text{e} \quad G\left(j\frac{1}{T}\right) = \frac{1}{\sqrt{2}}\underline{/-45°}$$

Se ω tende ao infinito, o módulo de $G(j\omega)$ tende a zero e o ângulo de fase tende a $-90°$. À medida que a frequência ω varia de zero ao infinito, o diagrama polar dessa função de transferência descreve uma semicircunferência, como mostra a Figura 7.26(a). O centro fica localizado no ponto 0,5 do eixo real e o raio é igual a 0,5.

Para comprovar que o diagrama polar do fator de primeira ordem $G(j\omega) = 1/(1 + j\omega T)$ é uma semicircunferência, defina:

$$G(j\omega) = X + jY$$

onde

$$X = \frac{1}{1 + \omega^2 T^2} = \text{parte real de } G(j\omega)$$

$$Y = \frac{-\omega T}{1 + \omega^2 T^2} = \text{parte imaginária de } G(j\omega)$$

FIGURA 7.26
(a) Diagrama polar de $1/(1 + j\omega T)$;
(b) diagrama de $G(j\omega)$ no plano X-Y.

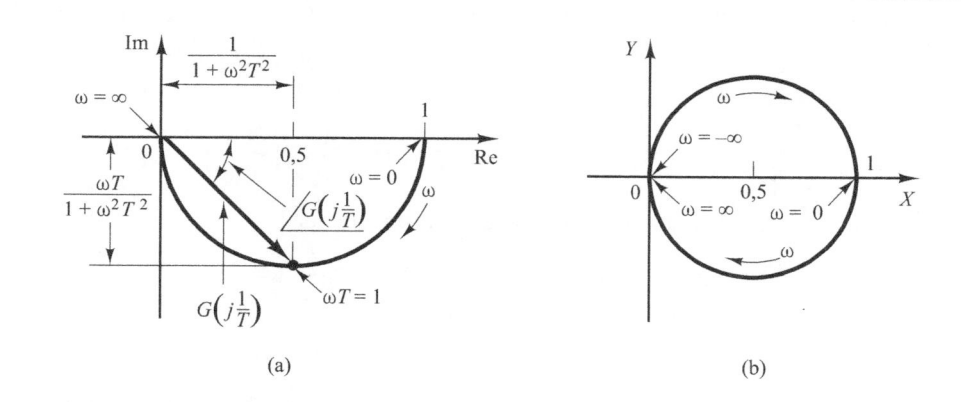

(a)

(b)

Então, obtemos:

$$\left(X - \frac{1}{2}\right)^2 + Y^2 = \left(\frac{1}{2}\frac{1-\omega^2 T^2}{1+\omega^2 T^2}\right)^2 + \left(\frac{-\omega T}{1+\omega^2 T^2}\right)^2 = \left(\frac{1}{2}\right)^2$$

Assim, no plano X-Y, $G(j\omega)$ é uma circunferência com centro em $X = \frac{1}{2}$, $Y = 0$ e raio igual a $\frac{1}{2}$, como mostra a Figura 7.26(b). O semicírculo inferior corresponde a $0 \leq \omega \leq \infty$ e o semicírculo superior a $-\infty \leq \omega \leq 0$.

O diagrama polar da função de transferência $1 + j\omega T$ é simplesmente a metade superior da reta que passa pelo ponto $(1,0)$ no plano complexo e é paralela ao eixo imaginário, como mostra a Figura 7.27. O diagrama polar de $1 + j\omega T$ tem uma aparência completamente diferente da aparência de $1/(1 + j\omega T)$.

Fatores quadráticos $[1 + 2\zeta(j\omega/\omega_n) + (j\omega/\omega_n)2]^{\mp 1}$. As porções relativas às baixas e às altas frequências do diagrama polar da seguinte função de transferência senoidal:

$$G(j\omega) = \frac{1}{1 + 2\zeta\left(j\dfrac{\omega}{\omega_n}\right) + \left(j\dfrac{\omega}{\omega_n}\right)^2}, \qquad \text{para } \zeta > 0$$

são dadas, respectivamente, por:

$$\lim_{\omega \to 0} G(j\omega) = 1 \underline{/0°} \quad \text{e} \quad \lim_{\omega \to \infty} G(j\omega) = 0 \underline{/-180°}$$

O diagrama polar dessa função de transferência senoidal inicia-se em $1 \underline{/0°}$ e termina em $0 \underline{/-180°}$, à medida que ω aumenta de zero a infinito. Assim, a parte relativa à alta frequência de $G(j\omega)$ é tangente ao eixo real negativo.

A Figura 7.28 apresenta exemplos do diagrama polar da função de transferência considerada. A forma exata do diagrama polar depende do valor do coeficiente de amortecimento ζ, mas a forma geral do diagrama é a mesma tanto para o caso subamortecido ($1 > \zeta > 0$) como para o superamortecido ($\zeta > 1$).

Para o caso subamortecido em que $\omega = \omega_n$, temos $G(j\omega_n) = 1/(j2\zeta)$ e o ângulo de fase em que $\omega = \omega_n$ é $-90°$. Portanto, pode-se observar que a frequência na qual o lugar geométrico de $G(j\omega)$ cruza o eixo imaginário é a frequência natural não amortecida ω_n. No diagrama polar, a frequência cujo ponto está mais distante da origem corresponde à frequência de ressonância ω_r. O valor de pico de $G(j\omega)$ é obtido pela relação entre o módulo do vetor na frequência de ressonância ω_r e o módulo do vetor em $\omega = 0$. A frequência de ressonância ω_r está indicada no diagrama polar da Figura 7.29.

Para o caso superamortecido, à medida que ζ aumenta muito além da unidade, o lugar geométrico de $G(j\omega)$ aproxima-se de uma semicircunferência. Pode-se observar esse fato nos sistemas muito amortecidos, em que as raízes características são reais e uma delas é bem menor que a outra. Dado que, para ζ suficientemente grande, o efeito da maior raiz (maior em valor absoluto) na resposta é muito pequeno, o sistema se comporta como de primeira ordem.

A seguir, considere a seguinte função de transferência senoidal:

$$G(j\omega) = 1 + 2\zeta\left(j\frac{\omega}{\omega_n}\right) + \left(j\frac{\omega}{\omega_n}\right)^2$$

$$= \left(1 - \frac{\omega^2}{\omega_n^2}\right) + j\left(\frac{2\zeta\omega}{\omega_n}\right)$$

A porção da curva relativa às baixas frequências é:

$$\lim_{\omega \to 0} G(j\omega) = 1 \underline{/0°}$$

e a porção relativa às altas frequências é:

$$\lim_{\omega \to \infty} G(j\omega) = \infty \underline{/180°}$$

Como a parte imaginária de $G(j\omega)$ é positiva para $\omega > 0$ e é monotonicamente crescente e a parte real de $G(j\omega)$ decresce monotonicamente a partir da unidade, a forma geral do diagrama polar de $G(j\omega)$ é a indicada na Figura 7.30. O ângulo de fase fica entre $0°$ e $180°$.

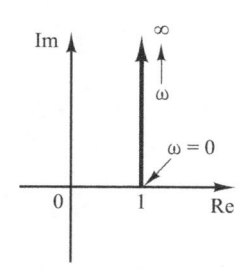

FIGURA 7.27
Diagrama polar de $1 + j\omega T$.

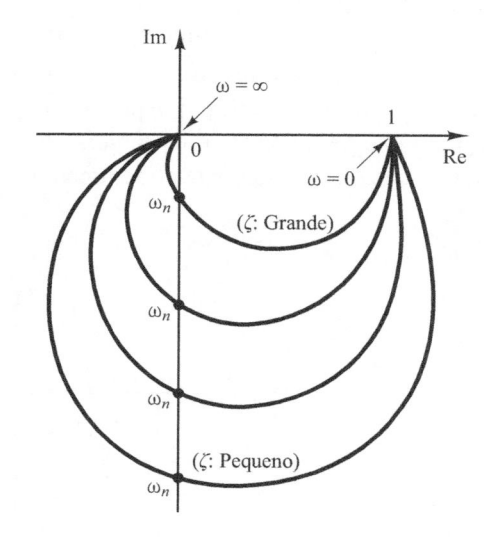

FIGURA 7.28
Diagrama polar de
$$\frac{1}{1 + 2\zeta\left(j\dfrac{\omega}{\omega_n}\right) + \left(j\dfrac{\omega}{\omega_n}\right)^2}$$
para $\zeta > 0$.

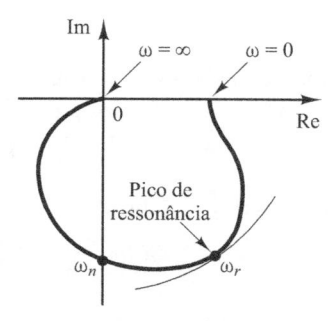

FIGURA 7.29
Diagrama polar que indica o pico de ressonância e a frequência de ressonância ω_r.

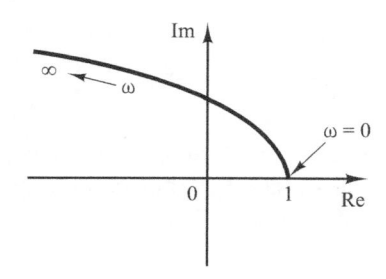

FIGURA 7.30
Diagrama polar de
$$1 + 2\zeta\left(j\dfrac{\omega}{\omega_n}\right) + \left(j\dfrac{\omega}{\omega_n}\right)^2$$
para $\zeta > 0$.

Exemplo 7.8 Considere a seguinte função de transferência de segunda ordem:

$$G(s) = \frac{1}{s(Ts + 1)}$$

Construa o diagrama polar dessa função de transferência.

Como a função de transferência senoidal pode ser escrita como segue:

$$G(j\omega) = \frac{1}{j\omega(1 + j\omega T)} = -\frac{T}{1 + \omega^2 T^2} - j\frac{1}{\omega(1 + \omega^2 T^2)}$$

a porção relativa à baixa frequência do diagrama polar é:

$$\lim_{\omega \to 0} G(j\omega) = -T - j\infty$$

e a porção relativa à alta frequência é:

$$\lim_{\omega \to \infty} G(j\omega) = 0 - j0$$

A Figura 7.31 apresenta a forma geral do diagrama polar de $G(j\omega)$. O diagrama de $G(j\omega)$ é assintótico em relação à reta vertical que passa pelo ponto $(-T, 0)$. Como essa função de transferência possui um integrador ($1/s$), a forma geral do diagrama polar difere substancialmente dos diagramas da função de transferência de segunda ordem, que não têm um integrador.

FIGURA 7.31
Diagrama polar de $1/[j\omega(1 + j\omega T)]$.

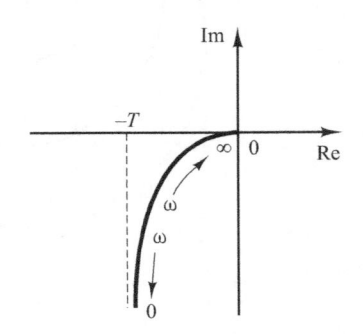

Exemplo 7.9 Obtenha o diagrama polar da seguinte função de transferência:

$$G(j\omega) = \frac{e^{-j\omega L}}{1 + j\omega T}$$

Como $G(j\omega)$ pode ser escrita como:

$$G(j\omega) = (e^{-j\omega L})\left(\frac{1}{1 + j\omega T}\right)$$

o módulo e o ângulo de fase são, respectivamente,

$$|G(j\omega)| = |e^{-j\omega L}| \cdot \left|\frac{1}{1 + j\omega T}\right| = \frac{1}{\sqrt{1 + \omega^2 T^2}}$$

e

$$\underline{/G(j\omega)} = \underline{/e^{-j\omega L}} + \underline{/\frac{1}{1 + j\omega T}} = -\omega L - \operatorname{tg}^{-1}\omega T$$

Visto que o módulo decresce monotonicamente a partir da unidade e o ângulo de fase também decresce monotônica e indefinidamente, o diagrama polar da função de transferência dada é uma espiral, como mostra a Figura 7.32.

FIGURA 7.32
Diagrama polar de $e^{-j\omega L}/(1 + j\omega T)$.

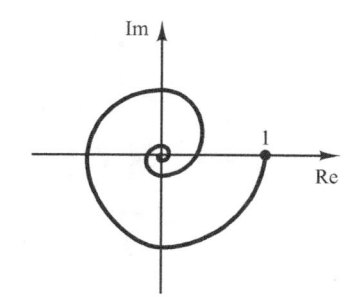

Formas gerais do diagrama polar. Os diagramas polares de uma função de transferência como

$$G(j\omega) = \frac{K(1 + j\omega T_a)(1 + j\omega T_b)\cdots}{(j\omega)^\lambda (1 + j\omega T_1)(1 + j\omega T_2)\cdots}$$

$$= \frac{b_0(j\omega)^m + b_1(j\omega)^{m-1} + \cdots}{a_0(j\omega)^n + a_1(j\omega)^{n-1} + \cdots}$$

onde $n > m$ ou o grau do polinômio do denominador é maior que o do numerador, terão as seguintes formas gerais:

1. *Para* $\lambda = 0$ *ou sistemas tipo* 0: o ponto de início do diagrama polar (que corresponde a $\omega = 0$) é finito e está sobre o eixo real positivo. A tangente do diagrama polar em $\omega = 0$ é perpendicular ao eixo real. O ponto terminal, que corresponde a $\omega = \infty$, **está sobre a origem e a curva é tangente a um dos eixos.**

2. *Para* $\lambda = 1$ *ou sistemas tipo* 1: o termo $j\omega$ no denominador contribui com $-90°$ do ângulo de fase total de $G(j\omega)$ **para** $0 \leq \omega \leq \infty$. Em $\omega = 0$, o módulo de $G(j\omega)$ é infinito e o ângulo de fase é $-90°$. Em baixas frequências, o diagrama polar é assintótico a uma reta paralela ao eixo imaginário negativo. Em $\omega = \infty$, **o módulo torna-se nulo e a curva converge para a origem, tangenciando um dos eixos.**

3. *Para* $\lambda = 2$ *ou sistemas tipo* 2: o termo $(j\omega)^2$ no denominador contribui com $-180°$ para o ângulo de fase total de $G(j\omega)$ **para** $0 \leq \omega \leq \infty$. Em $\omega = 0$, o módulo de $G(j\omega)$ é infinito e o ângulo de fase é igual a $-180°$. Em baixas frequências, o diagrama polar pode ser assintótico a uma reta paralela ao eixo real negativo. Em $\omega = \infty$, **o módulo torna-se nulo e a curva é tangente a um dos eixos.**

As formas gerais dos ramos de baixa frequência dos diagramas polares dos sistemas dos tipos 0, 1 e 2 são apresentadas na Figura 7.33. Pode-se observar que, se o grau do polinômio do denominador de $G(j\omega)$ for maior que o do numerador, então os lugares geométricos de $G(j\omega)$ vão convergir para a origem no sentido horário. Em $\omega = \infty$, os lugares são tangentes a um ou outro eixo, como mostra a Figura 7.34.

FIGURA 7.33
Diagrama polar de sistemas tipos 0, 1 e 2.

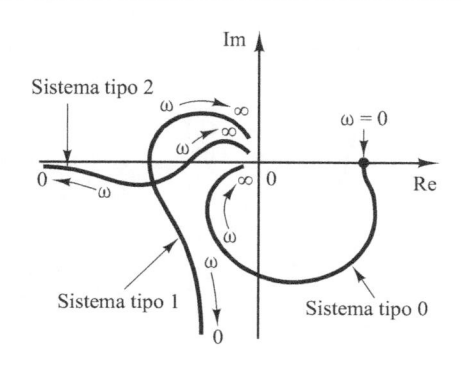

FIGURA 7.34
Diagramas polares em alta frequência.

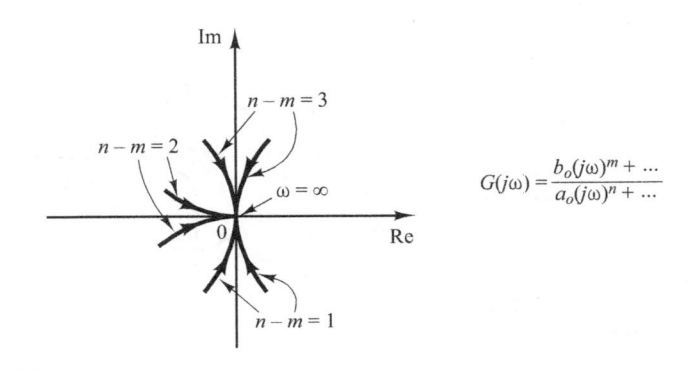

$$G(j\omega) = \frac{b_o(j\omega)^m + \ldots}{a_o(j\omega)^n + \ldots}$$

Note que quaisquer formas complicadas nas curvas do diagrama polar são causadas pela dinâmica do numerador, isto é, pelas constantes de tempo no numerador da função de transferência. A Figura 7.35 mostra exemplos de gráficos polares de funções de transferência com dinâmica no numerador. Na análise de sistemas de controle, o diagrama polar de $G(j\omega)$ deve ser determinado com precisão na faixa de frequências de interesse.

A Tabela 7.1 apresenta traçados de diagramas polares de diversas funções de transferência.

Construção de diagramas de Nyquist com o MATLAB. Os diagramas de Nyquist, assim como os diagramas de Bode, são comumente utilizados para a representação da resposta em frequência de sistemas de controle com realimentação, lineares e invariantes no tempo. Os diagramas de Nyquist são diagramas polares, enquanto os diagramas de Bode são retangulares. Um dos diagramas pode ser mais conveniente para uma operação em particular, mas dada operação sempre pode ser conduzida por qualquer um dos dois diagramas.

O comando MATLAB `nyquist` calcula a resposta em frequência de sistemas de tempo contínuo, lineares e invariantes no tempo. Quando executado sem argumentos no lado esquerdo, o comando `nyquist` fornece um diagrama de Nyquist na tela do monitor.

O comando

```
nyquist(num,den)
```

desenha o diagrama de Nyquist da função de transferência

$$G(s) = \frac{\text{num}(s)}{\text{den}(s)}$$

FIGURA 7.35
Diagramas polares de funções de transferência com dinâmica no numerador.

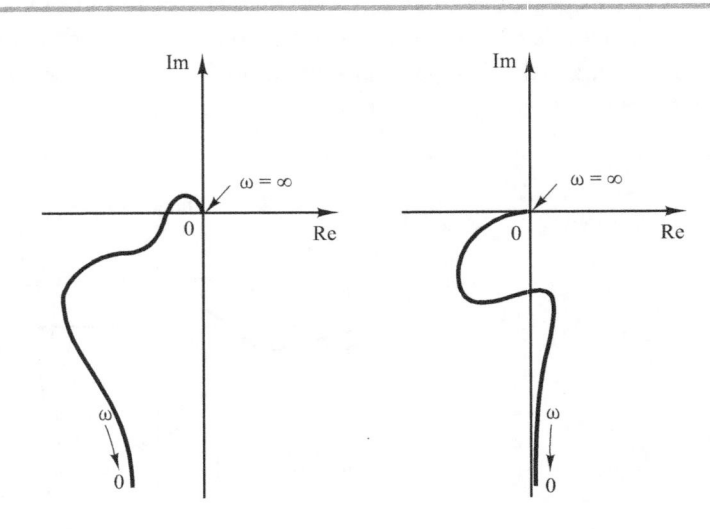

TABELA 7.1
Diagramas polares de funções de transferência simples.

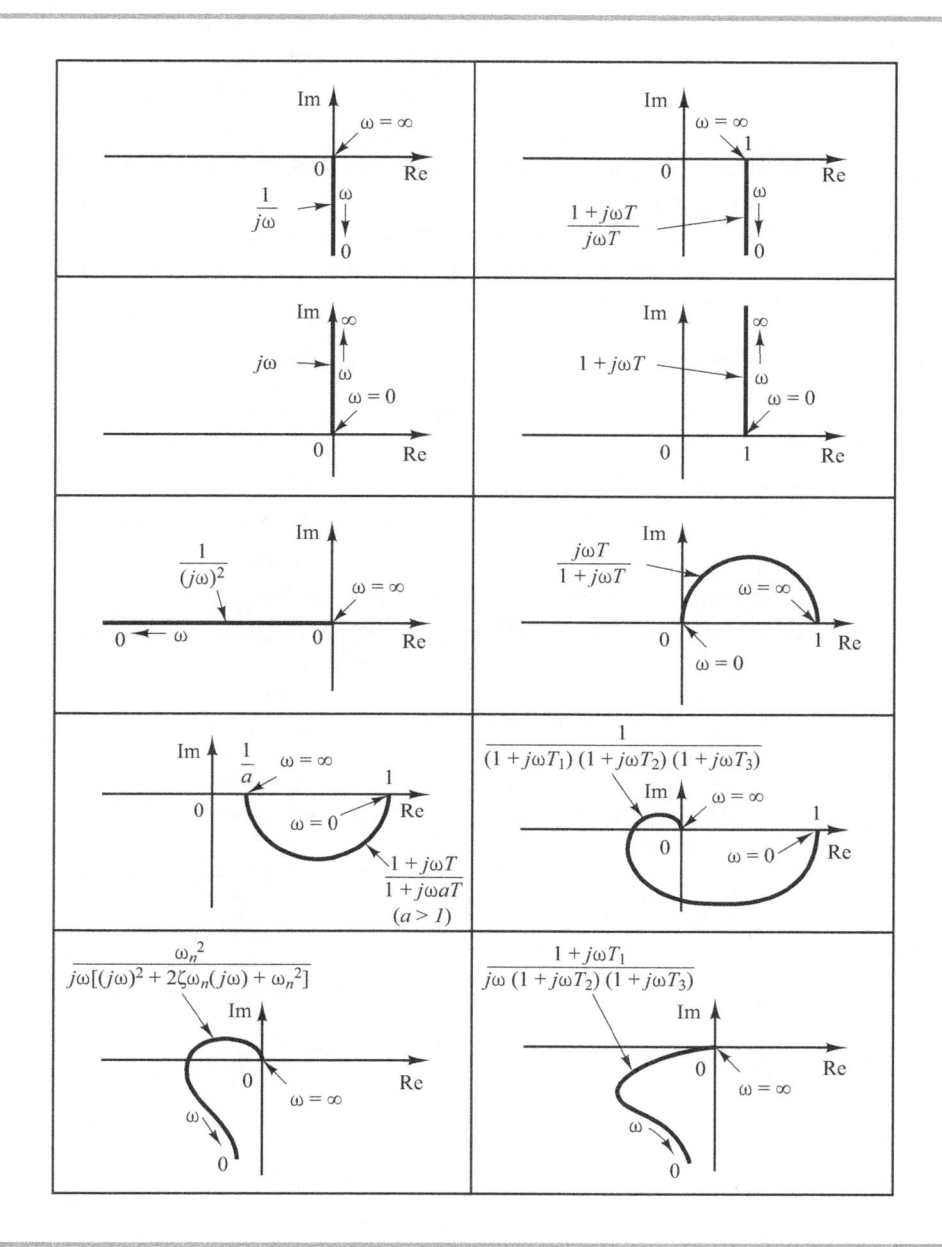

$\dfrac{1}{j\omega}$	$\dfrac{1+j\omega T}{j\omega T}$
$j\omega$	$1+j\omega T$
$\dfrac{1}{(j\omega)^2}$	$\dfrac{j\omega T}{1+j\omega T}$
$\dfrac{1+j\omega T}{1+j\omega aT}\ (a>1)$	$\dfrac{1}{(1+j\omega T_1)(1+j\omega T_2)(1+j\omega T_3)}$
$\dfrac{\omega_n^2}{j\omega[(j\omega)^2 + 2\zeta\omega_n(j\omega) + \omega_n^2]}$	$\dfrac{1+j\omega T_1}{j\omega(1+j\omega T_2)(1+j\omega T_3)}$

onde num e den contêm os coeficientes dos polinômios em ordem decrescente dos expoentes de *s*. Outros comandos nyquist geralmente utilizados são:

   nyquist(num,den,w)
   nyquist(A,B,C,D)
   nyquist(A,B,C,D,w)
   nyquist(A,B,C,D,iu,w)
   nyquist(sys)

O comando que contém o vetor frequência w, especificado pelo usuário como

   nyquist(num,den,w)

calcula a resposta em frequência para os vários valores da frequência, especificados em radianos por segundo.

Quando executado com argumentos no lado esquerdo como

   [re,im,w] = nyquist(num,den)
   [re,im,w] = nyquist(num,den,w)

```
[re,im,w] = nyquist(A,B,C,D)
[re,im,w] = nyquist(A,B,C,D,w)
[re,im,w] = nyquist(A,B,C,D,iu,w)
[re,im,w] = nyquist(sys)
```

o MATLAB retorna a resposta em frequência do sistema nas matrizes re, im e w. Nenhum diagrama é apresentado na tela. As matrizes re e im contêm as partes real e imaginária da resposta em frequência do sistema, calculadas em pontos de frequências especificados no vetor w. Note que re e im têm tantas colunas quantas forem as respostas e uma linha para cada elemento de w.

Exemplo 7.10 Considere a seguinte função de transferência de malha aberta:

$$G(s) = \frac{1}{s^2 + 0,8s + 1}$$

Desenhe um diagrama de Nyquist com o MATLAB.

Como o sistema é dado na forma da função de transferência, o comando

```
nyquist(num,den)
```

pode ser utilizado para traçar um diagrama de Nyquist. O Programa 7.5 em MATLAB produz o diagrama de Nyquist indicado na Figura 7.36. Nesse diagrama, os intervalos nos eixos real e imaginário são automaticamente determinados.

Programa 7.5 em MATLAB

```
num = [1];
den = [1 0.8 1];
nyquist(num,den)
grid
title('Diagrama de Nyquist de G(s) = 1/(s^2 + 0.8s + 1)')
```

FIGURA 7.36
Diagrama de Nyquist de $G(s) = \dfrac{1}{s^2 + 0,8s + 1}$.

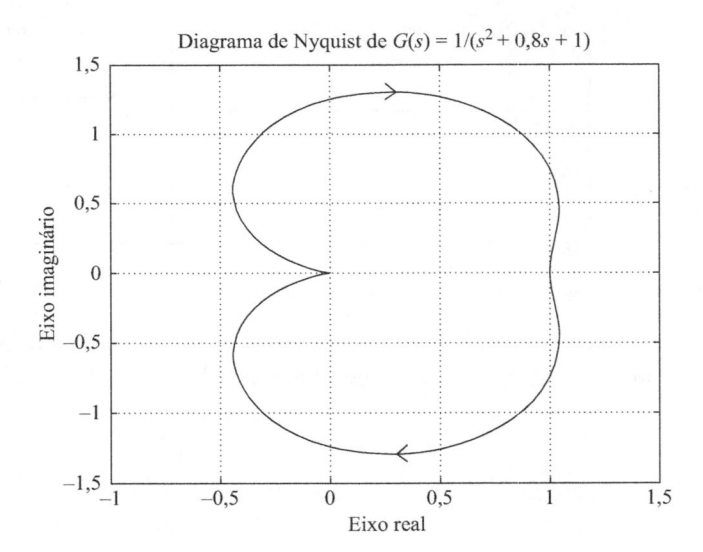

Se desejarmos traçar o diagrama de Nyquist utilizando intervalos de valores determinados manualmente — por exemplo, – 2 a 2 sobre o eixo real e – 2 a 2 no eixo imaginário —, digitamos o seguinte comando no computador:

```
v = [-2 2 -2 2];
axis(v);
```

ou, combinando essas duas linhas em apenas uma,
$$\text{axis}([-2\ 2\ -2\ 2]);$$
Veja o Programa 7.6 em MATLAB e o diagrama de Nyquist resultante indicado na Figura 7.37.

Programa 7.6 em MATLAB

```
% ---------- Diagrama de Nyquist ----------
num = [1];
den = [1 0.8 1];
nyquist(num,den)
v = [-2 2 -2 2]; axis(v)
grid
title('Diagrama de Nyquist de G(s) = 1/(s^2 + 0.8s + 1)')
```

FIGURA 7.37
Diagrama de Nyquist de
$G(s) = \dfrac{1}{s^2 + 0,8s + 1}$.

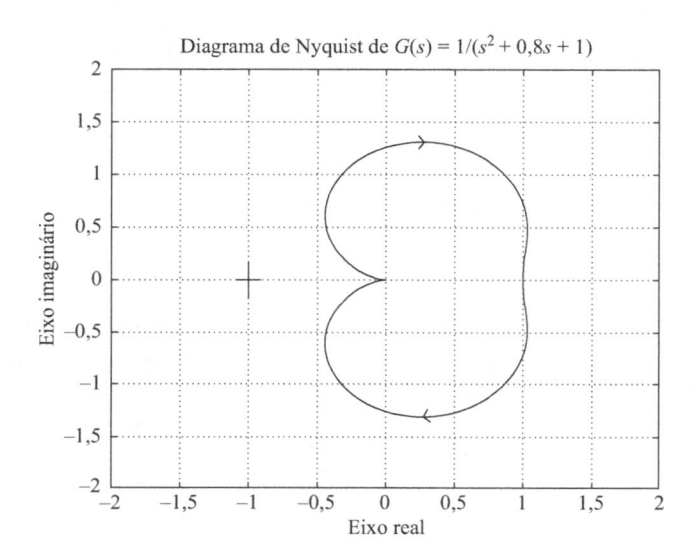

Atenção. Na construção do diagrama de Nyquist em que uma operação MATLAB apresenta 'Divide by zero' (divisão por zero), o diagrama de Nyquist resultante pode estar incorreto. Por exemplo, se a função de transferência de $G(s)$ for dada por:

$$G(s) = \frac{1}{s(s+1)}$$

então o comando MATLAB

```
num = [1];
den = [1 1 0];
nyquist(num,den)
```

produzirá um diagrama de Nyquist incorreto. Um exemplo de diagrama de Nyquist com erro é apresentado na Figura 7.38. Se esse diagrama de Nyquist indesejado aparecer na tela do computador, será possível fazer a correção especificando-se axis(v). Por exemplo, se executarmos o comando axis

$$v = [-2\ 2\ -5\ 5];\ \text{axis}(v)$$

no computador, então será possível obter o diagrama de Nyquist correto. Veja o Exemplo 7.11.

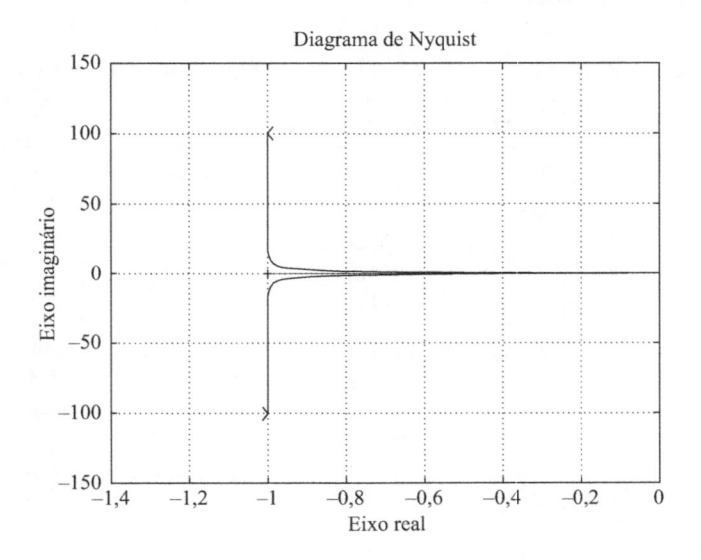

FIGURA 7.38
Diagrama de Nyquist incorreto.

Exemplo 7.11 Desenhe o diagrama de Nyquist da seguinte $G(s)$:

$$G(s) = \frac{1}{s(s+1)}$$

O Programa 7.7 em MATLAB produzirá um diagrama correto de Nyquist na tela do monitor, mesmo que a mensagem 'Divide by zero' possa aparecer na tela. A Figura 7.39 mostra o diagrama de Nyquist resultante.

```
Programa 7.7 em MATLAB
% ---------- Diagrama de Nyquist ----------
num = [1];
den = [1 1 0];
nyquist(num,den)
v = [-2 2 -5 5]; axis(v)
grid
title('Diagrama de Nyquist de G(s) = 1/[s(s + 1)]')
```

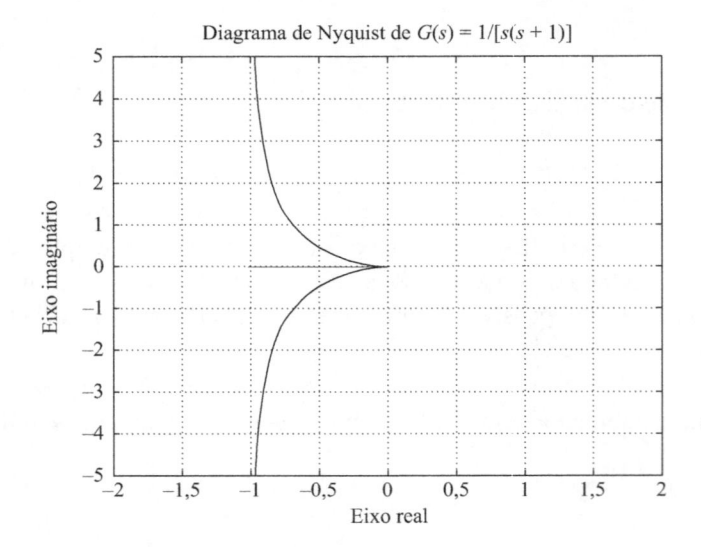

FIGURA 7.39
Diagrama de Nyquist de $G(s) = \dfrac{1}{s(s+1)}$.

Note que o diagrama de Nyquist apresentado na Figura 7.39 inclui os lugares tanto para ω > 0 como para ω < 0. Se desejarmos traçar o diagrama de Nyquist somente para as regiões em que a frequência é positiva (ω > 0), então será necessário utilizar o comando

$$[re,im,w]=nyquist(num,den,w)$$

O Programa 7.8 em MATLAB utiliza esse comando `nyquist`. A Figura 7.40 apresenta o diagrama de Nyquist resultante.

Programa 7.8 em MATLAB

```
% ---------- Diagrama de Nyquist ----------
num = [1];
den = [1 1 0];
w = 0.1:0.1:100;
[re,im,w] = nyquist(num,den,w);
plot(re,im)
v = [-2 2 -5 5]; axis(v)
grid
title('Diagrama de Nyquist de G(s) = 1/[s(s + 1)]')
xlabel('Eixo real')
ylabel('Eixo imaginário')
```

FIGURA 7.40
Diagrama de Nyquist de
$G(s) = \dfrac{1}{s(s+1)}$,
para ω > 0.

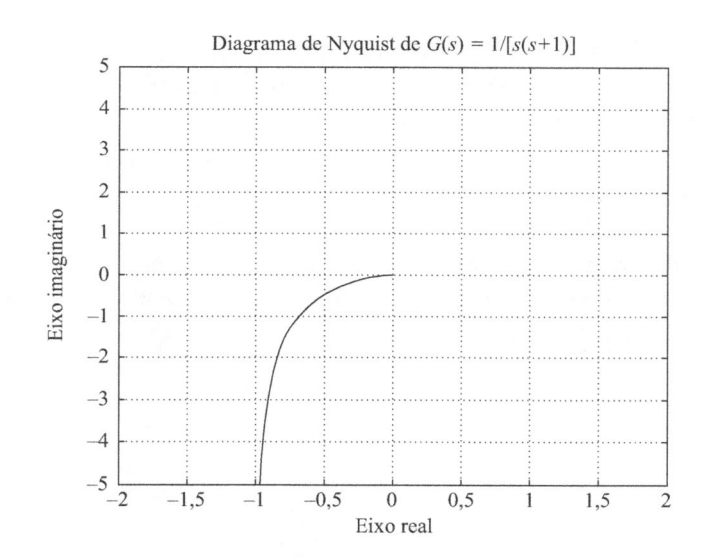

Desenho de diagramas de Nyquist de um sistema definido no espaço de estados.
Considere o sistema definido por:

$$\dot{x} = Ax + Bu$$
$$y = Cx + Du$$

onde **x** = vetor de estado (vetor *n*)

y = vetor de saída (vetor *m*)

u = vetor de controle (vetor *r*)

A = matriz de estado (matriz $n \times n$)

B = matriz de controle (matriz $n \times r$)

C = matriz de saída (matriz $m \times n$)

D = matriz de transmissão direta (matriz $m \times r$)

Pode-se obter o diagrama de Nyquist para esse sistema por meio do comando

nyquist(A,B,C,D)

Esse comando produz uma série de diagramas de Nyquist, um para cada combinação de entrada e de saída do sistema. O intervalo de valores de frequência é determinado automaticamente.

O comando

nyquist(A,B,C,D,iu)

produz diagramas de Nyquist a partir da entrada única iu para todas as saídas do sistema, com o intervalo de valores de frequência determinado automaticamente. O escalar iu é um índice na entrada do sistema e especifica a entrada a ser utilizada para a resposta em frequência.

O comando

nyquist(A,B,C,D,iu,w)

utiliza o vetor w com valores de frequência especificados pelo usuário. O vetor w especifica as frequências em radianos por segundo em que a resposta em frequência deve ser calculada.

Exemplo 7.12 Considere o sistema definido por:

$$\begin{bmatrix} \dot{x}_1 \\ \dot{x}_2 \end{bmatrix} = \begin{bmatrix} 0 & 1 \\ -25 & -4 \end{bmatrix} \begin{bmatrix} x_1 \\ x_2 \end{bmatrix} + \begin{bmatrix} 0 \\ 25 \end{bmatrix} u$$

$$y = \begin{bmatrix} 1 & 0 \end{bmatrix} \begin{bmatrix} x_1 \\ x_2 \end{bmatrix} + [0]u$$

Desenhe o diagrama de Nyquist.

Esse sistema possui uma única entrada u e uma única saída y. O diagrama de Nyquist pode ser obtido por meio do comando

nyquist(A,B,C,D)

ou do comando

nyquist(A,B,C,D,1)

O Programa 7.9 em MATLAB fornecerá o diagrama de Nyquist. (Note que se obtém o mesmo resultado utilizando qualquer um dos dois comandos.) A Figura 7.41 apresenta o diagrama de Nyquist fornecido pelo Programa 7.9 em MATLAB.

FIGURA 7.41
Diagrama de Nyquist do sistema considerado no Exemplo 7.12.

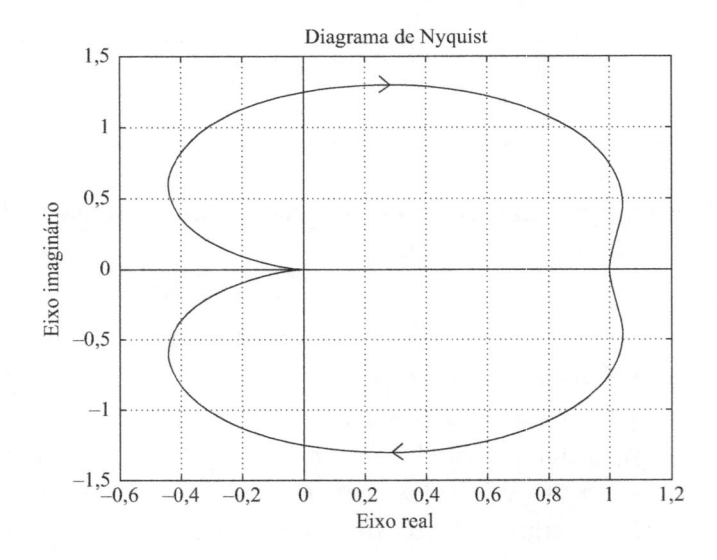

Programa 7.9 em MATLAB
```
A = [0 1;-25 -4];
B = [0;25];
C = [1 0];
D = [0];
nyquist(A,B,C,D)
grid
title('Diagrama de Nyquist')
```

Exemplo 7.13 Considere o sistema definido por:

$$\begin{bmatrix} \dot{x}_1 \\ \dot{x}_2 \end{bmatrix} = \begin{bmatrix} -1 & -1 \\ 6,5 & 0 \end{bmatrix} \begin{bmatrix} x_1 \\ x_2 \end{bmatrix} + \begin{bmatrix} 1 & 1 \\ 1 & 0 \end{bmatrix} \begin{bmatrix} u_1 \\ u_2 \end{bmatrix}$$

$$\begin{bmatrix} y_1 \\ y_2 \end{bmatrix} = \begin{bmatrix} 1 & 0 \\ 0 & 1 \end{bmatrix} \begin{bmatrix} x_1 \\ x_2 \end{bmatrix} + \begin{bmatrix} 0 & 0 \\ 0 & 0 \end{bmatrix} \begin{bmatrix} u_1 \\ u_2 \end{bmatrix}$$

Esse sistema possui duas entradas e duas saídas. Existem quatro relações senoidais de entrada–saída: $Y_1(j\omega)/U_1(j\omega)$, $Y_2(j\omega)/U_1(j\omega)$, $Y_1(j\omega)/U_2(j\omega)$ e $Y_2(j\omega)/U_2(j\omega)$. Desenhe o diagrama de Nyquist para o sistema. (Quando se considera a entrada u_1, presumimos que a entrada u_2 seja zero e vice-versa.)

Pode-se obter os quatro diagramas de Nyquist utilizando o comando

nyquist(A,B,C,D)

O Programa 7.10 em MATLAB produz os quatro diagramas de Nyquist que são apresentados na Figura 7.42.

Programa 7.10 em MATLAB
```
A = [-1 -1;6.5 0];
B = [1 1;1 0];
C = [1 0;0 1];
D = [0 0;0 0];
nyquist(A,B,C,D)
```

FIGURA 7.42
Os diagramas de Nyquist considerados no Exemplo 7.13.

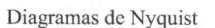

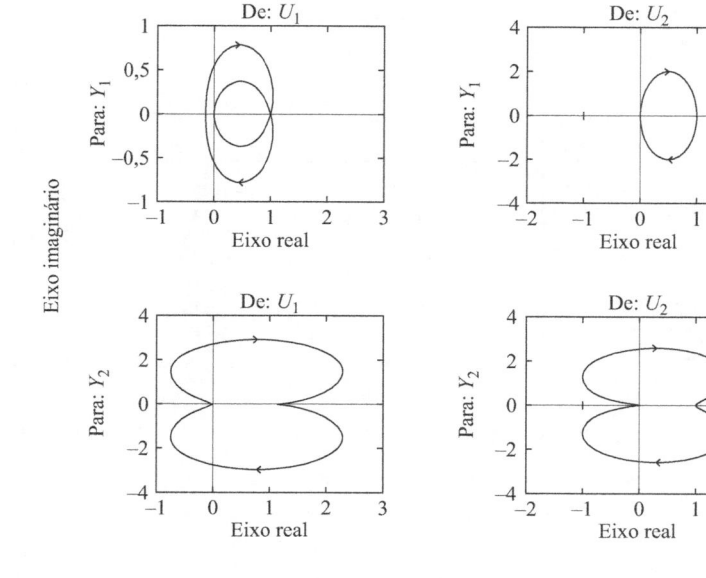

7.4 | Diagramas de módulo em dB *versus* ângulo de fase

Outra maneira de representar graficamente as características da resposta em frequência é com a utilização do diagrama de módulo em dB *versus* ângulo de fase, que é um diagrama do módulo em decibéis *versus* o ângulo de fase ou a margem de fase para uma gama de valores de frequência de interesse. [A margem de fase é a diferença entre o próprio ângulo de fase ϕ e $-180°$, isto é, $\phi - (-180°) = 180° + \phi$.] A curva é graduada em termos da frequência ω. Esses diagramas de módulo em dB *versus* ângulo de fase normalmente são chamados carta de Nichols.

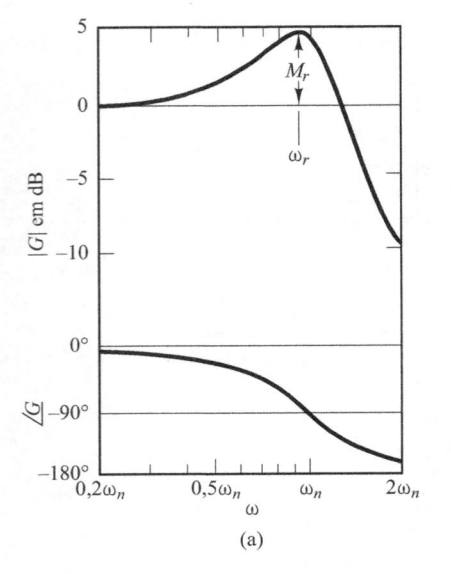

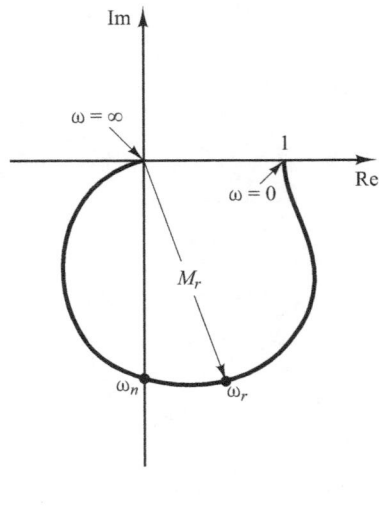

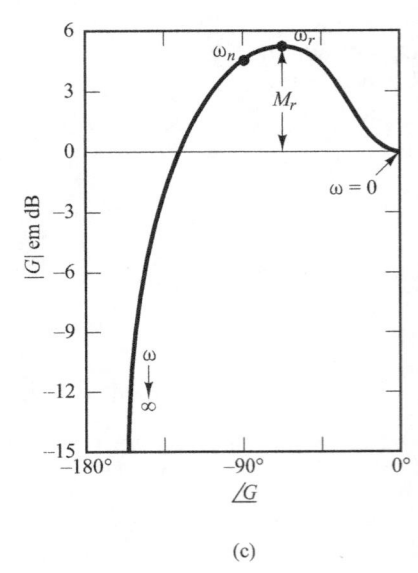

No diagrama de Bode, as características de resposta em frequência de $G(j\omega)$ são representadas em papel semilog por duas curvas separadas, a curva de módulo em dB e a curva de ângulo de fase, enquanto no diagrama do módulo em dB *versus* ângulo de fase as duas curvas do diagrama de Bode são combinadas em uma única. No método manual, o diagrama do módulo em dB *versus* fase pode ser construído facilmente pela leitura dos valores do módulo em dB e do ângulo de fase, a partir do diagrama de Bode. Note que, no diagrama de módulo em dB *versus* fase, uma variação na constante de ganho de $G(j\omega)$ simplesmente desloca a curva para cima (para ganhos crescentes) ou para baixo (para ganhos decrescentes), mas a forma da curva permanece a mesma.

As vantagens do diagrama de módulo em dB *versus* fase são que a estabilidade relativa do sistema de malha fechada pode ser determinada rapidamente e que a compensação pode ser realizada com facilidade.

O diagrama de módulo em dB *versus* ângulo de fase da função de transferência senoidal $G(j\omega)$ e o de $1/G(j\omega)$ são antissimétricos em relação à origem, pois

$$\left|\frac{1}{G(j\omega)}\right| \text{ em dB} = -|G(j\omega)| \text{ em dB}$$

e

$$\underline{/\frac{1}{G(j\omega)}} = -\underline{/G(j\omega)}$$

FIGURA 7.43

Três representações da resposta em frequência de $\dfrac{1}{1 + 2\zeta\left(j\dfrac{\omega}{\omega_n}\right) + \left(j\dfrac{\omega}{\omega_n}\right)^2}$ para $\zeta > 0$.

(a) Diagrama de Bode; (b) diagrama polar; (c) diagrama de módulo em dB *versus* ângulo de fase.

A Figura 7.43 compara as curvas de resposta em frequência de

$$G(j\omega) = \frac{1}{1 + 2\zeta\left(j\dfrac{\omega}{\omega_n}\right) + \left(j\dfrac{\omega}{\omega_n}\right)^2}$$

em três diferentes representações. No diagrama de módulo em dB *versus* fase, a distância vertical entre os pontos $\omega = 0$ e $\omega = \omega_r$, onde ω é a frequência de ressonância, é o valor de pico de $G(j\omega)$ em decibéis.

Como as características do módulo em dB e do ângulo de fase das funções de transferência básicas foram discutidas em detalhes nas seções 7.2 e 7.3, aqui será suficiente dar exemplos de alguns diagramas de módulo em dB *versus* ângulo de fase. A Tabela 7.2 mostra esses exemplos. (Entretanto, na Seção 7.6, falaremos mais sobre as cartas de Nichols.)

TABELA 7.2
Diagramas de módulo em dB *versus* ângulo de fase de funções de transferência simples.

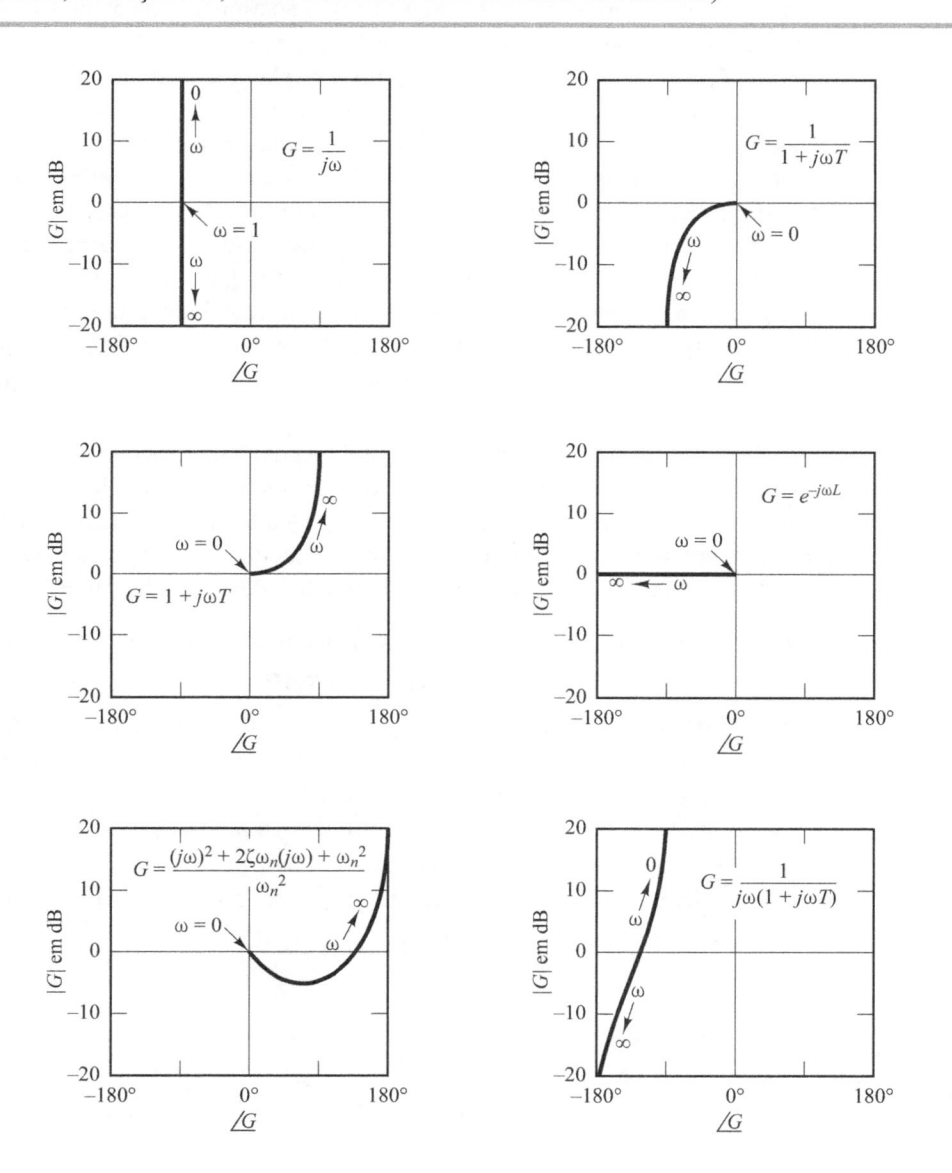

7.5 | Critério de estabilidade de Nyquist

O critério de estabilidade de Nyquist determina a estabilidade de um sistema de malha fechada com base na resposta em frequência de malha aberta e nos polos de malha aberta.

Esta seção apresenta as bases matemáticas para o entendimento do critério de estabilidade de Nyquist. Considere o sistema de malha fechada da Figura 7.44. A função de transferência de malha fechada é:

$$\frac{C(s)}{R(s)} = \frac{G(s)}{1 + G(s)H(s)}$$

Para obter estabilidade, todas as raízes da equação característica

$$1 + G(s)H(s) = 0$$

devem ficar no semiplano esquerdo do plano s. [Observe que, embora os polos e os zeros da função de transferência de malha aberta $G(s)H(s)$ possam estar no semiplano direito do plano s, o sistema é estável se todos os polos da função de transferência de malha fechada (isto é, as raízes da equação característica) estiverem no semiplano esquerdo do plano s.] O critério de estabilidade de Nyquist relaciona a resposta em frequência de malha aberta $G(j\omega)H(j\omega)$ ao número de zeros e polos de $1 + G(s)H(s)$ que se situam no semiplano direito do plano s. Esse critério, deduzido por H. Nyquist, é útil na engenharia de controle porque a estabilidade absoluta do sistema de malha fechada pode ser determinada graficamente a partir das curvas de resposta em frequência de malha aberta e não há necessidade de determinar de maneira efetiva os polos de malha fechada. As curvas de resposta em frequência de malha aberta, obtidas analítica e experimentalmente, podem ser utilizadas na análise de estabilidade. Isso é conveniente porque, no projeto de um sistema de controle, expressões matemáticas de alguns dos componentes frequentemente não são conhecidas; apenas os dados da resposta em frequência estão disponíveis.

O critério de estabilidade de Nyquist é fundamentado em um teorema a partir da teoria de variáveis complexas. Para entender o critério, primeiro discutiremos o mapeamento de contornos no plano complexo.

Vamos supor que a função de transferência de malha aberta $G(s)H(s)$ seja representada pela relação de polinômios em s. Para um sistema fisicamente realizável, o grau do polinômio do denominador da função de transferência de malha fechada deve ser maior ou igual ao do polinômio do numerador. Isso significa que, para qualquer sistema realizável fisicamente, o limite de $G(s)H(s)$, à medida que s tende ao infinito, é nulo ou uma constante.

Estudo preliminar. A equação característica do sistema indicado na Figura 7.44 é:

$$F(s) = 1 + G(s)H(s) = 0$$

Mostraremos que, a dada trajetória contínua e fechada, no plano s, que não passe por quaisquer pontos singulares, corresponde uma curva fechada no plano $F(s)$. O número e o sentido dos envolvimentos da origem do plano $F(s)$ pela curva fechada desempenham um papel particularmente importante no que segue. Posteriormente, o número e o sentido dos envolvimentos serão relacionados à estabilidade do sistema.

Considere, por exemplo, a seguinte função de transferência de malha aberta:

$$G(s)H(s) = \frac{2}{s-1}$$

FIGURA 7.44
Sistema de malha fechada.

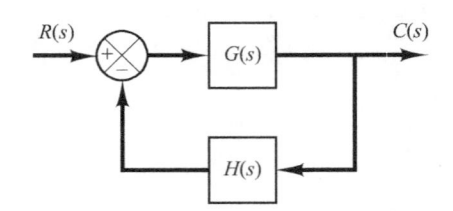

A equação característica é:

$$F(s) = 1 + G(s)H(s)$$
$$= 1 + \frac{2}{s-1} = \frac{s+1}{s-1} = 0 \quad (7.15)$$

A função $F(s)$ é analítica[1] em todos os pontos do plano s, exceto em seus pontos singulares. Para cada ponto de analiticidade no plano s corresponde um ponto no plano $F(s)$. Por exemplo, se $s = 2 + j1$, então $F(s)$ será:

$$F(2+j1) = \frac{2+j1+1}{2+j1-1} = 2 - j1$$

Assim, o ponto $s = 2 + j1$ no plano s é mapeado no ponto $2 - j1$ no plano $F(s)$.

Portanto, como foi dito anteriormente, a dada trajetória contínua e fechada no plano s, que não passe por quaisquer pontos singulares, corresponde uma curva fechada no plano $F(s)$.

Para a equação característica $F(s)$, dada pela Equação 7.15, o mapeamento conforme as linhas $\omega = 0, \pm 1, \pm 2$ e das linhas $\sigma = 0, \pm 1, \pm 2$ [veja a Figura 7.45(a)] fornece os círculos no plano $F(s)$, como mostra a Figura 7.45(b). Suponha que o ponto representativo s trace um contorno no sentido horário no plano s. Se o contorno no plano s envolver o polo de $F(s)$, o lugar geométrico de $F(s)$ envolverá uma vez a origem do plano $F(s)$ no sentido anti-horário. [Veja a Figura 7.46(a).] Se o contorno no plano s envolver um zero de $F(s)$, haverá um envolvimento da origem do plano $F(s)$ pelo lugar geométrico de $F(s)$ no sentido horário. [Veja a Figura 7.46(b).] Se o contorno no plano s envolver tanto o zero como o polo ou se o contorno não envolver nem o zero nem o polo, então não haverá o envolvimento da origem do plano $F(s)$ pelo lugar geométrico de $F(s)$. [Veja as figuras 7.46 (c) e (d).]

Pela análise precedente, podemos ver que o sentido do envolvimento da origem do plano $F(s)$ pelo lugar geométrico de $F(s)$ depende do fato de o contorno no plano s envolver um polo ou um zero. Note que a localização de um polo ou um zero no plano s, seja no semiplano direito ou no semiplano esquerdo, não faz nenhuma diferença, mas o envolvimento de um polo ou um zero faz. Se o contorno no plano s envolver igual número de polos e de zeros, então a curva fechada correspondente no plano $F(s)$ não envolverá a origem do plano $F(s)$. A discussão precedente é uma explicação gráfica do teorema do mapeamento, que é a base do critério de estabilidade de Nyquist.

FIGURA 7.45
Mapeamento conforme da grade do plano s no plano $F(s)$, onde $F(s) = (s + 1)/(s - 1)$.

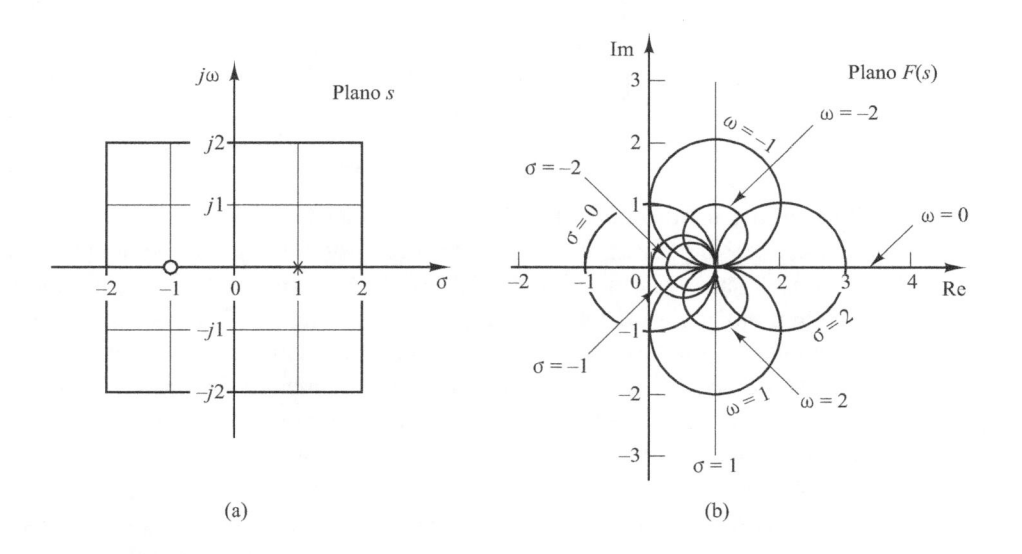

---

[1] Uma função complexa $F(s)$ é dita analítica em uma região se $F(s)$ e todas as suas derivadas existirem nessa região.

FIGURA 7.46
Contornos fechados no plano s e suas curvas fechadas correspondentes no plano $F(s)$, onde $F(s) = (s + 1)/(s - 1)$.

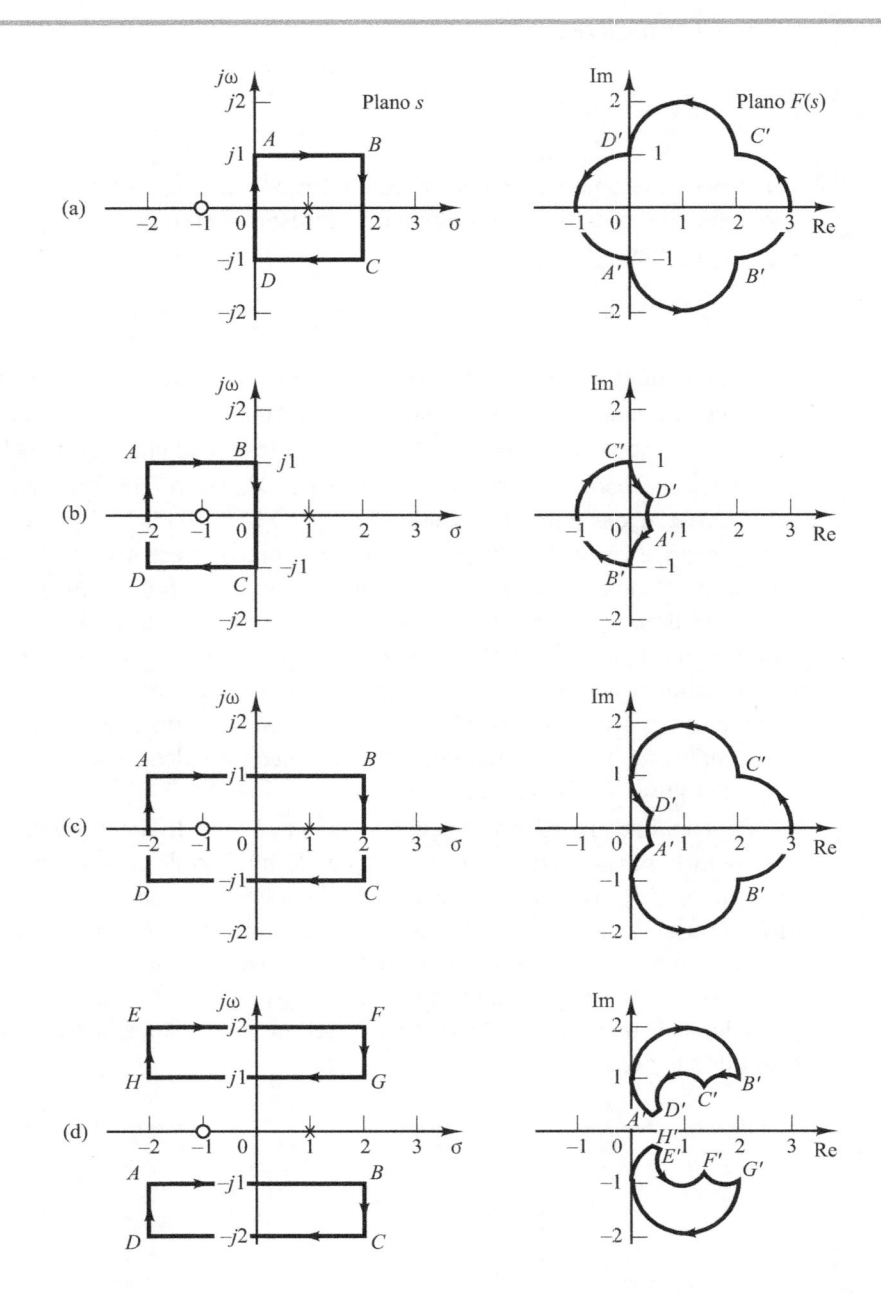

Teorema do mapeamento. Seja $F(s)$ a relação de dois polinômios em s. Seja P o número de polos e Z o número de zeros de $F(s)$ que estão no interior de um contorno fechado no plano s, considerando-se a multiplicidade dos polos e dos zeros. Esse contorno não deve passar por nenhum dos polos ou zeros de $F(s)$. Esse contorno no plano s é, então, mapeado no plano $F(s)$ como uma curva fechada. Quando o ponto representativo descreve todo o contorno do plano s, no sentido horário, o número total N de envolvimentos da origem no sentido horário, no plano $F(s)$, é igual a $Z - P$. (Note que, por esse teorema do mapeamento, o número de zeros e polos não pode ser determinado — apenas sua diferença.)

Não apresentaremos aqui a prova formal desse teorema, mas deixamos essa prova para o Problema A.7.6. Note que um número positivo N indica um excesso de zeros em relação aos polos na função $F(s)$ e um N negativo indica um excesso de polos em relação aos zeros. Nas aplicações que envolvem sistemas de controle, o número P pode ser facilmente determinado por $F(s) = 1 + G(s)H(s)$, a partir da função $G(s)H(s)$. Portanto, se N for determinado a partir do diagrama de $F(s)$, o número de zeros no interior do contorno fechado do plano s poderá ser determinado facilmente. Observe que as formas exatas do contorno no plano s e do lugar geométrico de $F(s)$ são irrelevantes no que se refere ao envolvimento da origem, uma vez que os envolvimentos dependem apenas da inclusão dos polos e/ou dos zeros de $F(s)$ pelo contorno no plano s.

Aplicações do teorema do mapeamento à análise de estabilidade dos sistemas de malha fechada. Para a análise de estabilidade dos sistemas de controle lineares, fazemos o contorno no plano s envolver todo o semiplano direito. O contorno é constituído por todo o eixo $j\omega$ de $\omega = -\infty$ a $\omega = +\infty$ e de um percurso semicircular de raio infinito no semiplano direito do plano s. Esse contorno é denominado percurso de Nyquist. (Esse percurso é feito no sentido horário.) O percurso de Nyquist envolve todo o semiplano direito do plano s e todos os zeros e polos de $1 + G(s)H(s)$ que têm partes reais positivas. [Se no semiplano direito do plano s não houver zeros de $1 + G(s)H(s)$, então também não haverá polos de malha fechada e o sistema será estável.] É necessário que o contorno fechado, ou o percurso de Nyquist, não passe sobre zeros e polos de $1 + G(s)H(s)$. Se $G(s)H(s)$ tiver um polo ou polos na origem do plano s, o mapeamento do plano $s = 0$ fica indeterminado. Nesses casos, a origem é evitada, tomando-se um desvio ao seu redor. (Uma discussão detalhada desse caso especial será feita posteriormente.)

Se o teorema do mapeamento for aplicado ao caso especial em que $F(s)$ é igual a $1 + G(s)H(s)$, então poderemos fazer a seguinte afirmação: se o contorno fechado no plano s envolver todo o semiplano direito do plano s, como mostra a Figura 7.47, então o número de zeros no semiplano direito da função $F(s) = 1 + G(s)H(s)$ será igual ao número de polos da função $F(s) = 1 + G(s)H(s)$ no semiplano direito do plano s mais o número de envolvimentos no sentido horário da origem do plano $1 + G(s)H(s)$ pela curva fechada correspondente nesse último plano.

Tendo sido admitida a condição de

$$\lim_{s \to 0} [1 + G(s)H(s)] = \text{constante}$$

a função de $1 + G(s)H(s)$ permanece constante, à medida que s percorre a semicircunferência de raio infinito. Por essa razão, pode-se determinar o envolvimento da origem do plano $1 + G(s)H(s)$ pelo lugar geométrico de $1 + G(s)H(s)$, considerando apenas uma parte do contorno fechado no plano s, a saber, o eixo $j\omega$. Os envolvimentos da origem, se houver algum, ocorrerão somente enquanto um ponto representativo se mover de $-j\infty$ para $+j\infty$ ao longo do eixo $j\omega$, contanto que não haja nenhum zero ou polo no eixo $j\omega$.

Note que a parte do contorno de $1 + G(s)H(s)$ de $\omega = -\infty$ a $\omega = \infty$ é simplesmente $1 + G(j\omega)H(j\omega)$. Como $1 + G(j\omega)H(j\omega)$ é a soma vetorial do vetor unitário e do vetor $G(j\omega)H(j\omega)$, $1 + G(j\omega)H(j\omega)$ é idêntico ao vetor traçado a partir do ponto $-1 + j0$ ao ponto terminal do vetor $G(j\omega)H(j\omega)$, como mostra a Figura 7.48. O envolvimento da origem pelo diagrama de $1 + G(j\omega)H(j\omega)$ é exatamente equivalente ao envolvimento do ponto $-1 + j0$ pelo lugar geométrico de $G(j\omega)H(j\omega)$. Assim, a estabilidade de um sistema de malha fechada pode ser investigada examinando-se os envolvimentos do ponto $-1 + j0$ pelo lugar geométrico de $G(j\omega)H(j\omega)$. O número de envolvimentos no sentido horário do ponto $-1 + j0$ pode ser encontrado traçando-se um vetor com origem no ponto $-1 + j0$ e extremi-

FIGURA 7.47
Contorno fechado no plano s.

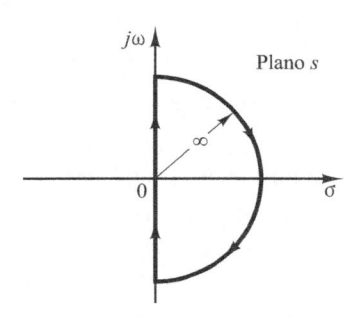

FIGURA 7.48
Diagrama de 1 + $G(j\omega)H(j\omega)$ no plano 1 + GH e no plano GH.

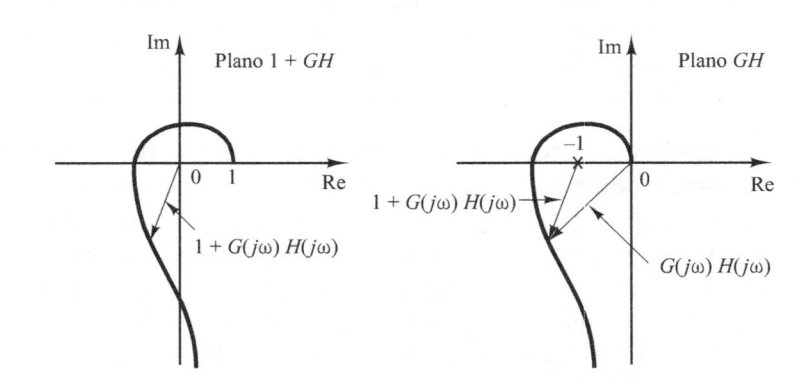

dade no lugar geométrico de $G(j\omega)H(j\omega)$, com início em $\omega = -\infty$, passando por $\omega = 0$ e terminando em $\omega = +\infty$, e contando-se o número de rotações do vetor no sentido horário.

A construção do gráfico de $G(j\omega)H(j\omega)$ relativo ao percurso de Nyquist é direta. O mapeamento do eixo negativo $j\omega$ é a imagem especular em relação ao eixo real do mapeamento do eixo positivo $j\omega$, isto é, o diagrama de $G(j\omega)H(j\omega)$ e o diagrama de $G(-j\omega)H(-j\omega)$ são simétricos em relação ao eixo real. A semicircunferência de raio infinito é mapeada na origem do plano GH ou em um ponto do eixo real do plano GH.

Na discussão precedente, admitiu-se que $G(s)H(s)$ fosse uma relação de dois polinômios em s. Portanto, o retardo de transporte e^{-Ts} foi excluído da discussão. Note, entretanto, que uma discussão similar é aplicável aos sistemas com retardo de transporte, embora aqui não seja apresentada nenhuma comprovação. A estabilidade de um sistema com retardo de transporte pode ser determinada a partir das curvas de resposta em frequência de malha aberta, examinando-se o número de envolvimentos do ponto $-1 + j0$, como no caso de um sistema cuja função de transferência de malha aberta é uma relação de dois polinômios em s.

Critério de estabilidade de Nyquist. A análise anterior, utilizando o envolvimento do ponto $-1 + j0$ pelo lugar geométrico de $G(j\omega)H(j\omega)$ é resumida no seguinte critério de estabilidade de Nyquist:

> *Critério de estabilidade de Nyquist [para um caso especial em que* G(s)H(s) *não possui nem polos nem zeros sobre o eixo* $j\omega$.]: no sistema indicado na Figura 7.44, se a função de transferência de malha aberta $G(s)H(s)$ tiver k polos no semiplano direito do plano s e $\lim_{s \to 0} G(s)H(s)$ = constante, então, por questão de estabilidade, o lugar geométrico de $G(j\omega)H(j\omega)$, à medida que ω varia de $-\infty$ a ∞, deve envolver o ponto $-1 + j0$ k vezes no sentido anti-horário.

Observações sobre o critério de estabilidade de Nyquist

1. Esse critério pode ser expresso como:

$$Z = N + P$$

onde Z = número de zeros de $1 + G(s)H(s)$ no semiplano direito do plano s

N = número de envolvimentos do ponto $-1 + j0$ no sentido horário

P = número de polos $G(s)H(s)$ no semiplano direito do plano s

Se P não for zero, para um sistema de controle estável, deve-se ter $Z = 0$ ou $N = -P$, o que significa que se deve ter P envolvimentos do ponto $-1 + j0$ no sentido anti-horário.

Se $G(s)H(s)$ não tiver nenhum polo no semiplano direito do plano s, então $Z = N$. Portanto, para que haja estabilidade, não devem existir envolvimentos do ponto $-1 + j0$ pelo lugar geométrico de $G(j\omega)H(j\omega)$. Nesse caso, não é necessário considerar o lugar geométrico para todo o eixo $j\omega$, apenas para a parte relativa à frequência positiva. A estabilidade desse sistema pode ser determinada verificando-se se o ponto $-1+j0$ está envolvido pelo diagrama de Nyquist de $G(j\omega)H(j\omega)$. A região envolvida pelo diagrama de Nyquist é apresentada pela Figura 7.49. Para que haja estabilidade, o ponto $-1+j0$ deve estar fora da região sombreada.

2. Devemos ser cuidadosos ao testarmos a estabilidade de sistemas de malhas múltiplas, visto que eles podem incluir polos no semiplano direito do plano s. (Note que, embora uma malha interna possa ser instável, o sistema de malha fechada como um todo pode se tornar estável por meio de um projeto apropriado.) A verificação simples dos envolvimentos do ponto $-1+j0$ pelo lugar geométrico de $G(j\omega)H(j\omega)$ não é suficiente para detectar a instabilidade em sistemas de múltiplas malhas. Nesses casos, entretanto, pode-se determinar facilmente a possível existência de polos de $1+G(s)H(s)$ no semiplano direito do plano s, aplicando-se o critério de estabilidade de Routh ao denominador de $G(s)H(s)$.

Se funções transcendentais, como o retardo de transporte e^{-Ts}, estiverem incluídas em $G(s)H(s)$, estas devem ser aproximadas por uma expansão em série, antes que o critério de estabilidade de Routh possa ser aplicado.

3. Se o lugar geométrico de $G(j\omega)H(j\omega)$ passar pelo ponto $-1+j0$, então os zeros da equação característica, ou polos de malha fechada, estão localizados sobre o eixo $j\omega$. Isso não é desejável para os sistemas de controle práticos. Para um sistema de malha fechada bem projetado, nenhuma das raízes da equação característica deve estar sobre o eixo $j\omega$.

Caso especial em que $G(s)H(s)$ possui polos e/ou zeros sobre o eixo $j\omega$. Na discussão anterior, assumimos que a função de transferência de malha aberta $G(s)H(s)$ não tivesse nem polos nem zeros na origem. Agora, será considerado o caso em que $G(s)H(s)$ contém polos e/ou zeros sobre o eixo $j\omega$.

Como o percurso de Nyquist não deve passar pelos polos ou zeros de $G(s)H(s)$, se a função $G(s)H(s)$ tiver polos ou zeros na origem (ou sobre o eixo $j\omega$ em outros pontos que não a origem), o contorno no plano s deve ser modificado. O modo usual de modificar o contorno próximo à origem é utilizar uma semicircunferência de raio infinitesimal ε, como está indicada na Figura 7.50. [Observe que essa semicircunferência pode estar no semiplano direito do plano s ou no semiplano esquerdo do plano s. Aqui, consideramos a semicircunferência no semiplano direito do plano s.] Um ponto s representativo move-se ao longo do eixo negativo $j\omega$ de $-j\infty$ a $j0-$. A partir de $s = j0-$ a $s = j0+$, o ponto move-se ao longo da semicircunferência de raio ε (onde $\varepsilon \ll 1$) e depois prossegue ao longo do eixo positivo $j\omega$ desde $j0+$ até $j\infty$. A partir de $s = j\infty$, o contorno segue uma semicircunferência de raio infinito e o ponto representativo move-se de volta, para o ponto de início $s = -j\infty$. A área que o contorno fechado modificado evita é muito pequena e tende a zero, à medida que o raio ε tende a zero. Portanto, todos os polos e zeros eventualmente existentes no semiplano direito do plano s são envolvidos por esse contorno.

FIGURA 7.49
Região envolvida por um diagrama de Nyquist.

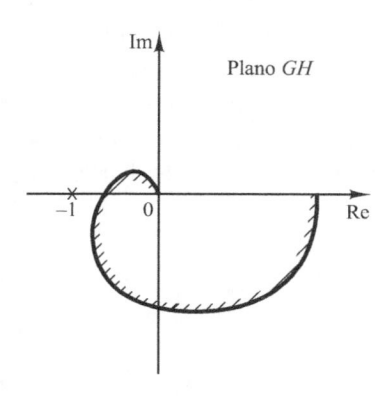

FIGURA 7.50
Contorno próximo à origem do plano *s* e contorno fechado no plano *s* que evita os polos e os zeros na origem.

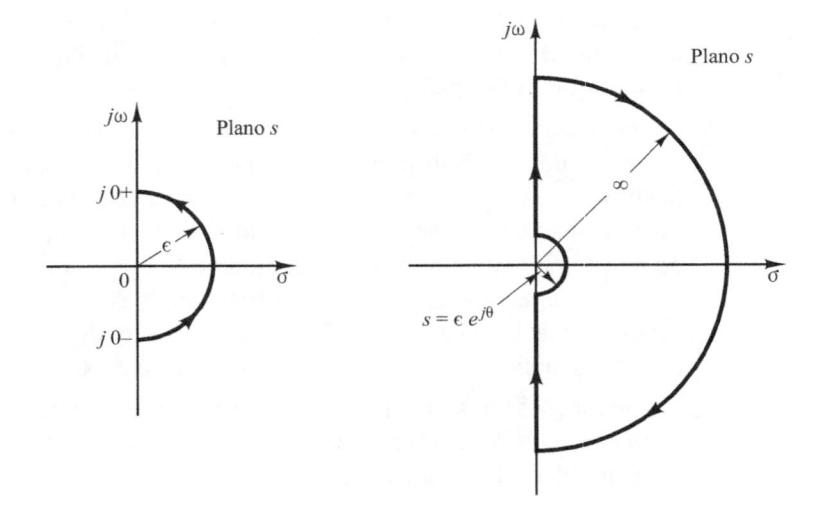

Considere, por exemplo, um sistema de malha fechada cuja função de transferência de malha aberta seja dada por:

$$G(s)H(s) = \frac{K}{s(Ts+1)}$$

Os pontos correspondentes a $s = j0+$ e $s = j0-$ no lugar geométrico de $G(s)H(s)$ no plano $G(s)H(s)$ são $-j\infty$ e $j\infty$, respectivamente. No percurso semicircular com raio ε (onde $\varepsilon \ll 1$), a variável complexa *s* pode ser escrita como:

$$s = \varepsilon e^{j\theta}$$

onde θ varia de $-90°$ a $+90°$. Então, $G(s)H(s)$ torna-se

$$G(\varepsilon e^{j\theta})H(\varepsilon e^{j\theta}) = \frac{K}{\varepsilon e^{j\theta}} = \frac{K}{\varepsilon}e^{-j\theta}$$

O valor K/ε tende a infinito, à medida que ε tende a zero, e $-\theta$ varia de 90° a $-90°$, conforme um ponto representativo *s* se move ao longo da semicircunferência no plano *s*. Portanto, os pontos $G(j0-)H(j0-) = j\infty$ e $G(j0+)H(j0+) = -j\infty$ são ligados por uma semicircunferência de raio infinito no semiplano direito do plano *GH*. A semicircunferência infinitesimal em torno da origem no plano *s* mapeia no plano *GH* uma semicircunferência de raio infinito. A Figura 7.51 mostra o contorno no plano *s* e o lugar geométrico de $G(s)H(s)$ no plano *GH*. Os pontos *A*, *B* e *C* no contorno do plano *s* mapeiam nos respectivos pontos *A'*, *B'* e *C'* no lugar geométrico de $G(s)H(s)$. Como se vê na Figura 7.51, os pontos *D*, *E* e *F* na semicircunferência de raio infinito no plano *s* são mapeados na origem do plano *GH*. Como não existem polos no semiplano direito do plano *s* e o lugar geométrico de $G(s)H(s)$ não envolve o ponto $-1 + j0$, não há zeros da função $1 + G(s)H(s)$ no semiplano direito do plano *s*. Portanto, o sistema é estável.

Para uma função de transferência de malha aberta $G(s)H(s)$ que envolve um fator $1/s^n$ (onde $n = 2, 3, \ldots$), o diagrama de $G(s)H(s)$ descreve no sentido horário *n* semicircunferências de raio infinito em torno da origem, à medida que um ponto representativo *s* se move ao longo do semicírculo de raio ε (onde $\varepsilon \ll 1$). Por exemplo, considere a seguinte função de transferência de malha aberta:

$$G(s)H(s) = \frac{K}{s^2(Ts+1)}$$

Então,

$$\lim_{s \to \varepsilon e^{j\theta}} G(s)H(s) = \frac{K}{\varepsilon^2 e^{2j\theta}} = \frac{K}{\varepsilon^2}e^{-2j\theta}$$

FIGURA 7.51

Contorno no plano *s* e o lugar geométrico de $G(s)H(s)$ no plano *GH*, onde $G(s)H(s) = K/[s(Ts + 1)]$.

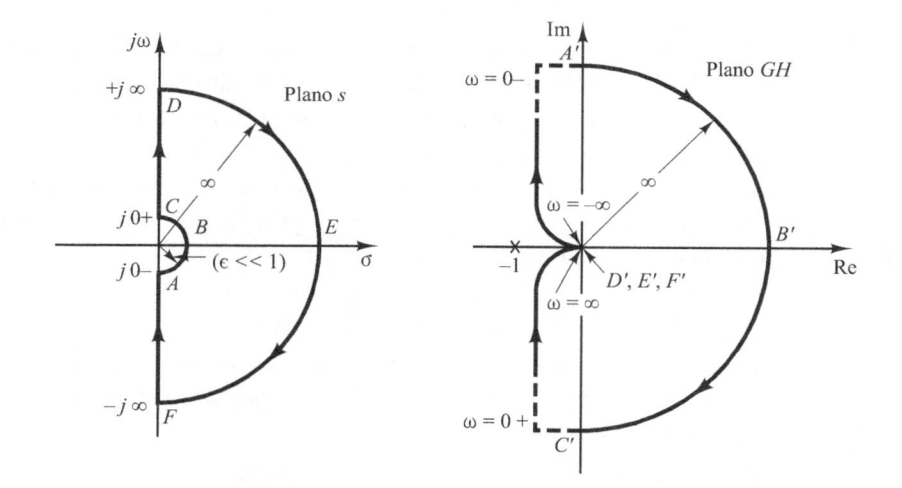

Conforme θ varia de – 90° a 90° no plano *s*, o ângulo de $G(s)H(s)$ varia de 180° a – 180°, como mostra a Figura 7.52. Uma vez que não há nenhum polo no semiplano direito do plano *s* e que o lugar geométrico envolve o ponto – 1 + *j*0 duas vezes no sentido horário para qualquer valor positivo de *K*, existem dois zeros de $1 + G(s)H(s)$ no semiplano direito do plano *s*. Portanto, o sistema é sempre instável.

Note que uma análise similar pode ser feita, se $G(s)H(s)$ possuir polos e/ou zeros sobre o eixo *j*ω. O critério de estabilidade de Nyquist pode, agora, ser generalizado, como segue:

> *Critério de estabilidade de Nyquist [para um caso geral em que* G(s)H(s) *tem polos e/ou zeros no eixo j*ω]*:* no sistema apresentado na Figura 7.44, se a função de transferência de malha aberta $G(s)H(s)$ possuir *k* polos no semiplano direito do plano *s*, então, para que haja estabilidade, o lugar geométrico de $G(s)H(s)$, à medida que um ponto representativo *s* descrever o percurso modificado de Nyquist no sentido horário, deverá envolver o ponto – 1 + *j*0 *k* vezes no sentido anti-horário.

FIGURA 7.52

Contorno no plano *s* e o lugar geométrico de $G(s)H(s)$ no plano *GH*, onde $G(s)H(s) = K/[s^2(Ts + 1)]$.

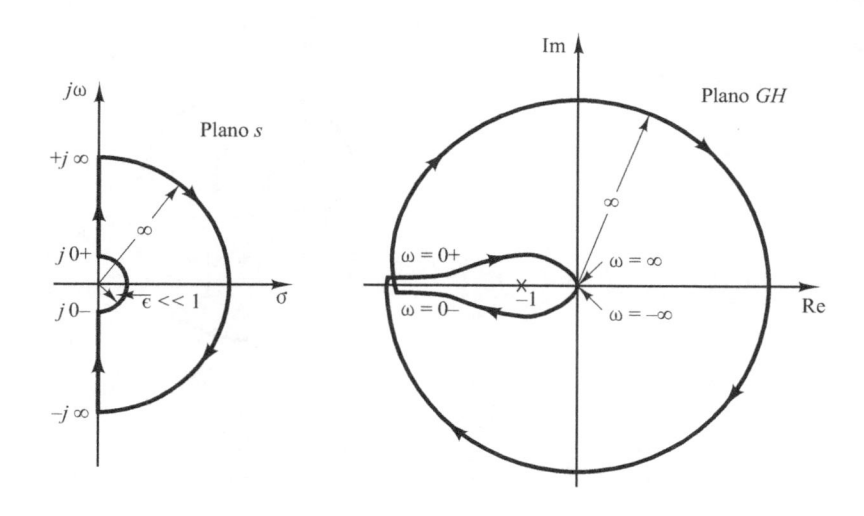

7.6 | Análise de estabilidade

Nesta seção, apresentaremos vários exemplos ilustrativos da análise de estabilidade de sistemas de controle utilizando o critério de estabilidade de Nyquist.

Se o percurso de Nyquist no plano s envolver Z zeros e P polos de $1 + G(s)H(s)$ e não passar por nenhum polo ou zero de $1 + G(s)H(s)$ à medida que um ponto representativo s descrever o percurso de Nyquist no sentido horário, então o contorno correspondente no plano $G(s)H(s)$ envolverá o ponto $-1 + j0$ $N = Z - P$ vezes no sentido horário. (Valores negativos de N implicam envolvimentos no sentido anti-horário.)

Examinando a estabilidade de sistemas lineares de controle utilizando o critério de estabilidade de Nyquist, vemos que podem ocorrer três possibilidades:

1. Não existe nenhum envolvimento do ponto $-1 + j0$. Isso implica que o sistema será estável se não houver polos de $G(s)H(s)$ no semiplano direito do plano s; caso contrário, o sistema será instável.

2. Existe um ou mais envolvimentos do ponto $-1 + j$ no sentido anti-horário. Nesse caso, o sistema será estável se o número de envolvimentos no sentido anti-horário for o mesmo que o número de polos de $G(s)H(s)$ no semiplano direito do plano s; caso contrário, o sistema será instável.

3. Existe um ou mais envolvimentos do ponto $-1 + j0$ no sentido horário. Nesse caso, o sistema é instável.

Nos exemplos a seguir, vamos supor que os valores do ganho K e das constantes de tempo (como T, T_1 e T_2) sejam todos positivos.

Exemplo 7.14 Considere um sistema de malha fechada cuja função de transferência de malha aberta é dada por:

$$G(s)H(s) = \frac{K}{(T_1 s + 1)(T_2 s + 1)}$$

Examine a estabilidade do sistema.

Um diagrama de $G(j\omega)H(j\omega)$ é apresentado na Figura 7.53. Dado que $G(s)H(s)$ não tem nenhum polo no semiplano direito do plano s e que o ponto $-1 + j0$ não é envolvido pelo lugar geométrico de $G(j\omega)H(j\omega)$, esse sistema é estável para quaisquer valores positivos de K, T_1 e T_2.

FIGURA 7.53
Diagrama polar de $G(j\omega)H(j\omega)$ considerado no Exemplo 7.14.

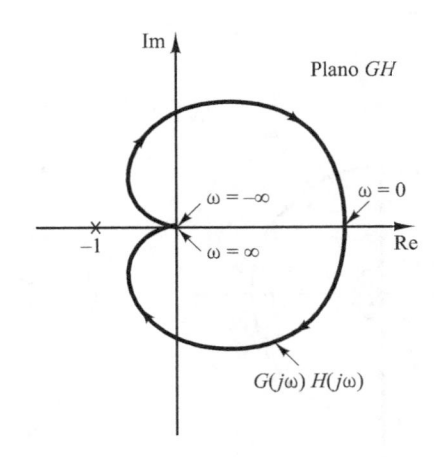

Exemplo 7.15 Considere o sistema com a seguinte função de transferência:

$$G(s)H(s) = \frac{K}{s(T_1 s + 1)(T_2 s + 1)}$$

Determine a estabilidade do sistema para dois casos: (1) o ganho K é pequeno e (2) K é grande.

A Figura 7.54 mostra os diagramas de Nyquist da função de transferência de malha aberta com um pequeno valor de K e com um valor elevado de K. O número de polos de $G(s)H(s)$ no semiplano direito do plano s é zero.

Portanto, para que esse sistema seja estável, é necessário que $N = Z = 0$ ou que o lugar geométrico de $G(s)H(s)$ não envolva o ponto $-1 + j0$.

Para valores pequenos de K, não há nenhum envolvimento do ponto $-1 + j0$. Portanto, o sistema é estável para valores pequenos de K. Para valores elevados de K, o lugar geométrico de $G(s)H(s)$ envolve o ponto $-1 + j0$ duas vezes no sentido horário, indicando dois polos de malha fechada no semiplano direito do plano s, e o sistema é instável. (Para que haja boa precisão do sistema, K deve ser grande. Do ponto de vista da estabilidade, entretanto, um valor elevado de K causa estabilidade deficiente ou até mesmo instabilidade. Para obter uma conciliação entre precisão e estabilidade, é necessário inserir uma rede de compensação no sistema. As técnicas de compensação no domínio de frequência são discutidas nas seções 7.11 a 7.13.)

FIGURA 7.54
Diagramas polares do sistema considerado no Exemplo 7.15.

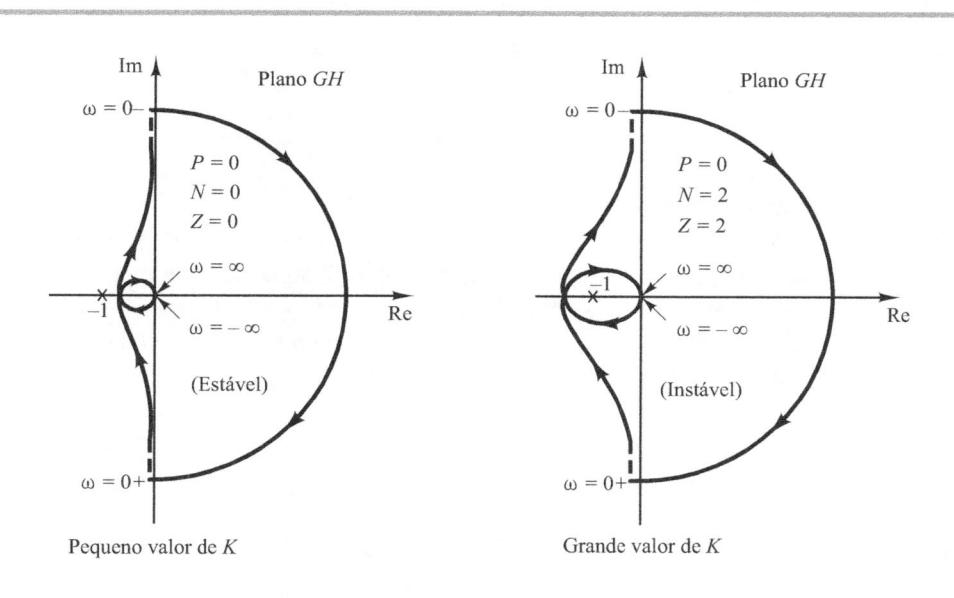

Exemplo 7.16 A estabilidade de um sistema de malha fechada com a seguinte função de transferência de malha aberta:

$$G(s)H(s) = \frac{K(T_2 s + 1)}{s^2(T_1 s + 1)}$$

depende dos valores relativos de T_1 e T_2. Construa os diagramas de Nyquist e determine a estabilidade do sistema.

A Figura 7.55 mostra os diagramas do lugar geométrico de $G(s)H(s)$ para três casos, $T_1 < T_2$, $T_1 = T_2$ e $T_1 > T_2$. Para $T_1 < T_2$, o lugar geométrico de $G(s)H(s)$ não envolve o ponto $-1 + j0$ e o sistema de malha fechada é estável. Para $T_1 = T_2$, o lugar geométrico de $G(s)H(s)$ passa pelo ponto $-1 + j0$, o que indica que os polos de malha fechada estão localizados no eixo $j\omega$. Para $T_1 > T_2$, o lugar geométrico de $G(s)H(s)$ envolve o ponto $-1 + j0$ duas vezes no sentido horário. Portanto, o sistema de malha fechada tem dois polos de malha fechada no semiplano direito do plano s e é instável.

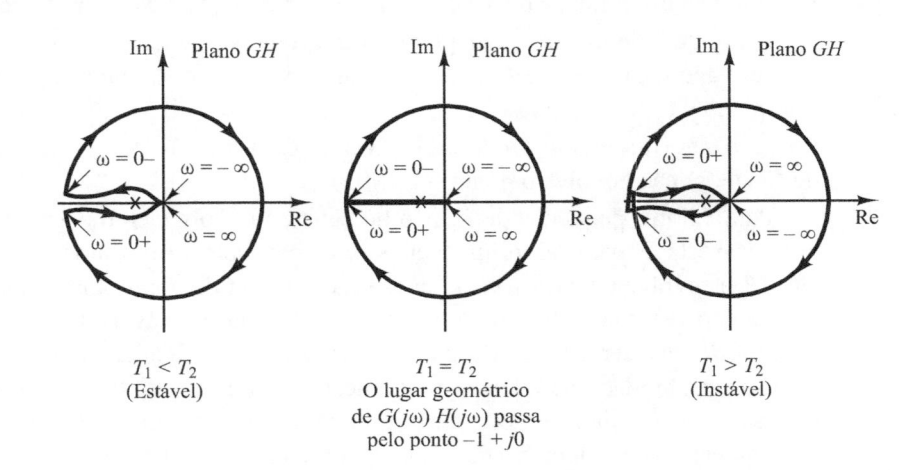

FIGURA 7.55
Diagramas polares do sistema considerado no Exemplo 7.16.

$T_1 < T_2$
(Estável)

$T_1 = T_2$
O lugar geométrico de $G(j\omega)H(j\omega)$ passa pelo ponto $-1 + j0$

$T_1 > T_2$
(Instável)

Exemplo 7.17 Considere o sistema de malha fechada que tem a seguinte função de transferência de malha aberta:

$$G(s)H(s) = \frac{K}{s(Ts - 1)}$$

Determine a estabilidade do sistema.

A função $G(s)H(s)$ tem um polo ($s = 1/T$) no semiplano direito do plano s. Portanto, $P = 1$. O diagrama de Nyquist apresentado na Figura 7.56 indica que o gráfico $G(s)H(s)$ envolve o ponto $-1 + j0$ uma vez no sentido horário. Portanto, $N = 1$. Como $Z = N + P$, determinamos que $Z = 2$. Isso significa que o sistema de malha fechada tem dois polos de malha fechada no semiplano direito do plano s e é instável.

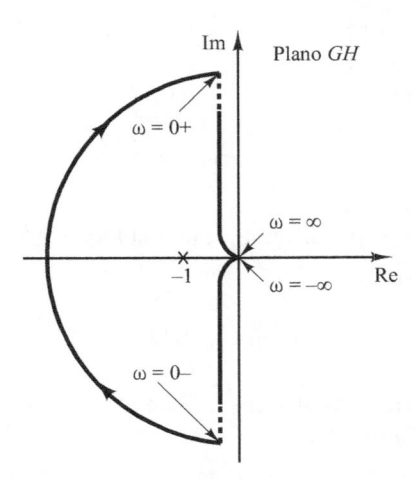

FIGURA 7.56
Diagrama polar do sistema considerado no Exemplo 7.17.

Exemplo 7.18 Investigue a estabilidade de um sistema de malha fechada com a seguinte função de transferência de malha aberta:

$$G(s)H(s) = \frac{K(s + 3)}{s(s - 1)} \quad (K > 1)$$

A função de transferência de malha aberta tem um polo ($s = 1$) no semiplano direito do plano s ou $P = 1$. O sistema de malha aberta é instável. O diagrama de Nyquist mostrado na Figura 7.57

FIGURA 7.57
Diagrama polar do sistema considerado no Exemplo 7.18.

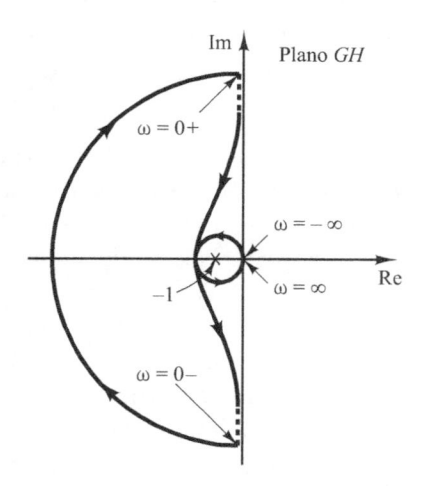

indica que o ponto $-1 + j0$ é envolvido pelo lugar geométrico de $G(s)H(s)$ uma vez no sentido anti-horário. Portanto, $N = -1$. Então, Z é encontrado a partir de $Z = N + P$ a zero, o que indica que não há zeros de $1 + G(s)H(s)$ no semiplano direito do plano s e o sistema de malha fechada é estável. Este é um dos exemplos em que um sistema de malha aberta instável se torna estável quando em malha fechada.

Sistemas condicionalmente estáveis. A Figura 7.58 mostra um exemplo de um lugar geométrico de $G(j\omega)H(j\omega)$ em que o sistema de malha fechada pode se tornar instável pela variação do ganho de malha aberta. Se o ganho de malha aberta aumentar suficientemente, o lugar geométrico de $G(j\omega)H(j\omega)$ envolverá o ponto $-1 + j0$ duas vezes e o sistema se tornará instável. Se o ganho de malha aberta diminuir suficientemente, o lugar geométrico envolverá de novo o ponto $-1 + j0$ duas vezes. Para a operação estável do sistema considerado aqui, o ponto $-1 + j0$ não deve estar localizado nas regiões OA e BC, indicadas na Figura 7.58. Sistemas como este, que são estáveis apenas para intervalos limitados de valores do ganho de malha aberta, em que o ponto $-1 + j0$ fica completamente fora do lugar geométrico de $G(j\omega)H(j\omega)$, são sistemas condicionalmente estáveis.

Um sistema condicionalmente estável é estável para valores de ganho de malha aberta que estejam entre valores críticos, mas é instável se o ganho de malha aberta for aumentado ou diminuído. Um sistema como este torna-se instável quando é aplicado um sinal de entrada de grande amplitude, dado que um grande sinal de entrada pode causar saturação, o que, por sua vez, reduz o ganho de malha aberta do sistema. É recomendável evitar essa situação.

FIGURA 7.58
Diagrama polar de um sistema condicionalmente estável.

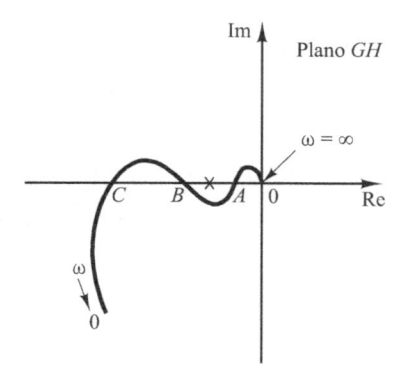

Sistemas de malhas múltiplas. Considere o sistema da Figura 7.59. Este é um sistema de malhas múltiplas. A malha interna possui a função de transferência

$$G(s) = \frac{G_2(s)}{1 + G_2(s)H_2(s)}$$

Se $G(s)$ for instável, os efeitos da instabilidade serão produzidos por um polo ou polos no semiplano direito do plano s. Então, a equação característica da malha interna, $1 + G_2(s)H_2(s) = 0$, possui um zero ou zeros no semiplano direito do plano s. Se $G_2(s)$ e $H_2(s)$ tiverem polos aí, então o número Z_1 de zeros do semiplano direito do plano s de $1 + G_2(s)H_2(s)$ poderá ser determinado a partir de $Z_1 = N_1 + P_1$, onde N_1 é o número de envolvimentos do ponto $-1 + j0$ no sentido horário pelo lugar geométrico de $G_2(s)H_2(s)$. Como a função de transferência de malha aberta do sistema inteiro é dada por $G_1(s)G(s)H_1(s)$, a estabilidade desse sistema de malha fechada pode ser determinada pelo diagrama de Nyquist de $G_1(s)G(s)H_1(s)$ e pelo conhecimento dos polos de $G_1(s)G(s)H_1(s)$ do semiplano direito do plano s.

Note que, se uma malha de realimentação for eliminada por meio de reduções do diagrama de blocos, existe a possibilidade de serem introduzidos polos instáveis; se o ramo direto for eliminado por meio de reduções do diagrama de blocos, existe uma possibilidade de serem introduzidos zeros no semiplano direito. Portanto, devem ser observados todos os polos e os zeros do semiplano direito, à medida que estes apareçam a partir de reduções de malhas intermediárias. Esse conhecimento é necessário para a determinação da estabilidade de sistemas de malhas múltiplas.

FIGURA 7.59
Sistema de malhas múltiplas.

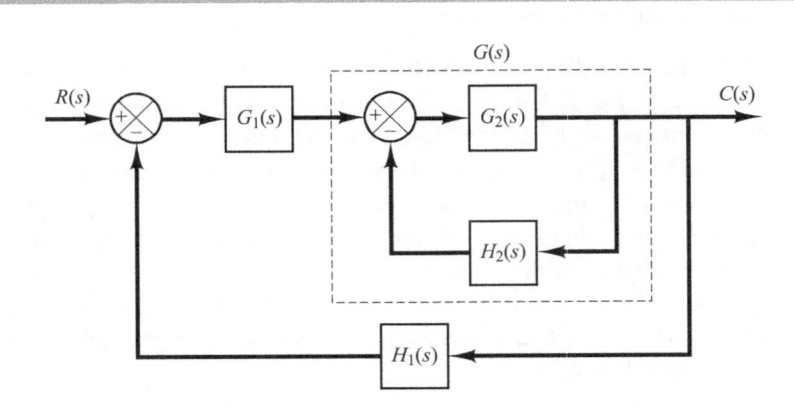

Exemplo 7.19 Considere o sistema de controle mostrado na Figura 7.60. O sistema contém duas malhas. Determine o intervalo de valores do ganho K para a estabilidade do sistema, por meio do critério de estabilidade de Nyquist. (O ganho K é positivo.)

Para examinar a estabilidade do sistema de controle, é necessário esboçar o lugar geométrico de Nyquist de $G(s)$, onde

$$G(s) = G_1(s)G_2(s)$$

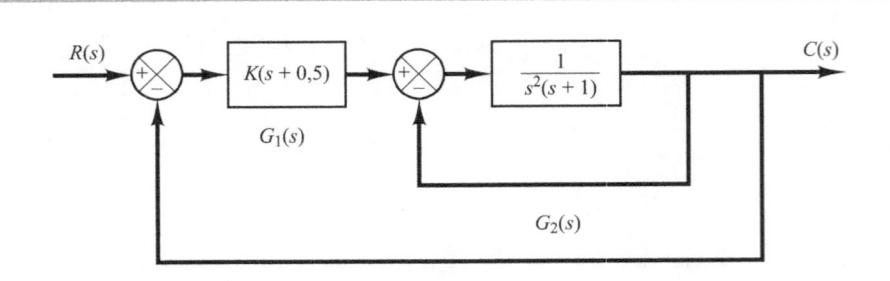

FIGURA 7.60
Sistema de controle.

Entretanto, os polos de $G(s)$ não são conhecidos nesse ponto. Portanto, é necessário examinar a malha interna para saber se há polos no semiplano direito do plano s. Isso pode ser feito facilmente pela aplicação do critério de estabilidade de Routh. Dado que:

$$G_2(s) = \frac{1}{s^3 + s^2 + 1}$$

a tabela de Routh é a seguinte:

s^3	1	0
s^2	1	1
s^1	-1	0
s^0	1	

Observe que há duas mudanças de sinal na primeira coluna. Então, existem dois polos de $G_2(s)$ no semiplano direito do plano s.

Uma vez determinado o número de polos de $G_2(s)$ no semiplano direito do plano s, fazemos o esboço do lugar geométrico do diagrama de Nyquist, onde

$$G(s) = G_1(s)G_2(s) = \frac{K(s + 0,5)}{s^3 + s^2 + 1}$$

Nosso problema é determinar o intervalo de valores do ganho K para que haja estabilidade. Por essa razão, em vez de construir o diagrama dos lugares geométricos de $G(j\omega)$ para vários valores de K, traçamos o diagrama do lugar geométrico de Nyquist de $G(j\omega)/K$. A Figura 7.61 mostra o diagrama de Nyquist ou diagrama polar de $G(j\omega)/K$.

FIGURA 7.61
Diagrama polar de $G(j\omega)/K$.

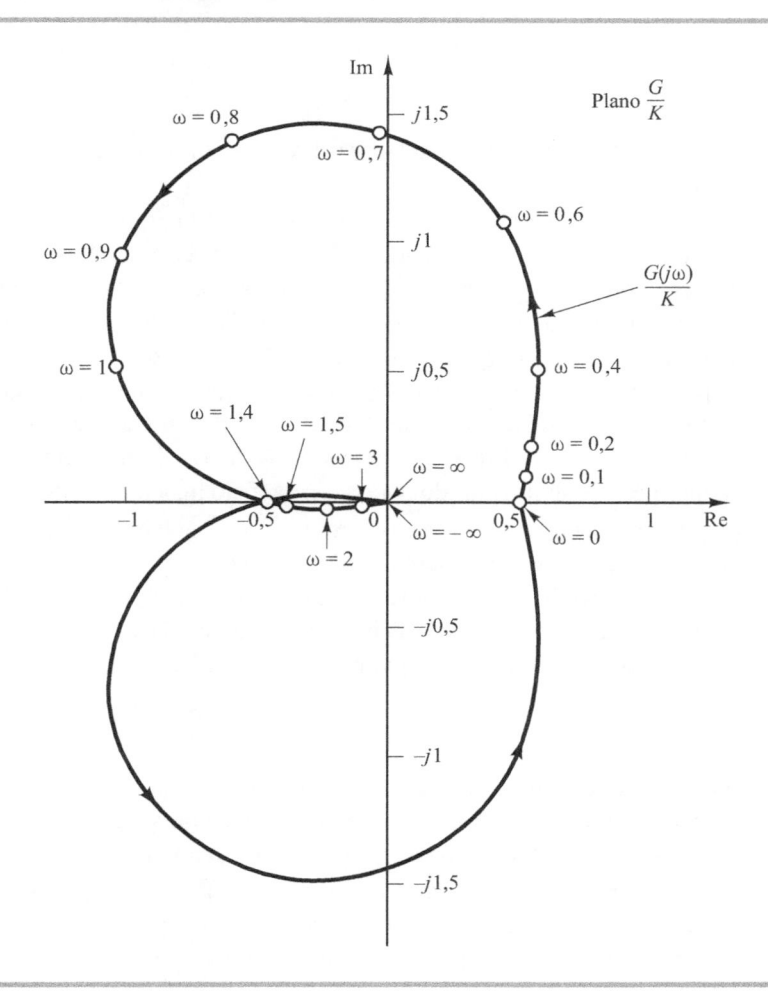

Como $G(s)$ tem dois polos no semiplano direito do plano s, tem-se $P = 2$. Notando que

$$Z = N + P$$

para que haja estabilidade, a condição é $Z = 0$ ou $N = -2$. Ou seja, o lugar geométrico de $G(j\omega)$ deve envolver o ponto $-1 + j0$ duas vezes no sentido anti-horário. A partir da Figura 7.61, vê-se que, se o ponto crítico estiver entre 0 e $-0,5$, então o lugar geométrico de $G(j\omega)/K$ envolverá esse ponto duas vezes no sentido anti-horário. Portanto, devemos ter

$$-0,5K < -1$$

A faixa de valores do ganho K para se ter estabilidade é:

$$2 < K$$

Critério de estabilidade de Nyquist aplicado aos diagramas polares inversos. Na análise anterior, o critério de estabilidade de Nyquist foi aplicado aos diagramas polares da função de transferência de malha aberta $G(s)H(s)$.

Algumas vezes, na análise de sistemas de malhas múltiplas, a função de transferência inversa pode ser utilizada para permitir a análise gráfica; isso evita grande parte do cálculo numérico. (O critério de estabilidade de Nyquist pode ser igualmente aplicado aos gráficos polares inversos. A dedução matemática do critério de estabilidade de Nyquist dos diagramas polares inversos é a mesma que a dos diagramas polares diretos.)

O diagrama polar inverso de $G(j\omega)H(j\omega)$ é um gráfico de $1/[G(j\omega)H(j\omega)]$ como uma função de ω. Por exemplo, se $G(j\omega)H(j\omega)$ é:

$$G(j\omega)H(j\omega) = \frac{j\omega T}{1 + j\omega T}$$

então,

$$\frac{1}{G(j\omega)H(j\omega)} = \frac{1}{j\omega T} + 1$$

O diagrama polar inverso para $\omega \geq 0$ é a metade inferior da reta vertical que tem início no ponto $(1, 0)$ sobre o eixo real.

O critério de estabilidade de Nyquist aplicado ao diagrama polar inverso pode ser expresso como segue: para um sistema de malha fechada ser estável, o envolvimento do ponto $-1 + j0$, se houver, pelo lugar geométrico de $1/[G(s)H(s)]$ (à medida que s percorrer o percurso de Nyquist) deverá ser no sentido anti-horário e o número desses envolvimentos deverá ser igual ao número de polos de $1/[G(s)H(s)]$ [isto é, os zeros de $G(s)H(s)$] que se situam no semiplano direito do plano s. [O número de zeros de $G(s)H(s)$ no semiplano direito do plano s pode ser determinado pelo critério de estabilidade de Routh.] Se a função de transferência de malha aberta $G(s)H(s)$ não tiver zeros no semiplano direito do plano s, então, para que o sistema de malha fechada seja estável, o número de envolvimentos do ponto $-1 + j0$ pelo lugar geométrico de $1/[G(s)H(s)]$ deverá ser zero.

Note que, embora o critério de estabilidade de Nyquist possa ser aplicado aos gráficos polares inversos, se dados experimentais da resposta em frequência forem incorporados, a contagem dos envolvimentos do lugar geométrico de $1/[G(s)H(s)]$ pode ser difícil, porque a mudança de fase correspondente à trajetória semicircular infinita no plano s é difícil de ser medida. Por exemplo, se a função de transferência de malha aberta $G(s)H(s)$ envolver um retardo de transporte tal que

$$G(s)H(s) = \frac{Ke^{-j\omega L}}{s(Ts + 1)}$$

então o número de envolvimentos do ponto $-1 + j0$ pelo lugar geométrico de $1/[G(s)H(s)]$ se tornará infinito e o critério de estabilidade de Nyquist não poderá ser aplicado ao diagrama polar inverso dessa função de transferência de malha aberta.

Em geral, se os dados experimentais da resposta em frequência não puderem ser colocados de maneira analítica, tanto o lugar geométrico de $G(j\omega)H(j\omega)$ como o de $1/[G(j\omega)H(j\omega)]$ deverão ser construídos graficamente. Além disso, o número de zeros de $G(s)H(s)$ no semiplano direito deve ser determinado. Ou seja, é mais difícil determinar os zeros de $G(s)H(s)$ no semiplano direito (em outras palavras, determinar se dado componente é ou não de fase mínima) do que determinar os polos de $G(s)H(s)$ no semiplano direito (em outras palavras, determinar se o componente é ou não estável).

Dependendo de serem os dados gráficos ou analíticos e de estarem ou não incluídos componentes de fase não mínima, deve ser utilizado um teste de estabilidade apropriado para sistemas de malhas múltiplas. Se os dados forem fornecidos de maneira analítica ou se as expressões matemáticas para todos os componentes forem conhecidas, a aplicação do critério de estabilidade de Nyquist aos diagramas polares inversos não causará dificuldade e os sistemas de múltiplas malhas poderão ser analisados e projetados no plano GH inverso. (Veja o Problema A.7.15.)

7.7 | Análise de estabilidade relativa

Estabilidade relativa. No projeto de um sistema de controle, exige-se que o sistema seja estável. Além disso, é necessário que o sistema tenha uma estabilidade relativa adequada.

Nesta seção, mostraremos não apenas quando um sistema é estável, mas também qual é o grau de estabilidade de um sistema estável. O diagrama de Nyquist também fornece informações de como a estabilidade pode ser melhorada, se isso for necessário.

Na discussão a seguir, vamos supor que o sistema considerado tenha realimentação unitária. Note que é sempre possível reduzir um sistema com elementos de realimentação a um sistema com realimentação unitária, como mostra a Figura 7.62. Portanto, é possível estender a análise de estabilidade relativa do sistema com realimentação unitária a sistemas com realimentação não unitária.

Vamos supor também que, a menos que seja dito o contrário, os sistemas sejam de fase mínima, isto é, a função de transferência de malha aberta não possui polos nem zeros no semiplano direito do plano s.

Análise da estabilidade relativa pelo mapeamento conforme. Um dos problemas importantes na análise de um sistema de controle é determinar todos os polos de malha fechada ou, pelo menos, aqueles mais próximos do eixo $j\omega$ (ou o par dominante de polos de malha fechada). Se as características da resposta em frequência de um sistema de malha aberta são conhecidas, é possível estimar os polos de malha fechada mais próximos do eixo $j\omega$. Deve-se observar que não é necessário que o lugar geométrico de Nyquist de $G(j\omega)$ seja uma função analiticamente conhecida de ω. O lugar geométrico de Nyquist como um todo pode ser obtido experimentalmente. A técnica apresentada aqui é essencialmente gráfica e está baseada no mapeamento conforme do plano s no do plano $G(s)$.

FIGURA 7.62
Modificação de um sistema com elementos na realimentação em um sistema com realimentação unitária.

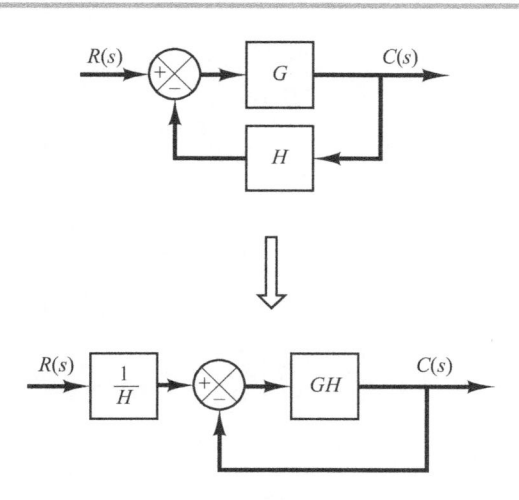

Considere o mapeamento conforme das retas de $-\sigma$ constante (retas $s = \sigma + j\omega$, onde σ é constante e ω é variável) e retas de $-\omega$ constante (retas $s = \sigma + j\omega$, onde ω é constante e σ é variável) no plano s. A reta $\sigma = 0$ (o eixo $j\omega$) no plano s é mapeada no diagrama de Nyquist no plano $G(s)$. As retas de σ constante no plano s são mapeadas em curvas similares ao diagrama de Nyquist e são, de certo modo, paralelas ao diagrama de Nyquist, como mostra a Figura 7.63. As retas de ω constante no plano s são mapeadas em curvas, também mostradas na Figura 7.63.

Embora as formas dos lugares geométricos de $-\sigma$ constante e $-\omega$ constante no plano $G(s)$ e a proximidade do lugar geométrico de $G(j\omega)$ do ponto $-1 + j0$ dependam de um $G(s)$ particular, a aproximação do lugar geométrico de $G(j\omega)$ ao ponto $-1 + j0$ é uma indicação da estabilidade relativa de um sistema estável. Em geral, espera-se que, quanto mais próximo o lugar geométrico de $G(j\omega)$ esteja do ponto $-1 + j0$, maior será o máximo sobressinal na resposta transitória ao degrau e maior o tempo de acomodação.

Considere os dois sistemas mostrados nas figuras 7.64(a) e (b). (Na Figura 7.64, os × indicam os polos de malha fechada.) O sistema (a) é, obviamente, mais estável do que o sistema (b), porque os polos de malha fechada do sistema (a) estão localizados mais à esquerda do que os do sistema (b). As figuras 7.65(a) e (b) mostram o mapeamento adequado das grades do plano s no plano $G(s)$. Quanto mais próximos do eixo $j\omega$ estiverem localizados os polos de malha fechada, mais próximo estará o lugar geométrico de $G(j\omega)$ do ponto $-1 + j0$.

Margens de fase e de ganho. A Figura 7.66 mostra os diagramas polares de $G(j\omega)$ para três valores diferentes do ganho K de malha aberta. Para um valor elevado do ganho K, o sistema é instável. À medida que o ganho é reduzido a certo valor, o lugar geométrico de $G(j\omega)$ passa pelo ponto $-1 + j0$. Isso significa que, com esse valor de ganho, o sistema está no limite da instabilidade e apresentará oscilações sustentadas. Para um valor pequeno do ganho K, o sistema é estável.

FIGURA 7.63
Mapeamento conforme de grades do plano s no plano $G(s)$.

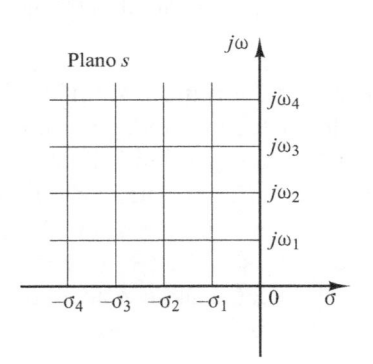

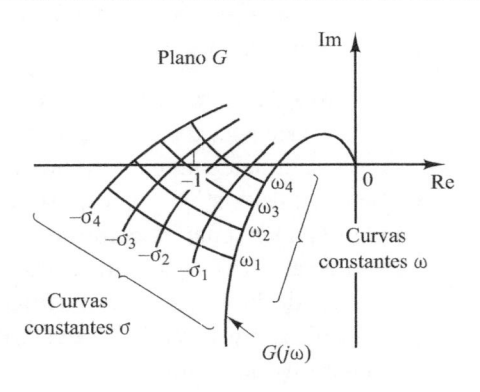

FIGURA 7.64
Dois sistemas com dois polos de malha fechada cada um.

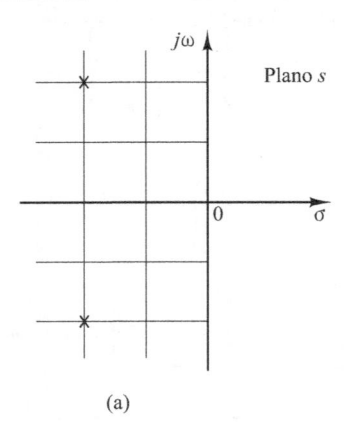

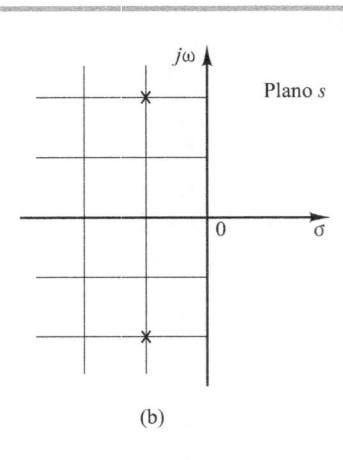

(a)   (b)

FIGURA 7.65
Mapeamento conforme da grade do plano s dos sistemas mostrados na Figura 7.64 no plano $G(s)$.

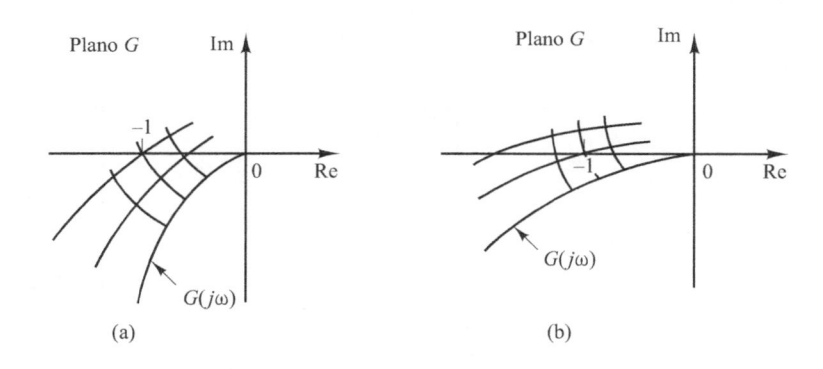

FIGURA 7.66
Diagramas polares de
$$\frac{K(1+j\omega T_a)(1+j\omega T_b)\cdots}{(j\omega)(1+j\omega T_1)(1+j\omega T_2)\cdots}.$$

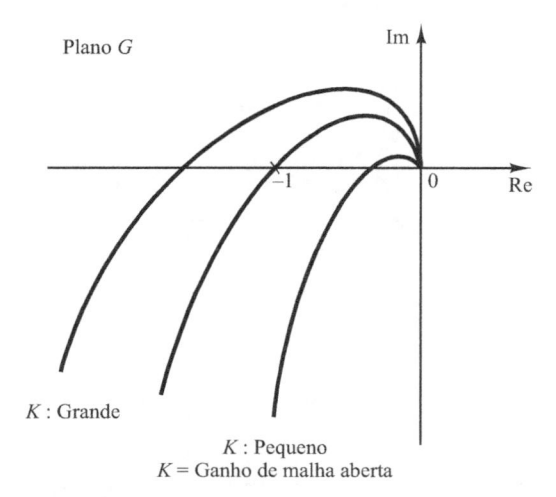

K : Grande
K : Pequeno
K = Ganho de malha aberta

Em geral, quanto mais próximo o lugar geométrico de $G(j\omega)$ chegar do envolvimento do ponto $-1+j0$, mais oscilatória será a resposta do sistema. A proximidade do lugar geométrico $G(j\omega)$ do ponto $-1+j0$ pode ser utilizada como uma medida da margem de estabilidade. (Isso não se aplica, entretanto, aos sistemas condicionalmente estáveis.) É prática comum representar a proximidade em termos de margem de fase e margem de ganho.

Margem de fase: a margem de fase é o atraso de fase adicional, na frequência de cruzamento de ganho, necessária para que o sistema atinja o limiar de instabilidade. A frequência de cruzamento de ganho é a frequência na qual o módulo da função de transferência de malha aberta $|G(j\omega)|$ é unitário. A margem de fase γ é 180° mais o ângulo de fase ϕ da função de transferência na frequência de malha aberta de cruzamento de ganho ou

$$\gamma = 180° + \phi$$

As figuras 7.67(a), (b) e (c) ilustram a margem de fase tanto de um sistema estável como de um sistema instável em diagramas de Bode, diagramas polares e diagramas de módulo em dB *versus* ângulo de fase. No diagrama polar, pode-se traçar uma reta a partir da origem até o ponto em que a circunferência unitária cruza o lugar geométrico de $G(j\omega)$. Se a reta estiver abaixo (acima) do eixo real negativo, então o ângulo γ será positivo (negativo). O ângulo entre o eixo real negativo e essa reta é a margem de fase. A margem de fase é positiva para $\gamma > 0$ e negativa para $\gamma < 0$. Para que um sistema de fase mínima seja estável, a margem de fase deve ser positiva. Nos diagramas logarítmicos, o ponto crítico no plano complexo corresponde às retas 0 dB e $-180°$.

Margem de ganho: a margem de ganho é o recíproca do módulo $|G(j\omega)|$ na frequência em que o ângulo é $-180°$. Definir a frequência de cruzamento de fase ω_1

FIGURA 7.67
Margens de ganho e de fase de sistemas estáveis e instáveis. (a) Diagramas de Bode; (b) diagramas polares; (c) diagramas de módulo em dB *versus* ângulo de fase.

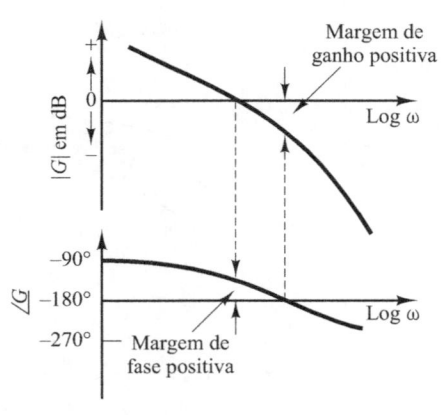

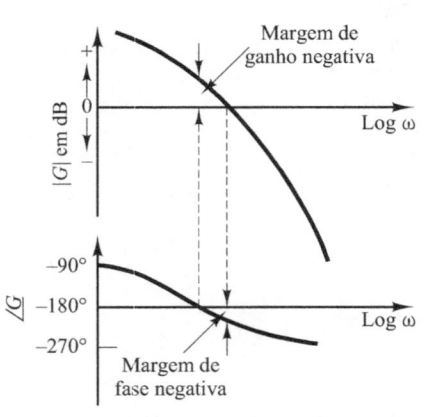

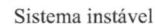

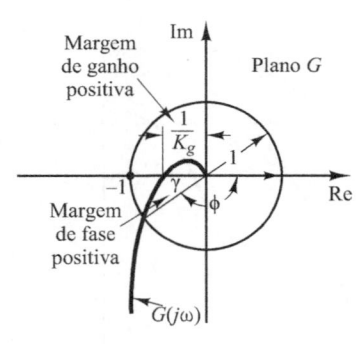

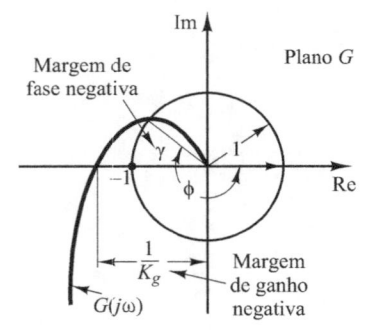

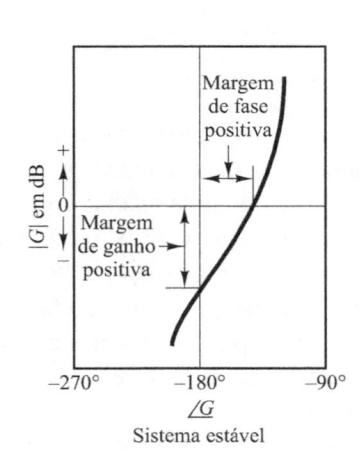

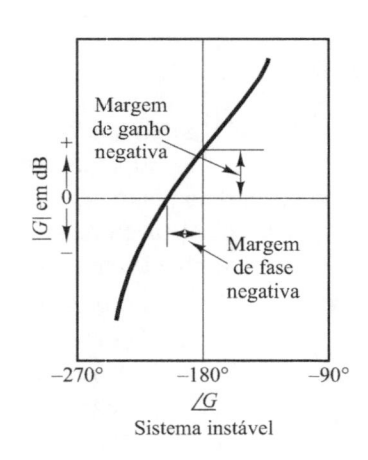

como a frequência em que o ângulo de fase da função de transferência de malha aberta é igual a −180° resulta na margem de ganho K_g:

$$K_g = \frac{1}{|G(j\omega_1)|}$$

Em termos de decibéis,

$$K_g \text{ dB} = 20 \log K_g = -20 \log |G(j\omega_1)|$$

A margem de ganho expressa em decibéis será positiva se K_g for maior que a unidade e será negativa se K_g for menor que a unidade. Portanto, uma margem de ganho positiva (em decibéis) significa que o sistema é estável, e uma margem de ganho negativa (em decibéis) significa que o sistema é instável. As figuras 7.67 (a), (b) e (c) mostram a margem de ganho.

Para um sistema de fase mínima estável, a margem de ganho indica em quanto o ganho pode ser aumentado antes que o sistema se torne instável. Para um sistema instável, a margem de ganho é indicativa de quanto o ganho deve decrescer para que o sistema se torne estável.

A margem de ganho de um sistema de primeira ou de segunda ordens é infinita, visto que os diagramas polares para esses sistemas não cruzam o eixo real negativo. Portanto, teoricamente, os sistemas de primeira ou segunda ordens não podem ser instáveis. (Note, entretanto, que os sistemas ditos de primeira ou de segunda ordens são apenas aproximações, no sentido de que pequenas constantes de tempo são desprezíveis na dedução de equações dos sistemas e, portanto, não são verdadeiramente sistemas de primeira ou de segunda ordens. Se essas pequenas constantes de tempo forem levadas em consideração, os sistemas denominados de primeira ou de segunda ordens poderão se tornar instáveis.)

Deve-se observar que, para um sistema de fase não mínima em que a malha aberta é instável, a condição de estabilidade não será satisfeita a menos que o diagrama de $G(j\omega)$ envolva o ponto $-1 + j0$. Portanto, um sistema estável de fase não mínima terá margens de fase e de ganho negativas.

Também é importante destacar que os sistemas condicionalmente estáveis terão duas ou mais frequências de cruzamento de fase e alguns sistemas de ordem superior, com dinâmicas complicadas no numerador, poderão ter também duas ou mais frequências de cruzamento de ganho, como mostra a Figura 7.68. Para sistemas estáveis que tenham duas ou mais frequências de cruzamento de ganho, a margem de fase é medida pela frequência de cruzamento de ganho mais alta.

Alguns comentários sobre margens de fase e de ganho. As margens de fase e de ganho de um sistema de controle são uma medida da proximidade do diagrama polar em relação ao ponto $-1 + j0$. Portanto, essas margens podem ser utilizadas como critérios de projeto.

É importante notar que apenas a margem de ganho ou apenas a margem de fase não fornece indicação suficiente sobre a estabilidade relativa. Ambas devem ser fornecidas para determinação da estabilidade relativa.

Para um sistema de fase mínima, as margens de fase e de ganho devem ser positivas para que o sistema seja estável. Margens negativas indicam instabilidade.

Margens de fase e de ganho apropriadas protegem contra variações nos componentes do sistema e são especificadas por valores positivos definidos. Os dois valores limitam o

FIGURA 7.68 Diagramas polares que indicam mais de duas fases ou frequências de cruzamento de ganho.

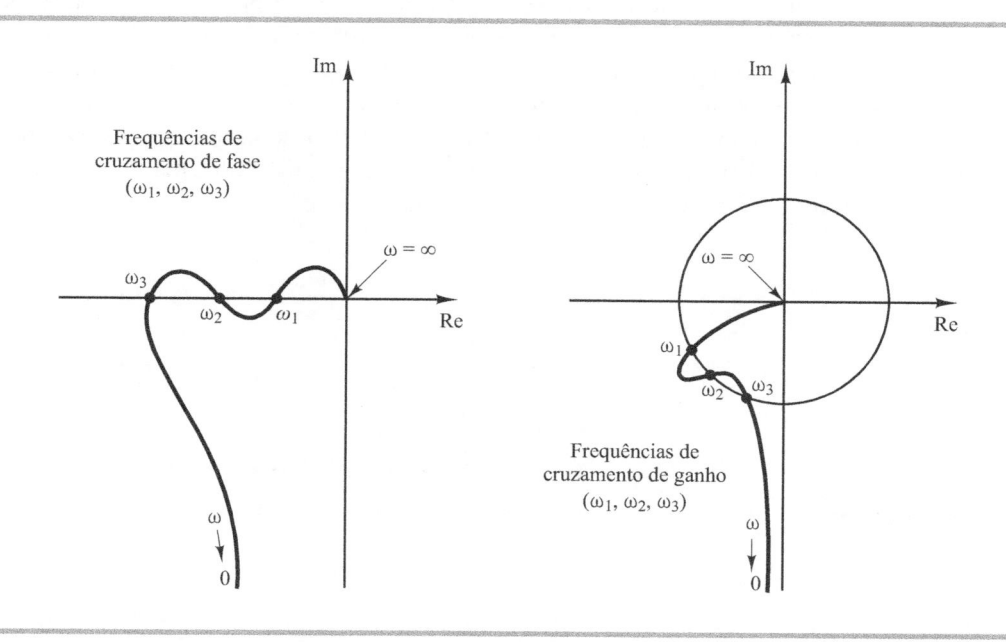

comportamento do sistema de malha fechada nas proximidades da frequência de ressonância. Para obter um desempenho satisfatório, a margem de fase deve estar entre 30° e 60° e a margem de ganho deve ser maior que 6 dB. Com esses valores, um sistema de fase mínima tem estabilidade garantida, mesmo que o ganho de malha aberta e as constantes de tempo dos componentes variem dentro de certos limites. Embora as margens de fase e de ganho forneçam apenas estimativas aproximadas do coeficiente de amortecimento efetivo do sistema de malha fechada, elas oferecem meios convenientes para o projeto de sistemas de controle ou do ajuste de constantes de ganho de sistemas.

Nos sistemas de fase mínima, as características de módulo e de fase da função de transferência de malha aberta estão definitivamente relacionadas. O requisito que a margem de fase esteja entre 30° e 60° significa que, em um diagrama de Bode, a inclinação da curva de módulo em dB, na frequência de cruzamento de ganho, deve ser menor que – 40 dB/década. Na maioria dos casos práticos, é desejável uma inclinação de – 20 dB/década na frequência de cruzamento de ganho para ter estabilidade. Se a inclinação for de – 40 dB/década, o sistema tanto poderá ser estável como instável. (Mesmo que o sistema seja estável, entretanto, a margem de fase será pequena.) Se a inclinação na frequência de cruzamento de ganho for – 60 dB/década ou maior, o sistema será provavelmente instável.

Para sistemas de fase não mínima, a interpretação correta da margem de estabilidade requer um estudo cuidadoso. A melhor maneira de determinar a estabilidade de sistemas de fase não mínima é utilizar a técnica do diagrama de Nyquist, em vez da técnica do diagrama de Bode.

Exemplo 7.20 Obtenha as margens de fase e de ganho do sistema da Figura 7.69 para os dois casos em que $K = 10$ e $K = 100$.

As margens de fase e de ganho podem ser obtidas facilmente a partir do diagrama de Bode. A Figura 7.70(a) mostra o diagrama de Bode da função de transferência de malha aberta dada, com $K = 10$. As margens de fase e de ganho para $K = 10$ são:

$$\text{Margem de fase} = 21°, \qquad \text{Margem de ganho} = 8 \text{ dB}$$

Portanto, o ganho do sistema pode ser aumentado em 8 dB antes de ocorrer a instabilidade.

O aumento do ganho de $K = 10$ para $K = 100$ desloca o eixo 0 dB para baixo, em 20 dB, como mostra a Figura 7.70(b). As margens de ganho e de fase são:

$$\text{Margem de fase} = -30°, \qquad \text{Margem de ganho} = -12 \text{ dB}$$

Portanto, o sistema é estável para $K = 10$, mas instável para $K = 100$.

Observe que um dos aspectos mais convenientes da técnica do diagrama de Bode é a facilidade com que as variações de ganho podem ser avaliadas. Note que, para obter um desempenho satisfatório, a margem de fase deve aumentar para 30° ~ 60°. Isso pode ser feito pela redução do ganho K. Entretanto, a diminuição de K não é desejável, uma vez que um valor pequeno de K resulta em um grande erro na entrada em rampa. Isso sugere que pode ser necessária uma modificação na curva de resposta em frequência de malha aberta, pela adição de um compensador. As técnicas de compensação serão discutidas detalhadamente nas seções 7.11 a 7.13.

FIGURA 7.69
Sistema de controle.

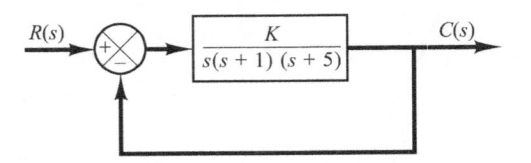

$$R(s) \rightarrow \bigotimes \rightarrow \boxed{\dfrac{K}{s(s+1)(s+5)}} \rightarrow C(s)$$

FIGURA 7.70
Diagramas de Bode do sistema mostrado na Figura 7.69; (a) com $K = 10$ e (b) com $K = 100$.

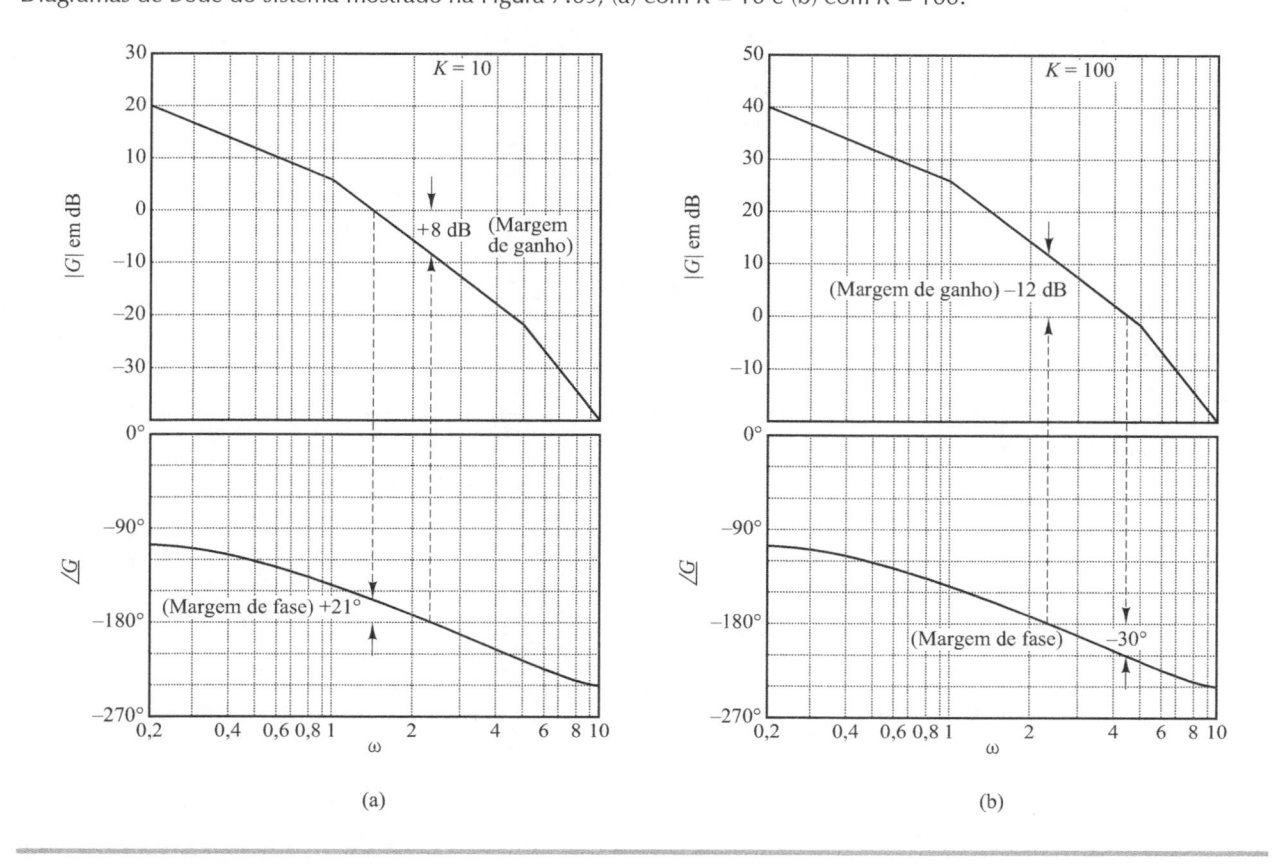

(a)

(b)

Obtenção da margem de ganho, margem de fase, frequência de cruzamento de fase e frequência de cruzamento de ganho com o MATLAB. A margem de ganho, margem de fase, frequência de cruzamento de fase e frequência de cruzamento de ganho podem ser obtidas facilmente com o MATLAB. O comando a ser utilizado é:

[Gm,pm,wcp,wcg] = margin(sys)

onde Gm é a margem de ganho, pm é a margem de fase, wcp é a frequência de cruzamento de fase e wcg é a frequência de cruzamento de ganho. Para obter detalhes de como utilizar esse comando, veja o Exemplo 7.21.

Exemplo 7.21 Construa o diagrama de Bode da função de transferência de malha aberta $G(s)$ do sistema de malha fechada da Figura 7.71. Determine a margem de ganho, a margem de fase, a frequência de cruzamento de fase e a frequência de cruzamento de ganho, utilizando o MATLAB.

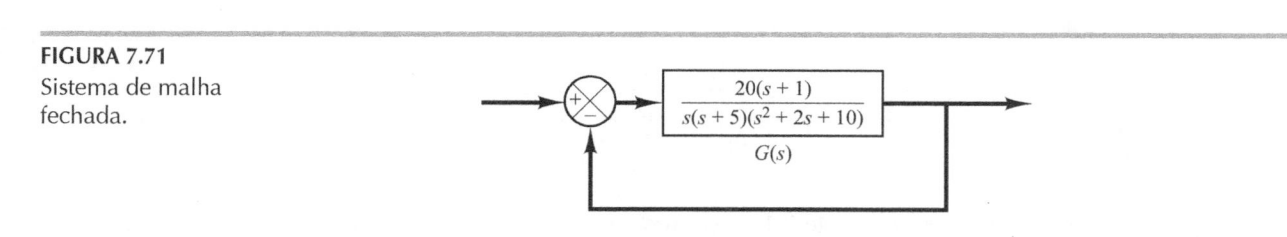

O Programa 7.11 em MATLAB gera o diagrama de Bode e fornece a margem de ganho, margem de fase, frequência de cruzamento de fase e frequência de cruzamento de ganho. O diagrama de Bode de $G(s)$ é mostrado na Figura 7.72.

FIGURA 7.71
Sistema de malha fechada.

$$\frac{20(s+1)}{s(s+5)(s^2+2s+10)}$$

$G(s)$

```
Programa 7.11 em MATLAB

num = [20 20];
den = conv([1 5 0],[1 2 10]);
sys = tf(num,den);
w = logspace(-1,2,100);
bode(sys,w)
[Gm,pm,wcp,wcg] = margin(sys);
GmdB = 20*log10(Gm);
[GmdB pm wcp wcg]

ans =

9.9293  103.6573  4.0131  0.4426
```

FIGURA 7.72
Diagrama de Bode de G(s) apresentado na Figura 7.71.

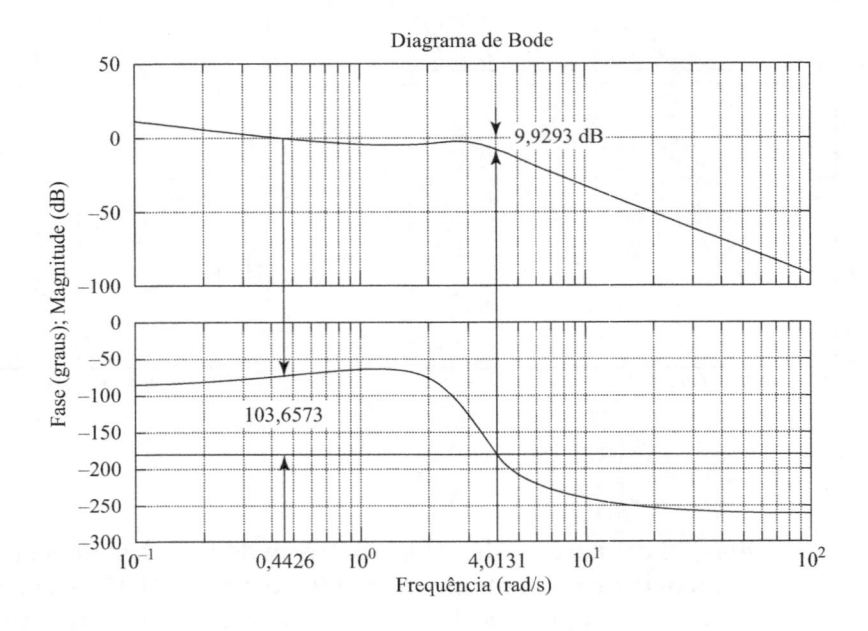

Amplitude do pico de ressonância M_r e da frequência de ressonância ω_r. Considere o sistema-padrão de segunda ordem mostrado na Figura 7.73. A função de transferência de malha fechada é:

$$\frac{C(s)}{R(s)} = \frac{\omega_n^2}{s^2 + 2\zeta\omega_n s + \omega_n^2} \tag{7.16}$$

onde ζ e ω_n são o coeficiente de amortecimento e a frequência natural não amortecida, respectivamente. A resposta em frequência de malha fechada é:

$$\frac{C(j\omega)}{R(j\omega)} = \frac{1}{\left(1 - \frac{\omega^2}{\omega_n^2}\right) + j2\zeta\frac{\omega}{\omega_n}} = Me^{j\alpha}$$

onde

$$M = \frac{1}{\sqrt{\left(1 - \frac{\omega^2}{\omega_n^2}\right)^2 + \left(2\zeta\frac{\omega}{\omega_n}\right)^2}}, \quad \alpha = -\text{tg}^{-1}\frac{2\zeta\frac{\omega}{\omega_n}}{1 - \frac{\omega^2}{\omega_n^2}}$$

Como foi visto na Equação 7.12, para $0 \leq \zeta \leq 0{,}707$, o valor máximo de M ocorre na frequência ω_r, onde

$$\omega_r = \omega_n\sqrt{1 - 2\zeta^2} \qquad (7.17)$$

A frequência ω_r é a frequência de ressonância. Nessa frequência, o valor de M é máximo e é dado pela Equação 7.13, reescrita como:

$$M_r = \frac{1}{2\zeta\sqrt{1 - \zeta^2}} \qquad (7.18)$$

onde M_r é definido como a *amplitude do pico de ressonância*. A amplitude do pico de ressonância está relacionada ao amortecimento do sistema.

A amplitude do pico de ressonância fornece uma indicação da estabilidade relativa do sistema. Uma grande amplitude do pico de ressonância indica a presença de um par de polos dominantes de malha fechada com um coeficiente de amortecimento pequeno, o que produz uma resposta transitória indesejada. Por outro lado, uma amplitude do pico de ressonância menor indica a ausência de um par de polos de malha fechada com um pequeno coeficiente de amortecimento, significando que o sistema é bem amortecido.

É necessário lembrar que ω_r é real apenas se $\zeta < 0{,}707$. Portanto, não há ressonância de malha fechada se $\zeta > 0{,}707$. [O valor de M_r é unitário somente se $\zeta > 0{,}707$. Veja a Equação 7.14.] Como os valores de M_r e ω_r podem ser medidos facilmente em um sistema físico, eles são muito úteis para a verificação da concordância entre a análise teórica e a experimental.

Entretanto, deve-se observar que, nos problemas práticos de projeto, a margem de fase e a margem de ganho são mais frequentemente especificadas do que a amplitude do pico de ressonância para indicar o coeficiente de amortecimento de um sistema.

Correlação entre a resposta transitória ao degrau e a resposta em frequência no sistema-padrão de segunda ordem. O máximo sobressinal na resposta ao degrau unitário do sistema-padrão de segunda ordem, indicado na Figura 7.73, pode ser correlacionado, de maneira precisa, com a amplitude do pico de ressonância da resposta em frequência. Assim, essencialmente as mesmas informações sobre a dinâmica do sistema estão tanto na resposta em frequência como na resposta transitória.

A resposta do sistema indicado na Figura 7.73, a uma entrada em degrau unitário, é dada pela Equação 5.12 ou

$$c(t) = 1 - e^{-\zeta\omega_n t}\left(\cos\omega_d t + \frac{\zeta}{\sqrt{1 - \zeta^2}}\operatorname{sen}\omega_d t\right), \quad \text{para } t \geq 0$$

onde

$$\omega_d = \omega_n\sqrt{1 - \zeta^2} \qquad (7.19)$$

Por outro lado, o máximo sobressinal M_p da resposta ao degrau unitário é dado pela Equação 5.21 ou

$$M_p = e^{-(\zeta/\sqrt{1 - \zeta^2})\pi} \qquad (7.20)$$

Esse máximo sobressinal ocorre na resposta transitória que tem a frequência natural amortecida $\omega_d = \omega_n\sqrt{1 - \zeta^2}$. O máximo sobressinal torna-se excessivo para valores de $\zeta < 0{,}4$.

Como o sistema de segunda ordem indicado na Figura 7.73 tem a função de transferência de malha aberta

$$G(s) = \frac{\omega_n^2}{s(s + 2\zeta\omega_n)}$$

FIGURA 7.73
Sistema-padrão de segunda ordem.

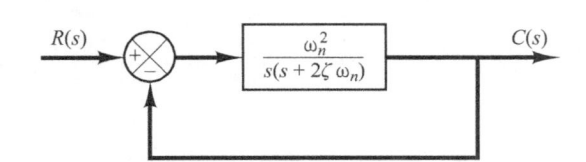

para operação senoidal, o módulo de $G(j\omega)$ torna-se unitário quando

$$\omega = \omega_n \sqrt{\sqrt{1 + 4\zeta^4} - 2\zeta^2}$$

que pode ser obtida igualando-se $|G(j\omega)|$ à unidade e resolvendo-se para ω. Nessa frequência, o ângulo de fase de $G(j\omega)$ é:

$$\underline{/G(j\omega)} = -\underline{/j\omega} - \underline{/j\omega + 2\zeta\omega_n} = -90° - \text{tg}^{-1} \frac{\sqrt{\sqrt{1 + 4\zeta^4} - 2\zeta^2}}{2\zeta}$$

Portanto, essa margem de fase γ é:

$$\gamma = 180° + \underline{/G(j\omega)}$$

$$= 90° - \text{tg}^{-1} \frac{\sqrt{\sqrt{1 + 4\zeta^4} - 2\zeta^2}}{2\zeta}$$

$$= \text{tg}^{-1} \frac{2\zeta}{\sqrt{\sqrt{1 + 4\zeta^4} - 2\zeta^2}} \qquad (7.21)$$

A Equação 7.21 fornece a relação entre o coeficiente de amortecimento ζ e a margem de fase γ. (Note que a margem de fase γ é uma função apenas do coeficiente de amortecimento ζ.)

A seguir, vamos resumir a correlação entre a resposta transitória ao degrau e a resposta em frequência do sistema-padrão de segunda ordem, dado pela Equação 7.16:

1. A margem de fase e o coeficiente de amortecimento estão diretamente relacionados. A Figura 7.74 mostra um gráfico da margem de fase γ em função do coeficiente de amortecimento ζ. Note que, para o sistema-padrão de segunda ordem mostrado na Figura 7.73, a margem de fase γ e o coeficiente de amortecimento ζ estão aproximadamente relacionados por uma reta, para $0 \leq \zeta \leq 0,6$, como segue:

$$\zeta = \frac{\gamma}{100°}$$

Assim, a margem de fase de 60° corresponde a um coeficiente de amortecimento de 0,6. Para os sistemas de ordem superior que tenham um par de polos dominantes de malha fechada, esse relacionamento pode ser utilizado como regra prática de proceder na avaliação da estabilidade relativa da resposta transitória (isto é, o coeficiente de amortecimento) a partir da resposta em frequência.

FIGURA 7.74
Curva γ (margem de fase) *versus* ζ do sistema da Figura 7.73.

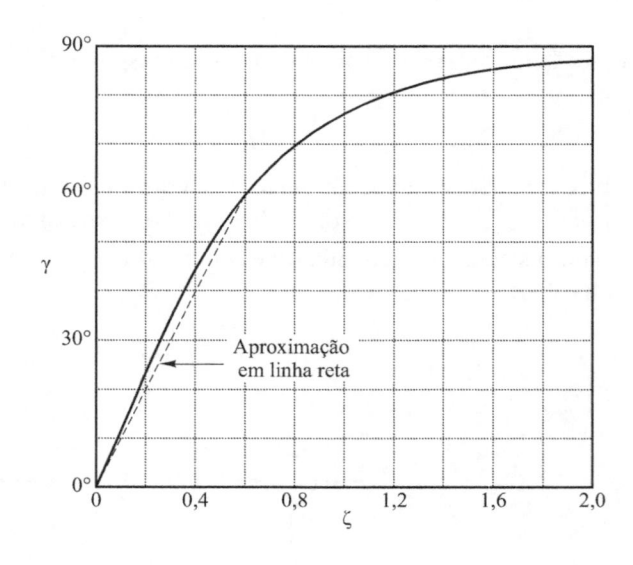

2. Considerando as equações 7.17 e 7.19, vemos que os valores de ω_r e ω_d são quase iguais, para valores pequenos de ζ. Assim, para pequenos valores de ζ, o valor de ω_r é indicativo da velocidade da resposta transitória do sistema.
3. A partir das equações 7.18 e 7.20, notamos que, quanto menor é o valor de ζ, maiores são os valores de M_r e M_p. A Figura 7.75 mostra a correlação entre M_r e M_p como função de ζ. Pode-se ver uma estreita relação entre M_r e M_p para $\zeta > 0,4$. Para valores muito pequenos de ζ, M_r torna-se muito elevado ($M_r \gg 1$), enquanto o valor de M_p não excede 1.

Correlação entre a resposta transitória ao degrau e a resposta em frequência nos sistemas genéricos. O projeto de sistemas de controle é, frequentemente, executado com base na resposta em frequência. A principal razão para isso é a relativa simplicidade desse método em comparação aos demais. Como em muitas aplicações a resposta transitória do sistema a entradas aperiódicas é mais importante do que a resposta em regime permanente a entradas senoidais, surge a questão da correlação entre a resposta transitória e a resposta em frequência.

Para o sistema-padrão de segunda ordem, mostrado na Figura 7.73, as relações matemáticas que correlacionam a resposta transitória ao degrau e a resposta em frequência podem ser facilmente obtidas. A resposta temporal do sistema-padrão de segunda ordem pode ser prevista de modo exato a partir do conhecimento de M_r e ω_r de sua resposta em frequência de malha fechada.

Para sistemas de segunda ordem não redutíveis à forma-padrão e para sistemas de maior ordem, a correlação é mais complexa e a resposta transitória não pode ser prevista com facilidade, a partir da resposta em frequência. Isso acontece porque os zeros e/ou polos adicionais podem mudar a correlação entre a resposta transitória e a resposta em frequência existente no sistema de segunda ordem. Existem técnicas matemáticas disponíveis para a obtenção da correlação exata, mas são muito trabalhosas e de pouco valor prático.

A aplicabilidade da correlação entre a resposta transitória e a resposta em frequência existente para o sistema-padrão de segunda ordem, mostrado na Figura 7.73, aos sistemas de maior ordem, depende da presença de um par dominante de polos complexos conjugados na malha fechada desses últimos sistemas. Evidentemente, se a resposta em frequência de um sistema de maior ordem for dominada por um par de polos complexos conjugados de malha fechada, a correlação entre a resposta transitória e a resposta em frequência, existente no sistema de segunda ordem, poderá ser estendida ao sistema de maior ordem.

Para sistemas lineares, invariantes no tempo e de maior ordem, que tenham um par dominante de polos complexos conjugados de malha fechada, geralmente existem as seguintes relações entre a resposta transitória ao degrau e à resposta em frequência:

FIGURA 7.75
Curvas M_r versus ζ e M_p versus ζ para o sistema apresentado na Figura 7.73.

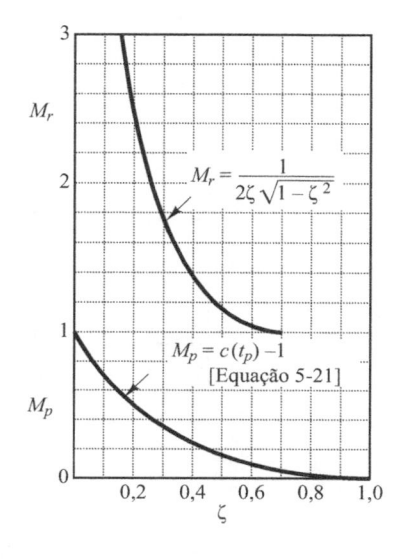

$$M_r = \frac{1}{2\zeta\sqrt{1-\zeta^2}}$$

$$M_p = c(t_p) - 1 \quad \text{[Equação 5-21]}$$

1. O valor de M_r é indicativo da estabilidade relativa. Normalmente, o desempenho transitório satisfatório é obtido se o valor de M_r está dentro do intervalo $1{,}0 < M_r < 1{,}4$ (0 dB $< M_r <$ 3 dB), que corresponde a um coeficiente de amortecimento efetivo de $0{,}4 < \zeta < 0{,}7$. Para valores de M_r maiores que 1,5, a resposta transitória ao degrau pode apresentar diversos sobressinais. (Note que, em geral, um valor elevado de M_r corresponde a um sobressinal alto na resposta transitória ao degrau. Se o sistema for submetido a sinais com ruído, cujas frequências estejam próximas da frequência de ressonância ω_r, o ruído será ampliado na saída e apresentará sérios problemas.)

2. A amplitude da frequência de ressonância ω_r é indicativo da velocidade da resposta transitória. Quanto maior o valor de ω_r, mais rápida a resposta temporal. Em outras palavras, o tempo de subida varia inversamente a ω_r. Em termos da resposta em frequência de malha aberta, a frequência natural amortecida da resposta transitória está situada entre a frequência de cruzamento de ganho e a frequência de cruzamento de fase.

3. A frequência do pico de ressonância ω_r e a frequência natural amortecida ω_d da resposta transitória ao degrau são muito próximas uma da outra nos sistemas pouco amortecidos.

As três relações mostradas anteriormente são úteis para correlacionar a resposta transitória ao degrau com a resposta em frequência de sistemas de maior ordem, desde que estes possam ser aproximados a um sistema-padrão de segunda ordem ou a um par de polos complexos conjugados de malha fechada. Se um sistema de maior ordem satisfizer essa condição, um conjunto de especificações no domínio do tempo poderá ser traduzido para especificações no domínio de frequência. Isso simplifica grandemente o trabalho de projeto ou de compensação de sistemas de maior ordem.

Além disso, para a margem de fase, a margem de ganho, o pico de ressonância M_r e a frequência de ressonância ω_r, existem outras grandezas no domínio de frequência comumente utilizadas nas especificações de desempenho. São a frequência de corte, a banda passante e a taxa de corte. Elas serão definidas a seguir.

Frequência de corte e banda passante. Com base na Figura 7.76, a frequência ω_b na qual a amplitude da resposta em frequência de malha fechada é 3 dB abaixo de seu valor na frequência zero é denominada *frequência de corte*. Assim,

$$\left|\frac{C(j\omega)}{R(j\omega)}\right| < \left|\frac{C(j0)}{R(j0)}\right| - 3 \text{ dB}, \quad \text{para } \omega > \omega_b$$

Para os sistemas em que $|C(j0)/R(j0)| = 0$ dB,

$$\left|\frac{C(j\omega)}{R(j\omega)}\right| < -3 \text{ dB}, \quad \text{para } \omega > \omega_b$$

FIGURA 7.76
Diagrama de uma curva de resposta em frequência de malha fechada que indica a frequência de corte ω_b e a banda passante.

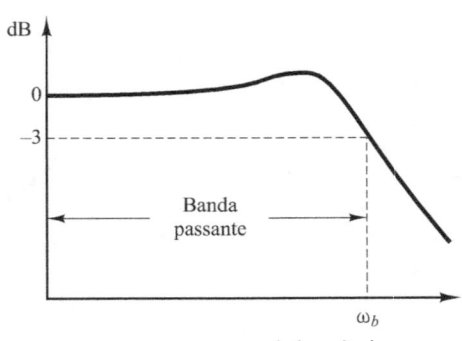

O sistema de malha fechada filtra o sinal dos componentes cujas frequências são maiores que a frequência de corte e transmite o sinal daqueles componentes com frequências menores que a frequência de corte.

O intervalo de frequências $0 \leq \omega \leq \omega_b$, no qual a amplitude de $C(j\omega)/R(j\omega)$ não cai abaixo de -3 dB, é chamado *banda passante* do sistema. A banda passante indica a frequência em que o ganho começa a cair a partir de seu valor de baixa frequência. Portanto, a banda passante mostra até que ponto o sistema seguirá bem uma entrada senoidal. Note que, para dado ω_n, o tempo de subida aumenta com o crescimento do coeficiente de amortecimento ζ. Por outro lado, a banda passante decresce com o aumento de ζ. Portanto, o tempo de subida e a banda passante são inversamente proporcionais entre si.

A especificação da banda passante pode ser determinada pelos seguintes fatores:

1. A capacidade de reproduzir o sinal de entrada. Uma banda passante grande corresponde a um tempo de subida pequeno ou resposta rápida. De modo genérico, pode-se dizer que a banda passante é proporcional à velocidade de resposta. (Por exemplo, para reduzir o tempo de subida na resposta ao degrau de um fator 2, a banda passante deve ser aumentada aproximadamente de um fator 2.)
2. As características de filtragem necessárias de ruídos de alta frequência.

Para o sistema seguir entradas arbitrárias com precisão, deve haver uma grande banda passante. Do ponto de vista do ruído, entretanto, a banda passante não deve ser muito grande. Assim, existem requisitos conflitantes com relação à banda passante e geralmente é necessário que haja uma conciliação para a realização de um bom projeto. Note que um sistema com uma grande banda passante requer componentes de alto desempenho. Assim, o custo dos componentes geralmente aumenta de acordo com a banda passante.

Taxa de corte. A taxa de corte é a inclinação da curva de módulo em dB próxima à frequência de corte. A taxa de corte indica a capacidade de um sistema distinguir o sinal de ruído.

Pode-se notar que uma curva de resposta em frequência de malha fechada, com característica de corte acentuada, pode ter uma amplitude do pico de ressonância muito grande, o que implica o sistema ter uma margem de estabilidade pequena.

Exemplo 7.22 Considere os dois seguintes sistemas:

$$\text{Sistema I:} \quad \frac{C(s)}{R(s)} = \frac{1}{s+1}, \quad \text{Sistema II:} \quad \frac{C(s)}{R(s)} = \frac{1}{3s+1}$$

Compare as bandas passantes desses dois sistemas. Mostre que o sistema com a banda passante maior possui uma velocidade de resposta mais rápida e pode seguir melhor a entrada do que o sistema com a banda passante menor.

A Figura 7.77(a) mostra as curvas de resposta em frequência de malha fechada dos dois sistemas. (As curvas assintóticas são indicadas pelas linhas tracejadas.) Verifica-se que a banda passante do sistema I é $0 \leq \omega \leq 1$ rad/s e que a do sistema II é $0 \leq \omega \leq 0{,}33$ rad/s. As figuras 7.77 (b) e (c) mostram, respectivamente, as curvas de resposta ao degrau unitário e à rampa unitária dos dois sistemas. Evidentemente, o sistema I, cuja banda passante é três vezes mais larga que a do sistema II, tem uma velocidade de resposta mais rápida e pode seguir melhor o sinal de entrada.

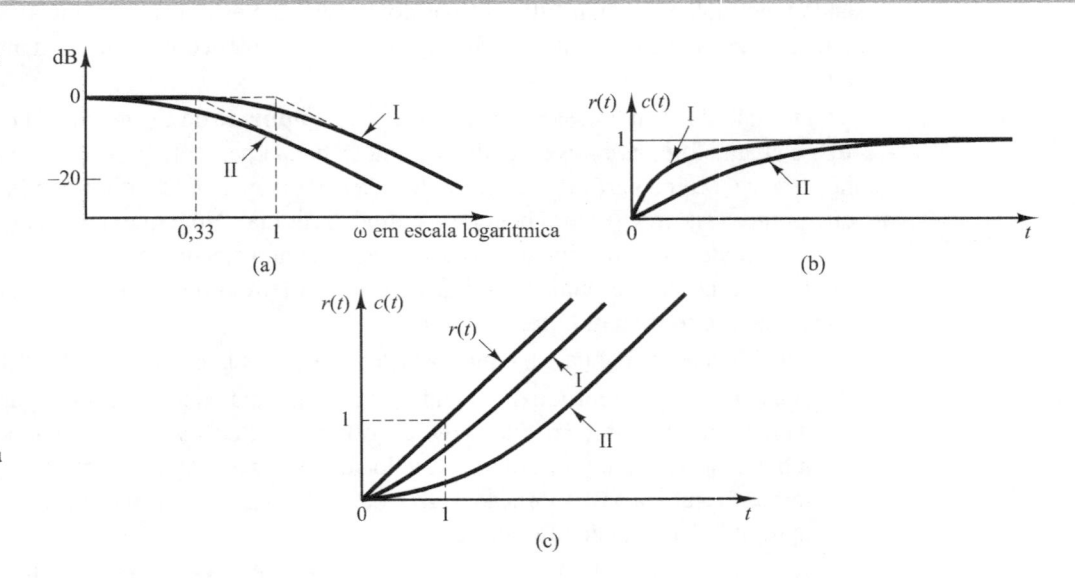

FIGURA 7.77
Comparação das características dinâmicas dos dois sistemas considerados no Exemplo 7.22.
(a) Curvas de resposta em frequência de malha fechada;
(b) curvas de resposta ao degrau unitário;
(c) curvas de resposta à rampa unitária.

Utilização do MATLAB na obtenção do pico de ressonância, frequência de ressonância e banda passante. O pico de ressonância é o valor da máxima amplitude (em decibéis) da resposta em frequência de malha fechada. A frequência de ressonância é a frequência correspondente a esse valor de máxima amplitude. Os comandos em MATLAB a serem utilizados para a obtenção do pico de ressonância e frequência de ressonância são os seguintes:

```
[mag,phase,w] = bode(num,den,w);  ou  [mag,phase,w] = bode(sys,w);
[Mp,k] = max(mag);
resonant_peak = 20*log10(Mp);
resonant_frequency = w(k)
```

Pode-se obter a banda passante inserindo as seguintes linhas no programa:

```
n = 1;
while 20*log10(mag(n)) > = -3; n = n + 1;
end
bandwidth = w(n)
```

Veja no Exemplo 7.23 um programa em MATLAB detalhado.

Exemplo 7.23 Considere o sistema apresentado na Figura 7.78. Utilizando o MATLAB, obtenha o diagrama de Bode para a função de transferência de malha fechada. Obtenha também o pico de ressonância, a frequência de ressonância e a banda passante.

O Programa 7.12 em MATLAB produz um diagrama de Bode do sistema de malha fechada, bem como o pico de ressonância, a frequência de ressonância e a banda passante. A Figura 7.79 mostra o diagrama de Bode resultante.

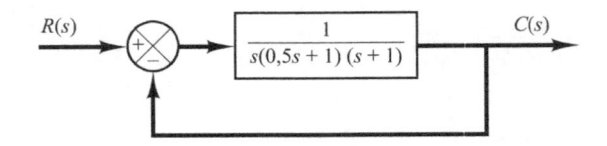

FIGURA 7.78
Sistema de malha fechada.

```
Programa 7.12 em MATLAB
nump = [1];
denp = [0.5 1.5 1 0];
sysp = tf(nump,denp);
sys = feedback(sysp,1);
w = logspace(-1,1);
bode(sys,w)
[mag,phase,w] = bode(sys,w);
[Mp,k] = max(mag);
resonant_peak = 20*log10(Mp)

resonant_peak =
    5.2388

resonant_frequency = w(k)

resonant_frequency =
    0.7906

n = 1;
while 20*log(mag(n))> = -3; n = n + 1;
end
bandwidth = w(n)

bandwidth =
    1.2649
```

FIGURA 7.79
Diagrama de Bode da função de transferência do sistema de malha fechada indicado na Figura 7.78.

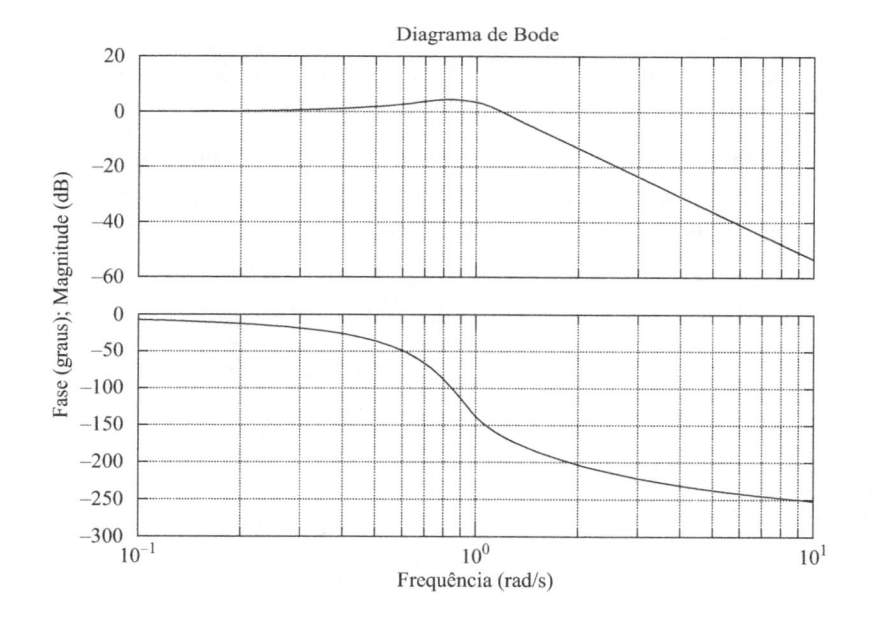

O pico de ressonância é obtido de 5,2388 dB. A frequência de ressonância é 0,7906 rad/s. A banda passante é 1,2649 rad/s. Esses valores podem ser verificados a partir da Figura 7.78.

7.8 | Resposta em frequência de malha fechada de sistemas com realimentação

Resposta em frequência de malha fechada. Para um sistema estável, de malha fechada, com realimentação unitária, a resposta em frequência de malha fechada pode ser obtida facilmente a partir da resposta em frequência de malha aberta. Considere o sistema com realimentação unitária indicado na Figura 7.80(a). A função de transferência de malha fechada é:

$$\frac{C(s)}{R(s)} = \frac{G(s)}{1 + G(s)}$$

No diagrama de Nyquist ou diagrama polar da Figura 7.80(b), o vetor $\overrightarrow{OA}$ representa $G(j\omega_1)$, onde ω_1 é a frequência no ponto A. O comprimento do vetor $\overrightarrow{OA}$ é $|G(j\omega_1)|$ e o ângulo do vetor $\overrightarrow{OA}$ é $\underline{/G(j\omega_1)}$. O vetor $\overrightarrow{PA}$, com início no ponto $-1 + j0$ e extremidade no lugar geométrico de Nyquist, representa $1 + G(j\omega_1)$. Portanto, a relação de $\overrightarrow{OA}$ e $\overrightarrow{PA}$ representa a resposta em frequência de malha fechada ou

$$\frac{\overrightarrow{OA}}{\overrightarrow{PA}} = \frac{G(j\omega_1)}{1 + G(j\omega_1)} = \frac{C(j\omega_1)}{R(j\omega_1)}$$

O módulo da função de transferência de malha fechada em $\omega = \omega_1$ é a relação entre os módulos $\overrightarrow{OA}$ e $\overrightarrow{PA}$. O ângulo de fase da função de transferência em $\omega = \omega_1$ é o ângulo formado pelos vetores $\overrightarrow{OA}$ e $\overrightarrow{PA}$, ou seja $\phi - \theta$, mostrado na Figura 7.80(b). A curva de resposta em frequência de malha fechada pode ser obtida medindo-se o módulo e o ângulo de fase em diferentes pontos de frequências.

Vamos definir o módulo da resposta em frequência de malha fechada como M e o ângulo de fase como α ou

$$\frac{C(j\omega)}{R(j\omega)} = Me^{j\alpha}$$

A seguir, determinaremos os lugares geométricos de módulo constante e os lugares geométricos de ângulo de fase constante. Esses lugares geométricos são convenientes na determinação da resposta em frequência de malha fechada, a partir do diagrama polar ou do diagrama de Nyquist.

Lugares geométricos de módulo constante (circunferências M). Para obter os lugares geométricos de módulo constante, deve-se observar primeiro que $G(j\omega)$ é uma grandeza complexa e pode ser escrita como segue:

$$G(j\omega) = X + jY$$

onde X e Y são grandezas reais. Então, M é dado por:

$$M = \frac{|X + jY|}{|1 + X + jY|}$$

FIGURA 7.80
(a) Sistema com realimentação unitária;
(b) determinação da resposta em frequência de malha fechada a partir da resposta em frequência de malha aberta.

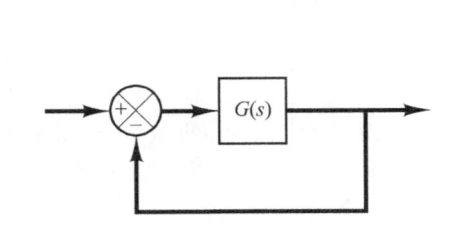

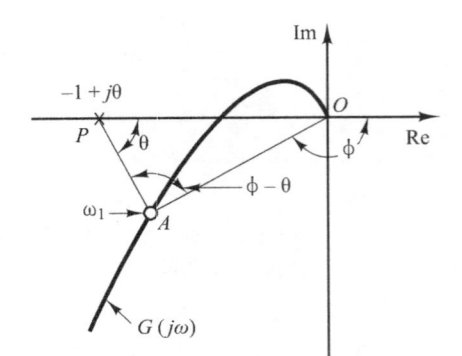

(a)

(b)

e M^2 é:

$$M^2 = \frac{X^2 + Y^2}{(1 + X)^2 + Y^2}$$

Portanto,

$$X^2(1 - M^2) - 2M^2X - M^2 + (1 - M^2)Y^2 = 0 \tag{7.22}$$

Se $M = 1$, então, a partir da Equação 7.22, obtém-se $X = -\frac{1}{2}$. Esta é a equação de uma reta paralela ao eixo Y e que passa pelo ponto $\left(-\frac{1}{2}, 0\right)$.

Se $M \neq 1$, a Equação 7.22 pode ser escrita como:

$$X^2 + \frac{2M^2}{M^2 - 1}X + \frac{M^2}{M^2 - 1} + Y^2 = 0$$

Se o termo $M^2/(M^2 - 1)^2$ for adicionado a ambos os lados dessa equação, obteremos:

$$\left(X + \frac{M^2}{M^2 - 1}\right)^2 + Y^2 = \frac{M^2}{(M^2 - 1)^2} \tag{7.23}$$

A Equação 7.23 é a equação de uma circunferência com centro $X = -M^2/(M^2 - 1)$, $Y = 0$ e raio $|M/(M^2 - 1)|$.

Os lugares geométricos de M constante no plano $G(s)$ constituem, pois, uma família de circunferências. Para dado valor de M, o centro e o raio da circunferência correspondente podem ser facilmente calculados. Por exemplo, para $M = 1,3$, o centro é em $(-2,45, 0)$ e o raio é 1,88. A Figura 7.81 mostra a família de circunferências de M constante. Pode-se ver que, à medida que M se torna cada vez maior comparado à unidade, as circunferências M tornam-se cada vez menores e convergem para o ponto $-1 + j0$. Para $M > 1$, o centro das circunferências M fica à esquerda do ponto $-1 + j0$. De maneira semelhante, à medida que M se torna cada vez menor em relação à unidade, as circunferências M tendem a diminuir e convergem para a origem. Para $0 < M < 1$, os centros das circunferências M ficam à direita da origem. A condição $M = 1$ corresponde ao lugar geométrico dos pontos equidistantes da origem e do ponto $-1 + j0$. Como foi dito anteriormente, esta é uma reta que passa pelo ponto $\left(-\frac{1}{2}, 0\right)$ e é paralela ao eixo imaginário.

FIGURA 7.81
Uma família de circunferências com M constante.

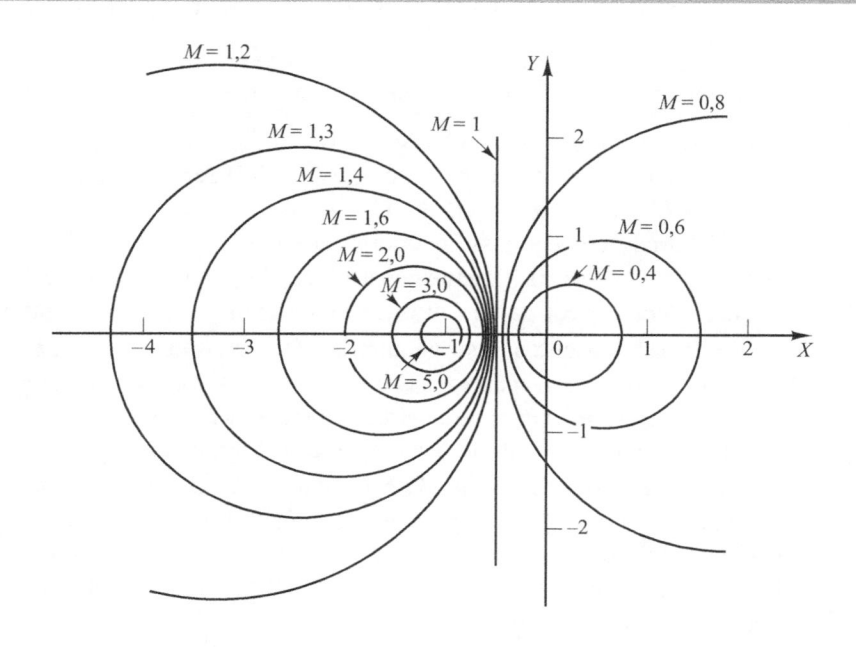

(As circunferências com M constante correspondentes a $M > 1$ ficam à esquerda da reta $M = 1$ e aquelas correspondentes a $0 < M < 1$ ficam à direita da reta $M = 1$.) As circunferências M são simétricas em relação à reta correspondente a $M = 1$ e em relação ao eixo real.

Lugares geométricos de ângulo de fase constante (circunferências N). Vamos obter o ângulo de fase α em termos de X e Y. Como

$$\angle e^{j\alpha} = \left\angle \frac{X + jY}{1 + X + jY}\right.$$

o ângulo de fase α é:

$$\alpha = \text{tg}^{-1}\left(\frac{Y}{X}\right) - \text{tg}^{-1}\left(\frac{Y}{1 + X}\right)$$

Se definirmos:

$$\text{tg}\,\alpha = N$$

então,

$$N = \text{tg}\left[\text{tg}^{-1}\left(\frac{Y}{X}\right) - \text{tg}^{-1}\left(\frac{Y}{1 + X}\right)\right]$$

Como

$$\text{tg}(A - B) = \frac{\text{tg}\,A - \text{tg}\,B}{1 + \text{tg}\,A\,\text{tg}\,B}$$

obtemos:

$$N = \frac{\dfrac{Y}{X} - \dfrac{Y}{1 + X}}{1 + \dfrac{Y}{X}\left(\dfrac{Y}{1 + X}\right)} = \frac{Y}{X^2 + X + Y^2}$$

ou

$$X^2 + X + Y^2 - \frac{1}{N}Y = 0$$

A adição de $\frac{1}{4} + 1/(2N)^2$ a ambos os lados dessa última equação resulta em:

$$\left(X + \frac{1}{2}\right)^2 + \left(Y - \frac{1}{2N}\right)^2 = \frac{1}{4} + \left(\frac{1}{2N}\right)^2 \tag{7.24}$$

Esta é a equação de uma circunferência de centro $X = -\frac{1}{2}$, $Y = 1/(2N)$ e de raio $\sqrt{\frac{1}{4} + 1/(2N)^2}$.

Por exemplo, se $\alpha = 30°$, então $N = \text{tg}\,\alpha = 0{,}577$ e o centro e o raio da circunferência correspondente a $\alpha = 30°$ são encontrados em $(-0{,}5;\,0{,}866)$ e na unidade, respectivamente. Como a Equação 7.24 é satisfeita quando $X = Y = 0$ e $X = -1$, $Y = 0$, independentemente do valor de N, cada circunferência passa pela origem e pelo ponto $-1 + j0$. Os lugares geométricos de α constante podem ser facilmente construídos, desde que o valor de N seja dado. Uma família de circunferências N constante é mostrada na Figura 7.82, tendo α como parâmetro.

Pode-se notar que o lugar geométrico de N constante para dado valor de α não é realmente toda a circunferência, mas apenas um arco. Em outras palavras, os arcos relativos a $\alpha = 30°$ e $\alpha = -150°$ são partes da mesma circunferência. Isso acontece porque, se o ângulo for acrescido de $\pm 180°$ (ou múltiplos destes), a tangente do ângulo permanecerá a mesma.

O uso das circunferências M e N nos possibilita determinar toda a resposta em frequência de malha fechada a partir da resposta em frequência de malha aberta $G(j\omega)$ sem calcular o módulo e a fase da função de transferência de malha fechada para cada frequência. As intersecções do lugar geométrico de $G(j\omega)$ com as circunferências M e N fornecem os valores de M e N nos pontos do lugar geométrico de $G(j\omega)$.

FIGURA 7.82
Uma família de circunferências de N constante.

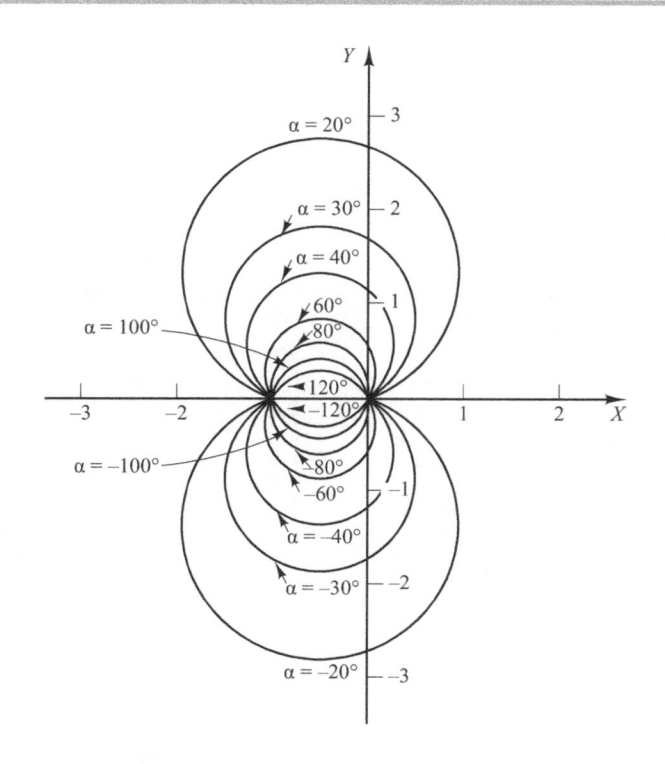

As circunferências N são de valores múltiplos no sentido de que as circunferências relativas a $\alpha = \alpha_1$ e a $\alpha = \alpha_1 \pm 180°n$ ($n = 1, 2,\ldots$) são as mesmas. Na utilização das circunferências N para a determinação dos ângulos de sistemas de malha fechada, deve-se interpretar o valor apropriado de α. Para evitar qualquer erro, devemos iniciar na frequência zero, que corresponde a $\alpha = 0°$, e continuar nas frequências mais altas. A curva de ângulo de fase deve ser contínua.

Graficamente, as intersecções do lugar geométrico de $G(j\omega)$ com as circunferências M fornecem os valores de M nas frequências indicadas no lugar geométrico de $G(j\omega)$. Portanto, a circunferência com M constante, de menor raio, que é tangente ao lugar geométrico de $G(j\omega)$, fornece o valor da amplitude do pico de ressonância M_r. Se desejarmos que o pico de ressonância seja inferior a determinado valor, então o sistema não deverá envolver o ponto crítico (ponto $-1 + j0$) e, ao mesmo tempo, não deverá haver intersecções da circunferência M específica e do lugar geométrico de $G(j\omega)$.

A Figura 7.83(a) mostra o lugar geométrico de $G(j\omega)$ superposto à família das circunferências M. A Figura 7.83(b) apresenta a curva $G(j\omega)$ superposta à família de circunferências N. A partir desses diagramas, é possível obter a resposta em frequência por inspeção. Vê-se que a circunferência $M = 1,1$ cruza o lugar geométrico de $G(j\omega)$ no ponto de frequências $\omega = \omega_1$. Isso significa que, nessa frequência, o módulo em dB da função de transferência de malha aberta é 1,1. Na Figura 7.83(a), a circunferência $M = 2$ é exatamente tangente ao lugar geométrico de $G(j\omega)$. Portanto, existe apenas um ponto no lugar geométrico de $G(j\omega)$ para o qual $|C(j\omega)/R(j\omega)|$ é igual a 2. A Figura 7.83(c) mostra a curva de resposta em frequência de malha fechada do sistema. A curva superior é a curva M *versus* a frequência ω e a curva inferior é a curva de ângulo de fase α *versus* a frequência ω.

O valor do pico de ressonância é o valor de M correspondente à circunferência M de menor raio, que é tangente ao lugar geométrico de $G(j\omega)$. Portanto, no diagrama de Nyquist, o valor do pico de ressonância M_r e a frequência de ressonância ω_r podem ser determinados a partir do ponto de tangência da circunferência M com a curva $G(j\omega)$ (No presente exemplo, $M_r = 2$ e $\omega_r = \omega_4$.)

FIGURA 7.83
(a) Lugar geométrico de $G(j\omega)$ superposto à família de circunferências M;
(b) lugar geométrico de $G(j\omega)$ superposto à família de circunferências N;
(c) curva de resposta em frequência de malha fechada.

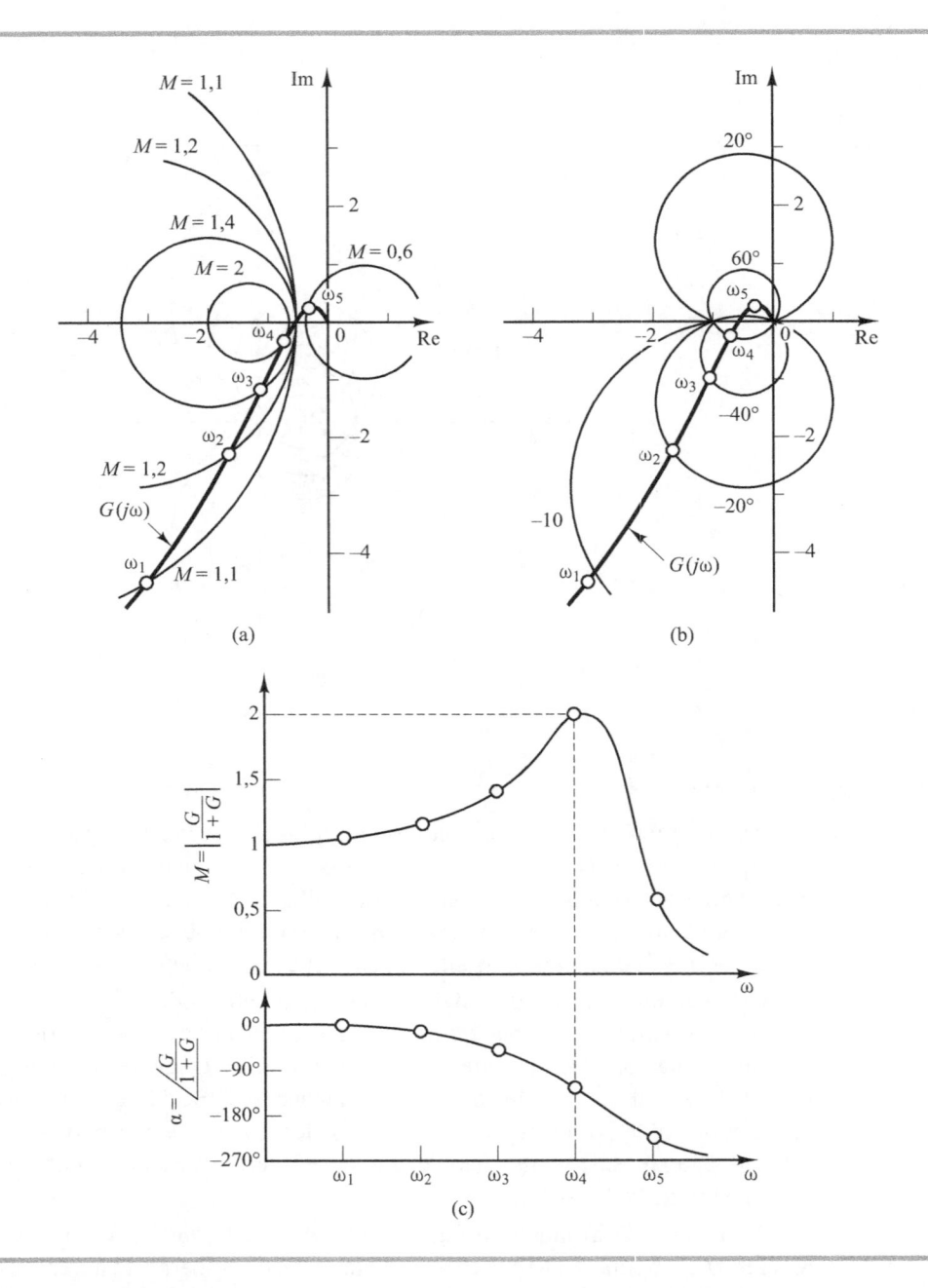

Carta de Nichols. Ao considerar os problemas de projeto, achamos conveniente construir os lugares geométricos M e N no plano de módulo em dB *versus* fase. O gráfico que representa os lugares geométricos de M e N no diagrama de módulo em dB *versus* fase é denominado carta de Nichols. O lugar geométrico de $G(j\omega)$ traçado na carta de Nichols fornece, ao mesmo tempo, tanto as características de ganho como as características de fase da função de transferência de malha fechada. A carta de Nichols é mostrada na Figura 7.84, para ângulos de fase entre $0°$ e $-240°$.

Note que o ponto crítico (ponto $-1 + j0$) é mapeado na carta de Nichols como o ponto (0 dB, $-180°$). A carta de Nichols contém curvas de módulo constante e ângulo de fase constante de malha fechada. O projetista pode determinar graficamente a margem de fase, a margem de ganho, a amplitude do pico de ressonância, a frequência de ressonância e a banda passante do sistema de malha fechada a partir do lugar geométrico de malha aberta, $G(j\omega)$.

A carta de Nichols é simétrica em relação ao eixo de $-180°$. Os lugares geométricos de M e N são repetidos a cada $360°$ e há simetria para cada intervalo de $180°$. Os lugares geométricos

FIGURA 7.84
Carta de Nichols.

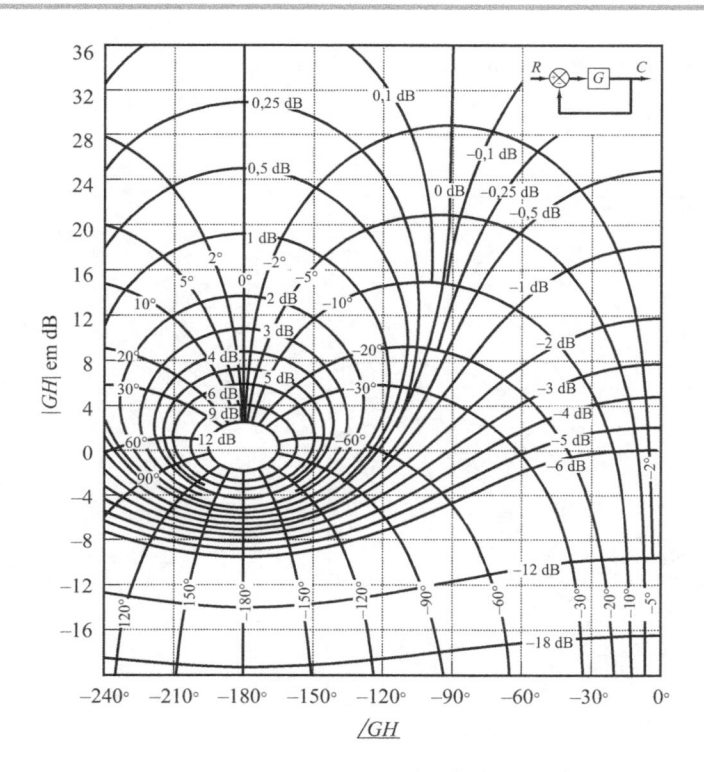

de M estão centrados em torno do ponto crítico (0 dB, $-180°$). A carta de Nichols é útil para a determinação da resposta em frequência de malha fechada a partir da malha aberta. Se a curva de resposta em frequência de malha aberta for superposta à carta de Nichols, as intersecções dessa curva de resposta em frequência de malha aberta $G(j\omega)$ com os lugares geométricos de M e N fornecerão os valores do módulo M e do ângulo de fase α da resposta em frequência de malha fechada para a frequência correspondente a cada ponto de intersecção. Se o lugar geométrico de $G(j\omega)$ não cruzar o lugar geométrico de $M = M_r$, mas for tangente a ele, então o valor do pico de ressonância de M da resposta em frequência de malha fechada será dada por M_r. A frequência de ressonância é dada pela frequência no ponto de tangência.

Como exemplo, considere o sistema com realimentação unitária que possui a seguinte função de transferência de malha aberta:

$$G(j\omega) = \frac{K}{s(s+1)(0,5s+1)}, \quad K = 1$$

Para determinar a resposta em frequência de malha fechada utilizando a carta de Nichols, o lugar geométrico de $G(j\omega)$ é construído no plano do módulo em dB *versus* ângulo de fase com o uso do MATLAB ou do diagrama de Bode. A Figura 7.85(a) mostra o lugar geométrico de $G(j\omega)$, juntamente com os lugares geométricos de M e N. A curva de resposta em frequência de malha fechada pode ser construída pela leitura dos módulos e dos ângulos de fase para as frequências de vários pontos sobre o lugar geométrico de $G(j\omega)$ com o auxílio dos lugares geométricos de M e N, como mostra a Figura 7.85(b). Como o contorno de maior valor tocado por $G(j\omega)$ é o de 5 dB, a amplitude do pico de ressonância M_r é de 5 dB. A frequência correspondente de ressonância é 0,8 rad/s.

Observe que o ponto de cruzamento de fase é o ponto onde o lugar geométrico de $G(j\omega)$ cruza o eixo de $-180°$ (para o presente sistema, $\omega = 1,4$ rad/s) e o ponto do cruzamento de ganho é o ponto onde a curva cruza o eixo de 0 dB (para o presente sistema, $\omega = 0,76$ rad/s). A margem de fase é a distância horizontal (medida em graus) entre o ponto do cruzamento de ganho e o ponto crítico (0 dB, $-180°$). A margem de ganho é a distância (em decibéis) entre o ponto da fase de cruzamento e o ponto crítico.

FIGURA 7.85
(a) Gráfico de $G(j\omega)$ sobreposto à carta de Nichols; (b) curvas de resposta em frequência de malha fechada.

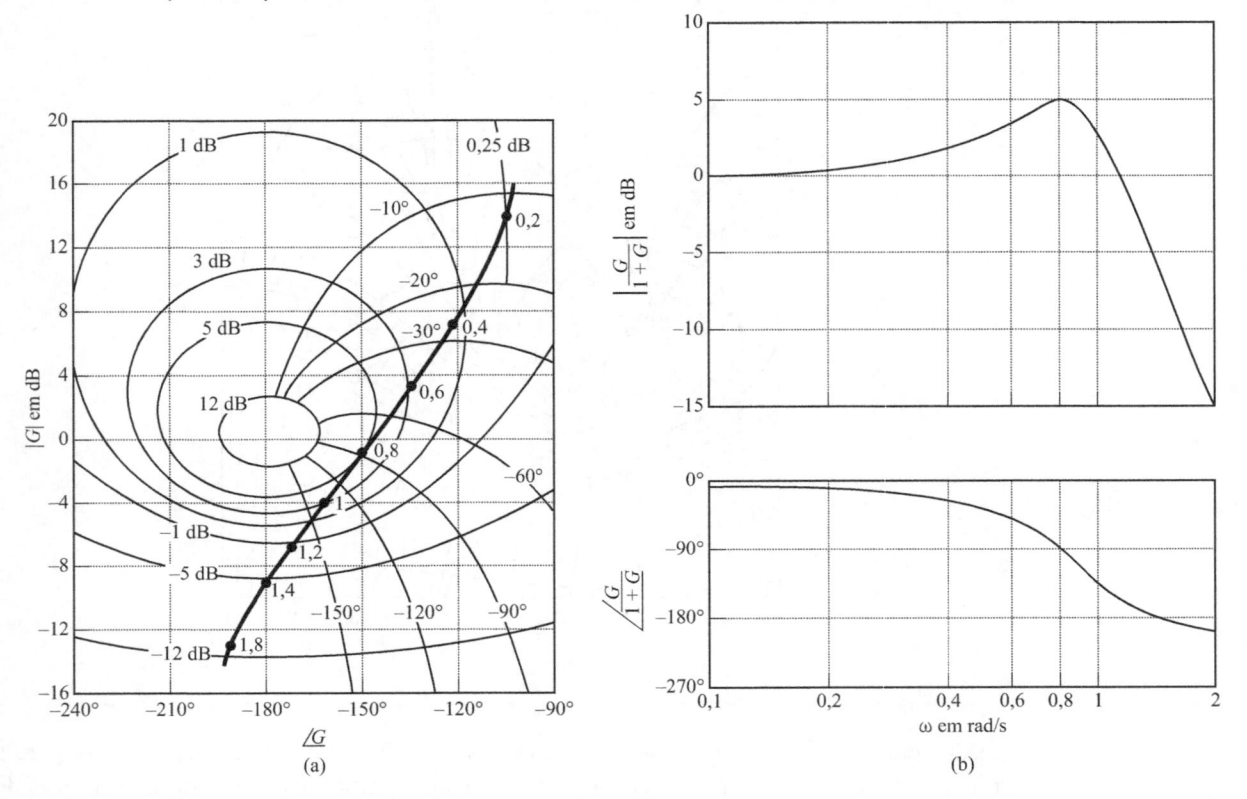

A banda passante do sistema de malha fechada pode ser facilmente determinada a partir do lugar geométrico de $G(j\omega)$ na carta de Nichols. A frequência na intersecção do lugar geométrico de $G(j\omega)$ com o lugar geométrico de $M = -3$ dB indica a banda passante.

Se o ganho de malha aberta K variar, a forma do lugar geométrico de $G(j\omega)$ no diagrama de módulo em dB *versus* fase permanecerá a mesma, mas será deslocada para cima (se K aumentar) ou para baixo (se K diminuir) ao longo do eixo vertical. Portanto, o lugar geométrico de $G(j\omega)$ cruza os lugares geométricos de M e N diferentemente, resultando em diferentes curvas de resposta em frequência de malha fechada. Para um pequeno valor do ganho K, o lugar geométrico de $G(j\omega)$ não tangencia nenhum lugar geométrico M, o que significa que não há ressonância na resposta em frequência de malha fechada.

Exemplo 7.24 Considere o sistema de controle com realimentação unitária, cuja função de transferência de malha aberta é:

$$G(j\omega) = \frac{K}{j\omega(1 + j\omega)}$$

Determine o valor de K tal que $M_r = 1,4$.

O primeiro passo para a determinação do ganho K é esboçar o diagrama polar de

$$\frac{G(j\omega)}{K} = \frac{1}{j\omega(1 + j\omega)}$$

A Figura 7.86 mostra o lugar geométrico $M_r = 1,4$ e o lugar geométrico de $G(j\omega)/K$. A mudança de ganho não afeta o ângulo de fase, mas apenas move a curva verticalmente para cima, para $K > 1$, e para baixo, para $K < 1$.

Na Figura 7.86, o lugar geométrico de $G(j\omega)/K$ deve aumentar em 4 dB, de modo que ele seja tangente ao lugar geométrico de M_r desejado e que todo o lugar geométrico de $G(j\omega)/K$ seja

FIGURA 7.86
Determinação do ganho K com a utilização da carta de Nichols.

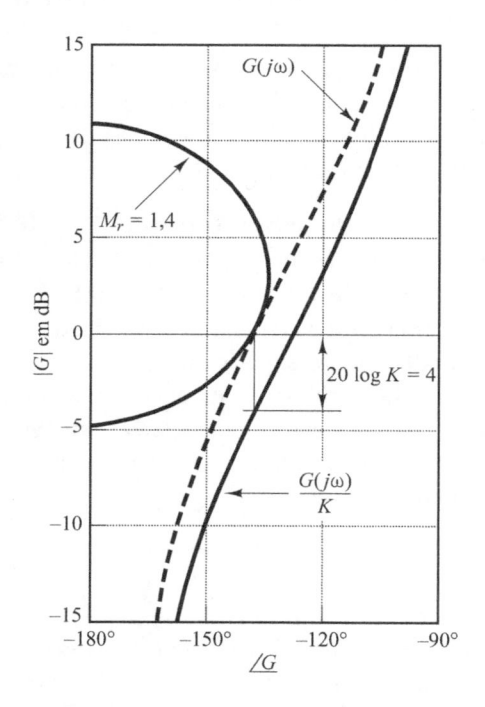

externo ao lugar geométrico de $M_r = 1,4$. O valor do deslocamento vertical do lugar geométrico de $G(j\omega)/K$ determina o ganho necessário para conseguir o valor desejado de M_r. Assim, resolvendo a equação:

$$20 \log K = 4$$

obtemos:

$$K = 1,59$$

7.9 | Determinação experimental de funções de transferência

O primeiro passo para a análise e o projeto de um sistema de controle é estabelecer um modelo matemático da planta considerada. A obtenção analítica do modelo pode ser muito difícil. Devemos obtê-lo por meio de análise experimental. A importância dos métodos de resposta em frequência é que a função de transferência da planta ou de qualquer outro componente do sistema pode ser obtida por medidas simples de resposta em frequência.

Se forem medidas a relação de amplitudes e a defasagem em um número suficiente de frequências dentro do intervalo de frequências de interesse, elas podem ser representadas no diagrama de Bode. Então, a função de transferência pode ser determinada por aproximação assintótica. Construímos curvas assintóticas de módulo em dB, constituídas por diversos segmentos. Com algumas tentativas de localização das frequências de canto, geralmente é possível determinar um resultado muito aproximado da curva real. (Note que, se a frequência for indicada em ciclos por segundo, em vez de em radianos por segundo, as frequências de canto deverão ser convertidas em radianos por segundo, antes de serem calculadas as constantes de tempo.)

Geradores de sinais senoidais. Ao efetuar testes de resposta em frequência, deve-se ter disponíveis geradores adequados de sinais senoidais. Os sinais devem ser de natureza mecânica, elétrica ou pneumática. O intervalo de frequências necessárias para o teste é de aproximadamente 0,001 a 10 Hertz para sistemas de constante de tempo elevada e de 0,1 a 1.000 Hz para sistemas de constante de tempo pequena. O sinal senoidal deve ser razoavelmente livre de harmônicos e de distorções.

Para intervalos de frequências muito baixas (abaixo de 0,01 Hz), pode ser utilizado um gerador mecânico de sinais (juntamente com um transdutor pneumático ou elétrico adequado, se necessário). Para o intervalo de frequências de 0,01 a 1.000 Hz, pode ser utilizado um gerador de sinais elétricos conveniente (juntamente com um transdutor adequado).

Determinação de função de transferência de fase mínima a partir do diagrama de Bode. Como afirmamos anteriormente, um sistema de fase mínima pode ser determinado pela curva de resposta em frequência examinando-se as características de alta frequência.

Para determinar a função de transferência, de início, devemos traçar as assíntotas às curvas de módulo em dB obtidas experimentalmente. As assíntotas devem ter inclinações múltiplas de ±20 dB/década. Se a inclinação da curva de módulo em dB obtida experimentalmente mudar de −20 para −40 dB/década em $\omega = \omega_1$, ficará evidente que existe um fator $1/[1 + j(\omega/\omega_1)]$ na função de transferência. Se a inclinação mudar em −40 dB/década em $\omega = \omega_2$, deverá haver um fator quadrático como segue:

$$\frac{1}{1 + 2\zeta\left(j\dfrac{\omega}{\omega_2}\right) + \left(j\dfrac{\omega}{\omega_2}\right)^2}$$

na função de transferência. A frequência de ressonância natural não amortecida desse fator quadrático é igual à frequência de canto ω_2. O coeficiente de amortecimento ζ pode ser determinado a partir da curva experimental de módulo em dB medindo-se a amplitude do pico de ressonância próximo à frequência ω_2 e comparando-se esse valor com as curvas mostradas na Figura 7.9.

Uma vez determinados os fatores da função de transferência $G(j\omega)$, o ganho pode ser obtido a partir da porção de baixa frequência da curva de módulo em dB. Como termos como $1 + j(\omega/\omega_1)$ e $1 + 2\zeta(j\omega/\omega_2) + (j\omega/\omega_2)^2$ se tornam unitários quando ω tende a zero, para frequências muito baixas a função de transferência senoidal $G(j\omega)$ pode ser escrita como:

$$\lim_{\omega \to 0} G(j\omega) = \frac{K}{(j\omega)^\lambda}$$

Em muitos casos práticos, λ é igual a 0, 1 ou 2.

1. Para $\lambda = 0$ ou sistemas tipo 0,

$$G(j\omega) = K, \quad \text{para } \omega \ll 1$$

ou

$$20 \log |G(j\omega)| = 20 \log K, \quad \text{para } \omega \ll 1$$

A assíntota de baixa frequência é uma linha horizontal de $20 \log K$ dB. O valor de K pode ser obtido dessa assíntota horizontal.

2. Para $\lambda = 1$ ou sistemas tipo 1,

$$G(j\omega) = \frac{K}{j\omega}, \quad \text{para } \omega \ll 1$$

ou

$$20 \log |G(j\omega)| = 20 \log K - 20 \log \omega, \quad \text{para } \omega \ll 1$$

o que indica que a assíntota de baixa frequência tem inclinação de −20 dB/década. A frequência na qual a assíntota de baixa frequência (ou sua extensão) cruza a linha de 0 dB é numericamente igual a K.

3. Para $\lambda = 2$ ou sistemas tipo 2,

$$G(j\omega) = \frac{K}{(j\omega)^2}, \quad \text{para } \omega \ll 1$$

ou

$$20 \log |G(j\omega)| = 20 \log K - 40 \log \omega, \quad \text{para } \omega \ll 1$$

A assíntota de baixa frequência tem inclinação de – 40 dB/década. A frequência na qual essa assíntota (ou sua extensão) cruza a linha de 0 dB é numericamente igual a $\sqrt{K}$.

Exemplos de curvas de módulo em dB de sistemas tipo 0, tipo 1 e tipo 2 são mostrados na Figura 7.87, juntamente com a frequência com a qual o ganho K está relacionado.

A curva de ângulo de fase obtida experimentalmente fornece meios para testar a função de transferência obtida a partir da curva de módulo em dB. Para sistemas de fase mínima, a curva de ângulo de fase obtida experimentalmente deve coincidir razoavelmente bem com a curva de ângulo de fase obtida teoricamente da função de transferência que acaba de ser determinada. As duas curvas de ângulo de fase devem coincidir exatamente tanto para as frequências muito baixas como para as muito altas. Se os ângulos de fase obtidos experimentalmente em frequências muito altas (comparadas com as frequências de canto) não coincidirem com $-90°(q-p)$, onde p e q são, respectivamente, os graus dos polinômios do numerador e do denominador da função de transferência, então a função de transferência deverá ser de fase não mínima.

Funções de transferência de fase não mínima. Se, na extremidade de alta frequência, o atraso de fase calculado for 180° menor que o obtido experimentalmente, então um dos zeros da função de transferência deverá situar-se no semiplano direito do plano s, em vez de no semiplano esquerdo.

Se o atraso de fase calculado diferir do atraso de fase determinado experimentalmente em uma taxa constante de variação de fase, então haverá um retardo de transporte ou tempo morto. Se supormos que a função de transferência seja

$$G(s)e^{-Ts}$$

onde $G(s)$ é uma relação de polinômios em s, então

FIGURA 7.87
(a) Curva de módulo em dB de um sistema tipo 0;
(b) curva de módulo em dB de um sistema tipo 1;
(c) curva de módulo em dB de um sistema tipo 2. (As inclinações mostradas são em dB/década.)

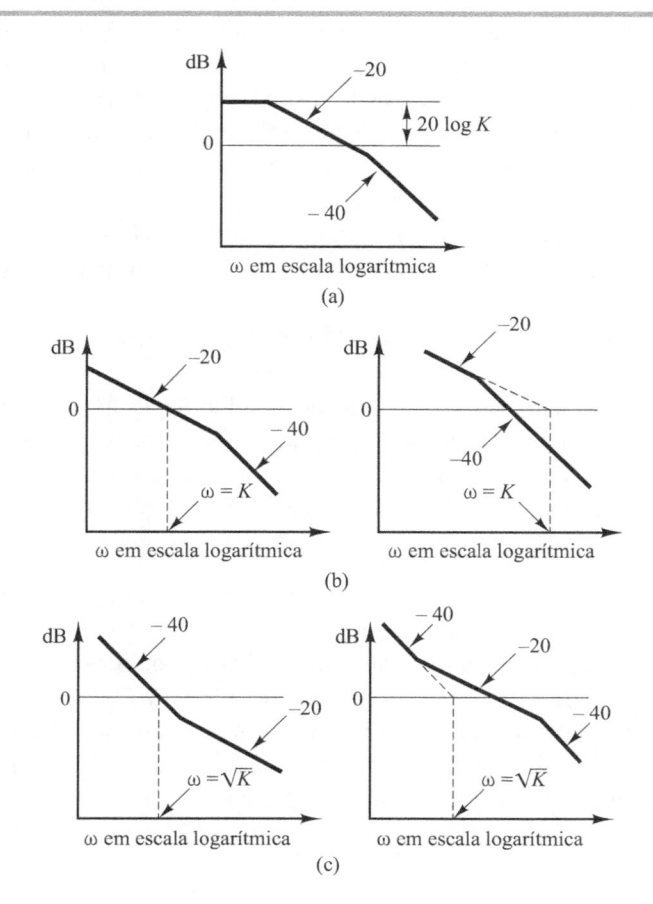

$$\lim_{\omega \to \infty} \frac{d}{d\omega} \underline{/G(j\omega)e^{-j\omega T}} = \lim_{\omega \to \infty} \frac{d}{d\omega} \left[\underline{/G(j\omega)} + \underline{/e^{-j\omega T}} \right]$$

$$= \lim_{\omega \to \infty} \frac{d}{d\omega} \left[\underline{/G(j\omega)} - \omega T \right]$$

$$= 0 - T = -T$$

onde utilizamos o fato de que $\lim_{\omega \to \infty} \underline{/G(j\omega)}$ = constante. Assim, a partir dessa última equação, podemos avaliar a amplitude do atraso de transporte T.

Algumas observações sobre a determinação experimental das funções de transferência

1. Em geral, é mais fácil fazer medições precisas da amplitude do que da defasagem. As medições de defasagem podem envolver erros causados pela instrumentação ou pela má interpretação dos resultados experimentais.

2. A resposta em frequência do equipamento de medição utilizado para medir a resposta do sistema deve ter uma curva de módulo *versus* frequência praticamente horizontal. Além disso, o ângulo de fase deve ser aproximadamente proporcional à frequência.

3. Os sistemas físicos podem apresentar diversos tipos de não linearidades. Portanto, é necessário considerar cuidadosamente a amplitude dos sinais senoidais de entrada. Se a amplitude do sinal de entrada for muito grande, o sistema saturará e o teste de resposta em frequência apresentará resultados imprecisos. Por outro lado, um pequeno sinal provocará erros causados pela zona morta. Então, deve ser feita uma escolha cuidadosa da amplitude do sinal senoidal de entrada. É necessário fazer uma amostragem da forma de onda do sinal de saída do sistema para ter a certeza de que essa forma de onda é senoidal e o sistema está operando na região linear, durante o período de teste. (A forma de onda da saída do sistema não é senoidal quando o sistema está operando em uma região não linear.)

4. Se o sistema em consideração estiver operando continuamente por dias ou semanas, então a operação normal não precisará ser interrompida para a execução dos testes de resposta em frequência. O sinal senoidal de teste pode ser superposto às entradas normais de operação. Assim, para sistemas lineares, a resposta causada pelo sinal senoidal fica superposta à saída normal. Para a determinação da função de transferência enquanto o sistema está em operação normal, sinais estocásticos (sinais de ruído branco) são utilizados frequentemente. Se forem utilizadas funções de correlação, a função de transferência do sistema poderá ser determinada sem interrupção da operação normal de funcionamento.

Exemplo 7.25 Determine a função de transferência do sistema cujas curvas de resposta em frequência experimentais são mostradas na Figura 7.88.

O primeiro passo na determinação da função de transferência é aproximar a curva de módulo em dB por assíntotas com inclinações de ±20 dB/década e seus múltiplos, como mostra a Figura 7.88. Em seguida, estimamos as frequências de canto. Para o sistema mostrado na Figura 7.88, foi estimada a seguinte forma da função de transferência:

$$G(j\omega) = \frac{K(1 + 0,5j\omega)}{j\omega(1 + j\omega)\left[1 + 2\zeta\left(j\frac{\omega}{8}\right) + \left(j\frac{\omega}{8}\right)^2\right]}$$

O valor do coeficiente de amortecimento ζ pode ser estimado pelo exame do pico de ressonância perto de ω = 6 rad/s. Considerando a Figura 7.9, ζ fica determinado como 0,5. O ganho K é numericamente igual à frequência da intersecção da extensão da assíntota de baixa frequência que tem inclinação de 20 dB/década e a linha de 0 dB. O valor de K fica determinado como 10. Portanto, $G(j\omega)$ fica determinada por tentativa como:

$$G(j\omega) = \frac{10(1 + 0,5j\omega)}{j\omega(1 + j\omega)\left[1 + \left(j\frac{\omega}{8}\right) + \left(j\frac{\omega}{8}\right)^2\right]}$$

FIGURA 7.88
Diagrama de Bode de um sistema. (As curvas sólidas foram obtidas experimentalmente.)

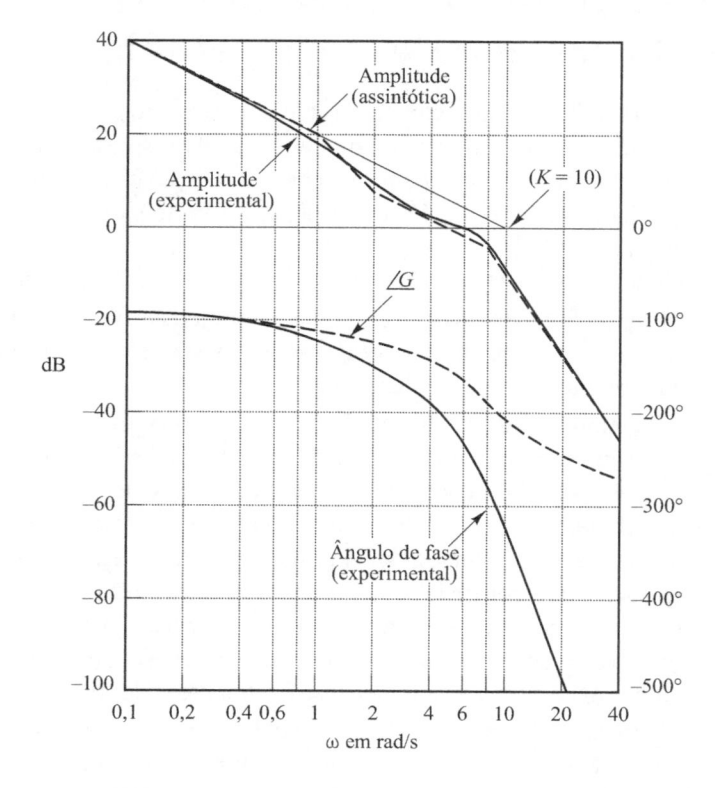

ou

$$G(s) = \frac{320(s+2)}{s(s+1)(s^2+8s+64)}$$

Essa função de transferência é uma primeira tentativa, porque não examinamos ainda a curva de ângulo de fase.

Uma vez anotadas as frequências de canto na curva de módulo em dB, a curva de ângulo de fase correspondente a cada fator componente da função de transferência pode ser facilmente obtida. A soma dessas curvas componentes do ângulo de fase é a da função de transferência admitida. A curva de ângulo de fase de $G(j\omega)$ é denotada por $\angle G$ na Figura 7.88. Nessa figura, vemos de modo claro a discrepância entre a curva de ângulo de fase calculada e a curva de ângulo de fase obtida experimentalmente. A diferença entre as duas curvas nas frequências muito elevadas parece ter uma taxa de variação constante. Assim, a discrepância entre as curvas de ângulo de fase deve ser causada por um retardo de transporte.

Então, vamos supor que a função de transferência completa seja $G(s)e^{-Ts}$. Como a discrepância entre os ângulos de fase calculados e experimentais é igual a $-0,2\omega$ rad para frequências muito elevadas, podemos determinar o valor de T como segue:

$$\lim_{\omega \to \infty} \frac{d}{d\omega} \angle G(j\omega)e^{-j\omega T} = -T = -0,2$$

ou

$$T = 0,2 \text{ s}$$

Desse modo, a presença do atraso de transporte pode ser determinada, e a função de transferência completa obtida a partir das curvas experimentais é:

$$G(s)e^{-Ts} = \frac{320(s+2)e^{-0,2s}}{s(s+1)(s^2+8s+64)}$$

7.10 | Projeto de sistemas de controle pela resposta em frequência

No Capítulo 6, apresentamos a análise e o projeto pelo lugar das raízes. Esse método mostrou-se muito útil para moldar as características da resposta transitória de sistemas de controle de malha fechada, além de nos fornecer a informação direta sobre a resposta transitória do sistema de malha fechada. A técnica da resposta em frequência, por outro lado, nos fornece essa informação apenas indiretamente. Entretanto, como será visto nas últimas três seções deste capítulo, o método da resposta em frequência é muito útil no projeto de sistemas de controle.

Em qualquer problema de projeto, o projetista fará bem em utilizar ambos os métodos no projeto e na escolha de um compensador capaz de produzir uma resposta de malha fechada o mais próximo possível da desejada.

Na maioria dos projetos de sistemas de controle, geralmente o desempenho da resposta transitória é muito importante. No método da resposta em frequência, especificamos o desempenho da resposta transitória de maneira indireta. Isto é, o desempenho da resposta transitória é especificado em termos de margem de fase, margem de ganho, amplitude do pico de ressonância (estas dão uma ideia aproximada do amortecimento do sistema); frequência de cruzamento de ganho, frequência de ressonância, a banda passante (estas dão uma estimativa da velocidade da resposta transitória); e constantes de erro estático (que fornecem a precisão do regime permanente). Embora a correlação entre a resposta transitória e a resposta em frequência seja indireta, as especificações no domínio de frequência podem ser facilmente encontradas pelo método do diagrama de Bode.

Depois de projetar a malha aberta pela técnica da resposta em frequência, os polos e zeros de malha fechada podem ser determinados. Então, as características da resposta transitória devem ser verificadas para avaliar se o sistema projetado satisfaz aos requisitos no domínio de tempo. Se isso não ocorrer, deve-se modificar o compensador e repetir a análise até que seja obtido um resultado satisfatório.

O projeto no domínio de frequência é simples e direto. O diagrama da resposta em frequência indica claramente o modo pelo qual o sistema deve ser modificado, embora não possa ser feita uma previsão quantitativa precisa das características da resposta transitória. O método da resposta em frequência pode ser aplicado a sistemas ou componentes cujas características dinâmicas são fornecidas na forma de dados de resposta em frequência. Note que, em virtude da dificuldade na dedução de equações que regem certos componentes, como componentes pneumáticos e hidráulicos, suas características dinâmicas, em geral, são determinadas experimentalmente por meio de testes de resposta em frequência. Os diagramas de resposta em frequência obtidos experimentalmente podem ser combinados entre si quando se utiliza a técnica do diagrama de Bode. Observe também que, tratando-se de ruídos de alta frequência, verificamos que o uso da resposta em frequência é mais conveniente que outros métodos.

Basicamente, existem duas técnicas de projeto no domínio da frequência. Uma é a técnica do diagrama polar e a outra é a do diagrama de Bode. Quando se adiciona um compensador, o diagrama polar não mantém a forma original e, portanto, é necessário traçar um novo diagrama polar, o que consome tempo e certamente é inconveniente. Por outro lado, o diagrama de Bode do compensador pode simplesmente ser acrescentado ao diagrama original e, assim, fica simples construir o diagrama completo de Bode. Além disso, se o ganho de malha aberta for alterado, a curva de módulo será deslocada para cima ou para baixo, sem mudança de inclinação, e a curva de ângulo de fase permanecerá a mesma. Portanto, para fins de projeto, é melhor trabalhar com o diagrama de Bode.

Uma técnica comum utilizada no diagrama de Bode é a de ajustar inicialmente o ganho de malha aberta para atender ao requisito de precisão em regime permanente. Em seguida, são traçadas as curvas de módulo e de fase não compensadas, de malha aberta (com o ganho de malha aberta que foi ajustado). Se as especificações de margem de fase e margem de ganho não forem satisfeitas, determina-se um compensador apropriado, que reformule a função de transferência de malha aberta. Por fim, se houver alguns requisitos a serem satisfeitos, tentamos satisfazê-los, a menos que alguns deles sejam mutuamente contraditórios.

Informações fornecidas pela resposta em frequência de malha aberta. A região de baixa frequência (a região bem abaixo da frequência de cruzamento de ganho) do lugar geométrico indica o comportamento em regime permanente do sistema de malha fechada. A região de média frequência (a região próxima à frequência de cruzamento de ganho) do lugar geométrico indica a estabilidade relativa. A região de alta frequência (a região bem acima da frequência de cruzamento de ganho) indica a complexidade do sistema.

Requisitos da resposta em frequência de malha aberta. Pode-se dizer que, em muitos casos práticos, a compensação é essencialmente uma conciliação entre a precisão em regime permanente e a estabilidade relativa.

Para se ter uma constante de erro de velocidade elevada e ainda uma estabilidade relativa satisfatória, verifica-se que é necessário reconfigurar a curva de resposta em frequência de malha aberta.

O ganho na região de baixa frequência deve ser suficientemente elevado e próximo da frequência de cruzamento de ganho, e a inclinação da curva de módulo em dB no diagrama de Bode deve ser – 20 dB/década nas vizinhanças da frequência de cruzamento de ganho. Essa inclinação deve se estender sobre uma faixa de frequência bastante ampla para assegurar uma margem de fase adequada. Na região de alta frequência, o ganho deve ser atenuado tão rapidamente quanto possível, para que os efeitos de ruído sejam minimizados.

A Figura 7.89 indica exemplos de curvas de resposta em frequência de malha aberta e de malha fechada geralmente desejáveis e indesejáveis.

Considerando a Figura 7.90, vemos que a reconfiguração da curva de resposta em frequência de malha aberta pode ser feita desde que a parte relativa à alta frequência siga o lugar geométrico de $G_1(j\omega)$ e a parte relativa à baixa frequência siga o lugar geométrico de $G_2(j\omega)$. O lugar geométrico redefinido de $G_c(j\omega)G(j\omega)$ deve ter as margens de fase e ganho razoáveis ou deve ser tangente a uma circunferência M adequada, como se pode ver na figura.

Características básicas de compensação por avanço, atraso e atraso-avanço de fase. A compensação por avanço de fase resulta, essencialmente, em uma melhoria apreciável na resposta transitória e em uma pequena variação da precisão em regime estacionário. Ela pode acentuar os efeitos dos ruídos de alta frequência. A compensação por atraso de fase, por outro lado, produz uma sensível melhora na precisão do regime estacionário à custa de um aumento da duração da resposta transitória. A compensação por atraso de fase suprime os efeitos dos sinais de ruído de alta frequência. A compensação por atraso e avanço de fase combina as características tanto da compensação por avanço como da compensação por atraso de fase. O uso de um compensador por avanço ou atraso de fase aumenta a ordem do sistema de uma unidade (a menos que ocorra cancelamento entre o zero do compensador e um polo da função de transferência de malha aberta não compensada). O uso de um compensador de atraso e avanço eleva a ordem do sistema em duas unidades [a menos que ocorra o cancelamento entre zero(s) do compensador de atraso e

FIGURA 7.89
(a) Exemplos de curvas de resposta em frequência de malha aberta desejáveis e indesejáveis;
(b) exemplos de curvas de resposta em frequência de malha fechada desejáveis e indesejáveis.

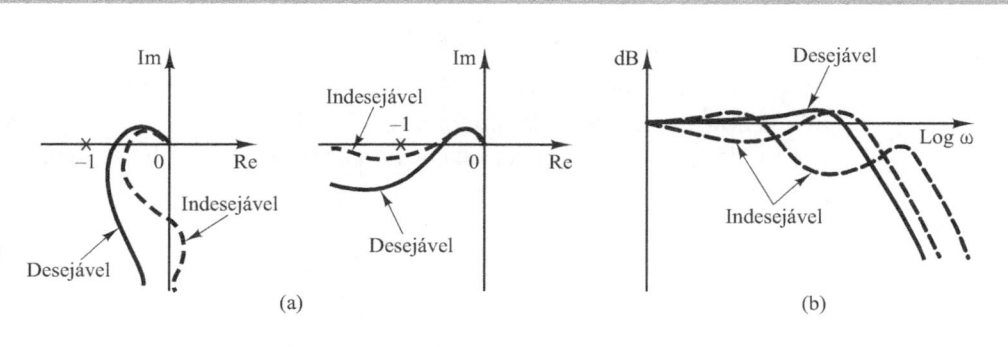

FIGURA 7.90
Curva de resposta em frequência de malha aberta reconfigurada.

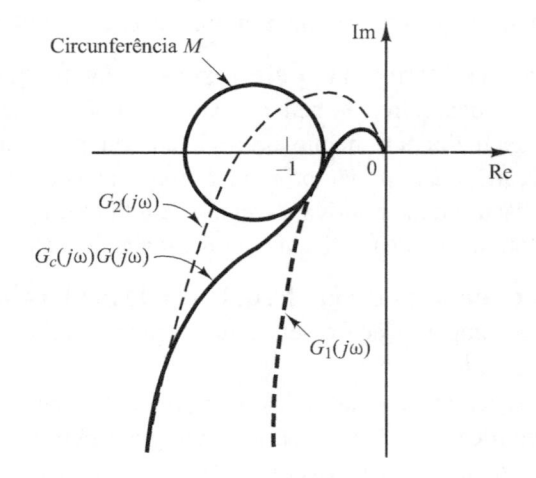

avanço de fase e polo(s) da função de transferência de malha aberta não compensada], o que significa que o sistema se torna mais complexo e fica mais difícil controlar o comportamento da resposta transitória. Cada situação em particular determina o tipo de compensação a ser utilizada.

7.11 | Compensação por avanço de fase

Inicialmente, estudaremos as características de frequência do compensador por avanço de fase. A seguir, será apresentada a técnica de projeto do compensador por avanço de fase pelo uso do diagrama de Bode.

Características dos compensadores por avanço de fase. Considere um compensador por avanço de fase que tenha a seguinte função de transferência:

$$K_c \alpha \frac{Ts + 1}{\alpha Ts + 1} = K_c \frac{s + \dfrac{1}{T}}{s + \dfrac{1}{\alpha T}} \quad (0 < \alpha < 1)$$

onde α é chamado fator de atenuação do compensador por avanço de fase. Ele possui um zero em $s = -1/T$ e um polo em $s = -1/(\alpha T)$. Como $0 < \alpha < 1$, vê-se que o zero fica sempre localizado à direita do polo no plano complexo. Note que, para um pequeno valor de α, o polo fica localizado distante, à esquerda. O valor mínimo de α é limitado pela construção física do compensador por avanço de fase. Esse valor mínimo de α é geralmente adotado em torno de 0,05. (Isso significa que o valor de avanço de fase máximo que pode ser conseguido é de aproximadamente 65°.) (Veja a Equação 7.25.)

A Figura 7.91 indica o diagrama polar de

$$K_c \alpha \frac{j\omega T + 1}{j\omega \alpha T + 1} \quad (0 < \alpha < 1)$$

com $K_c = 1$. Para dado valor de α, o ângulo entre o eixo real positivo e a linha tangente traçada a partir da origem até o semicírculo fornece o ângulo máximo de avanço de fase, ϕ_m. A frequência no ponto de tangência será chamada ω_m. A partir da Figura 7.91, o ângulo de fase em $\omega = \omega_m$ é ϕ_m, onde

$$\text{sen } \phi_m = \frac{\dfrac{1-\alpha}{2}}{\dfrac{1+\alpha}{2}} = \frac{1-\alpha}{1+\alpha} \quad (7.25)$$

A Equação 7.25 relaciona o ângulo de avanço de fase máximo e o valor de α.

FIGURA 7.91 Diagrama polar de um compensador por avanço de fase $\alpha(j\omega T + 1)/(j\omega\alpha T + 1)$, onde $0 < \alpha < 1$.

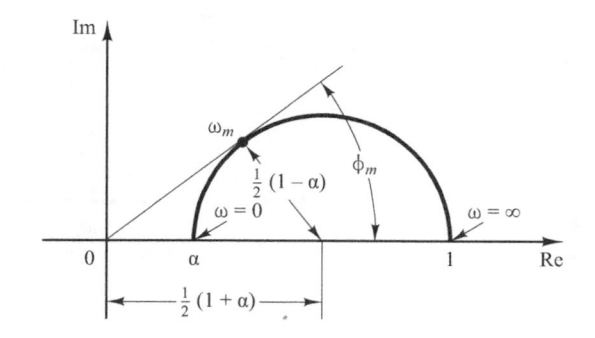

A Figura 7.92 apresenta o diagrama de Bode de um compensador por avanço de fase quando $K_c = 1$ e $\alpha = 0{,}1$. As frequências de canto do compensador por avanço de fase são $\omega = 1/T$ e $\omega = 1/(\alpha T) = 10/T$. Pelo estudo da Figura 7.92, vê-se que ω_m é a média geométrica das duas frequências de canto ou

$$\log \omega_m = \frac{1}{2}\left(\log \frac{1}{T} + \log \frac{1}{\alpha T}\right)$$

Portanto,

$$\omega_m = \frac{1}{\sqrt{\alpha}\, T} \qquad (7.26)$$

Como se vê na Figura 7.92, o compensador por avanço de fase é basicamente um filtro passa-alta. (As altas frequências passam, mas as baixas são atenuadas.)

Técnicas de compensação por avanço de fase baseadas na abordagem por resposta em frequência. A principal função do compensador por avanço de fase é reconfigurar a curva de resposta em frequência para conseguir um ângulo de avanço de fase suficiente para compensar o atraso de fase excessivo associado aos componentes de um sistema fixo.

Considere o sistema da Figura 7.93. Suponha que as especificações de desempenho sejam dadas em termos de margem de fase, margem de ganho, constante de erro estático de velocidade etc. O procedimento para projetar um compensador por avanço de fase pelo método de resposta em frequência pode ser o seguinte:

1. Suponha o seguinte compensador por avanço de fase:

$$G_c(s) = K_c \alpha \frac{Ts + 1}{\alpha Ts + 1} = K_c \frac{s + \dfrac{1}{T}}{s + \dfrac{1}{\alpha T}} \quad (0 < \alpha < 1)$$

FIGURA 7.92 Diagrama de Bode de um compensador por avanço de fase $\alpha(j\omega T + 1)/(j\omega\alpha T + 1)$, onde $\alpha = 0.1$.

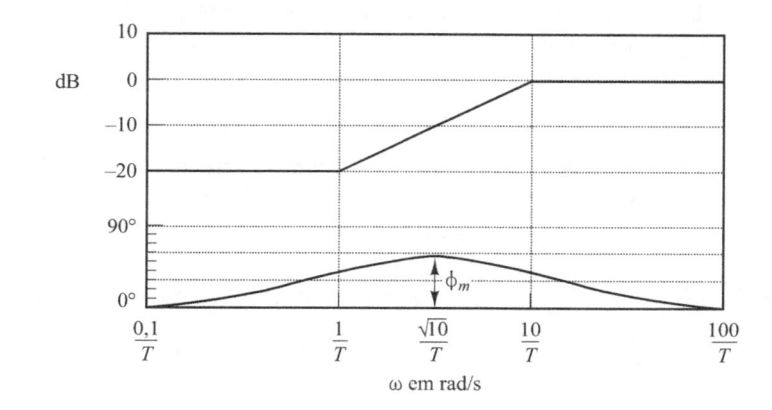

FIGURA 7.93
Sistema de controle.

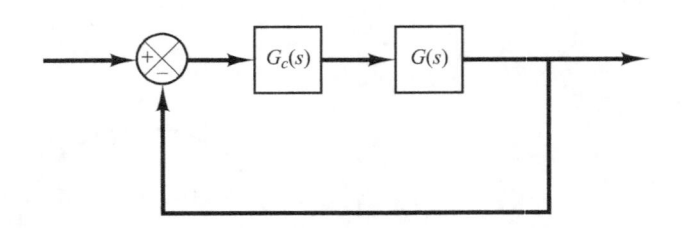

Defina:
$$K_c \alpha = K$$

Então,
$$G_c(s) = K \frac{Ts+1}{\alpha Ts+1}$$

A função de transferência de malha aberta do sistema compensado é:
$$G_c(s)G(s) = K\frac{Ts+1}{\alpha Ts+1}G(s) = \frac{Ts+1}{\alpha Ts+1}KG(s) = \frac{Ts+1}{\alpha Ts+1}G_1(s)$$

onde
$$G_1(s) = KG(s)$$

Determine o ganho K a fim de satisfazer o requisito da constante de erro estático dado.

2. Utilizando o ganho K assim determinado, construa o diagrama de Bode de $G_1(j\omega)$, o sistema com o ganho ajustado, mas não compensado. Avalie a margem de fase.

3. Determine o ângulo de avanço de fase necessário que deve ser acrescentado ao sistema. Adicione 5° a 12° ao ângulo assim determinado, porque a adição do compensador por avanço de fase desloca a frequência de cruzamento de ganho para a direita e diminui a margem de fase.

4. Determine o fator de atenuação α utilizando a Equação 7.25. Defina a frequência em que o módulo do sistema não compensado $G_1(j\omega)$ seja igual a $-20\log(1/\sqrt{\alpha})$ Selecione essa frequência como a nova frequência de cruzamento de ganho, que corresponde a $\omega_m = 1(\sqrt{\alpha}T)$, e a defasagem máxima ϕ_m ocorre nessa frequência.

5. Determine as frequências de canto do compensador por avanço de fase, como segue:

Zero do compensador por avanço de fase: $\omega = \frac{1}{T}$

Polo do compensador por avanço de fase: $\omega = \frac{1}{\alpha T}$

6. Utilizando o valor de K determinado na etapa 1 e o de α determinado na etapa 4, calcule a constante K_c a partir de:
$$K_c = \frac{K}{\alpha}$$

7. Verifique a margem de ganho para se certificar de que ela é satisfatória. Se não for, repita o processo de projeto pela modificação da localização de polo zero do compensador até que um resultado satisfatório seja obtido.

Exemplo 7.26 Considere o sistema da Figura 7.94. A função de transferência de malha aberta é:
$$G(s) = \frac{4}{s(s+2)}$$

FIGURA 7.94
Sistema de controle.

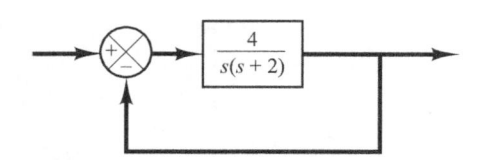

Deseja-se projetar um compensador para o sistema, de modo que a constante de erro estático de velocidade K_v seja 20 s^{-1}, a margem de fase seja pelo menos 50° e a margem de ganho seja pelo menos 10 dB.

Utilizaremos um compensador por avanço de fase como segue:

$$G_c(s) = K_c \alpha \frac{Ts + 1}{\alpha Ts + 1} = K_c \frac{s + \frac{1}{T}}{s + \frac{1}{\alpha T}}$$

O sistema compensado terá a função de transferência de malha aberta $G_c(s)G(s)$.

Defina:

$$G_1(s) = KG(s) = \frac{4K}{s(s+2)}$$

onde $K = K_c \alpha$.

A primeira etapa do projeto é ajustar o ganho K para atender às especificações de desempenho em regime permanente ou propiciar a constante de erro estático de velocidade requerido. Como essa constante é especificada em 20 s^{-1}, obtém-se:

$$K_v = \lim_{s \to 0} sG_c(s)G(s) = \lim_{s \to 0} s\frac{Ts+1}{\alpha Ts+1}G_1(s) = \lim_{s \to 0} \frac{s4K}{s(s+2)} = 2K = 20$$

ou

$$K = 10$$

Com $K = 10$, o sistema compensado satisfará o requisito relativo ao regime permanente.

A seguir, construímos o diagrama de Bode de

$$G_1(j\omega) = \frac{40}{j\omega(j\omega + 2)} = \frac{20}{j\omega(0,5j\omega + 1)}$$

A Figura 7.95 apresenta as curvas de módulo e de ângulo de fase de $G_1(j\omega)$. A partir desse diagrama, as margens de ganho e de fase do sistema são 17° e $+\infty$ dB, respectivamente. (A margem de fase de 17° implica que o sistema é bastante oscilatório. Assim, satisfazendo a especificação de regime permanente, o resultado é um desempenho da resposta transitória insatisfatório.) A especificação requer uma margem de fase de pelo menos 50°. Portanto, o avanço de fase adicional necessário para satisfazer o requisito de estabilidade relativa é de 33°. Para obter uma margem de fase de 50° sem que haja decréscimo no valor de K, o compensador por avanço de fase deve contribuir com o ângulo de fase requerido.

Notando que a adição de um compensador por avanço de fase modifica a curva de módulo em dB no diagrama de Bode, percebemos que a frequência de cruzamento de ganho será deslocada para a direita. Devemos compensar o aumento do atraso de fase de $G_1(j\omega)$ causado por esse aumento da frequência de cruzamento de ganho. Considerando-se o deslocamento da frequência de cruzamento de ganho, pode-se supor que ϕ_m, o avanço de fase máximo requerido, seja de aproximadamente 38°. (Isso significa que foram adicionados 5° ao compensador para o deslocamento da frequência de cruzamento de ganho.)

Como

$$\operatorname{sen} \phi_m = \frac{1 - \alpha}{1 + \alpha}$$

FIGURA 7.95
Diagrama de Bode de $G_1(j\omega) = 10G(j\omega) = 40/[j\omega(j\omega + 2)]$.

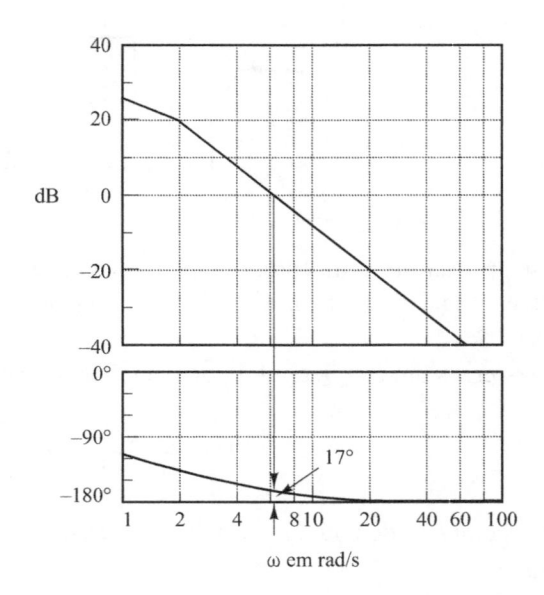

$\phi_m = 38°$ corresponde a $\alpha = 0{,}24$. Uma vez que o fator de atenuação α tenha sido determinado com base no ângulo de avanço de fase requerido, a próxima etapa é determinar as frequências de canto $\omega = 1/T$ e $\omega = 1/(\alpha T)$ do compensador por avanço de fase. Para isso, deve-se notar primeiro que o ângulo de avanço de fase máximo ϕ_m ocorre na média geométrica das duas frequências de canto, ou $\omega = 1/(\sqrt{\alpha}\,T)$. (Veja a Equação 7.26.) O valor da alteração na curva de módulo em dB em $\omega = 1/(\sqrt{\alpha}\,T)$ em decorrência da inclusão do termo $(Ts + 1)/(\alpha Ts + 1)$ é:

$$\left|\frac{1 + j\omega T}{1 + j\omega \alpha T}\right|_{\omega = 1/(\sqrt{\alpha}T)} = \left|\frac{1 + j\dfrac{1}{\sqrt{\alpha}}}{1 + j\alpha\dfrac{1}{\sqrt{\alpha}}}\right| = \frac{1}{\sqrt{\alpha}}$$

Observe que

$$\frac{1}{\sqrt{\alpha}} = \frac{1}{\sqrt{0{,}24}} = \frac{1}{\sqrt{0{,}49}} = 6{,}2\,\text{dB}$$

e $|G_1(j\omega)| = -6{,}2$ dB corresponde a $\omega = 9$ rad/s. Vamos selecionar essa frequência para ser a nova frequência de cruzamento de ganho ω_c. Notando-se que essa frequência corresponde a $1/(\sqrt{\alpha}\,T)$ ou $\omega_c = 1/(\sqrt{\alpha}\,T)$, obtém-se:

$$\frac{1}{T} = \sqrt{\alpha}\,\omega_c = 4{,}41$$

e

$$\frac{1}{\alpha T} = \frac{\omega_c}{\sqrt{\alpha}} = 18{,}4$$

O compensador por avanço de fase determinado assim é:

$$G_c(s) = K_c\frac{s + 4{,}41}{s + 18{,}4} = K_c\alpha\frac{0{,}227s + 1}{0{,}054s + 1}$$

onde o valor de K_c é determinado como

$$K_c = \frac{K}{\alpha} = \frac{10}{0{,}24} = 41{,}7$$

Portanto, a função de transferência do compensador é:

$$G_c(s) = 41{,}7\frac{s + 4{,}41}{s + 18{,}4} = 10\frac{0{,}227s + 1}{0{,}054s + 1}$$

Note que

$$\frac{G_c(s)}{K}G_1(s) = \frac{G_c(s)}{10}10G(s) = G_c(s)G(s)$$

A Figura 7.96 mostra a curva de módulo em dB e a curva de ângulo de fase de $G_c(j\omega)/10$. O sistema compensado tem a seguinte função de transferência:

$$G_c(s)G(s) = 41{,}7\frac{s + 4{,}41}{s + 18{,}4}\frac{4}{s(s+2)}$$

As curvas sólidas na Figura 7.96 indicam a curva de módulo e a de ângulo de fase do sistema compensado. Note que a banda passante é aproximadamente igual à frequência de cruzamento de ganho. O compensador por avanço de fase produz um aumento de 6,3 para 9 rad/s na frequência de cruzamento de ganho. O aumento nessa frequência significa um aumento da banda passante. Isso implica um aumento da velocidade de resposta. As margens de fase e de ganho são de aproximadamente 50° e + ∞dB, respectivamente. O sistema compensado da Figura 7.97, portanto, atende tanto ao requisito de regime permanente como ao de estabilidade relativa.

Observe que, para os sistemas do tipo 1, como o sistema que acabamos de ver, o valor da constante de erro estático de velocidade K_v é simplesmente o valor da frequência correspondente à intersecção da extensão da reta de inclinação de – 20 dB/década e da reta de 0 dB, como indica a Figura 7.96. Observe também que a inclinação da curva de módulo foi alterada próximo à frequência de cruzamento de ganho, de – 40 dB/década para – 20 dB/ década.

FIGURA 7.96
Diagrama de Bode do sistema compensado.

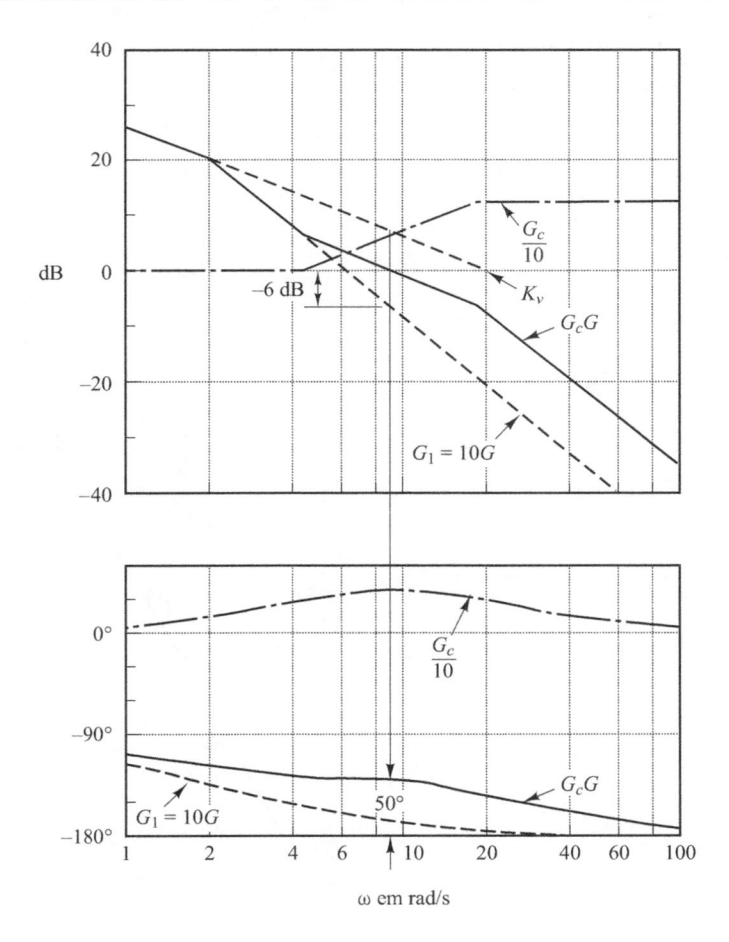

FIGURA 7.97
Sistema compensado.

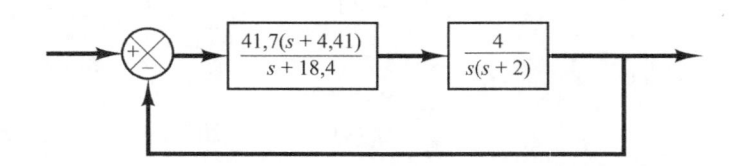

$$\dfrac{41{,}7(s+4{,}41)}{s+18{,}4} \qquad \dfrac{4}{s(s+2)}$$

A Figura 7.98 mostra os diagramas polares da função de transferência de malha aberta com o ganho ajustado, mas não compensado, $G_1(j\omega) = 10\,G(j\omega)$ e a função de transferência de malha aberta compensada $G_c(j\omega)G(j\omega)$. A partir da Figura 7.98, vê-se que a frequência de ressonância do sistema não compensado é em torno de 6 rad/s e que a do sistema compensado é de aproximadamente 7 rad/s. (Isso indica também que a banda passante aumentou.)

Com base na Figura 7.98, constata-se que o valor do pico de ressonância M_r do sistema não compensado com $K = 10$ é 3. O valor de M_r do sistema compensado é obtido como 1,29. Isso mostra claramente que a estabilidade relativa do sistema compensado melhorou.

Note que, se o ângulo de fase de $G_1(j\omega)$ decrescer rapidamente, nas proximidades da frequência de cruzamento de ganho, a compensação por avanço de fase se torna ineficaz, porque o deslocamento da frequência de cruzamento de ganho para a direita torna difícil obter um avanço de fase suficiente para a nova frequência de cruzamento de ganho. Isso significa que, para fornecer a margem de fase desejada, deve-se utilizar um valor muito pequeno para α. O valor de α, entretanto, não deve ser muito pequeno (menor que 0,05) nem o avanço de fase máximo ϕ_m deve ser muito grande (superior a 65°), porque esses valores vão requerer um ganho adicional de valor excessivo. [Se for necessário mais que 65°, duas (ou mais) redes por avanço de fase poderão ser utilizadas em série com um amplificador de isolamento.]

Por fim, vamos estudar as características da resposta transitória do sistema projetado. Serão obtidas as curvas de resposta ao degrau unitário e a rampa unitária dos sistemas compensado e

FIGURA 7.98
Diagramas polares da função de transferência de malha aberta com o ganho ajustado, mas não compensado G_1 e da função de transferência de malha aberta compensada G_cG.

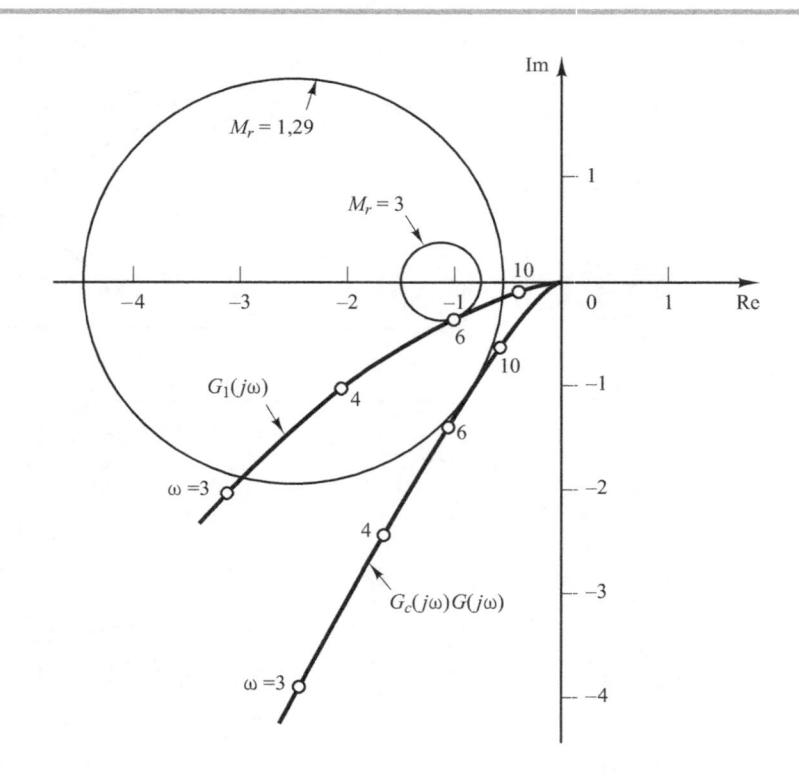

não compensado, com a utilização do MATLAB. Note que as funções de transferência de malha fechada dos sistemas compensado e não compensado são dadas, respectivamente, por:

$$\frac{C(s)}{R(s)} = \frac{4}{s^2 + 2s + 4}$$

e

$$\frac{C(s)}{R(s)} = \frac{166,8s + 735,588}{s^3 + 20,4s^2 + 203,6s + 735,588}$$

Os programas em MATLAB para a obtenção das curvas de resposta ao degrau unitário e à rampa unitária são dados pelo Programa 7.13 em MATLAB. A Figura 7.99 indica as curvas de resposta ao degrau unitário antes e depois da compensação. Além disso, a Figura 7.100 representa as curvas de resposta à rampa unitária antes e depois da compensação. Essas curvas de resposta indicam que o sistema projetado é satisfatório.

Deve-se observar que os polos do sistema de malha fechada para o sistema compensado estão localizados como segue:

$$s = -6,9541 \pm j8,0592$$
$$s = -6,4918$$

Em razão de os polos dominantes de malha fechada estarem situados distantes do eixo $j\omega$, a resposta é rapidamente atenuada.

Programa 7.13 em MATLAB

```
%***** Respostas ao degrau unitário *****
num = [4];
den = [1 2 4];
numc = [166.8 735.588];
denc = [1 20.4 203.6 735.588];
t = 0:0.02:6;
[c1,x1,t] = step(num,den,t);
[c2,x2,t] = step(numc,denc,t);
plot (t,c1,'.',t,c2,'-')
grid
title('Respostas ao degrau unitário dos sistemas compensado e não compensado')
xlabel('t (s)')
ylabel('Saídas')
text(0.4,1.31,'Sistema compensado')
text(1.55,0.88,'Sistema não compensado')

%***** Respostas à rampa unitária *****
num1 = [4];
den1 = [1 2 4 0];
num1c = [166.8 735.588];
den1c = [1 20.4 203.6 735.588 0];
t = 0:0.02:5;
[y1,z1,t] = step(num1,den1,t);
[y2,z2,t] = step(num1c,den1c,t);
plot(t,y1,'.',t,y2,'-',t,t,'--')
grid
title('Respostas à rampa unitária dos sistemas compensado e não compensado')
xlabel('t (s)')
ylabel('Saídas')
text(0.89,3.7,'Sistema compensado')
text(2.25,1.1,'Sistema não compensado')
```

FIGURA 7.99
Curvas de resposta ao degrau unitário dos sistemas compensado e não compensado.

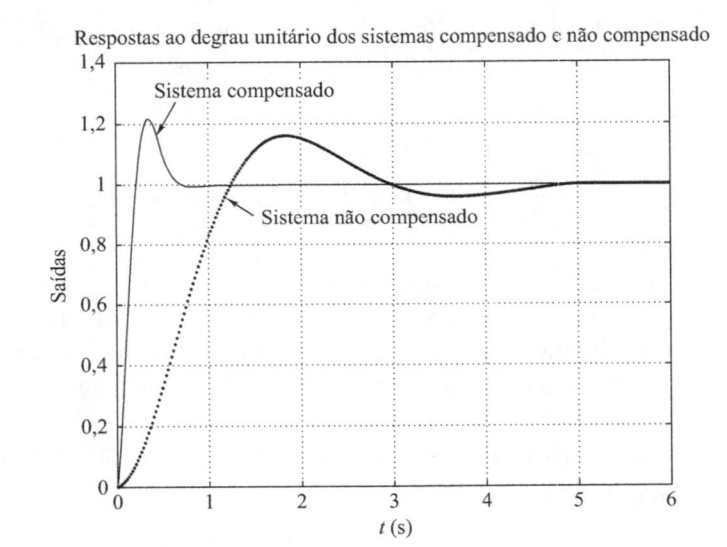

FIGURA 7.100
Curvas de resposta à rampa unitária dos sistemas compensado e não compensado.

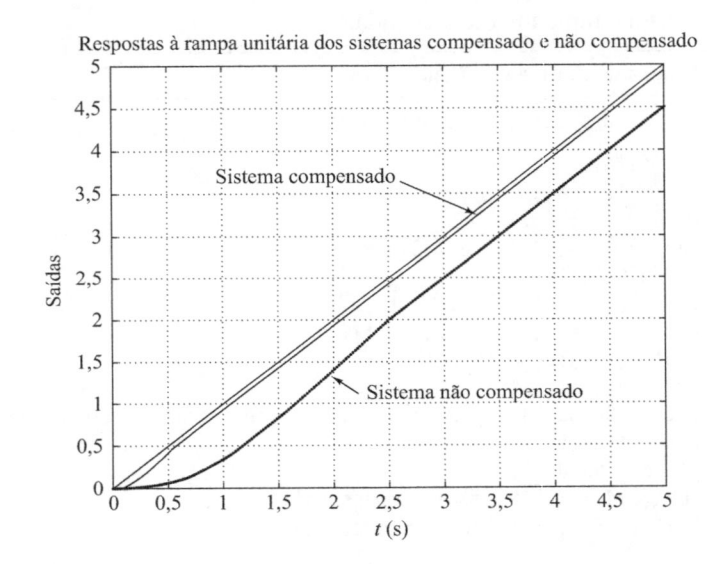

7.12 | Compensação por atraso de fase

Nesta seção, discutiremos inicialmente o diagrama de Nyquist e o diagrama de Bode do compensador por atraso de fase. Então, serão apresentadas as técnicas de compensação por atraso de fase com enfoque na resposta em frequência.

Características dos compensadores de atraso de fase. Considere um compensador por atraso de fase que tenha a seguinte função de transferência:

$$G_c(s) = K_c \beta \frac{Ts + 1}{\beta Ts + 1} = K_c \frac{s + \dfrac{1}{T}}{s + \dfrac{1}{\beta T}} \quad (\beta > 1)$$

No plano complexo, um compensador por atraso de fase tem um zero em $s = -1/T$ e um polo em $s = -1/(\beta T)$. O polo fica localizado à direita do zero.

A Figura 7.101 mostra um diagrama polar do compensador por atraso de fase. A Figura 7.102 indica o diagrama de Bode do compensador, onde $K_c = 1$ e $\beta = 10$. As frequências de canto do compensador por atraso de fase estão em $\omega = 1/T$ e $\omega = 1/(\beta T)$. Como se vê na Figura 7.102, onde os valores de K_c e β são iguais a 1 e 10, respectivamente, o módulo do compensador por atraso de fase fica igual a 10 (ou 20 dB) em baixas frequências e igual à unidade (ou 0 dB) em altas frequências. Portanto, o compensador por atraso de fase é essencialmente um filtro passa-baixa.

Técnicas de compensação por atraso de fase baseadas na resposta em frequência. A principal função de um compensador por atraso de fase é produzir atenuação na faixa de altas frequências para fornecer ao sistema uma margem de fase suficiente. A característica do atraso de fase é não acarretar consequências na compensação por atraso de fase.

O procedimento para o projeto de compensadores por atraso de fase para o sistema da Figura 7.93, com base na resposta em frequência, pode ser estabelecido como segue:

1. Suponha o seguinte compensador por atraso de fase:

$$G_c(s) = K_c \beta \frac{Ts + 1}{\beta Ts + 1} = K_c \frac{s + \dfrac{1}{T}}{s + \dfrac{1}{\beta T}} \quad (\beta > 1)$$

Defina

$$K_c \beta = K$$

Então,

$$G_c(s) = K \frac{Ts + 1}{\beta Ts + 1}$$

FIGURA 7.101
Diagrama polar de um compensador por atraso de fase $K_c\beta(j\omega T + 1)/(j\omega\beta T + 1)$.

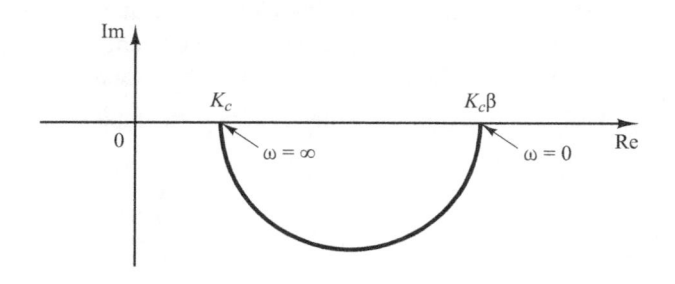

FIGURA 7.102
Diagrama de Bode de um compensador por atraso de fase $\beta(j\omega T + 1)/(j\omega\beta T + 1)$, com $\beta = 10$.

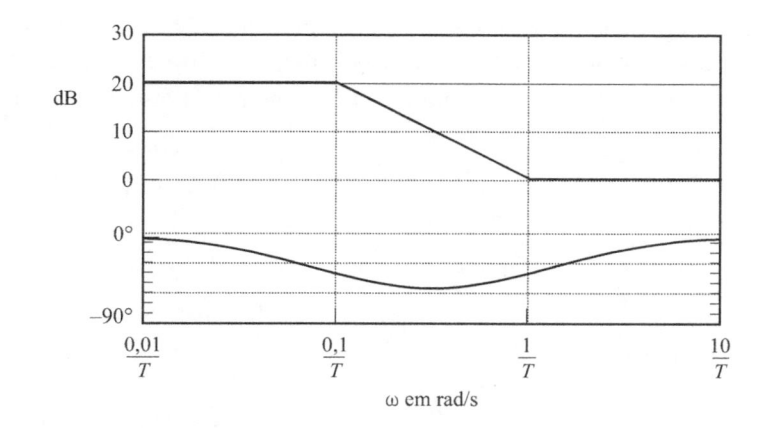

A função de transferência do sistema compensado de malha aberta é:

$$G_c(s)G(s) = K\frac{Ts+1}{\beta Ts+1}G(s) = \frac{Ts+1}{\beta Ts+1}KG(s) = \frac{Ts+1}{\beta Ts+1}G_1(s)$$

onde

$$G_1(s) = KG(s)$$

Determine o ganho K para que o requisito relativo à constante de erro estático de velocidade seja atendido.

2. Se o sistema não compensado $G_1(j\omega) = KG(j\omega)$, com ganho ajustado, não satisfizer as especificações de margem de ganho e de fase, determine o ponto de frequências onde o ângulo de fase da função de transferência de malha aberta seja igual a $-180°$ mais a margem de fase requerida. A margem de fase requerida é a margem de fase especificada, mais 5° a 12°. (A adição de 5° a 12° compensa o atraso de fase do compensador.) Selecione essa frequência como a nova frequência de cruzamento de ganho.

3. Para prevenir efeitos nocivos do atraso de fase causados pelo compensador, o polo e o zero do compensador devem ficar localizados substancialmente abaixo da nova frequência de cruzamento de ganho. Portanto, escolha a frequência de canto $\omega = 1/T$ (correspondente ao zero do compensador por atraso de fase), uma oitava ou uma década abaixo da nova frequência de cruzamento de ganho. (Se as constantes de tempo do compensador por atraso de fase não se tornarem muito elevadas, a frequência de canto $\omega = 1/T$ poderá ser escolhida uma década abaixo da nova frequência de cruzamento de ganho.)

Note que foram escolhidos os polos e os zeros do compensador suficientemente pequenos. Assim, o atraso de fase ocorre em uma região de baixa frequência, de modo que não afete a margem de fase.

4. Determine a atenuação necessária para baixar a curva de módulo a 0 dB na nova frequência de cruzamento de ganho. Notando-se que essa atenuação é de $-20\log\beta$, determine o valor de β. Então, a outra frequência de canto (correspondente ao polo do compensador por atraso de fase) é determinada a partir de $\omega = 1/(\beta T)$.

5. Utilizando o valor de K determinado na etapa 1 e o de β determinado na etapa 4, calcule a constante K_c a partir de

$$K_c = \frac{K}{\beta}$$

Exemplo 7.27 Considere o sistema mostrado na Figura 7.103. A função de transferência de malha aberta é dada por:

$$G(s) = \frac{1}{s(s+1)(0,5s+1)}$$

É desejável compensar o sistema, de modo que a constante de erro estático de velocidade K_v seja de 5 s^{-1}, a margem de fase seja de pelo menos 40° e a margem de ganho seja de pelo menos 10 dB.

Vamos utilizar um compensador por atraso de fase do seguinte modo:

$$G_c(s) = K_c\beta\frac{Ts+1}{\beta Ts+1} = K_c\frac{s+\dfrac{1}{T}}{s+\dfrac{1}{\beta T}} \quad (\beta > 1)$$

Defina

$$K_c\beta = K$$

Defina também

$$G_1(s) = KG(s) = \frac{K}{s(s+1)(0,5s+1)}$$

FIGURA 7.103
Sistema de controle.

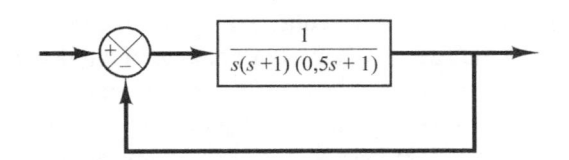

A primeira etapa do projeto é ajustar o ganho K para atender à constante de erro estático de velocidade requerido. Assim,

$$K_v = \lim_{s \to 0} s G_c(s) G(s) = \lim_{s \to 0} s \frac{Ts+1}{\beta Ts+1} G_1(s) = \lim_{s \to 0} s G_1(s)$$

$$= \lim_{s \to 0} \frac{sK}{s(s+1)(0,5s+1)} = K = 5$$

ou

$$K = 5$$

Com $K = 5$, o sistema compensado satisfaz o requisito de desempenho em regime permanente.

Em seguida, construímos o diagrama de Bode de

$$G_1(j\omega) = \frac{5}{j\omega(j\omega+1)(0,5j\omega+1)}$$

A Figura 7.104 apresenta a curva de módulo e de ângulo de fase de $G_1(j\omega)$. A partir desse diagrama, a margem de fase é determinada como $-20°$, o que significa que o sistema de ganho ajustado, mas não compensado, é instável.

Notando-se que a inserção de um compensador por atraso de fase modifica a curva de ângulo de fase do diagrama de Bode, deve-se acrescentar de 5° a 12° à margem de fase especificada para compensar a modificação na curva de ângulo de fase. Como a frequência correspondente a uma margem de fase de 40° é 0,7 rad/s, a nova frequência de cruzamento de ganho (do sistema compensado) deve ser escolhida próximo desse valor. Para evitar constantes de tempo muito altas do compensador por atraso de fase, selecionaremos a frequência de canto $\omega = 1/T$ (que corresponde

FIGURA 7.104
Diagramas de Bode de G_1 (função de transferência de malha aberta com o ganho ajustado, mas não compensado), G_c (compensador) e $G_c G$ (função de transferência de malha aberta compensada).

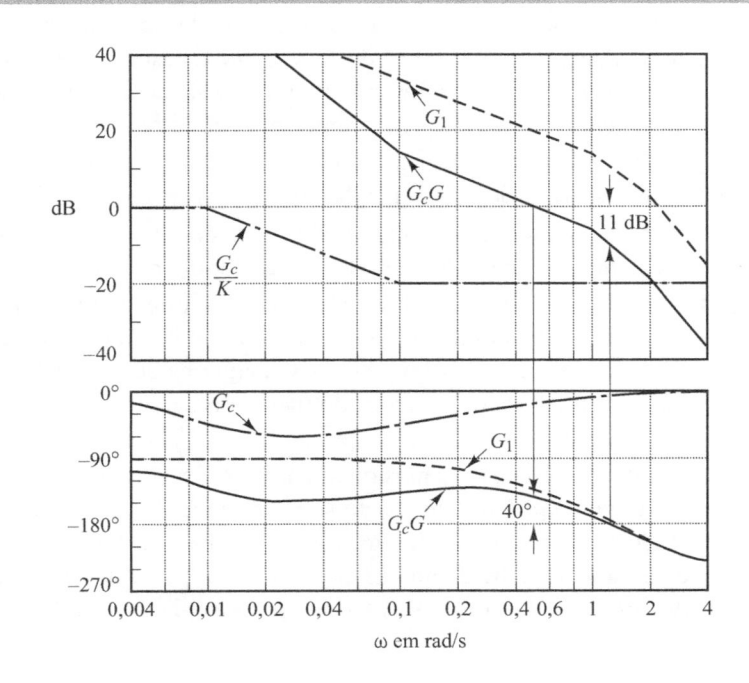

ao zero do compensador por atraso de fase) como 0,1 rad/s. Como essa frequência de canto não fica muito abaixo da nova frequência de cruzamento de ganho, a modificação na curva de ângulo de fase pode não ser pequena. Portanto, adicionamos em torno de 12° à margem de fase dada como uma tolerância a ser levada em conta no ângulo de atraso de fase introduzido pelo compensador. A margem de fase requerida é agora de 52°. O ângulo de fase da função de transferência de malha aberta não compensada é − 128° em aproximadamente $\omega = 0,5$ rad/s. Assim, escolhemos a nova frequência de cruzamento de ganho como 0,5 rad/s. Para trazer a curva de módulo abaixo de 0 dB nessa nova frequência de cruzamento de ganho, o compensador por atraso de fase deve fornecer a atenuação necessária, que nesse caso é de − 20 dB. Então,

$$20\log\frac{1}{\beta} = -20$$

ou

$$\beta = 10$$

A outra frequência de canto $\omega = 1(\beta T)$, que corresponde ao polo do compensador por atraso de fase, é então determinada como:

$$\frac{1}{\beta T} = 0,01 \text{ rad/s}$$

Portanto, a função de transferência do compensador por atraso de fase é:

$$G_c(s) = K_c(10)\frac{10s+1}{100s+1} = K_c \frac{s+\frac{1}{10}}{s+\frac{1}{100}}$$

Tendo sido determinado $K = 5$ e $\beta = 10$, temos:

$$K_c = \frac{K}{\beta} = \frac{5}{10} = 0,5$$

A função de transferência de malha aberta do sistema compensado é:

$$G_c(s)G(s) = \frac{5(10s+1)}{s(100s+1)(s+1)(0,5s+1)}$$

A Figura 7.104 indica as curvas de módulo e de ângulo de fase de $G_c(j\omega)G(j\omega)$.

A margem de fase do sistema compensado é de aproximadamente 40°, que é o valor requerido. A margem de ganho é de cerca de 11 dB, que é bastante aceitável. A constante de erro estático de velocidade é 5 s^{-1}, conforme requerida. O sistema compensado, dessa maneira, atende aos requisitos tanto de regime permanente como de estabilidade relativa.

Note que a nova frequência de cruzamento de ganho decresce de 1 para 0,5 rad/s aproximadamente. Isso significa que a banda passante do sistema foi reduzida.

Para apresentar, ainda, outros efeitos da compensação por atraso de fase, a Figura 7.105 traz os diagramas de módulo em dB *versus* ângulo de fase do sistema $G_1(j\omega)$ ajustado, mas não compensado, e do sistema compensado $G_c(j\omega)G(j\omega)$. O diagrama de $G_1(j\omega)$ mostra claramente que o sistema com ganho ajustado, mas não compensado, é instável. A adição do compensador por atraso de fase estabiliza o sistema. O diagrama de $G_c(j\omega)G(j\omega)$ é tangente ao lugar geométrico $M = 3$ dB. Portanto, o valor do pico de ressonância é de 3 dB, ou 1,4, e esse pico ocorre em $\omega = 0,5$ rad/s.

Compensadores projetados por métodos diferentes ou por projetistas diferentes (adotando o mesmo critério) podem ter aspecto suficientemente diferente. Entretanto, qualquer sistema bem projetado vai fornecer um desempenho similar de resposta transitória e de regime permanente. Pode-se escolher entre as muitas alternativas, a partir das considerações econômicas de que as constantes de tempo do compensador por atraso de fase não devem ser muito elevadas.

FIGURA 7.105
Diagramas de módulo em dB *versus* ângulo de fase de G_1 (função de transferência de malha aberta com ganho ajustado, mas não compensada) e G_cG (função de transferência de malha aberta compensada).

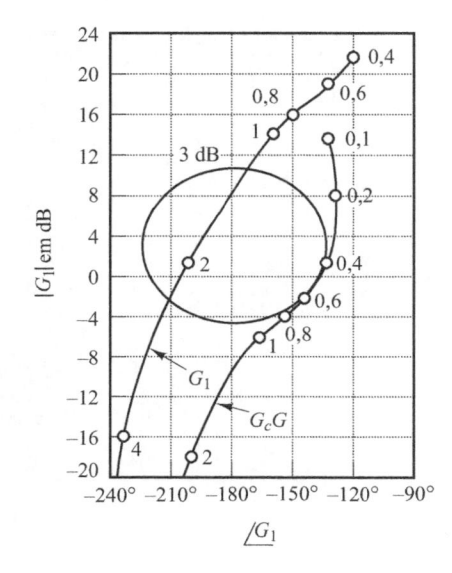

Por fim, estudaremos a resposta ao degrau unitário e à rampa unitária do sistema compensado e do sistema original não compensado, sem ajuste de ganho. As funções de transferência de malha fechada dos sistemas compensado e não compensado são:

$$\frac{C(s)}{R(s)} = \frac{50s + 5}{50s^4 + 150,5s^3 + 101,5s^2 + 51s + 5}$$

e

$$\frac{C(s)}{R(s)} = \frac{1}{0,5s^3 + 1,5s^2 + s + 1}$$

respectivamente. O Programa 7.14 em MATLAB fornecerá as respostas dos sistemas compensado e não compensado à rampa unitária. As figuras 7.106 e 7.107 apresentam, respectivamente, as curvas resultantes de resposta ao degrau unitário e de resposta à rampa unitária. A partir das curvas de resposta, vemos que o sistema projetado satisfaz as especificações dadas e é satisfatório.

FIGURA 7.106
Curvas de resposta ao degrau unitário para os sistemas compensado e não compensado (Exemplo 7.27).

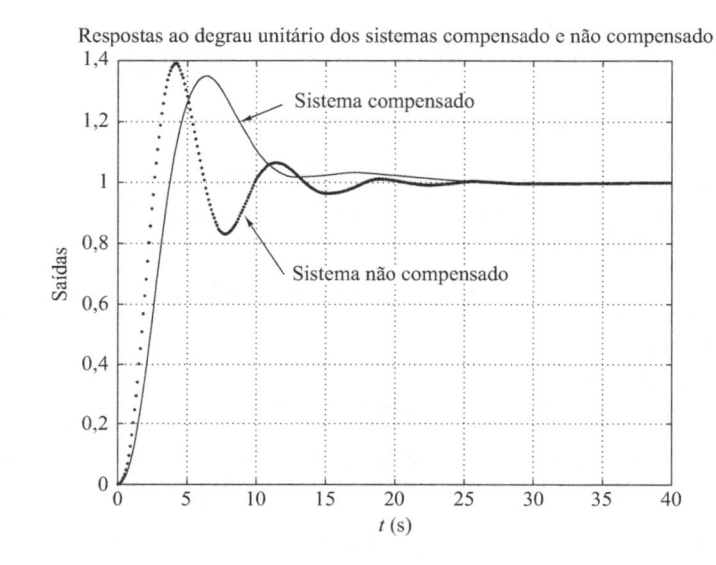

FIGURA 7.107
Curvas de resposta à rampa unitária dos sistemas compensado e não compensado (Exemplo 7.27).

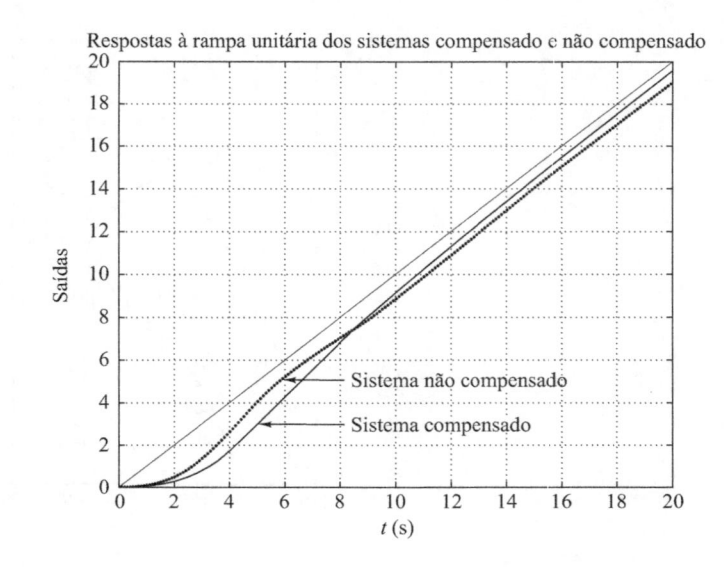

Respostas à rampa unitária dos sistemas compensado e não compensado

---

Programa 7.14 em MATLAB

```
%***** Resposta ao degrau unitário *****
num = [1];
den = [0.5 1.5 1 1];
numc = [50 5];
denc = [50 150.5 101.5 51 5];
t = 0:0.1:40;
[c1,x1,t] = step(num,den,t);
[c2,x2,t] = step(numc,denc,t);
plot(t,c1,'.',t,c2,'-')
grid
title('Respostas ao degrau unitário dos sistemas compensado e não compensado')
xlabel('t (s)')
ylabel('Saídas')
text(12.7,1.27,'Sistema compensado')
text(12.2,0.7,'Sistema não compensado')

%***** Resposta à rampa unitária *****
num1 = [1];
den1 = [0.5 1.5 1 1 0];
num1c = [50 5];
den1c = [50 150.5 101.5 51 5 0];
t = 0:0.1:20;
[y1,z1,t] = step(num1,den1,t);
[y2,z2,t] = step(num1c,den1c,t);
plot(t,y1,'.',t,y2,'-',t,t,'--');
grid
title('Respostas à rampa unitária dos sistemas compensado e não compensado')
xlabel('t (s)')
ylabel('Saídas')
text(8.3,3,'Sistema compensado')
text(8.3,5,'Sistema não compensado')
```

Note que o zero e os polos do sistema de malha fechada projetado são os seguintes:

Zero em $s = -0{,}1$

Polos em $s = -0{,}2859 \pm j0{,}5196$, $\quad s = -0{,}1228$, $\quad s = -2{,}3155$

Os polos de malha fechada dominantes estão muito próximos do eixo $j\omega$ resultando em uma resposta lenta. Além disso, o polo de malha fechada em $s = -0,1228$ e o zero de malha fechada em $s = -0,1$ produzem uma cauda de pequena amplitude lentamente decrescente.

Alguns comentários sobre a compensação por atraso de fase

1. Os compensadores por atraso de fase são essencialmente filtros passa-baixa. Portanto, a compensação por atraso de fase permite um ganho elevado em baixas frequências (o que melhora o desempenho em regime permanente) e reduz o ganho no intervalo de frequências críticas mais altas, de modo que melhore a margem de fase. Note que, na compensação por atraso de fase, utilizamos a característica de atenuação desse tipo de compensador nas altas frequências, em vez da característica de atraso de fase. (A característica de atraso de fase não é utilizada com objetivos de compensação.)

2. Suponha que o zero e o polo de um compensador por atraso de fase estejam localizados em $s = -z$ e $s = -p$, respectivamente. A localização exata do zero e do polo não é fundamental, desde que estejam próximos da origem e que a relação z/p seja igual ao fator de multiplicação requerido pela constante de erro estático de velocidade.

    Deve-se notar, entretanto, que o zero e o polo do compensador por atraso de fase não devem estar situados desnecessariamente próximos à origem, porque o compensador criará um polo de malha fechada adicional na mesma região em que se situam o zero e o polo do compensador.

    O polo de malha fechada localizado perto da origem faz que a atenuação da resposta transitória fique muito lenta, embora seu valor seja muito pequeno, pois o zero do compensador por atraso de fase quase cancela os efeitos desse polo. Entretanto, a resposta transitória (decaimento) é tão lenta que o tempo de acomodação ficará afetado de forma prejudicial.

    Observa-se também que, no sistema compensado por um compensador por atraso de fase, a função de transferência entre o distúrbio da planta e o erro do sistema pode não envolver um zero que esteja próximo desse polo. Portanto, a resposta transitória a uma entrada de perturbação pode ter uma duração muito longa.

3. A atenuação causada pelo compensador por atraso de fase deslocará a frequência de cruzamento de ganho para um ponto de menor frequência, onde a margem de fase é aceitável. Assim, o compensador por atraso de fase reduzirá a banda passante do sistema e resultará em uma resposta transitória mais lenta. [A curva de ângulo de fase de $G_c(j\omega)G(j\omega)$ fica inalterada perto e acima da nova frequência de cruzamento de ganho.]

4. Como o compensador por atraso de fase tende a integrar o sinal de entrada, ele atua aproximadamente como um controlador proporcional-integral. Em virtude disso, um sistema compensado por atraso de fase tende a ser menos estável. Para evitar essa característica indesejável, a constante de tempo T deve ser suficientemente maior que a maior constante de tempo do sistema.

5. A estabilidade condicional pode ocorrer quando um sistema a ser compensado pelo uso de um compensador por atraso de fase apresentar saturação ou limitação. Quando ocorrer saturação ou limitação no sistema, o ganho de malha efetivo ficará reduzido. Então, o sistema fica menos estável, podendo mesmo resultar em uma operação instável, como mostra a Figura 7.108. Para que isso seja evitado, o sistema deve ser projetado de modo que o efeito da compensação por atraso de fase se torne significativo apenas quando a **amplitude da entrada aplicada em elementos dotados de saturação seja pequena**. (Isso pode ser feito por meio de compensação com malha interna de realimentação.)

FIGURA 7.108
Diagrama de Bode de um sistema condicionalmente estável.

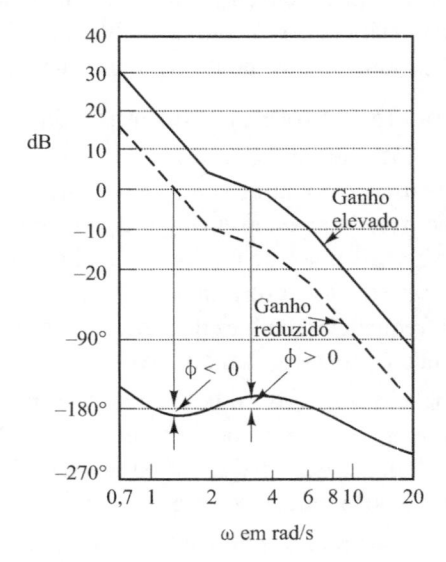

7.13 | Compensação por atraso e avanço de fase

Estudaremos inicialmente as características da resposta em frequência do compensador por atraso e avanço de fase. Em seguida, apresentaremos a técnica de compensação baseada na resposta em frequência.

Característica do compensador por atraso e avanço de fase. Considere o compensador por atraso e avanço de fase dado por:

$$G_c(s) = K_c \left(\frac{s + \frac{1}{T_1}}{s + \frac{\gamma}{T_1}} \right) \left(\frac{s + \frac{1}{T_2}}{s + \frac{1}{\beta T_2}} \right) \quad (7.27)$$

onde $\gamma > 1$ e $\beta > 1$. O termo

$$\frac{s + \frac{1}{T_1}}{s + \frac{\gamma}{T_1}} = \frac{1}{\gamma} \left(\frac{T_1 s + 1}{\frac{T_1}{\gamma} s + 1} \right) \quad (\gamma > 1)$$

produz o efeito de rede de avanço de fase e o termo

$$\frac{s + \frac{1}{T_2}}{s + \frac{1}{\beta T_2}} = \beta \left(\frac{T_2 s + 1}{\beta T_2 s + 1} \right) \quad (\beta > 1)$$

produz o efeito de rede de atraso de fase.

No projeto de um compensador por atraso e avanço de fase, frequentemente selecionamos $\gamma = \beta$. (Isso não é necessário. Pode-se, é claro, selecionar $\gamma \neq \beta$.) A seguir, vamos considerar o caso em que $\gamma = \beta$. O diagrama polar do compensador por atraso e avanço de fase com $K_c = 1$ e $\gamma = \beta$ é o indicado na Figura 7.109. Pode-se ver que, para $0 < \omega < \omega_1$, o compensador atua como um compensador por atraso de fase, enquanto para $\omega_1 < \omega < \infty$, ele atua como um compensador por avanço de fase. A frequência ω_1 é a frequência em que o ângulo de fase é zero. Este é dado por:

$$\omega_1 = \frac{1}{\sqrt{T_1 T_2}}$$

(Para deduzir essa equação, veja o Problema A.7.21.)

FIGURA 7.109 Diagrama polar de um compensador por atraso e avanço de fase dado pela Equação 7.27, com $K_c = 1$ e $\gamma = \beta$.

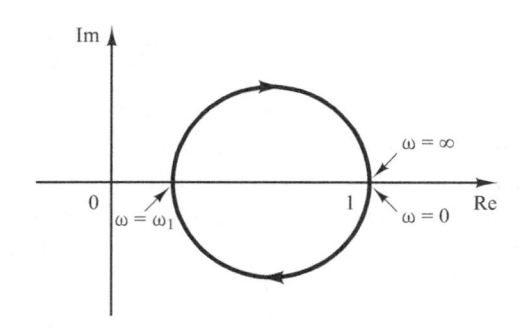

A Figura 7.110 mostra o diagrama de Bode de um compensador por atraso e avanço de fase quando $K_c = 1$, $\gamma = \beta = 10$ e $T_2 = 10T_1$. Note que a curva de módulo tem o valor de 0 dB nas regiões de baixa e de alta frequência.

Compensação por atraso e avanço de fase baseada no critério da resposta em frequência.

O projeto de um compensador por atraso e avanço de fase pelo critério da resposta em frequência tem como base a combinação das técnicas de projeto discutidas na compensação por avanço de fase e na compensação por atraso de fase.

Vamos supor que o compensador por atraso e avanço de fase seja da seguinte maneira:

$$G_c(s) = K_c \frac{(T_1 s + 1)(T_2 s + 1)}{\left(\frac{T_1}{\beta} s + 1\right)(\beta T_2 s + 1)} = K_c \frac{\left(s + \frac{1}{T_1}\right)\left(s + \frac{1}{T_2}\right)}{\left(s + \frac{\beta}{T_1}\right)\left(s + \frac{1}{\beta T_2}\right)} \qquad (7.28)$$

onde $\beta > 1$. A parte relativa ao avanço de fase do compensador por atraso e avanço de fase (a parte que envolve T_1) altera a curva de resposta em frequência pela adição de um ângulo de avanço de fase e o aumento da margem de fase na frequência de cruzamento de ganho. A parte relativa ao atraso de fase (a porção que envolve T_2) fornece atenuação perto e acima da frequência de cruzamento de ganho e, desse modo, permite um aumento de ganho na faixa de baixa frequência para melhorar o desempenho em regime permanente.

Vamos ilustrar os procedimentos para o projeto de um compensador de atraso e avanço de fase, por meio de um exemplo.

FIGURA 7.110 Diagrama de Bode de um compensador por atraso e avanço de fase dado pela Equação 7.27 com $K_c = 1$, $\gamma = \beta = 10$ e $T_2 = 10T_1$.

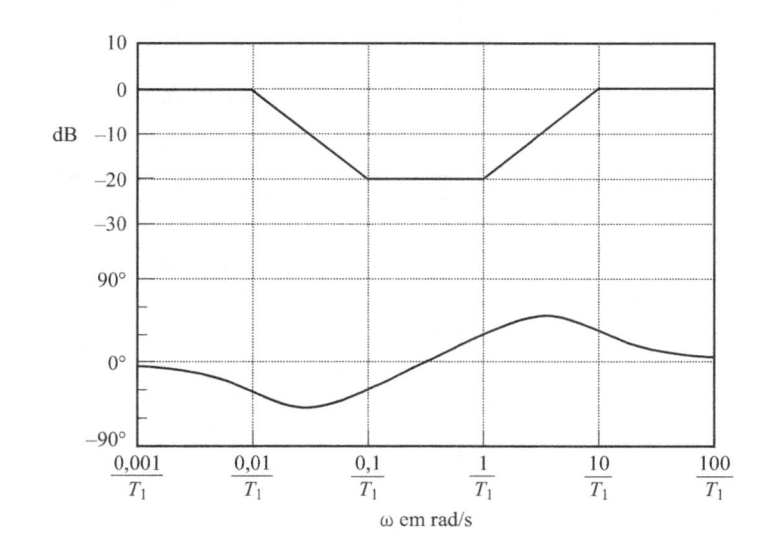

Exemplo 7.28 Considere o sistema com realimentação unitária cuja função de transferência é:

$$G(s) = \frac{K}{s(s+1)(s+2)}$$

Deseja-se que a constante de erro estático de velocidade seja 10 s^{-1}, a margem de fase seja 50° e a margem de ganho seja 10 dB ou mais.

Suponha que seja utilizado o compensador por atraso e avanço de fase dado pela Equação 7.28. (Note que a porção de avanço de fase aumenta tanto a margem de fase como a banda passante do sistema — o que implica o aumento da velocidade de resposta. A porção de atraso de fase mantém o ganho nas baixas frequências.)

A função de transferência de malha aberta do sistema compensado é $G_c(s)G(s)$. Como o ganho K da planta é ajustável, vamos supor que $K_c = 1$. Então, $\lim_{s \to 0} G_c(s)G(s) = 1$

A partir do requisito da constante de erro estático de velocidade, obtemos:

$$K_v = \lim_{s \to 0} sG_c(s)G(s) = \lim_{s \to 0} sG_c(s)\frac{K}{s(s+1)(s+2)} = \frac{K}{2} = 10$$

Portanto,

$$K = 20$$

A seguir, vamos construir o diagrama de Bode do sistema não compensado com $K = 20$, como mostra a Figura 7.111. A margem de fase do sistema com ganho ajustado, mas não compensado, é de $-32°$, o que indica que o sistema com ganho ajustado, mas não compensado, é instável.

A próxima etapa no projeto de um compensador por atraso e avanço de fase é escolher uma nova frequência de cruzamento de ganho. A partir da curva de ângulo de fase de $G(j\omega)$, nota-se que $\angle G(j\omega) = -180°$ em $\omega = 1{,}5$ rad/s. É conveniente escolher a nova frequência de cruzamento de ganho como 1,5 rad/s, de modo que o ângulo de avanço de fase requerido em $\omega = 1{,}5$ rad/s seja de aproximadamente 50°, o que é inteiramente possível, utilizando-se uma única rede por atraso e avanço de fase.

FIGURA 7.111
Diagramas de Bode de G (função de transferência de malha aberta com ganho ajustado, mas não compensado), G_c (compensador) e G_cG (função de transferência de malha aberta compensada).

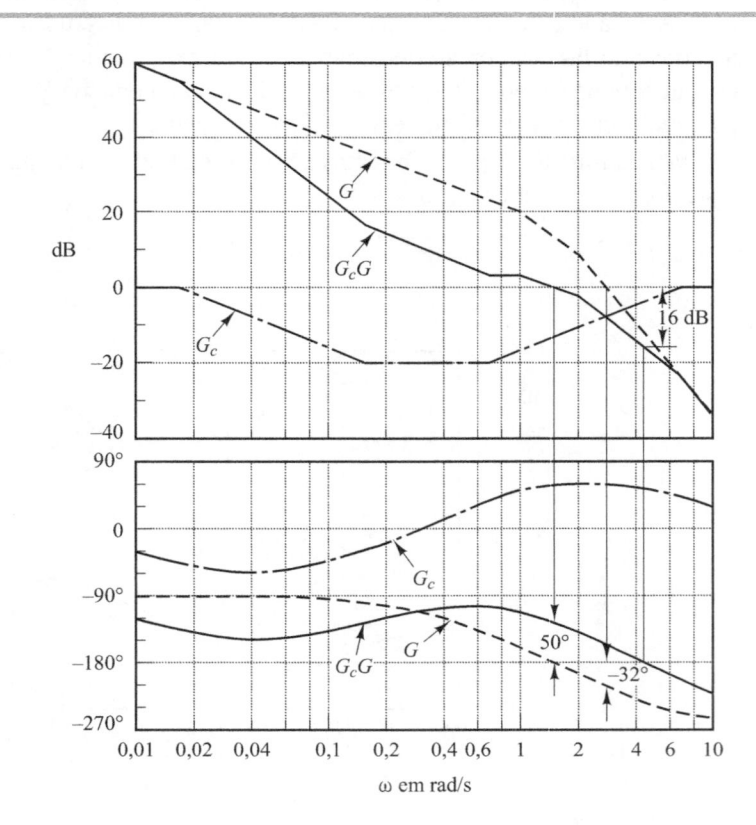

Uma vez escolhida a frequência de cruzamento de ganho como 1,5 rad/s, pode-se determinar a frequência de canto da porção de atraso de fase do compensador por atraso e avanço de fase. Vamos escolher a frequência de canto $\omega = 1/T_2$ (que corresponde ao zero da porção de atraso de fase do compensador) como uma década abaixo da nova frequência de cruzamento de ganho, ou em $\omega = 0,15$ rad/s.

Lembre-se de que, para o compensador por avanço de fase, o ângulo por avanço de fase máximo ϕ_m é dado pela Equação 7.25, onde α, nesse caso, é $1/\beta$. Substituindo $\alpha = 1/\beta$ na Equação 7.25, tem-se:

$$\text{sen } \phi_m = \frac{1 - \frac{1}{\beta}}{1 + \frac{1}{\beta}} = \frac{\beta - 1}{\beta + 2}$$

Note que $\beta = 10$ corresponde a $\phi_m = 54,9°$. Como é necessária uma margem de fase de 50°, pode-se escolher $\beta = 10$. (Observe que será utilizado um valor vários graus menor que o ângulo máximo, 54,9°.) Assim,

$$\beta = 10$$

Em seguida, a frequência de canto $\omega = 1/\beta T_2$ (o que corresponde ao polo da porção por atraso de fase do compensador) torna-se $\omega = 0,015$ rad/s. A função de transferência da porção de atraso de fase do compensador por atraso e avanço de fase torna-se:

$$\frac{s + 0,15}{s + 0,015} = 10\left(\frac{6,67s + 1}{66,7s + 1}\right)$$

A porção de avanço de fase pode ser determinada como segue: sendo a nova frequência de cruzamento de ganho $\omega = 1,5$ rad/s, obtém-se $G(j1,5)$ como 13 dB, a partir da Figura 7.111. Portanto, se o compensador por atraso e avanço de fase contribui com – 13 dB em $\omega = 1,5$ rad/s, então a nova frequência de cruzamento de ganho será conforme o desejado. A partir desse requisito, é possível traçar uma reta com inclinação de 20 dB por década, passando pelo ponto (1,5 rad/s, – 13 dB). As intersecções dessa reta com a reta 0 dB e com a linha – 20 dB determinam as frequências de canto. Assim, as frequências de canto da porção por avanço de fase são $\omega = 0,7$ rad/s e $\omega = 7$ rad/s. Portanto, a função de transferência da porção de avanço de fase do compensador por atraso e avanço de fase é:

$$\frac{s + 0,7}{s + 7} = \frac{1}{10}\left(\frac{1,43s + 1}{0,143s + 1}\right)$$

Combinando as funções de transferência das porções de atraso e de avanço de fase do compensador, obtém-se a função de transferência do compensador por atraso e avanço de fase. Como escolhemos $K_c = 1$, tem-se:

$$G_c(s) = \left(\frac{s + 0,7}{s + 7}\right)\left(\frac{s + 0,15}{s + 0,015}\right) = \left(\frac{1,43s + 1}{0,143s + 1}\right)\left(\frac{6,67s + 1}{66,7s + 1}\right)$$

As curvas de módulo em dB e de ângulo de fase do compensador por atraso e avanço de fase que acaba de ser projetado estão representadas na Figura 7.111. A função de transferência de malha aberta do sistema compensado é:

$$G_c(s)G(s) = \frac{(s + 0,7)(s + 0,15)20}{(s + 7)(s + 0,015)s(s + 1)(s + 2)}$$

$$= \frac{10(1,43s + 1)(6,67s + 1)}{s(0,143s + 1)(66,7s + 1)(s + 1)(0,5s + 1)} \quad (7.29)$$

A Figura 7.111 também mostra as curvas de módulo em dB e de ângulo de fase do sistema da Equação 7.29. A margem de fase do sistema compensado é 50°, a margem de ganho é 16 dB e a constante de erro estático de velocidade é 10 s^{-1}. Portanto, todos os requisitos foram atendidos e o projeto está completo.

A Figura 7.112 mostra os diagramas polares de $G(j\omega)$ (função de transferência de malha aberta de ganho ajustado, mas não compensado) e $G_c(j\omega)G(j\omega)$ (função de transferência de malha aberta compensada). O lugar geométrico de $G_c(j\omega)G(j\omega)$ é tangente à circunferência $M = 1,2$ em aproximadamente $\omega = 2$ rad/s. Isso indica claramente que o sistema compensado tem estabilidade relativa satisfatória. A banda passante do sistema compensado é ligeiramente maior que 2 rad/s.

A seguir, serão estudadas as características da resposta transitória do sistema compensado. (O sistema de ganho ajustado, mas não compensado, é instável.) A função de transferência de malha fechada do sistema compensado é:

$$\frac{C(s)}{R(s)} = \frac{95,381s^2 + 81s + 10}{4,7691s^5 + 47,7287s^4 + 110,3026s^3 + 163,724s^2 + 82s + 10}$$

As figuras 7.113 e 7.114 apresentam as curvas de resposta ao degrau unitário e à rampa unitária, respectivamente, obtidas por meio do MATLAB.

FIGURA 7.112
Diagramas polares de G (ganho ajustado) e G_cG.

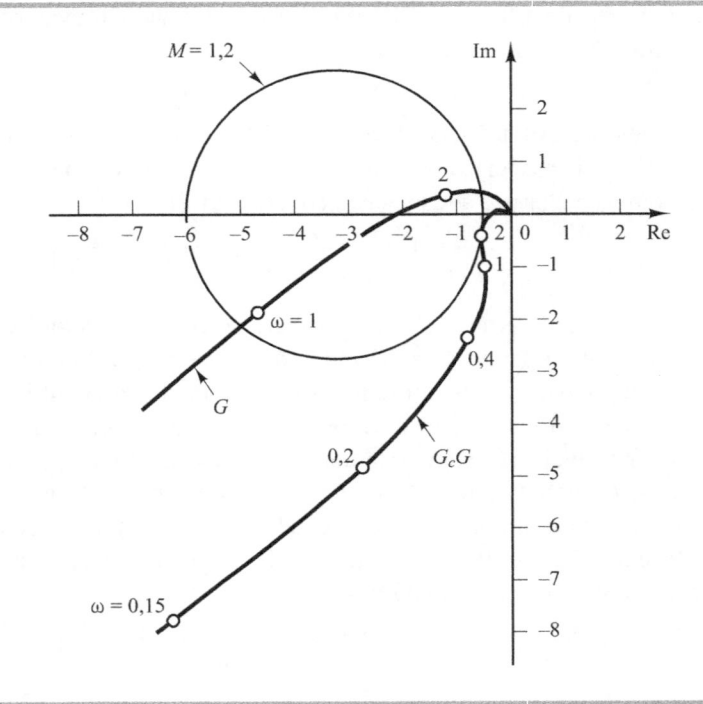

FIGURA 7.113
Resposta ao degrau unitário do sistema compensado (Exemplo 7.28).

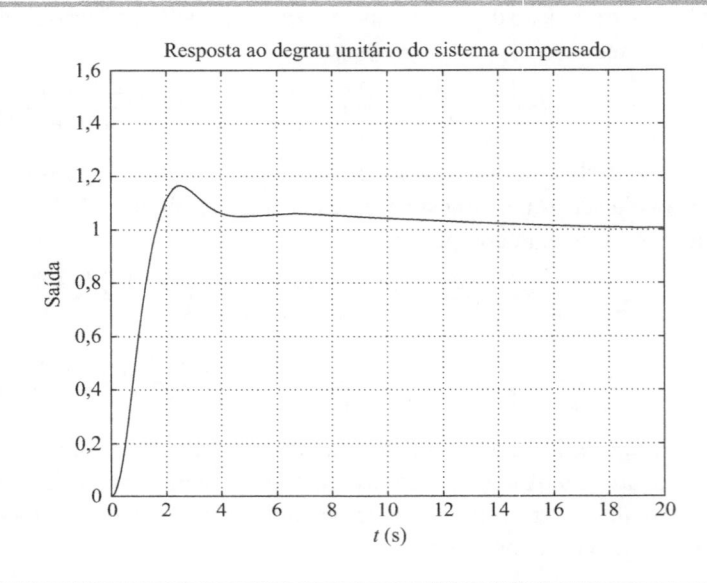

FIGURA 7.114
Resposta à rampa unitária do sistema compensado (Exemplo 7.28).

Resposta à rampa unitária do sistema compensado

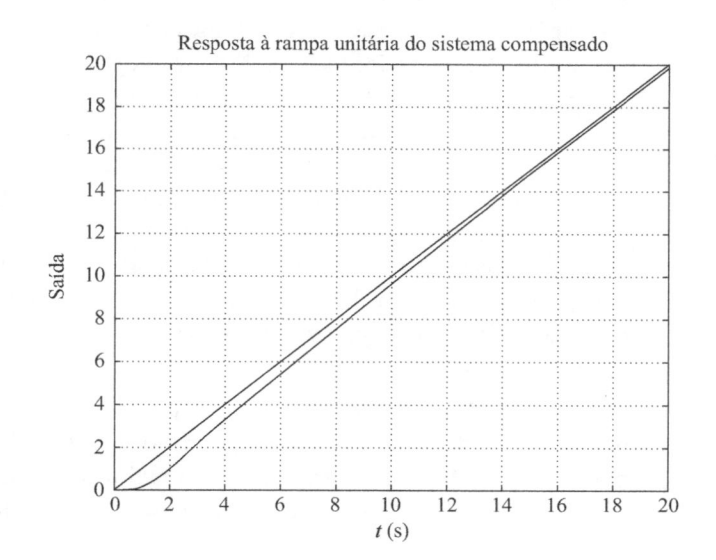

Observe que o sistema de controle de malha fechada projetado tem os seguintes zeros e polos de malha fechada

$$\text{Zero em } s = -0,1499, \quad s = -0,6993$$

$$\text{Polos em } s = -0,8973 \pm j1,4439$$

$$s = -0,1785, \quad s = -0,5425, \quad s = -7,4923$$

O polo em $s = -0,1785$ e o zero em $s = -0,1499$ estão localizados muito próximos um do outro. Esse par de polo e zero produz uma cauda longa e de pequena amplitude na resposta ao degrau, como se vê na Figura 7.113. Além disso, o polo em $s = -0,5425$ e o zero em $s = -0,6993$ estão localizados razoavelmente próximos um do outro. Esse par acrescenta amplitude ao efeito 'cauda longa'.

Resumo do projeto de sistemas de controle pelo método da resposta em frequência. As últimas três seções apresentaram procedimentos detalhados para projetar compensadores por avanço, por atraso e por atraso e avanço de fase, por meio de exemplos simples. Mostramos que o projeto de um compensador para atender às especificações dadas (em termos de margem de fase e margem de ganho) pode ser realizado de modo simples e direto pelo diagrama de Bode. Deve-se notar que não são todos os sistemas que podem ser compensados com um compensador por avanço, atraso ou atraso e avanço de fase. Em alguns casos, podem ser utilizados compensadores com polos e zeros complexos. Para sistemas que não podem ser projetados pelo método do lugar das raízes ou da resposta em frequência, pode-se utilizar o método de localização de polos. (Veja o Capítulo 10.) Em dado problema de projeto, se tanto os métodos convencionais de projeto como o método de localização de polos puderem ser utilizados, os métodos convencionais (do lugar das raízes ou da resposta em frequência) normalmente resultarão em um compensador estável de menor ordem. Note que o projeto satisfatório de um compensador para um sistema complexo pode requerer uma aplicação criativa de todos os métodos disponíveis de projeto.

Comparação entre compensação por avanço de fase, atraso de fase e atraso e avanço de fase

1. A compensação por avanço de fase é comumente utilizada para melhorar as margens de estabilidade. A compensação por atraso de fase é usada para melhorar o desempenho em estado permanente. A compensação por avanço de fase atinge o resultado desejado pelos méritos de sua contribuição de avanço de fase, enquanto a compensação por atraso de fase alcança o resultado pelos méritos de sua propriedade de atenuação nas altas frequências.

2. Em alguns problemas de projeto, tanto a compensação por atraso de fase como a compensação por avanço de fase podem satisfazer às especificações. A compensação por avanço de fase fornece uma frequência de cruzamento de ganho maior que é possível com a compensação por atraso de fase. Uma frequência de cruzamento de ganho maior significa uma banda passante maior. Uma banda passante maior significa a redução no tempo de acomodação. A banda passante de um sistema com compensação por avanço de fase é sempre maior que no caso da compensação por atraso de fase. Portanto, se for desejada uma banda passante grande ou uma resposta rápida, deve-se empregar a compensação por avanço de fase. Entretanto, se estiverem presentes sinais de ruído, uma banda passante poderá não ser desejável, uma vez que ela torna o sistema mais suscetível aos sinais de ruído, em virtude do aumento no ganho nas altas frequências. Nesse caso, deve-se usar a compensação por atraso de fase.

3. A compensação por avanço de fase requer um aumento adicional no ganho para compensar a atenuação inerente à rede por avanço de fase. Isso significa que a compensação por avanço de fase requererá um ganho maior que o necessário para compensação por atraso de fase. Um ganho maior, na maioria dos casos, implica maior espaço, maior peso e maior custo.

4. A compensação por avanço de fase pode gerar sinais de maior amplitude no sistema. Esses sinais maiores não são desejáveis, pois podem causar saturação no sistema.

5. A compensação por atraso de fase reduz o ganho do sistema nas altas frequências sem reduzir o ganho em baixas frequências. Como a banda passante do sistema é pequena, a velocidade de resposta é menor. Pelo fato de o ganho em alta frequência ser reduzido, pode-se aumentar o ganho total do sistema. Desse modo, aumenta-se também o ganho em baixa frequência, melhorando a precisão em regime permanente. Além disso, quaisquer ruídos de alta frequência existentes no sistema podem ser atenuados.

6. A compensação por atraso de fase introduz um par de polos zero próximo à origem que vai gerar uma longa cauda de pequena amplitude na resposta transitória.

7. Se forem desejáveis tanto respostas rápidas como precisão em regime permanente, poderá ser empregado um compensador por atraso e avanço de fase. Utilizando-se um compensador por atraso e avanço de fase, o ganho em baixa frequência pode ser aumentado (o que significa melhor precisão em regime permanente) e, ao mesmo tempo, pode-se aumentar a banda passante e as margens de estabilidade.

8. Embora um grande número de tarefas práticas possa ser realizado por compensadores por avanço de fase, por atraso de fase ou por atraso e avanço de fase, para sistemas complicados, a compensação pelo simples uso desses compensadores pode não produzir resultados satisfatórios. Então, deve-se empregar outros compensadores, tendo configurações de polos e zeros diferentes.

Comparação gráfica. A Figura 7.115(a) mostra a curva de resposta ao degrau unitário e a curva de resposta à rampa unitária de um sistema não compensado. As curvas típicas de resposta ao degrau unitário e à rampa unitária de um sistema compensado que utiliza compensadores por avanço, atraso e atraso e avanço de fase, respectivamente, estão indicadas nas figuras 7.115(b), (c) e (d). O sistema com um compensador por avanço de fase apresenta a resposta mais rápida, enquanto o sistema com um compensador por atraso de fase exibe a resposta mais lenta, mas com melhoras consideráveis na resposta à rampa unitária. O sistema com o compensador por atraso e avanço de fase fornece um compromisso; melhoramentos consideráveis tanto na resposta transitória como na resposta em regime permanente podem ser esperados. As curvas de resposta mostradas representam a natureza dos melhoramentos que podem ser esperados dos diferentes tipos de compensadores.

Compensação por realimentação. Um tacômetro é um dos dispositivos de realimentação de velocidade. Outro dispositivo comum de realimentação de velocidade é o giroscópio de

FIGURA 7.115
Curvas de resposta ao degrau unitário e à rampa unitária. (a) Sistema não compensado; (b) sistema compensado por avanço de fase; (c) sistema compensado por atraso de fase; (d) sistema compensado por atraso e avanço de fase.

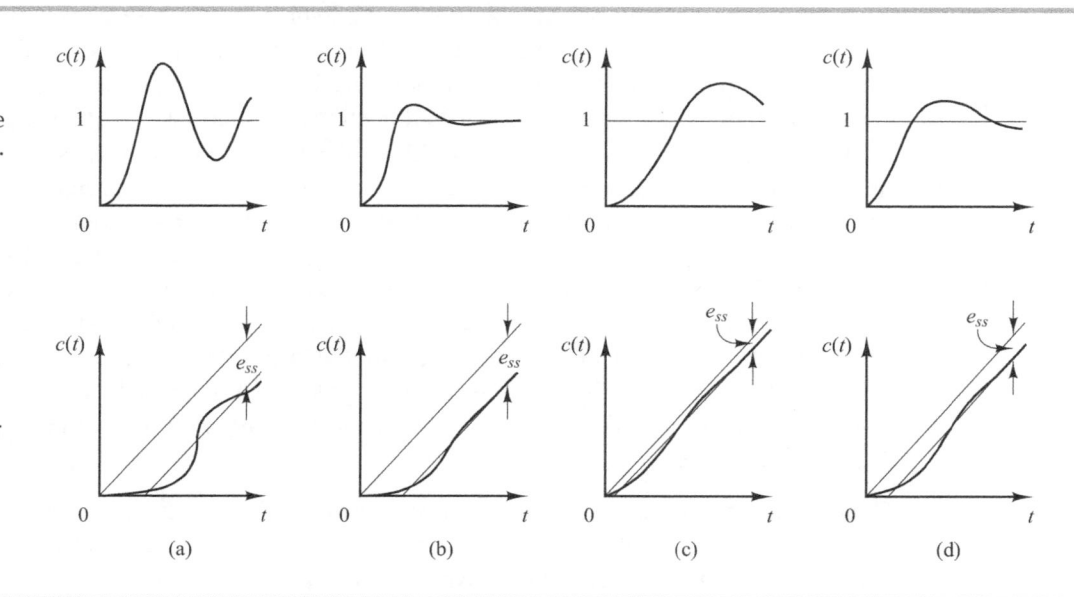

velocidade. Os giroscópios de velocidade normalmente são utilizados em sistemas de pilotagem automática de aeronaves.

A realimentação de velocidade que emprega tacômetro é muito utilizada em servossistemas posicionadores. Note que, se um sistema for submetido a sinais de ruído, a realimentação de velocidade pode ocasionar alguma dificuldade, caso o esquema específico de realimentação de velocidade produza a diferenciação do sinal de saída. (O resultado é a acentuação dos efeitos de ruído.)

Cancelamento de polos indesejáveis. Como a função de transferência de elementos em cascata é o produto das funções de transferência individuais, é possível o cancelamento de alguns polos ou zeros indesejáveis se for utilizado um elemento de compensação em cascata, com seus polos e zeros sendo ajustados para cancelar polos ou zeros indesejáveis do sistema original. Por exemplo, uma constante de tempo elevada T_1 pode ser cancelada pelo uso de uma rede por avanço de fase $(T_1 s + 1)/(T_2 s + 1)$, como segue:

$$\left(\frac{1}{T_1 s + 1}\right)\left(\frac{T_1 s + 1}{T_2 s + 1}\right) = \frac{1}{T_2 s + 1}$$

Se T_2 for muito menor que T_1, podemos efetivamente eliminar a constante de tempo elevada T_1. A Figura 7.116 mostra o efeito do cancelamento de uma constante de tempo elevada na resposta transitória ao degrau.

Quando o sistema original tiver um polo indesejável situado no semiplano direito do plano s, esse esquema de compensação não deve ser utilizado, dado que, embora seja matematicamente possível cancelar o polo indesejável pela adição de um zero, o cancelamento exato é fisicamente impossível, em virtude das imprecisões envolvidas na localização de polos e zeros. Um polo no semiplano direito do plano s, não cancelado exatamente pelo zero do compensador, poderá levar a uma operação instável, porque a resposta vai conter um termo exponencial que aumenta com o tempo.

FIGURA 7.116
Curvas de resposta ao degrau indicando o efeito do cancelamento de uma constante de tempo elevada.

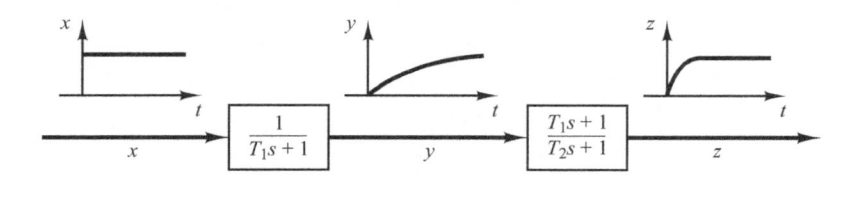

Note que, se um polo no semiplano esquerdo do plano s for quase cancelado, mas não precisamente, como é quase sempre o caso, a combinação polo-zero não cancelada fará que a resposta tenha um componente de pequena amplitude, mas de longa duração na resposta transitória. Se o cancelamento não for exato, mas razoavelmente bom, então esse componente será pequeno.

Observe que o sistema de controle ideal não é o que tem uma função de transferência unitária. Fisicamente, um sistema de controle como este não pode ser construído, uma vez que não é possível transferir instantaneamente energia da entrada para a saída. Além disso, como o ruído quase sempre está presente sob uma ou outra forma, um sistema com uma função de transferência unitária não é desejado. Na maioria dos casos práticos, um sistema de controle desejável deve possuir um conjunto de polos dominantes de malha fechada, complexos conjugados com um coeficiente de amortecimento e frequência natural não amortecida razoáveis. A determinação da parte significativa da configuração de polos e zeros de malha fechada, como a localização dos polos dominantes de malha fechada, é baseada nas especificações que fornecem o desempenho desejado do sistema.

Cancelamento de polos complexos conjugados indesejáveis. Se a função de transferência de uma planta contiver um ou mais pares de polos complexos conjugados, então um compensador por avanço, por atraso ou por atraso e avanço de fase poderá não produzir resultados satisfatórios. Nesse caso, uma rede com dois zeros e dois polos poderá ser útil. Se forem escolhidos zeros que cancelem os polos complexos conjugados indesejáveis da planta, então poderemos essencialmente substituir os polos indesejáveis por polos aceitáveis. Ou seja, se os polos complexos conjugados indesejáveis se situarem no semiplano esquerdo do plano s e estiverem sob a forma:

$$\frac{1}{s^2 + 2\zeta_1\omega_1 s + \omega_1^2}$$

então a inserção de uma rede de compensação com a função de transferência

$$\frac{s^2 + 2\zeta_1\omega_1 s + \omega_1^2}{s^2 + 2\zeta_2\omega_2 s + \omega_2^2}$$

resulta em uma efetiva mudança dos polos complexos conjugados indesejáveis para polos aceitáveis. Note que, mesmo que o cancelamento possa não ser exato, o sistema compensado apresentará características de resposta melhores. (Como foi dito anteriormente, esse critério não pode ser utilizado se os polos complexos conjugados indesejáveis estiverem no semiplano direito do plano s.)

Redes habituais constituídas apenas por componentes RC, cujas funções de transferência possuam dois zeros e dois polos, são redes em ponte T. Exemplos de redes em ponte T e suas funções de transferência estão indicados na Figura 7.117. (As deduções das funções de transferência de redes em ponte T foram dadas no Problema A.3.5.)

FIGURA 7.117
Rede em ponte T.

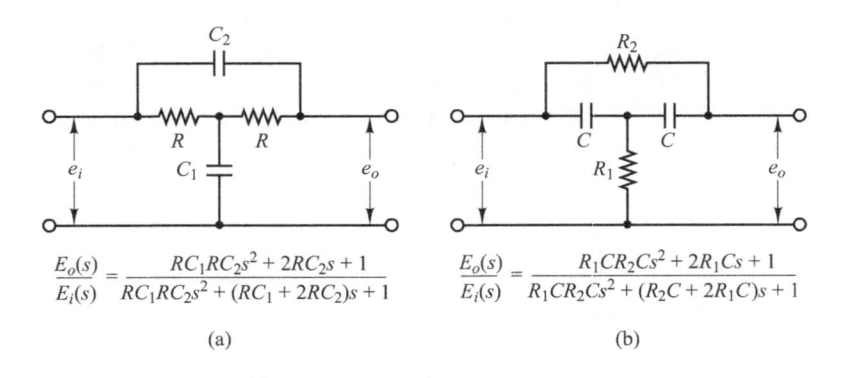

$$\frac{E_o(s)}{E_i(s)} = \frac{RC_1RC_2s^2 + 2RC_2s + 1}{RC_1RC_2s^2 + (RC_1 + 2RC_2)s + 1}$$

(a)

$$\frac{E_o(s)}{E_i(s)} = \frac{R_1CR_2Cs^2 + 2R_1Cs + 1}{R_1CR_2Cs^2 + (R_2C + 2R_1C)s + 1}$$

(b)

Comentários finais. Nos exemplos de projetos apresentados neste capítulo, tratamos principalmente das funções de transferência dos compensadores. Nos problemas reais de projetos, devemos escolher os equipamentos. Assim, devemos satisfazer as limitações adicionais do projeto, como custo, tamanho, peso e confiabilidade.

O sistema projetado pode atender às especificações sob condições normais de operação, mas pode se desviar consideravelmente das especificações quando as alterações ambientais forem significativas. Como as alterações ambientais afetam as constantes de ganho e de tempo do sistema, torna-se necessário conseguir meios automáticos ou manuais de ajuste de ganho para compensar essas mudanças ambientais e também para compensar os efeitos de não linearidades que não foram levados em conta no projeto, bem como as tolerâncias de fabricação de uma unidade para outra na produção de componentes do sistema. (Os efeitos de tolerância de fabricação ficam suprimidos em um sistema de malha fechada; portanto, os efeitos podem não ser críticos em operações de malha fechada, mas críticos em operações de malha aberta.) Além disso, o projetista deve levar em conta que qualquer sistema está sujeito a pequenas variações causadas principalmente pela deterioração normal do sistema.

| Exemplos de problemas com soluções

A.7.1 Considere o sistema cuja função de transferência de malha fechada é:

$$\frac{C(s)}{R(s)} = \frac{10(s+1)}{(s+2)(s+5)}$$

Evidentemente, os polos de malha fechada estão localizados em $s = -2$ e $s = -5$ e o sistema não é oscilatório.

Mostre que a resposta em frequência de malha fechada desse sistema apresenta um pico de ressonância, embora o coeficiente de amortecimento dos polos de malha fechada seja maior que a unidade.

Solução. A Figura 7.118 mostra o diagrama de Bode do sistema. O valor do pico de ressonância é de aproximadamente 3,5 dB. (Note que, na ausência do zero, o sistema de segunda ordem com $\zeta > 0,7$ não exibirá o pico de ressonância; entretanto, a presença de um zero de malha fechada vai causar esse pico.)

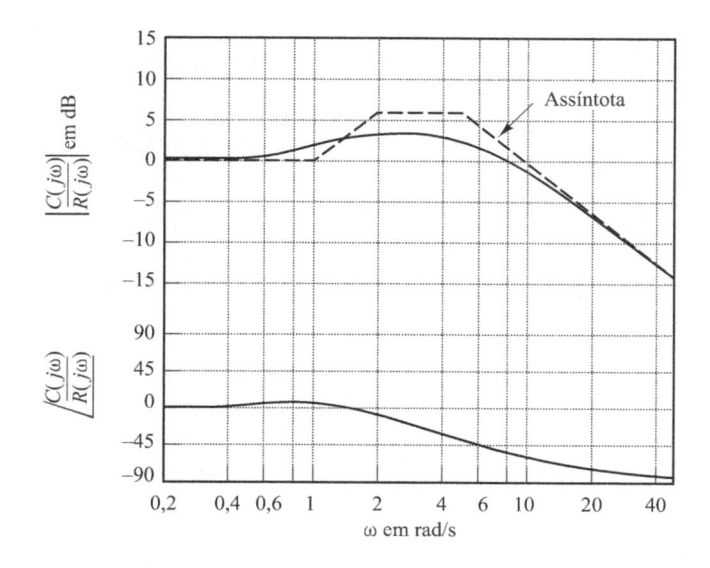

FIGURA 7.118
Diagrama de Bode de $10(1 + j\omega)/[(2 + j\omega)(5 + j\omega)]$.

A.7.2 Considere o sistema definido por:

$$\begin{bmatrix} \dot{x}_1 \\ \dot{x}_2 \end{bmatrix} = \begin{bmatrix} 0 & 1 \\ -25 & -4 \end{bmatrix} \begin{bmatrix} x_1 \\ x_2 \end{bmatrix} + \begin{bmatrix} 1 & 1 \\ 0 & 1 \end{bmatrix} \begin{bmatrix} u_1 \\ u_2 \end{bmatrix}$$

$$\begin{bmatrix} y_1 \\ y_2 \end{bmatrix} = \begin{bmatrix} 1 & 0 \\ 0 & 1 \end{bmatrix} \begin{bmatrix} x_1 \\ x_2 \end{bmatrix}$$

Obtenha as funções de transferência senoidal $Y_1(j\omega)/U_1(j\omega)$, $Y_2(j\omega)/U_1(j\omega)$, $Y_1(j\omega)/U_2(j\omega)$, e $Y_2(j\omega)/U_2(j\omega)$. Ao deduzir $Y_1(j\omega)/U_1(j\omega)$ e $Y_2(j\omega)/U_1(j\omega)$, vamos supor que $U_2(j\omega) = 0$. De maneira semelhante, ao obtermos $Y_1(j\omega)/U_2(j\omega)$ e $Y_2(j\omega)/U_2(j\omega)$, supomos que $U_1(j\omega) = 0$.

Solução. A expressão da matriz de transferência para o sistema definido por:

$$\dot{x} = Ax + Bu$$

$$\dot{y} = Cx + Du$$

é dada por

$$Y(s) = G(s)U(s)$$

onde $G(s)$ é a matriz de transferência e é dada por

$$G(s) = C(sI - A)^{-1}B + D$$

Para o sistema considerado aqui, a matriz de transferência torna-se:

$$C(sI - A)^{-1}B + D = \begin{bmatrix} 1 & 0 \\ 0 & 1 \end{bmatrix} \begin{bmatrix} s & -1 \\ 25 & s+4 \end{bmatrix} \begin{bmatrix} 1 & 1 \\ 0 & 1 \end{bmatrix}$$

$$= \frac{1}{s^2 + 4s + 25} \begin{bmatrix} s+4 & 1 \\ -25 & s \end{bmatrix} \begin{bmatrix} 1 & 1 \\ 0 & 1 \end{bmatrix}$$

$$= \begin{bmatrix} \dfrac{s+4}{s^2+4s+25} & \dfrac{s+5}{s^2+4s+25} \\ \dfrac{-25}{s^2+4s+25} & \dfrac{s-25}{s^2+4s+25} \end{bmatrix}$$

Então,

$$\begin{bmatrix} Y_1(s) \\ Y_2(s) \end{bmatrix} = \begin{bmatrix} \dfrac{s+4}{s^2+4s+25} & \dfrac{s+5}{s^2+4s+25} \\ \dfrac{-25}{s^2+4s+25} & \dfrac{s-25}{s^2+4s+25} \end{bmatrix} \begin{bmatrix} U_1(s) \\ U_2(s) \end{bmatrix}$$

Ao supor que $U_2(j\omega) = 0$, encontramos $Y_1(j\omega)/U_1(j\omega)$ e $Y_2(j\omega)/U_1(j\omega)$, como segue:

$$\frac{Y_1(j\omega)}{U_2(j\omega)} = \frac{j\omega + 4}{(j\omega)^2 + 4j\omega + 25}$$

$$\frac{Y_2(j\omega)}{U_1(j\omega)} = \frac{-25}{(j\omega)^2 + 4j\omega + 25}$$

De maneira semelhante, ao supor que $U_1(j\omega) = 0$, encontramos $Y_1(j\omega)/U_2(j\omega)$ e $Y_2(j\omega)/U_2(j\omega)$, como segue:

$$\frac{Y_1(j\omega)}{U_2(j\omega)} = \frac{j\omega + 5}{(j\omega)^2 + 4j\omega + 25}$$

$$\frac{Y_2(j\omega)}{U_2(j\omega)} = \frac{j\omega - 25}{(j\omega)^2 + 4j\omega + 25}$$

Note que $Y_2(j\omega)/U_2(j\omega)$ é uma função de transferência de fase não mínima.

A.7.3 Considerando o Problema A.7.2, desenhe os diagramas de Bode do sistema, utilizando o MATLAB.

Capítulo 7 – Análise e projeto de sistemas de controle pelo método de resposta em frequência

Solução. O Programa 7.15 em MATLAB produz os diagramas de Bode do sistema. Há quatro conjuntos de diagramas de Bode: dois para a entrada 1 e dois para a entrada 2. Esses diagramas de Bode são mostrados na Figura 7.119.

```
Programa 7.15 em MATLAB
A = [0 1;-25 -4];
B = [1 1;0 1];
C = [1 0;0 1];
D = [0 0;0 0];
bode(A,B,C,D)
```

FIGURA 7.119
Diagramas de Bode.

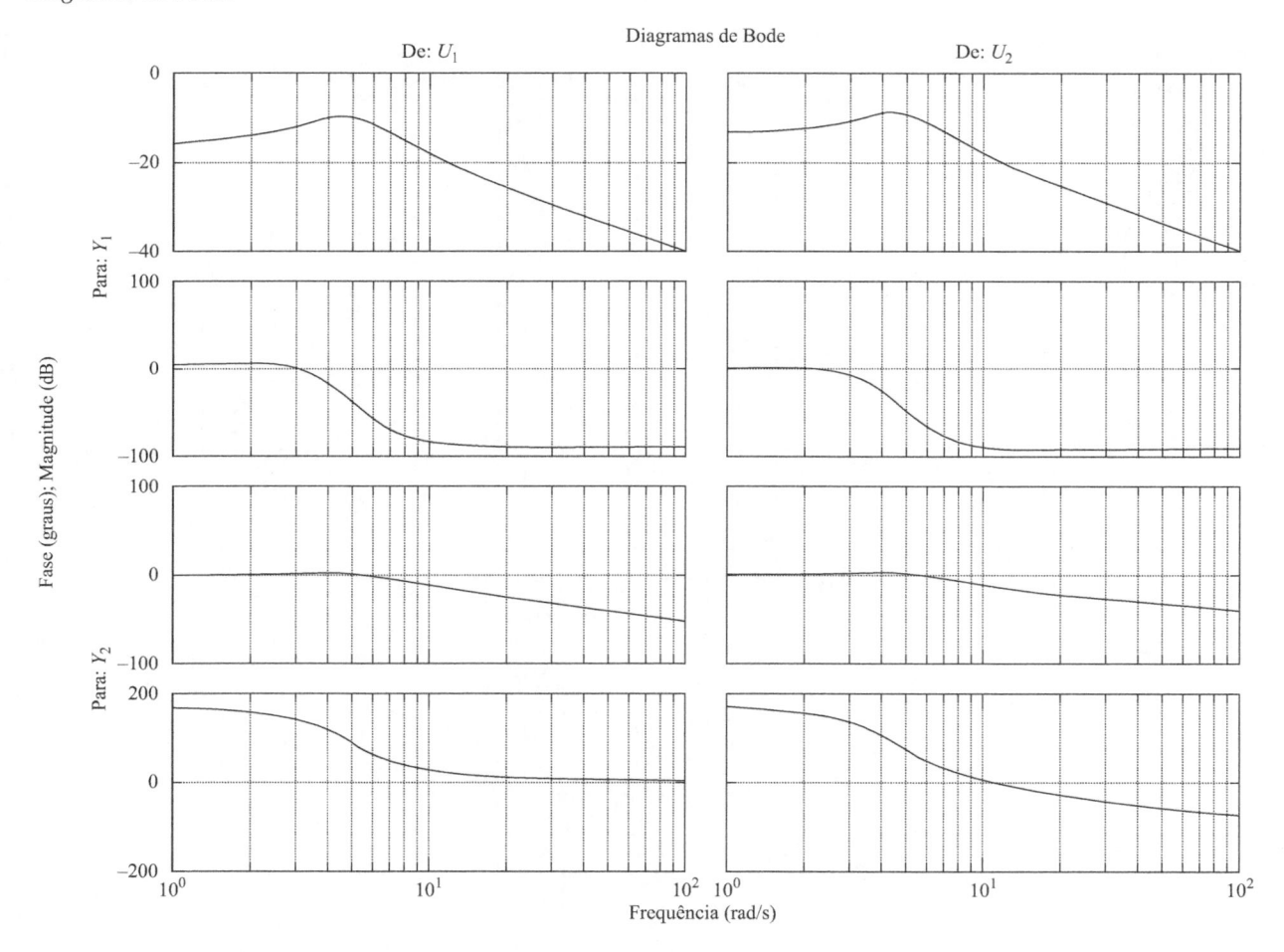

A.7.4 Utilizando o MATLAB, construa os diagramas de Bode para o sistema de malha fechada indicado na Figura 7.120 para $K = 1$, $K = 10$ e $K = 20$. Desenhe as três curvas de módulo no mesmo diagrama e as três curvas de ângulo de fase em outro diagrama.

Solução. A função de transferência de malha fechada é dada por:

$$\frac{C(s)}{R(s)} = \frac{K}{s(s+1)(s+5)+K}$$

$$= \frac{K}{s^3 + 6s^2 + 5s + K}$$

FIGURA 7.120
Sistema de malha fechada.

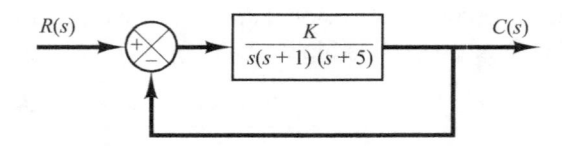

Então, o numerador e o denominador de $C(s)/R(s)$ são:

nun = [K]

den = [1 6 5 K]

Uma opção do programa em MATLAB é o Programa 7.16 em MATLAB. Os diagramas de Bode resultantes são mostrados nas figuras 7.121(a) e (b).

FIGURA 7.121
Diagramas de Bode: (a) curvas de módulo *versus* frequência; (b) curvas de ângulo de fase *versus* frequência.

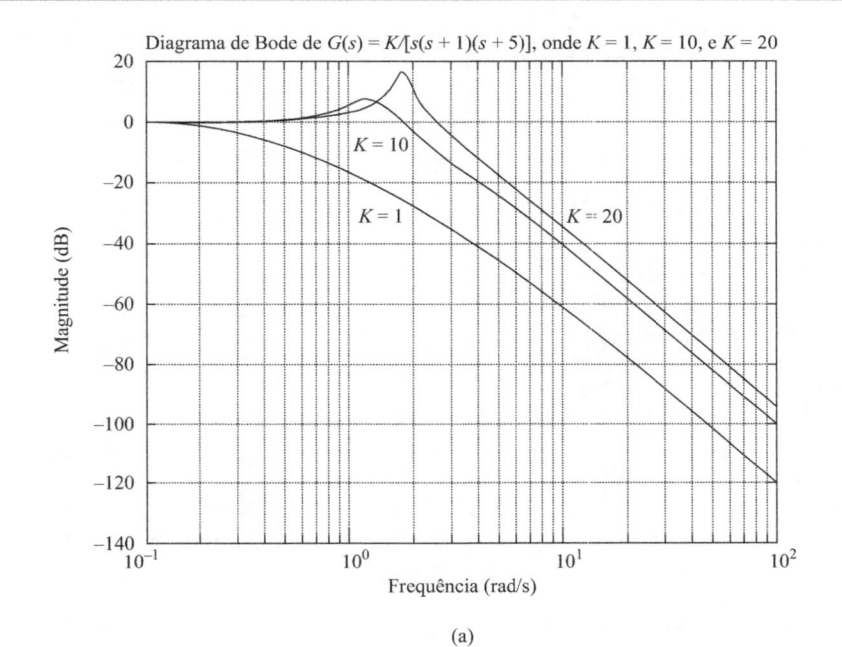

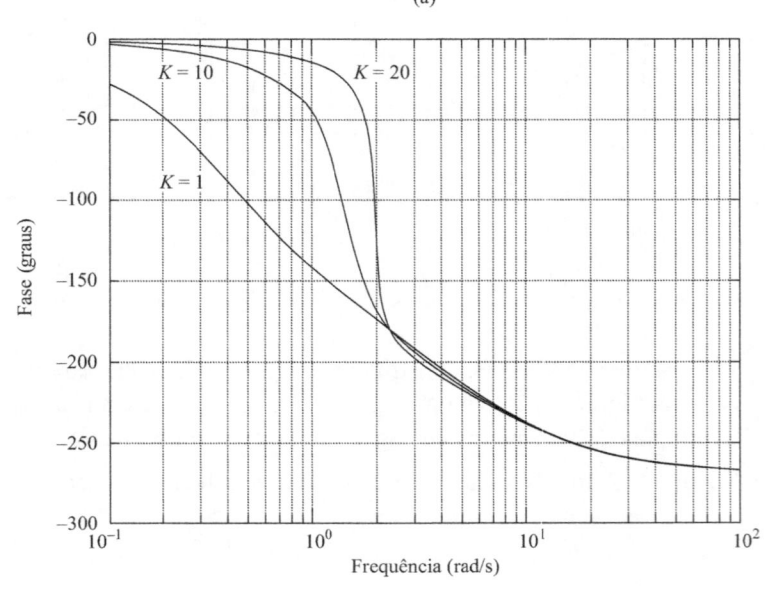

Diagrama de Bode de $G(s) = K/[s(s+1)(s+5)]$, onde $K = 1$, $K = 10$, e $K = 20$

(a)

(b)

```
Programa 7.16 em MATLAB
w = logspace(-1,2,200);
for i = 1:3;
  if i = 1; K = 1;[mag,phase,w] = bode([K],[1 6 5 K],w);
    mag1dB = 20*log10(mag); phase1 = phase; end;
  if i = 2; K = 10;[mag,phase,w] = bode([K],[1 6 5 K],w);
    mag2dB = 20*log10(mag); phase2 = phase; end;
  if i = 3; K = 20;[mag,phase,w] = bode([K],[1 6 5 K],w);
    mag3dB = 20*log10(mag); phase3 = phase; end;
end
semilogx(w,mag1dB,'-',w,mag2dB,'-',w,mag3dB,'-')
grid
title('Diagrama de Bode de G(s) = K/[s(s + 1)(s + 5)], where K = 1, K = 10, and K = 20')
xlabel('Frequência (rad/s)')
ylabel('Ganho (dB)')
text(1.2,-31,'K = 1')
text(1.1,-8,'K = 10')
text(11,-31,'K = 20')
semilogx(w,phase1,'-',w,phase2,'-',w,phase3,'-')
grid
xlabel('Frequência (rad/s)')
ylabel('Fase (graus)')
text(0.2,-90,'K = 1')
text(0.2,-20,'K =10')
text(1.6,-20,'K = 20')
```

A.7.5 Prove que o diagrama polar da função senoidal de transferência

$$G(j\omega) = \frac{j\omega T}{1 + j\omega T}, \quad \text{para } 0 \leq \omega \leq \infty$$

é uma semicircunferência. Determine o centro e o raio da circunferência.

Solução. A função senoidal de transferência dada $G(j\omega)$ pode ser escrita como segue:

$$G(j\omega) + X + jY$$

onde

$$X = \frac{\omega^2 T^2}{1 + \omega^2 T^2}, \quad Y = \frac{\omega T}{1 + \omega^2 T^2}$$

Então,

$$\left(X - \frac{1}{2}\right)^2 + Y^2 = \frac{(\omega^2 T^2 - 1)^2}{4(1 + \omega^2 T^2)^2} + \frac{\omega^2 T^2}{(1 + \omega^2 T^2)^2} = \frac{1}{4}$$

Assim, vemos que o diagrama de $G(j\omega)$ é uma circunferência de centro (0,5; 0) e raio igual a 0,5. A semicircunferência superior corresponde a $0 \leq \omega \leq \infty$ e a semicircunferência inferior, a $-\infty \leq \omega \leq 0$.

A.7.6 Prove o seguinte teorema sobre mapeamento: seja $F(s)$ uma relação de polinômios em s. Seja P o número de polos e Z o número de zeros de $F(s)$ situados no interior de um contorno fechado no plano s, já considerada a multiplicidade de polos e zeros. Suponha que o contorno fechado seja de modo que não passe sobre nenhum dos polos ou zeros de $F(s)$. O contorno fechado no plano s fica, então, mapeado no plano $F(s)$ como uma curva fechada. O número N de envolvimentos da origem do plano $F(s)$ no sentido horário, quando o ponto representativo s traça no plano s o contorno completo no sentido horário, é igual a $Z - P$.

Solução. Para provar esse teorema, utilizamos o teorema de Cauchy e o teorema do resíduo. O teorema de Cauchy afirma que a integral de $F(s)$ em um contorno fechado no plano s é zero, se $F(s)$ for analítica[2] no interior e no próprio contorno, ou

---

2 Para a definição de função analítica, veja a nota de rodapé da página 409.

$$\oint F(s)ds = 0$$

Suponha que $F(s)$ seja dada por:

$$F(s) = \frac{(s+z_1)^{k_1}(s+z_2)^{k_2}\cdots}{(s+p_1)^{m_1}(s+p_2)^{m_2}\cdots}X(s)$$

onde $X(s)$ é analítico no contorno fechado do plano s e todos os polos e zeros estejam localizados no interior do contorno. Então, a relação $F'(s)/F(s)$ pode ser escrita como:

$$\frac{F'(s)}{F(s)} = \left(\frac{k_1}{s+z_1} + \frac{k_2}{s+z_2} + \cdots\right) - \left(\frac{m_1}{s+p_1} + \frac{m_2}{s+p_2} + \cdots\right) + \frac{X'(s)}{X(s)} \quad (7.30)$$

Isso pode ser visto a partir da seguinte consideração: se $\hat{F}(s)$ for dado por:

$$\hat{F}(s) = (s+z_1)^k X(s)$$

então $\hat{F}(s)$ terá um zero de k-ésima ordem em $s = -z_1$. Diferenciando $F(s)$ em relação a s, temos:

$$\hat{F}'(s) = k(s+z_1)^{k-1} X(s) + (s+z_1)^k X'(s)$$

Então,

$$\frac{\hat{F}'(s)}{\hat{F}(s)} = \frac{k}{s+z_1} + \frac{X'(s)}{X(s)} \quad (7.31)$$

Vemos que, considerando a relação $\hat{F}'(s)/\hat{F}(s)$, o zero de k-ésima ordem de $\hat{F}(s)$ torna-se um polo simples de $\hat{F}'(s)/\hat{F}(s)$.

Se o último termo do lado direito da Equação 7.31 não contém nenhum polo ou zero do contorno fechado no plano s, $F'(s)/F(s)$ é analítica no interior do contorno, com exceção do zero no ponto $s = -z_1$. Então, considerando a Equação 7.30 e utilizando o teorema do resíduo, que diz que a integral de $F'(s)/F(s)$ ao longo de um contorno fechado, no sentido horário, no plano s é igual a $-2\pi j$ vezes os resíduos nos polos simples de $F'(s)/F(s)$ ou

$$\oint \frac{F'(s)}{F(s)} ds = -2\pi j \left(\sum \text{resíduos}\right)$$

temos:

$$\oint \frac{F'(s)}{F(s)} ds = -2\pi j[(k_1 + k_2 + \cdots) - (m_1 + m_2 + \cdots)] = -2\pi j(Z - P)$$

onde $Z = k_1 + k_2 + \ldots =$ número total de zeros de $F(s)$ situados no interior do contorno fechado do plano s

$P = m_1 + m_2 + \ldots =$ número total de polos de $F(s)$ situados no interior do contorno fechado do plano s

[Os k zeros (ou polos) múltiplos são considerados k zeros (ou polos) localizados no mesmo ponto.] Como $F(s)$ é uma grandeza complexa, ela pode ser escrita como:

$$F(s) = |F|e^{j\theta}$$

e

$$\ln F(s) = \ln|F| + j\theta$$

Notando que $F'(s)/F(s)$ pode ser escrita como:

$$\frac{F'(s)}{F(s)} = \frac{d \ln F(s)}{ds}$$

obtemos

$$\frac{F'(s)}{F(s)} = \frac{d \ln|F|}{ds} + j\frac{d\theta}{ds}$$

Se o contorno fechado no plano s for mapeado no contorno fechado Γ no plano $F(s)$, então

$$\oint \frac{F'(s)}{F(s)} ds = \oint_\Gamma d\ln|F| + j\oint_\Gamma d\theta = j\int d\theta = 2\pi j(P - Z)$$

A integral $\oint_\Gamma |F|$ é zero, pois o valor de $\ln|F|$ é o mesmo, tanto no ponto inicial como no ponto final do contorno Γ. Assim, obtemos:

$$\frac{\theta_2 - \theta_1}{2\pi} = P - Z$$

A diferença angular entre os valores final e inicial de θ é igual à mudança total do ângulo de fase de $F'(s)/F(s)$, à medida que o ponto representativo no plano s se move ao longo do contorno fechado. Notando que N é o número de voltas no sentido horário em torno da origem do plano $F(s)$ e $\theta_2 - \theta_1$ é zero ou um múltiplo de 2π rad, obtemos:

$$\frac{\theta_2 - \theta_1}{2\pi} = -N$$

Assim, temos a relação:

$$N = Z - P$$

Isso prova o teorema.

Observe que, por esse teorema do mapeamento, o número exato de zeros e polos não pode ser determinado — mas apenas sua diferença. Note também que, a partir das figuras 7.122(a) e (b), vemos que, se θ não variar em 2π rad, então a origem do plano $F(s)$ não pode ser envolvida.

FIGURA 7.122
Determinação do envolvimento da origem do plano $F(s)$.

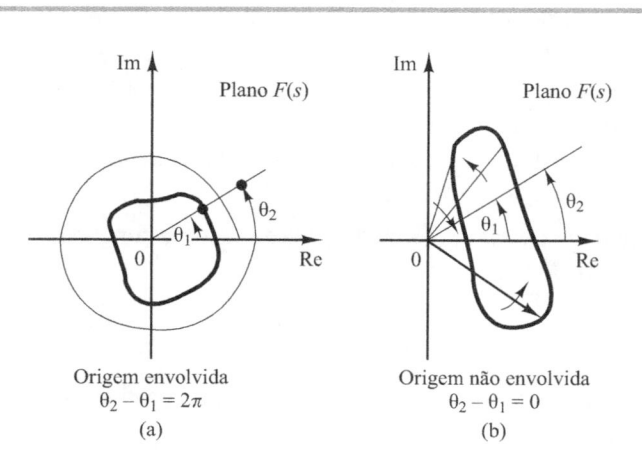

A.7.7 O diagrama (polar) de Nyquist de resposta em frequência de malha aberta de um sistema de controle com realimentação unitária é mostrado na Figura 7.123(a). Ao supor que o percurso de Nyquist no plano s englobe todo o semiplano direito do plano s, trace o diagrama de Nyquist completo no plano G. Em seguida, responda às seguintes questões:

(a) Se a função de transferência de malha aberta não possui polos no semiplano direito do plano s, o sistema de malha fechada é estável?

(b) Se a função de transferência de malha aberta possui um polo e nenhum zero no semiplano direito do plano s, o sistema de malha fechada é estável?

(c) Se a função de transferência de malha aberta possui um zero e nenhum polo no semiplano direito do plano s, o sistema de malha fechada é estável?

Solução. A Figura 7.123(b) mostra o diagrama de Nyquist completo no plano G. Eis as respostas às três questões:

FIGURA 7.123
(a) Diagrama de Nyquist;
(b) diagrama de Nyquist completo no plano G.

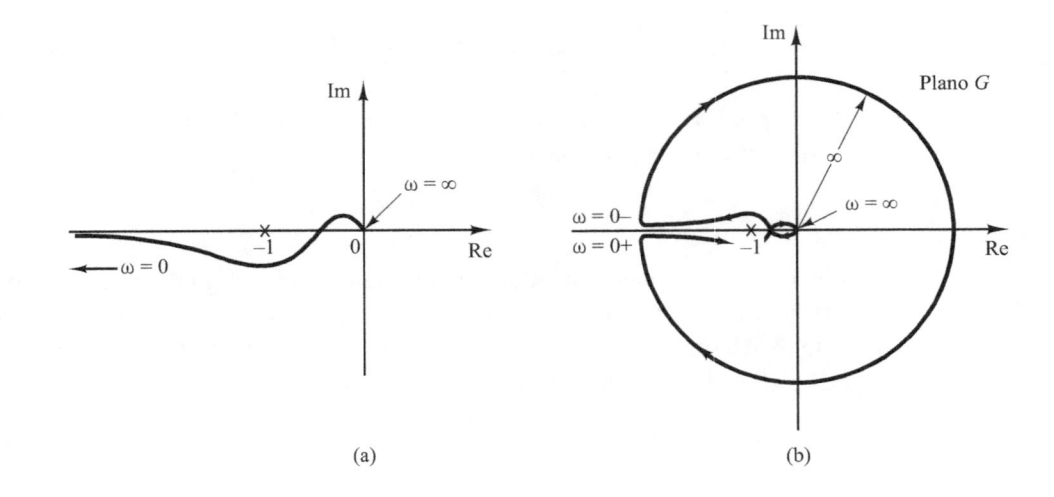

(a)

(b)

(a) O sistema de malha fechada é estável porque o ponto crítico $(-1 + j0)$ não é envolvido pelo diagrama de Nyquist. Ou seja, como $P = 0$ e $N = 0$, temos $Z = N + P = 0$.

(b) A função de transferência de malha aberta tem um polo no semiplano direito do plano s. Então, $P = 1$. (O sistema de malha aberta é instável.) Para que o sistema de malha fechada seja estável, o diagrama de Nyquist deve envolver o ponto crítico uma vez no sentido anti-horário. Entretanto, o diagrama de Nyquist não envolve nem uma vez o ponto crítico $(-1 + j0)$ no sentido anti-horário. Então, $N = 0$. Portanto, $Z = N + P = 1$. O sistema de malha fechada é instável.

(c) Como a função de transferência de malha aberta tem um zero, mas nenhum polo, no semiplano direito do plano s, temos $Z = N + P = 0$. Assim, o sistema de malha fechada é estável. (Note que os zeros da função de transferência de malha aberta não afetam a estabilidade do sistema de malha fechada.)

A.7.8 O sistema de malha fechada com a seguinte função de transferência de malha aberta é estável, com $K = 2$?

$$G(s)H(s) = \frac{K}{s(s+1)(2s+1)}$$

Determine o valor crítico do ganho K para que haja estabilidade.

Solução. A função de transferência de malha aberta é:

$$G(j\omega)H(j\omega) = \frac{K}{j\omega(j\omega+1)(2j\omega+1)}$$

$$= \frac{K}{-3\omega^2 + j\omega(1-2\omega^2)}$$

Essa função de transferência de malha aberta não tem polos no semiplano direito do plano s. Então, para que haja estabilidade, o ponto crítico $-1 + j0$ não deve ser envolvido. Determinemos o ponto em que o diagrama de Nyquist cruza o eixo real negativo. Façamos a parte imaginária de $G(j\omega)H(j\omega)$ ser igual a zero ou

$$1 - 2\omega^2 = 0$$

de onde

$$\omega = \pm\frac{1}{\sqrt{2}}$$

Substituindo $\omega = 1/\sqrt{2}$ em $G(j\omega)H(j\omega)$, obtemos

$$G\left(j\frac{1}{\sqrt{2}}\right)H\left(j\frac{1}{\sqrt{2}}\right) = -\frac{2K}{3}$$

O valor crítico do ganho K é obtido igualando-se $-2K/3$ a -1 ou

$$-\frac{2}{3}K = -1$$

Então,

$$K = \frac{3}{2}$$

O sistema é estável se $0 < K < \frac{3}{2}$. Então, o sistema com $K = 2$ é instável.

A.7.9 Considere o sistema de malha fechada mostrado na Figura 7.124. Determine o valor crítico de K para que haja estabilidade, utilizando o critério de estabilidade de Nyquist.

Solução. O diagrama polar de fórmula

$$G(j\omega) = \frac{K}{j\omega - 1}$$

é uma circunferência com centro em $-K/2$ no eixo real negativo e raio $K/2$, como mostra a Figura 7.125(a). Para ω **variando de** $-\infty$ **a** ∞, **o lugar geométrico de** $G(j\omega)$ faz uma rotação no sentido contrário dos ponteiros do relógio. Nesse sistema, $P = 1$ porque há um polo de $G(s)$ no semiplano direito do plano s. Para que o sistema de malha fechada seja estável, Z deve ser igual a 0. Portanto, $N = Z - P$ deve ser igual a -1, ou deve haver um envolvimento no sentido anti-horário do ponto $-1 + j0$ para que haja estabilidade. (Se não houver envolvimento do ponto $-1 + j0$, o sistema

FIGURA 7.124
Sistema de malha fechada.

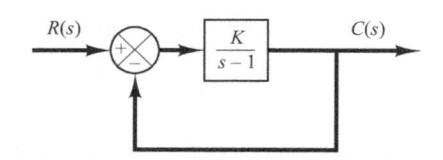

FIGURA 7.125
(a) Diagrama polar de $K/(j\omega - 1)$; (b) diagramas polares de $K/(j\omega - 1)$ para os casos estável e instável.

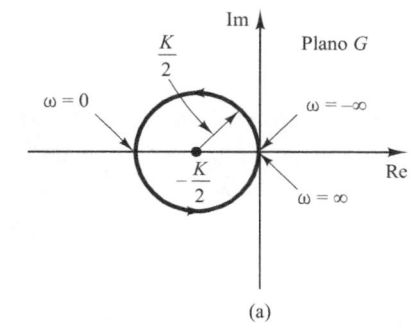

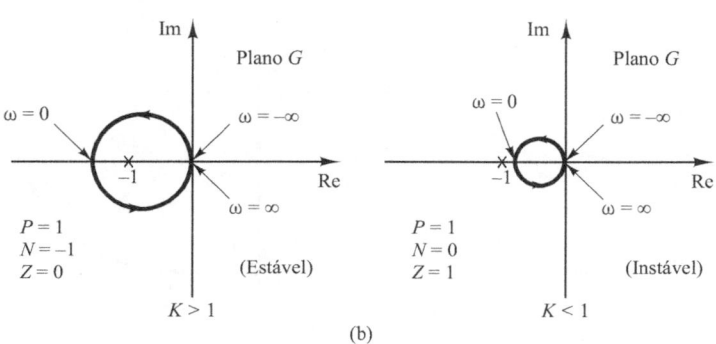

será instável.) Assim, para que haja estabilidade, K deve ser maior que a unidade e $K = 1$ é o caso limite da estabilidade. A Figura 7.125(b) mostra ambos os casos de estabilidade e instabilidade dos diagramas de $G(j\omega)$.

A.7.10 Considere o sistema com realimentação unitária cuja função de transferência de malha aberta é:

$$G(s) = \frac{Ke^{-0,8s}}{s+1}$$

Utilize o diagrama de Nyquist para determinar o valor crítico de K para que haja estabilidade.

Solução. Para esse sistema,

$$G(j\omega) = \frac{Ke^{-0,8j\omega}}{j\omega + 1}$$

$$= \frac{K(\cos 0,8\omega - j\operatorname{sen} 0,8\omega)(1 - j\omega)}{1 + \omega^2}$$

$$= \frac{K}{1 + \omega^2}[(\cos 0,8\omega - \omega \operatorname{sen} 0,8\omega) - j(\operatorname{sen} 0,8\omega + \omega \cos 0,8\omega)]$$

A parte imaginária de $G(j\omega)$ é igual a zero se

$$\operatorname{sen} 0,8\omega + \omega \cos 0,8\omega = 0$$

Então,

$$\omega = -\operatorname{tg} 0,8\omega$$

Resolvendo essa equação para o menor valor positivo de ω, obtemos:

$$\omega = 2,4482$$

Substituindo $\omega = 2,4482$ em $G(j\omega)$, obtemos:

$$G(j2,4482) = \frac{K}{1 + 2,4482^2}(\cos 1,9586 - 2,4482 \operatorname{sen} 1,9586) = -0,378K$$

O valor crítico de K para que haja estabilidade será obtido se fizermos que $G(j2,4482)$ seja igual a -1. Então,

$$0,378K = 1$$

ou

$$K = 2,65$$

A Figura 7.126 mostra o diagrama polar ou de Nyquist de $2,65e^{-0,8j\omega}/(1+j\omega)$ e $2,65/(1+j\omega)$. O sistema de primeira ordem sem retardo de transporte é estável para todos os valores de K, mas com um retardo de transporte de 0,8 segundo torna-se instável para $K > 2,65$.

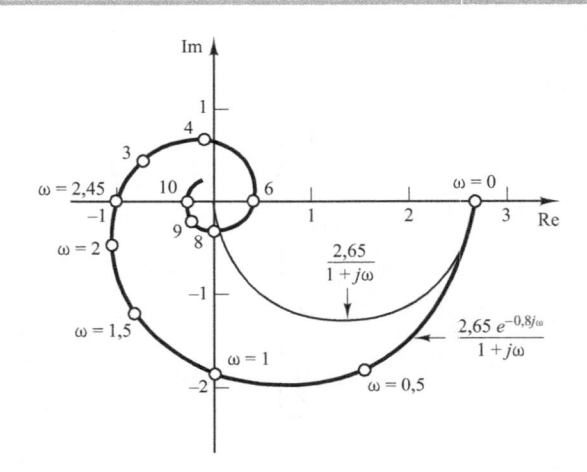

FIGURA 7.126
Diagramas polares de $2,65e^{-0,8j\omega}/(1+j\omega)$ e $2,65/(1+j\omega)$.

A.7.11 Considere o sistema com realimentação unitária com a seguinte função de transferência de malha aberta:

$$G(s) = \frac{20(s^2 + s + 0,5)}{s(s+1)(s+10)}$$

Trace o diagrama de Nyquist com o MATLAB e examine a estabilidade do sistema de malha fechada.

Solução. O Programa 7.17 em MATLAB produz o diagrama de Nyquist mostrado na Figura 7.127. Essa figura mostra que o diagrama de Nyquist não envolve o ponto $-1+j0$. Então, $N=0$ no critério de estabilidade de Nyquist. Como não há nenhum polo de malha aberta no semiplano direito do plano s, $P=0$. Portanto, $Z=N+P=0$. O sistema de malha fechada é estável.

```
Programa 7.17 em MATLAB

num = [20 20 10];
den = [1 11 10 0];
nyquist(num,den)
v = [-2 3 -3 3]; axis(v)
grid
```

FIGURA 7.127
Diagrama de Nyquist de
$G(s) = \dfrac{20(s^2 + s + 0,5)}{s(s+1)(s+10)}$

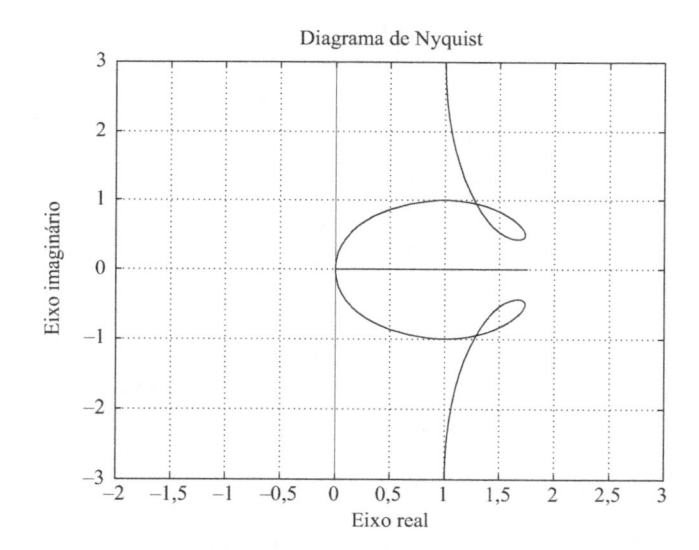

A.7.12 Considere o mesmo sistema discutido no Problema A.7.11. Desenhe o diagrama de Nyquist somente para a região de frequências positivas.

Solução. O desenho de um diagrama de Nyquist apenas para a região de frequências positivas pode ser feito com o auxílio do seguinte comando:

```
[re,im,w] = nyquist(num,den,w)
```

A região de frequências pode ser dividida em diversas sub-regiões, utilizando-se diferentes incrementos. Por exemplo, a região de frequências de interesse pode ser dividida em três sub-regiões, como segue:

```
w1 = 0.1:0.1:10;
w2 = 10:2:100;
w3 = 100:10:500;
w = [w1 w2 w3]
```

O Programa 7.18 em MATLAB utiliza essa região de frequências. Com esse programa, obtemos o diagrama de Nyquist visto na Figura 7.128.

Programa 7.18 em MATLAB
```
num = [20 20 10];
den = [1 11 10 0];
w1 = 0.1:0.1:10; w2 = 10:2:100; w3 = 100:10:500;
w = [w1 w2 w3];
[re,im,w] = nyquist(num,den,w);
plot(re,im)
v = [-3 3 -5 1]; axis(v);
grid
title('Diagrama de Nyquist de G(s) = 20(s^2 + s + 0.5)/[s(s + 1)(s + 10)]')
xlabel('Eixo real')
ylabel('Eixo imaginário')
```

FIGURA 7.128 Diagrama de Nyquist para a região de frequências positivas.

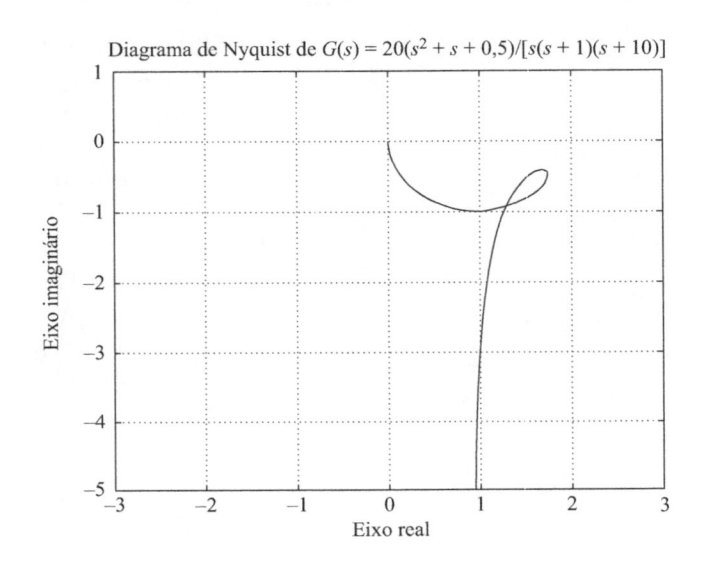

A.7.13 Com referência ao Problema A.7.12, desenhe o diagrama polar de $G(s)$, onde

$$G(s) = \frac{20(s^2 + s + 0,5)}{s(s + 1)(s + 10)}$$

Localize no diagrama polar os pontos de frequências onde $\omega = 0,2$; $0,3$; $0,5$; 1, 2; 6; 10; e 20 rad/s. Determine também os módulos e os ângulos de fase de $G(j\omega)$ nos pontos de frequências especificados.

Solução. No Programa 7.19 em MATLAB, utilizamos o vetor de frequência w, que é constituído por três subvetores de frequência: w1, w2 e w3. Em vez desse vetor w, podemos utilizar simplesmente o vetor de frequências w = logscale(d1, d2, n). O Programa 7.19 em MATLAB utiliza o seguinte vetor de frequências:

$$w = \text{logscale}(-1,2,100)$$

Esse programa em MATLAB desenha o diagrama polar e localiza os pontos de frequências especificados no diagrama polar, como mostra a Figura 7.129.

Programa 7.19 em MATLAB

```
num = [20 20 10];
den = [1 11 10 0];
ww = logspace(-1,2,100);
nyquist(num,den,ww)
v = [-2 3 -5 0]; axis(v);
grid
hold
Current plot held
w = [0.2 0.3 0.5 1 2 6 10 20];
[re,im,w] = nyquist(num,den,w);
plot(re,im,'o')
text(1.1,-4.8,'w = 0.2')
text(1.1,-3.1,'0.3')
text(1.25,-1.7,'0.5')
text(1.37,-0.4,'1')
text(1.8,-0.3,'2')
text(1.4,-1.1,'6')
text(0.77,-0.8,'10')
text(0.037,-0.8,'20')

% ----- Para obter os valores de ganho e fase (em graus) de G(jw)
% nos valores especificados de w, digite o comando [mag,phase,w]
% = bode(num,den,w) ------

[mag,phase,w] = bode(num,den,w);

% ----- A tabela seguinte mostra os valores especificados da frequência w e
% os valores correspondentes do módulo e fase (em graus) -----

[w mag phase]

ans =
       0.2000   4.9176  -78.9571
       0.3000   3.2426  -72.2244
       0.5000   1.9975  -55.9925
       1.0000   1.5733  -24.1455
       2.0000   1.7678  -14.4898
       6.0000   1.6918  -31.0946
      10.0000   1.4072  -45.0285
      20.0000   0.8933  -63.4385
```

FIGURA 7.129
Diagrama polar de $G(j\omega)$ dado no Problema A.7.13.

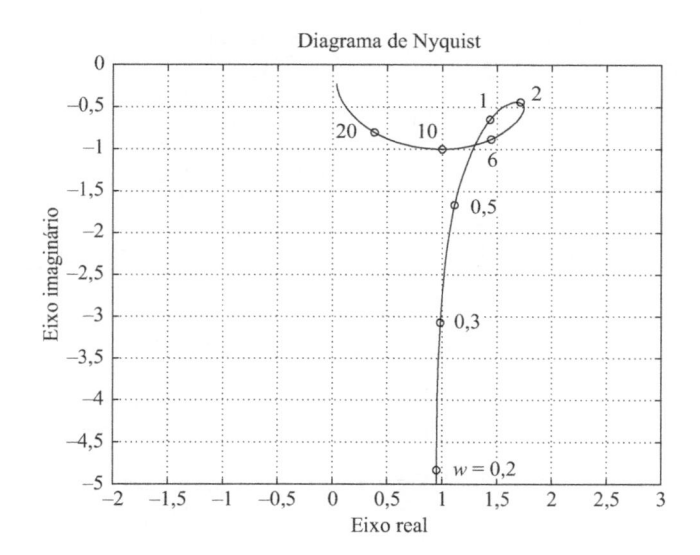

A.7.14 Considere um sistema com realimentação unitária, positiva, cuja função de transferência de malha aberta é:

$$G(s) = \frac{s^2 + 4s + 6}{s^2 + 5s + 4}$$

Desenhe o diagrama de Nyquist.

Solução. O diagrama de Nyquist do sistema com realimentação positiva pode ser obtido se num e den forem definidos como:

$$\text{num} = [-1\ -4\ -6]$$
$$\text{den} = [1\ 5\ 4]$$

e se for utilizado o comando nyquist(num, den). O Programa 7.20 em MATLAB produz o diagrama de Nyquist, como mostra a Figura 7.130.

Esse sistema é instável porque o ponto $-1 + j0$ é envolvido uma vez no sentido horário. Note que este é um caso especial em que o diagrama de Nyquist passa pelo ponto $-1 + j0$ e também envolve esse ponto uma vez no sentido horário. Isso significa que o sistema de malha fechada é degenerado; o sistema se comporta como se fosse um sistema instável de primeira ordem. Veja a seguinte função de transferência de malha fechada do sistema com realimentação positiva:

$$\frac{C(s)}{R(s)} = \frac{s^2 + 4s + 6}{s^2 + 5s + 4 - (s^2 + 4s + 6)}$$

$$= \frac{s^2 + 4s + 6}{s - 2}$$

Note que o diagrama de Nyquist para o caso de realimentação positiva é a imagem especular em relação ao eixo imaginário do diagrama de Nyquist para o caso da realimentação negativa. Isso pode ser visto na Figura 7.131, que foi obtida com o auxílio do Programa 7.21 em MATLAB. (Note que o caso da realimentação positiva é instável, mas o caso da realimentação negativa é estável.)

Programa 7.20 em MATLAB

```
num = [-1 -4 -6];
den = [1 5 4];
nyquist(num,den);
grid
title('Diagrama de Nyquist de G(s) = -(s^2 + 4s + 6)/(s^2 + 5s + 4)')
```

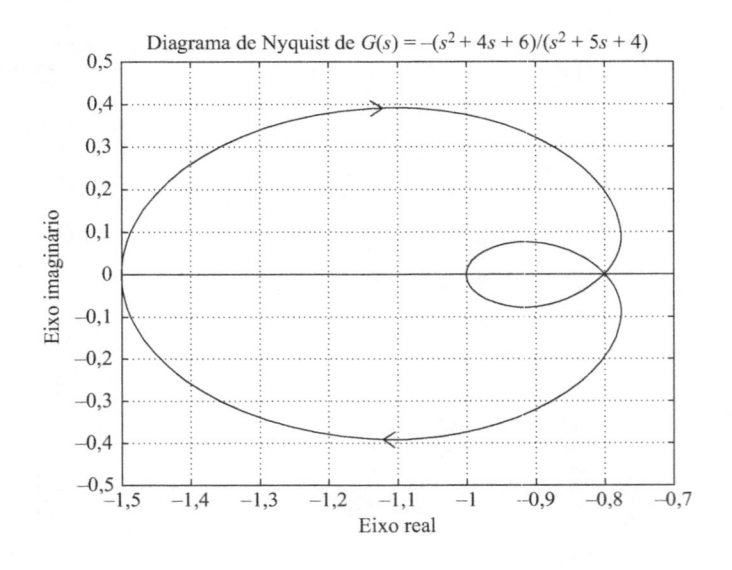

FIGURA 7.130
Diagrama de Nyquist de um sistema com realimentação positiva.

Programa 7.21 em MATLAB

```
num1 = [1 4 6];
den1 = [1 5 4];
num2 = [-1 -4 -6];
den2 = [1 5 4];
nyquist(num1,den1);
hold on
nyquist(num2,den2);
v = [-2 2 -1 1];
axis(v);
grid
title('Diagrama de Nyquist de G(s) e -G(s)')
text(1.0,0.5,'G(s)')
text(0.57,-0.48,'Use este diagrama')
text(0.57,-0.61,'de Nyquist para o sistema')
text(0.57,-0.73,'com realimentação negativa')
text(-1.3,0.5,'-G(s)')
text(-1.7,-0.48,'Use este diagrama')
text(-1.7,-0.61,'de Nyquist para o sistema')
text(-1.7,-0.73,'com realimentação positiva')
```

FIGURA 7.131
Diagramas de Nyquist de um sistema com realimentação positiva e de um sistema com realimentação negativa.

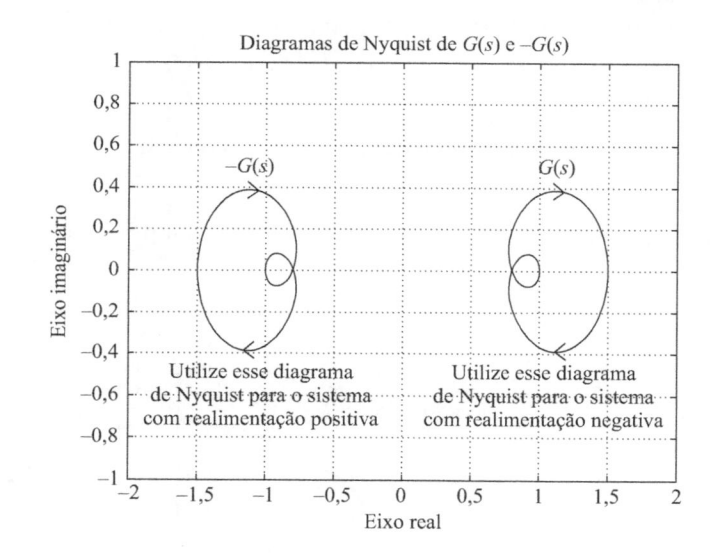

A.7.15 Considere o sistema de controle mostrado na Figura 7.60. (Consulte o Exemplo 7.19). Usando o diagrama polar inverso, determine o alcance do ganho de K para estabilidade.

Solução. Como

$$G_2(s) = \frac{1}{s^3 + s^2 + 1}$$

temos

$$G(s) = G_1(s)G_2(s) = \frac{K(s+0,5)}{s^3 + s^2 + 1}$$

Portanto, a função de transferência inversa do ramo direto é

$$\frac{1}{G(s)} = \frac{s^3 + s^2 + 1}{K(s + 0,5)}$$

Observe que $1/G(s)$ tem um polo em $s = -0,5$ e não tem polo no semiplano direito do plano s. Portanto, a equação de estabilidade de Nyquist

$$Z = N + P$$

se reduz a $Z = N$, já que $P = 0$. A equação reduzida determina que o número Z de zeros de $1 + [1/G(s)]$ no semiplano direito do plano s é igual a N, o número de envolvimentos no sentido horário do ponto $-1 + j0$. Para estabilidade, N deve ser igual a zero ou não deve haver envolvimento. A Figura 7.132 mostra o diagrama de Nyquist, ou diagrama polar de $K/G(j\omega)$.

Note que, como

$$\frac{K}{G(j\omega)} = \left[\frac{(j\omega)^3 + (j\omega)^2 + 1}{j\omega + 0,5}\right]\left(\frac{0,5 - j\omega}{0,5 - j\omega}\right)$$

$$= \frac{0,5 - 0,5\omega^2 - \omega^4 + j\omega(-1 + 0,5\omega^2)}{0,25 + \omega^2}$$

o lugar geométrico de $K/G(j\omega)$ cruza o eixo real negativo em $\omega = \sqrt{2}$ e o ponto de cruzamento no eixo real negativo é -2.

A partir da Figura 7.132, vemos que, se o ponto crítico estiver na região entre -2 e $-\infty$, não estará envolvido. Portanto, para estabilidade, é preciso que

$$-1 < \frac{-2}{K}$$

Assim, o alcance de ganho de K para estabilidade é

$$2 < K$$

que é o mesmo resultado que obtivemos no Exemplo 7.19.

FIGURA 7.132
Diagrama polar de $K/G(j\omega)$.

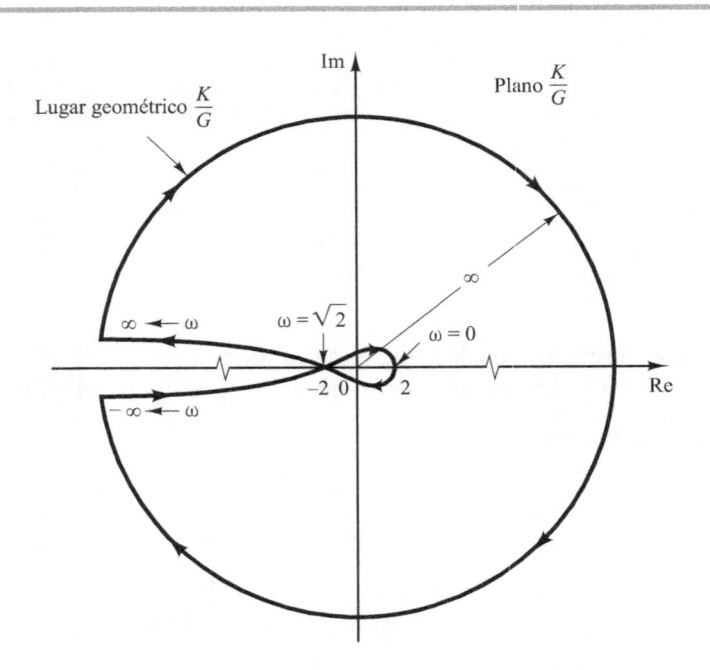

A.7.16 A Figura 7.133 mostra o diagrama de blocos do sistema de controle de um veículo espacial. Determine o ganho K tal que a margem de fase seja de 50°. Qual é a margem de ganho nesse caso?

Solução. Como

$$G(j\omega) = \frac{K(j\omega + 2)}{(j\omega)^2}$$

temos

$$\underline{/G(j\omega)} = \underline{/j\omega + 2} - 2\underline{/j\omega} = \text{tg}^{-1}\frac{\omega}{2} - 180°$$

A condição de que a margem de fase seja de 50° significa que $\underline{/G(j\omega_c)}$ deve ser igual a $-130°$, onde ω_c é a frequência de cruzamento de ganho ou

$$\underline{/G(j\omega_c)} = 130°$$

Então, definimos

$$\text{tg}^{-1}\frac{\omega_c}{2} = 50°$$

a partir do qual obtemos

$$\omega_c = 2,3835 \text{ rad/s}$$

Como a curva de ângulo de fase nunca cruza a linha de $-180°$, a margem de ganho é $+\infty$ dB. Notando que o módulo de $G(j\omega)$ deve ser igual a zero dB em $\omega = 2,3835$, temos:

$$\left|\frac{K(j\omega + 2)}{(j\omega)^2}\right|_{\omega = 2,3835} = 1$$

A partir disso obtemos:

$$K = \frac{2,3835^2}{\sqrt{2^2 + 2,3835^2}} = 1,8259$$

Esse valor de K fornece a margem de fase de 50°.

FIGURA 7.133
Sistema de controle de veículo espacial.

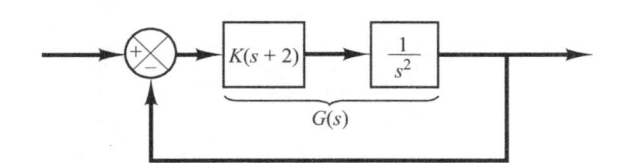

A.7.17 Para o sistema-padrão de segunda ordem

$$\frac{C(s)}{R(s)} = \frac{\omega_n^2}{s^2 + 2\zeta\omega_n s + \omega_n^2}$$

mostre que a banda passante ω_b é dada pela fórmula:

$$\omega_b = \omega_n \left(1 - 2\zeta^2 + \sqrt{4\zeta^4 - 4\zeta^2 + 2}\right)^{1/2}$$

Note que ω_b/ω_n é uma função somente de ζ. Desenhe a curva de ω_b/ω_n *versus* ζ.

Solução. A banda passante ω_b é determinada a partir de $|C(j\omega_b)/R(j\omega_b)| = -3$ dB. Frequentemente, em vez de -3 dB, utilizamos $-3,01$ dB, que é igual a 0,707. Logo,

$$\left|\frac{C(j\omega_b)}{R(j\omega_b)}\right| = \left|\frac{\omega_n^2}{(j\omega_b)^2 + 2\zeta\omega_n(j\omega_b) + \omega_n^2}\right| = 0,707$$

Então,

$$\frac{\omega_n^2}{\sqrt{(\omega_n^2 - \omega_b^2)^2 + (2\zeta\omega_n\omega_b)^2}} = 0{,}707$$

da qual obtemos

$$\omega_n^4 = 0{,}5\left[(\omega_n^2 - \omega_b^2)^2 + 4\zeta^2\omega_n^2\omega_b^2\right]$$

Dividindo ambos os lados da última equação por $\omega^4{}_n$, obtemos

$$1 = 0{,}5\left\{\left[1 - \left(\frac{\omega_b}{\omega_n}\right)^2\right]^2 + 4\zeta^2\left(\frac{\omega_b}{\omega_n}\right)^2\right\}$$

Resolvendo essa última equação para $(\omega_b/\omega_n)^2$, temos:

$$\left(\frac{\omega_b}{\omega_n}\right)^2 = -2\zeta^2 + 1 \pm \sqrt{4\zeta^4 - 4\zeta^2 + 2}$$

Como $(\omega_b/\omega_n)^2 =$, ficamos com o sinal positivo nessa última equação. Então,

$$\omega_b^2 = \omega_n^2(1 - 2\zeta^2 + \sqrt{4\zeta^4 - 4\zeta^2 + 2})$$

ou

$$\omega_b = \omega_n(1 - 2\zeta^2 + \sqrt{4\zeta^4 - 4\zeta^2 + 2})^{1/2}$$

A Figura 7.134 mostra a curva de ω_b/ω_n *versus* ζ.

FIGURA 7.134
Curva de ω_b/ω_n *versus* ζ, onde ω_b é a banda passante.

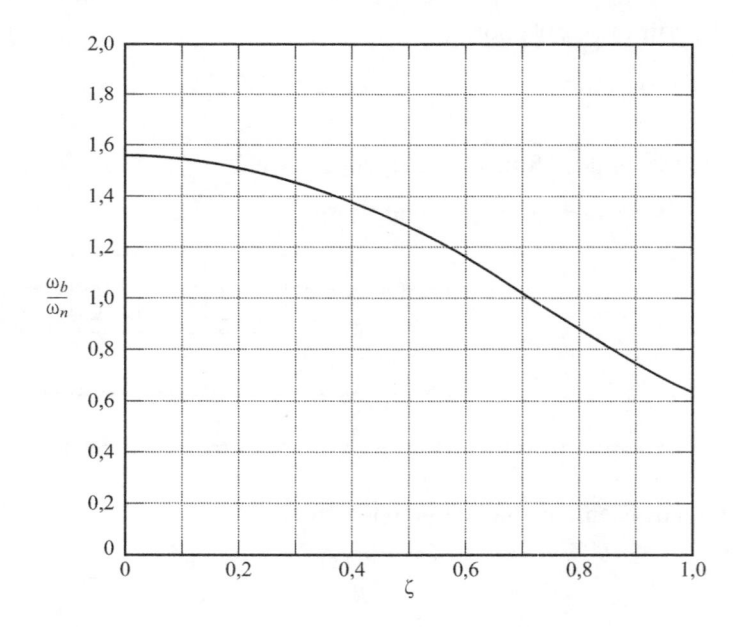

A.7.18 O diagrama de Bode da função de transferência de malha aberta $G(s)$ de um sistema de controle com realimentação unitária é mostrado na Figura 7.135. Sabe-se que a função de transferência de malha aberta é de fase mínima. Esse diagrama mostra que existe um par de polos complexos conjugados em $\omega = 2$ rad/s. Determine o coeficiente de amortecimento do termo quadrático desse par de polos complexos conjugados. Determine também a função de transferência $G(s)$.

FIGURA 7.135
Diagrama de Bode da função de transferência de malha aberta de um sistema de controle com realimentação unitária.

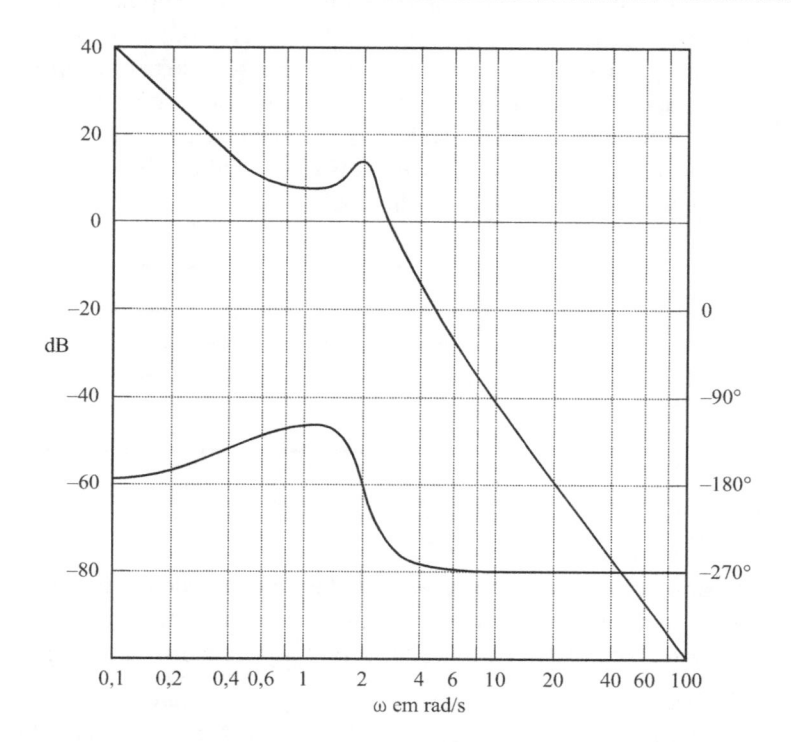

Solução. Considerando a Figura 7.9 e examinando o diagrama de Bode da Figura 7.135, determinamos o coeficiente de amortecimento ζ e a frequência natural não amortecida do sistema ω_n do termo quadrático como

$$\zeta = 0,1, \qquad \omega_n = 2 \text{ rad/s}$$

Notando que existe outra frequência de canto em $\omega = 0,5$ rad/s e que a inclinação da curva de módulo na região de baixa frequência é de -40 dB/década, $G(j\omega)$ pode ser experimentalmente determinada como:

$$G(j\omega) = \frac{K\left(\dfrac{j\omega}{0,5} + 1\right)}{(j\omega)^2\left[\left(\dfrac{j\omega}{2}\right)^2 + 0,1(j\omega) + 1\right]}$$

Como a partir da Figura 7.135 temos que $|G(j0,1)| = 40$ dB, o valor do ganho K pode ser determinado como igual à unidade. Além disso, a curva de ângulo de fase calculada, $\angle G(j\omega)$ versus ω, coincide com a curva dada. Então, a função de transferência $G(s)$ pode ser determinada por tentativa como:

$$G(s) = \frac{4(2s + 1)}{s^2(s^2 + 0,4s + 4)}$$

A.7.19 Um sistema de controle de malha fechada pode incluir um elemento instável na malha. Quando se quiser aplicar o critério de estabilidade de Nyquist em um sistema como este, as curvas de resposta em frequência para o elemento instável deverão ser obtidas.

Como podemos obter experimentalmente as curvas de resposta em frequência para um elemento instável? Sugira uma possível abordagem para a determinação experimental da resposta em frequência de um elemento linear instável.

Solução. Uma possibilidade é medir a resposta em frequência característica do elemento instável utilizando-o como parte de um sistema estável.

Considere o sistema mostrado na Figura 7.136. Suponha que $G_1(s)$ seja instável. O sistema completo pode ser definido como estável pela escolha conveniente do elemento linear $G_2(s)$. Aplicamos um sinal senoidal na entrada. Em regime permanente, todos os sinais na malha serão senoidais. Medimos o sinal $e(t)$, a entrada do elemento instável, e $x(t)$, a saída do elemento instável. Alterando a frequência [e possivelmente a amplitude por conveniência da medida de $e(t)$ e de $x(t)$] do sinal senoidal de entrada e repetindo esse processo, é possível obter a resposta em frequência do elemento linear instável.

FIGURA 7.136
Sistema de controle.

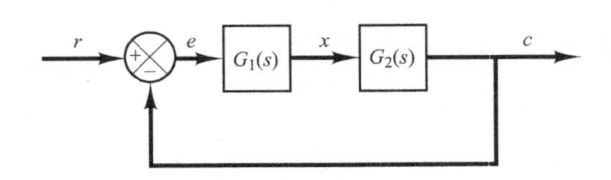

A.7.20 Mostre que uma rede por avanço de fase e uma rede por atraso de fase inseridas em cascata em uma malha aberta atuam como controle proporcional-derivativo (na região em que ω é pequeno) e como controle proporcional-integral (na região em que ω é grande), respectivamente.

Solução. Na região em que ω é pequeno, o diagrama polar da estrutura por avanço de fase é aproximadamente o mesmo que o do controlador proporcional-derivativo. Isso está indicado na Figura 7.137(a).

Da mesma maneira, na região em que ω é grande, o diagrama polar da rede por atraso de fase se aproxima do controlador proporcional-integral, como mostra a Figura 7.137(b).

FIGURA 7.137
(a) Diagramas polares de uma rede por avanço de fase e de um controlador proporcional-derivativo;
(b) diagramas polares de uma rede por atraso de fase e de um controlador proporcional-integral.

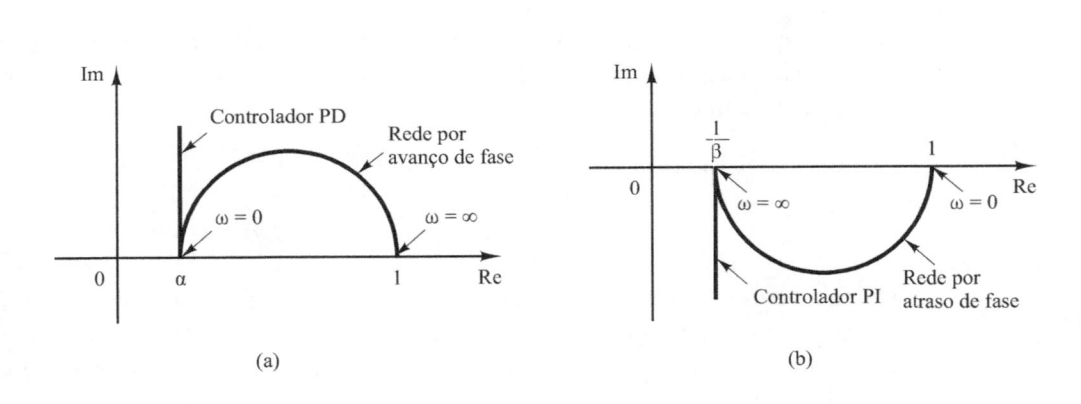

A.7.21 Considere o compensador por atraso e avanço de fase $G_c(s)$ definido por:

$$G_c(s) = K_c \frac{\left(s + \frac{1}{T_1}\right)\left(s + \frac{1}{T_2}\right)}{\left(s + \frac{\beta}{T_1}\right)\left(s + \frac{1}{\beta T_2}\right)}$$

Mostre que, na frequência ω_1, onde

$$\omega_1 = \frac{1}{\sqrt{T_1 T_2}}$$

o ângulo de fase de $G_c(j\omega)$ torna-se zero. (Esse compensador atua como um compensador por atraso de fase para $0 < \omega < \omega_1$ e atua como um compensador por avanço de fase para $\omega_1 < \omega < \infty$.) (Consulte a Figura 7.109.)

Solução. O ângulo de $G_c(j\omega)$ é dado por:

$$\angle G_c(j\omega) = \angle\left(j\omega + \frac{1}{T_1}\right) + \angle\left(j\omega + \frac{1}{T_2}\right) - \angle\left(j\omega + \frac{\beta}{T_1}\right) - \angle\left(j\omega + \frac{1}{\beta T_2}\right)$$

$$= \text{tg}^{-1}\omega T_1 + \text{tg}^{-1}\omega T_2 - \text{tg}^{-1}\omega T_1/\beta - \text{tg}^{-1}\omega T_2\beta$$

Em $\omega = \omega_1 = 1/\sqrt{T_1 T_2}$, temos

$$\angle G_c(j\omega_1) = \text{tg}^{-1}\sqrt{\frac{T_1}{T_2}} + \text{tg}^{-1}\sqrt{\frac{T_2}{T_1}} - \text{tg}^{-1}\frac{1}{\beta}\sqrt{\frac{T_1}{T_2}} - \text{tg}^{-1}\beta\sqrt{\frac{T_2}{T_1}}$$

Como

$$\text{tg}\left(\text{tg}^{-1}\sqrt{\frac{T_1}{T_2}} + \text{tg}^{-1}\sqrt{\frac{T_2}{T_1}}\right) = \frac{\sqrt{\frac{T_1}{T_2}} + \sqrt{\frac{T_2}{T_1}}}{1 - \sqrt{\frac{T_1}{T_2}}\sqrt{\frac{T_2}{T_1}}} = \infty$$

ou

$$\text{tg}^{-1}\sqrt{\frac{T_1}{T_2}} + \text{tg}^{-1}\sqrt{\frac{T_2}{T_1}} = 90°$$

e também

$$\text{tg}^{-1}\frac{1}{\beta}\sqrt{\frac{T_1}{T_2}} + \text{tg}^{-1}\beta\sqrt{\frac{T_2}{T_1}} = 90°$$

temos:

$$\angle G_c(j\omega_1) = 0°$$

Portanto, o ângulo de $G_c(j\omega_1)$ torna-se $0°$ em $\omega = \omega_1 = 1/\sqrt{T_1 T_2}$.

A.7.22 Considere o sistema de controle indicado na Figura 7.138. Determine o valor do ganho K, de modo que a margem de fase seja $60°$. Qual é a margem de ganho para esse valor de ganho K?

Solução. A função de transferência de malha aberta é:

$$G(s) = K\frac{s + 0,1}{s + 0,5}\frac{10}{s(s + 1)}$$

$$= \frac{K(10s + 1)}{s^3 + 1,5s^2 + 0,5s}$$

Vamos construir o diagrama de Bode de $G(s)$ quando $K = 1$. O Programa 7.22 em MATLAB pode ser utilizado com essa finalidade. A Figura 7.139 mostra o diagrama de Bode gerado por esse programa. A partir desse diagrama, a margem de fase requerida de $60°$ ocorre na frequência $\omega = 1,15$ rad/s. O módulo de $G(j\omega)$ nessa frequência é obtido como $14,5$ dB. O ganho K deve satisfazer à seguinte equação:

$$20 \log K = -14,5 \text{ dB}$$

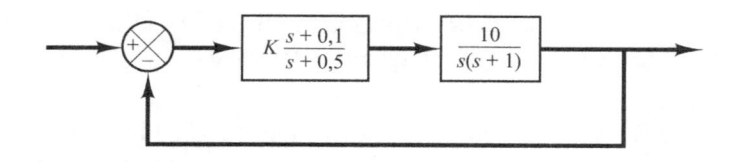

FIGURA 7.138
Sistema de controle.

FIGURA 7.139
Diagrama de Bode de
$G(s) = \dfrac{10s + 1}{s(s + 0,5)(s + 1)}$.

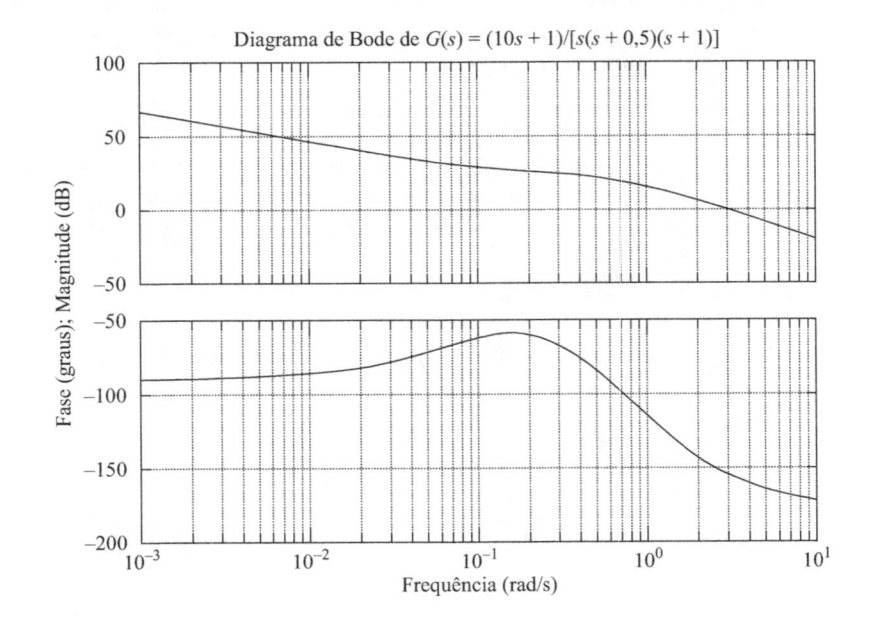

Diagrama de Bode de $G(s) = (10s + 1)/[s(s + 0,5)(s + 1)]$

ou
$$K = 0,188$$

Programa 7.22 em MATLAB

```
num = [10 1];
den = [1 1.5 0.5 0];
bode(num,den)
title('Diagrama de Bode de G(s) = (10s + 1)/[s(s + 0.5)(s + 1)]')
```

Portanto, determinamos o valor de K. Como a curva do ângulo não cruza a reta $-180°$, a margem de ganho é $+\infty$ dB.

Para verificar os resultados, vamos traçar o diagrama de Nyquist de G no intervalo de frequências
```
w = 0,5:0,01:1,15
```
O ponto final do lugar geométrico ($\omega = 1,15$ rad/s) será sobre uma circunferência no plano de Nyquist. Para verificar a margem de fase, é conveniente traçar o diagrama de Nyquist em um diagrama polar utilizando reticulado polar.

Para traçar o diagrama de Nyquist em um diagrama polar, inicialmente se define o vetor z por:
```
z = re + i*im = re^iθ
```
onde r e θ (teta) são dados por:
```
r = abs(z)
theta = angle(z)
```
A expressão `abs` representa a raiz quadrada da soma do quadrado da parte real com o quadrado da parte imaginária; `angle` significa tg^{-1} (parte imaginária/parte real).

Se utilizarmos o comando
```
polar(theta,r)
```
o MATLAB vai produzir um diagrama em coordenadas polares. O uso, em seguida, do comando `grid`, traça as retas e os círculos do reticulado.

O Programa 7.23 em MATLAB gera o diagrama de Nyquist de $G(j\omega)$, onde ω está entre 0,5 e 1,15 rad/s. O diagrama resultante está indicado na Figura 7.140. Note que o ponto $G(j1,15)$ fica sobre o círculo unitário e o ângulo de fase desse ponto é $-120°$. Então, a margem de fase é $60°$.

FIGURA 7.140
Diagrama de Nyquist de $G(j\omega)$ indicando a margem de fase de 60°.

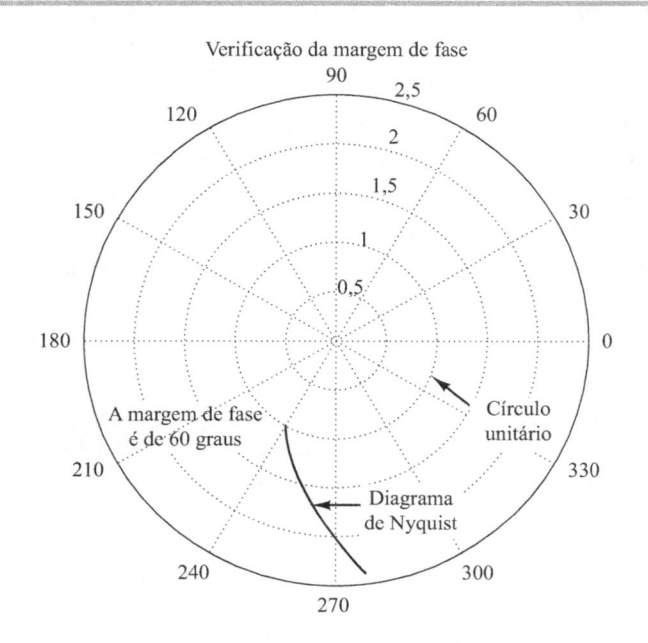

[Diagrama polar mostrando a verificação da margem de fase, com o círculo unitário, o diagrama de Nyquist e a margem de fase de 60 graus indicada.]

O fato de o ponto $G(j1,15)$ estar sobre o círculo unitário confirma que, para $\omega = 1,15$ rad/s, o módulo é igual a 1 ou 0 dB. (Portanto, $\omega = 1,15$ é a frequência de cruzamento de ganho.) Assim, $K = 0,188$ fornece a margem de fase desejada de 60°.

```
Programa 7.23 em MATLAB

%***** Diagrama de Nyquist em cordenadas retangulares *****
num = [1.88 0.188];
den = [1 1.5 0.5 0];
w = 0.5:0.01:1.15;
[re,im,w] = nyquist(num,den,w);
%***** Converter coordenadas retangulares em coordenadas
% polares definindo z, r, como *****
z = re + j*im;
r = abs(z);
theta = angle(z);
%***** Para desenhar o gráfico polar, utilize o comando 'polar(theta,r)'*****
polar(theta,r)
text(-1,3,'Verificação da margem de fase')
text(0.3,-1.7,'Diagrama de Nyquist')
text(-2.2,-0.75,'Margem de fase')
text(-2.2,-1.1,'é 60 graus')
text(1.45,-0.7,'Círculo unitário')
```

Note que para inserir 'texto' no diagrama polar se digita o comando `text`, como segue:

$$\text{text(x,y,'\ ')}$$

Por exemplo, para escrever 'diagrama de Nyquist' com início no ponto $(0,3, -1,7)$, digita-se o seguinte comando

$$\text{text(0.3, -1.7,'diagrama de Nyquist')}$$

O texto fica escrito horizontalmente na tela.

A.7.23 Se a função de transferência de malha aberta $G(s)$ contiver polos complexos conjugados ligeiramente amortecidos, então mais de um dos lugares geométricos M poderá ser tangente ao lugar geométrico de $G(j\omega)$.

Considere o sistema com realimentação unitária cuja função de transferência de malha aberta é:

$$G(s) = \frac{9}{s(s+0,5)(s^2+0,6s+10)} \qquad (7.32)$$

Construa o diagrama de Bode dessa função de transferência de malha aberta. Construa também o diagrama de módulo em dB *versus* ângulo de fase e mostre que dois lugares geométricos de M são tangentes ao lugar geométrico de $G(j\omega)$. Por fim, trace o diagrama de Bode da função de transferência de malha fechada.

Solução. A Figura 7.141 mostra o diagrama de Bode de $G(j\omega)$. A Figura 7.142 apresenta o diagrama de módulo em dB *versus* ângulo de fase de $G(j\omega)$. Vê-se que o lugar geométrico de $G(j\omega)$ é tangente ao lugar geométrico de $M = 8$ dB para $\omega = 0,97$ rad/s e é tangente ao lugar geométrico de $M = -4$ dB para $\omega = 2,8$ rad/s.

A Figura 7.143 mostra o diagrama de Bode da função de transferência de malha fechada. A curva de módulo em dB da resposta em frequência de malha fechada mostra dois picos de ressonância. Note que um caso assim ocorre quando a função de transferência de malha fechada inclui

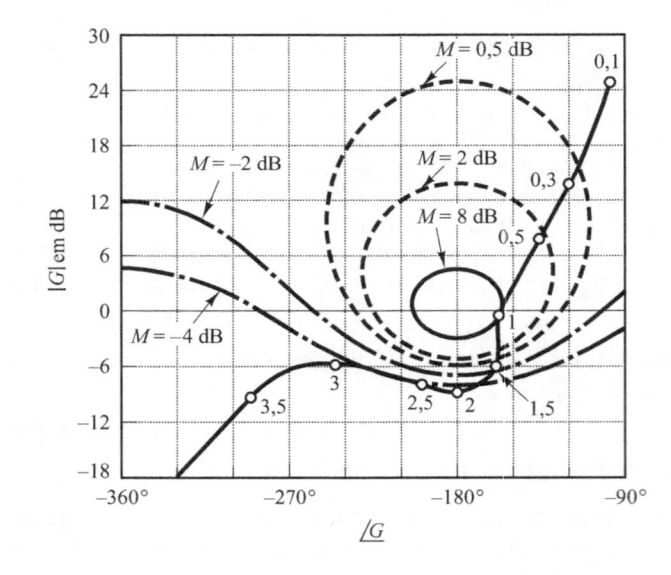

FIGURA 7.141
Diagrama de Bode de $G(s)$ dado pela Equação 7.32.

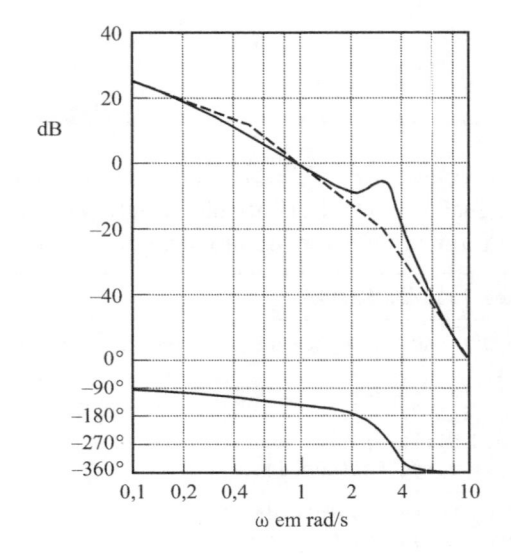

FIGURA 7.142
Diagrama de módulo em dB *versus* ângulo de fase de $G(s)$ dado pela Equação 7.32.

FIGURA 7.143
Diagrama de Bode de $G(s)/[1 + G(s)]$, onde $G(s)$ é dado pela Equação 7.32.

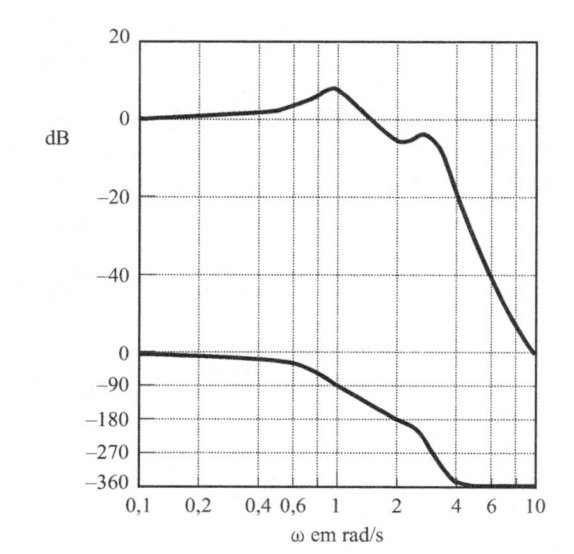

o produto de dois termos de segunda ordem ligeiramente amortecidos e as duas frequências de ressonância correspondentes estão suficientemente separadas uma da outra. De fato, a função de transferência de malha fechada desse sistema pode ser escrita como:

$$\frac{C(s)}{R(s)} = \frac{G(s)}{1 + G(s)}$$

$$= \frac{9}{(s^2 + 0,487s + 1)(s^2 + 0,613s + 9)}$$

É claro que o denominador da função de transferência de malha fechada é um produto de dois termos de segunda ordem ligeiramente amortecidos (os coeficientes de amortecimento são 0,243 e 0,102) e as duas frequências de ressonância estão suficientemente separadas.

A.7.24 Considere o sistema da Figura 7.144(a). Projete um compensador de modo que o sistema de malha fechada satisfaça os seguintes requisitos: constante de erro estático de velocidade = 20 s^{-1}, margem de fase = 50° e margem de ganho $\geq$ 10 dB.

Solução. Para satisfazer os requisitos, tentaremos um compensador $G_c(s)$ como segue:

$$G_c(s) = K_c \alpha \frac{Ts + 1}{\alpha Ts + 1}$$

$$= K_c \frac{s + \dfrac{1}{T}}{s + \dfrac{1}{\alpha T}}$$

(Se o compensador por avanço de fase não funcionar, tentaremos um compensador de modo diferente.) O sistema compensado é mostrado na Figura 7.144(b).

FIGURA 7.144
(a) Sistema de controle; (b) sistema compensado.

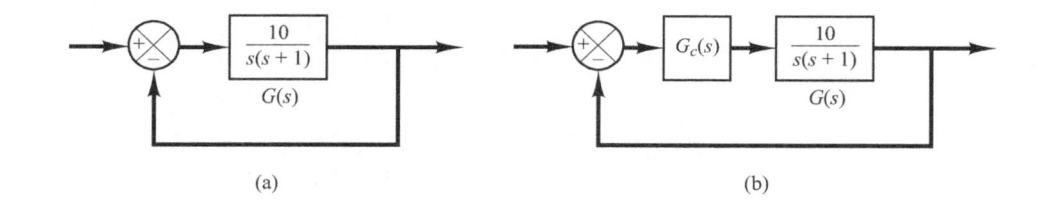

Defina:

$$G_1(s) = KG(s) = \frac{10K}{s(s+1)}$$

onde $K = K_c\alpha$. O primeiro passo no projeto é o ajuste do ganho K para atender às especificações de regime permanente ou fornecer a constante de erro estático de velocidade. Como a constante de erro estático de velocidade K_v é dada como 20 s^{-1}, tem-se:

$$K_v = \lim_{s \to 0} sG_c(s)G(s)$$

$$= \lim_{s \to 0} s\frac{Ts+1}{\alpha Ts+1}G_1(s)$$

$$= \lim_{s \to 0} s\frac{s10K}{s(s-1)}$$

$$= 10K = 20$$

$$K = 2$$

ou

$$K = 2$$

Com $K = 2$, o sistema compensado satisfará o requisito em regime permanente.

A seguir, vamos construir o diagrama de Bode de

$$G_1(s) = \frac{20}{s(s+1)}$$

O Programa 7.24 em MATLAB produz o diagrama de Bode indicado na Figura 7.145. Por esse diagrama, vemos que a margem de fase obtida é de 14°. A margem de ganho é $+\infty$ dB.

Programa 7.24 em MATLAB

```
num = [20];
den = [1 1 0];
w = logspace(-1,2,100);
bode(num,den,w)
title('Diagrama de Bode de G1(s) = 20/[s(s + 1)]')
```

FIGURA 7.145
Diagrama de Bode de $G_1(s)$.

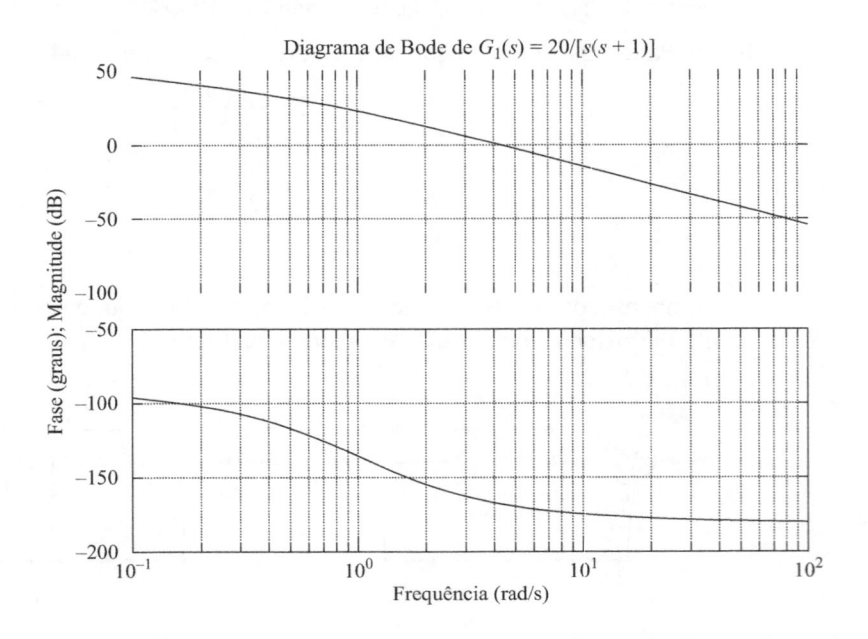

Como a especificação pede que a margem de fase seja de 50°, o avanço de fase adicional necessário para satisfazer o requisito é 36°. Um compensador por avanço de fase pode contribuir com esse valor.

Notando que a adição do compensador por avanço de fase modifica a curva de módulo em dB no diagrama de Bode, percebemos que a frequência de cruzamento de ganho será deslocada para a direita. Devemos compensar o aumento do atraso de fase de $G_1(j\omega)$ em virtude desse aumento na frequência de cruzamento de ganho. Levando-se em consideração o deslocamento da frequência de cruzamento de ganho, devemos supor que ϕ_m, o avanço de fase máximo requerido, seja de aproximadamente 41°. (Isso significa que aproximadamente 5° foram adicionados ao compensador para deslocar a frequência de cruzamento de ganho.) Como

$$\operatorname{sen} \phi_m = \frac{1-\alpha}{1+\alpha}$$

$\phi_m = 41°$ corresponde a $\alpha = 0{,}2077$. Note que $\alpha = 0{,}21$ corresponde a $\phi_m = 40{,}76°$. A escolha de $\phi_m = 41°$ ou $\phi_m = 40{,}76°$ não deve fazer diferença na solução final. Portanto, vamos escolher $\alpha = 0{,}21$.

Uma vez que o fator de atenuação α tenha sido determinado, com base no requisito do ângulo de fase, o próximo passo é determinar as frequências de canto $\omega = 1/T$ e $\omega = 1/(\alpha T)$ do compensador por avanço de fase. Note que o ângulo de fase máximo ϕ_m ocorre na média geométrica de duas frequências de canto ou $\omega = 1/(\sqrt{\alpha}\, T)$.

O resultado da modificação na curva de módulo em dB em $\omega = 1/(\sqrt{\alpha}\, T$ em razão da inclusão do termo $(Ts+1)/(\alpha Ts+1)$ é:

$$\left| \frac{1+j\omega T}{1+j\omega \alpha T} \right|_{\omega = \frac{1}{\sqrt{\alpha}T}} = \left| \frac{1+j\frac{1}{\sqrt{\alpha}}}{1+j\alpha \frac{1}{\sqrt{\alpha}}} \right| = \frac{1}{\sqrt{\alpha}}$$

Observe que

$$\frac{1}{\sqrt{\alpha}} = \frac{1}{\sqrt{0{,}21}} = 6{,}7778 \text{ dB}$$

Devemos então obter a frequência em que, quando for adicionado o compensador por avanço de fase, o ganho resultante seja 0 dB.

A partir da Figura 7.145, vemos que o ponto de frequências onde o módulo de $G_1(j\omega)$ é $-6{,}7778$ dB está entre $\omega = 1$ e 10 rad/s. Portanto, construímos um novo diagrama de Bode de $G_1(j\omega)$ no intervalo de frequência entre $\omega = 1$ e 10 para situar o ponto exato onde $G_1(j\omega) = -6{,}7778$ dB. O Programa 7.25 em MATLAB produz um diagrama de Bode nessa faixa de frequência, que está indicado na Figura 7.146. Desse diagrama, vê-se que o ponto de frequências onde $|G_1(j\omega)| = -6{,}7778$ dB ocorre em $\omega = 6{,}5686$ rad/s. Vamos selecionar essa nova frequência de cruzamento de ganho, ou $\omega_c = 6{,}5686$ rad/s. Notando que essa frequência corresponde a $1/(\sqrt{\alpha}\, T)$ ou

$$\omega_c = \frac{1}{\sqrt{\alpha}\, T}$$

obtemos

$$\frac{1}{T} = \omega_c \sqrt{\alpha} = 6{,}5686\sqrt{0{,}21} = 3{,}0101$$

e

$$\frac{1}{\alpha T} = \frac{\omega_c}{\sqrt{\alpha}} = \frac{6{,}5686}{\sqrt{0{,}21}} = 14{,}3339$$

FIGURA 7.146
Diagrama de Bode de $G_1(s)$.

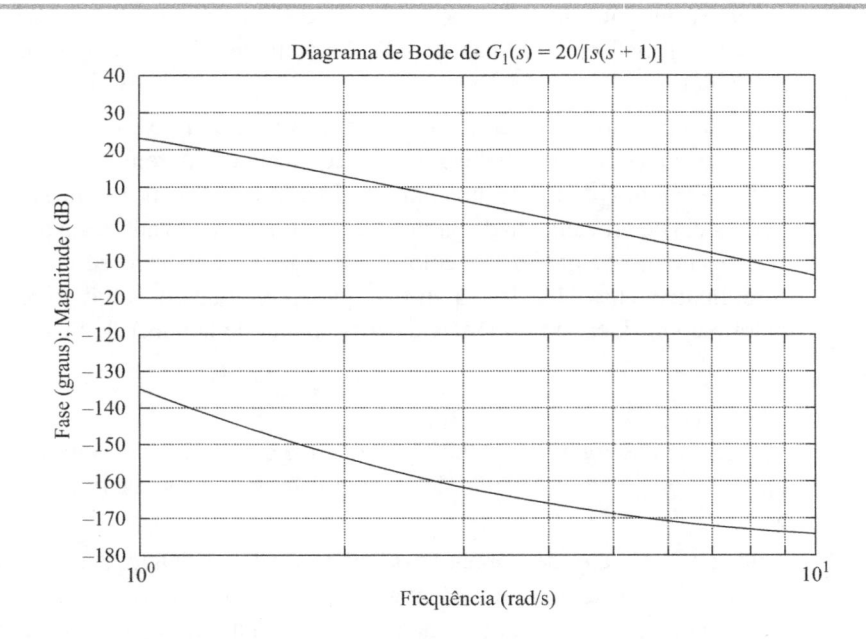

Diagrama de Bode de $G_1(s) = 20/[s(s+1)]$

```
Programa 7.25 em MATLAB

num = [20];
den = [1 1 0];
w = logspace(0,1,100);
bode(num,den,w)
title('Diagrama de Bode de G1(s) = 20/[s(s + 1)]')
```

O compensador por avanço de fase assim determinado é:

$$G_c(s) = K_c \frac{s + 3{,}0101}{s + 14{,}3339} = K_c \alpha \frac{0{,}3322s + 1}{0{,}06976s + 1}$$

onde K_c é determinado como:

$$K_c = \frac{K}{\alpha} = \frac{2}{0{,}21} = 9{,}5238$$

Assim, a função de transferência do compensador é:

$$G_c(s) = 9{,}5238 \frac{s + 3{,}0101}{s + 14{,}3339} = 2\frac{0{,}3322s + 1}{0{,}06976s + 1}$$

O Programa 7.26 em MATLAB produz o diagrama de Bode desse compensador por avanço de fase, que está indicado na Figura 7.147.

A função de transferência de malha aberta do sistema projetado é:

$$G_c(s)G(s) = 9{,}5238 \frac{s + 3{,}0101}{s + 14{,}3339} \frac{10}{s(s+1)}$$

$$= \frac{95{,}238s + 286{,}6759}{s^3 + 15{,}3339s^2 + 14{,}3339s}$$

```
Programa 7.26 em MATLAB

numc = [9.5238 28.6676];
denc = [1 14.3339];
w = logspace(-1,3,100);
bode(numc,denc,w)
title('Diagrama de Bode de Gc(s) = 9.5238(s + 3.0101)/(s + 14.3339')
```

FIGURA 7.147
Diagrama de Bode de $G_c(s)$.

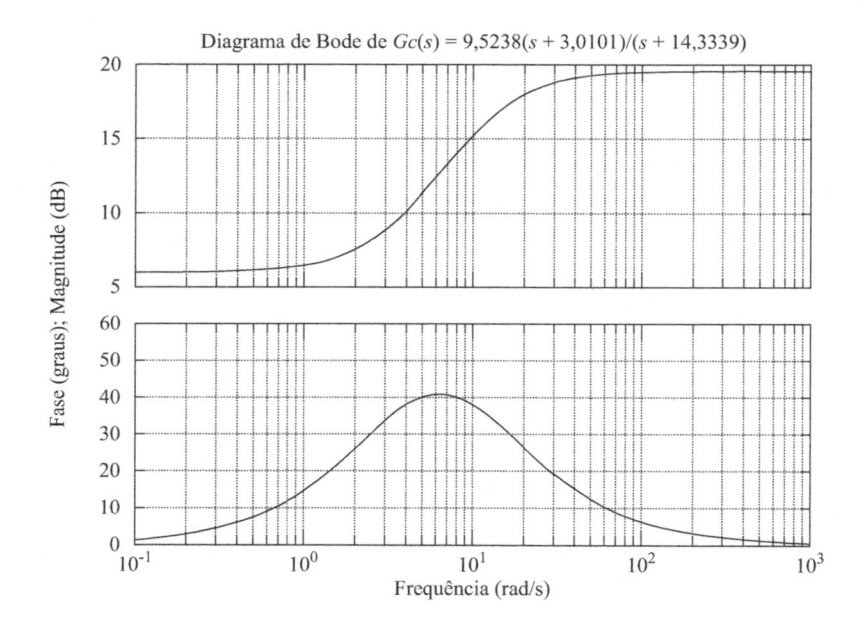

Diagrama de Bode de $Gc(s) = 9,5238(s + 3,0101)/(s + 14,3339)$

O Programa 7.27 em MATLAB produzirá o diagrama de Bode de $G_c(s)G(s)$, que está indicado na Figura 7.148.

A partir do Programa 7.27 em MATLAB e da Figura 7.148, vê-se claramente que a margem de fase é aproximadamente 50° e a margem de ganho é $+\infty$ dB. Como a constante de erro estático de velocidade K_v é 20 s^{-1}, todas as especificações foram satisfeitas. Antes de concluirmos este problema, é necessário verificar as características de resposta transitória.

Resposta ao degrau unitário: vamos comparar a resposta ao degrau unitário do sistema compensado com a do sistema original não compensado.

A função de transferência de malha fechada do sistema original não compensado é:

$$\frac{C(s)}{R(s)} = \frac{10}{s^2 + s + 10}$$

A função de transferência de malha fechada do sistema compensado é:

$$\frac{C(s)}{R(s)} = \frac{95,238s + 286,6759}{s^3 + 15,3339s^2 + 110,5719s + 286,6759}$$

O Programa 7.28 em MATLAB produz as respostas ao degrau unitário dos sistemas compensado e não compensado. A Figura 7.149 apresenta as curvas de resposta resultantes. O sistema

```
Programa 7.27 em MATLAB

num = [95.238 286.6759];
den = [1 15.3339 14.3339 0];
sys = tf(num,den);
w = logspace(-1,3,100);
bode(sys,w);
grid;
title('Diagrama de Bode de Gc(s)G(s)')
[Gm,pm,wcp,wcg] = margin(sys);
GmdB = 20*log10(Gm);
[Gmdb,pm,wcp,wcg]
ans =
     Inf  49.4164  Inf  6.5686
```

FIGURA 7.148
Diagrama de Bode de $G_c(s)G(s)$.

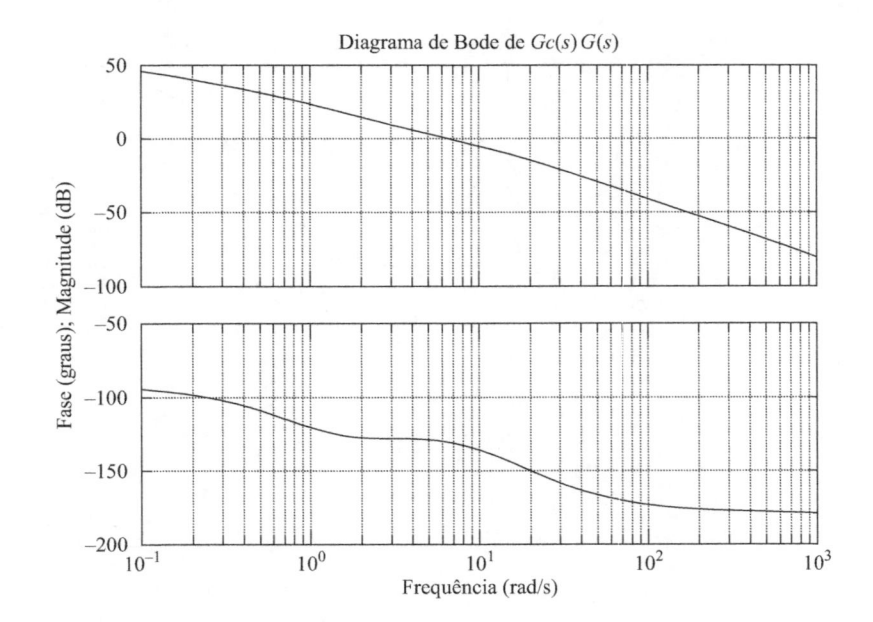

compensado claramente apresenta uma resposta satisfatória. Note que o zero e os polos de malha fechada estão localizados da seguinte maneira:

$$\text{Zero em } s = -3{,}0101$$

$$\text{Polos em } s = -5{,}2880 \pm j5{,}6824, \quad s = -4{,}7579$$

Resposta à rampa unitária: é conveniente verificar a resposta à rampa unitária do sistema compensado. Como $K_v = 20 \text{ s}^{-1}$, o erro estacionário ao seguir a entrada em rampa unitária será $1/K_v = 0{,}05$. A constante de erro estático de velocidade do sistema não compensado é 10 s^{-1}. Portanto, o sistema original não compensado terá um erro estacionário duas vezes maior, ao seguir a entrada em rampa unitária.

O Programa 7.29 em MATLAB produz as curvas de resposta à rampa unitária. [Note que a resposta à rampa unitária é obtida como a resposta ao degrau unitário de $C(s)/sR(s)$.] As curvas resultantes estão indicadas na Figura 7.150. O erro estacionário do sistema compensado é igual à metade daquele do sistema original não compensado.

```
Programa 7.28 em MATLAB
%***** Respostas ao degrau unitário *****
num1 = [10];
den1 = [1 1 10];
num2 = [95.238 286.6759];
den2 = [1 15.3339 110.5719 286.6759];
t = 0:0.01:6;
[c1,x1,t] = step(num1,den1,t);
[c2,x2,t] = step(num2,den2,t);
plot(t,c1,'.',t,c2,'-')
grid;
title('Respostas ao degrau unitário dos sistemas compensado e não compensado')
xlabel('t (s)');
ylabel('Saídas')
text(1.70,1.45,'Sistema não compensado')
text(1.1,0.5,'Sistema compensado')
```

FIGURA 7.149
Respostas ao degrau unitário dos sistemas compensado e não compensado.

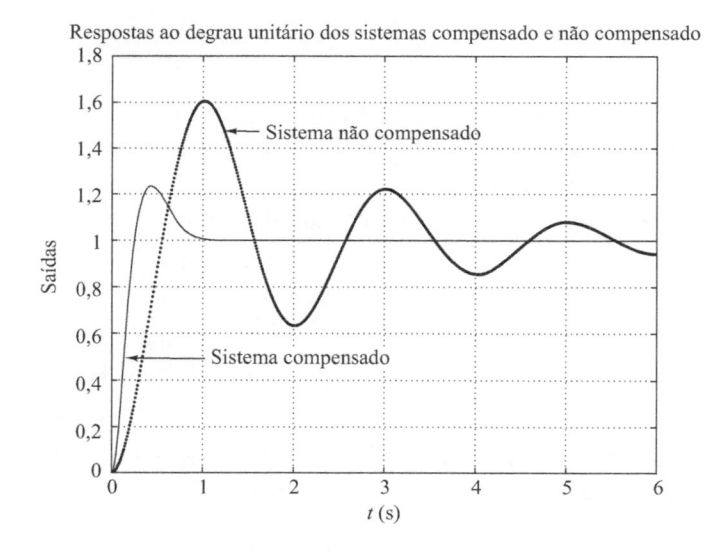

```
Programa 7.29 em MATLAB
%***** Respostas à rampa unitária *****
num1 = [10];
den1 = [1 1 10 0];
num2 = [95.238 286.6759];
den2 = [1 15.3339 110.5719 286.6759 0];
t = 0:0.01:3;
[c1,x1,t] = step(num1,den1,t);
[c2,x2,t] = step(num2,den2,t);
plot(t,c1,'.',t,c2,'-',t,t,'--');
grid;
title('Respostas à rampa unitária dos sistemas compensado e não compensado');
xlabel('t (s)');
ylabel('Saídas')
text(1.2,0.65,'Sistema não compensado')
text(0.1,1.3,'Sistema compensado')
```

FIGURA 7.150
Respostas à rampa unitária dos sistemas compensado e não compensado.

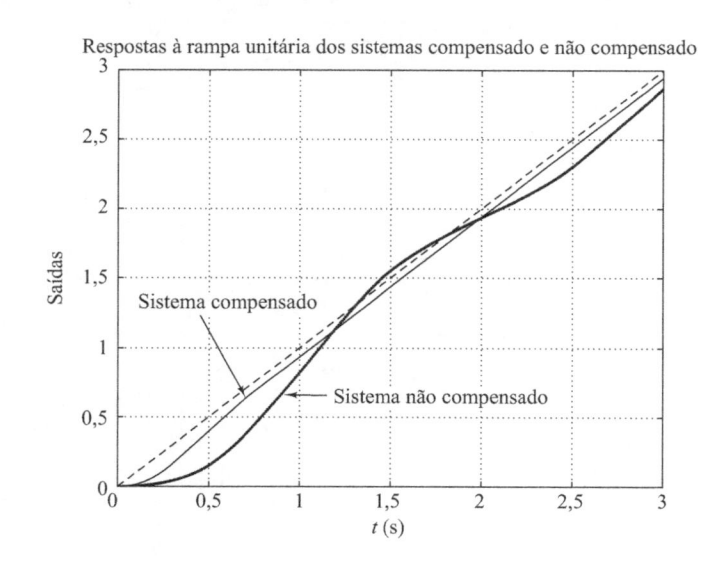

A.7.25 Considere um sistema com realimentação unitária cuja função de transferência de malha aberta é:

$$G(s) = \frac{K}{s(s+1)(s+4)}$$

Projete um compensador por atraso e avanço de fase $G_c(s)$ de modo que a constante de erro estático de velocidade seja 10 s^{-1}, a margem de fase seja de 50° e a margem de ganho seja de 10 dB ou mais.

Solução. Vamos projetar um compensador como segue:

$$G_c(s) = K_c \frac{\left(s + \dfrac{1}{T_1}\right)\left(s + \dfrac{1}{T_2}\right)}{\left(s + \dfrac{\beta}{T_1}\right)\left(s + \dfrac{1}{\beta T_2}\right)}$$

Então, a função de transferência de malha aberta do sistema compensado é $G_c(s)G(s)$. Como o ganho K da planta é ajustável, vamos supor que $K_c = 1$. Então, $\lim_{s \to 0} G_c(s) = 1$. A partir dos requisitos da constante de erro estático de velocidade, obtemos:

$$K_v = \lim_{s \to 0} sG_c(s)G(s) = \lim_{s \to 0} sG_c(s)\frac{K}{s(s+1)(s+4)}$$

$$= \frac{K}{4} = 10$$

Então,

$$K = 40$$

Inicialmente, vamos construir o diagrama de Bode do sistema não compensado com $K = 40$. O Programa 7.30 em MATLAB pode ser utilizado para traçar o diagrama de Bode. O diagrama obtido está indicado na Figura 7.151.

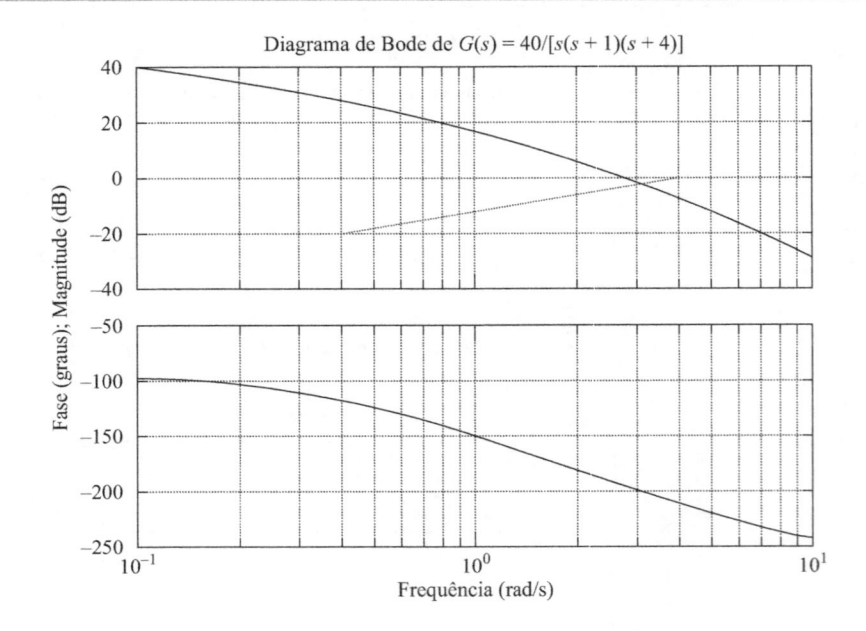

Programa 7.30 em MATLAB
| ```
num = [40];
den = [1 5 4 0];
w = logspace(-1,1,100);
bode(num,den,w)
title('Diagrama de Bode de G(s) = 40/[s(s + 1)(s + 4)]')
``` |

FIGURA 7.151
Diagrama de Bode de $G(s) = 40/[s(s+1)(s+4)]$.
```

Vemos, pela Figura 7.151, que a margem de fase do sistema de ganho ajustado, mas não compensado, é – 16°, o que indica que o sistema é instável. O próximo passo no projeto de um compensador por atraso e avanço de fase é escolher uma nova frequência de cruzamento de ganho. Com base na curva de ângulo de fase de $G(j\omega)$, notamos que a frequência de cruzamento de fase é $\omega = 2$ rad/s. Podemos escolher a nova frequência de cruzamento de ganho como 2 rad/s, de modo que o ângulo de avanço de fase requerido em $\omega = 2$ rad/s seja cerca de 50°. Um único compensador por atraso e avanço de fase pode fornecer esse valor de ângulo de avanço de fase muito facilmente.

Uma vez escolhida a frequência de cruzamento de ganho como 2 rad/s, podemos determinar as frequências de canto da porção de atraso de fase do compensador. Vamos escolher a frequência de canto $\omega = 1/T_2$ (que corresponde ao zero da porção de atraso do compensador) como uma década abaixo da nova frequência de cruzamento de ganho ou em $\omega = 0,2$ rad/s. Para a outra frequência de canto $\omega = 1/(\beta T_2)$, necessitamos do valor de β. O valor de β pode ser determinado a partir de considerações sobre a porção de avanço de fase do compensador, apresentada a seguir.

Para o compensador por avanço de fase, o ângulo de fase máximo ϕ_m é dado por:

$$\operatorname{sen} \phi_m = \frac{\beta - 1}{\beta + 1}$$

Note que $\beta = 10$ corresponde a $\phi_m = 54,9°$. Como é necessária uma margem de fase de 50°, podemos escolher $\beta = 10$. (Observe que utilizaremos vários graus a menos que o ângulo máximo de 54,9°.) Portanto,

$$\beta = 10$$

Então, a frequência de canto $\omega = 1/(\beta T_2)$ (que corresponde ao polo da porção do ângulo de atraso de fase do compensador) é:

$$\omega = 0,02$$

A função de transferência da porção de atraso de fase do compensador por atraso e avanço de fase é:

$$\frac{s + 0,2}{s + 0,02} = 10 \left(\frac{5s + 1}{50s + 1} \right)$$

A porção de avanço de fase pode ser determinada como segue: sendo a nova frequência de cruzamento de ganho $\omega = 2$ rad/s, de acordo com a Figura 7.151, $|G(j2)|$ é 6 dB. Assim, se o compensador por atraso e avanço de fase contribuir com – 6 dB para $\omega = 2$ rad/s, então a nova frequência de cruzamento de ganho será a desejada. Com base nesse requisito, é possível desenhar uma linha reta com inclinação de 20 dB/década, passando pelo ponto (2 rad/s, – 6 dB). (Uma reta assim foi traçada manualmente na Figura 7.151.) As intersecções dessa reta com a reta de 0 dB e a reta de – 20 dB determinam as frequências de canto. A partir dessas considerações, as frequências de canto para essa porção por avanço de fase do compensador podem ser determinadas como $\omega = 0,4$ rad/s e $\omega = 4$ rad/s. Portanto, a função de transferência do compensador por atraso e avanço de fase é:

$$\frac{s + 0,4}{s + 4} = \frac{1}{10} \left(\frac{2,5s + 1}{0,25s + 1} \right)$$

Combinando as funções de transferência das porções de atraso e de avanço de fase, pode-se obter a função de transferência $G_c(s)$ do compensador por atraso e avanço de fase. Como foi escolhido $K_c = 1$, tem-se:

$$G_c(s) = \frac{s + 0,4}{s + 4} \frac{s + 0,2}{s + 0,02} = \frac{(2,5s + 1)(5s + 1)}{(0,25s + 1)(50s + 1)}$$

O diagrama de Bode do compensador por atraso e avanço de fase $G_c(s)$ pode ser obtido se inserirmos o Programa 7.31 em MATLAB no computador. O diagrama resultante é mostrado na Figura 7.152.

FIGURA 7.152
Diagrama de Bode do compensador projetado.

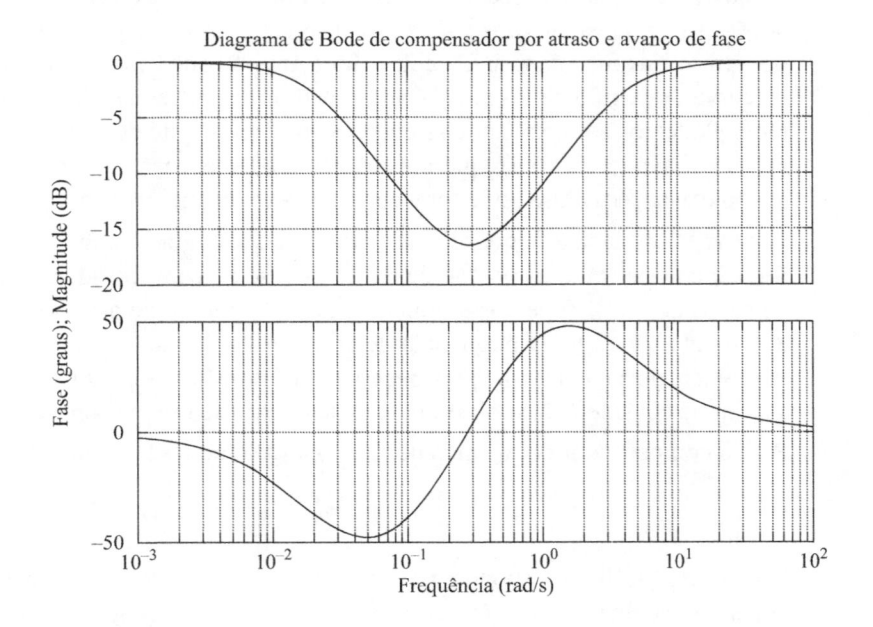

```
Programa 7.31 em MATLAB

numc = [1 0.6 0.08];
denc = [1 4.02 0.08];
bode(numc,denc)
title('Diagrama de Bode do compensador de Avanço-Atraso')
```

A função de transferência de malha aberta do sistema compensado é:

$$G_c(s)G(s) = \frac{(s+0,4)(s+0,2)}{(s+4)(s+0,02)} \frac{40}{s(s+1)(s+4)}$$

$$= \frac{40s^2 + 24s + 3,2}{s^5 + 9,02s^4 + 24,18s^3 + 16,48s^2 + 0,32s}$$

Utilizando o Programa 7.32 em MATLAB, podemos obter as curvas de ângulo de fase e de módulo em dB da função de transferência de malha aberta projetada $G_c(s)G(s)$ indicadas na Figura 7.153. Note que o polinômio do denominador den1 foi obtido utilizando-se o comando conv, como segue:

```
a = [1 4.02 0.08];
b = [1 5 4 0];
conv(a,b)

ans =
   1.0000  9.0200  24.1800  16.4800  0.320000  0
```

Como a margem de fase do sistema compensado é 50°, a margem de ganho é 12 dB e a constante de erro estático de velocidade é 10 s^{-1}, todos os requisitos foram satisfeitos.

A seguir, vamos estudar as características da resposta transitória do sistema projetado.

Resposta ao degrau unitário: notando que

```
Programa 7.32 em MATLAB

num1 = [40 24 3.2];
den1 = [1 9.02 24.18 16.48 0.32 0];
bode(num1,den1)
title('Diagrama de Bode de Gc(s)G(s)')
```

FIGURA 7.153
Diagrama de Bode da função de transferência de malha aberta $G_c(s)G(s)$ do sistema compensado.

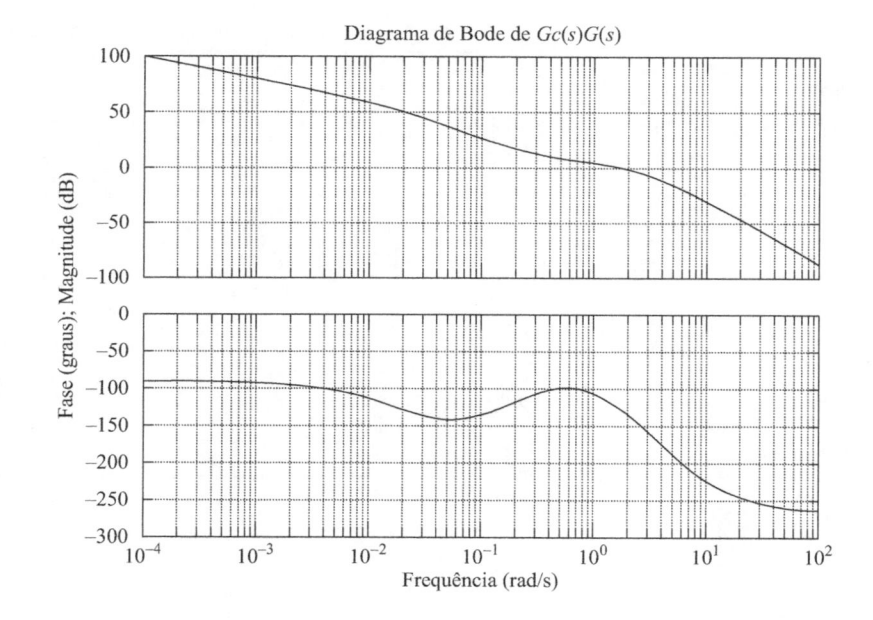

$$G_c(s)G(s) = \frac{40(s+0,4)(s+0,2)}{(s+4)(s+0,02)s(s+1)(s+4)}$$

temos:

$$\frac{C(s)}{R(s)} = \frac{G_c(s)G(s)}{1+G_c(s)G(s)}$$

$$= \frac{40(s+0,4)(s+0,2)}{(s+4)(s+0,02)s(s+1)(s+4)+40(s+0,4)(s+0,2)}$$

Para determinar o polinômio do denominador com o MATLAB, podemos proceder da seguinte maneira:

Defina:

$$a(s) = (s+4)(s+0,02) = s^2 + 4,02s + 0,08$$

$$b(s) = (s+1)(s+4) = s^3 + 5s^2 + 4s$$

$$c(s) = 40(s+0,4)(s+0,2) = 40s^2 + 24s + 3,2$$

Então, temos:

```
a = [1  4,02  0,08]
b = [1  5  4  0]
c = [40  24  3,2]
```

Utilizando o programa em MATLAB a seguir, obtemos o polinômio do denominador.

```
a = [1 4.02 0.08];
b = [1 5 4 0];
c = [40 24 3.2];
p = [conv(a,b)] + [0 0 0 c]
p =
    1.0000  9.0200  24.1800  56.4800  24.3200  3.2000
```

Utilizamos o Programa 7.33 em MATLAB para obter a resposta ao degrau unitário do sistema compensado. A Figura 7.154 mostra a curva de resposta ao degrau unitário. (Note que o sistema com ganho ajustado, mas não compensado, é instável.)

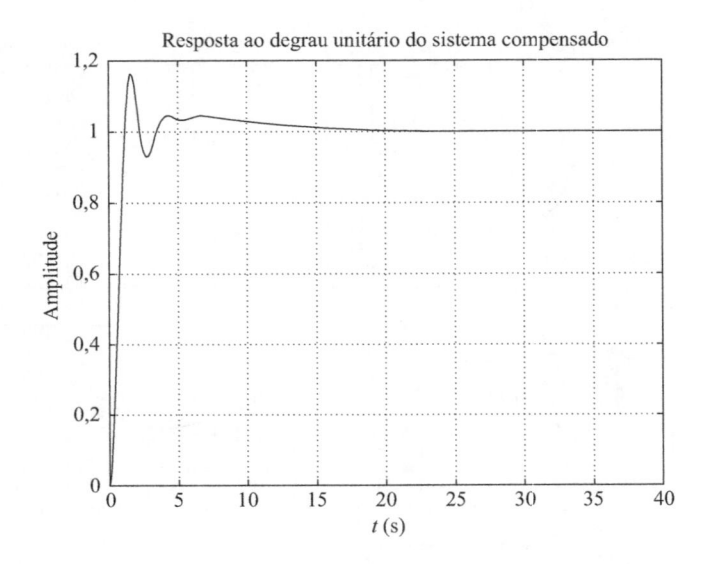

FIGURA 7.154
Curva de resposta ao degrau unitário do sistema compensado.

Resposta ao degrau unitário do sistema compensado

Programa 7.33 em MATLAB

```
%***** Resposta ao degrau unitário ****
num = [40 24 3.2];
den = [1 9.02 24.18 56.48 24.32 3.2];
t = 0:0.2:40;
step(num,den,t)
grid
title('Resposta ao degrau unitário do sistema compensado')
```

Resposta à rampa unitária: a resposta à rampa unitária do sistema pode ser obtida se digitarmos o Programa 7.34 em MATLAB no computador. Convertemos, aqui, a resposta à rampa unitária de $G_cG/(1 + G_cG)$ na resposta ao degrau unitário de $G_cG/[s(1 + G_cG)]$. A curva de resposta à rampa unitária obtida por meio desse programa é mostrada na Figura 7.155.

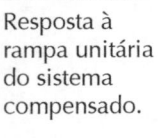

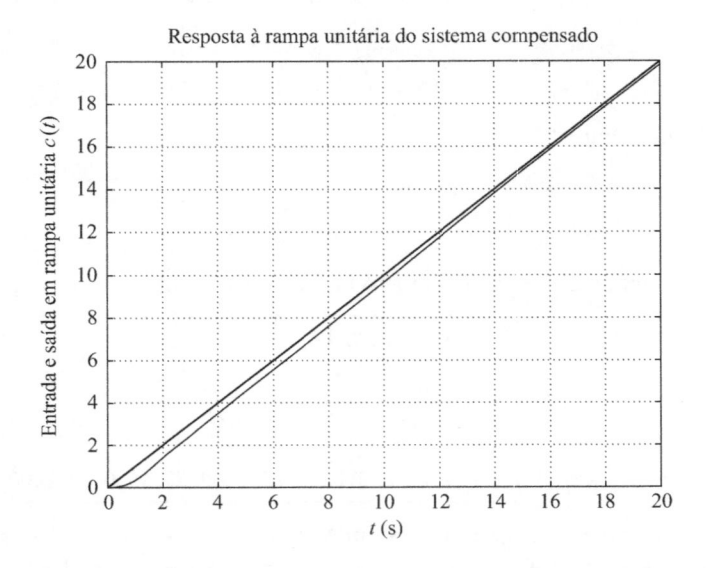

FIGURA 7.155
Resposta à rampa unitária do sistema compensado.

Resposta à rampa unitária do sistema compensado

Capítulo 7 – Análise e projeto de sistemas de controle pelo método de resposta em frequência

Programa 7.34 em MATLAB

```
%***** Resposta à rampa unitária *****
num = [40 24 3.2];
den = [1 9.02 24.18 56.48 24.32 3.2 0];
t = 0:0.05:20;
c = step(num,den,t);
plot(t,c,'-',t,t,'.')
grid
title('Resposta à rampa unitária do sistema compensado')
xlabel('t (s)')
ylabel('Entrada e saída em rampa unitária c(t)')
```

Problemas

B.7.1 Considere o sistema com realimentação unitária cuja função de transferência de malha aberta é:

$$G(s) = \frac{10}{s+1}$$

Obtenha a resposta em regime estacionário desse sistema quando ele for submetido aos seguintes sinais de entrada:

(a) $r(t) = \text{sen}(t + 30°)$
(b) $r(t) = 2\cos(2t - 45°)$
(c) $r(t) = \text{sen}(t + 30°) - 2\cos(2t - 45°)$

B.7.2 Considere o sistema cuja função de transferência de malha fechada é:

$$\frac{C(s)}{R(s)} = \frac{K(T_2 s + 1)}{T_1 s + 1}$$

Obtenha a resposta em regime permanente do sistema quando submetido a um sinal de entrada $r(t) = R \text{ sen } \omega t$.

B.7.3 Utilizando o MATLAB, desenhe os diagramas de Bode das $G_1(s)$ e $G_2(s)$ dadas a seguir:

$$G_1(s) = \frac{1+s}{1+2s}$$

$$G_2(s) = \frac{1-s}{1+2s}$$

onde $G_1(s)$ é um sistema de fase mínima e $G_2(s)$ é um sistema de fase não mínima.

B.7.4 Desenhe o diagrama de Bode de

$$G(s) = \frac{10(s^2 + 0,4s + 1)}{s(s^2 + 0,8s + 9)}$$

B.7.5 Dada

$$G(s) = \frac{\omega_n^2}{s^2 + 2\zeta\omega_n s + \omega_n^2}$$

mostre que

$$|G(j\omega_n)| = \frac{1}{2\zeta}$$

B.7.6 Considere um sistema de controle com realimentação unitária que tem a seguinte função de transferência de malha aberta:

$$G(s) = \frac{s + 0,5}{s^3 + s^2 + 1}$$

Este é um sistema de fase não mínima. Dois dos três polos de malha aberta estão localizados no semiplano direito do plano s, como segue:

Polos de malha aberta em $s = -1,4656$

$s = 0,2328 + j0,7926$

$s = 0,2328 - j0,7926$

Desenhe o diagrama de Bode de $G(s)$ com o MATLAB. Explique por que a curva de ângulo de fase começa em 0° e se aproxima de +180°.

B.7.7 Desenhe os diagramas polares da função de transferência de malha aberta

$$G(s)H(s) = \frac{K(T_a s + 1)(T_b s + 1)}{s^2(Ts + 1)}$$

para os seguintes dois casos:

(a) $T_a > T > 0, \quad T_b > T > 0$

(b) $T > T_a > 0, \quad T > T_b > 0$

B.7.8 Desenhe o diagrama de Nyquist para o sistema de controle com realimentação unitária cuja função de transferência de malha aberta é:

$$G(s) = \frac{K(1 - s)}{s + 1}$$

Utilizando o critério de estabilidade de Nyquist, determine a estabilidade do sistema de malha fechada.

B.7.9 Um sistema com a função de transferência de malha aberta

$$G(s)H(s) = \frac{K}{s^2(T_1 s + 1)}$$

é inerentemente instável. Esse sistema pode ser estabilizado pela adição de um controle derivativo. Esboce os diagramas polares para a função de transferência de malha aberta com e sem o controle derivativo.

B.7.10 Considere o sistema de malha fechada com a seguinte função de transferência de malha aberta:

$$G(s)H(s) = \frac{10K(s + 0,5)}{s^2(s + 2)(s + 10)}$$

Desenhe os diagramas polares tanto diretos como inversos de $G(s)H(s)$ com $K = 1$ e $K = 10$. Aplique o critério de estabilidade de Nyquist a esses diagramas e determine a estabilidade do sistema para esses valores de K.

B.7.11 Considere o sistema de malha fechada com a seguinte função de transferência de malha aberta:

$$G(s)H(s) = \frac{Ke^{-2s}}{s}$$

Determine o máximo valor de K para o qual o sistema é estável.

B.7.12 Desenhe o diagrama de Nyquist para a seguinte $G(s)$:

$$G(s) = \frac{1}{s(s^2 + 0,8s + 1)}$$

B.7.13 Considere um sistema de controle dotado de realimentação unitária com a seguinte função de transferência de malha aberta:

$$G(s) = \frac{1}{s^3 + 0,2s^2 + s + 1}$$

Desenhe o diagrama de Nyquist de $G(s)$ e examine a estabilidade do sistema.

B.7.14 Considere um sistema de controle dotado de realimentação unitária com a seguinte função de transferência de malha aberta:

$$G(s) = \frac{s^2 + 2s + 1}{s^3 + 0,2s^2 + s + 1}$$

Desenhe o diagrama de Nyquist de $G(s)$ e examine a estabilidade do sistema de malha fechada.

B.7.15 Considere o sistema de controle dotado de realimentação unitária com o seguinte $G(s)$:

$$G(s) = \frac{1}{s(s-1)}$$

Suponha que escolhamos o contorno de Nyquist mostrado na Figura 7.156. Desenhe o lugar geométrico correspondente de $G(j\omega)$ no plano $G(s)$. Utilizando o critério de estabilidade de Nyquist, determine a estabilidade do sistema.

FIGURA 7.156
Contorno de Nyquist.

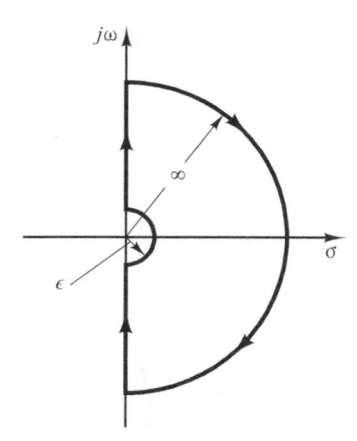

B.7.16 Considere o sistema de malha fechada mostrado na Figura 7.157. $G(s)$ não possui polos no semiplano direito do plano s.

Se o diagrama de Nyquist for o indicado na Figura 7.158(a), esse sistema será estável? Se o diagrama de Nyquist for o indicado na Figura 7.158(b), esse sistema será estável?

FIGURA 7.157
Sistema de malha fechada.

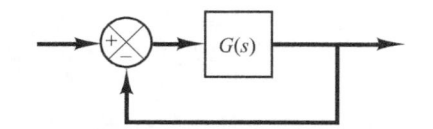

FIGURA 7.158
Diagramas de Nyquist.

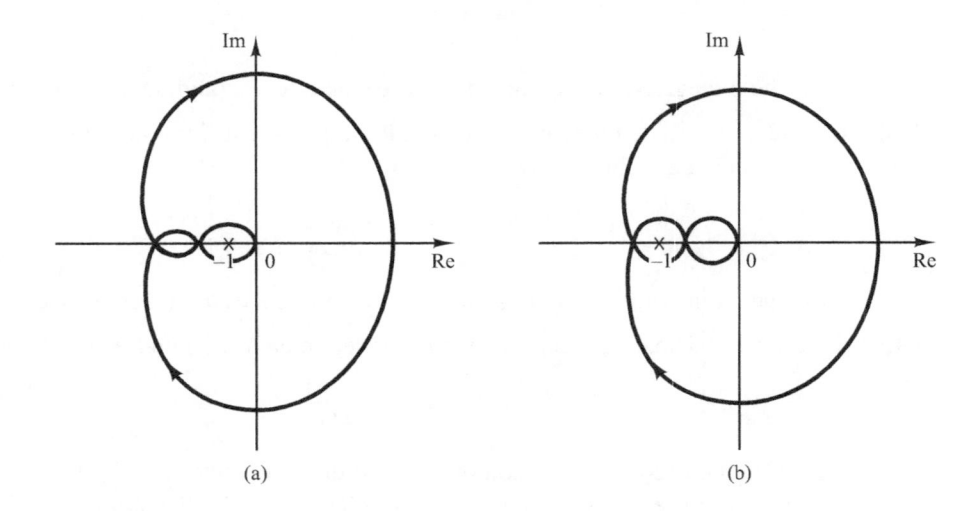

(a) (b)

B.7.17 O diagrama de Nyquist de um sistema dotado de realimentação unitária tem a função de transferência $G(s)$ no ramo direto mostrada na Figura 7.159.

Se $G(s)$ tiver um polo no semiplano direito do plano s, o sistema será estável?

Se $G(s)$ não tiver nenhum polo no semiplano direito do plano s, mas tiver um zero nesse semiplano, o sistema será estável?

FIGURA 7.159
Diagrama de Nyquist.

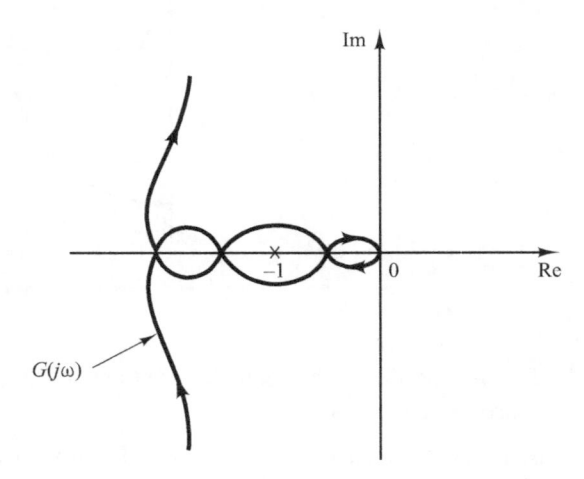

B.7.18 Considere o sistema de controle com realimentação unitária com a seguinte função de transferência de malha aberta $G(s)$:

$$G(s) = \frac{K(s+2)}{s(s+1)(s+10)}$$

Desenhe o diagrama de Nyquist de $G(s)$ para $K = 1$, 10 e 100.

B.7.19 Considere um sistema com realimentação negativa com a seguinte função de transferência de malha aberta:

$$G(s) = \frac{2}{s(s+1)(s+2)}$$

Desenhe o diagrama de Nyquist de $G(s)$. Se o sistema tivesse realimentação positiva, mas com a mesma função de transferência de malha aberta $G(s)$, como seria o diagrama de Nyquist?

B.7.20 Considere o sistema de controle mostrado na Figura 7.160. Desenhe os diagramas de Nyquist de $G(s)$, sendo

$$G(s) = \frac{10}{s[(s+1)(s+5) + 10k]}$$
$$= \frac{10}{s^3 + 6s^2 + (5+10k)s}$$

para $k = 0{,}3;\ 0{,}5;\ e\ 0{,}7$.

FIGURA 7.160
Sistema de controle.

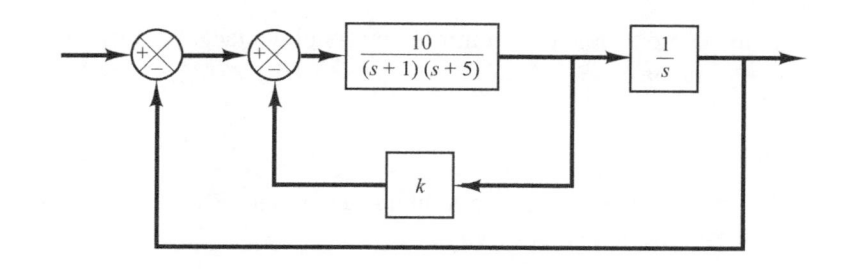

B.7.21 Considere o sistema definido por

$$\begin{bmatrix} \dot{x}_1 \\ \dot{x}_2 \end{bmatrix} = \begin{bmatrix} -1 & -1 \\ 6{,}5 & 0 \end{bmatrix} \begin{bmatrix} x_1 \\ x_2 \end{bmatrix} + \begin{bmatrix} 1 & 1 \\ 1 & 0 \end{bmatrix} \begin{bmatrix} u_1 \\ u_2 \end{bmatrix}$$

$$\begin{bmatrix} y_1 \\ y_2 \end{bmatrix} = \begin{bmatrix} 1 & 0 \\ 0 & 1 \end{bmatrix} \begin{bmatrix} x_1 \\ x_2 \end{bmatrix} + \begin{bmatrix} 0 & 0 \\ 0 & 0 \end{bmatrix} \begin{bmatrix} u_1 \\ u_2 \end{bmatrix}$$

Há quatro diagramas de Nyquist distintos nesse sistema. Desenhe dois diagramas de Nyquist para a entrada u_1 em um gráfico e dois diagramas de Nyquist para a entrada u_2 em outro gráfico. Escreva um programa em MATLAB para obter esses dois gráficos.

B.7.22 Com relação ao Problema B.7.21, é desejável traçar apenas $Y_1(j\omega)/U_1(j\omega)$ para $\omega > 0$. Escreva um programa em MATLAB para gerar esse diagrama.

Se for desejável traçar $Y_1(j\omega)/U_1(j\omega)$ para $-\infty < \omega < \infty$, que mudanças devem ser feitas no programa em MATLAB?

B.7.23 Considere o sistema de controle com realimentação unitária cuja função de transferência de malha aberta é

$$G(s) = \frac{as + 1}{s^2}$$

Determine o valor de a de forma que a margem de fase seja 45°.

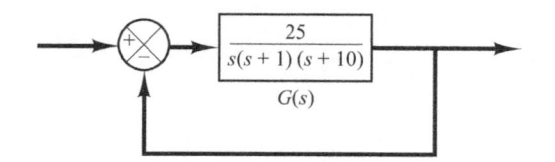

B.7.24 Considere o sistema mostrado na Figura 7.161. Desenhe o diagrama de Bode da função de transferência de malha aberta $G(s)$. Determine a margem de fase e a margem de ganho.

FIGURA 7.161
Sistema de controle.

B.7.25 Considere o sistema da Figura 7.162. Desenhe o diagrama de Bode da função de transferência de malha aberta $G(s)$. Determine a margem de fase e a margem de ganho com o MATLAB.

FIGURA 7.162 Sistema de controle.

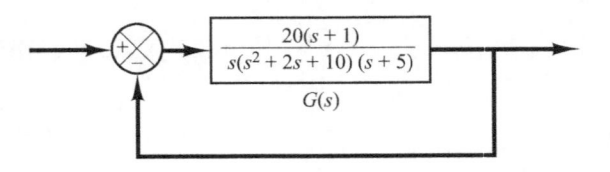

$$G(s) = \frac{20(s+1)}{s(s^2+2s+10)(s+5)}$$

B.7.26 Considere o sistema de controle com realimentação unitária cuja função de transferência de malha aberta é:

$$G(s) = \frac{K}{s(s^2+s+4)}$$

Determine o valor do ganho K tal que a margem de fase seja de 50°. Qual é a margem de ganho com esse mesmo valor de K?

B.7.27 Considere o sistema da Figura 7.163. Desenhe o diagrama de Bode da função de transferência de malha aberta e determine o valor do ganho K para que a margem de fase seja de 50°. Qual é a margem de ganho desse sistema com esse valor de K?

FIGURA 7.163 Sistema de controle.

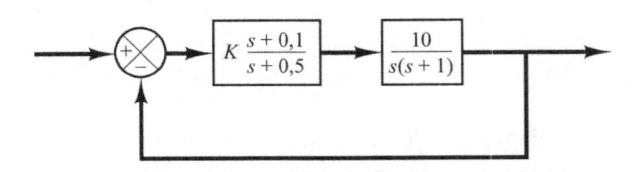

$$K\frac{s+0{,}1}{s+0{,}5} \qquad \frac{10}{s(s+1)}$$

B.7.28 Considere o sistema de controle com realimentação unitária cuja função de transferência de malha aberta é:

$$G(s) = \frac{K}{s(s^2+s+0{,}5)}$$

Determine o valor de K tal que o valor do pico de ressonância na resposta em frequência seja de 2 dB ou $M_r = 2$ dB.

B.7.29 A Figura 7.164 mostra o diagrama de Bode da função de transferência de malha aberta $G(s)$ de um sistema de controle com realimentação unitária. Sabe-se que a função de transferência de malha aberta é de fase mínima. Pelo diagrama, pode-se ver que há um par de polos complexos conjugados em $\omega = 2$ rad/s. Determine o coeficiente de amortecimento do termo quadrático que envolve os dois polos complexos conjugados. Determine também a função de transferência $G(s)$.

FIGURA 7.164
Diagrama de Bode da função de transferência de malha aberta de um sistema de controle com realimentação unitária.

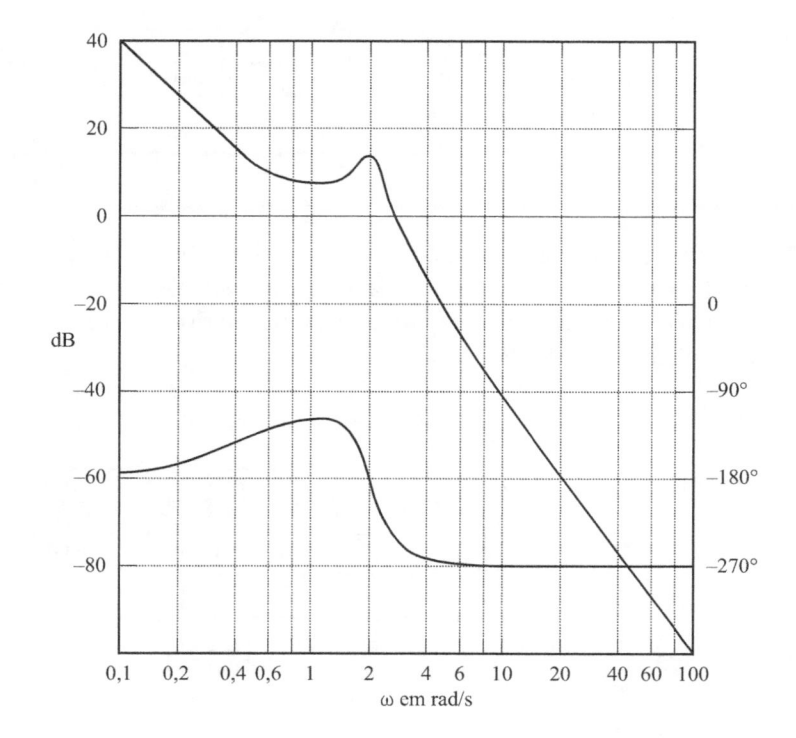

B.7.30 Desenhe os diagramas de Bode para o controlador PI dado por

$$G_c(s) = 5\left(1 + \frac{1}{2s}\right)$$

e para o controlador PD dado por

$$G_c(s) = 5(1 + 0{,}5s)$$

B.7.31 A Figura 7.165 mostra o diagrama de blocos do controle de atitude de um veículo espacial. Determine o ganho constante proporcional K_p e o tempo derivativo T_d, de forma que a banda passante do sistema de malha fechada seja de 0,4 a 0,5 rad/s. (Note que a banda passante de malha fechada é próxima à frequência de ganho de cruzamento.) O sistema deve ter uma margem de fase adequada. Trace as curvas de resposta em frequência de malha aberta e de malha fechada em diagramas de Bode.

FIGURA 7.165
Diagrama de blocos do sistema de controle de atitude de um veículo espacial.

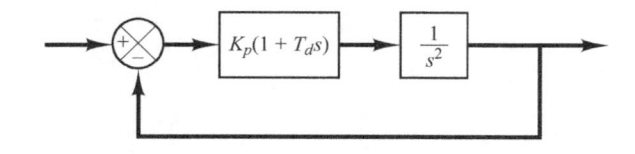

B.7.32 A partir do sistema de malha fechada mostrado na Figura 7.166, desenhe um compensador por avanço de fase $G_c(s)$ tal que a margem de fase seja de 45°, a margem de ganho não seja inferior a 8 dB e o erro estático constante de velocidade K_v seja de 4,0 s^{-1}. Trace as curvas de resposta ao degrau unitário e à rampa unitária do sistema compensado, utilizando o MATLAB.

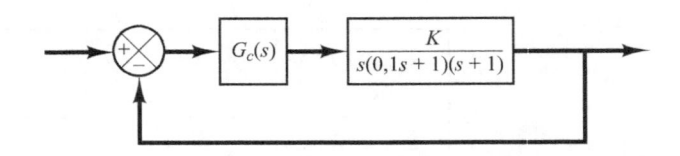

FIGURA 7.166
Sistema de malha fechada.

$$G_c(s) \quad \frac{K}{s(0,1s+1)(s+1)}$$

B.7.33 Considere o sistema mostrado na Figura 7.167. Deseja-se projetar um compensador com erro estático de velocidade constante de 4,0 s⁻¹, margem de fase de 50° e margem de ganho de 8 dB ou mais. Trace as curvas de resposta ao degrau unitário e à rampa unitária do sistema compensando, utilizando o MATLAB.

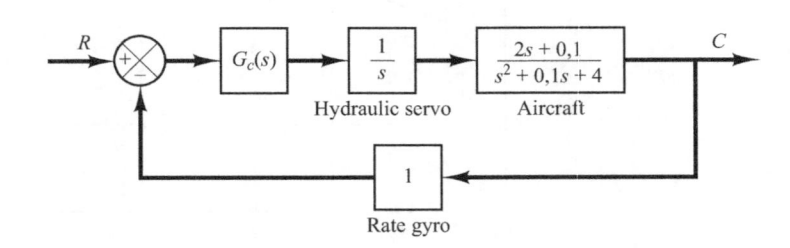

FIGURA 7.167
Sistema de controle.

$$R \rightarrow G_c(s) \rightarrow \frac{1}{s} \text{ (Hydraulic servo)} \rightarrow \frac{2s+0,1}{s^2+0,1s+4} \text{ (Aircraft)} \rightarrow C$$

Rate gyro: 1

B.7.34 Considere o sistema mostrado na Figura 7.168. Projete um compensador por atraso e por avanço de fase com erro estático de velocidade constante K_v de 20 s⁻¹, margem de fase de 60° e margem de ganho de pelo menos 8 dB. Trace as curvas de resposta ao degrau unitário e à rampa unitária do sistema compensando, utilizando o MATLAB.

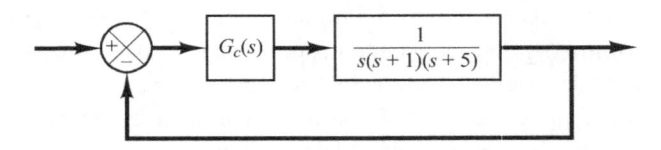

FIGURA 7.168
Sistema de controle.

$$G_c(s) \quad \frac{1}{s(s+1)(s+5)}$$

CAPÍTULO 8
Controladores PID e controladores PID modificados

8.1 | Introdução

Em capítulos anteriores, discutimos brevemente esquemas básicos de controle PID. Por exemplo, apresentamos controladores PID eletrônicos, hidráulicos e pneumáticos. Também projetamos sistemas de controle nos quais controladores PID estavam envolvidos.

É interessante notar que mais da metade dos controladores industriais em uso atualmente emprega esquemas de controle PID ou PID modificado.

Como a maioria dos controladores PID é ajustada em campo, diferentes tipos de regras de sintonia vêm sendo propostas na literatura. Com a utilização dessas regras de sintonia, ajustes finos no controlador PID podem ser feitos em campo. Além disso, métodos de sintonia automática vêm sendo desenvolvidos e alguns controladores PID têm a capacidade de fazer sintonia automática on-line. Estruturas PID modificadas, como o controle I-PD e o controle PID com vários graus de liberdade, atualmente estão em uso na indústria. Vários métodos práticos de comutação suave (de operação manual para operação automática) e ganho programado estão comercialmente disponíveis.

A utilidade dos controles PID está na sua aplicabilidade geral à maioria dos sistemas de controle. Em particular, quando o modelo matemático da planta não é conhecido e, portanto, métodos de projeto analítico não podem ser utilizados, controles PID se mostram os mais úteis. Na área dos sistemas de controle de processos, sabe-se que os esquemas básicos de controle PID e os controles PID modificados provaram sua utilidade conferindo um controle satisfatório, embora em muitas situações eles possam não proporcionar um controle ótimo.

Neste capítulo, apresentaremos primeiro o projeto de um sistema de controle com um PID, utilizando as regras de ajuste de Ziegler e Nichols. Depois, discutiremos um projeto de controlador PID com o método tradicional de resposta em frequência, seguido da abordagem de otimização computacional no projeto de controladores PID. Em seguida, discutiremos controles PID modificados, como o controle PI-D e o controle I-PD. Em sequência, introduziremos o controle com vários graus de liberdade, o qual pode satisfazer os requisitos conflitantes, que os sistemas de controle com um grau de liberdade não podem. (Para a definição de sistema de controle com vários graus de liberdade, veja a Seção 8.6.)

Em casos práticos, pode existir um requisito relativo à resposta da entrada de distúrbio e outro requisito relativo à resposta da entrada de referência. Muitas vezes, esses dois requisitos são conflitantes entre si e não podem ser satisfeitos no caso de um grau de liberdade. Aumentando os graus de liberdade, somos capazes de satisfazer a ambos. Neste capítulo, apresentaremos em detalhes sistemas de controle com dois graus de liberdade.

O método de otimização computacional para o projeto de sistemas de controle, apresentado neste capítulo (tais como a busca de conjuntos ótimos de valores de parâmetro para satisfazer especificações dadas de resposta transitória), pode ser usado tanto no projeto de sistemas de controle de um grau de liberdade como nos de vários graus de liberdade, desde que seja conhecido um modelo matemático razoavelmente preciso da planta.

Visão geral do capítulo. A Seção 8.1 apresentou o material introdutório do capítulo. A Seção 8.2 lida com o projeto de um controlador PID com as regras de Ziegler-Nichols. A Seção 8.3 aborda o projeto de um controlador PID pelo método de resposta em frequência. A Seção 8.4 discute uma abordagem computacional para a obtenção dos parâmetros ótimos de controladores PID. A Seção 8.5 trata dos sistemas de controle PID com vários graus de liberdade, inclusive os sistemas PID modificados.

8.2 | Regras de sintonia de Ziegler-Nichols para controladores PID

Controle PID de plantas. A Figura 8.1 mostra o controle PID de uma planta. Se um modelo matemático da planta pode ser obtido, então é possível aplicar várias técnicas de projeto na determinação dos parâmetros do controlador que atenderão às especificações do regime transitório e do regime permanente do sistema de malha fechada. Contudo, se a planta for muito complexa, de modo que seu modelo matemático não possa ser obtido facilmente, então a abordagem analítica do projeto do controlador PID não será possível. Temos então de recorrer a abordagens experimentais de sintonia de controladores PID.

O processo de selecionar parâmetros do controlador que garantam dada especificação de desempenho é conhecido como sintonia do controlador. Ziegler e Nichols sugeriram regras para a sintonia de controladores PID (o que significa ajustar os valores de K_p, T_i e T_d) baseadas na resposta experimental ao degrau ou no valor de K_p que resulta em uma estabilidade marginal, quando somente uma ação proporcional é utilizada. As regras de Ziegler-Nichols, as quais serão brevemente apresentadas a seguir, são úteis quando os modelos matemáticos da planta são desconhecidos. (Essas regras podem, é claro, ser aplicadas ao projeto de sistemas com modelos matemáticos conhecidos.) Elas sugerem um conjunto de valores de K_p, T_i e T_d que vão proporcionar uma operação estável do sistema. Contudo, o sistema resultante pode exibir um sobressinal máximo grande na resposta do degrau, o que é inaceitável. Nesse caso, precisamos fazer uma série de sintonias finas até que um resultado aceitável seja obtido. De fato, as regras de sintonia de Ziegler-Nichols fornecem estimativas dos valores dos parâmetros e proporcionam um ponto de partida na sintonia fina, e não os valores definitivos de K_p, T_i e T_d logo na primeira tentativa.

Regras de Ziegler-Nichols para sintonia de controladores PID. Ziegler e Nichols propuseram regras para a determinação de valores do ganho proporcional K_p, do tempo integral T_i e

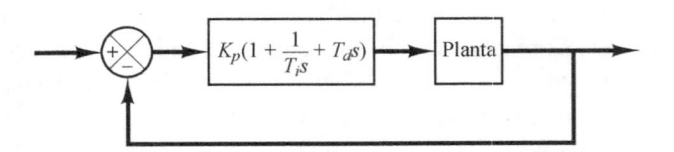

FIGURA 8.1
Controle PID de uma planta.

do tempo derivativo T_d, baseadas nas características da resposta transitória de dada planta. Essa determinação dos parâmetros dos controladores PID ou de sintonia dos controladores PID pode ser feita por engenheiros de campo, por meio de experimentos com a planta. (Muitas regras de sintonia para controladores PID já foram sugeridas desde a proposta de Ziegler e Nichols. Elas estão disponíveis na literatura e com os fabricantes desses controladores.)

Existem dois métodos denominados regras de sintonia de Ziegler-Nichols: o primeiro e o segundo método. Fornecemos aqui uma breve apresentação dos dois.

Primeiro método. No primeiro método, obtemos experimentalmente a resposta da planta a uma entrada em degrau unitário, como mostra a Figura 8.2. Se a planta não possui integradores ou polos complexos conjugados dominantes, então essa curva de resposta ao degrau unitário pode ter o aspecto de um S, como se pode ver na Figura 8.3. Esse método se aplica se a curva de resposta ao degrau de entrada tiver o aspecto de um S. Essa curva de resposta ao degrau pode ser gerada experimentalmente ou a partir de uma simulação dinâmica da planta.

A curva com o formato em S pode ser caracterizada por duas constantes, o atraso L e a constante de tempo T. O atraso e a constante de tempo são determinados desenhando-se uma linha tangente no ponto de inflexão da curva com o formato em S e determinando-se a intersecção da linha tangente com o eixo dos tempos e a linha $c(t) = K$, como mostra a Figura 8.3. A função de transferência $C(s)/U(s)$ pode ser aproximada por um sistema de primeira ordem com um atraso de transporte, como segue:

$$\frac{C(s)}{U(s)} = \frac{Ke^{-Ls}}{Ts + 1}$$

Ziegler e Nichols sugeriram escolher os valores de K_p, T_i e T_d, de acordo com a fórmula que aparece na Tabela 8.1.

Note que o controlador PID sintonizado pelo primeiro método das regras de Ziegler-Nichols fornece:

FIGURA 8.2
Resposta ao degrau unitário de uma planta.

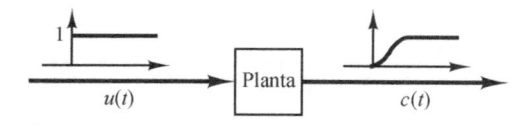

FIGURA 8.3
Curva de resposta em forma de S.

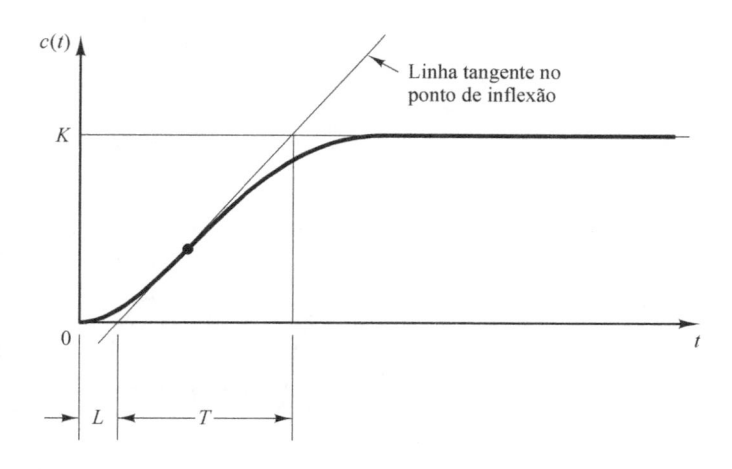

TABELA 8.1
Regra de sintonia de Ziegler-Nichols baseada na resposta ao degrau da planta (primeiro método).

Tipo de controlador	K_p	T_i	T_d
P	$\dfrac{T}{L}$	∞	0
PI	$0,9\dfrac{T}{L}$	$\dfrac{L}{0,3}$	0
PID	$1,2\dfrac{T}{L}$	$2L$	$0,5L$

$$G_c(s) = K_p\left(1 + \frac{1}{T_i s} + T_d s\right)$$

$$= 1,2\frac{T}{L}\left(1 + \frac{1}{2Ls} + 0,5Ls\right)$$

$$= 0,6T\frac{\left(s + \dfrac{1}{L}\right)^2}{s}$$

Portanto, o controlador PID tem um polo na origem e zeros duplos em $s = -1/L$.

Segundo método. No segundo método, definimos primeiro $T_i = \infty$ e $T_d = 0$. Usando somente a ação de controle proporcional (veja a Figura 8.4), aumente K_p de 0 ao valor crítico K_{cr}, no qual a saída exibe uma oscilação sustentada pela primeira vez. (Se a saída não exibe uma oscilação sustentada para qualquer valor que K_p pode assumir, então esse método não se aplica.) Portanto, o ganho crítico K_{cr} e o período P_{cr} correspondente são determinados experimentalmente (veja a Figura 8.5). Ziegler e Nichols sugeriram escolher os valores dos parâmetros K_p, T_i e T_d de acordo com a fórmula mostrada na Tabela 8.2.

FIGURA 8.4
Sistema de malha fechada com um controlador proporcional.

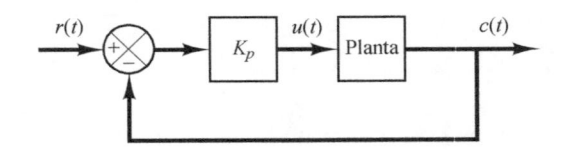

FIGURA 8.5
Oscilação sustentada com período P_{cr}. (P_{cr} é medido em segundos.)

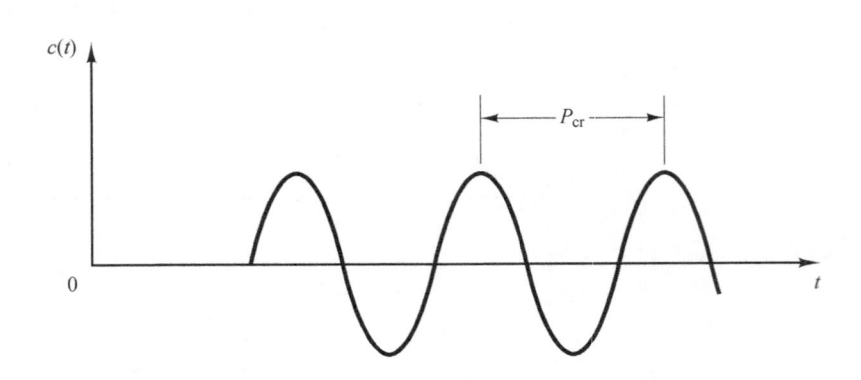

TABELA 8.2
Regra de sintonia de Ziegler-Nichols baseada no ganho crítico K_{cr} e no período crítico P_{cr} (segundo método).

Tipo de controlador	K_p	T_i	T_d
P	$0{,}5K_{cr}$	∞	0
PI	$0{,}45K_{cr}$	$\dfrac{1}{1{,}2}P_{cr}$	0
PID	$0{,}6K_{cr}$	$0{,}5P_{cr}$	$0{,}125P_{cr}$

Note que o controlador PID sintonizado pelo segundo método das regras de Ziegler-Nichols fornece:

$$G_c(s) = K_p\left(1 + \frac{1}{T_i s} + T_d s\right)$$

$$= 0{,}6K_{cr}\left(1 + \frac{1}{0{,}5P_{cr}s} + 0{,}125P_{cr}s\right)$$

$$= 0{,}075K_{cr}P_{cr}\frac{\left(s + \dfrac{4}{P_{cr}}\right)^2}{s}$$

Portanto, o controlador PID tem um polo na origem e zeros duplos em $s = -4/P_{cr}$.

Note que, se o sistema tem um modelo matemático conhecido (como a função de transferência), então podemos utilizar o método do lugar das raízes para encontrar o ganho crítico K_{cr} e a frequência de oscilações sustentadas ω_{cr}, onde $2\pi/\omega_{cr} = P_{cr}$. Esses valores podem ser encontrados a partir dos pontos de cruzamento dos ramos do lugar das raízes com o eixo $j\omega$. (Obviamente, se os ramos do lugar das raízes não cruzam o eixo $j\omega$, esse método não se aplica.)

Comentários. As regras de sintonia de Ziegler-Nichols (e outras regras de sintonia apresentadas na literatura) vêm sendo muito utilizadas para sintonizar controladores PID em sistemas de controle de processo em que as dinâmicas da planta não são precisamente conhecidas. Por muitos anos, essas regras de sintonia provaram ser muito úteis. As regras de sintonia de Ziegler-Nichols podem, é claro, ser aplicadas às plantas cujas dinâmicas são conhecidas. (Se as dinâmicas da planta são conhecidas, várias abordagens gráficas e analíticas para o projeto de controladores PID estão disponíveis, além das regras de Ziegler-Nichols.)

Exemplo 8.1 Considere o sistema de controle mostrado na Figura 8.6 no qual um controlador PID é utilizado para controlar o sistema. O controlador PID tem a função de transferência

$$G_c(s) = K_p\left(1 + \frac{1}{T_i s} + T_d s\right)$$

Embora vários métodos analíticos estejam disponíveis para o projeto de um controlador PID, para o sistema dado, vamos aplicar uma regra de sintonia de Ziegler-Nichols na determinação dos parâmetros K_p, T_i e T_d. Em seguida, obtenha a curva de resposta ao degrau unitário e verifique se o

FIGURA 8.6
Sistema com controle PID.

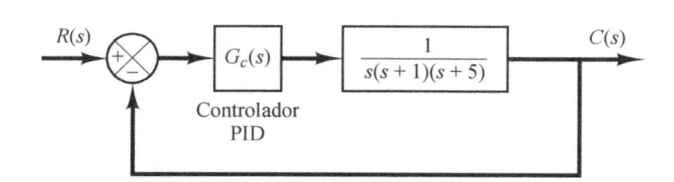

sistema projetado exibe aproximadamente 25% de sobressinal máximo. Se o sobressinal máximo for excessivo (40% ou mais), faça uma sintonia fina e reduza o valor do sobressinal máximo para aproximadamente 25% ou menos.

Como a planta tem um integrador, utilizamos o segundo método das regras de sintonia de Ziegler-Nichols. Fazendo $T_i = \infty$ e $T_d = 0$, obtemos a função de transferência de malha fechada como segue:

$$\frac{C(s)}{R(s)} = \frac{K_p}{s(s+1)(s+5) + K_p}$$

O valor de K_p que torna o sistema marginalmente estável, de modo que ocorram oscilações sustentadas, pode ser obtido pelo uso do critério de estabilidade de Routh. Uma vez que a equação característica do sistema em malha fechada é:

$$s^3 + 6s^2 + 5s + K_p = 0$$

o arranjo de Routh fica:

s^3	1	5
s^2	6	K_p
s^1	$\dfrac{30 - K_p}{6}$	
s^0	K_p	

Examinando os coeficientes da primeira coluna da tabela de Routh, determinamos que oscilações sustentadas existirão se $K_p = 30$. Portanto, o valor crítico K_{cr} é:

$$K_{cr} = 30$$

Com o ganho K_p igual a K_{cr} (= 30), a equação característica resulta em:

$$s^3 + 6s^2 + 5s + 30 = 0$$

Para encontrar a frequência da oscilação sustentada, substituímos $s = j\omega$ na equação característica, como segue:

$$(j\omega)^3 + 6(j\omega)^2 + 5(j\omega) + 30 = 0$$

ou

$$6(5 - \omega^2) + j\omega(5 - \omega^2) = 0$$

a partir da qual determinamos a frequência da oscilação sustentada como $\omega^2 = 5$ ou $\omega = \sqrt{5}$. Logo, o período de oscilação sustentada é:

$$P_{cr} = \frac{2\pi}{\omega} = \frac{2\pi}{\sqrt{5}} = 2,8099$$

Referindo-nos à Tabela 8.2, determinamos K_p, T_i e T_d como segue:

$$K_p = 0,6 K_{cr} = 18$$
$$T_i = 0,5 P_{cr} = 1,405$$
$$T_d = 0,125 P_{cr} = 0,35124$$

A função de transferência do controlador PID é, portanto,

$$G_c(s) = K_p\left(1 + \frac{1}{T_i s} + T_d s\right)$$

$$= 18\left(1 + \frac{1}{1,405 s} + 0,35124 s\right)$$

$$= \frac{6,3223(s + 1,4235)^2}{s}$$

O controlador PID tem um polo na origem e um zero duplo em $s = -1,4235$. Um diagrama de blocos do sistema de controle com o controlador PID projetado é mostrado na Figura 8.7.

Em seguida, vamos examinar a resposta do sistema ao degrau unitário. A função de transferência $C(s)/R(s)$ é dada por:

$$\frac{C(s)}{R(s)} = \frac{6,3223s^2 + 18s + 12,811}{s^4 + 6s^3 + 11,3223s^2 + 18s + 12,811}$$

A resposta ao degrau unitário desse sistema pode ser facilmente obtida com o MATLAB. Veja o Programa 8.1 em MATLAB. A curva de resposta ao degrau unitário resultante é mostrada na Figura 8.8. O sobressinal máximo na resposta ao degrau unitário é de aproximadamente 62%. O valor do sobressinal máximo é excessivo. Ele pode ser reduzido fazendo-se uma sintonia fina dos parâmetros do controlador. Essa sintonia fina pode ser feita no computador. Obtemos que, mantendo $K_p = 18$ e movendo o zero duplo do controlador PID para $s = -0,65$, ou seja, utilizando o controlador PID,

$$G_c(s) = 18\left(1 + \frac{1}{3,077s} + 0,7692s\right) = 13,846\frac{(s + 0,65)^2}{s} \tag{8.1}$$

o sobressinal máximo na resposta ao degrau unitário pode ser reduzido para aproximadamente 18% (veja a Figura 8.9). Se o ganho proporcional K_p for aumentado para 39,42, sem alterar a localização do zero duplo ($s = -0,65$), ou seja, utilizando o controlador PID,

$$G_c(s) = 39,42\left(1 + \frac{1}{3,077s} + 0,7692s\right) = 30,322\frac{(s + 0,65)^2}{s} \tag{8.2}$$

FIGURA 8.7
Diagrama de blocos do sistema com o controlador PID projetado com o uso da regra de sintonia de Ziegler-Nichols (segundo método).

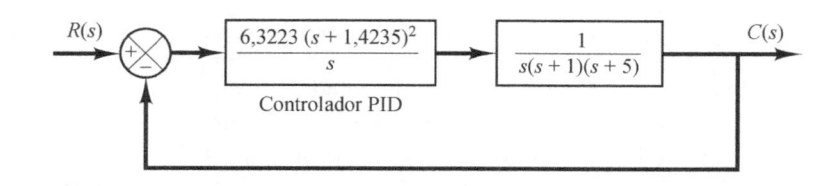

FIGURA 8.8
Curva de resposta ao degrau unitário de um sistema com controlador PID projetado com o uso da regra de sintonia de Ziegler-Nichols (segundo método).

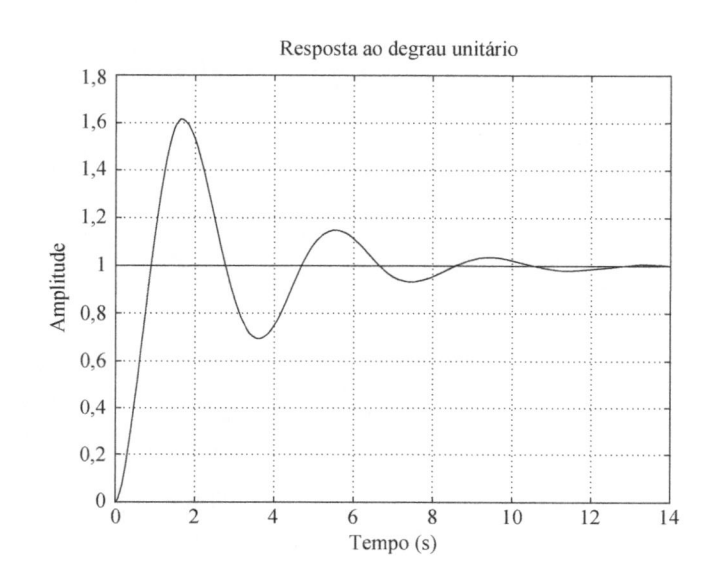

FIGURA 8.9
Resposta ao degrau unitário do sistema mostrado na Figura 8.6 com o controlador PID que tem como parâmetros $K_p = 18$, $T_i = 3{,}077$ e $T_d = 0{,}7692$.

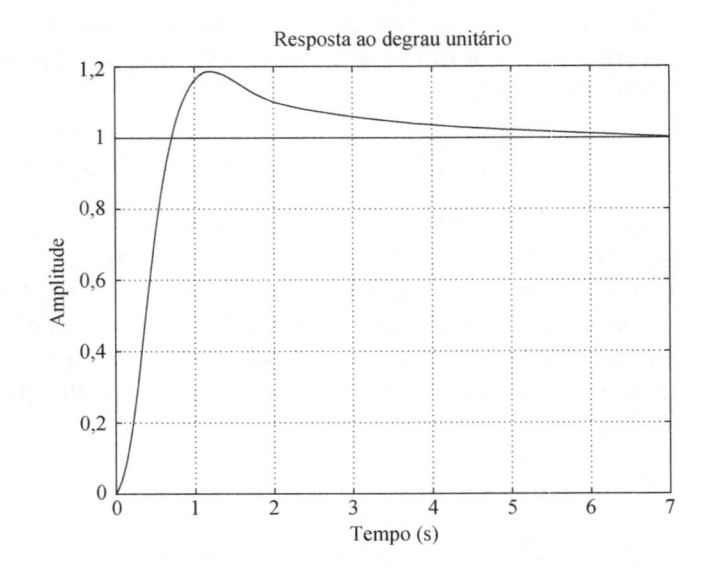

```
Programa 8.1 em MATLAB
% ---------- Resposta ao degrau unitário ----------
num = [6.3223 18 12.811];
den = [1 6 11.3223 18 12.811];
step(num,den)
grid
title('Resposta ao degrau unitário')
```

então a velocidade de resposta é aumentada, porém o sobressinal máximo também é aumentado para aproximadamente 28%, como mostra a Figura 8.10. Uma vez que o sobressinal máximo nesse caso é bem próximo a 25% e a resposta é mais rápida do que a do sistema com $G_c(s)$, dada pela Equação 8.1, podemos considerar a $G_c(s)$ dada pela Equação 8.2 como aceitável. Assim, os valores sintonizados de K_p, T_i e T_d resultam em:

FIGURA 8.10
Resposta ao degrau unitário do sistema mostrado na Figura 8.6, com o controlador PID que tem como parâmetros $K_p = 39{,}42$, $T_i = 3{,}077$ e $T_d = 0{,}7692$.

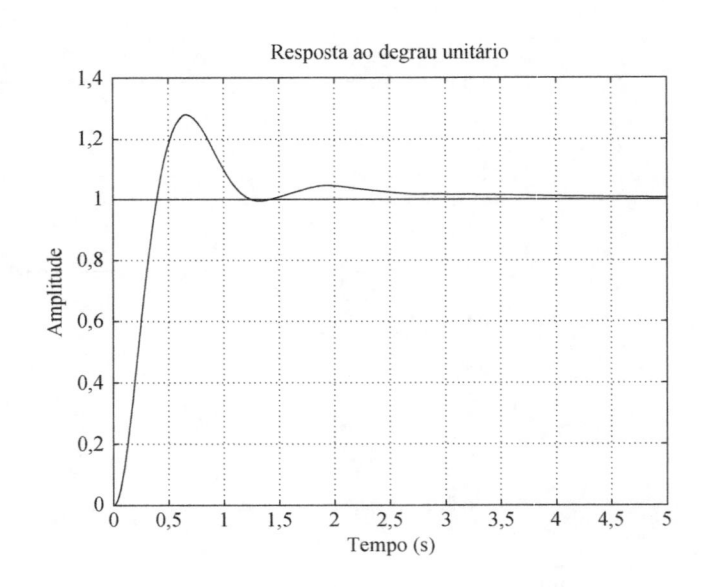

$$K_p = 39{,}42, \qquad T_i = 3{,}077, \qquad T_d = 0{,}7692$$

É interessante observar que esses valores são de aproximadamente o dobro dos valores sugeridos pelo segundo método das regras de sintonia de Ziegler-Nichols. O aspecto importante a ser observado aqui é que a regra de sintonia de Ziegler-Nichols forneceu um ponto de partida para a sintonia fina.

É instrutivo notar que, para o caso em que o zero duplo está localizado em $s = -1{,}4235$, aumentar o valor de K_p aumenta a velocidade de resposta. Contudo, sendo o sobressinal máximo o objetivo, a variação do ganho K_p tem pouquíssima influência. A razão para isso pode ser vista por meio da análise do lugar das raízes. A Figura 8.11 mostra o gráfico do lugar das raízes para o sistema projetado pelo uso do segundo método das regras de sintonia de Ziegler-Nichols. Uma vez que os ramos dominantes do lugar das raízes estão sobre as linhas $\zeta = 0{,}3$ para uma faixa considerável de K, variar o valor de K (de 6 a 30) não alterará muito o coeficiente de amortecimento dos polos dominantes de malha fechada. Contudo, a variação da localização do zero duplo tem um efeito significativo no sobressinal máximo, porque o coeficiente de amortecimento dos polos dominantes da malha fechada pode ser alterado significativamente. Isso também pode ser visto pela análise do lugar das raízes. A Figura 8.12 mostra o gráfico do lugar das raízes para o sistema em que o controlador PID tem o zero duplo em $s = -0{,}65$. Observe a alteração na configuração do lugar das raízes. Essa alteração na configuração torna possível modificar o coeficiente de amortecimento dos polos dominantes de malha fechada.

Na Figura 8.12, note que, no caso em que o sistema tiver ganho $K = 30{,}322$, os polos de malha fechada em $s = -2{,}35 \pm j4{,}82$ agirão como polos dominantes. Dois polos adicionais de malha fechada estão muito próximos ao zero duplo em $s = -0{,}65$, resultando que esses polos de malha fechada e o zero duplo se cancelam entre si. O par dominante de polos de malha fechada determina, na verdade, a natureza da resposta. Por outro lado, quando o sistema tem um $K = 13{,}846$, os polos de malha fechada em $s = -2{,}35 \pm j2{,}62$ não são realmente dominantes, porque os outros dois polos de malha fechada, que estão próximos ao zero duplo em $s = -0{,}65$, têm um efeito considerável na resposta. O sobressinal máximo na resposta ao degrau nesse caso

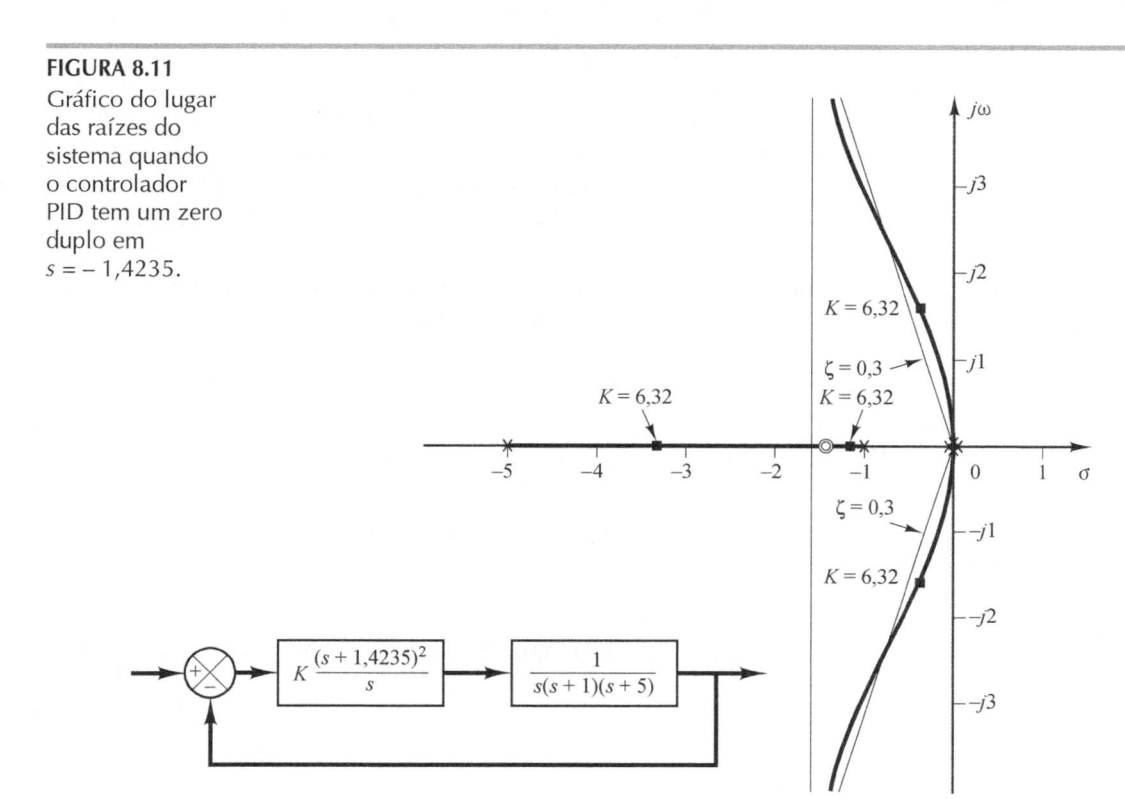

FIGURA 8.11
Gráfico do lugar das raízes do sistema quando o controlador PID tem um zero duplo em $s = -1{,}4235$.

FIGURA 8.12
Gráfico do lugar das raízes do sistema em que o controlador PID tem um zero duplo em $s = -0,65$. $K = 13,846$ corresponde à $G_c(s)$ dada pela Equação 8.1 e $K = 30,322$ corresponde à $G_c(s)$ dada pela Equação 8.2.

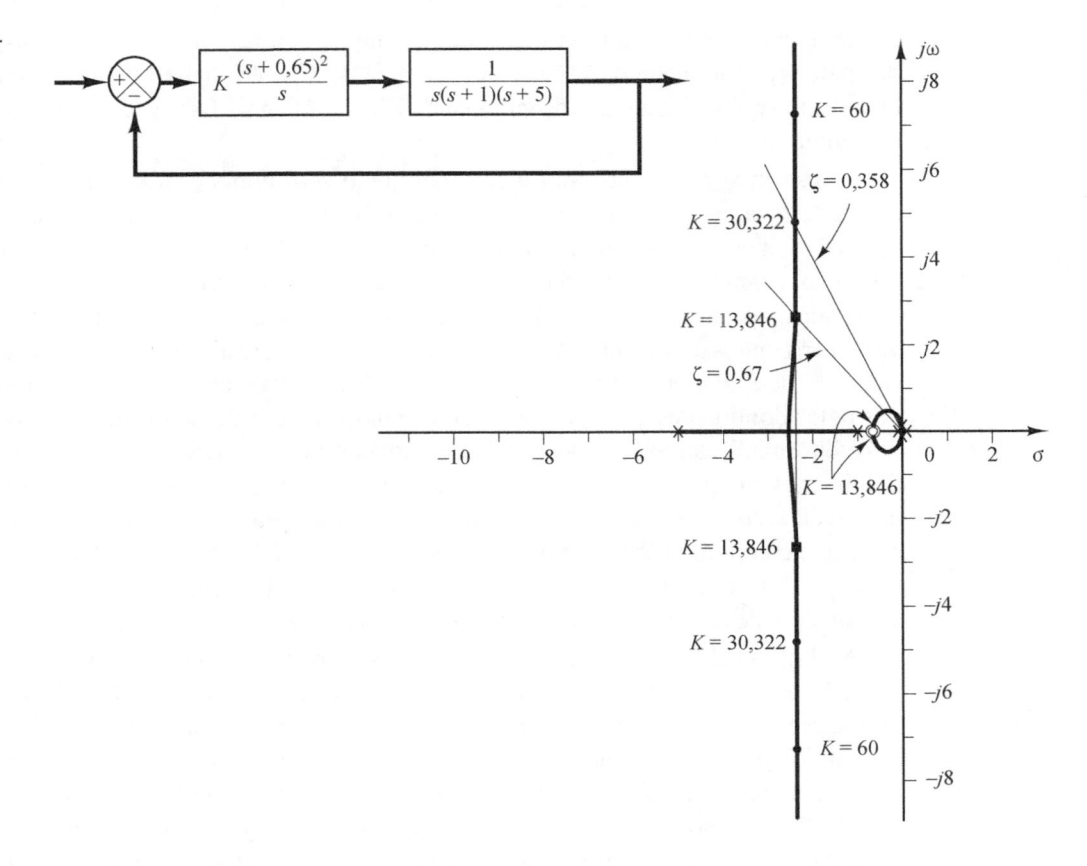

(18%) é muito maior que no caso em que o sistema é de segunda ordem, possuindo apenas polos dominantes de malha fechada. (No último caso, o sobressinal máximo na resposta ao degrau seria de aproximadamente 6%.)

É possível fazer uma terceira, uma quarta e ainda outras tentativas para obter uma resposta melhor. No entanto, isso requer muitos cálculos, gastando-se muito tempo. Se mais tentativas forem desejadas, sugere-se o uso da abordagem computacional apresentada na Seção 10.3. O Problema A.8.12 resolve essa questão com a abordagem computacional por meio do MATLAB. Ele determina o conjunto de valores de parâmetros que vão levar o máximo sobressinal a 10% ou menos e o tempo de acomodação a 3 segundos ou menos. Uma solução para esse problema, obtida no Problema A.8.12, é que para o controlador PID definido por:

$$G_c(s) = K\frac{(s+a)^2}{s}$$

os valores de K e a são:

$$K = 29, \quad a = 0,25$$

com o sobressinal máximo igual a 9,52% e o tempo de acomodação igual a 1,78 s. Outra possível solução obtida naquele problema é:

$$K = 27, \quad a = 0,2$$

com 5,5% de sobressinal máximo e 2,89 s de tempo de acomodação. Veja o Problema A.8.12 para obter detalhes.

8.3 | Projeto de controladores PID pelo método de resposta em frequência

Nesta seção, apresentamos o projeto de um controlador PID, com base no método de resposta em frequência.

Considere o sistema mostrado na Figura 8.13. Usando o método de resposta em frequência, projete um controlador PID de forma que a constante de erro estático de velocidade seja 4 s⁻¹, a margem de fase seja de 50° ou mais e a margem de ganho seja de 10 dB ou mais. Obtenha as curvas de resposta ao degrau unitário e de rampa unitária do sistema com controle PID, com o MATLAB.

Digamos que o controlador PID seja

$$G_c(s) = \frac{K(as+1)(bs+1)}{s}$$

Como a constante de erro estático de velocidade, K_v está especificada em 4 s⁻¹, temos

$$K_v = \lim_{s \to 0} sG_c(s)\frac{1}{s^2+1} = \lim_{s \to 0} s\frac{K(as+1)(bs+1)}{s}\frac{1}{s^2+1}$$
$$= K = 4$$

Portanto,

$$G_c(s) = \frac{4(as+1)(bs+1)}{s}$$

Em seguida, traçamos o diagrama de Bode de

$$G(s) = \frac{4}{s(s^2+1)}$$

O Programa 8.2 em MATLAB produz um diagrama de Bode para $G(s)$. A Figura 8.14 mostra o diagrama de Bode resultante.

Precisamos de uma margem de fase de pelo menos 50° e de uma margem de ganho de pelo menos 10 dB. No diagrama de Bode da Figura 8.14, vemos que a frequência de cruzamento de ganho é de aproximadamente ω = 1,8 rad/s. Suponhamos que a frequência de cruzamento de ganho do sistema compensado fique em algum ponto entre ω = 1 e ω = 10 rad/s. Considerando que

$$G_c(s) = \frac{4(as+1)(bs+1)}{s}$$

escolhemos $a = 5$. Então, $(as + 1)$ contribuirá com um avanço de fase de até 90° da região das altas frequências. O Programa 8.3 em MATLAB gera o diagrama de Bode de

```
Programa 8.2 em MATLAB

num = [4];
den = [1 0.00000000001 1 0];
w = logspace(-1,1,200);
bode(num,den,w)
title('Diagrama de Bode de 4/[s(s^2+1)]')
```

FIGURA 8.13
Sistema de controle.

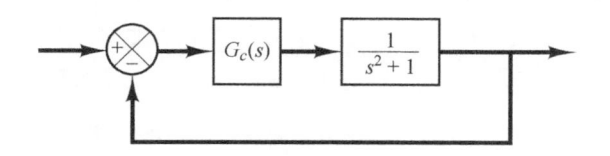

FIGURA 8.14
Diagrama de Bode de $4/[s(s^2+1)]$.

Diagrama de Bode de $4/[s(s^2+1)]$

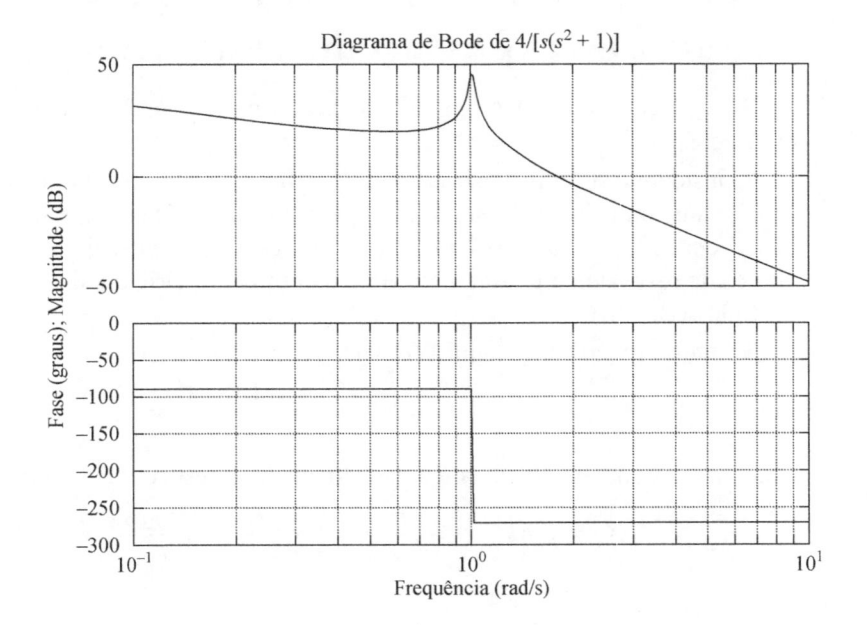

$$\frac{4(5s+1)}{s(s^2+1)}$$

A Figura 8.15 mostra o diagrama de Bode resultante.

Programa 8.3 em MATLAB

```
num = [20 4];
den = [1 0.00000000001 1 0];
w = logspace(-2,1,101);
bode(num,den,w)
title('Diagrama de Bode de G(s) = 4(5s+1)/[s(s^2+1)]')
```

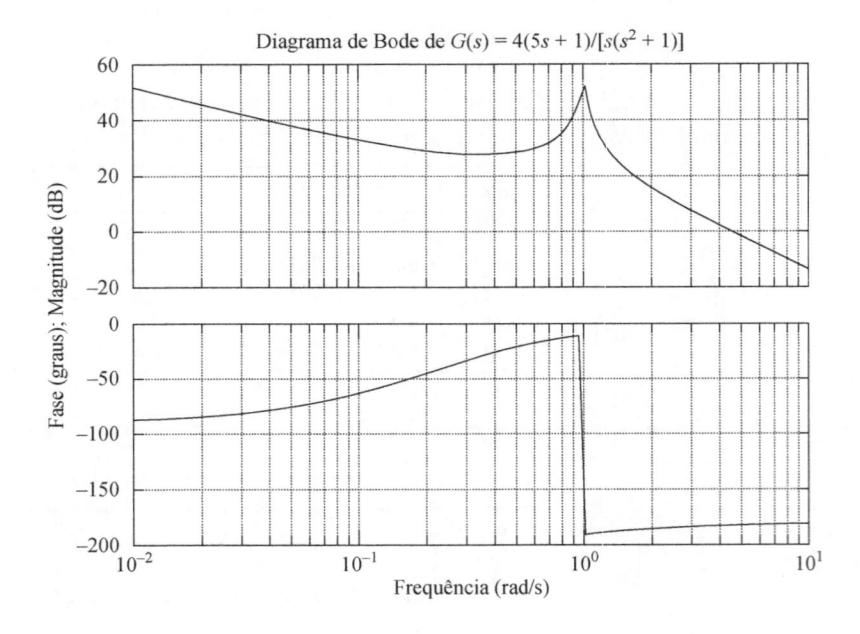

FIGURA 8.15
Diagrama de Bode de $G(s) = 4(5s+1)/[s(s^2+1)]$.

Diagrama de Bode de $G(s) = 4(5s+1)/[s(s^2+1)]$

Com base no diagrama de Bode da Figura 8.15, escolhemos o valor de b. O termo $(bs + 1)$ precisa resultar em uma margem de fase de pelo menos 50°. Com ensaios simples no MATLAB, constatamos que $b = 0,25$ gera a margem de fase de pelo menos 50° e uma margem de ganho de $+\infty$ dB. Portanto, escolhendo $b = 0,25$, temos

$$G_c(s) = \frac{4(5s + 1)(0,25s + 1)}{s}$$

e a função de transferência de malha aberta do sistema projetado torna-se

$$\text{Função de transferência de malha aberta} = \frac{4(5s + 1)(0,25s + 1)}{s} \frac{1}{s^2 + 1}$$

$$= \frac{5s^2 + 21s + 4}{s^3 + s}$$

O Programa 8.4 em MATLAB produz o diagrama de Bode da função de transferência de malha aberta. A Figura 8.16 mostra o diagrama de Bode resultante. Nele, vemos que a constante de erro estático de velocidade é 4 s^{-1}, **a margem de fase é 55° e a margem de ganho é de $+\infty$ dB**.

Portanto, o sistema projetado satisfaz todos os requisitos e, consequentemente, é aceitável. (Note que existe uma infinidade de sistemas que satisfazem todos os requisitos; o presente sistema é apenas um deles.)

Em seguida, vamos obter a resposta em degrau unitário e a resposta em rampa unitária do sistema projetado. A função de transferência de malha fechada é

$$\frac{C(s)}{R(s)} = \frac{5s^2 + 21s + 4}{s^3 + 5s^2 + 22s + 4}$$

Observe que os zeros de malha fechada estão localizados em

Programa 8.4 em MATLAB

```
num = [5 21 4];
den = [1 0 1 0];
w = logspace(-2,2,100);
bode(num,den,w)
title('Diagrama de Bode de 4(5s+1)(0.25s+1)/[s(s^2+1)]')
```

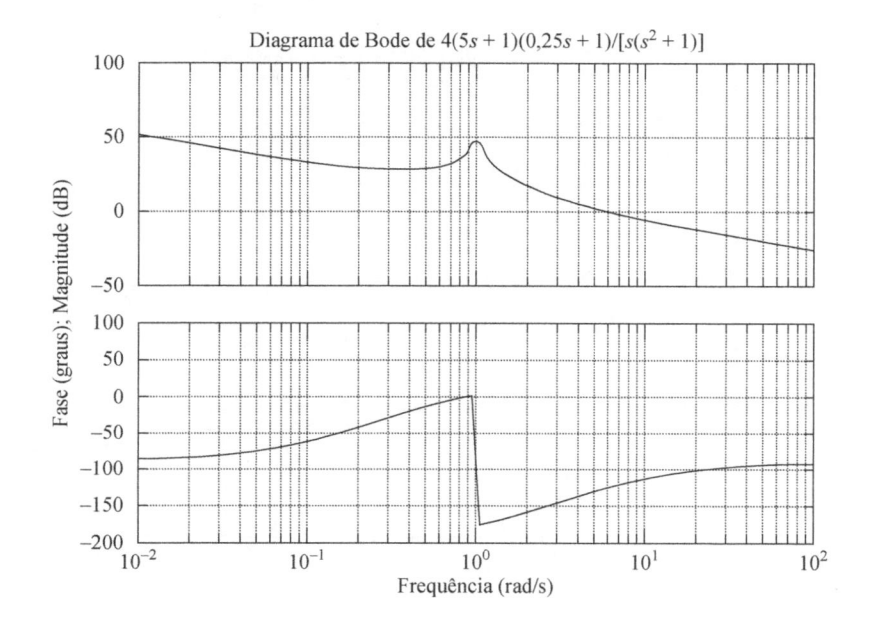

FIGURA 8.16
Diagrama de Bode de $4(5s + 1)(0,25s + 1)/[s(s^2 + 1)]$.

$$s = -4, \quad s = -0,2$$

Os polos de malha fechada estão localizados em

$$s = -2,4052 + j3,9119$$
$$s = -2,4052 - j3,9119$$
$$s = -0,1897$$

Note que os polos conjugados complexos de malha fechada têm um coeficiente de amortecimento de 0,5237. O Programa 8.5 em MATLAB produz a resposta em degrau unitário e a resposta em rampa unitária.

```
Programa 8.5 em MATLAB

%***** Resposta ao degrau unitário *****

num = [5 21 4];
den = [1 5 22 4];
t = 0:0.01:14;
c = step(num,den,t);
plot(t,c)
grid
title('Resposta ao degrau unitário do sistema compensado')
xlabel('t (s)')
ylabel('Saída c(t)')

%***** Resposta a rampa unitária *****

num1 = [5 21 4];
den1 = [1 5 22 4 0];
t = 0:0.02:20;
c = step(num1,den1,t);
plot(t,c,'-',t,t,'--')
title('Resposta a rampa unitária do sistema compensado')
xlabel('t (s)')
ylabel('Entrada e saída em rampa unitária c(t)')
text(10.8,8,'Sistema compensado')
```

FIGURA 8.17
Curva de resposta ao degrau unitário.

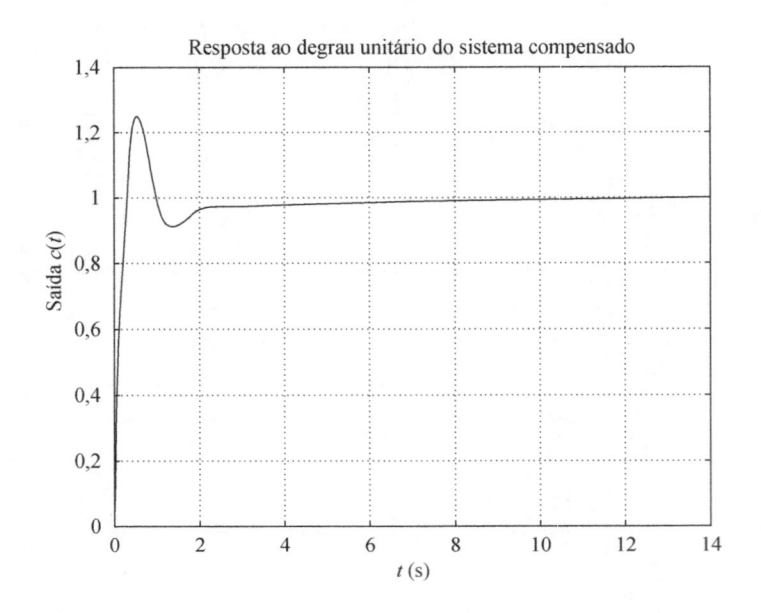

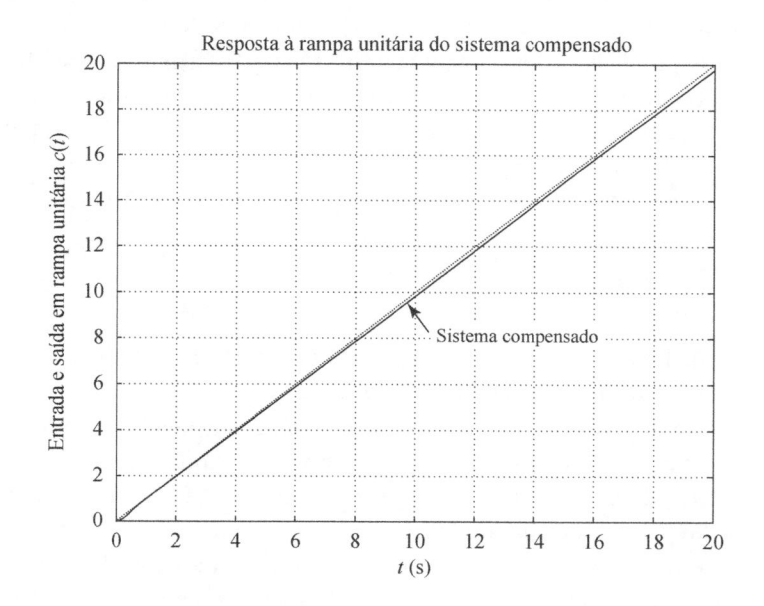

FIGURA 8.18
Entrada em rampa unitária e a curva de saída.

Resposta à rampa unitária do sistema compensado — Sistema compensado.

As figuras 8.17 e 8.18 mostram, respectivamente, a curva de resposta ao degrau unitário e a curva de resposta à rampa unitária resultantes. Observe que o polo de malha fechada em $s = -0{,}1897$ e o zero em $s = -0{,}2$ produzem uma cauda longa de baixa amplitude na resposta ao degrau unitário.

Para outro exemplo de projeto de um controlador PID com base no método de resposta em frequência, veja o Problema A.8.7.

8.4 | Projeto de controladores PID com abordagem de otimização computacional

Nesta seção, exploraremos como obter um conjunto ótimo (ou conjuntos ótimos) de valores de parâmetros para controladores PID, a fim de satisfazer as especificações da resposta temporal com o uso do MATLAB. Apresentaremos dois exemplos para ilustrar a abordagem.

Exemplo 8.2 Considere o sistema controlado por PID mostrado na Figura 8.19. O controlador PID é dado por:

$$G_c(s) = K\frac{(s+a)^2}{s}$$

Deseja-se encontrar uma combinação de K e a, de modo que o sistema de malha fechada seja subamortecido e o sobressinal máximo na resposta ao degrau unitário seja de no máximo 10%. (Não incluiremos mais nenhuma condição neste problema, mas outras condições podem ser incluídas, como a de que o tempo de acomodação seja menor do que um valor especificado. Veja, por exemplo, o Exemplo 8.3.)

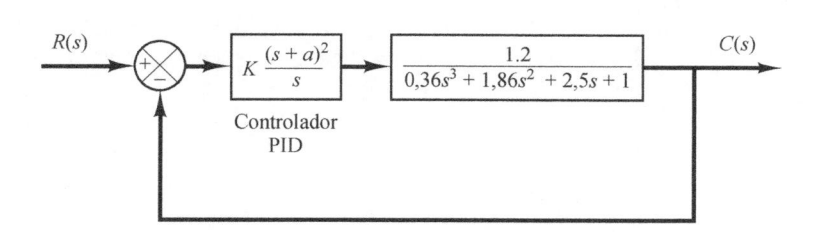

FIGURA 8.19
Sistema com controle PID.

Diagrama de blocos: $R(s) \to \bigoplus \to K\frac{(s+a)^2}{s}$ (Controlador PID) $\to \dfrac{1{,}2}{0{,}36s^3 + 1{,}86s^2 + 2{,}5s + 1} \to C(s)$, com realimentação unitária.

Pode haver mais de um conjunto de parâmetros que satisfaça as especificações. Neste exemplo, obteremos todos os conjuntos de parâmetros que satisfazem às especificações dadas.

Para resolver o problema com o MATLAB, primeiro especificamos a região onde procurar *K* e *a* adequados. Em seguida, escrevemos um programa de modo que, por meio da resposta ao degrau unitário, seja encontrada uma combinação de *K* e *a* que satisfaça o critério de que o sobressinal máximo seja de 10% ou menor.

Note que o ganho *K* não deve ser grande demais para evitar que o sistema exija uma unidade de força desnecessariamente grande.

Suponha que a região de busca de *K* e *a* seja:

$$2 \leq K \leq 3 \quad \text{e} \quad 0,5 \leq a \leq 1,5$$

Se não houver uma solução nessa região, temos de expandi-la. No entanto, em alguns problemas não há solução, seja qual for a região de busca.

No método computacional precisamos determinar o tamanho do passo para cada *K* e *a*. Em um projeto de fato, temos de escolher passos pequenos o bastante. No entanto, neste exemplo, para evitar uma quantidade exagerada de cálculos, vamos escolher um valor razoável do tamanho do passo, digamos 0,2 para *K* e *a*.

É possível escrever vários programas diferentes em MATLAB que resolvam esse problema. Aqui, vamos apresentar um deles, o Programa 8.6 em MATLAB. Observe que, nesse programa, utilizamos dois loops 'for'. Começamos o programa com o loop externo para fazer variar os valores de '*K*'. Então, variamos os valores de '*a*' no loop interno. Continuamos escrevendo o programa em MATLAB de forma que os loops aninhados no programa comecem com o menor valor de '*K*' e de '*a*' e prossigam em direção aos mais altos. Note que, dependendo do sistema e das áreas de busca para '*K*' e '*a*', bem como do tamanho escolhido para os passos, pode levar de vários segundos a alguns minutos para que o MATLAB calcule o conjunto desejado de valores.

Neste programa, a sentença

$$\text{solution(K,:)} = [\text{K(i)} \quad \text{a(j)} \quad \text{m}]$$

produzirá uma tabela de valores de *K*, *a* e *m*. (No sistema em questão há 15 conjuntos de *K* e *a* que exibem *m* < 1,10, ou seja, o sobressinal máximo é menor do que 10%.)

Para ordenar os conjuntos de soluções em função da magnitude do sobressinal máximo (começando com o menor valor de *m* e terminando com o maior valor de *m* na tabela), usamos o comando

$$\text{sortsolution} = \text{sortrows(solution,3)}$$

Programa 8.6 em MATLAB

```
% Valores de 'K' e 'a' para teste
K = [2.0 2.2 2.4 2.6 2.8 3.0];
a = [0.5 0.7 0.9 1.1 1.3 1.5];

% Avalia a resposta ao degrau unitário em malha fechada em cada combinação
% de 'K' e 'a' que fará o máximo sobressinal ser menor que 10%

t = 0:0.01:5;
g = tf([1.2],[0.36 1.86 2.5 1]);
k = 0;
for i = 1:6;
  for j = 1:6;
    gc = tf(K(i)*[1 2*a(j) a(j)^2], [1 0]); % controlador
      G = gc*g/(1 + gc*g); % Fundação de transferência em malha fechada
      y = step(G,t);
      m = max(y);
      if m < 1.10
      k = k+1;
      solution(k,:) = [K(i) a(j) m];
      end
   end
 end
```

(continua)

(*continuação*)

```
     end
 solution  % Imprime a tabela de solução

 solution =

   2.0000  0.5000  0.9002
   2.0000  0.7000  0.9807
   2.0000  0.9000  1.0614
   2.2000  0.5000  0.9114
   2.2000  0.7000  0.9837
   2.2000  0.9000  1.0772
   2.4000  0.5000  0.9207
   2.4000  0.7000  0.9859
   2.4000  0.9000  1.0923
   2.6000  0.5000  0.9283
   2.6000  0.7000  0.9877
   2.8000  0.5000  0.9348
   2.8000  0.7000  1.0024
   3.0000  0.5000  0.9402
   3.0000  0.7000  1.0177
 sortsolution = sortrows(solution,3)  % Imprime a tabela de solução ordenada
                                      % pela coluna 3

 sortsolution =

   2.0000  0.5000  0.9002
   2.2000  0.5000  0.9114
   2.4000  0.5000  0.9207
   2.6000  0.5000  0.9283
   2.8000  0.5000  0.9348
   3.0000  0.5000  0.9402
   2.0000  0.7000  0.9807
   2.2000  0.7000  0.9837
   2.4000  0.7000  0.9859
   2.6000  0.7000  0.9877
   2.8000  0.7000  1.0024
   3.0000  0.7000  1.0177
   2.0000  0.9000  1.0614
   2.2000  0.9000  1.0772
   2.4000  0.9000  1.0923
 % Gera o gráfico da resposta com o maior sobressinal que é menor que 10%

 K = sortsolution(k,1)

 K =
   2.4000

 a = sortsolution(k,2)

 a =
   0.9000

 gc = tf(K*[1 2*a a^2], [1 0]);
 G = gc*g/(1 + gc*g);
 step(G,t)
 grid  % Veja Figura 8-20

 % Se você quiser exibir a resposta com o menor sobressinal que é maior do
 % que 0%, digite os seguintes valores de 'K' e 'a'

 K = sortsolution(11,1)

 K =
   2.8000

 a = sortsolution(11,2)

 a =
     0.7000
```

(*continua*)

(*continuação*)

```
gc = tf(K*[1 2*a a^2], [1 0]);
G = gc*g/(1 + gc*g);
step(G,t)
grid % Veja Figura 8-21
```

Para traçar o gráfico da curva de resposta ao degrau unitário do último conjunto de valores de *K* e *a* da tabela ordenada, digitamos os comandos

$$K = \text{sortsolution}(k,1)$$
$$a = \text{sortsolution}(k,2)$$

e usamos o comando `step`. (A Figura 8.20 mostra a curva de resposta ao degrau unitário resultante.) Para traçar a curva de resposta ao degrau unitário com o menor sobressinal encontrado na tabela escolhida que seja maior que 0%, digite os comandos

$$K = \text{sortsolution}(11,1)$$
$$a = \text{sortsolution}(11,2)$$

e use o comando `step`. (A Figura 8.21 mostra a curva de resposta ao degrau unitário resultante.) Para traçar o gráfico da curva de resposta ao degrau unitário com qualquer conjunto mostrado na tabela escolhida, especificamos os valores de *K* e *a* digitando o comando `sortsolution` apropriado.

Observe que, dentro da especificação de sobressinal máximo entre 10% e 5%, haveria três conjuntos de soluções:

$$K = 2,0000, \quad a = 0,9000, \quad m = 1,0614$$
$$K = 2,2000, \quad a = 0,9000, \quad m = 1,0772$$
$$K = 2,4000, \quad a = 0,9000, \quad m = 1,0923$$

Curvas de resposta ao degrau unitário para esses três casos são mostradas na Figura 8.22. Veja que o sistema com maior ganho *K* tem o menor tempo de subida e o maior sobressinal máximo. Para dizer qual das três alternativas é a melhor, dependemos do objetivo do sistema.

FIGURA 8.20
Resposta em degrau unitário do sistema com $K = 2,4$ e $a = 0,9$. (O sobressinal máximo é 9,23%.)

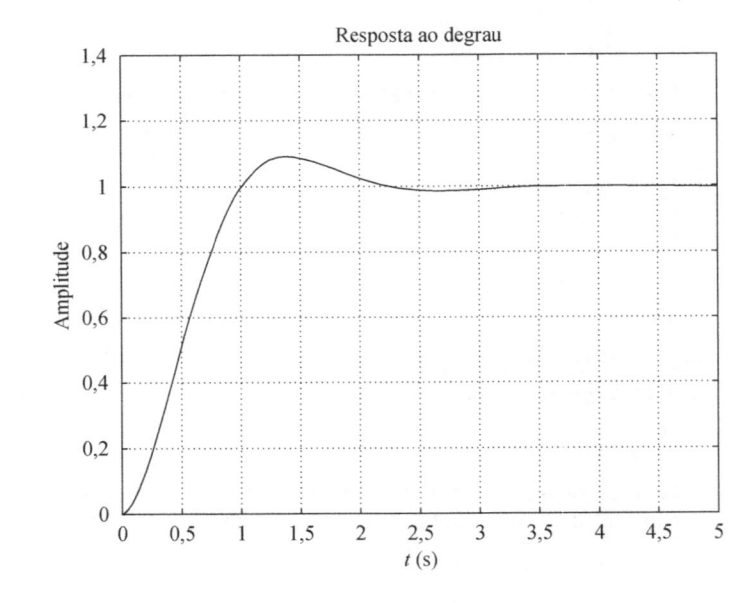

FIGURA 8.21
Resposta do sistema ao degrau unitário com $K = 2{,}8$ e $a = 0{,}7$. (O sobressinal máximo é 0,24%.)

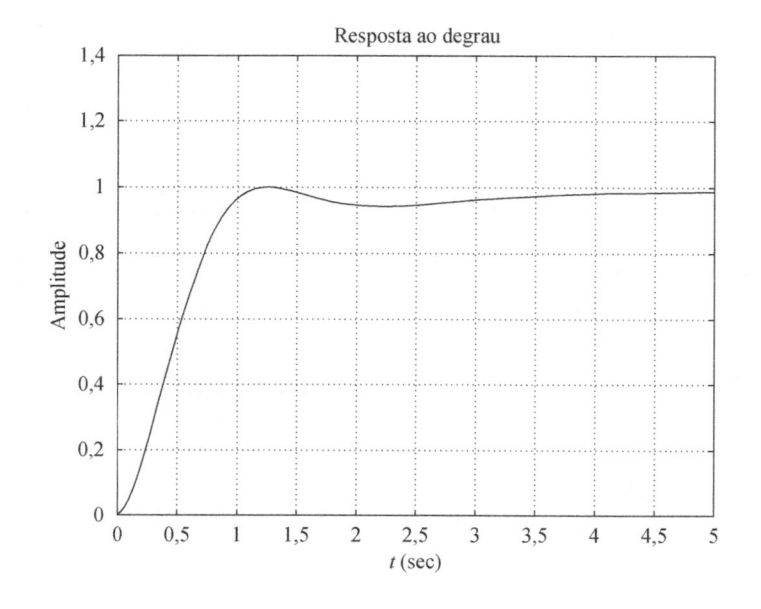

Figura: Resposta ao degrau, amplitude vs t (sec), de 0 a 5 s.

FIGURA 8.22
Curvas de resposta ao degrau unitário com $K = 2$ e $a = 0{,}9$; $K = 2{,}2$ e $a = 0{,}9$; $K = 2{,}4$ e $a = 0{,}9$.

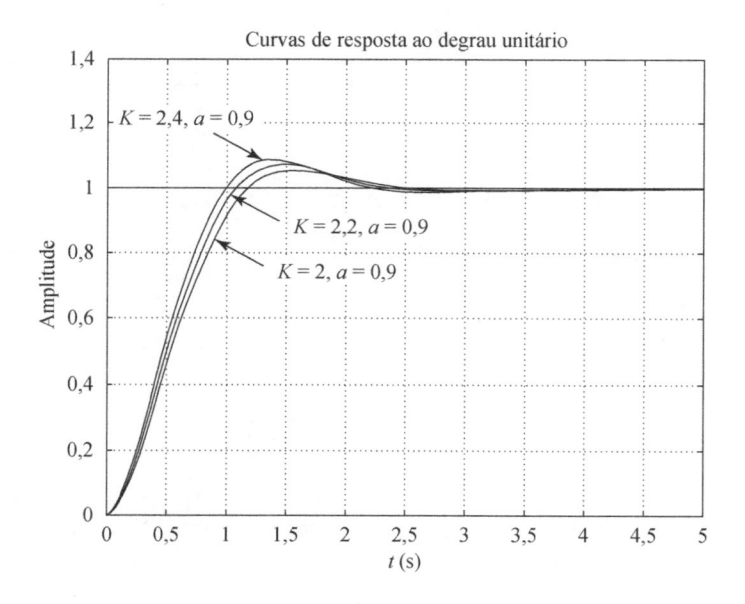

Figura: Curvas de resposta ao degrau unitário para $K = 2{,}4, a = 0{,}9$; $K = 2{,}2, a = 0{,}9$; $K = 2, a = 0{,}9$.

Exemplo 8.3 Considere o sistema mostrado na Figura 8.23. Queremos descobrir todas as combinações de valores de K e a, de forma que o sistema em malha fechada tenha um sobressinal máximo inferior a 15% e de no mínimo 10% na resposta ao degrau unitário. Além disso, o tempo de acomodação deve ser menor que 3 s. Neste problema, considere que a região de busca seja

$$3 \leq K \leq 5 \quad \text{e} \quad 0{,}1 \leq a \leq 3$$

Determine a melhor escolha dos parâmetros K e a.

Neste problema, escolhemos tamanhos razoáveis para os passos — digamos, 0,2 para K e 0,1 para a. O Programa 8.7 em MATLAB fornece a solução para este problema. Pela tabela sortsolution, parece que a primeira linha é uma boa escolha. A Figura 8.24 mostra a curva de resposta ao degrau unitário para $K = 3{,}2$ e $a = 0{,}9$. Como esta alternativa requer um valor de K menor do que a maioria das outras escolhas, podemos optar por ela como a melhor.

FIGURA 8.23
Sistema com controle PID com controlador PID simplificado.

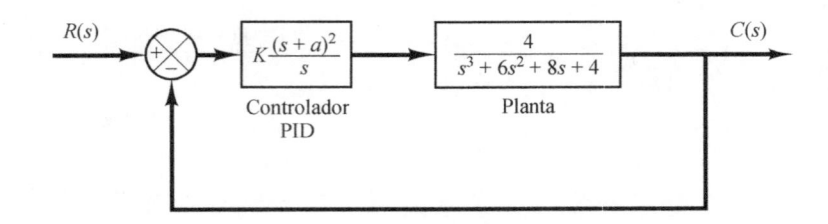

$$R(s) \rightarrow \underset{-}{+} \rightarrow \boxed{K\frac{(s+a)^2}{s}} \rightarrow \boxed{\frac{4}{s^3 + 6s^2 + 8s + 4}} \rightarrow C(s)$$

Controlador PID — Planta

FIGURA 8.24
Curva de resposta ao degrau unitário do sistema com $K = 3,2$ e $a = 0,9$.

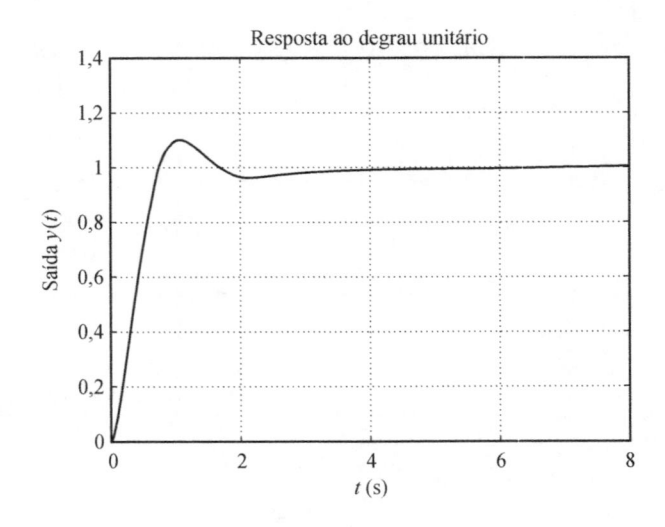

```
Programa 8.7 em MATLAB
t = 0:0.01:8;
k = 0;
for K = 3:0.2:5;
  for a = 0.1:0.1:3;
    num = [4*K 8*K*a 4*K*a^2];
    den = [1 6 8+4*K 4+8*K*a 4*K*a^2];
     y = step(num,den,t);
     s = 801;while y(s)>0.98 & y(s)<1.02; s = s − 1;end;
    ts = (s−1)*0.01; % ts = tempo de estabilização;
    m = max(y);
    if m<1.15 & m>1.10; if ts<3.00;
      k = k+1;
      solution(k,:) = [K a m ts];
      end
     end
    end
  end
  solution

solution =
       3.0000  1.0000  1.1469  2.7700
       3.2000  0.9000  1.1065  2.8300
       3.4000  0.9000  1.1181  2.7000
       3.6000  0.9000  1.1291  2.5800
       3.8000  0.9000  1.1396  2.4700
       4.0000  0.9000  1.1497  2.3800
       4.2000  0.8000  1.1107  2.8300
```

(continua)

(continuação)

```
      4.4000 0.8000 1.1208 2.5900
      4.6000 0.8000 1.1304 2.4300
      4.8000 0.8000 1.1396 2.3100
      5.0000 0.8000 1.1485 2.2100
sortsolution = sortrows(solution,3)
sortsolution =
    3.2000 0.9000 1.1065 2.8300
    4.2000 0.8000 1.1107 2.8300
    3.4000 0.9000 1.1181 2.7000
    4.4000 0.8000 1.1208 2.5900
    3.6000 0.9000 1.1291 2.5800
    4.6000 0.8000 1.1304 2.4300
    4.8000 0.8000 1.1396 2.3100
    3.8000 0.9000 1.1396 2.4700
    3.0000 1.0000 1.1469 2.7700
    5.0000 0.8000 1.1485 2.2100
    4.0000 0.9000 1.1497 2.3800
% Gera gráfico da curva de resposta com o menor sobressinal mostrado
% na tabela sortsolution.
    K = sortsolution(1,1), a = sortsolution(1,2)
K =
    3.2000
a =
    0.9000
    num = [4*K 8*K*a 4*K*a^2];
    den = [1 6 8+4*K 4+8*K*a 4*K*a^2];
    num

num =
    12.8000 23.0400 10.3680
    den

den =
    1.0000 6.0000 20.8000 27.0400 10.3680
    y = step(num,den,t);
    plot(t,y) % Veja a Figura 8-24.
    grid
    title('Resposta ao degrau unitário')
    xlabel('t (s)')
    ylabel('Saída y(t)')
```

8.5 | Variantes dos esquemas de controle PID

Considere o sistema de controle PID básico, mostrado na Figura 8.25(a), em que o sistema está sujeito a distúrbios e ruídos. A Figura 8.25(b) é um diagrama de blocos modificado do mesmo sistema. No sistema de controle PID básico, como aquele mostrado na Figura 8.25(b), se a entrada de referência for uma função degrau, então, por causa da presença do termo derivativo na ação de controle, a variável manipulada $u(t)$ envolverá uma função impulso (função delta). Em um controlador PID real, em vez do termo derivativo puro $T_d s$, empregamos:

$$\frac{T_d s}{1 + \gamma T_d s}$$

onde o valor de γ é algo em torno de 0,1. Portanto, quando uma entrada de referência for uma função degrau, a variável manipulada $u(t)$ não envolverá uma função impulso, mas sim uma função pulso estreita. Esse fenômeno é denominado *salto do valor de referência*.

Controle PI-D. Para evitar o fenômeno salto do valor de referência, podemos colocar a ação derivativa somente no ramo de realimentação para que a diferenciação ocorra apenas no sinal de

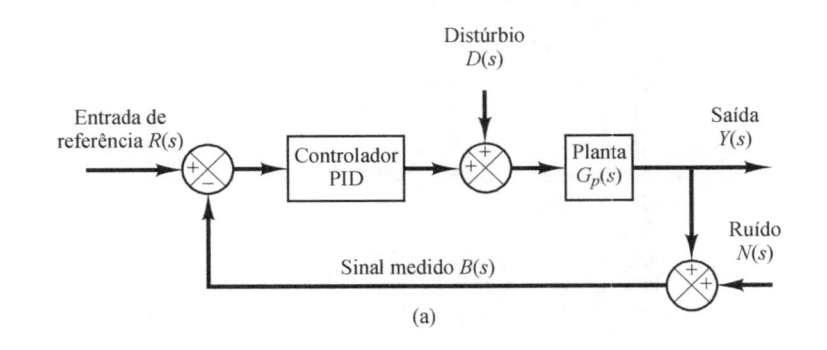

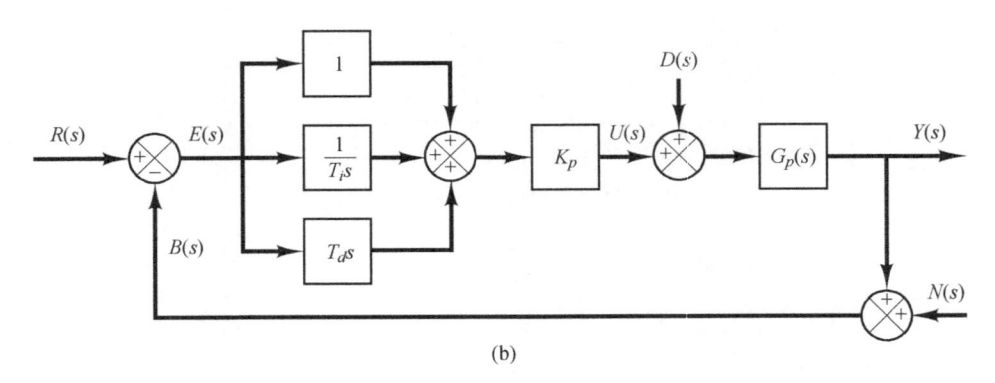

FIGURA 8.25
(a) Sistema com controle PID;
(b) diagrama de blocos equivalente.

(a) Diagrama de blocos: Entrada de referência R(s) → (+/−) → Controlador PID → (+) ← Distúrbio D(s) → Planta $G_p(s)$ → Saída Y(s); realimentação Sinal medido B(s) com Ruído N(s).

(b) Diagrama equivalente com blocos 1, $\frac{1}{T_i s}$, $T_d s$ em paralelo, somador, K_p, U(s), soma com D(s), $G_p(s)$, Y(s), realimentação com N(s).

realimentação e não no sinal de referência. O esquema de controle organizado dessa maneira é denominado controle PI-D. A Figura 8.26 mostra um sistema com controle PI-D.

A partir da Figura 8.26, pode ser visto que o sinal manipulado $U(s)$ é dado por:

$$U(s) = K_p\left(1 + \frac{1}{T_i s}\right)R(s) - K_p\left(1 + \frac{1}{T_i s} + T_d s\right)B(s)$$

Note que, na ausência de distúrbios e ruídos, a função de transferência de malha fechada do sistema de controle PID básico [mostrado na Figura 8.25(b)] e o sistema de controle PI-D (mostrado na Figura 8.26) são dados, respectivamente, por:

$$\frac{Y(s)}{R(s)} = \left(1 + \frac{1}{T_i s} T_d s\right)\frac{K_p G_p(s)}{1 + \left(1 + \frac{1}{T_i s} + T_d s\right)K_p G_p(s)}$$

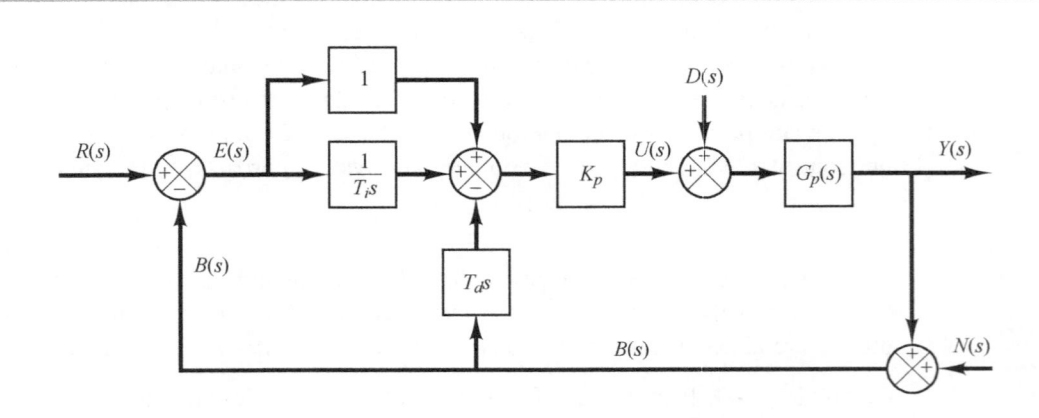

FIGURA 8.26
Sistema com controle PI-D.

e

$$\frac{Y(s)}{R(s)} = \left(1 + \frac{1}{T_i s}\right) \frac{K_p G_p(s)}{1 + \left(1 + \frac{1}{T_i s} + T_d s\right) K_p G_p(s)}$$

É importante salientar que, na ausência de entrada de referência e de ruídos, a função de transferência de malha fechada entre o distúrbio $D(s)$ e a saída $Y(s)$, em qualquer caso, é a mesma e é dada por:

$$\frac{Y(s)}{D(s)} = \frac{G_p(s)}{1 + K_p G_p(s)\left(1 + \frac{1}{T_i s} + T_d s\right)}$$

Controle I-PD. Considere novamente o caso em que a entrada de referência seja uma função degrau. O controle PID e o controle PI-D envolvem uma função degrau no sinal manipulado. Essa alteração degrau no sinal manipulado pode não ser desejada em muitas ocasiões. Portanto, pode ser vantajoso mover a ação proporcional e a ação derivativa para o ramo de realimentação, para que essas ações afetem somente o sinal de realimentação. A Figura 8.27 mostra esse esquema de controle. Ele é chamado controle I-PD. O sinal manipulado é dado por:

$$U(s) = K_p \frac{1}{T_i s} R(s) - K_p \left(1 + \frac{1}{T_i s} + T_d s\right) B(s)$$

Note que a entrada de referência de $R(s)$ aparece apenas na parte integral do controle. Então, no controle I-PD, é imperativo ter a ação de controle integral para uma operação apropriada do sistema de controle.

A função de transferência de malha fechada $Y(s)/R(s)$ na ausência da entrada de distúrbio e da entrada de ruído é dada por:

$$\frac{Y(s)}{R(s)} = \left(\frac{1}{T_i s}\right) \frac{K_p G_p(s)}{1 + K_p G_p(s)\left(1 + \frac{1}{T_i s} + T_d s\right)}$$

Observe-se que, na ausência da entrada de referência e de sinais de ruído, a função de transferência de malha fechada entre a entrada de distúrbio e a saída é dada por:

$$\frac{Y(s)}{D(s)} = \frac{G_p(s)}{1 + K_p G_p(s)\left(1 + \frac{1}{T_i s} + T_d s\right)}$$

Essa expressão é a mesma daquela do controle PID ou do controle PI-D.

FIGURA 8.27
Sistema com controle por I-PD.

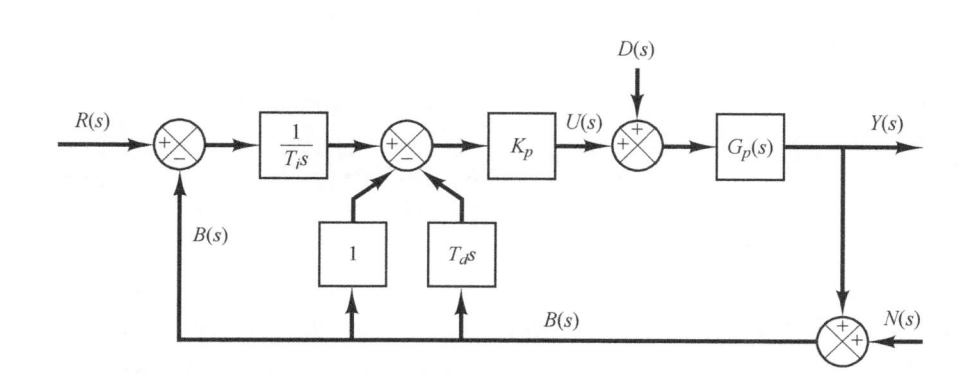

Controle PID com dois graus de liberdade. Mostramos que o controle PI-D é obtido movendo-se a ação de controle derivativa para o ramo de realimentação e o controle I-PD é obtido movendo-se a ação de controle proporcional e a ação de controle derivativa para o ramo de realimentação. Em vez de mover totalmente a ação de controle derivativa ou a ação de controle proporcional para o ramo de realimentação, é possível mover somente partes dessas ações de controle para o ramo de realimentação, mantendo as porções restantes no ramo direto. Na literatura, propõe-se o controle PI-PD. As características desse esquema de controle se situam entre o controle PID e o controle I-PD. Da mesma maneira, o controle PID-PD pode ser considerado. Nesses esquemas de controle, temos um controlador no ramo direto e outro controlador no ramo de realimentação. Esses esquemas de controle nos levam a um esquema de controle mais geral, com dois graus de liberdade. Discutiremos detalhes desse esquema de controle com dois graus de liberdade nas seções subsequentes deste capítulo.

8.6 | Controle com dois graus de liberdade

Considere o sistema mostrado na Figura 8.28, em que o sistema está sujeito à entrada de distúrbio $D(s)$ e ao ruído de entrada $N(s)$, além da entrada de referência $R(s)$. $G_c(s)$ é a função de transferência do controlador e $G_p(s)$ é a função de transferência da planta. Vamos supor que $G_p(s)$ seja fixa e inalterável.

Para esse sistema, três funções de transferência de malha fechada $Y(s)/R(s) = G_{yr}$, $Y(s)/D(s) = G_{yd}$ e $Y(s)/N(s) = G_{yn}$ podem ser obtidas. São elas:

$$G_{yr} \frac{Y(s)}{R(s)} = \frac{G_c G_p}{1 + G_c G_p}$$

$$G_{yd} \frac{Y(s)}{D(s)} = \frac{G_p}{1 + G_c G_p}$$

$$G_{yn} \frac{Y(s)}{N(s)} = -\frac{G_c G_p}{1 + G_c G_p}$$

[Obtendo $Y(s)/R(s)$, vamos supor que $D(s) = 0$ e $N(s) = 0$. Comentários similares se aplicam à obtenção de $Y(s)/D(s)$ e $Y(s)/N(s)$.] Os graus de liberdade do sistema de controle se referem a quantas dessas funções de transferência de malha fechada são independentes. No caso presente, temos:

$$G_{yr} = \frac{G_p - G_{yd}}{G_p}$$

$$G_{yn} = \frac{G_{yd} - G_p}{G_p}$$

FIGURA 8.28
Sistema de controle com um grau de liberdade.

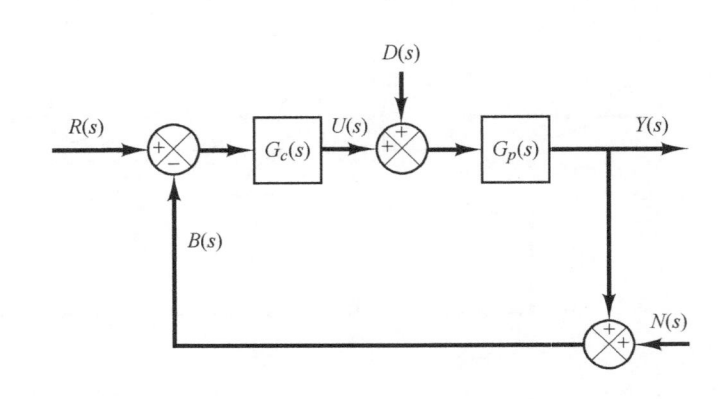

Se uma das três funções de transferência de malha fechada, G_{yr}, G_{yn} e G_{yd}, for dada, as duas outras estarão fixadas. Isso significa que o sistema mostrado na Figura 8.28 é um sistema de controle com um grau de liberdade.

Em seguida, considere o sistema mostrado na Figura 8.29, em que $G_p(s)$ é a função de transferência da planta. Para esse sistema, as funções de transferência de malha fechada G_{yr}, G_{yn} e G_{yd} são dadas, respectivamente, por:

$$G_{yr} \frac{Y(s)}{R(s)} = \frac{G_{c1}G_p}{1 + (G_{c1} + G_{c2})G_p}$$

$$G_{yd} \frac{Y(s)}{D(s)} = \frac{G_p}{1 + (G_{c1} + G_{c2})G_p}$$

$$G_{yn} \frac{Y(s)}{N(s)} = -\frac{(G_{c1} + G_{c2})G_p}{1 + (G_{c1} + G_{c2})G_p}$$

Logo, temos:

$$G_{yr} = G_{c1}G_{yd}$$

$$G_{yn} = \frac{G_{yd} - G_p}{G_p}$$

Nesse caso, se G_{yd} é dada, então G_{yn} está fixada, mas G_{yr} não está, pois G_{c1} é independente de G_{yd}. Então, duas entre as três funções de transferência de malha fechada G_{yr}, G_{yd} e G_{yn} são independentes. Logo, este é um sistema de controle com dois graus de liberdade.

Da mesma maneira, o sistema mostrado na Figura 8.30 também é um sistema de controle com dois graus de liberdade, porque, para ele,

FIGURA 8.29
Sistema de controle com dois graus de liberdade.

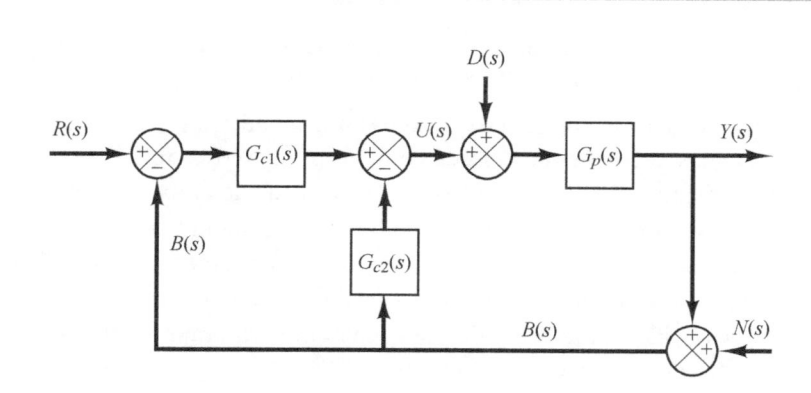

FIGURA 8.30
Sistema de controle com dois graus de liberdade.

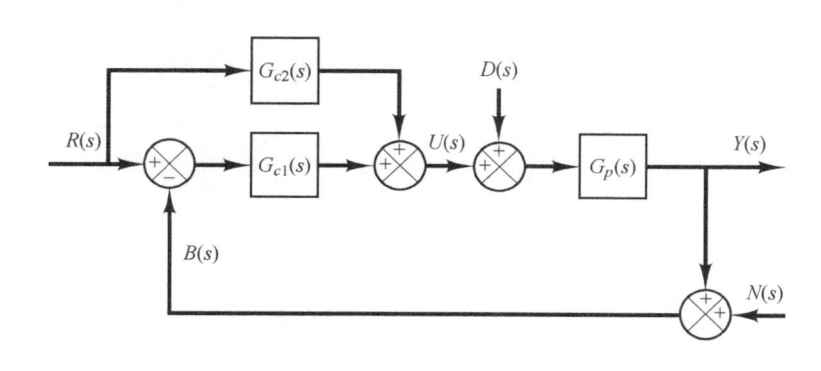

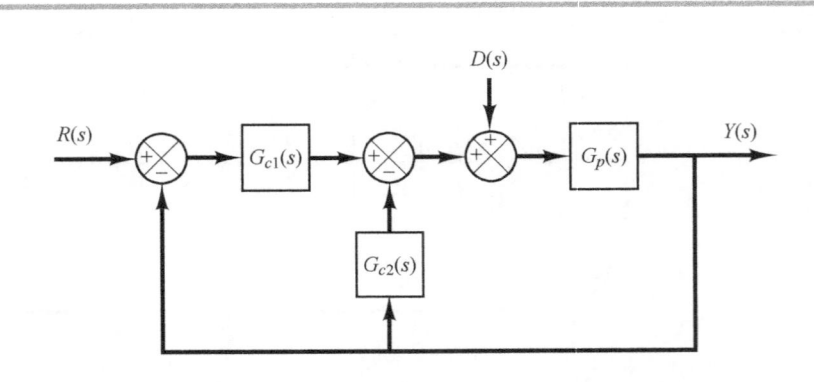

$$G_{yr}\frac{Y(s)}{R(s)} = \frac{G_{c1}G_p}{1+G_{c1}G_p} + \frac{G_{c2}G_p}{1+G_{c1}G_p}$$

$$G_{yd}\frac{Y(s)}{D(s)} = \frac{G_p}{1+G_{c1}G_p}$$

$$G_{yn}\frac{Y(s)}{N(s)} = -\frac{G_{c1}G_p}{1+G_{c1}G_p}$$

Logo,

$$G_{yr} = G_{c2}G_{yd} + \frac{G_p - G_{yd}}{G_p}$$

$$G_{yn} = \frac{G_{yd} - G_p}{G_p}$$

Claramente, se G_{yd} é dada, então G_{yn} está fixada, mas G_{yr} não está fixada, porque G_{c2} é independente de G_{yd}.

Veremos na Seção 8.7 que, nesse sistema de controle com dois graus de liberdade, tanto as características de malha fechada como as características de realimentação podem ser ajustadas independentemente para melhorar o desempenho da resposta do sistema.

8.7 | Abordagem por alocação de zeros para a melhoria das características de resposta

Mostraremos aqui que, com o uso da abordagem de alocação de zeros, apresentada adiante nesta seção, podemos atingir o seguinte:

> As respostas à entrada de referência do tipo rampa e à entrada de referência de aceleração não exibem erros estacionários.

Em sistemas de controle de alto desempenho, é sempre desejado que a saída do sistema acompanhe as alterações da entrada com um mínimo de erro. Para entradas do tipo degrau, rampa e aceleração, é desejado que a saída do sistema não exiba erro estacionário.

A seguir, demonstraremos como projetar sistemas de controle que não exibem erros estacionários no acompanhamento de entradas do tipo rampa e aceleração e, ao mesmo tempo, forçam a resposta à entrada de distúrbio a se anular rapidamente.

Considere o sistema de controle com dois graus de liberdade mostrado na Figura 8.31. Suponha que a função de transferência da planta $G_p(s)$ seja uma função de transferência de fase mínima e que seja dada por:

$$G_p(s) = K\frac{A(s)}{B(s)}$$

FIGURA 8.31
Sistema de controle com dois graus de liberdade.

onde

$$A(s) = (s+z_1)(s+z_2)...(s+z_m)$$

$$B(s) = s^N(s+p_{N+1})(s+p_{N+2})...(s+p_n)$$

e N pode ser 0, 1, 2 com $n \geq m$. Suponha também que G_{c1} seja um controlador PID em série com um filtro $1/A(s)$ ou

$$G_{c1}(s) = \frac{\alpha_1 s + \beta_1 + \gamma_1 s^2}{s} \frac{1}{A(s)}$$

e G_{c2}, seja um controlador PID, PI, PD, I, D ou P, em série, com um filtro $1/A(s)$. Ou seja,

$$G_{c2}(s) = \frac{\alpha_2 s + \beta_2 + \gamma_2 s^2}{s} \frac{1}{A(s)}$$

onde alguns dos parâmetros α_2, β_2 e γ_2 podem ser nulos. Portanto, é possível escrever $G_{c1} + G_{c2}$ como:

$$G_{c1} + G_{c2} = \frac{\alpha s + \beta + \gamma s^2}{s} \frac{1}{A(s)} \quad (8.3)$$

onde α, β e γ são constantes. Portanto,

$$\frac{Y(s)}{D(s)} = \frac{G_p}{1+(G_{c1}+G_{c2})G_p} = \frac{K\frac{A(s)}{B(s)}}{1+\frac{\alpha s+\beta+\gamma s^2}{s}\frac{K}{B(s)}}$$

$$= \frac{sKA(s)}{sB(s)+(\alpha s+\beta+\gamma s^2)K}$$

Por causa da presença do s no numerador, a resposta $y(t)$ à entrada de distúrbio do tipo degrau tende a zero à medida que t tende a infinito, como é exibido a seguir. Como

$$Y(s) = \frac{sKA(s)}{sB(s)+(\alpha s+\beta+\gamma s^2)K}D(s)$$

se a entrada de distúrbio for uma função degrau de amplitude d, ou

$$D(s) = \frac{d}{s}$$

e presumindo que o sistema seja estável, então

$$y(\infty) = \lim_{s \to 0} s\left[\frac{sKA(s)}{sB(s)+(\alpha s+\beta+\gamma s^2)K}\right]\frac{d}{s}$$

$$= \lim_{s \to 0}\frac{sKA(0)d}{sB(0)+\beta K}$$

$$= 0$$

A resposta $y(t)$ a uma entrada de distúrbio do tipo degrau terá a forma geral mostrada na Figura 8.32.

Note que $Y(s)/R(s)$ e $Y(s)/D(s)$ são dadas por:

$$\frac{Y(s)}{R(s)} = \frac{G_{c1}G_p}{1+(G_{c1}+G_{c2})G_p}, \quad \frac{Y(s)}{D(s)} = \frac{G_p}{1+(G_{c1}+G_{c2})G_p}$$

Veja que os denominadores de $Y(s)/R(s)$ e $Y(s)/D(s)$ são os mesmos. Antes de escolhermos os polos de $Y(s)/R(s)$, necessitamos alocar os zeros de $Y(s)/R(s)$.

Alocação de zeros. Considere o sistema

$$\frac{Y(s)}{R(s)} = \frac{p(s)}{s^{n+1}+a_n s^n+a_{n-1}s^{n-1}+\cdots+a_2 s^2+a_1 s+a_0}$$

FIGURA 8.32
Curva típica de resposta a uma entrada de distúrbio do tipo degrau.

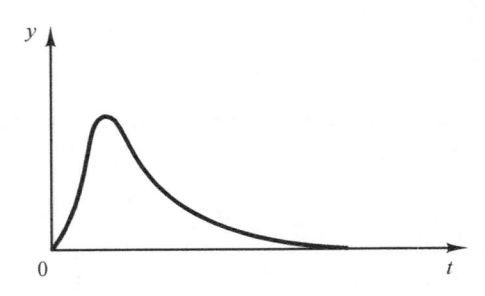

Se escolhermos $p(s)$ como:

$$p(s) = a_2 s^2 + a_1 s + a_0 = a_2(s + s_1)(s + s_2)$$

isto é, escolhendo os zeros $s = -s_1$ e $s = -s_2$, de modo que, juntos com a_2, o polinômio do numerador $p(s)$ seja igual à soma dos últimos três termos do polinômio do denominador, então o sistema não exibirá erros estacionários na resposta à entrada em degrau, rampa e aceleração.

Requisitos sobre as características da resposta do sistema. Suponha que seja desejado que o sobressinal máximo na resposta a uma entrada de referência do tipo degrau unitário esteja entre limites mínimos e máximos selecionados arbitrariamente, por exemplo,

$$2\% < \text{sobressinal máximo} < 10\%$$

em que escolhemos o limite inferior como ligeiramente acima de zero para evitarmos obter sistemas superamortecidos. Quanto menor o limite superior, mais difícil será determinar os coeficientes a. Em alguns casos, pode não haver nenhuma combinação de a que satisfaça à especificação. Então, devemos permitir um limite superior mais elevado para o sobressinal máximo. Utilizamos o MATLAB para procurar, pelo menos, um conjunto de a que satisfaça à especificação. Como uma solução prática computacional, em vez de buscar pelo a, tentamos obter polos de malha fechada aceitáveis, buscando uma região razoável no semiplano esquerdo s para cada polo de malha fechada. Uma vez determinados todos os polos de malha fechada, então todos os coeficientes $a_n, a_{n-1}, \ldots, a_1, a_0$ são determinados.

Determinação de G_{c2}. Agora que todos os coeficientes da função de transferência $Y(s)/R(s)$ são conhecidos e $Y(s)/R(s)$ é dada por:

$$\frac{Y(s)}{R(s)} = \frac{a_2 s^2 + a_1 s + a_0}{s^{n+1} + a_n s^n + a_{n-1} s^{n-1} + \cdots + a_2 s^2 + a_1 s + a_0} \tag{8.4}$$

temos:

$$\frac{Y(s)}{R(s)} = G_{c1} \frac{Y(s)}{D(s)}$$

$$= \frac{G_{c1} s K A(s)}{s B(s) + (\alpha s + \beta + \gamma s^2) K}$$

$$= \frac{G_{c1} s K A(s)}{s^{n+1} + a_n s^n + a_{n-1} s^{n-1} + \cdots + a_2 s^2 + a_1 s + a_0}$$

Como G_{c1} é um controlador PID e é dado por:

$$G_{c1} = \frac{\alpha_1 s + \beta_1 + \gamma_1 s^2}{s} \frac{1}{A(s)}$$

$Y(s)/R(s)$ pode ser escrita como:

$$\frac{Y(s)}{R(s)} = \frac{K(\alpha_1 s + \beta_1 + \gamma_1 s^2)}{s^{n+1} + a_n s^n + a_{n-1} s^{n-1} + \cdots + a_2 s^2 + a_1 s + a_0}$$

Portanto, escolhemos:
$$K\gamma_1 = a_2, \qquad K\alpha_1 = a_1, \qquad K\beta_1 = a_0$$
de modo que
$$G_{c1} = \frac{a_1 s + a_0 + a_2 s^2}{Ks} \frac{1}{A(s)} \tag{8.5}$$

A resposta desse sistema a uma entrada de referência do tipo degrau unitário pode ser obtida de modo que exiba um sobressinal máximo escolhido entre valores máximos e mínimos, como:

$$2\% < \text{sobressinal máximo} < 10\%$$

A resposta do sistema a uma entrada de referência do tipo rampa ou a uma entrada de referência do tipo aceleração pode ser obtida de modo que não exiba erro estacionário. A característica do sistema da Equação 8.4 geralmente exibe um tempo de acomodação pequeno. Se desejarmos diminuir ainda mais o tempo de acomodação, então precisaremos permitir um sobressinal máximo maior, por exemplo,

$$2\% < \text{sobressinal máximo} < 20\%$$

O controlador G_{c2} pode agora ser determinado a partir das equações 8.3 e 8.5. Como

$$G_{c1} + G_{c2} = \frac{\alpha s + \beta + \gamma s^2}{s} \frac{1}{A(s)}$$

temos:
$$G_{c2} = \left[\frac{\alpha s + \beta + \gamma s^2}{s} - \frac{a_1 s + a_0 + a_2 s^2}{Ks}\right]\frac{1}{A(s)}$$
$$= \frac{(K\alpha - a_1)s + (K\beta - a_0) + (K\gamma - a_2)s^2}{Ks}\frac{1}{A(s)} \tag{8.6}$$

Os dois controladores G_{c1} e G_{c2} são dados pelas equações 8.5 e 8.6, respectivamente.

Exemplo 8.4 Considere o sistema de controle com dois graus de liberdade mostrado na Figura 8.33. A função de transferência da planta é dada por:

$$G_p(s) = \frac{10}{s(s+1)}$$

Projete os controladores $G_{c1}(s)$ e $G_{c2}(s)$, de modo que o sobressinal máximo na resposta à entrada de referência do tipo degrau unitário seja menor que 19%, mas superior a 2%, e que o tempo de acomodação seja menor que 1 s. Deseja-se que os erros estacionários no acompanhamento à entrada de referência do tipo rampa e à entrada de referência do tipo aceleração sejam nulos. A resposta à entrada de distúrbio do tipo degrau unitário deve apresentar uma pequena amplitude que vai tender a zero rapidamente.

Para projetar controladores $G_{c1}(s)$ e $G_{c2}(s)$ apropriados, note primeiro que

$$\frac{Y(s)}{D(s)} = \frac{G_p}{1 + G_p(G_{c1} + G_{c2})}$$

Para simplificar a notação, vamos definir

$$G_c = G_{c1} + G_{c2}$$

Então,
$$\frac{Y(s)}{D(s)} = \frac{G_p}{1 + G_p G_c} = \frac{\dfrac{10}{s(s+1)}}{1 + \dfrac{10}{s(s+1)}G_c}$$
$$= \frac{10}{s(s+1) + 10G_c}$$

FIGURA 8.33
Sistema de controle com dois graus de liberdade.

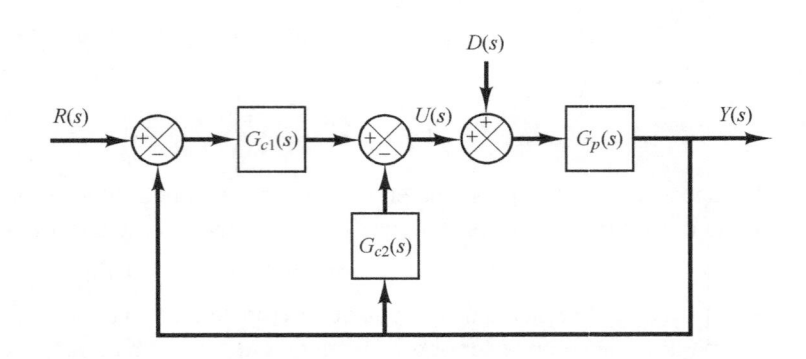

Em segundo lugar, note que:

$$\frac{Y(s)}{R(s)} = \frac{G_p G_{c1}}{1 + G_p G_c} = \frac{10 G_{c1}}{s(s+1) + 10 G_c}$$

Observe que a equação característica de $Y(s)/D(s)$ e a de $Y(s)/R(s)$ são idênticas.

Podemos ser induzidos a escolher um zero de $G_c(s)$ em $s = -1$, a fim de cancelar o polo em $s = -1$ da planta $G_p(s)$. Contudo, o polo cancelado $s = -1$ torna-se um polo de malha fechada do sistema global, como vemos a seguir. Se definirmos $G_c(s)$ como um controlador PID tal que

$$G_c(s) = \frac{K(s+1)(s+\beta)}{s} \tag{8.7}$$

Então,

$$\frac{Y(s)}{D(s)} = \frac{10}{s(s+1) + \dfrac{10K(s+1)(s+\beta)}{s}}$$

$$= \frac{10s}{(s+1)[s^2 + 10K(s+\beta)]}$$

O polo de malha fechada em $s = -1$ é um polo de resposta lenta e, se esse polo de malha fechada for incluído no sistema, o tempo de acomodação não será menor que 1 s. Portanto, não devemos escolher $G_c(s)$ como aquele dado pela Equação 8.7.

O projeto dos controladores $G_{c1}(s)$ e $G_{c2}(s)$ consiste em duas etapas.

Etapa 1 do projeto: projetamos para satisfazer os requisitos com relação à resposta à entrada de distúrbio do tipo degrau $D(s)$. Nesse estágio do projeto, admitimos que a entrada de referência seja zero.

Suponha que $Gc(s)$ seja um controlador PID como segue:

$$G_c(s) = \frac{K(s+\alpha)(s+\beta)}{s}$$

Então, a função de malha fechada $Y(s)/D(s)$ resulta em:

$$\frac{Y(s)}{D(s)} = \frac{10}{s(s+1) + 10 G_c}$$

$$= \frac{10}{s(s+1) + \dfrac{10K(s+\alpha)(s+\beta)}{s}}$$

$$= \frac{10s}{s^2(s+1) + 10K(s+\alpha)(s+\beta)}$$

Note que a presença de 's' no numerador de $Y(s)/D(s)$ garante que a resposta estacionária à entrada de distúrbio do tipo degrau seja zero.

Vamos supor que os polos dominantes desejados sejam complexos conjugados e sejam dados por:

$$s = -a \pm jb$$

e que o polo remanescente de malha fechada seja real e localizado em:

$$s = -c$$

Note que, nesse problema, existem três requisitos. O primeiro é que a resposta à entrada de distúrbio seja amortecida rapidamente. O segundo requisito é que o sobressinal máximo na resposta à entrada ao degrau unitário esteja entre 19% e 2% e o tempo de acomodação seja menor que 1 s. O terceiro requisito é que os erros estacionários na resposta de ambas as entradas de referência, rampa e aceleração sejam nulos.

Um conjunto (ou conjuntos) de valores razoáveis de a, b e c deve ser buscado com a utilização de uma abordagem computacional. Para satisfazer o primeiro requisito, escolhemos a região de busca para a, b e c como:

$$2 \leq a \leq 6 \quad 2 \leq b \leq 6, \quad 6 \leq c \leq 12$$

Essa região é mostrada na Figura 8.34. Se os polos dominantes de malha fechada $s = -a \pm jb$ estiverem localizados em qualquer lugar da região sombreada, a resposta à entrada em degrau amortecerá rapidamente. (O primeiro requisito será atingido.)

Note que o denominador de $Y(s)/D(s)$ pode ser escrito como:

$$s^2(s+1) + 10K(s+\alpha)(s+\beta)$$
$$= s^3 + (1+10K)s^2 + 10K(\alpha+\beta)s + 10K\alpha\beta$$
$$= (s+a+jb)(s+a-jb)(s+c)$$
$$= s^3 + (2a+c)s^2 + (a^2+b^2+2ac)s + (a^2+b^2)c$$

Como os denominadores de $Y(s)/D(s)$ e $Y(s)/R(s)$ são os mesmos, o denominador de $Y(s)/D(s)$ determina também as características da resposta à entrada de referência. Para satisfazer o terceiro requisito, recorremos ao método de alocação de zeros e escolhemos a função de transferência de malha fechada $Y(s)/R(s)$ do seguinte modo:

FIGURA 8.34
Regiões de busca para a, b e c.

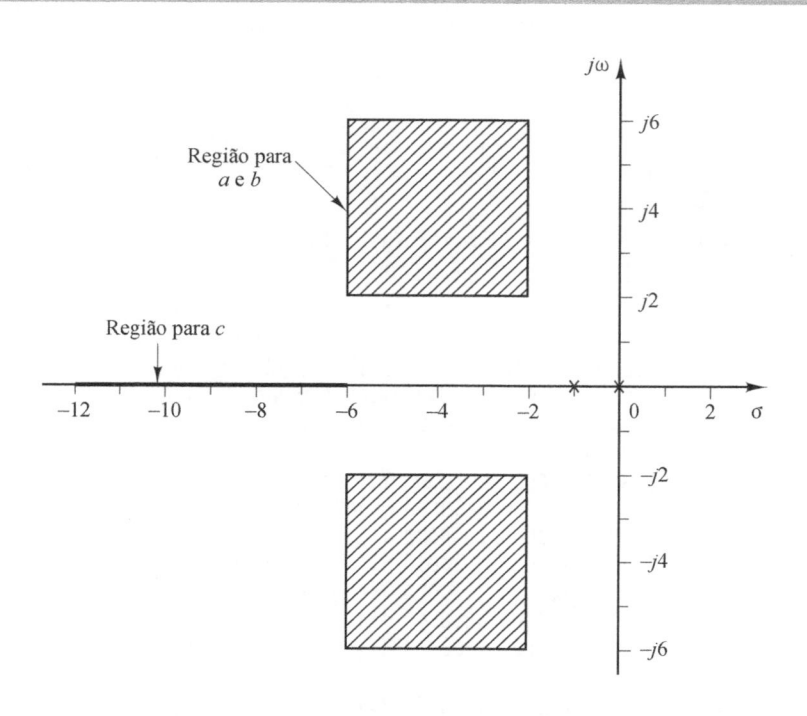

$$\frac{Y(s)}{R(s)} = \frac{(2a+c)s^2 + (a^2+b^2+2ac)s + (a^2+b^2)c}{s^3 + (2a+c)s^2 + (a^2+b^2+2ac)s + (a^2+b^2)c}$$

que, nesse caso, faz o terceiro requisito ser automaticamente satisfeito.

Nosso problema se torna, então, a busca de um conjunto ou conjuntos dos polos desejados de malha fechada em termos de a, b e c na região específica, para que o sistema satisfaça os requisitos da resposta à entrada de referência do tipo degrau unitário de que o sobressinal máximo esteja entre 19% e 2% e o tempo de acomodação seja menor que 1 s. (Se um conjunto aceitável não puder ser encontrado na região de busca, precisamos aumentar a região.)

Na busca com a utilização de recursos computacionais precisamos adotar uma medida de passo razoável. Nesse problema, admitimos que ele seja 0,2.

O Programa 8.8 em MATLAB produz uma tabela de conjuntos de valores aceitáveis de a, b e c. Utilizando esse programa, descobrimos que o requisito da resposta à entrada de referência do tipo degrau unitário é atendido por qualquer um dos 23 conjuntos mostrados na tabela do Programa 8.8 em MATLAB. Note que a última linha na tabela corresponde ao último ponto de busca. Esse ponto não satisfaz o requisito e, portanto, pode simplesmente ser ignorado. (No programa escrito, o último ponto de busca produz a última linha na tabela, se ele satisfizer ou não o requisito.)

```
Programa 8.8 em MATLAB
t = 0:0.01:4;
k = 0;
for i = 1:21;
  a(i) = 6.2-i*0.2;
  for j = 1:21;
    b(j) = 6.2-j*0.2;
    for h = 1:31;
      c(h) = 12.2-h*0.2;
  num = [0 2*a(i)+c(h) a(i)^2+b(j)^2+2*a(i)*c(h) (a(i)^2+b(j)^2)*c(h)];
  den = [1 2*a(i)+c(h) a(i)^2+b(j)^2+2*a(i)*c(h) (a(i)^2+b(j)^2)*c(h)];
      y = step(num,den,t);
      m = max(y);
      s = 401; while y(s) > 0.98 & y(s) < 1.02;
      s = s-1; end;
      ts = (s-1)*0.01;
      if m < 1.19 & m > 1.02 & ts < 1.0;
      k = k+1;
      table(k,:) = [a(i) b(j) c(h) m ts];
    end
   end
  end
end
table(k,:) = [a(i) b(j) c(h) m ts]
table =
    4.2000  2.0000  12.0000  1.1896  0.8500
    4.0000  2.0000  12.0000  1.1881  0.8700
    4.0000  2.0000  11.8000  1.1890  0.8900
    4.0000  2.0000  11.6000  1.1899  0.9000
    3.8000  2.2000  12.0000  1.1883  0.9300
    3.8000  2.2000  11.8000  1.1894  0.9400
    3.8000  2.0000  12.0000  1.1861  0.8900
    3.8000  2.0000  11.8000  1.1872  0.9100
    3.8000  2.0000  11.6000  1.1882  0.9300
    3.8000  2.0000  11.4000  1.1892  0.9400
    3.6000  2.4000  12.0000  1.1893  0.9900
    3.6000  2.2000  12.0000  1.1867  0.9600
    3.6000  2.2000  11.8000  1.1876  0.9800
    3.6000  2.2000  11.6000  1.1886  0.9900
    3.6000  2.0000  12.0000  1.1842  0.9200
```

(continua)

(*continuação*)

```
3.6000 2.0000 11.8000 1.1852 0.9400
3.6000 2.0000 11.6000 1.1861 0.9500
3.6000 2.0000 11.4000 1.1872 0.9700
3.6000 2.0000 11.2000 1.1883 0.9800
3.4000 2.0000 12.0000 1.1820 0.9400
3.4000 2.0000 11.8000 1.1831 0.9600
3.4000 2.0000 11.6000 1.1842 0.9800
3.2000 2.0000 12.0000 1.1797 0.9600
2.0000 2.0000  6.0000 1.2163 1.8900
```

Como observamos anteriormente, 23 conjuntos das variáveis a, b e c satisfazem o requisito. As curvas de resposta ao degrau unitário do sistema com qualquer um dos 23 conjuntos são praticamente as mesmas. A curva de resposta ao degrau unitário com

$$a = 4{,}2, \qquad b = 2, \qquad c = 12$$

é mostrada na Figura 8.35(a). O sobressinal máximo é 18,96% e o tempo de acomodação é 0,85 s. Com a utilização desses valores de a, b e c, os polos desejados de malha fechada ficam localizados em:

$$s = -4{,}2 \pm j2, \qquad s = -12$$

Usando esses polos de malha fechada, o denominador de $Y(s)/D(s)$ resulta em:

$$s^2(s+1) + 10K(s+\alpha)(s+\beta) = (s+4{,}2+j2)(s+4{,}2-j2)(s+12)$$

ou

$$s^3(1+10K)s^2 + 10K(\alpha+\beta)s + 10K\alpha\beta = s^3 + 20{,}4s^2 + 122{,}44s + 259{,}68$$

Igualando os coeficientes de mesma potência em s, em ambos os lados dessa última equação, obtemos:

$$1 + 10K = 20{,}4$$

$$10K(\alpha + \beta) = 122{,}44$$

$$10K\alpha\beta = 259{,}68$$

Portanto,

$$K = 1{,}94, \quad \alpha + \beta = \frac{122{,}44}{19{,}4}, \quad \alpha\beta = \frac{259{,}68}{19{,}4}$$

Então, $G_c(s)$ pode ser escrito como:

$$G_c(s) = K\frac{(s+\alpha)(s+\beta)}{s}$$

$$= \frac{K[s^2 + (\alpha+\beta)s + \alpha\beta]}{s}$$

$$= \frac{1{,}94s^2 + 12{,}244s + 25{,}968}{s}$$

A função de transferência de malha fechada $Y(s)/D(s)$ resulta em:

$$\frac{Y(s)}{D(s)} = \frac{10}{s(s+1) + 10G_c}$$

$$= \frac{10}{s(s+1) + 10\,\dfrac{1{,}94s^2 + 12{,}244s + 25{,}968}{s}}$$

$$= \frac{10s}{s^3 + 20{,}4s^2 + 122{,}44s + 259{,}68}$$

Utilizando essa expressão, a resposta $y(t)$ à entrada de distúrbio do tipo degrau unitário pode ser obtida como mostra a Figura 8.35(b).

FIGURA 8.35
(a) Resposta à entrada de referência do tipo degrau unitário ($a = 4,2$, $b = 2$, $c = 12$);
(b) resposta à entrada de distúrbio do tipo degrau unitário ($a = 4,2$, $b = 2$, $c = 12$).

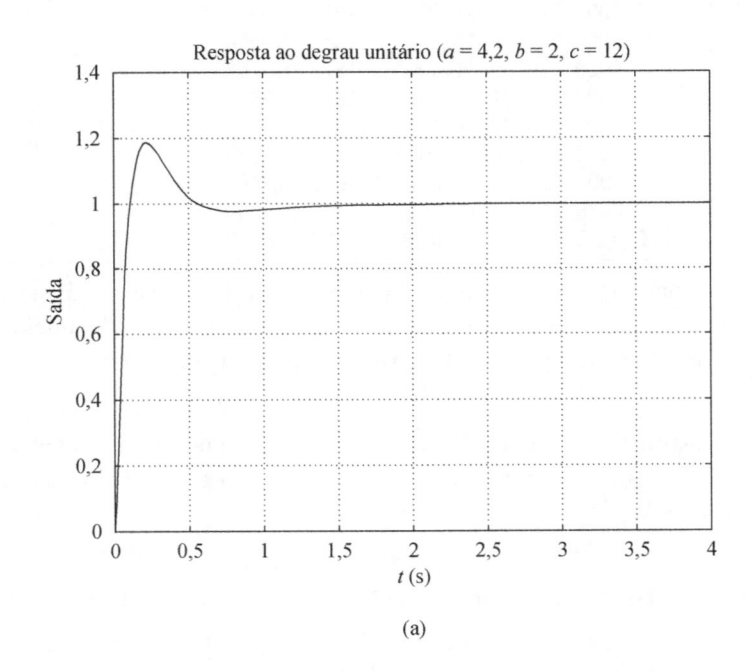

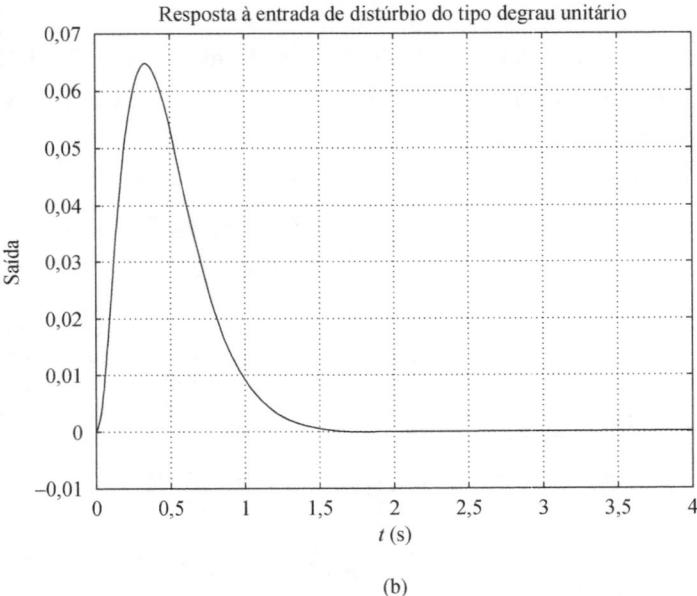

A Figura 8.36(a) traz a resposta do sistema à entrada de referência do tipo degrau unitário quando a, b e c são escolhidos como:

$$a = 3,2, \qquad b = 2, \qquad c = 12$$

A Figura 8.36(b) mostra a resposta desse sistema quando ele está sujeito a uma entrada de distúrbio do tipo degrau unitário. Comparando a Figura 8.35(a) com a Figura 8.36(a), concluímos que elas são praticamente as mesmas. Contudo, comparando as figuras 8.35(b) e 8.36(b), concluímos que a primeira é ligeiramente melhor que a última. Comparando as respostas dos sistemas de cada conjunto da tabela, concluímos que o primeiro conjunto de valores ($a = 4,2$, $b = 2$, $c = 12$) é um dos melhores. Portanto, como solução para esse problema, escolhemos:

$$a = 4,2, \qquad b = 2, \qquad c = 12$$

FIGURA 8.36
(a) Resposta à entrada de referência do tipo degrau unitário ($a = 3,2$, $b = 2$, $c = 12$);
(b) resposta à entrada de distúrbio do tipo degrau unitário ($a = 3,2$, $b = 2$, $c = 12$).

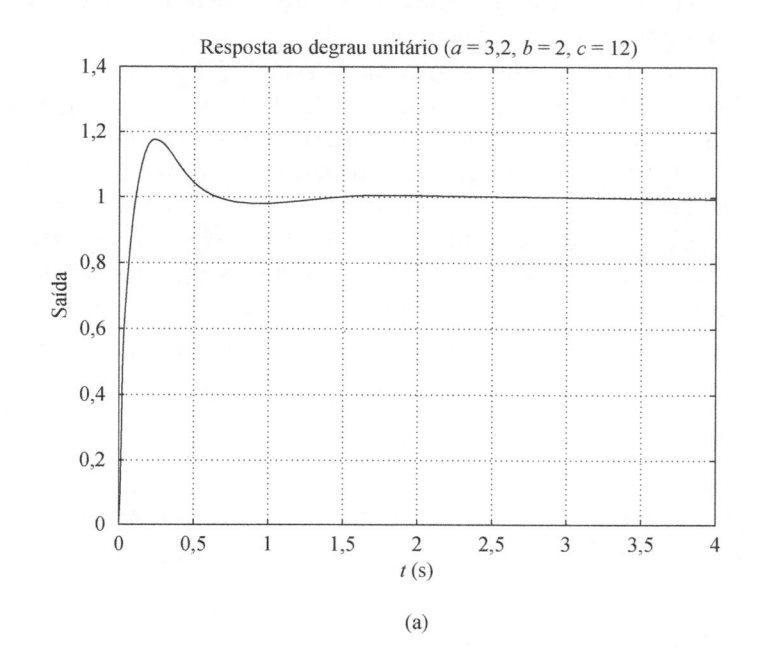

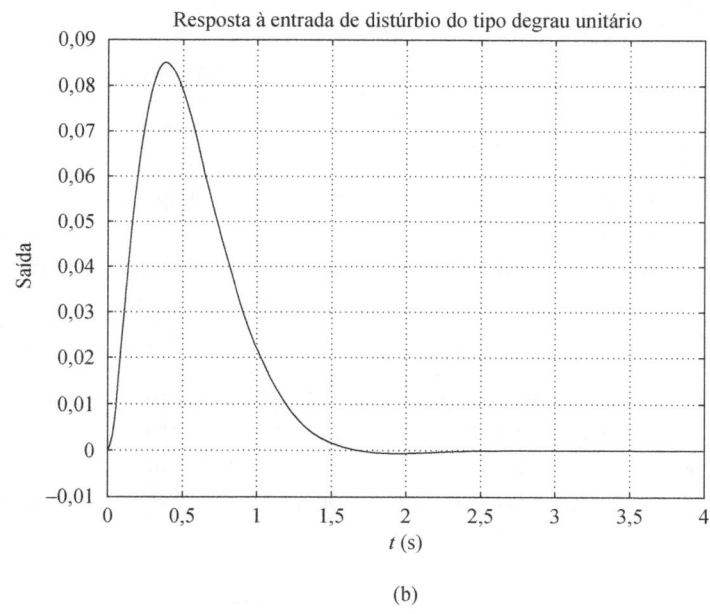

Etapa 2 do projeto: em seguida, determinamos G_{c1}. Como $Y(s)/R(s)$ pode ser dada por:

$$\frac{Y(s)}{R(s)} = \frac{G_p G_{c1}}{1 + G_p G_c}$$

$$= \frac{\dfrac{10}{s(s+1)} G_{c1}}{1 + \dfrac{10}{s(s+1)} \dfrac{1,94s^2 + 12,244s + 25,968}{s}}$$

$$= \frac{10 s G_{c1}}{s^3 + 20,4 s^2 + 122,44 s + 259,68}$$

nosso problema se torna projetar $G_{c1}(s)$ para satisfazer os requisitos das respostas às entradas do tipo degrau, rampa e aceleração.

Como o numerador envolve um 's', $G_{c1}(s)$ deve incluir um integrador para cancelar esse 's'. [Embora desejemos um 's' no numerador da função de transferência de malha fechada $Y(s)/D(s)$ para obtermos erro estacionário nulo à entrada de distúrbio do tipo degrau, não desejamos ter um 's' no numerador da função de transferência de malha fechada $Y(s)/R(s)$.] Para eliminar o erro estacionário na resposta à entrada de referência do tipo degrau e para eliminar erros estacionários no acompanhamento de entradas de referência do tipo rampa e entradas de referência do tipo aceleração, o numerador de $Y(s)/R(s)$ deve ser igual aos últimos três termos do denominador, como foi mencionado anteriormente. Ou seja,

$$10sG_{c1}(s) = 20{,}4s^2 + 122{,}44s + 259{,}68$$

ou

$$G_{c1}(s) = 2{,}04s + 12{,}244 + \frac{25{,}968}{s}$$

Logo, $G_{c1}(s)$ é um controlador PID. Como $G_c(s)$ é dado por:

$$G_c(s) = G_{c1}(s) + G_{c2}(s) = \frac{1{,}94s^2 + 12{,}244s + 25{,}968}{s}$$

obtemos:

$$\begin{aligned}G_{c2}(s) &= G_c(s) - G_{c1}(s) \\ &= \left(1{,}94s + 12{,}244 + \frac{25{,}968}{s}\right) - \left(2{,}04s + 12{,}244 + \frac{25{,}968}{s}\right) \\ &= -0{,}1s\end{aligned}$$

Logo, $G_{c2}(s)$ é um controlador derivativo. Um diagrama de blocos do sistema projetado é mostrado na Figura 8.37.

A função de transferência de malha fechada $Y(s)/R(s)$ torna-se agora:

$$\frac{Y(s)}{R(s)} = \frac{20{,}4s^2 + 122{,}44s + 259{,}68}{s^3 + 20{,}4s^2 + 122{,}44s + 259{,}68}$$

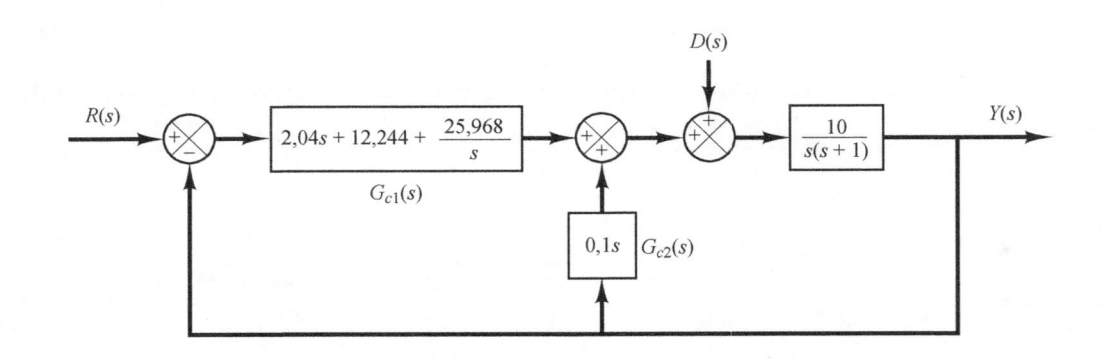

As respostas à entrada de referência do tipo rampa unitária e à entrada de referência do tipo aceleração unitária são mostradas nas figuras 8.38(a) e (b), respectivamente. Os erros estacionários no acompanhamento à entrada em rampa e à entrada em aceleração são nulos. Então, todos os requisitos do problema são satisfeitos. Logo, os controladores projetados $G_{c1}(s)$ e $G_{c2}(s)$ são aceitáveis.

FIGURA 8.37
Diagrama de blocos do sistema projetado.

FIGURA 8.38
(a) Resposta à entrada de referência do tipo rampa unitária; (b) resposta à entrada de referência do tipo aceleração unitária.

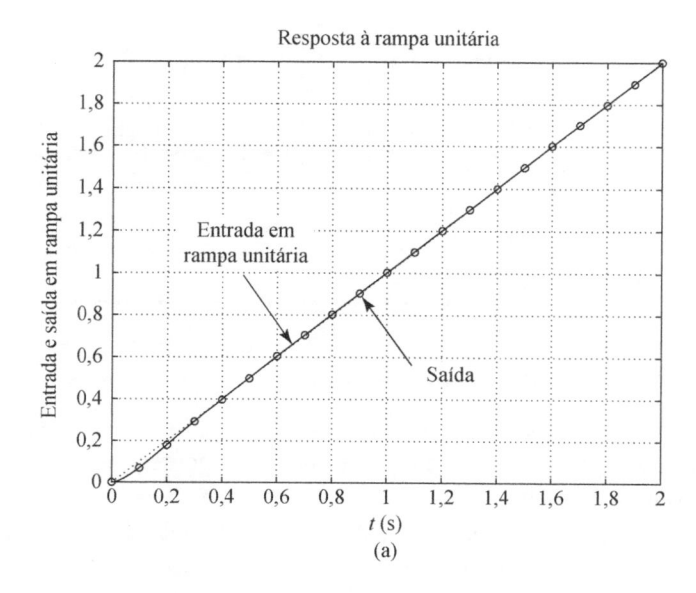

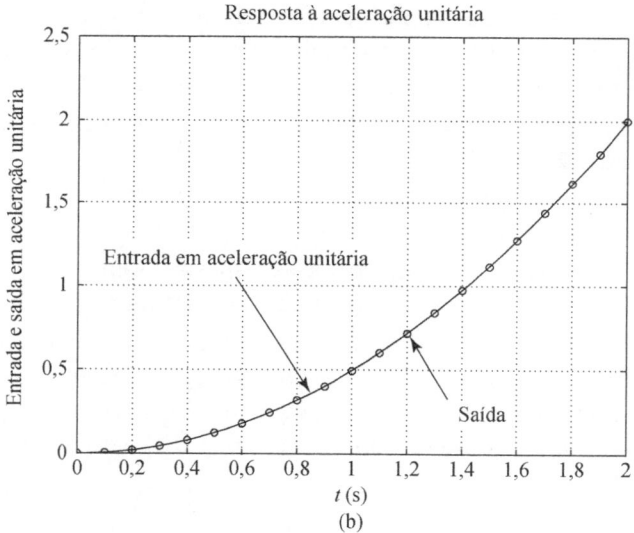

Exemplo 8.5 Considere o sistema de controle mostrado na Figura 8.39. Este é um sistema com dois graus de liberdade. No projeto considerado aqui, admitimos que o ruído de entrada $N(s)$ seja zero. Suponha que a função de transferência da planta, $G_p(s)$, seja dada por:

$$G_p(s) = \frac{5}{(s+1)(s+5)}$$

Suponha também que o controlador $G_{c1}(s)$ seja do tipo PID. Ou seja,

$$G_{c1}(s) = K_p\left(1 + \frac{1}{T_i s} + T_d s\right)$$

O controlador $G_{c2}(s)$ é do tipo P ou PD. [Se $G_{c2}(s)$ envolve uma ação de controle integral, então ela vai introduzir um componente em rampa no sinal de entrada, o que não é desejado. Portanto, $G_{c2}(s)$ não deve incluir a ação de controle integral.] Então, vamos supor que:

$$G_{c2}(s) = \hat{K}_p(1 + \hat{T}_d s)$$

onde $\hat{T}_d$ pode ser zero.

FIGURA 8.39
Sistema de controle com dois graus de liberdade.

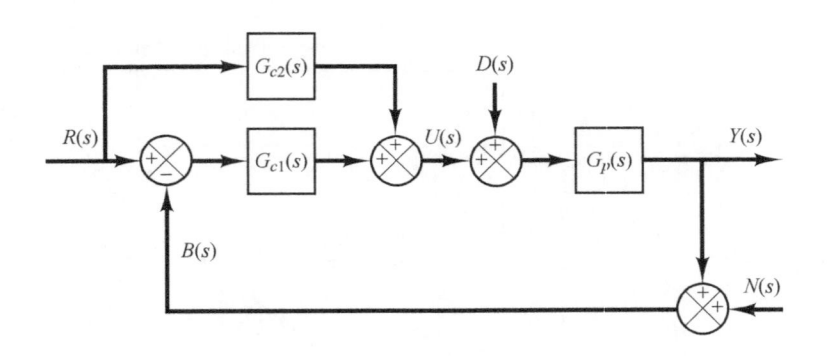

Vamos projetar os controladores $G_{c1}(s)$ e $G_{c2}(s)$ para que as respostas à entrada de distúrbio do tipo degrau e à entrada de referência do tipo degrau apresentem 'características desejáveis', no sentido de que:

1. A resposta à entrada de distúrbio do tipo degrau tenha um pico pequeno, finalmente tendendo a zero. (Ou seja, não vai existir erro estacionário.)
2. A resposta à entrada de referência do tipo degrau exibirá menos que 25% de sobressinal com um tempo de acomodação menor que 2 s. Os erros estacionários à entrada de referência do tipo rampa e à entrada do tipo aceleração devem ser nulos.

O projeto desse sistema de controle com dois graus de liberdade pode ser conduzido pelas etapas **1** e **2** a seguir:

1. Determine $G_{c1}(s)$ de modo que a resposta à entrada de distúrbio do tipo degrau seja de características desejáveis.
2. Projete $G_{c2}(s)$ de modo que as respostas às entradas de referência sejam de características desejáveis, sem alterar a resposta ao degrau de distúrbio considerado na etapa **1**.

Projeto de $G_{c1}(s)$: primeiro, note que admitimos que a entrada de ruído $N(s)$ seja nula. Para obter a resposta à entrada de distúrbio do tipo degrau, vamos supor que a entrada de referência seja nula. Então, o diagrama de blocos que relaciona $Y(s)$ e $D(s)$ pode ser desenhado como mostra a Figura 8.40. A função de transferência $Y(s)/D(s)$ é dada por:

$$\frac{Y(s)}{D(s)} = \frac{G_p}{1 + G_{c1}G_p}$$

onde

$$G_{c1}(s) = K_p\left(1 + \frac{1}{T_i s} + T_d s\right)$$

Esse controlador possui um polo na origem e dois zeros. Se supusermos que os dois zeros estejam localizados no mesmo lugar (um zero duplo), então $G_{c1}(s)$ poderá ser escrito como:

$$G_{c1}(s) = K\frac{(s+a)^2}{s}$$

FIGURA 8.40
Sistema de controle.

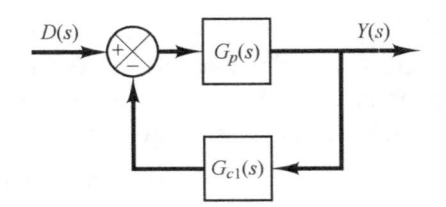

Então, a equação característica do sistema torna-se:

$$1 + G_{c1}(s)G_p(s) = 1 + \frac{K(s+a)^2}{s}\frac{5}{(s+1)(s+5)} = 0$$

ou

$$s(s+1)(s+5) + 5K(s+a)^2 = 0$$

que pode ser escrita como:

$$s^3 + (6 + 5K)s^2 + (5 + 10Ka)s + 5Ka^2 = 0 \tag{8.8}$$

Se colocarmos o zero duplo entre $s = -3$ e $s = -6$, então o gráfico do lugar das raízes de $G_{c1}(s)$ $G_p(s)$ poderá ficar parecido com aquele mostrado na Figura 8.41. A velocidade de resposta deve ser grande, mas não mais rápida que o necessário, porque respostas rápidas em geral implicam componentes maiores ou mais caros. Portanto, podemos escolher os polos dominantes de malha fechada em:

$$s = -3 \pm j2$$

(Note que essa escolha não é única. Existe uma infinidade de possíveis polos de malha fechada que poderíamos escolher.)

Uma vez que o sistema é de terceira ordem, existem três polos de malha fechada. O terceiro está localizado no eixo real negativo do lado esquerdo do ponto $s = -5$.

Vamos substituir $s = -3 + j2$ na Equação 8.8.

$$(-3 + j2)^3 + (6 + 5K)(-3 + j2)^2 + (5 + 10Ka)(-3 + j2) + 5Ka^2 = 0$$

que pode ser simplificada para:

$$24 + 25K - 30Ka + 5Ka^2 + j(-16 - 60K + 20Ka) = 0$$

Igualando a parte real e a parte imaginária a zero, respectivamente, obtemos:

$$24 + 25K - 30Ka + 5Ka^2 = 0 \tag{8.9}$$

$$-16 - 60K + 20Ka = 0 \tag{8.10}$$

A partir da Equação 8.10, temos:

$$K = \frac{4}{5a - 15} \tag{8.11}$$

FIGURA 8.41
Gráficos do lugar das raízes de $5K(s+a)^2/[s(s+1)(s+5)]$, onde $a = 3$, $a = 4$, $a = 4,5$ e $a = 6$.

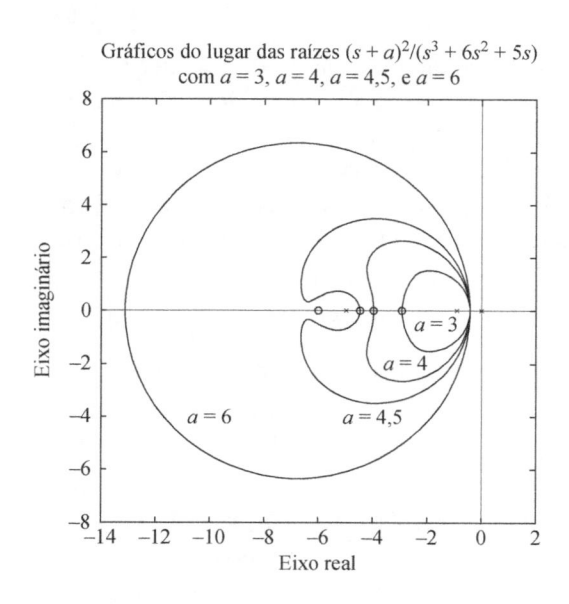

Substituindo a Equação 8.11 na Equação 8.9, obtemos:

$$a^2 = 13$$

ou $a = 3{,}6056$ ou $-3{,}6056$. Note que os valores de K resultam em:

$$K = 1{,}3210 \quad \text{para } a = 3{,}6056$$
$$K = -0{,}1211 \quad \text{para } a = -3{,}6056$$

Como $G_{c1}(s)$ está no ramo de realimentação, o ganho K deve ser positivo. Logo, escolhemos:

$$K = 1{,}3210 \quad a = 3{,}6056$$

Então, $G_{c1}(s)$ pode ser dado por:

$$G_{c1}(s) = K\frac{(s+a)^2}{s}$$

$$= 1{,}3210\frac{(s+3{,}6056)^2}{s}$$

$$= \frac{1{,}3210s^2 + 9{,}5260s + 17{,}1735}{s}$$

Para determinar K_p, T_i e T_d, procedemos como segue:

$$G_{c1}(s) = \frac{1{,}3210(s^2 + 7{,}2112s + 13)}{s}$$

$$= 9{,}5260\left(1 + \frac{1}{0{,}5547s} + 0{,}1387s\right) \qquad (8.12)$$

Logo,

$$K_p = 9{,}5260, \quad T_i = 0{,}5547, \quad T_d = 0{,}1387$$

Para verificar a resposta à entrada de distúrbio do tipo degrau unitário, obtemos a função de transferência de malha fechada $Y(s)/D(s)$:

$$\frac{Y(s)}{D(s)} = \frac{G_p}{1 + G_{c1}G_p}$$

$$= \frac{5s}{s(s+1)(s+5) + 5K(s+a)^2}$$

$$= \frac{5s}{s^3 + 12{,}605s^2 + 52{,}63s + 85{,}8673}$$

A resposta à entrada de distúrbio do tipo degrau unitário é mostrada na Figura 8.42. A curva de resposta parece boa e aceitável. Note que os polos de malha fechada estão localizados em $s = -3 \pm j2$ e $s = -6{,}6051$. Os polos complexos conjugados de malha fechada agem como polos dominantes de malha fechada.

Projeto de $G_{c2}(s)$: projetamos agora $G_{c2}(s)$ para obtermos as respostas desejadas às entradas de referência. A função de transferência de malha fechada $Y(s)/R(s)$ pode ser dada por:

$$\frac{Y(s)}{R(s)} = \frac{(G_{c1} + G_{c2})G_p}{1 + G_{c1}G_p}$$

$$= \frac{\left[\dfrac{1{,}321s^2 + 9{,}526s + 17{,}1735}{s} + \hat{K}_p(1 + \hat{T}_d s)\right]\dfrac{5}{(s+1)(s+5)}}{1 + \dfrac{1{,}321s^2 + 9{,}526s + 17{,}1735}{s}\dfrac{5}{(s+1)(s+5)}}$$

$$= \frac{(6{,}6051 + 5\hat{K}_p\hat{T}_d)s^2 + (47{,}63 + 5\hat{K}_p)s + 85{,}8673}{s^3 + 12{,}6051s^2 + 52{,}63s + 85{,}8673}$$

FIGURA 8.42
Resposta à entrada de distúrbio do tipo degrau unitário.

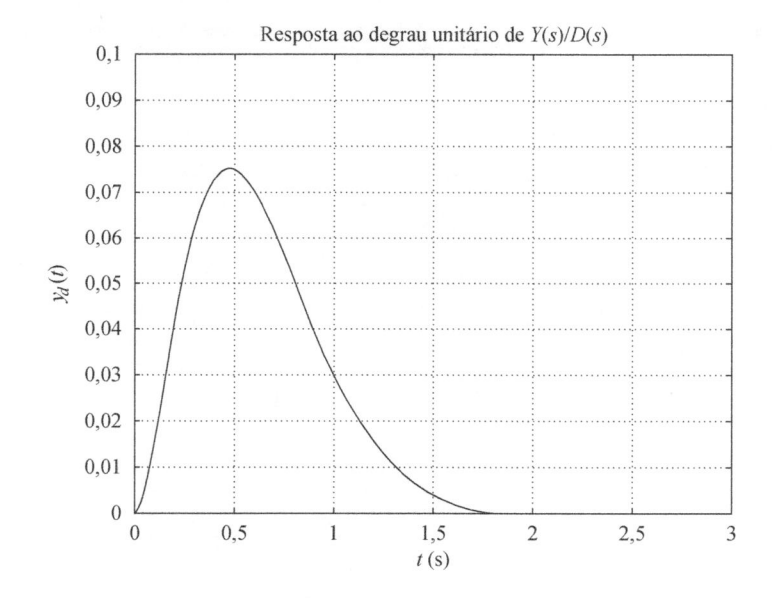

Alocação de zeros: alocamos dois zeros juntos, com a constante de ganho dc, de modo que o numerador seja igual à soma dos últimos três termos do denominador. Ou seja,

$$(6{,}6051 + 5\hat{K}_p\hat{T}_d)s^2 + (47{,}69 + 5\hat{K}_p)s + 85{,}8673 = 12{,}6051s^2 + 52{,}63s + 85{,}8673$$

Igualando os coeficientes dos termos de s^2 e dos termos em s nos dois lados dessa última equação,

$$6{,}6051 + 5\hat{K}_p\hat{T}_d = 12{,}6051$$

$$47{,}63 + 5\hat{K}_p = 52{,}63$$

de onde obtemos:

$$\hat{K}_p = 1, \qquad \hat{T}_d = 1{,}2$$

Portanto,

$$G_{c2}(s) = 1 + 1{,}2s \tag{8.13}$$

Com esse controlador $G_{c2}(s)$, a função de transferência $Y(s)/R(s)$ resulta em:

$$\frac{Y(s)}{R(s)} = \frac{12{,}6051s^2 + 52{,}63s + 85{,}8673}{s^3 + 12{,}6051s^2 + 52{,}63s + 85{,}8673}$$

A resposta à entrada de referência do tipo degrau unitário torna-se como mostra a Figura 8.43(a). A resposta exibe o sobressinal máximo de 21% e o tempo de acomodação de aproximadamente 1,6 s. As figuras 8.43(b) e (c) mostram a resposta à rampa e a resposta à aceleração. Os erros estacionários de ambas as respostas são nulos. A resposta ao distúrbio do tipo degrau foi satisfatória. Portanto, os controladores projetados $G_{c1}(s)$ e $G_{c2}(s)$, dados pelas equações 8.12 e 8.13, respectivamente, são satisfatórios.

Se as características da resposta à entrada de referência do tipo degrau unitário não forem satisfatórias, teremos de alterar a localização dos polos dominantes de malha fechada e repetir o procedimento de projeto. Os polos dominantes de malha fechada devem ficar em certa região no semiplano esquerdo do plano s (tal que $2 \leq a \leq 6$, $2 \leq b \leq 6{,}6 \leq c \leq 12$). Se a busca computacional for desejada, escreva um programa (similar ao Programa 8.8 em MATLAB) e execute o processo de busca. Então, um conjunto ou conjuntos desejados de valores de a, b e c podem ser encontrados de modo que a resposta do sistema à entrada de referência do tipo degrau unitário satisfaça todos os requisitos relativos ao sobressinal máximo e ao tempo de acomodação.

FIGURA 8.43
(a) Resposta à entrada de referência do tipo degrau unitário;
(b) resposta à entrada de referência do tipo rampa unitária;
(c) resposta à entrada de referência do tipo aceleração unitária.

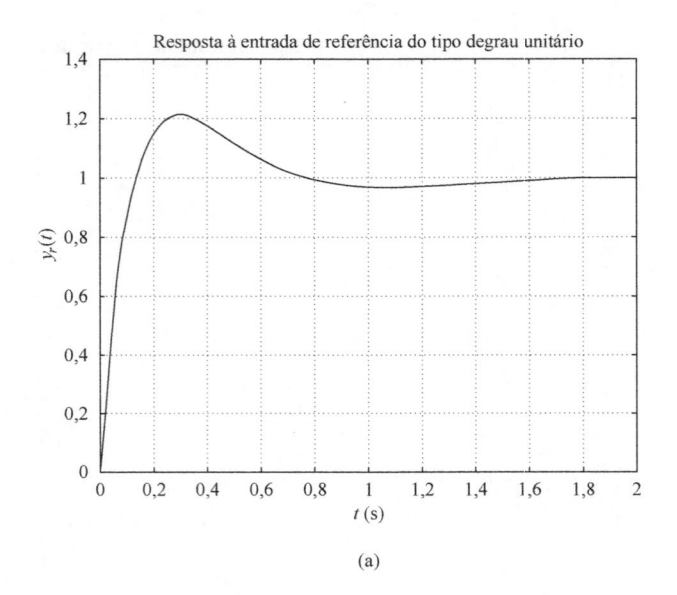

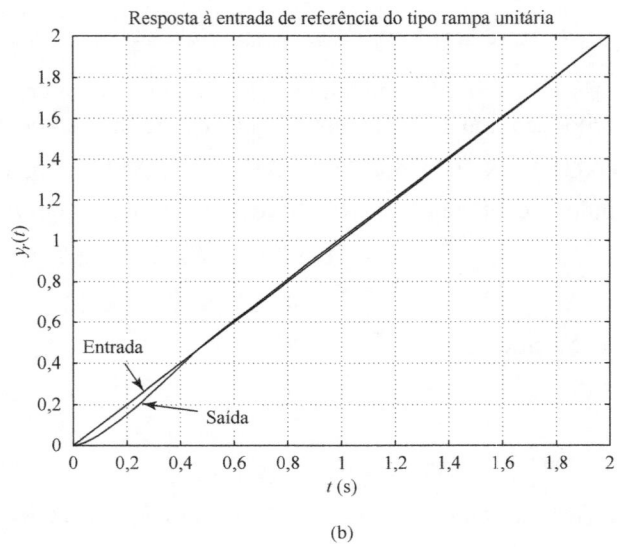

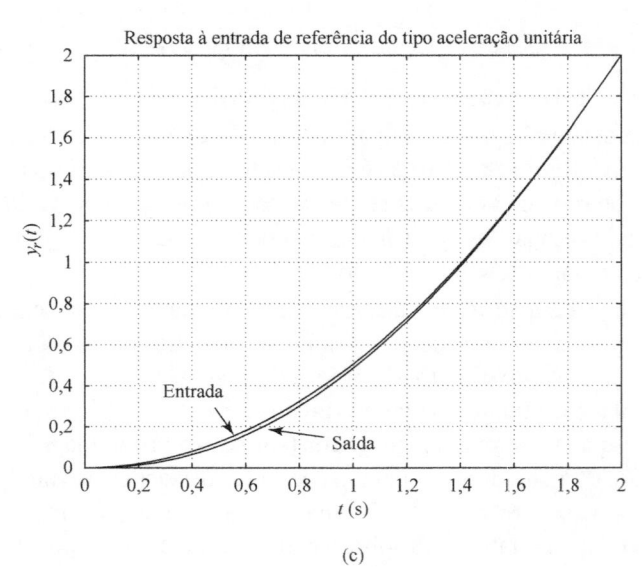

Exemplos de problemas com soluções

A.8.1 Descreva brevemente as características dinâmicas do controlador PI, do controlador PD e do controlador PID.

Solução. O controlador PI é caracterizado pela função de transferência:

$$G_c(s) = K_p\left(1 + \frac{1}{T_i s}\right)$$

O controlador PI é um compensador de atraso. Ele possui um zero em $s = -1/T_i$ e um polo em $s = 0$. Logo, a característica do controlador PI é possuir ganho infinito na frequência nula. Isso melhora as características de regime permanente. Entretanto, a inclusão da ação de controle PI no sistema aumenta em 1 o número que define o tipo do sistema compensado. Isso resulta em um sistema compensado menos estável ou, até mesmo, faz o sistema se tornar instável. Portanto, os valores de K_p e T_i devem ser escolhidos cuidadosamente para garantir uma resposta temporal apropriada. Projetando de maneira adequada o controlador PI, é possível fazer a resposta temporal à entrada em degrau exibir um sobressinal relativamente pequeno ou nenhum. A velocidade de resposta, contudo, fica muito lenta. Isso ocorre porque o controlador PI, sendo um filtro passa-baixa, atenua os componentes de alta frequência do sinal.

O controlador PD é uma versão simplificada do compensador de avanço, que possui a função de transferência $G_c(s)$, em que

$$G_c(s) = K_p(1 + T_d s)$$

O valor de K_p é normalmente determinado a fim de satisfazer os requisitos de regime estacionário. A frequência de canto $1/T_d$ é escolhida de modo que o avanço de fase ocorra na vizinhança do ganho de frequência de cruzamento. Embora a margem de fase possa ser aumentada, o ganho do compensador continua a aumentar na região de frequência $1/T_d < \omega$. (Então, o controlador PD é um filtro passa-alta.) Esse aumento contínuo do ganho é indesejável, uma vez que ele amplifica os ruídos de alta frequência que podem estar presentes no sistema. A compensação em avanço pode proporcionar um avanço de fase suficiente, enquanto o aumento do ganho na região de alta frequência é muito menor que o do controlador PD. Portanto, prefere-se a compensação em avanço no lugar do controle PD.

Como a função de transferência do controlador PD envolve um zero, mas nenhum polo, não é possível realizá-la somente por meio de elementos *RLC* passivos. A realização do controlador PD com amplificadores operacionais, resistores e capacitores é possível, mas, como o controlador PD é um filtro passa-alta, como mencionado anteriormente, o processo de diferenciação envolvido pode causar sérios problemas de ruído em vários casos. Contudo, não existem problemas se o controlador PD é realizado por meio de elementos hidráulicos ou pneumáticos.

O controlador PD, assim como no caso do compensador de avanço, melhora as características de resposta temporal e a estabilidade do sistema e aumenta a banda passante desse sistema, o que implica um tempo de subida rápido.

O controlador PID é uma combinação dos controladores PI e PD. Ele é um compensador do tipo atraso e avanço. Note que a ação de controle PI e a ação de controle PD ocorrem em diferentes regiões de frequência. A ação de controle PI ocorre na região de baixa frequência e a ação de controle PD ocorre na região de alta frequência. O controle PID pode ser utilizado quando o sistema requer melhorias no desempenho transitório e no desempenho em regime estacionário.

A.8.2 Mostre que a função de transferência $U(s)/E(s)$ do controlador PID mostrado na Figura 8.44 é:

$$\frac{U(s)}{E(s)} = K_0 \frac{T_1 + T_2}{T_1}\left[1 + \frac{1}{(T_1 + T_2)s} + \frac{T_1 T_2 s}{T_1 + T_2}\right]$$

Suponha que o ganho K seja muito grande quando comparado com a unidade ou $K \gg 1$.

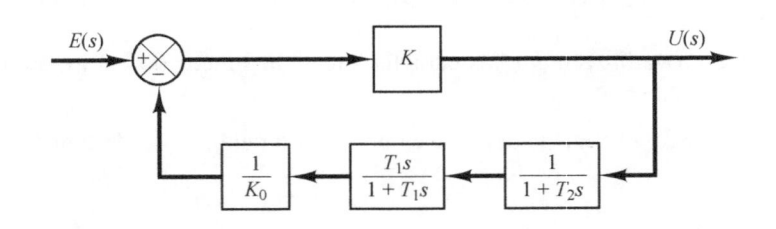

FIGURA 8.44
Controlador PID.

Solução.

$$\frac{U(s)}{E(s)} = \frac{K}{1 + K\left(\dfrac{1}{K_0} \dfrac{T_1 s}{1 + T_1 s} \dfrac{1}{1 + T_2 s}\right)}$$

$$\doteq \frac{K}{K\left(\dfrac{1}{K_0} \dfrac{T_1 s}{1 + T_1 s} \dfrac{1}{1 + T_2 s}\right)}$$

$$= \frac{K_0 (1 + T_1 s)(1 + T_2 s)}{T_1 s}$$

$$= K_0 \left(1 + \frac{1}{T_1 s}\right)(1 + T_2 s)$$

$$= K_0 \left(1 + \frac{1}{T_1 s} + T_2 s + \frac{T_2}{T_1}\right)$$

$$= K_0 \frac{T_1 + T_2}{T_1}\left[1 + \frac{1}{(T_1 + T_2)s} + \frac{T_1 T_2 s}{T_1 + T_2}\right]$$

A.8.3 Considere o circuito com dois amplificadores operacionais, mostrado na Figura 8.45. É um controlador PID modificado, no qual a função de transferência envolve um integrador e um termo de atraso de primeira ordem. Obtenha a função de transferência desse controlador PID.

Solução. Como

$$Z_1 = \frac{1}{\dfrac{1}{R_1} + C_1 s} + R_3 = \frac{R_1 + R_3 + R_1 R_3 C_1 s}{1 + R_1 C_1 s}$$

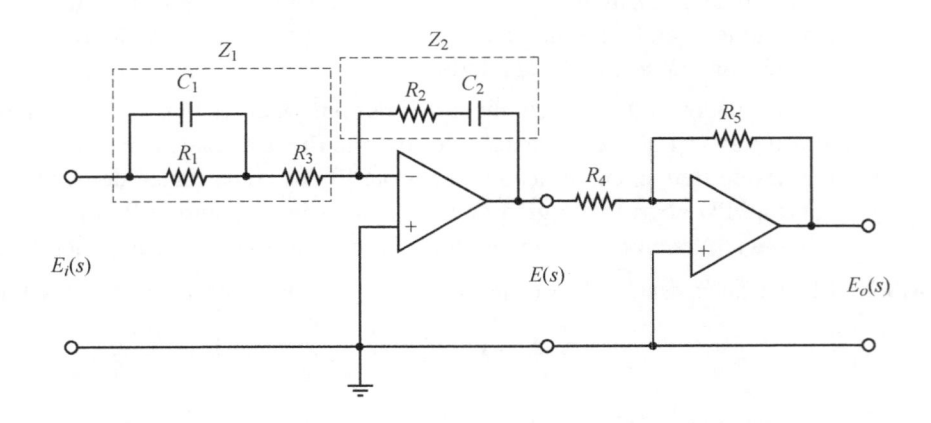

FIGURA 8.45
Controlador PID modificado.

e

$$Z_2 = R_2 + \frac{1}{C_2 s}$$

temos:

$$\frac{E(s)}{E_i(s)} = -\frac{Z_2}{Z_1} = -\frac{(R_2 C_2 s + 1)(R_1 C_1 s + 1)}{C_2 s(R_1 + R_3 + R_1 R_3 C_1 s)}$$

Além disso,

$$\frac{E_o(s)}{E(s)} = -\frac{R_5}{R_4}$$

Consequentemente,

$$\frac{E_o(s)}{E_i(s)} = \frac{E_o(s)}{E(s)} \frac{E(s)}{E_i(s)} = \frac{R_5}{R_4(R_1 + R_3)C_2} \frac{(R_1 C_1 s + 1)(R_2 C_2 s + 1)}{s\left(\dfrac{R_1 R_3}{R_1 + R_3} C_1 s + 1\right)}$$

$$= \frac{R_5 R_2}{R_4 R_3} \frac{\left(s + \dfrac{1}{R_1 C_1}\right)\left(s + \dfrac{1}{R_2 C_2}\right)}{s\left(s + \dfrac{R_1 + R_3}{R_1 R_3 C_1}\right)}$$

Observe que $R_1 C_1$ e $R_2 C_2$ determinam as localizações dos zeros do controlador, enquanto R_1, R_3 e C_1 afetam a localização do polo no eixo real negativo. A razão R_5/R_4 ajusta o ganho do controlador.

A.8.4 Na prática, é impossível realizar um diferenciador puro. Logo, temos sempre de aproximar o diferenciador puro $T_d s$ por alguma coisa como:

$$\frac{T_d s}{1 + \gamma T_d s}$$

Uma maneira de realizar esse diferenciador aproximado é com a utilização de um integrador no ramo de realimentação. Mostre que a função de transferência de malha fechada do sistema mostrado na Figura 8.46 é dada pela expressão precedente. (Nos diferenciadores disponíveis comercialmente, o valor de γ pode ser ajustado como 0,1.)

Solução. A função de transferência de malha fechada do sistema mostrado na Figura 8.46 é:

$$\frac{C(s)}{R(s)} = \frac{\dfrac{1}{\gamma}}{1 + \dfrac{1}{\gamma T_d s}} = \frac{T_d s}{1 + \gamma T_d s}$$

Note que esse diferenciador com um atraso de primeira ordem reduz a banda passante do sistema de controle de malha fechada e o efeito danoso dos sinais de ruído.

FIGURA 8.46
Diferenciador aproximado.

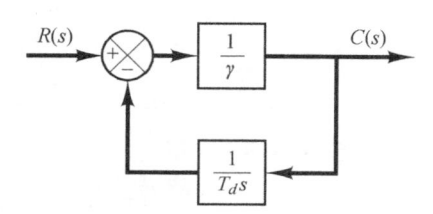

A.8.5 Considere o sistema de controle mostrado na Figura 8.47. É um controle PID de uma planta de segunda ordem $G(s)$. Suponha que os distúrbios $D(s)$ entrem no sistema como está mostrado no diagrama. Suponha, ainda, que a entrada de referência $R(s)$ seja normalmente mantida constante e as características da resposta aos distúrbios sejam muito importantes nesse sistema.

FIGURA 8.47
Sistema com controle PID.

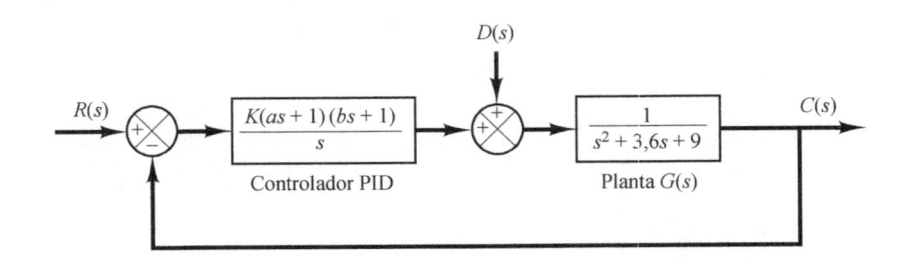

Projete um sistema de controle de modo que a resposta a qualquer distúrbio do tipo degrau seja rejeitada rapidamente (de 2 a 3 s de tempo de acomodação usando o critério de 2%). Escolha a configuração dos polos de malha fechada para que exista um par de polos dominantes de malha fechada. A partir daí, obtenha a resposta à entrada de distúrbio do tipo degrau unitário. Obtenha também a resposta à entrada de referência do tipo degrau unitário.

Solução. O controlador PID possui a função de transferência

$$G_c(s) = \frac{K(as+1)(bs+1)}{s}$$

Para a entrada de distúrbio, na ausência da entrada de referência, a função de transferência de malha fechada resulta em:

$$\frac{C_d(s)}{D(s)} = \frac{s}{s(s^2 + 3,6s + 9) + K(as+1)(bs+1)}$$

$$= \frac{s}{s^3 + (3,6 + Kab)s^2 + (9 + Ka + Kb)s + K} \quad (8.14)$$

A especificação requer que a resposta ao distúrbio do tipo degrau unitário seja tal que o tempo de acomodação esteja entre 2 e 3 s e o sistema tenha um amortecimento razoável. Podemos interpretar a especificação como $\zeta = 0,5$ e $\omega_n = 4$ rad/s para os polos dominantes de malha fechada. Podemos escolher o terceiro polo em $s = -10$, para que o efeito desse polo real na resposta seja pequeno. Então, a equação característica desejada pode ser escrita como:

$$(s+10)(s^2 + 2 \times 0,5 \times 4s + 4^2) = (s+10)(s^2 + 4s + 16) = s^3 + 14s^2 + 56s + 160$$

A equação característica do sistema dado pela Equação 8.14 é:

$$s^3 + (3,6 + Kab)s^2 + (9 + Ka + Kb)s + K = 0$$

Logo, requeremos que:

$$3,6 + Kab = 14$$
$$9 + Ka + Kb = 56$$
$$K = 160$$

o que leva a:

$$ab = 0,065, \quad a + b = 0,29375$$

O controlador PID agora resulta em:

$$G_c(s) = \frac{K[abs^2 + (a+b)s + 1]}{s}$$

$$= \frac{160(0,065s^2 + 0,29375s + 1)}{s}$$

$$= \frac{10,4(s^2 + 4,5192s + 15,385)}{s}$$

Com esse controlador PID, a resposta ao distúrbio é dada por:

$$C_d(s) = \frac{s}{s^3 + 14s^2 + 56s + 160}D(s)$$

$$= \frac{s}{(s+10)(s^2+4s+16)}D(s)$$

Claramente, para uma entrada de distúrbio do tipo degrau unitário, a saída em regime estacionário é nula, uma vez que:

$$\lim_{t \to \infty} c_d(t) = \lim_{t \to 0} sC_d(s) = \lim_{t \to 0} \frac{s^2}{(s+10)(s^2+4s+16)} \frac{1}{s} = 0$$

A resposta à entrada de distúrbio do tipo degrau unitário pode ser facilmente obtida com o MATLAB. O Programa 8.9 em MATLAB produz uma curva de resposta como mostra a Figura 8.48(a). A partir da curva de resposta, notamos que o tempo de acomodação é de aproximadamente 2,7 s. A resposta amortece rapidamente. Portanto, o sistema projetado aqui é aceitável.

FIGURA 8.48
(a) Resposta à entrada de distúrbio do tipo degrau unitário;
(b) resposta à entrada de referência do tipo degrau unitário.

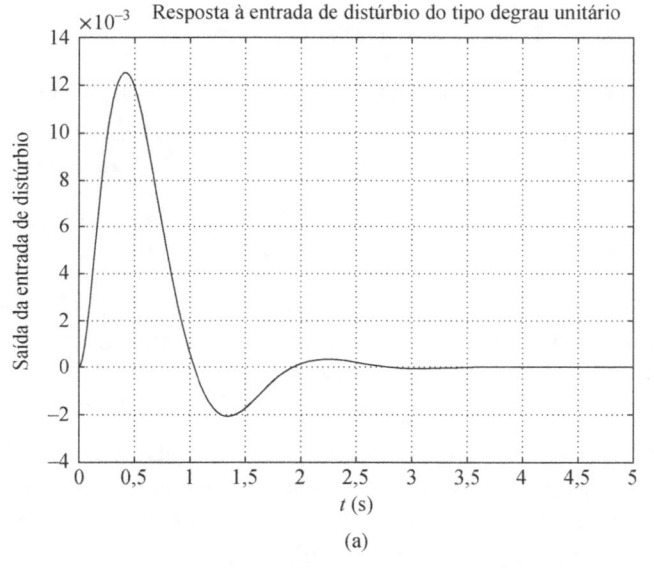

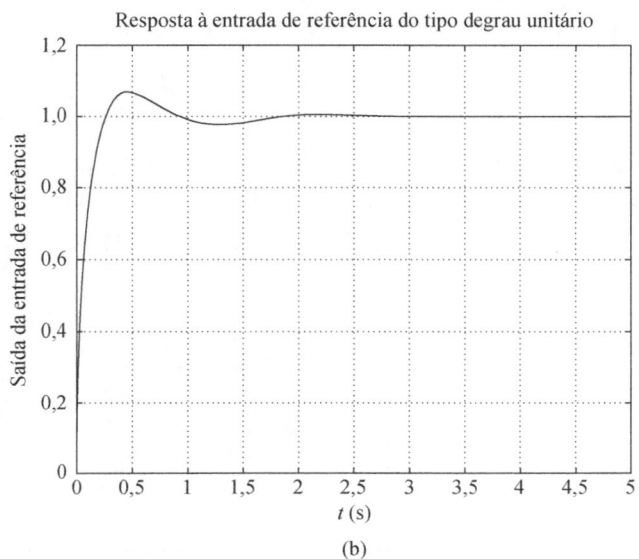

```
Programa 8.9 em MATLAB

% ***** Resposta à entrada de distúrbio do tipo degrau unitário *****
numd = [1 0];
dend = [1 14 56 160];
t = 0:0.01:5;
[c1,x1,t] = step(numd,dend,t);
plot(t,c1)
grid
title('Resposta à entrada de distúrbio do tipo degrau unitário')
xlabel('t (s)')
ylabel('Saída da entrada do distúrbio')

% ***** Resposta à entrada de referência do tipo degrau unitário *****
numr = [10.4 47 160];
denr = [1 14 56 160];
[c2,x2,t] = step(numr,denr,t);
plot(t,c2)
grid
title('Resposta à entrada de referência do tipo degrau unitário')
xlabel('t (s)')
ylabel('Saída da entrada de referência')
```

Para a entrada de referência $r(t)$, a função de transferência de malha fechada é:

$$\frac{C_r(s)}{R(s)} = \frac{10,4(s^2 + 4,5192s + 15,385)}{s^3 + 14s^2 + 56s + 160}$$

$$= \frac{10,4s^2 + 47s + 160}{s^3 + 14s^2 + 56s + 160}$$

A resposta à entrada de referência do tipo degrau unitário pode ser obtida com o uso do Programa 8.9 em MATLAB. A curva de resposta resultante é mostrada na Figura 8.48(b). A curva de resposta mostra que o sobressinal máximo é de 7,3% e o tempo de acomodação é de 1,2 s. O sistema tem características de resposta bastante aceitáveis.

A.8.6 Considere o sistema mostrado na Figura 8.49. Deseja-se projetar um controlador PID $G_c(s)$, de modo que os polos dominantes de malha fechada estejam localizados em $s = -1 \pm j\sqrt{3}$. Para o controlador PID, escolha $a = 1$ e, com isso, determine os valores de K e b. Esboce o gráfico do lugar das raízes para o sistema projetado.

Solução. Como

$$G_c(s)G(s) = K\frac{(s+1)(s+b)}{s}\frac{1}{s^2+1}$$

a soma dos ângulos em $s = -1 \pm j\sqrt{3}$, que é um dos polos desejados de malha fechada, a partir do zero em $s = -1$ e dos polos em $s = 0$, $s = j$ e $s = -j$ é:

$$90° - 143,794° - 120° - 110,104° = -283,898°$$

FIGURA 8.49
Sistema com controle PID.

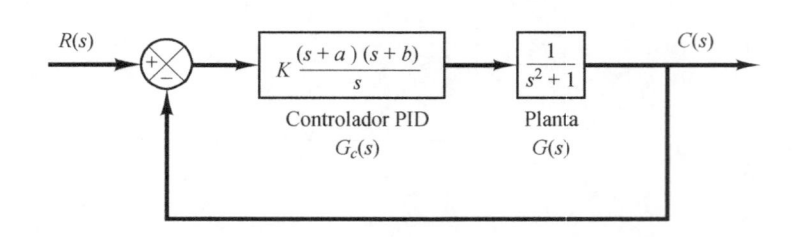

Logo, o zero em $s = -b$ deve contribuir com 103,898°. Isso requer que o zero esteja localizado em:

$$b = 0,5714$$

A constante de ganho K pode ser determinada pela condição de módulo:

$$\left| K \frac{(s+1)(s+0,5714)}{s} \frac{1}{s^2+1} \right|_{s=-1+j\sqrt{3}} = 1$$

ou

$$K = 2,3333$$

Então, o compensador pode ser escrito como:

$$G_c(s) = 2,3333 \frac{(s+1)(s+0,5714)}{s}$$

A função de transferência de malha aberta resulta em:

$$G_c(s)G(s) = \frac{2,3333(s+1)(s+0,5714)}{s} \frac{1}{s^2+1}$$

A partir dessa equação, pode-se traçar o gráfico do lugar das raízes do sistema compensado. A Figura 8.50 é o gráfico do lugar das raízes.

A função de transferência de malha fechada é dada por:

$$\frac{C(s)}{R(s)} = \frac{2,3333(s+1)(s+0,5714)}{s^3 + s + 2,3333(s+1)(s+0,5714)}$$

Os polos de malha fechada estão localizados em $s = -1 \pm j\sqrt{3}$ e $s = -0,3333$. A curva de resposta ao degrau unitário é mostrada na Figura 8.51. O polo de malha fechada em $s = -0,3333$ e o zero em $s = -0,5714$ produzem uma cauda longa de pequena amplitude.

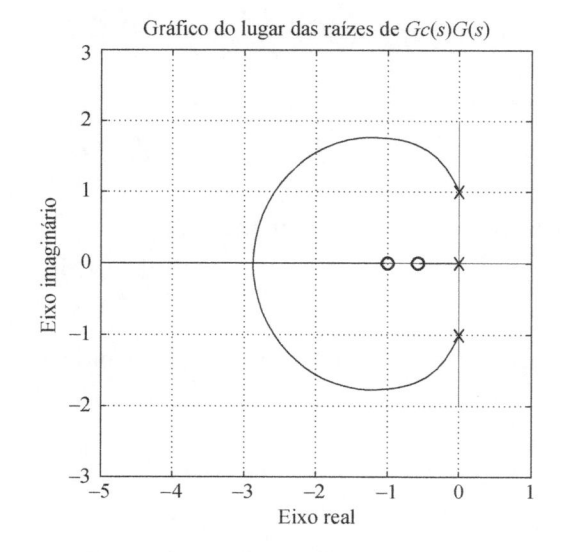

FIGURA 8.50
Gráfico do lugar das raízes do sistema compensado.

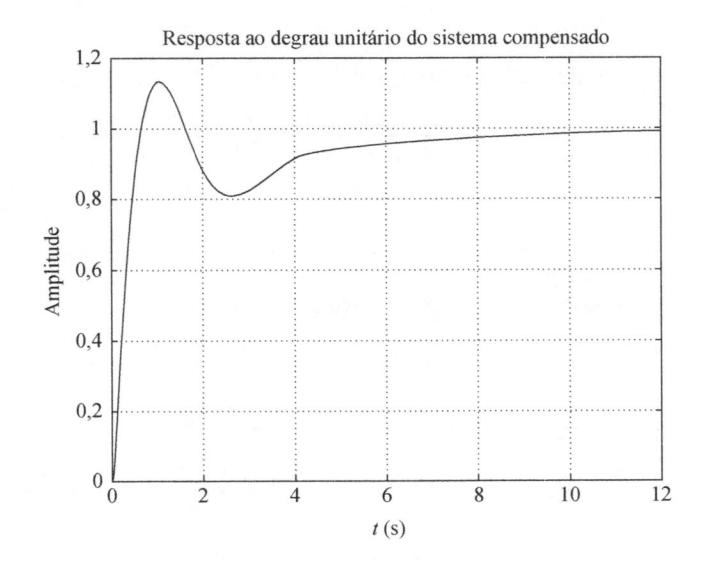

FIGURA 8.51
Resposta ao degrau unitário do sistema compensado.

Resposta ao degrau unitário do sistema compensado

A.8.7 Considere o sistema mostrado na Figura 8.52. Projete um compensador cuja constante de erro estático de velocidade seja 4 s⁻¹, a margem de fase seja de 50° e a margem de ganho seja de 10 dB, no mínimo. Com o MATLAB, trace as curvas de resposta ao degrau unitário e à rampa unitária do sistema compensado. Trace também um diagrama de Nyquist do sistema compensado, utilizando o MATLAB. Usando o critério de estabilidade de Nyquist, verifique se o sistema projetado é estável.

Solução. Como a planta não tem um integrador, é necessário incluir um integrador no compensador. Determinemos que o compensador seja

$$G_c(s) = \frac{K}{s}\hat{G}_c(s), \quad \lim_{s \to 0} \hat{G}_c(s) = 1$$

onde $\hat{G}_c(s)$ será determinado posteriormente. Como a constante de erro estático de velocidade está especificada em 4 s⁻¹, temos

$$K_v = \lim_{s \to 0} sG_c(s)\frac{s+0,1}{s^2+1} = \lim_{s \to 0} s\frac{K}{s}\hat{G}_c(s)\frac{s+0,1}{s^2+1} = 0,1K = 4$$

Assim, $K = 40$. Portanto,

$$G_c(s) = \frac{40}{s}\hat{G}_c(s)$$

Em seguida, traçamos um diagrama de Bode de

$$G(s) = \frac{40(s+0,1)}{s(s^2+1)}$$

O Programa 8.10 em MATLAB produz um diagrama de Bode para $G(s)$, como mostra a Figura 8.53.

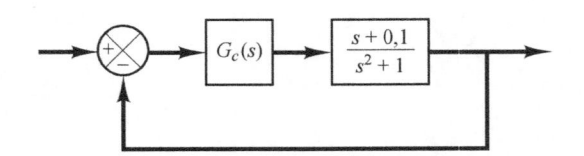

FIGURA 8.52
Sistema de controle.

FIGURA 8.53
Diagrama de Bode de $G(s) = 40(s + 0{,}1)/[s(s^2 + 1)]$.

Diagrama de Bode de $G(s) = 40(s + 0{,}1)/[s(s^2 + 1)]$

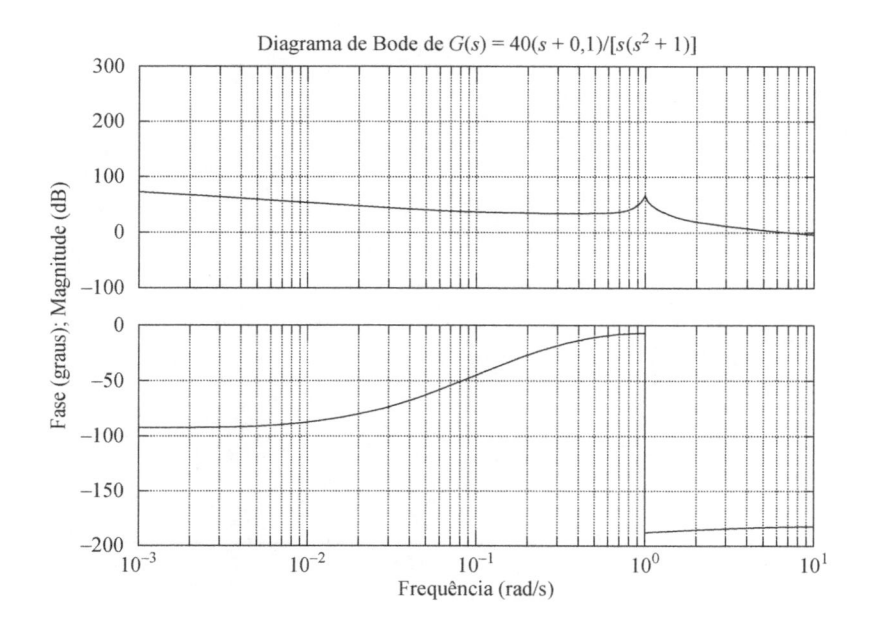

Programa 8.10 em MATLAB

```
% ***** Diagrama de Bode *****
num = [40 4];
den = [1 0.000000001 1 0];
bode(num,den)
title('Diagrama de Bode de G(s) = 40(s+0.1)/[s(s^2+1)]')
```

Precisamos de uma margem de fase de 50° e de uma margem de ganho de, no mínimo, 10 dB. Vamos determinar que $\hat{G}_c(s)$ seja

$$\hat{G}_c(s) = as + 1 \qquad (a > 0)$$

Então $G_c(s)$ contribuirá com um avanço de fase de até 90° na região de alta frequência. Com ensaios simples no MATLAB, constatamos que $a = 0{,}1526$ nos dá uma margem de fase de 50° e uma margem de ganho de $+\infty$ dB.

Veja o Programa 8.11 em MATLAB e o diagrama de Bode resultante mostrado na Figura 8.54. Nesse diagrama de Bode, vemos que a constante de erro estático de velocidade é 4 s^{-1}, a margem de fase é de 50° e a margem de ganho é de $+\infty$ dB. Portanto, o sistema projetado satisfaz todos os requisitos.

Programa 8.11 em MATLAB

```
% ***** Diagrama de Bode *****
num = conv([40 4],[0.1526 1]);
den = [1 0.000000001 1 0];
sys = tf(num,den);
w = logspace(-2,2,100);
bode(sys,w)
[Gm,pm,wcp,wcg] = margin(sys);
GmdB = 20*log10(Gm);
[GmdB,pm,wcp,wcg]

ans =
    Inf 50.0026 NaN 8.0114

title('Diagrama de Bode de G(s) = 40(s+0.1)(0.1526s+1)/[s(s^2+1)]')
```

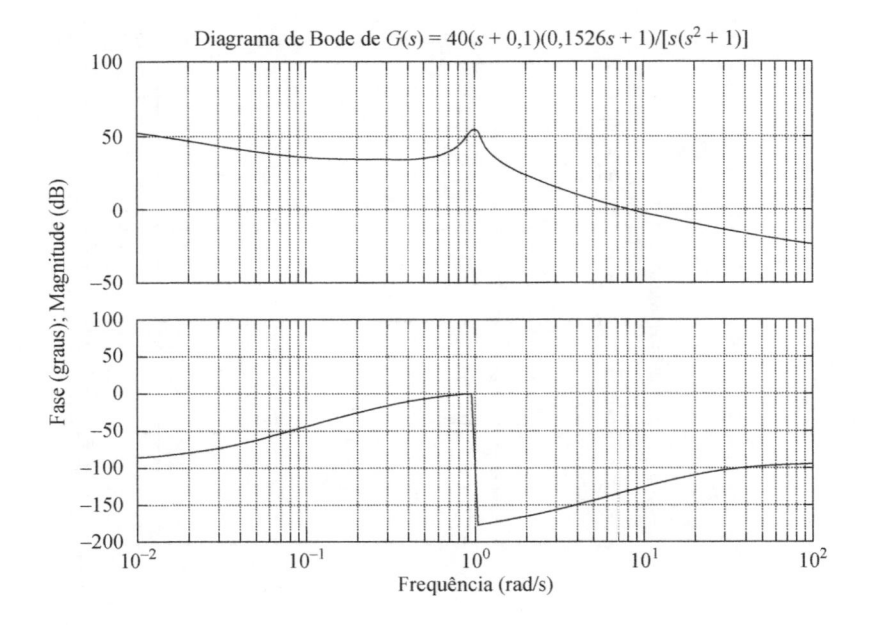

FIGURA 8.54
Diagrama de
Bode de
$G(s) = 40(s + 0,1)(0,1526s + 1)/[s(s^2 + 1)]$.

Diagrama de Bode de $G(s) = 40(s + 0,1)(0,1526s + 1)/[s(s^2 + 1)]$

O compensador projetado tem a seguinte função de transferência:

$$G_c(s) = \frac{40}{s}\hat{G}_c(s) = \frac{40(0,1526s + 1)}{s}$$

A função de transferência de malha aberta do sistema projetado é

$$\text{Função de transferência de malha aberta} = \frac{40(0,1526s + 1)}{s} \frac{s + 0,1}{s^2 + 1}$$

$$= \frac{6,104s^2 + 40,6104s + 4}{s(s^2 + 1)}$$

Em seguida, verificaremos as respostas do sistema projetado ao degrau unitário à rampa unitária. A função de transferência de malha fechada é:

$$\frac{C(s)}{R(s)} = \frac{6,104s^2 + 40,6104s + 4}{s^3 + 6,104s^2 + 41,6104s + 4}$$

Os polos de malha fechada estão localizados em

$$s = -3,0032 + j5,6573$$
$$s = -3,0032 - j5,6573$$
$$s = -0,0975$$

O Programa 8.12 em MATLAB gerará a curva de resposta ao degrau unitário do sistema projetado. A Figura 8.55 mostra a curva de resposta ao degrau unitário resultante. Observe que o polo de malha fechada em $s = -0,0975$ e o zero da planta em $s = -0,1$ produzem uma longa cauda de baixa amplitude.

```
Programa 8.12 em MATLAB

% ***** Resposta ao degrau unitário *****
num = [6.104 40.6104 4];
den = [1 6.104 41.6104 4];
t = 0:0.01:10;
step(num,den,t)
grid
```

FIGURA 8.55
Curva de resposta ao degrau unitário em $C(s)/R(s) = (6{,}104s + 40{,}6104s + 4) / (s^3 + 6{,}104s^2 + 41{,}6104s + 4)$.

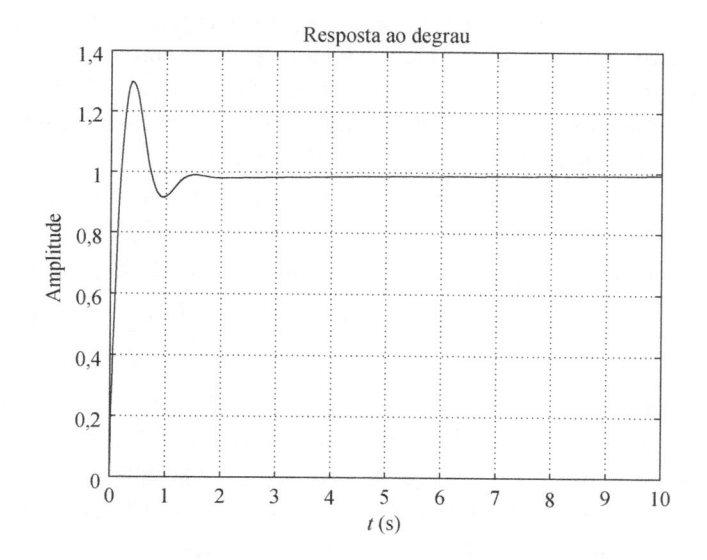

O Programa 8.13 em MATLAB gera a curva de resposta à rampa unitária do sistema projetado. A Figura 8.56 mostra a curva de resposta resultante.

```
Programa 8.13 em MATLAB

% ***** Resposta à rampa unitária *****
num = [0 0 6.104 40.6104 4];
den = [1 6.104 41.6104 4 0];
t = 0:0.01:20;
c = step(num,den,t);
plot(t,c,'-.',t,t,'-')
title('Resposta à rampa unitária')
xlabel('t(s)')
ylabel('Função Entrada em Rampa e Saída')
text(3,11.5,'Função Entrada em Rampa')
text(13.8,11.2,'Saída')
```

FIGURA 8.56
Curva de resposta à rampa unitária em $C(s)/R(s) = (6{,}104s^2 + 40{,}6104s + 4) / (s^3 + 6{,}104s^2 + 41{,}6104s + 4)$.

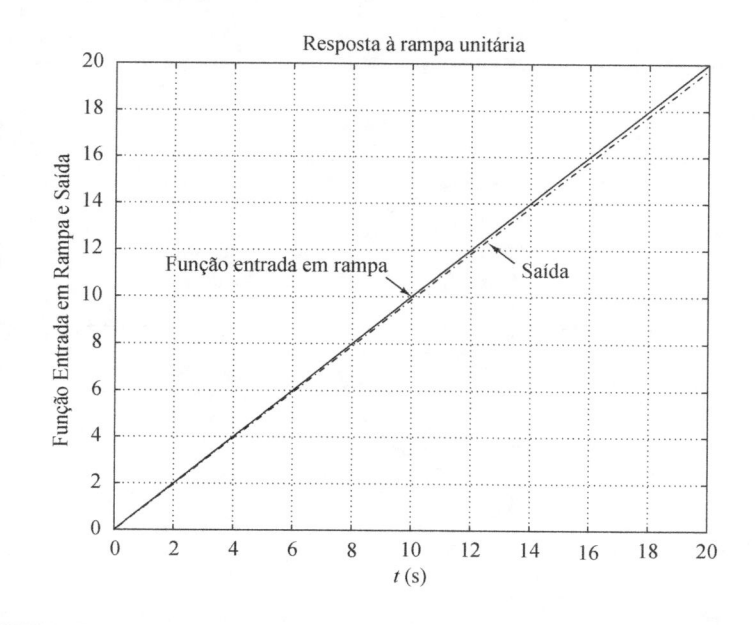

Diagrama de Nyquist. Constatamos anteriormente que os três polos de malha fechada do sistema projetado estão todos no semiplano esquerdo do plano *s*. Consequentemente, o sistema projetado é estável. Nesse caso, o objetivo de traçar o diagrama de Nyquist não é testar a estabilidade do sistema, mas aperfeiçoar nosso entendimento da análise de estabilidade de Nyquist. Se o sistema é complicado, o diagrama de Nyquist pode ter uma aparência tão complicada que não será fácil contar o número de envolvimentos do ponto $-1 + j0$.

Como o sistema projetado inclui três polos de malha aberta no eixo $j\omega$, o diagrama de Nyquist ficará bastante complicado, como veremos a seguir.

Defina a função de transferência de malha aberta do sistema projetado como $G(s)$. Então,

$$G(s) = G_c(s)\frac{s + 0,1}{s^2 + 1} = \frac{6,104s^2 + 40,6104s + 4}{s(s^2 + 1)}$$

Vamos escolher um percurso de Nyquist modificado, como mostra a Figura 8.57(a). O percurso modificado envolve três polos de malha aberta ($s = 0$, $s = j1$ e $s = -j1$). Agora, defina $s_1 = s + \sigma_0$. Então, o percurso de Nyquist no plano s_1 torna-se aquele mostrado na Figura 8.57(b). No plano s_1, a função de transferência de malha aberta tem três polos no semiplano direito do plano s_1.

Digamos que $\sigma_0 = 0,01$. Como $s = s_1 - \sigma_0$, temos:

$$G(s) = G(s_1 - 0,01)$$

Função de transferência de malha aberta no plano s_1.

$$= \frac{6,104(s_1^2 - 0,02s_1 + 0,0001) + 40,6104(s_1 - 0,01) + 4}{(s_1 - 0,01)(s_1^2 - 0,02s_1 + 1,0001)}$$

$$= \frac{6,104s_1^2 + 40,48832s_1 + 3,5945064}{s_1^3 - 0,03s_1^2 - 1,0003s_1 - 0,010001}$$

Um programa em MATLAB para obter o diagrama de Nyquist é mostrado no Programa 8.14 em MATLAB. A Figura 8.58 mostra o diagrama de Nyquist resultante.

```
Programa 8.14 em MATLAB

% ***** Diagrama de Nyquist *****
num = [6.104 40.48832 3.5945064];
den = [1 -0.03 1.0003 -0.010001];
nyquist(num,den)
v = [-1500 1500 -2500 2500]; axis(v)
```

FIGURA 8.57
(a) Percurso de Nyquist modificado no plano *s*; (b) percurso de Nyquist no plano s_1.

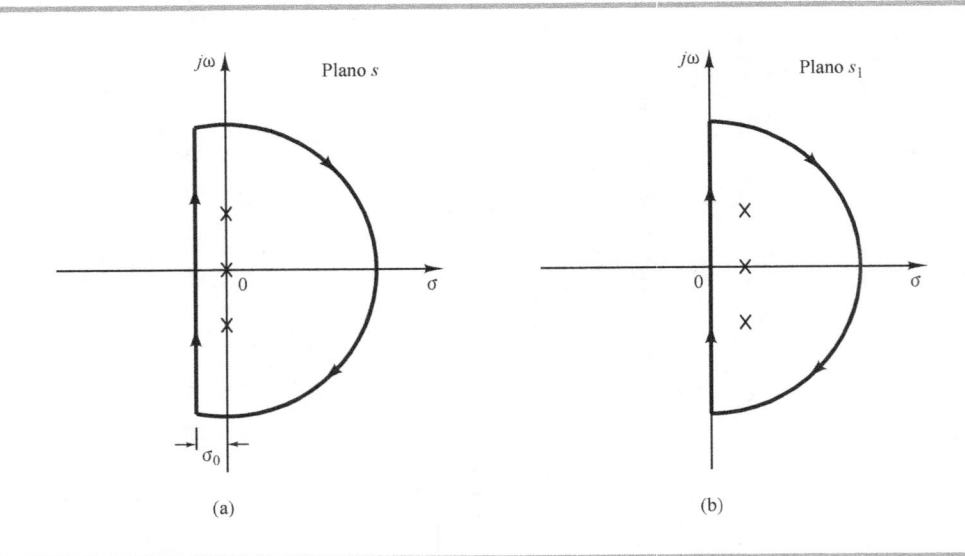

FIGURA 8.58
Diagrama de Nyquist.

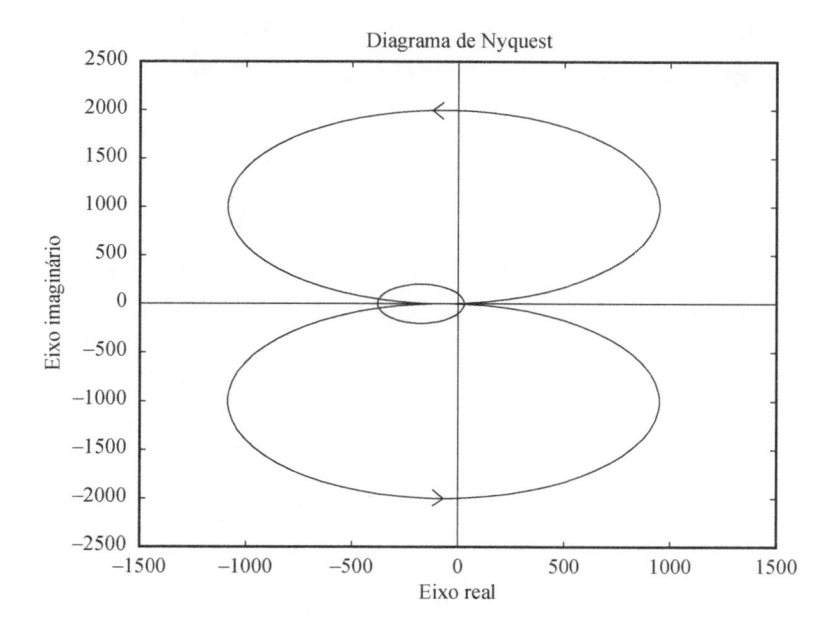

A partir do diagrama obtido, não é fácil determinar os envolvimentos do ponto $-1+j0$ no lugar geométrico de Nyquist. Portanto, temos de redesenhar esse diagrama de Nyquist qualitativamente, para mostrar os detalhes próximos do ponto $-1+j0$. O diagrama de Nyquist redesenhado é mostrado pela Figura 8.59.

A partir do diagrama redesenhado, constatamos que o ponto $-1+j0$ é envolvido três vezes no sentido anti-horário. Portanto, $N=-3$. Como a função de transferência de malha aberta tem três polos no semiplano direito do plano s_1, temos $P=3$. Então, temos $Z=N+P=0$. Isso significa que não há polos de malha fechada no semiplano direito do plano s_1. Portanto, o sistema é estável.

FIGURA 8.59
Diagrama de Nyquist redesenhado.

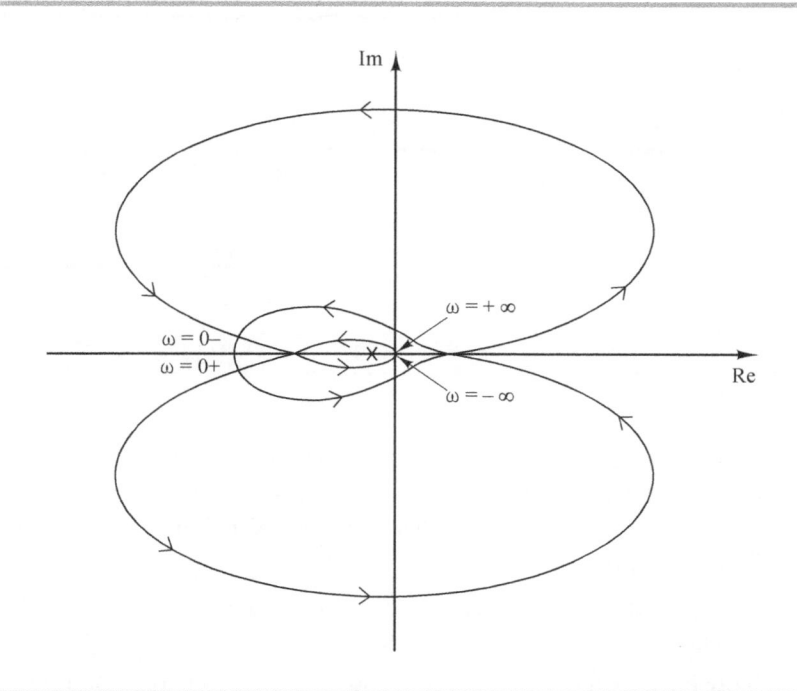

A.8.8 Demonstre que o sistema com controle I-PD, mostrado na Figura 8.60(a), é equivalente ao sistema com controle PID com filtro de entrada, mostrado na Figura 8.60(b).

Solução. A função de transferência de malha fechada $C(s)/R(s)$ do sistema com controle I-PD é:

$$\frac{C(s)}{R(s)} = \frac{\dfrac{K_p}{T_i s} G_p(s)}{1 + K_p\left(1 + \dfrac{1}{T_i s} + T_d s\right) G_p(s)}$$

A função de transferência de malha fechada $C(s)/R(s)$ do sistema com controle PID com filtro de entrada, mostrado na Figura 8.60(b), é:

$$\frac{C(s)}{R(s)} = \frac{1}{1 + T_i s + T_i T_d s^2} \cdot \frac{K_p\left(1 + \dfrac{1}{T_i s} + T_d s\right) G_p(s)}{1 + K_p\left(1 + \dfrac{1}{T_i s} + T_d s\right) G_p(s)}$$

$$= \frac{\dfrac{K_p}{T_i s} G_p(s)}{1 + K_p\left(1 + \dfrac{1}{T_i s} + T_d s\right) G_p(s)}$$

As funções de transferência de malha fechada de ambos os sistemas são as mesmas. Portanto, os dois sistemas são equivalentes.

FIGURA 8.60
(a) Sistema com controle I-PD;
(b) sistema com controle PID com filtro de entrada.

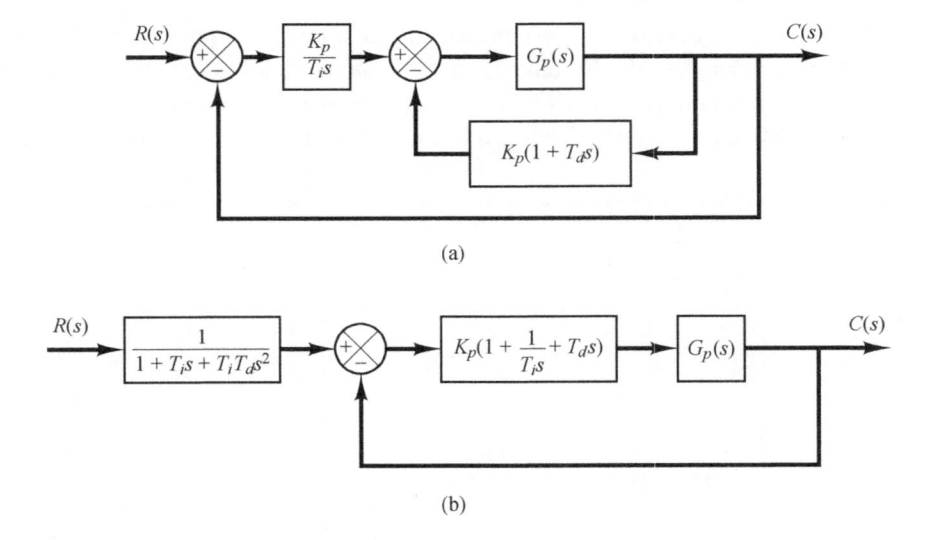

A.8.9 A ideia básica do controle I-PD é evitar sinais de controle elevados (que vão causar o fenômeno de saturação) no sistema. Levando as ações de controle proporcional-derivativo para o ramo de realimentação, é possível escolher valores de K_p e T_d maiores que aqueles possíveis pelo esquema de controle PID.

Compare, qualitativamente, as respostas do sistema com controle PID e I-PD em relação à entrada de distúrbio e à entrada de referência.

Solução. Considere primeiro a resposta do sistema com controle I-PD à entrada de distúrbio. Como, no controle I-PD de uma planta, é possível selecionar valores de K_p e T_d maiores que aqueles do caso com controle PID, o sistema com controle I-PD vai atenuar o efeito do distúrbio mais rapidamente que no caso do sistema com controle PID.

Em seguida, considere a resposta do sistema com controle I-PD à entrada de referência. Como o sistema com controle I-PD é equivalente ao sistema com controle PID com o filtro de entrada (veja o Problema A.8.8), o sistema com controle PID apresentará respostas mais rápidas que o sistema com controle I-PD correspondente, contanto que um fenômeno de saturação não ocorra no sistema com controle PID.

A.8.10 Em alguns casos, é desejável prover um filtro de entrada, como mostra a Figura 8.61(a). Observe que o filtro de entrada $G_f(s)$ está fora da realimentação. Portanto, ele não afeta a estabilidade da porção de malha fechada do sistema. Uma vantagem de ter o filtro de entrada é que os zeros da função de transferência de malha fechada podem ser modificados (cancelados ou substituídos por outros) para que a resposta de malha fechada seja aceitável.

Mostre que a configuração da Figura 8.61(a) pode ser modificada para ficar como aquela mostrada na Figura 8.61(b), onde $G_d(s) = [G_f(s) - 1]G_c(s)$. A estrutura de compensação mostrada na Figura 8.61(b) é, algumas vezes, denominada compensação de comando.

Solução. Para o sistema da Figura 8.61(a), temos:

$$\frac{C(s)}{R(s)} = G_f(s)\frac{G_c(s)G_p(s)}{1 + G_c(s)G_p(s)} \tag{8.15}$$

Para o sistema da Figura 8.61(b), temos:

$$U(s) = G_d(s)R(s) + G_c(s)E(s)$$

$$E(s) = R(s) - C(s)$$

$$C(s) = G_p(s)U(s)$$

Logo,

$$C(s) = G_p(s)\{G_d(s)R(s) + G_c(s)[R(s) - C(s)]\}$$

ou

$$\frac{C(s)}{R(s)} = \frac{[G_d(s) + G_c(s)]G_p(s)}{1 + G_c(s)G_p(s)} \tag{8.16}$$

FIGURA 8.61
(a) Diagrama de blocos do sistema de controle com filtro de entrada; (b) diagrama de blocos modificado.

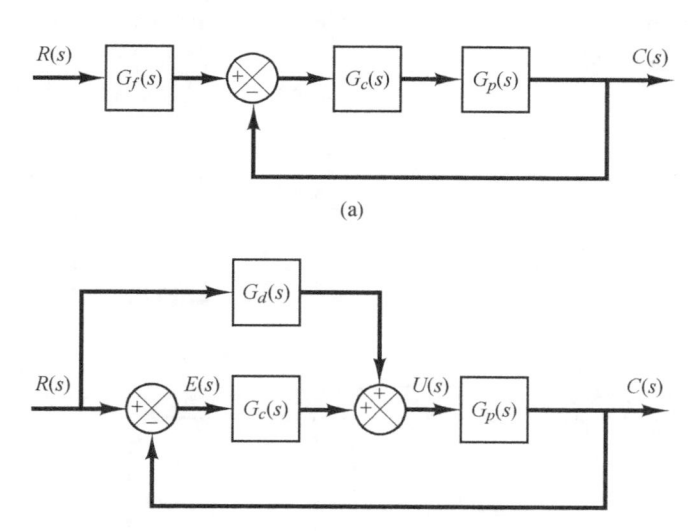

Substituindo $G_d(s) = [G_f(s) - 1]G_c(s)$ na Equação 8.16, obtemos:

$$\frac{C(s)}{R(s)} = \frac{[G_f(s)G_c(s) - G_c(s) + G_c(s)]G_p(s)}{1 + G_c(s)G_p(s)}$$

$$= G_f(s)\frac{G_c(s)G_p(s)}{1 + G_c(s)G_p(s)}$$

que é a mesma da Equação 8.15. Logo, mostramos que os sistemas que aparecem nas figuras 8.61(a) e (b) são equivalentes.

Veja que o sistema mostrado na Figura 8.61(b) tem um controlador de avanço. Nesse caso, $G_d(s)$ não afeta a estabilidade da porção de malha fechada do sistema.

A.8.11 Um sistema de malha fechada tem a característica de que a função de transferência de malha fechada será aproximadamente igual ao inverso da função de transferência da realimentação, sempre que o ganho de malha aberta for muito maior que a unidade.

A característica de malha aberta pode ser modificada adicionando-se um ramo interno de realimentação com uma característica igual à inversa da característica desejada de malha aberta. Suponha que dado sistema com realimentação unitária tenha a seguinte função de transferência de malha aberta:

$$G(s) = \frac{K}{(T_1 s + 1)(T_2 s + 1)}$$

Determine a função de transferência $H(s)$ do elemento no ramo interno de realimentação para que a malha interna se torne sem efeito tanto em baixas como em altas frequências.

Solução. A Figura 8.62(a) mostra o sistema original e a Figura 8.62(b), a malha interna de realimentação adicionada em torno de $G(s)$. Como

$$\frac{C(s)}{E(s)} = \frac{G(s)}{1 + G(s)H(s)} = \frac{1}{H(s)} \frac{G(s)H(s)}{1 + G(s)H(s)}$$

se o ganho de malha interna for grande, se comparado com a unidade, então $G(s)H(s)/[1 + G(s)H(s)]$ é aproximadamente igual a um, e a função de transferência $C(s)/E(s)$ é aproximadamente igual a $1/H(s)$.

Por outro lado, se o ganho $|G(s)H(s)|$ for muito menor que a unidade, a malha interna se tornará sem efeito e $C(s)/E(s)$ se tornará aproximadamente igual à $G(s)$.

Para tornar a malha interna sem efeito, tanto nas baixas como nas altas faixas de frequência, é preciso que:

$$|G(j\omega)H(j\omega)| \ll 1, \quad \text{para } \omega \ll 1 \text{ e } \omega \gg 1$$

FIGURA 8.62
(a) Sistema de controle;
(b) adição da malha interna de realimentação para modificar a característica de malha fechada.

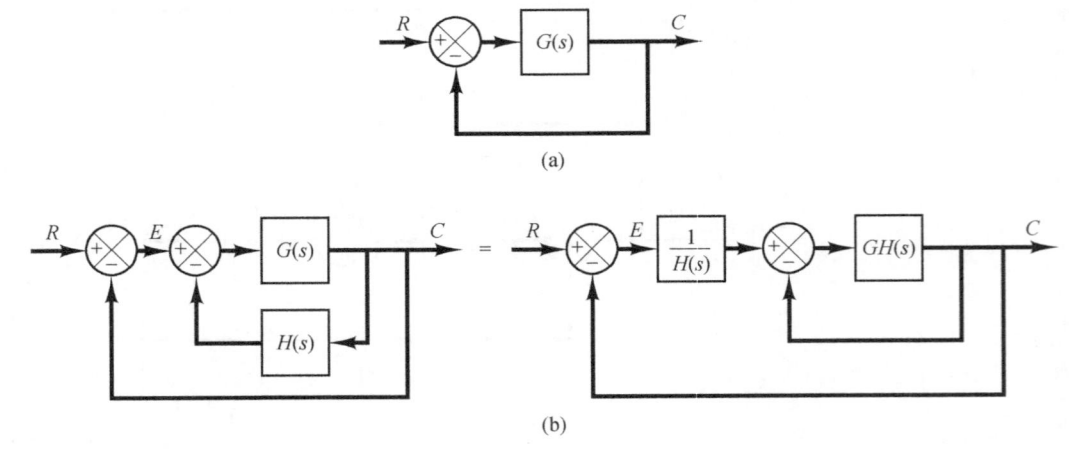

Como, neste problema,

$$G(j\omega) = \frac{K}{(1 + j\omega T_1)(1 + j\omega T_2)}$$

o requisito pode ser satisfeito se $H(s)$ for escolhido como:

$$H(s) = ks$$

porque

$$\lim_{\omega \to 0} G(j\omega)H(j\omega) = \lim_{\omega \to 0} \frac{Kkj\omega}{(1 + j\omega T_1)(1 + j\omega T_2)} = 0$$

$$\lim_{\omega \to \infty} G(j\omega)H(j\omega) = \lim_{\omega \to \infty} \frac{Kkj\omega}{(1 + j\omega T_1)(1 + j\omega T_2)} = 0$$

Então, com $H(s) = ks$ (realimentação de velocidade), a malha interna fica sem efeito tanto nas regiões de baixa como nas de alta frequência. Ela se torna efetiva apenas na região de frequências intermediárias.

A.8.12 Considere o sistema de controle mostrado na Figura 8.63. Este é o mesmo sistema que o considerado no Exemplo 8.1. Naquele exemplo, projetamos um controlador PID $G_c(s)$, iniciando pelo segundo método das regras de sintonia de Ziegler-Nichols. Aqui, projetaremos um controlador PID utilizando a abordagem computacional com o MATLAB. Determinaremos os valores de K e a do controlador PID:

$$G_c(s) = K\frac{(s + a)^2}{s}$$

de forma que a resposta ao degrau unitário apresente o sobressinal máximo entre 10% e 2% (1,02 ≤ saída máxima ≤ 1,10) e o tempo de acomodação seja menor que 3 s. A região de busca é:

$$2 \leq K \leq 50, \qquad 0{,}05 \leq a \leq 2$$

Vamos escolher o incremento de K como 1 e o de a como 0,05.

Escreva um programa em MATLAB que permita determinar todos os possíveis conjuntos das variáveis K e a que satisfarão as especificações dadas. Obtenha o gráfico das curvas de resposta ao degrau unitário do sistema projetado com os conjuntos escolhidos das variáveis K e a.

Solução. A função de transferência da planta é:

$$G_p(s) = \frac{1}{s^3 + 6s^2 + 5s}$$

A função de transferência de malha fechada $C(s)/R(s)$ é dada por:

$$\frac{C(s)}{R(s)} = \frac{Ks^2 + 2Kas + Ka^2}{s^4 + 6s^3 + (5 + K)s^2 + 2Kas + Ka^2}$$

Um possível programa em MATLAB que gerará o primeiro conjunto das variáveis K e a que satisfarão as especificações fornecidas é dado pelo Programa 8.15 em MATLAB. Nesse programa,

FIGURA 8.63
Sistema de controle.

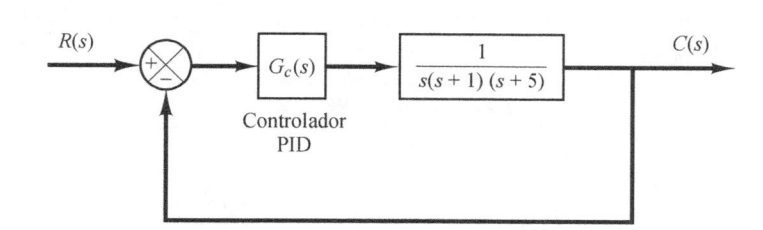

utilizamos dois loops de 'for'. A especificação relativa ao tempo de acomodação é interpretada pelas seguintes quatro linhas:

```
s = 501; while y(s) > 0.98 and y(s) < 1.02;
s = s - 1; end;
ts = (s - 1) * 0.01
ts < 3.0
```

Note que, para $t = 0:0.01:5$, temos 501 instantes temporais de cálculo. O último instante temporal corresponde a $s = 501$.

A solução obtida por esse programa é:

$$K = 32, \qquad a = 0,2$$

com o sobressinal máximo igual a 9,69% e com o tempo de acomodação igual a 2,64 s. A curva resultante de resposta ao degrau unitário é mostrada na Figura 8.64.

Programa 8.15 em MATLAB

```
t = 0:0.01:5;
for K = 50:-1:2;
  for a = 2:-0.05:0.05;
    num = [K 2*K*a K*a^2];
    den = [1 6 5+K 2*K*a K*a^2];
    y = step(num,den,t);
    m = max(y);
    s = 501; while y(s) > 0.98 & y(s) < 1.02;
    s = s-1; end;
    ts = (s-1)*0.01;
    if m < 1.10 & m > 1.02 & ts < 3.0
    break;
    end
    end
  if m < 1.10 & m > 1.02 & ts < 3.0
  break
  end
end
plot(t,y)
grid
title('Resposta ao degrau unitário')
xlabel('t (s)')
ylabel('Saída')
solution = [K;a;m;ts]

solution =
32.0000
0.2000
1.0969
2.6400
```

Em seguida, consideramos o caso em que desejamos encontrar todos os conjuntos das variáveis que satisfarão as especificações dadas. Um possível programa em MATLAB para esse propósito é o Programa 8.16 em MATLAB. Note que, na tabela mostrada no programa, a última linha (k,:) ou a primeira linha da tabela ordenada pode ser ignorada. (Estes são os últimos valores de K e a da busca.)

Programa 8.16 em MATLAB

```
t = 0:0.01:5;
k = 0;
for i = 1:49;
  K(i) = 51-i*1;
    for j = 1:40;
```

(*continua*)

FIGURA 8.64
Curva de resposta ao degrau unitário.

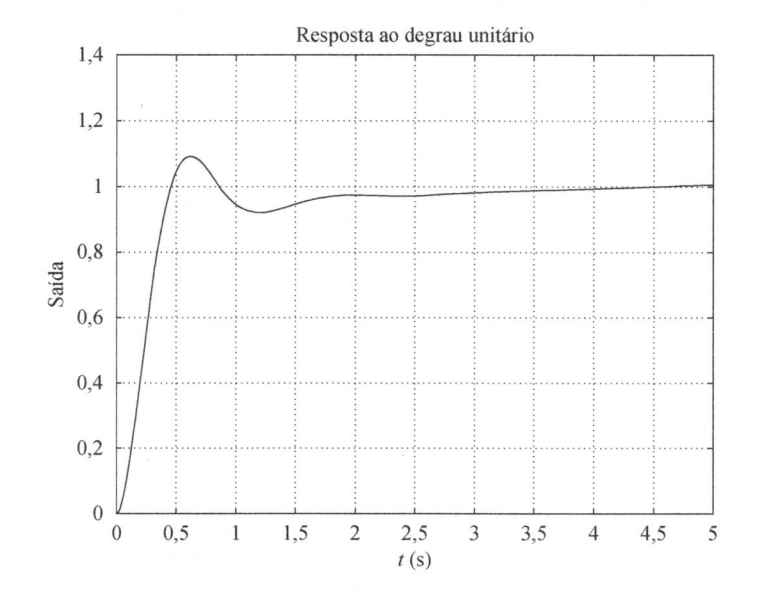

(continuação)

```
    a(j) = 2.05-j*0.05;
    num = [K(i) 2*K(i)*a(j) K(i)*a(j)*a(j)];
    den = [1 6 5+K(i) 2*K(i)*a(j) K(i)*a(j)*a(j)];
      y = step(num,den,t);
      m = max(y);
      s = 501; while y(s) > 0.98 & y(s) < 1.02;
      s = s-1; end;
      ts = (s-1)*0.01;
    if m < 1.10 & m > 1.02 & ts < 3.0
    k = k+1;
    table(k,:) = [K(i) a(j) m ts];
    end
   end
  end
table(k,:) = [K(i) a(j) m ts]

table =
    32.0000  0.2000  1.0969  2.6400
    31.0000  0.2000  1.0890  2.6900
    30.0000  0.2000  1.0809  2.7300
    29.0000  0.2500  1.0952  1.7800
    29.0000  0.2000  1.0726  2.7800
    28.0000  0.2000  1.0639  2.8300
    27.0000  0.2000  1.0550  2.8900
     2.0000  0.0500  0.3781  5.0000

sorttable = sortrows(table,3)

sorttable =
     2.0000  0.0500  0.3781  5.0000
    27.0000  0.2000  1.0550  2.8900
    28.0000  0.2000  1.0639  2.8300
    29.0000  0.2000  1.0726  2.7800
    30.0000  0.2000  1.0809  2.7300
    31.0000  0.2000  1.0890  2.6900
    29.0000  0.2500  1.0952  1.7800
    32.0000  0.2000  1.0969  2.6400

K = sorttable(7,1)

K =
```

(continua)

(*continuação*)

```
        29
a = sorttable(7,2)
a=
    0.2500
num = [K 2*K*a K*a^2];
den = [1 6 5+K 2*K*a K*a^2];
y = step(num,den,t);
plot(t,y)
grid
hold
Current plot held

K = sorttable(2,1)

K=
    27

a = sorttable(2,2)

a=
    0.2000
num = [K 2*K*a K*a^2];
den = [1 6 5+K 2*K*a K*a^2];
y = step(num,den,t);
plot(t,y)
title('Curva de Resposta do Degrau Unitário')
xlabel('t (sec)')
ylabel('Output')
text(1.22,1.22,'K = 29, a = 0.25')
text(1.22,0.72,'K = 27, a = 0.2')
```

A partir da tabela ordenada, percebe-se que:

$K = 29$, $a = 0{,}25$ (sobressinal máximo = 9,52%, tempo de acomodação = 1,78 s)

e

$K = 27$, $a = 0{,}2$ (sobressinal máximo = 5,5%, tempo de acomodação = 2,89 s)

são as duas melhores escolhas. As curvas de resposta ao degrau unitário, para esses dois casos, são mostradas na Figura 8.65. A partir dessas curvas, podemos concluir que a melhor escolha depende

FIGURA 8.65
Curvas de resposta ao degrau unitário.

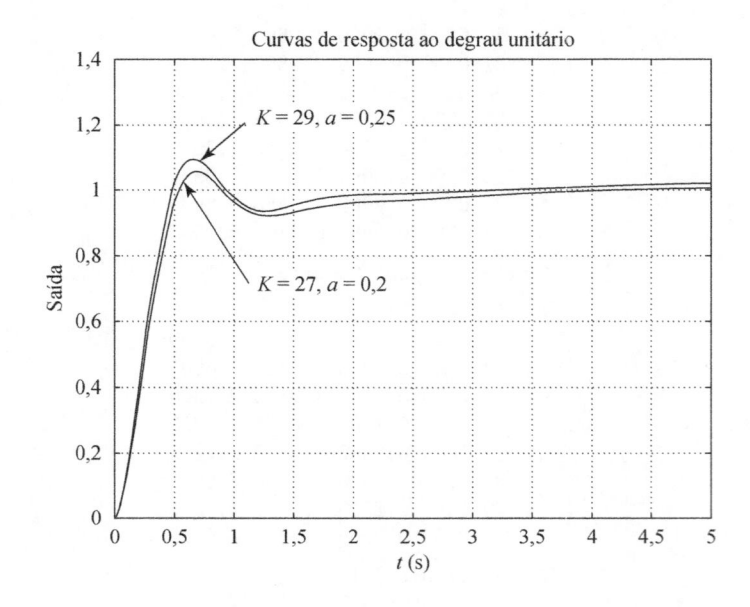

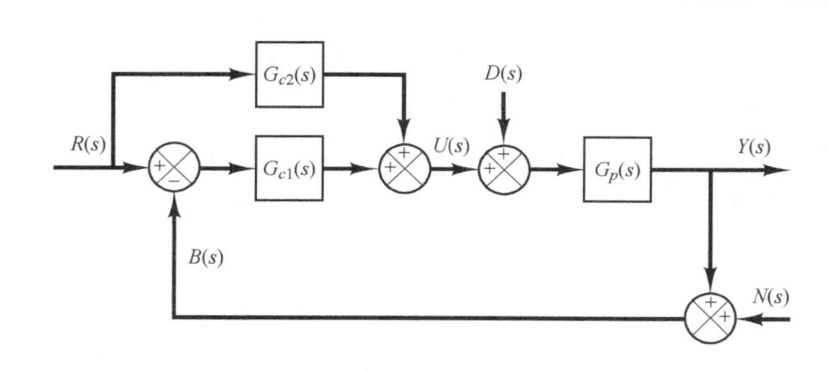

do objetivo do sistema. Se desejamos um sobressinal máximo pequeno, $K = 27$, $a = 0{,}2$ será a melhor escolha. Se um tempo de acomodação menor for mais importante que um sobressinal máximo pequeno, então $K = 29$, $a = 0{,}25$ será a melhor escolha.

A.8.13 Considere o sistema de controle com dois graus de liberdade mostrado na Figura 8.66. A planta $G_p(s)$ é dada por:

$$G_p(s) = \frac{100}{s(s+1)}$$

Supondo que a entrada de ruído $N(s)$ seja nula, projete os controladores $G_{c1}(s)$ e $G_{c2}(s)$ para que o sistema projetado satisfaça o seguinte:

1. A resposta à entrada de distúrbio do tipo degrau tenha uma amplitude pequena e tenda a zero rapidamente (na ordem de 1 s a 2 s).
2. A resposta à entrada de referência do tipo degrau unitário tenha um sobressinal máximo de 25% ou menos e o tempo de acomodação seja de 1 s ou menos.
3. Os erros estacionários no acompanhamento à entrada de referência do tipo rampa e à entrada de referência do tipo aceleração sejam nulos.

Solução. As funções de transferência de malha fechada da entrada de distúrbio e da entrada de referência são dadas, respectivamente, por:

$$\frac{Y(s)}{D(s)} = \frac{G_p(s)}{1 + G_{c1}(s)G_p(s)}$$

$$\frac{Y(s)}{R(s)} = \frac{[G_{c1}(s) + G_{c2}(s)]G_p(s)}{1 + G_{c1}(s)G_p(s)}$$

Vamos supor que $G_{c1}(s)$ seja um controlador PID e tenha a seguinte forma:

$$G_{c1}(s) = \frac{K(s+a)^2}{s}$$

A equação característica do sistema é:

$$1 + G_{c1}(s)G_p(s) = 1 + \frac{K(s+a)^2}{s}\frac{100}{s(s+1)}$$

Note que os polos de malha aberta estão localizados em $s = 0$ (um polo duplo) e $s = -1$. Os zeros estão localizados em $s = -a$ (um zero duplo).

A seguir, utilizaremos a abordagem do lugar das raízes para determinar os valores de a e K. Vamos determinar que os polos dominantes de malha fechada estejam em $s = -5 \pm j5$. Então, a deficiência angular no polo de malha fechada em $s = -5 + j5$ é:

$$-135° - 135° - 128{,}66° + 180° = -218{,}66°$$

FIGURA 8.66
Sistema de controle com dois graus de liberdade.

O zero duplo em $s = -a$ deve contribuir com 218,66°. (Cada zero deve contribuir com 109,33°.) Por meio de cálculos simples, encontramos:

$$a = -3,2460$$

O controlador $G_{c1}(s)$ é então determinado como:

$$G_{c1}(s) = \frac{K(s + 3,2460)^2}{s}$$

A constante K deve ser determinada pelo uso da condição do módulo. Essa condição é:

$$|G_{c1}(s)G_p(s)|_{s=-5+j5} = 1$$

Como

$$G_{c1}(s)G_p(s) = \frac{K(s + 3,2460)^2}{s} \frac{100}{s(s+1)}$$

obtemos:

$$K = \left| \frac{s^2(s+1)}{100(s+3,2460)^2} \right|_{s=-5+j5}$$

$$= 0,11403$$

O controlador $G_{c1}(s)$ resulta, portanto, em:

$$G_{c1}(s) = \frac{0,11403(s + 3,2460)^2}{s}$$

$$= \frac{0,11403s^2 + 0,74028s + 1,20148}{s}$$

$$= 0,74028 + \frac{1,20148}{s} + 0,11403s \quad (8.17)$$

Então, a função de transferência de malha fechada $Y(s)/D(s)$ é obtida como segue:

$$\frac{Y(s)}{D(s)} = \frac{G_p(s)}{1 + G_{c1}(s)G_p(s)}$$

$$= \frac{\dfrac{100}{s(s+1)}}{1 + \dfrac{0,11403(s+3,2460)^2}{s} \dfrac{100}{s(s+1)}}$$

$$= \frac{100s}{s^3 + 12,403s^2 + 74,028s + 120,148}$$

A curva de resposta quando $D(s)$ é um distúrbio do tipo degrau unitário é mostrada na Figura 8.67.

Em seguida, consideramos as respostas às entradas de referência. A função de transferência de malha fechada $Y(s)/R(s)$ é:

$$\frac{Y(s)}{R(s)} = \frac{[G_{c1}(s) + G_{c2}(s)]G_p(s)}{1 + G_{c1}(s)G_p(s)}$$

Vamos definir:

$$G_{c1}(s) + G_{c2}(s) = G_c(s)$$

Então,

$$\frac{Y(s)}{R(s)} = \frac{G_c(s)G_p(s)}{1 + G_{c1}(s)G_p(s)}$$

$$= \frac{100sG_c(s)}{s^3 + 12,403s^2 + 74,028s + 120,148}$$

FIGURA 8.67
Resposta à entrada de distúrbio do tipo degrau unitário.

Resposta à entrada de distúrbio do tipo degrau unitário

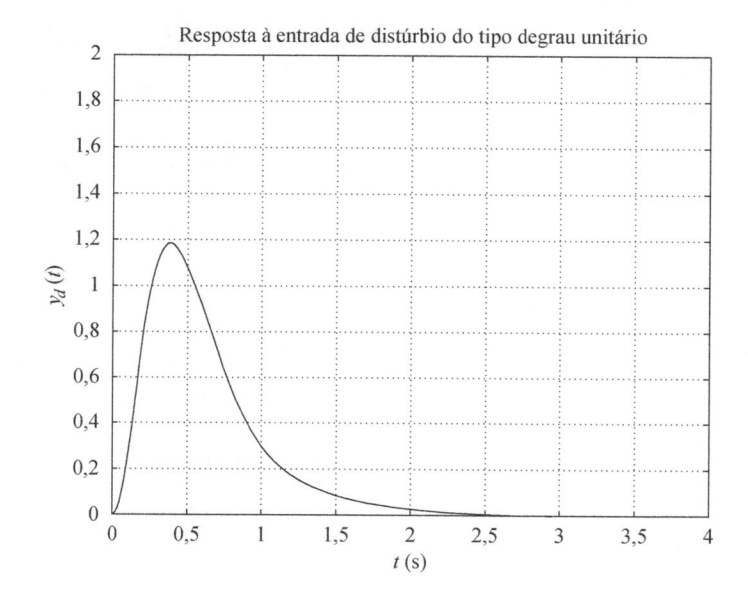

[Gráfico: $y_d(t)$ vs t (s), com pico de aproximadamente 1,18 em torno de t = 0,4 s, decaindo para zero por volta de t = 2,5 s.]

Para satisfazer os requisitos sobre as respostas à entrada de referência do tipo rampa e à entrada de referência do tipo aceleração, utilizamos a abordagem por alocação de zeros. Ou seja, escolhemos o numerador de $Y(s)/R(s)$ como a soma dos últimos três termos do denominador, ou

$$100sG_c(s) = 12{,}403s^2 + 74{,}028s + 120{,}148$$

a partir do qual obtemos:

$$G_c(s) = \frac{0{,}12403s^2 + 0{,}74028s + 1{,}20148}{s}$$

$$= 0{,}74028 + \frac{1{,}20148}{s} + 0{,}12403s \qquad (8.18)$$

Logo, a função de transferência de malha fechada $Y(s)/R(s)$ resulta em:

$$\frac{Y(s)}{R(s)} = \frac{12{,}403s^2 + 74{,}028s + 120{,}148}{s^3 + 12{,}403s^2 + 74{,}028s + 120{,}148}$$

As curvas de resposta à entrada de referência do tipo degrau unitário, à entrada de referência do tipo rampa unitária e à entrada de referência do tipo aceleração unitária são mostradas nas figuras 8.68(a), (b) e (c), respectivamente. O sobressinal máximo da resposta ao degrau unitário é aproximadamente 25% e o tempo de acomodação é de aproximadamente 1,2 s. Os erros estacionários na resposta à rampa e na resposta à aceleração são nulos. Portanto, o controlador $G_c(s)$ projetado, dado pela Equação 8.18, é satisfatório.

Por fim, determinamos $G_{c2}(s)$. Considerando que:

$$G_{c2}(s) = G_c(s) - G_{c1}(s)$$

e a partir da Equação 8.17

$$G_{c1}(s) = 0{,}7403 + \frac{1{,}20148}{s} + 0{,}11403s$$

FIGURA 8.68
Resposta à entrada de referência do tipo degrau unitário; (b) resposta à entrada de referência do tipo rampa unitária; (c) resposta à entrada de referência do tipo aceleração unitária.

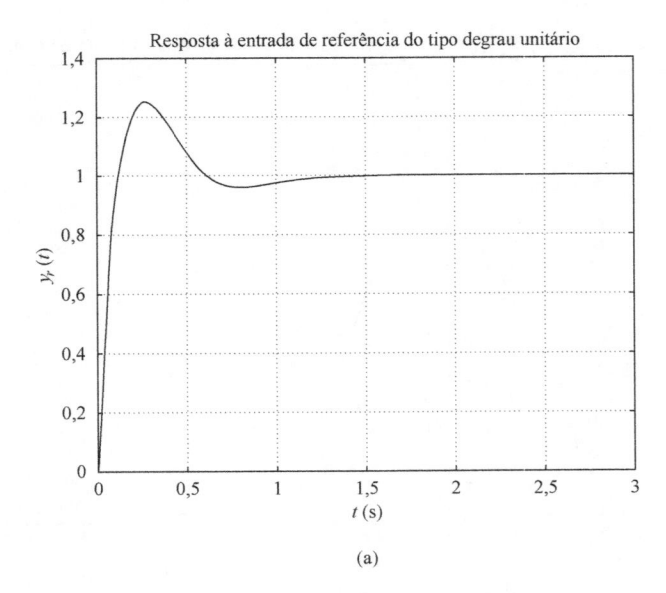

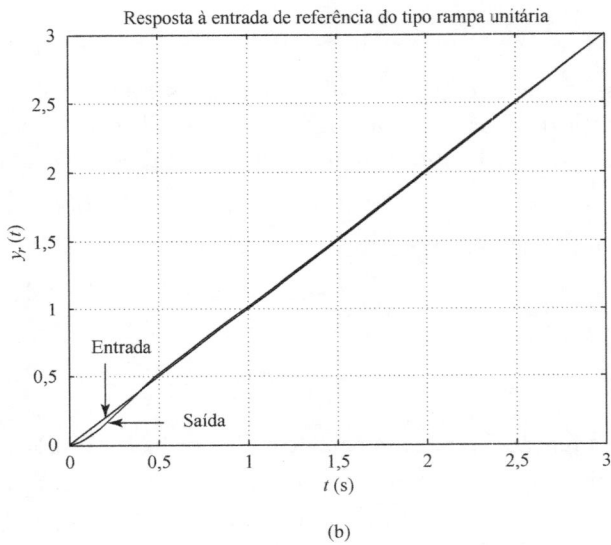

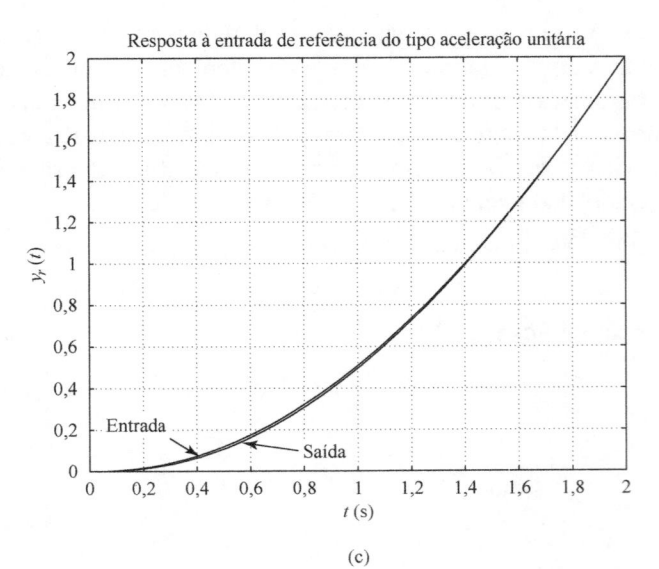

(a) Resposta à entrada de referência do tipo degrau unitário

(b) Resposta à entrada de referência do tipo rampa unitária

(c) Resposta à entrada de referência do tipo aceleração unitária

obtemos:

$$G_{c2}(s) = \left(0,7403 + \frac{1,20148}{s} + 0,12403s\right)$$

$$-\left(0,7403 + \frac{1,20148}{s} + 0,11403s\right)$$

$$= 0,01s \tag{8.19}$$

As equações 8.17 e 8.19 fornecem as funções de transferência dos controladores $G_{c1}(s)$ e $G_{c2}(s)$, respectivamente. O diagrama de blocos do sistema projetado é mostrado na Figura 8.69.

Note que, se o sobressinal máximo fosse muito maior que 25% e/ou se o tempo de acomodação fosse maior que 1,2 s, então poderíamos supor uma região de busca (como $3 \leq a \leq 6$, $3 \leq b \leq 6$ e $6 \leq c \leq 12$) e utilizar o método computacional, apresentado no Exemplo 8.4, para encontrar um conjunto ou conjuntos de variáveis que forneceriam a resposta desejada à entrada de referência do tipo degrau unitário.

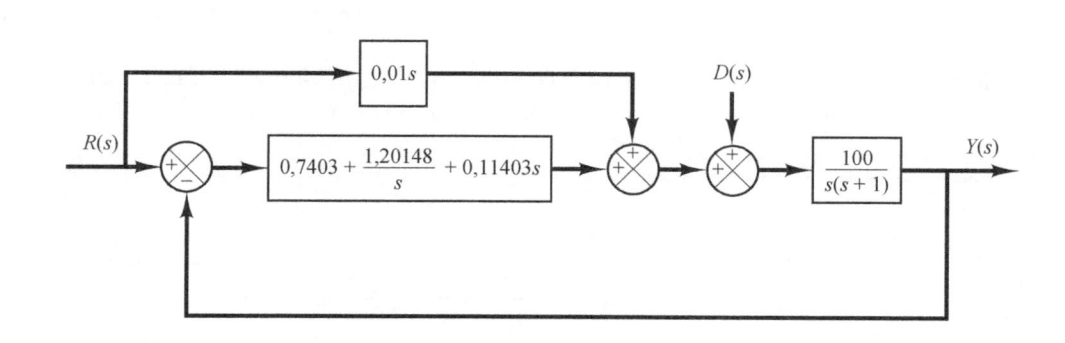

FIGURA 8.69 Diagrama de blocos do sistema projetado.

Problemas

B.8.1 Considere o controlador PID eletrônico mostrado na Figura 8.70. Determine os valores de R_1, R_2, R_3, R_4, C_1 e C_2 do controlador para que a função de transferência $G_c(s) = E_o(s)/E_i(s)$ seja

$$G_c(s) = 39,42\left(1 + \frac{1}{3,077s} + 0,7692s\right)$$

$$= 30,3215\frac{(s + 0,65)^2}{s}$$

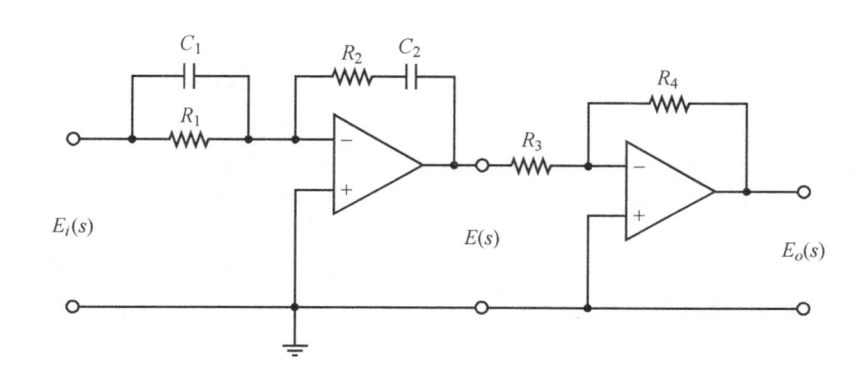

FIGURA 8.70 Controlador PID eletrônico.

B.8.2 Considere o sistema mostrado na Figura 8.71. Suponha que o distúrbio $D(s)$ entre no sistema como mostra o diagrama. Determine os parâmetros K, a e b, de modo que a resposta à entrada de distúrbio do tipo degrau unitário e a resposta à entrada de referência do tipo degrau unitário satisfaçam às seguintes especificações: a resposta à entrada de distúrbio do tipo degrau deve ser atenuada rapidamente sem erro estacionário e a resposta à entrada de referência do tipo degrau deve exibir um máximo sobressinal de 20% ou menos e um tempo de acomodação de 2 s.

FIGURA 8.71
Sistema de controle.

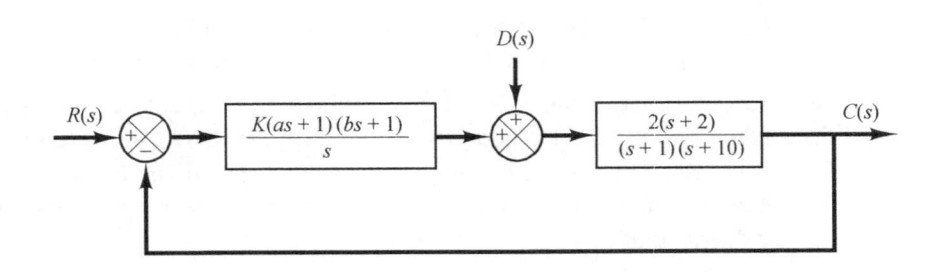

B.8.3 Prove que o sistema com controle PID, mostrado na Figura 8.72(a), é equivalente ao sistema com controle I-PD com um controle de avanço, apresentado na Figura 8.72(b).

FIGURA 8.72
(a) Sistema com controle PID;
(b) sistema com controle I-PD com um controle de avanço.

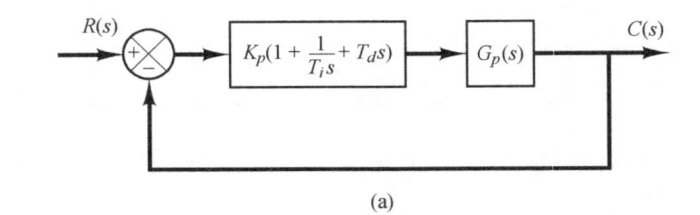

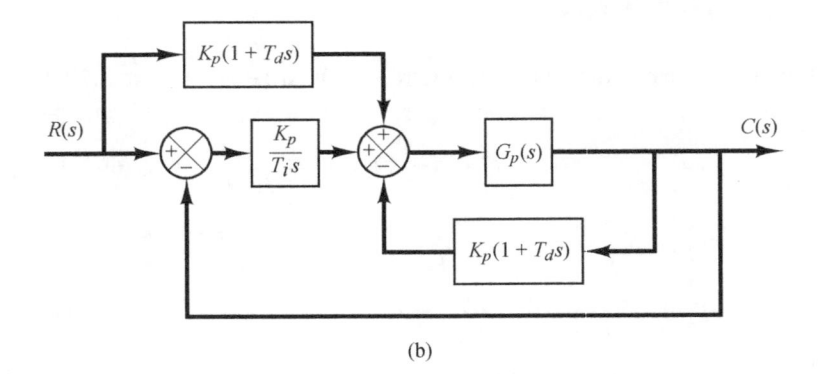

B.8.4 Considere os sistemas mostrados nas figuras 8.73(a) e (b). O sistema exposto na Figura 8.73(a) é o sistema projetado no Exemplo 8.1. A resposta à entrada de referência do tipo degrau unitário, na ausência da entrada de distúrbio, é apresentada na Figura 8.10. O sistema exibido na Figura 8.73(b) é um sistema com controle I-PD que utiliza os mesmos K_p, T_i e T_d do sistema mostrado na Figura 8.73(a).

FIGURA 8.73
(a) Sistema com controle PID;
(b) sistema com controle I-PD.

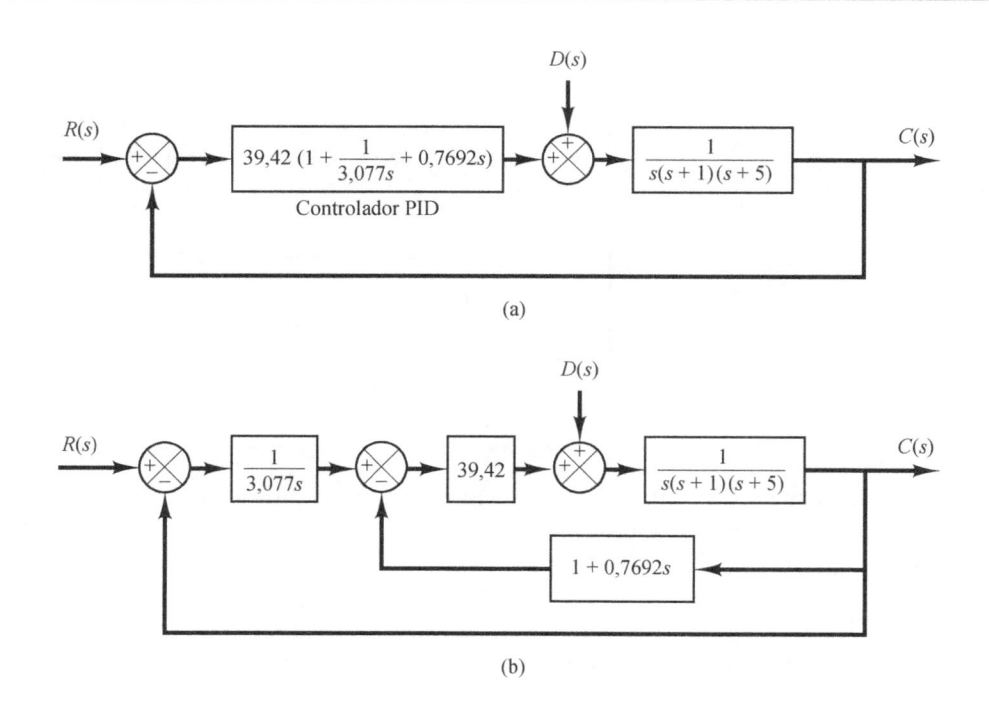

(a)

(b)

Obtenha a resposta do sistema com controle I-PD à entrada de referência do tipo degrau unitário com o MATLAB. Compare as curvas de resposta ao degrau unitário dos dois sistemas.

B.8.5 Referindo-se ao Problema B.8.4, obtenha a resposta ao sistema controlado por PID, mostrado na Figura 8.73(a), à entrada de distúrbio do tipo degrau unitário.

Mostre que, para a entrada de distúrbio, as respostas do sistema com controle PID, mostrado na Figura 8.73(a), e do sistema com controle I-PD, exposto na Figura 8.73(b), são exatamente as mesmas. [Quando considerar $D(s)$ como entrada, suponha que a entrada de referência $R(s)$ seja nula e vice-versa.] Compare também a função de transferência $C(s)/R(s)$ de ambos os sistemas.

B.8.6 Considere o sistema mostrado na Figura 8.74. Esse sistema está sujeito a três sinais de entrada: a entrada de referência, a entrada de distúrbio e a entrada de ruído. Mostre que a equação característica desse sistema é a mesma, qualquer que seja o sinal de entrada escolhido como entrada.

FIGURA 8.74
Sistema de controle.

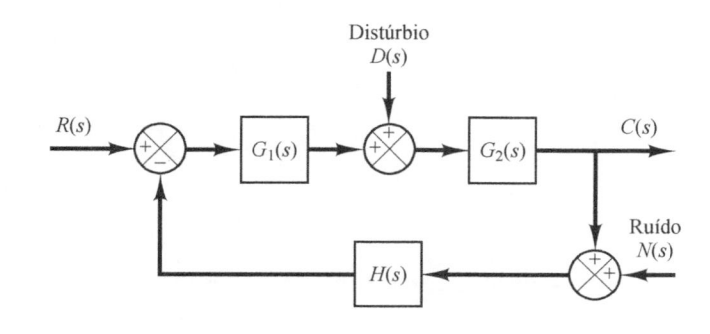

B.8.7 Considere o sistema mostrado na Figura 8.75. Obtenha a função de transferência de malha fechada da entrada de referência $C(s)/R(s)$ e a função de transferência de malha fechada da entrada de distúrbio $C(s)/D(s)$. Quando considerar $R(s)$ como entrada, suponha que $D(s)$ seja nula, e vice-versa.

FIGURA 8.75
Sistema de controle.

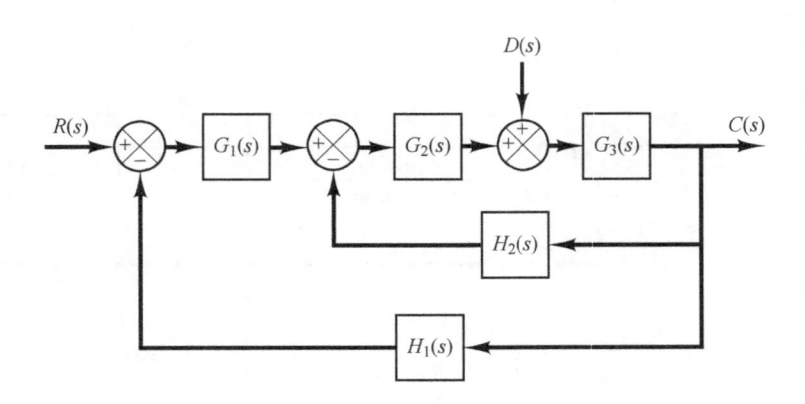

B.8.8 Considere o sistema de controle mostrado na Figura 8.76(a), onde K é um ganho ajustável e $G(s)$ e $H(s)$ são componentes fixos. A função de transferência de malha fechada do distúrbio é:

$$\frac{C(s)}{D(s)} = \frac{1}{1 + KG(s)H(s)}$$

Para minimizar o efeito dos distúrbios, o ganho K ajustável deve ser escolhido o maior possível. Isso é verdade também para o sistema da Figura 8.76(b)?

FIGURA 8.76
(a) Sistema de controle com distúrbio que entra no ramo de avanço;
(b) sistema de controle com distúrbio que entra no ramo de realimentação.

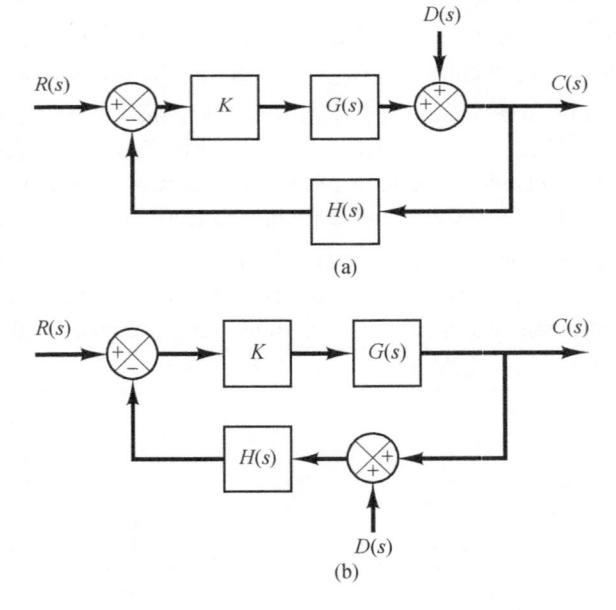

B.8.9 Prove que os sistemas de controle mostrados nas figuras 8.77(a), (b) e (c) são sistemas com dois graus de liberdade. Nos diagramas, G_{c1} e G_{c2} são controladores e G_p é a planta.

FIGURA 8.77
(a), (b), (c) Sistemas com dois graus de liberdade.

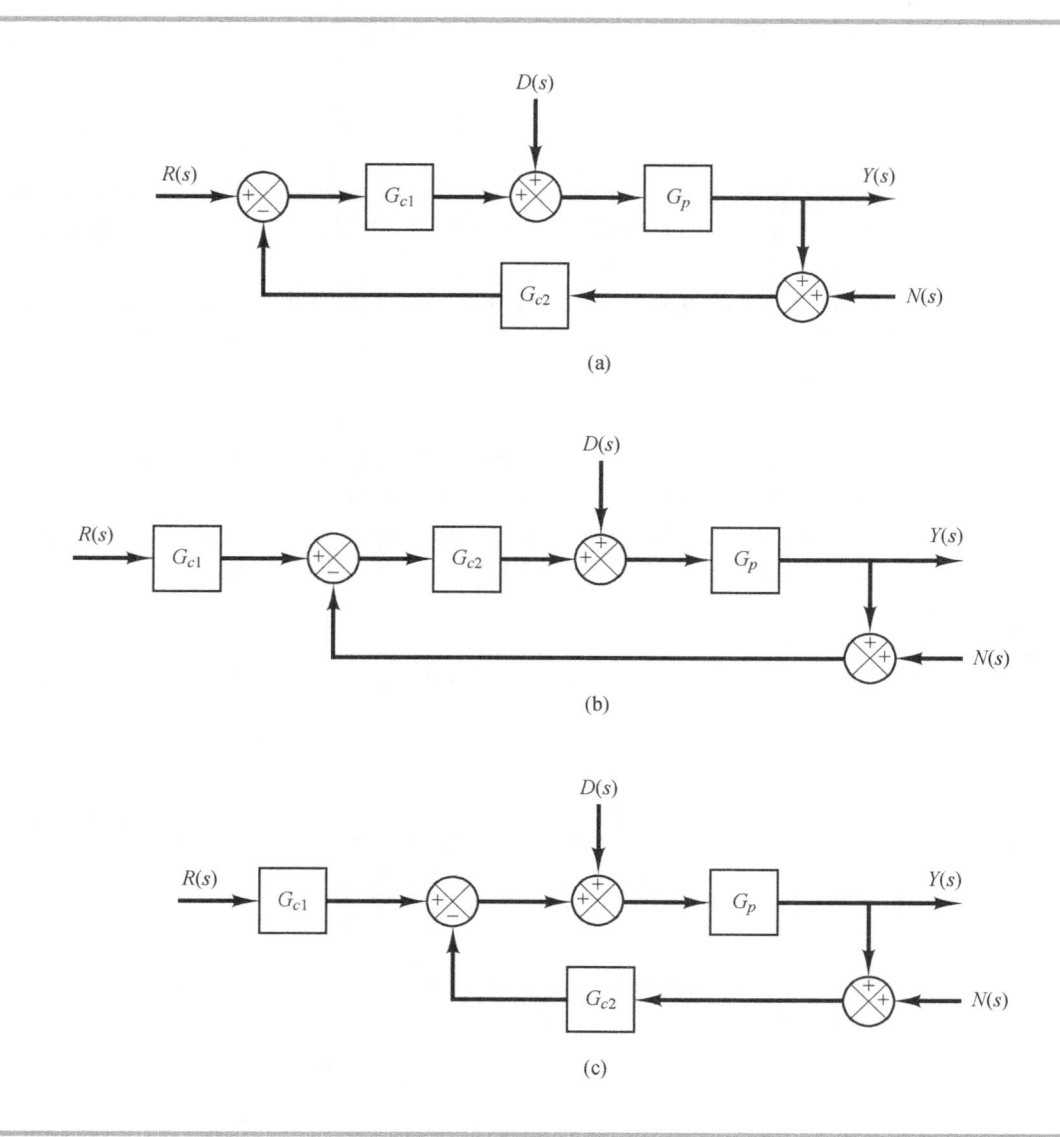

(a)

(b)

(c)

B.8.10 Mostre que o sistema de controle exibido na Figura 8.78 é um sistema de controle com três graus de liberdade. As funções de transferência G_{c1}, G_{c2} e G_{c3} são controladores. A planta consiste nas funções de transferência G_1 e G_2.

FIGURA 8.78
Sistema com três graus de liberdade.

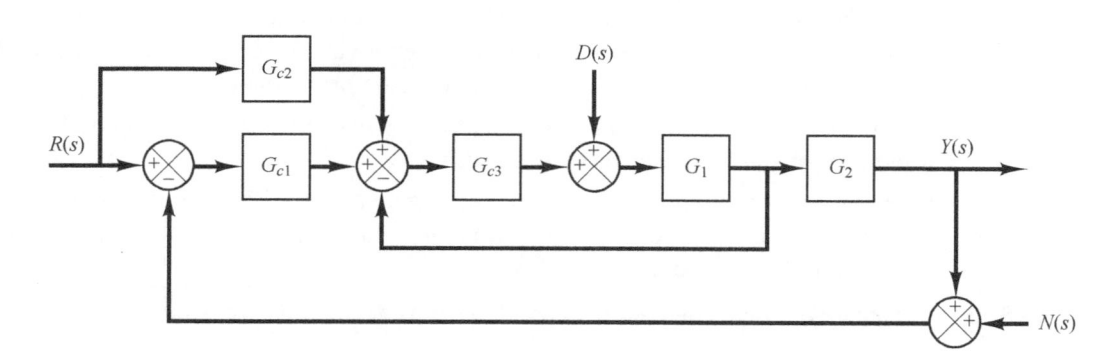

B.8.11 Considere o sistema de controle mostrado na Figura 8.79. Suponha que o controlador PID seja dado por:

$$G_c(s) = K\frac{(s+a)^2}{s}$$

Deseja-se que a resposta ao degrau unitário do sistema exiba um sobressinal máximo de menos de 10%, porém maior que 2% (para evitar um sistema quase superamortecido), e o tempo de acomodação seja menor que 2 s.

Utilizando a abordagem computacional apresentada na Seção 8.4, escreva um programa em MATLAB para determinar os valores de K e a que satisfarão às especificações dadas. Escolha a região de busca como:

$$1 \leq K \leq 4, \qquad 0{,}4 \leq a \leq 4$$

Escolha o incremento de K e a como 0,05. Escreva o programa para que os loops aninhados iniciem com o maior valor de K e a e diminuam até o menor valor.

Usando a primeira solução encontrada, desenhe a curva de resposta ao degrau unitário.

FIGURA 8.79
Sistema de controle.

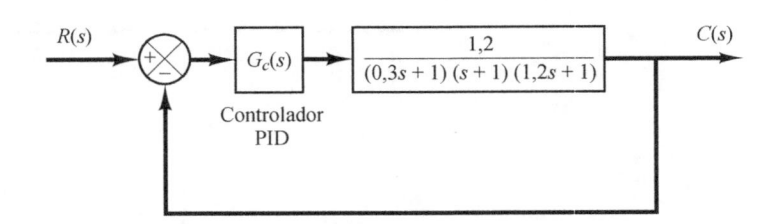

B.8.12 Considere o mesmo sistema de controle tratado no Problema B.8.11. (Figura 8.79). O controlador PID é dado por:

$$G_c(s) = K\frac{(s+a)^2}{s}$$

Deseja-se determinar os valores de K e a de modo que a resposta do sistema ao degrau unitário exiba o máximo sobressinal menor que 8%, porém maior que 3%, e o tempo de acomodação de menos de 2 s. Escolha a região de busca como:

$$2 \leq K \leq 4, \qquad 0{,}5 \leq a \leq 3$$

Escolha o incremento de K e a como 0,05.

Primeiro, escreva um programa em MATLAB para que os loops aninhados do programa iniciem com o maior valor de K e a e diminuam até o menor valor e que o processamento termine quando um conjunto aceitável de K e a for encontrado pela primeira vez.

Em seguida, escreva um programa em MATLAB que encontre todos os possíveis conjuntos de K e a que satisfarão às especificações dadas.

Entre os vários conjuntos de K e a que satisfazem às especificações dadas, determine a melhor escolha. Então, desenhe as curvas de resposta ao degrau unitário do sistema utilizando a melhor escolha de K e a.

B.8.13 Considere o sistema de controle com dois graus de liberdade mostrado na Figura 8.80. A planta $G_p(s)$ é dada por:

$$G_p(s) = \frac{3(s+5)}{s(s+1)(s^2+4s+13)}$$

FIGURA 8.80
Sistema de controle com dois graus de liberdade.

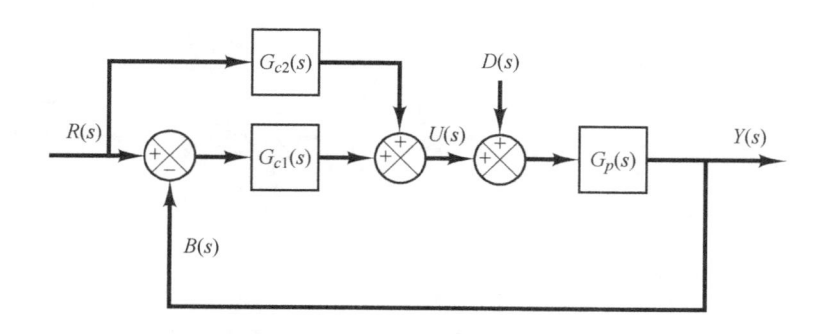

Projete os controladores $G_{c1}(s)$ e $G_{c2}(s)$ de modo que a resposta à entrada de distúrbio do tipo degrau unitário tenha uma amplitude pequena e tenda rapidamente a zero (em aproximadamente 2 s). A resposta à entrada de referência do tipo degrau unitário deve ser tal que o sobressinal máximo seja 25% (ou menos) e o tempo de acomodação seja 2 s. Além disso, os erros estacionários da resposta às entradas do tipo rampa e do tipo aceleração devem ser nulos.

B.8.14 Considere o sistema mostrado na Figura 8.81. A planta $G_p(s)$ é dada por:

$$G_p(s) = \frac{2(s+1)}{s(s+3)(s+5)}$$

Determine os controladores $G_{c1}(s)$ e $G_{c2}(s)$ de modo que, para a entrada de distúrbio do tipo degrau, a resposta exiba uma pequena amplitude e tenda rapidamente a zero (em questão de 1 ou 2 s). Para a resposta à entrada de referência do tipo degrau unitário, deseja-se que o máximo sobressinal seja 20% ou menos e o tempo de acomodação seja 1 s ou menos. Para a entrada de referência do tipo rampa e entrada de referência do tipo aceleração, os erros estacionários devem ser nulos.

FIGURA 8.81
Sistema de controle com dois graus de liberdade.

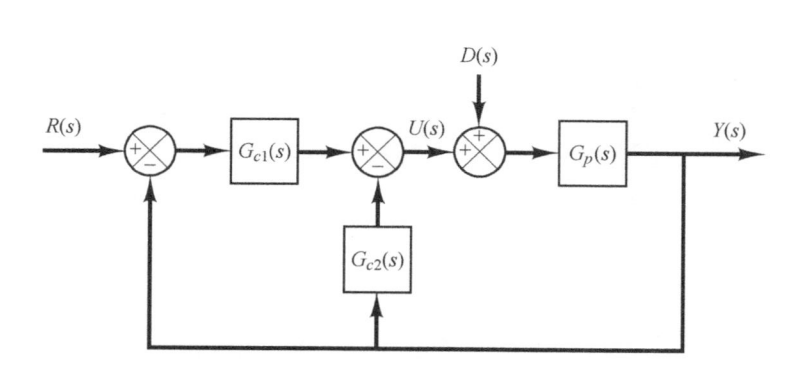

B.8.15 Considere o sistema de controle com dois graus de liberdade mostrado na Figura 8.82. Projete os controladores $G_c1(s)$ e $G_c2(s)$ de modo que a resposta à entrada de distúrbio do tipo degrau exiba uma pequena amplitude e tenda rapidamente a zero (de 1 a 2 s) e a resposta à entrada de referência do tipo degrau exiba 25% ou menos de sobressinal máximo e o tempo de acomodação seja menor que 1 s. O erro estacionário no acompanhamento da entrada de referência do tipo rampa ou da entrada de referência do tipo aceleração deve ser nulo.

FIGURA 8.82
Sistema de controle com dois graus de liberdade.

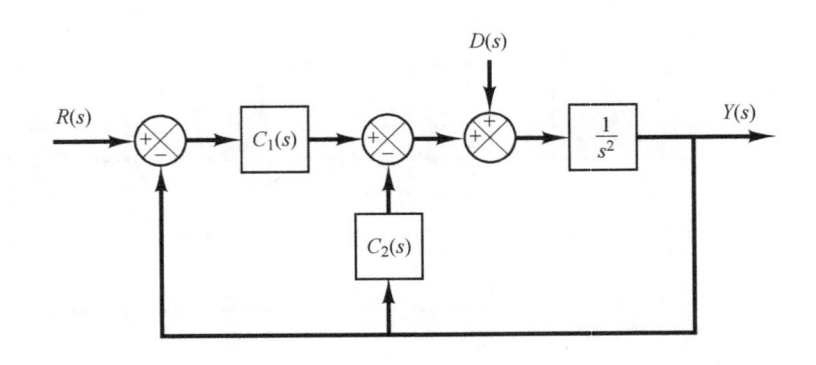

CAPÍTULO 9
Análise de sistemas de controle no espaço de estados

9.1 | Introdução[1]

Um sistema moderno complexo pode ter muitas entradas e muitas saídas, e elas podem ser inter-relacionadas de maneira complexa. Para analisar esse sistema, é essencial reduzir a complexidade das expressões matemáticas, bem como recorrer aos computadores para a maioria dos processamentos tediosos necessários na análise. A abordagem com base no espaço de estados é a mais apropriada para analisar o sistema sob esse ponto de vista.

Enquanto a teoria de controle convencional é fundamentada na relação entrada-saída, ou função de transferência, a teoria de controle moderno é baseada na descrição de um sistema de equações em termos de n equações diferenciais de primeira ordem, as quais podem ser combinadas em uma equação diferencial vetorial-matricial de primeira ordem. O uso de uma notação vetorial-matricial simplifica bastante a representação matemática do sistema de equações. O aumento no número das variáveis de estado, no número de entradas ou no número de saídas não aumenta a complexidade das equações. De fato, a análise de sistemas complicados, com múltiplas entradas e múltiplas saídas, pode ser conduzida por procedimentos que são apenas ligeiramente mais complicados do que os necessários à análise dos sistemas de equações diferenciais escalares de primeira ordem.

Este capítulo e o próximo abordam a análise por espaço de estados e o projeto de sistemas de controle. Materiais básicos da análise por espaço de estados, incluindo a representação de sistemas no espaço de estados, controlabilidade e observabilidade, são apresentados neste capítulo. Métodos úteis de projeto, fundamentados no controle por realimentação de estado, são fornecidos no Capítulo 10.

Visão geral do capítulo. A Seção 9.1 apresentou uma introdução à análise de sistemas de controle no espaço de estados. A Seção 9.2 trata da representação no espaço de estados de funções de transferência. Aqui, apresentamos várias formas canônicas de equações no espaço de estados. A Seção 9.3 discute a transformação de modelos de sistema (como de função de transferência para modelos no espaço de estados e vice-versa) com o MATLAB. A Seção 9.4 mostra a solução das equações de estado invariantes no tempo. A Seção 9.5 fornece alguns resultados úteis sobre a análise vetorial-matricial, que são necessárias quando se estudam a análise e o controle de

---

[1] Note que, neste livro, um asterisco utilizado como um sobrescrito da matriz, como $\mathbf{A}^*$, implica que ele é o **conjugado transposto** da matriz $\mathbf{A}$. O conjugado transposto é o conjugado do transposto de uma matriz. Para uma matriz real (uma matriz cujos elementos são todos reais), o conjugado transposto $\mathbf{A}^*$ é o mesmo que o transposto $\mathbf{A}^T$.

sistemas no espaço de estados. A Seção 9.6 discute a controlabilidade de sistemas de controle e a Seção 9.7 trata da observabilidade de sistemas de controle.

9.2 | Representação de funções de transferência no espaço de estados

Muitas técnicas estão disponíveis para a obtenção da representação no espaço de estados de funções de transferência. No Capítulo 2, apresentamos alguns desses métodos. Esta seção traz as representações no espaço de estados nas formas controlável, observável, diagonal ou na forma canônica de Jordan. (Métodos de obtenção dessas representações no espaço de estados a partir de funções de transferência são discutidos nos problemas A.9.1 a A.9.4.)

Representação no espaço de estados em formas canônicas. Considere um sistema definido por:

$$\overset{(n)}{y} + a_1 \overset{(n-1)}{y} + \cdots + a_{n-1}\dot{y} + a_n y = b_0 \overset{(n)}{u} + b_1 \overset{(n-1)}{u} + \cdots + b_{n-1}\dot{u} + b_n u \tag{9.1}$$

onde u é a entrada e y é a saída. Essa equação também pode ser escrita como:

$$\frac{Y(s)}{U(s)} = \frac{b_0 s^n + b_1 s^{n-1} + \cdots + b_{n-1} s + b_n}{s^n + a_1 s^{n-1} + \cdots + a_{n-1} s + a_n} \tag{9.2}$$

A seguir, introduziremos as representações no espaço de estados de sistemas definidos pelas equações 9.1 ou 9.2 nas formas canônicas controlável, observável e diagonal (ou de Jordan).

Forma canônica controlável. A seguinte representação no espaço de estados é denominada forma canônica controlável:

$$\begin{bmatrix} \dot{x}_1 \\ \dot{x}_2 \\ \vdots \\ \dot{x}_{n-1} \\ \dot{x}_n \end{bmatrix} = \begin{bmatrix} 0 & 1 & 0 & \cdots & 0 \\ 0 & 0 & 1 & \cdots & 0 \\ \vdots & \vdots & \vdots & & \vdots \\ 0 & 0 & 0 & \cdots & 1 \\ -a_n & -a_{n-1} & -a_{n-2} & \cdots & -a_1 \end{bmatrix} \begin{bmatrix} x_1 \\ x_2 \\ \vdots \\ x_{n-1} \\ x_n \end{bmatrix} + \begin{bmatrix} 0 \\ 0 \\ \vdots \\ 0 \\ 1 \end{bmatrix} u \tag{9.3}$$

$$y = [b_n - a_n b_0 \;\vdots\; b_{n-1} - a_{n-1} b_0 \;\vdots\; \cdots \;\vdots\; b_1 - a_1 b_0] \begin{bmatrix} x_1 \\ x_2 \\ \vdots \\ x_n \end{bmatrix} + b_0 u \tag{9.4}$$

A forma canônica controlável é importante na discussão do projeto de sistemas de controle pela abordagem por alocação de polos.

Forma canônica observável. A seguinte representação no espaço de estados é denominada forma canônica observável:

$$\begin{bmatrix} \dot{x}_1 \\ \dot{x}_2 \\ \vdots \\ \dot{x}_n \end{bmatrix} = \begin{bmatrix} 0 & 0 & \cdots & 0 & -a_n \\ 1 & 0 & \cdots & 0 & -a_{n-1} \\ \vdots & \vdots & & \vdots & \vdots \\ 0 & 0 & \cdots & 1 & -a_1 \end{bmatrix} \begin{bmatrix} x_1 \\ x_2 \\ \vdots \\ x_n \end{bmatrix} + \begin{bmatrix} b_n - a_n b_0 \\ b_{n-1} - a_{n-1} b_0 \\ \vdots \\ b_1 - a_1 b_0 \end{bmatrix} u \tag{9.5}$$

$$y = [0 \; 0 \; \cdots \; 0 \; 1] \begin{bmatrix} x_1 \\ x_2 \\ \vdots \\ x_{n-1} \\ x_n \end{bmatrix} + b_0 u \tag{9.6}$$

Note que a matriz de estado $n \times n$ da equação de estado dada pela Equação 9.5 é a transposta daquela equação de estado definida pela Equação 9.3.

Forma canônica diagonal. Considere a função de transferência definida pela Equação 9.2. Consideramos aqui o caso em que o polinômio do denominador envolve somente raízes distintas. Para o caso de raízes distintas, a Equação 9.2 pode ser escrita como:

$$\frac{Y(s)}{U(s)} = \frac{b_0 s^n + b_1 s^{n-1} + \cdots + b_{n-1} s + b_n}{(s + p_1)(s + p_2)\cdots(s + p_n)}$$

$$= b_0 + \frac{c_1}{s + p_1} + \frac{c_2}{s + p_2} + \cdots + \frac{c_n}{s + p_n} \qquad (9.7)$$

A forma canônica diagonal da representação no espaço de estados desse sistema é dada por:

$$\begin{bmatrix} \dot{x}_1 \\ \dot{x}_2 \\ \vdots \\ \dot{x}_n \end{bmatrix} = \begin{bmatrix} -p_1 & & & 0 \\ & -p_2 & & \\ & & \ddots & \\ 0 & & & -p_n \end{bmatrix} \begin{bmatrix} x_1 \\ x_2 \\ \vdots \\ x_n \end{bmatrix} + \begin{bmatrix} 1 \\ 1 \\ \vdots \\ 1 \end{bmatrix} u \qquad (9.8)$$

$$y = \begin{bmatrix} c_1 & c_2 & \cdots & c_n \end{bmatrix} \begin{bmatrix} x_1 \\ x_2 \\ \vdots \\ x_n \end{bmatrix} + b_0 u \qquad (9.9)$$

Forma canônica de Jordan. Em seguida, consideraremos o caso em que o polinômio do denominador da Equação 9.2 envolve múltiplas raízes. Para esse caso, a forma canônica diagonal anterior precisa ser modificada para a forma canônica de Jordan. Suponha, por exemplo, que os p_i sejam diferentes entre si, exceto pelos três primeiros p_i que são iguais, ou seja, que $p_1 = p_2 = p_3$. Então, a forma fatorada de $Y(s)/U(s)$ resulta em:

$$\frac{Y(s)}{U(s)} = \frac{b_0 s^n + b_1 s^{n-1} + \cdots + b_{n-1} s + b_n}{(s + p_1)^3 (s + p_4)(s + p_5)\cdots(s + p_n)}$$

A expansão em frações parciais dessa última equação resulta em:

$$\frac{Y(s)}{U(s)} = b_0 + \frac{c_1}{(s + p_1)^3} + \frac{c_2}{(s + p_1)^2} + \frac{c_3}{s + p_1} + \frac{c_4}{s + p_4} + \cdots + \frac{c_n}{s + p_n}$$

A representação desse sistema no espaço de estados, na forma canônica de Jordan, é dada por:

$$\begin{bmatrix} \dot{x}_1 \\ \dot{x}_2 \\ \dot{x}_3 \\ \dot{x}_4 \\ \vdots \\ \dot{x}_n \end{bmatrix} = \begin{bmatrix} -p_1 & 1 & 0 & 0 & \cdots & 0 \\ 0 & -p_1 & 1 & \vdots & & \vdots \\ 0 & 0 & -p_1 & 0 & \cdots & 0 \\ \hline 0 & \cdots & 0 & -p_4 & & 0 \\ \vdots & & \vdots & & \ddots & \\ 0 & \cdots & 0 & 0 & & -p_n \end{bmatrix} \begin{bmatrix} x_1 \\ x_2 \\ x_3 \\ x_4 \\ \vdots \\ x_n \end{bmatrix} + \begin{bmatrix} 0 \\ 0 \\ 1 \\ 1 \\ \vdots \\ 1 \end{bmatrix} u \qquad (9.10)$$

$$y = \begin{bmatrix} c_1 & c_2 & \cdots & c_n \end{bmatrix} \begin{bmatrix} x_1 \\ x_2 \\ \vdots \\ x_n \end{bmatrix} + b_0 u \qquad (9.11)$$

Exemplo 9.1 Considere o sistema dado por:

$$\frac{Y(s)}{U(s)} = \frac{s + 3}{s^2 + 3s + 2}$$

Obtenha a representação no espaço de estados nas formas canônicas controlável, observável e diagonal.

Forma canônica controlável:

$$\begin{bmatrix}\dot{x}_1(t)\\ \dot{x}_2(t)\end{bmatrix} = \begin{bmatrix}0 & 1\\ -2 & -3\end{bmatrix}\begin{bmatrix}x_1(t)\\ x_2(t)\end{bmatrix} + \begin{bmatrix}0\\ 1\end{bmatrix}u(t)$$

$$y(t) = \begin{bmatrix}3 & 1\end{bmatrix}\begin{bmatrix}x_1(t)\\ x_2(t)\end{bmatrix}$$

Forma canônica observável:

$$\begin{bmatrix}\dot{x}_1(t)\\ \dot{x}_2(t)\end{bmatrix} = \begin{bmatrix}0 & -2\\ 1 & -3\end{bmatrix}\begin{bmatrix}x_1(t)\\ x_2(t)\end{bmatrix} + \begin{bmatrix}3\\ 1\end{bmatrix}u(t)$$

$$y(t) = \begin{bmatrix}0 & 1\end{bmatrix}\begin{bmatrix}x_1(t)\\ x_2(t)\end{bmatrix}$$

Forma canônica diagonal:

$$\begin{bmatrix}\dot{x}_1(t)\\ \dot{x}_2(t)\end{bmatrix} = \begin{bmatrix}-1 & 0\\ 0 & -2\end{bmatrix}\begin{bmatrix}x_1(t)\\ x_2(t)\end{bmatrix} + \begin{bmatrix}1\\ 1\end{bmatrix}u(t)$$

$$y(t) = \begin{bmatrix}2 & -1\end{bmatrix}\begin{bmatrix}x_1(t)\\ x_2(t)\end{bmatrix}$$

Autovalores de uma matriz A $n \times n$. Os autovalores de uma matriz A $n \times n$ são as raízes da equação característica

$$|\lambda \mathbf{I} - \mathbf{A}| = 0$$

Os autovalores também são denominados raízes características.

Considere, por exemplo, a seguinte matriz **A**:

$$\mathbf{A} = \begin{bmatrix}0 & 1 & 0\\ 0 & 0 & 1\\ -6 & -11 & -6\end{bmatrix}$$

A equação característica é:

$$|\lambda \mathbf{I} - \mathbf{A}| = \begin{vmatrix}\lambda & -1 & 0\\ 0 & \lambda & -1\\ 6 & 11 & \lambda + 6\end{vmatrix}$$

$$= \lambda^3 + 6\lambda^2 + 11\lambda + 6$$

$$= (\lambda + 1)(\lambda + 2)(\lambda + 3) = 0$$

Os autovalores de **A** são as raízes da equação característica, ou seja, -1, -2 e -3.

Diagonalização de uma matriz $n \times n$. Note que, se uma matriz **A** $n \times n$ com autovalores distintos é dada por:

$$\mathbf{A} = \begin{bmatrix}0 & 1 & 0 & \cdots & 0\\ 0 & 0 & 1 & \cdots & 0\\ \vdots & \vdots & \vdots & & \vdots\\ 0 & 0 & 0 & \cdots & 1\\ -a_n & -a_{n-1} & -a_{n-2} & \cdots & -a_1\end{bmatrix} \qquad (9.12)$$

a transformação **x** = **Pz**, onde

$$\mathbf{P} = \begin{bmatrix} 1 & 1 & \cdots & 1 \\ \lambda_1 & \lambda_2 & \cdots & \lambda_n \\ \lambda_1^2 & \lambda_2^2 & \cdots & \lambda_n^2 \\ \vdots & \vdots & & \vdots \\ \lambda_1^{n-1} & \lambda_2^{n-1} & \cdots & \lambda_n^{n-1} \end{bmatrix}$$

$\lambda_1, \lambda_2, \ldots, \lambda_n = n$ autovalores distintos de **A**

transformará $\mathbf{P}^{-1}\mathbf{AP}$ em uma matriz diagonal, ou

$$\mathbf{P}^{-1}\mathbf{AP} = \begin{bmatrix} \lambda_1 & & & 0 \\ & \lambda_2 & & \\ & & \ddots & \\ 0 & & & \lambda_n \end{bmatrix}$$

Se a matriz **A** definida pela Equação 9.12 envolve múltiplos autovalores, então a diagonalização é impossível. Por exemplo, se a matriz **A** 3×3, onde

$$\mathbf{A} = \begin{bmatrix} 0 & 1 & 0 \\ 0 & 0 & 1 \\ -a_3 & -a_2 & -a_1 \end{bmatrix}$$

possui os autovalores $\lambda_1, \lambda_1, \lambda_3$, então a transformação **x** = **Sz**, onde

$$\mathbf{S} = \begin{bmatrix} 1 & 0 & 1 \\ \lambda_1 & 1 & \lambda_3 \\ \lambda_1^2 & 2\lambda_1 & \lambda_3^2 \end{bmatrix}$$

resultará em:

$$\mathbf{S}^{-1}\mathbf{AS} = \begin{bmatrix} \lambda_1 & 1 & 0 \\ 0 & \lambda_1 & 0 \\ 0 & 0 & \lambda_3 \end{bmatrix}$$

Esta é a forma canônica de Jordan.

Exemplo 9.2 Considere a seguinte representação no espaço de estados do sistema.

$$\begin{bmatrix} \dot{x}_1 \\ \dot{x}_2 \\ \dot{x}_3 \end{bmatrix} = \begin{bmatrix} 0 & 1 & 0 \\ 0 & 0 & 1 \\ -6 & -11 & -6 \end{bmatrix} \begin{bmatrix} x_1 \\ x_2 \\ x_3 \end{bmatrix} + \begin{bmatrix} 0 \\ 0 \\ 6 \end{bmatrix} u \qquad (9.13)$$

$$y = \begin{bmatrix} 1 & 0 & 0 \end{bmatrix} \begin{bmatrix} x_1 \\ x_2 \\ x_3 \end{bmatrix} \qquad (9.14)$$

As equações 9.13 e 9.14 podem ser colocadas em uma forma-padrão como:

$$\dot{\mathbf{x}} = \mathbf{Ax} + \mathbf{B}u \qquad (9.15)$$

$$y = \mathbf{Cx} \qquad (9.16)$$

onde

$$\mathbf{A} = \begin{bmatrix} 0 & 1 & 0 \\ 0 & 0 & 1 \\ -6 & -11 & -6 \end{bmatrix}, \quad \mathbf{B} = \begin{bmatrix} 0 \\ 0 \\ 6 \end{bmatrix}, \quad \mathbf{C} = \begin{bmatrix} 1 & 0 & 0 \end{bmatrix}$$

Os autovalores da matriz **A** são:

$$\lambda_1 = -1, \qquad \lambda_2 = -2, \qquad \lambda_3 = -3$$

Logo, os três autovalores são distintos. Se definirmos um conjunto das novas variáveis de estado z_1, z_2 e z_3 pela transformação

$$\begin{bmatrix} x_1 \\ x_2 \\ x_3 \end{bmatrix} = \begin{bmatrix} 1 & 1 & 1 \\ -1 & -2 & -3 \\ 1 & 4 & 9 \end{bmatrix} \begin{bmatrix} z_1 \\ z_2 \\ z_3 \end{bmatrix}$$

ou

$$\mathbf{x} = \mathbf{Pz} \qquad (9.17)$$

onde

$$\mathbf{P} = \begin{bmatrix} 1 & 1 & 1 \\ \lambda_1 & \lambda_2 & \lambda_3 \\ \lambda_1^2 & \lambda_2^2 & \lambda_3^2 \end{bmatrix} = \begin{bmatrix} 1 & 1 & 1 \\ -1 & -2 & -3 \\ 1 & 4 & 9 \end{bmatrix} \qquad (9.18)$$

então, substituindo a Equação 9.17 na Equação 9.15, obtemos:

$$\mathbf{P\dot{z}} = \mathbf{APz} + \mathbf{B}u$$

Pré-multiplicando ambos os lados dessa última equação por $\mathbf{P}^{-1}$, obtemos:

$$\dot{\mathbf{z}} = \mathbf{P}^{-1}\mathbf{APz} + \mathbf{P}^{-1}\mathbf{B}u \qquad (9.19)$$

ou

$$\begin{bmatrix} \dot{z}_1 \\ \dot{z}_2 \\ \dot{z}_3 \end{bmatrix} = \begin{bmatrix} 3 & 2,5 & 0,5 \\ -3 & -4 & -1 \\ 1 & 1,5 & 0,5 \end{bmatrix} \begin{bmatrix} 0 & 1 & 0 \\ 0 & 0 & 1 \\ -6 & -11 & -6 \end{bmatrix} \begin{bmatrix} 1 & 1 & 1 \\ -1 & -2 & -3 \\ 1 & 4 & 9 \end{bmatrix} \begin{bmatrix} z_1 \\ z_2 \\ z_3 \end{bmatrix}$$

$$+ \begin{bmatrix} 3 & 2,5 & 0,5 \\ -3 & -4 & -1 \\ 1 & 1,5 & 0,5 \end{bmatrix} \begin{bmatrix} 0 \\ 0 \\ 6 \end{bmatrix} u$$

Simplificando, temos:

$$\begin{bmatrix} \dot{z}_1 \\ \dot{z}_2 \\ \dot{z}_3 \end{bmatrix} = \begin{bmatrix} -1 & 0 & 0 \\ 0 & -2 & 0 \\ 0 & 0 & -3 \end{bmatrix} \begin{bmatrix} z_1 \\ z_2 \\ z_3 \end{bmatrix} + \begin{bmatrix} 3 \\ -6 \\ 3 \end{bmatrix} u \qquad (9.20)$$

A Equação 9.20 também é uma equação de estado que descreve o mesmo sistema definido pela Equação 9.13.

A equação de saída, Equação 9.16, é modificada para:

$$y = \mathbf{CPz}$$

ou

$$y = \begin{bmatrix} 1 & 0 & 0 \end{bmatrix} \begin{bmatrix} 1 & 1 & 1 \\ -1 & -2 & -3 \\ 1 & 4 & 9 \end{bmatrix} \begin{bmatrix} z_1 \\ z_2 \\ z_3 \end{bmatrix}$$

$$= \begin{bmatrix} 1 & 1 & 1 \end{bmatrix} \begin{bmatrix} z_1 \\ z_2 \\ z_3 \end{bmatrix} \qquad (9.21)$$

Note que a matriz de transformação $\mathbf{P}$, definida pela Equação 9.18, modifica a matriz de coeficientes de $\mathbf{z}$ para a matriz diagonal. Como é facilmente visto a partir da Equação 9.20, as três equações de estado escalares são desacopladas. Observe também que os elementos da diagonal da matriz $\mathbf{P}^{-1}\mathbf{AP}$ na Equação 9.19 são idênticos aos três autovalores de $\mathbf{A}$. É muito importante notar que os autovalores de $\mathbf{A}$ e os de $\mathbf{P}^{-1}\mathbf{AP}$ são idênticos. A seguir, provaremos isso para um caso geral.

Invariância dos autovalores. Para provar a invariância dos autovalores sob uma transformação linear, precisamos mostrar que os polinômios característicos $|\lambda\mathbf{I} - \mathbf{A}|$ e $|\lambda\mathbf{I} - \mathbf{P}^{-1}\mathbf{AP}|$ são idênticos.

Como o determinante de um produto é o produto dos determinantes, obtemos:

$$|\lambda \mathbf{I} - \mathbf{P}^{-1}\mathbf{AP}| = |\lambda \mathbf{P}^{-1}\mathbf{P} - \mathbf{P}^{-1}\mathbf{AP}|$$

$$= |\mathbf{P}^{-1}(\lambda \mathbf{I} - \mathbf{A})\mathbf{P}|$$

$$= |\mathbf{P}^{-1}||\lambda \mathbf{I} - \mathbf{A}||\mathbf{P}|$$

$$= |\mathbf{P}^{-1}||\mathbf{P}||\lambda \mathbf{I} - \mathbf{A}|$$

Sabendo que o produto dos determinantes $|\mathbf{P}^{-1}|$ e $|\mathbf{P}|$ é igual ao determinante do produto $|\mathbf{P}^{-1}\mathbf{P}|$, obtemos:

$$|\lambda \mathbf{I} - \mathbf{P}^{-1}\mathbf{AP}| = |\mathbf{P}^{-1}\mathbf{P}||\lambda \mathbf{I} - \mathbf{A}|$$

$$= |\lambda \mathbf{I} - \mathbf{A}|$$

Dessa maneira, provamos que os autovalores de **A** são invariantes em uma transformação linear.

Não unicidade do conjunto de variáveis de estado. Um conjunto de variáveis de estado não é único para dado sistema. Suponha que $x_1, x_2, \ldots, x_n$ seja um conjunto de variáveis de estado.

Então, podemos tomar qualquer conjunto de funções como outro conjunto de variáveis de estado:

$$\hat{x}_1 = X_1(x_1, x_2, \ldots, x_n)$$
$$\hat{x}_2 = X_2(x_1, x_2, \ldots, x_n)$$
$$\vdots$$
$$\hat{x}_n = X_n(x_1, x_2, \ldots, x_n)$$

desde que, para cada conjunto de valores $\hat{x}_1, \hat{x}_2, \ldots, \hat{x}_n$ corresponda um único conjunto de valores $x_1, x_2, \ldots, x_n$ e vice-versa. Portanto, se **x** é um vetor de estado, então $\hat{\mathbf{x}}$, onde

$$\hat{\mathbf{x}} = \mathbf{Px}$$

também é um vetor de estado, admitindo que **P** seja não singular. Diferentes vetores de estado carregam a mesma informação sobre o comportamento do sistema.

9.3 | Transformação de modelos de sistemas com o MATLAB

Nesta seção, consideraremos a transformação do modelo do sistema de função de transferência para espaço de estados e vice-versa. Começaremos nossa discussão com a transformação de função de transferência para espaço de estados.

Vamos escrever a função de transferência de malha fechada como:

$$\frac{Y(s)}{U(s)} = \frac{\text{numerador polinomial em } s}{\text{denominador polinomial em } s} = \frac{\text{num}}{\text{den}}$$

Uma vez que temos essa expressão do tipo função de transferência, o comando em MATLAB

```
[A, B, C, D] = tf2ss(num,den)
```

fornecerá uma representação no espaço de estados. É importante notar que a representação no espaço de estados de qualquer sistema não é única. Existem inúmeras (de fato, infinitas) representações para o mesmo sistema. O comando em MATLAB fornece uma dessas possíveis representações no espaço de estados.

Formulação no espaço de estados de funções de transferência. Considere a função de transferência

$$\frac{Y(s)}{R(s)} = \frac{10s + 10}{s^3 + 6s^2 + 5s + 10} \tag{9.22}$$

Existem inúmeras (novamente, infinitas) representações possíveis no espaço de estados para esse sistema. Uma possível representação no espaço de estados é:

$$\begin{bmatrix} \dot{x}_1 \\ \dot{x}_2 \\ \dot{x}_3 \end{bmatrix} = \begin{bmatrix} 0 & 1 & 0 \\ 0 & 0 & 1 \\ -10 & -5 & -6 \end{bmatrix} \begin{bmatrix} x_1 \\ x_2 \\ x_3 \end{bmatrix} + \begin{bmatrix} 0 \\ 10 \\ -50 \end{bmatrix} u$$

$$y = \begin{bmatrix} 1 & 0 & 0 \end{bmatrix} \begin{bmatrix} x_1 \\ x_2 \\ x_3 \end{bmatrix} + [0]u$$

Outra possível representação no espaço de estados (entre as infinitas alternativas) é:

$$\begin{bmatrix} \dot{x}_1 \\ \dot{x}_2 \\ \dot{x}_3 \end{bmatrix} = \begin{bmatrix} -6 & -5 & -10 \\ 1 & 0 & 0 \\ 0 & 1 & 0 \end{bmatrix} \begin{bmatrix} x_1 \\ x_2 \\ x_3 \end{bmatrix} + \begin{bmatrix} 1 \\ 0 \\ 0 \end{bmatrix} u \quad (9.23)$$

$$y = \begin{bmatrix} 0 & 10 & 10 \end{bmatrix} \begin{bmatrix} x_1 \\ x_2 \\ x_3 \end{bmatrix} + [0]u \quad (9.24)$$

O MATLAB transforma a função de transferência dada pela Equação 9.22 na representação no espaço de estados dada pelas equações 9.23 e 9.24. Para o sistema-exemplo considerado aqui, o Programa 9.1 em MATLAB produzirá as matrizes **A**, **B**, **C** e *D*.

```
Programa 9.1 em MATLAB

num = [10 10];
den = [1 6 5 10];
[A,B,C,D] = tf2ss(num,den)
A =
    -6  -5  -10
     1   0    0
     0   1    0
B =
     1
     0
     0
C =
     0  10  10
D =
     0
```

Transformação de espaço de estados para função de transferência. Para obter a função de transferência a partir das equações no espaço de estados, utilize o seguinte comando:

[num,den] = ss2tf(A,B,C,D,iu)

iu precisa ser especificado para sistemas com mais de uma entrada. Por exemplo, se o sistema tiver três entradas (*u*1, *u*2, *u*3), então iu deve ser 1, 2 ou 3, onde 1 implica *u*1, 2 implica *u*2 e 3 implica *u*3.

Se o sistema tiver apenas uma entrada, tanto

[num,den] = ss2tf(A,B,C,D)

como

[num,den] = ss2tf(A,B,C,D,1)

podem ser usadas. (Veja o Exemplo 9.3 e o Programa 9.2 em MATLAB.)

Para o caso em que o sistema tem múltiplas entradas e múltiplas saídas, veja o Exemplo 9.4.

Exemplo 9.3 Obtenha a função de transferência do sistema definido pelas seguintes equações no espaço de estados:

$$\begin{bmatrix} \dot{x}_1 \\ \dot{x}_2 \\ \dot{x}_3 \end{bmatrix} = \begin{bmatrix} 0 & 1 & 0 \\ 0 & 0 & 1 \\ -5,008 & -25,1026 & -5,03247 \end{bmatrix} \begin{bmatrix} x_1 \\ x_2 \\ x_3 \end{bmatrix} + \begin{bmatrix} 0 \\ 25,04 \\ -121,005 \end{bmatrix} u$$

$$y = \begin{bmatrix} 1 & 0 & 0 \end{bmatrix} \begin{bmatrix} x_1 \\ x_2 \\ x_3 \end{bmatrix}$$

O Programa 9.2 em MATLAB produzirá a função de transferência para o sistema dado. A função de transferência obtida é dada por:

$$\frac{Y(s)}{U(s)} = \frac{25,04s + 5,008}{s^3 + 5,0325s^2 + 25,1026s + 5,008}$$

```
Programa 9.2 em MATLAB
A = [0 1 0;0 0 1;-5.008 -25.1026 -5.03247];
B = [0;25.04; -121.005];
C = [1 0 0];
D = [0];
[num,den] = ss2tf(A,B,C,D)

num =
        0   -0.0000   25.0400   5.0080

den =
    1.0000   5.0325   25.1026   5.0080
% ***** O mesmo resultado pode ser obtido introduzindo-se o seguinte comando *****
[num,den] = ss2tf(A,B,C,D,1)

num =
        0   -0.0000   25.0400   5.0080

den =
    1.0000   5.0325   25.1026   5.0080
```

Exemplo 9.4 Considere um sistema com múltiplas entradas e múltiplas saídas. Quando o sistema possui mais de uma saída, o comando

$$[\text{NUM,den}] = \text{ss2tf}(A,B,C,D,\text{iu})$$

produz funções de transferência para todas as saídas em relação a cada entrada. (Os coeficientes do numerador são colocados na matriz NUM, que possui tantas linhas quanto for o número de saídas.)

Considere o sistema definido por:

$$\begin{bmatrix} \dot{x}_1 \\ \dot{x}_2 \end{bmatrix} = \begin{bmatrix} 0 & 1 \\ -25 & -4 \end{bmatrix} \begin{bmatrix} x_1 \\ x_2 \end{bmatrix} + \begin{bmatrix} 1 & 1 \\ 0 & 1 \end{bmatrix} \begin{bmatrix} u_1 \\ u_2 \end{bmatrix}$$

$$\begin{bmatrix} y_1 \\ y_2 \end{bmatrix} = \begin{bmatrix} 1 & 0 \\ 0 & 1 \end{bmatrix} \begin{bmatrix} x_1 \\ x_2 \end{bmatrix} + \begin{bmatrix} 0 & 0 \\ 0 & 0 \end{bmatrix} \begin{bmatrix} u_1 \\ u_2 \end{bmatrix}$$

Esse sistema possui duas entradas e duas saídas. Quatro funções de transferência estão envolvidas: $Y_1(s)/U_1(s)$, $Y_2(s)/U_1(s)$, $Y_1(s)/U_2(s)$ e $Y_2(s)/U_2(s)$. (Considerando a entrada u_1, vamos supor que a entrada u_2 seja nula e vice-versa.) Veja o resultado do Programa 9.3 em MATLAB:

```
Programa 9.3 em MATLAB
A = [0 1;-25 -4];
B = [1 1;0 1];
C = [1 0;0 1];
D = [0 0;0 0];
[NUM,den] = ss2tf(A,B,C,D,1)

NUM =
     0   1   4
     0   0 -25

den =
     1   4  25

[NUM,den] = ss2tf(A,B,C,D,2)

NUM =
     0  1.0000   5.0000
     0  1.0000 -25.0000

den =
     1   4  25
```

Esta é a representação em MATLAB das quatro seguintes funções de transferência:

$$\frac{Y_1(s)}{U_1(s)} = \frac{s+4}{s^2+4s+25}, \quad \frac{Y_2(s)}{U_1(s)} = \frac{-25}{s^2+4s+25}$$

$$\frac{Y_1(s)}{U_2(s)} = \frac{s+5}{s^2+4s+25}, \quad \frac{Y_2(s)}{U_2(s)} = \frac{s-25}{s^2+4s+25}$$

9.4 | Resolvendo a equação de estado invariante no tempo

Nesta seção, obteremos a solução geral da equação de estado linear e invariante no tempo. Primeiro, consideraremos o caso homogêneo e, depois, o caso não homogêneo.

Solução da equação de estado homogênea. Antes de resolver a equação diferencial vetorial-matricial, vamos rever a solução diferencial escalar

$$\dot{x} = ax \tag{9.25}$$

Resolvendo essa equação, podemos supor uma solução de $x(t)$ na forma

$$x(t) = b_0 + b_1 t + b_2 t^2 + \ldots + b_k t^k + \ldots \tag{9.26}$$

Substituindo a solução nessa forma, na Equação 9.25, obtemos:

$$b_1 + 2b_2 t + 3b_3 t^2 + \ldots + kb_k t^{k-1} + \ldots = a(b_0 + b_1 t + b_2 t^2 + \ldots + b_k t^k + \ldots) \tag{9.27}$$

Se a solução presumida for a solução verdadeira, então a Equação 9.27 será válida para qualquer t. Portanto, igualando os coeficientes de potências iguais em t, obtemos:

$$b_1 = ab_0$$

$$b_2 = \frac{1}{2}ab_1 = \frac{1}{2}a^2 b_0$$

$$b_3 = \frac{1}{3}ab_2 = \frac{1}{3\times 2}a^3 b_0$$

$$\vdots$$

$$b_k = \frac{1}{k!}a^k b_0$$

O valor de b_0 é determinado substituindo-se $t = 0$ na Equação 9.26 ou

$$x(0) = b_0$$

Logo, a solução $x(t)$ pode ser escrita como:

$$x(t) = \left(1 + at + \frac{1}{2!}a^2t^2 + \cdots + \frac{1}{k!}a^kt^k + \cdots\right)x(0)$$

$$= e^{at}x(0)$$

Agora, resolveremos a equação diferencial vetorial-matricial

$$\dot{\mathbf{x}} = \mathbf{A}\mathbf{x} \tag{9.28}$$

onde $\mathbf{x}$ = vetor n

$\mathbf{A}$ = matriz constante $n \times n$

Por analogia com o caso escalar, vamos supor que a solução esteja na forma de uma série vetorial de potências em t, ou

$$\mathbf{x}(t) = \mathbf{b}_0 + \mathbf{b}_1 t + \mathbf{b}_2 t^2 + \ldots + \mathbf{b}_k t^k + \ldots \tag{9.29}$$

Substituindo a solução nessa forma na Equação 9.28, obtemos:

$$\mathbf{b}_1 + 2\mathbf{b}_2 t + 3\mathbf{b}_3 t^2 + \ldots + k\mathbf{b}_k t^{k-1} + \ldots = \mathbf{A}(\mathbf{b}_0 + \mathbf{b}_1 t + \mathbf{b}_2 t^2 + \ldots + \mathbf{b}_k t^k + \ldots) \tag{9.30}$$

Se a solução presumida for a solução verdadeira, então a Equação 9.30 será válida para qualquer t. Portanto, igualando os coeficientes de mesma potência de t em ambos os lados da Equação 9.30, obtemos:

$$\mathbf{b}_1 = \mathbf{A}\mathbf{b}_0$$

$$\mathbf{b}_2 = \frac{1}{2}\mathbf{A}\mathbf{b}_1 = \frac{1}{2}\mathbf{A}^2\mathbf{b}_0$$

$$\mathbf{b}_3 = \frac{1}{3}\mathbf{A}\mathbf{b}_2 = \frac{1}{3 \times 2}\mathbf{A}^3\mathbf{b}_0$$

$$\vdots$$

$$\mathbf{b}_k = \frac{1}{k!}\mathbf{A}^k\mathbf{b}_0$$

Substituindo $t = 0$ na Equação 9.29, obtemos:

$$\mathbf{x}(0) = \mathbf{b}_0$$

Logo, a solução $\mathbf{x}(t)$ pode ser escrita como:

$$\mathbf{x}(t) = \left(\mathbf{I} + \mathbf{A}t + \frac{1}{2!}\mathbf{A}^2 t^2 + \cdots + \frac{1}{k!}\mathbf{A}^k t^k + \cdots\right)\mathbf{x}(0)$$

A expressão dentro dos parênteses no lado direito dessa última equação é uma matriz $n \times n$. Por causa de sua similaridade com a série infinita de potências de uma exponencial escalar, a denominamos matriz exponencial e escrevemos:

$$\mathbf{I} + \mathbf{A}t + \frac{1}{2!}\mathbf{A}^2 t^2 + \cdots + \frac{1}{k!}\mathbf{A}^k t^k + \cdots = e^{\mathbf{A}t}$$

Em termos da matriz exponencial, a solução da Equação 9.28 pode ser escrita como:

$$\mathbf{x}(t) = e^{\mathbf{A}t}\mathbf{x}(0) \tag{9.31}$$

Como a matriz exponencial é muito importante na análise por espaço de estados de sistemas lineares, a seguir examinaremos suas propriedades.

Matriz exponencial. Pode-se provar que a matriz exponencial de uma matriz $\mathbf{A}\ n \times n$,

$$e^{\mathbf{A}t} = \sum_{k=0}^{\infty} \frac{\mathbf{A}^k t^k}{k!}$$

converge absolutamente para todo t finito. (Portanto, o cálculo dos elementos de $e^{\mathbf{A}t}$ pelo uso da expansão em série é facilmente realizado pelo computador.)

Por causa da convergência da série infinita $\sum_{k=0}^{\infty} \mathbf{A}^k t^k/k!$, ela pode ser diferenciada termo a termo, resultando em:

$$\frac{d}{dt}e^{\mathbf{A}t} = \mathbf{A} + \mathbf{A}^2 t + \frac{\mathbf{A}^3 t^2}{2!} + \cdots + \frac{\mathbf{A}^k t^{k-1}}{(k-1)!} + \cdots$$

$$= \mathbf{A}\left[\mathbf{I} + \mathbf{A}t + \frac{\mathbf{A}^2 t^2}{2!} + \cdots + \frac{\mathbf{A}^{k-1} t^{k-1}}{(k-1)!} + \cdots\right] = \mathbf{A}e^{\mathbf{A}t}$$

$$= \left[\mathbf{I} + \mathbf{A}t + \frac{\mathbf{A}^2 t^2}{2!} + \cdots + \frac{\mathbf{A}^{k-1} t^{k-1}}{(k-1)!} + \cdots\right]\mathbf{A} = e^{\mathbf{A}t}\mathbf{A}$$

A matriz exponencial possui a propriedade

$$e^{\mathbf{A}(t+s)} = e^{\mathbf{A}t}e^{\mathbf{A}s}$$

Isso pode ser provado como segue:

$$e^{\mathbf{A}t}e^{\mathbf{A}s} = \left(\sum_{k=0}^{\infty}\frac{\mathbf{A}^k t^k}{k!}\right)\left(\sum_{k=0}^{\infty}\frac{\mathbf{A}^k s^k}{k!}\right)$$

$$= \sum_{k=0}^{\infty} \mathbf{A}^k \left(\sum_{i=0}^{\infty}\frac{t^i s^{k-i}}{i!(k-i)!}\right)$$

$$= \sum_{k=0}^{\infty} \mathbf{A}^k \frac{(t+s)^k}{k!}$$

$$= e^{\mathbf{A}(t+s)}$$

Em particular, se $s = -t$, então

$$e^{\mathbf{A}t}e^{-\mathbf{A}t} = e^{-\mathbf{A}t}e^{\mathbf{A}t} = e^{\mathbf{A}(t-t)} = \mathbf{I}$$

Então, a inversa de $e^{\mathbf{A}t}$ é $e^{-\mathbf{A}t}$. Uma vez que a inversa de $e^{\mathbf{A}t}$ sempre existe, $e^{\mathbf{A}t}$ é não singular.

É muito importante lembrar que:

$$e^{(\mathbf{A}+\mathbf{B})t} = e^{\mathbf{A}t}e^{\mathbf{B}t}, \qquad \text{se } \mathbf{AB} = \mathbf{BA}$$

$$e^{(\mathbf{A}+\mathbf{B})t} \neq e^{\mathbf{A}t}e^{\mathbf{B}t}, \qquad \text{se } \mathbf{AB} \neq \mathbf{BA}$$

Para provar isso, note que:

$$e^{(\mathbf{A}+\mathbf{B})t} = \mathbf{I} + (\mathbf{A}+\mathbf{B})t + \frac{(\mathbf{A}+\mathbf{B})^2}{2!}t^2 + \frac{(\mathbf{A}+\mathbf{B})^3}{3!}t^3 + \cdots$$

$$e^{\mathbf{A}t}e^{\mathbf{B}t} = \left(\mathbf{I} + \mathbf{A}t + \frac{\mathbf{A}^2 t^2}{2!} + \frac{\mathbf{A}^3 t^3}{3!} + \cdots\right)\left(\mathbf{I} + \mathbf{B}t + \frac{\mathbf{B}^2 t^2}{2!} + \frac{\mathbf{B}^3 t^3}{3!} + \cdots\right)$$

$$= \mathbf{I} + (\mathbf{A}+\mathbf{B})t + \frac{\mathbf{A}^2 t^2}{2!} + \mathbf{AB}t^2 + \frac{\mathbf{B}^2 t^2}{2!} + \frac{\mathbf{B}^3 t^3}{3!}$$

$$+ \frac{\mathbf{A}^2\mathbf{B}t^3}{2!} + \frac{\mathbf{AB}^2 t^3}{2!} + \frac{\mathbf{B}^3 t^3}{3!} + \cdots$$

Logo,

$$e^{(\mathbf{A}+\mathbf{B})t} - e^{\mathbf{A}t}e^{\mathbf{B}t} = \frac{\mathbf{BA} - \mathbf{AB}}{2!}t^2$$

$$+ \frac{\mathbf{BA}^2 + \mathbf{ABA} + \mathbf{B}^2\mathbf{A} + \mathbf{BAB} - 2\mathbf{A}^2\mathbf{B} - 2\mathbf{AB}^2}{3!}t^3 + \cdots$$

Não existirá diferença entre $e^{(\mathbf{A}+\mathbf{B})t}$ e $e^{\mathbf{A}t}e^{\mathbf{B}t}$ se $\mathbf{A}$ e $\mathbf{B}$ comutarem.

Abordagem pela transformada de Laplace na solução de equações de estado homogêneas. Vamos primeiro considerar o caso escalar:

$$\dot{x} = ax \quad (9.32)$$

Considerando a transformada de Laplace da Equação 9.32, obtemos:

$$sX(s) - x(0) = aX(s) \quad (9.33)$$

onde $X(s) = \mathscr{L}[x]$. Resolvendo a Equação 9.33 para $X(s)$, temos:

$$X(s) = \frac{x(0)}{s-a} = (s-a)^{-1}x(0)$$

A transformada inversa de Laplace dessa última equação fornece a solução:

$$x(t) = e^{at}x(0)$$

A abordagem precedente para a solução da equação diferencial escalar homogênea pode ser estendida para a equação de estado homogênea:

$$\dot{\mathbf{x}}(t) = \mathbf{A}\mathbf{x}(t) \quad (9.34)$$

Considerando a transformada de Laplace dos dois lados da Equação 9.34, obtemos:

$$s\mathbf{X}(s) - \mathbf{x}(0) = \mathbf{A}\mathbf{X}(s)$$

onde $\mathbf{X}(s) = \mathscr{L}[\mathbf{x}]$. Portanto,

$$(s\mathbf{I} - \mathbf{A})\mathbf{X}(s) = \mathbf{x}(0)$$

Pré-multiplicando ambos os lados dessa última equação por $(s\mathbf{I} - \mathbf{A})^{-1}$, obtemos:

$$\mathbf{X}(s) = (s\mathbf{I} - \mathbf{A})^{-1}\mathbf{x}(0)$$

A transformada inversa de Laplace de $\mathbf{X}(s)$ fornece a solução $\mathbf{x}(t)$ Então,

$$\mathbf{x}(t) = \mathscr{L}^{-1}[(s\mathbf{I} - \mathbf{A})^{-1}]\mathbf{x}(0) \quad (9.35)$$

Note que

$$(s\mathbf{I} - \mathbf{A})^{-1} = \frac{\mathbf{I}}{s} + \frac{\mathbf{A}}{s^2} + \frac{\mathbf{A}^2}{s^3} + \cdots$$

Portanto, a transformada inversa de Laplace de $(s\mathbf{I} - \mathbf{A})^{-1}$ fornece:

$$\mathscr{L}^{-1}[(s\mathbf{I} - \mathbf{A})^{-1}] = \mathbf{I} + \mathbf{A}t + \frac{\mathbf{A}^2 t^2}{2!} + \frac{\mathbf{A}^3 t^3}{3!} + \cdots = e^{\mathbf{A}t} \quad (9.36)$$

(A transformada inversa de Laplace de uma matriz é a matriz obtida pela transformada inversa de Laplace de todos os seus elementos.) A partir das equações 9.35 e 9.36, a solução da Equação 9.34 é obtida como:

$$\mathbf{x}(t) = e^{\mathbf{A}t}\mathbf{x}(0)$$

A importância da Equação 9.36 está no fato de que ela fornece um meio conveniente para a determinação da solução da matriz exponencial na forma fechada.

Matriz de transição de estado. Podemos escrever a solução da equação de estado homogênea

$$\dot{\mathbf{x}} = \mathbf{A}\mathbf{x} \quad (9.37)$$

como:

$$\mathbf{x}(t) = \mathbf{\Phi}(t)\mathbf{x}(0) \quad (9.38)$$

onde $\mathbf{\Phi}(t)$ é uma matriz $n \times n$, que é a solução única de:

$$\dot{\mathbf{\Phi}}(t) = \mathbf{A}\mathbf{\Phi}(t), \qquad \mathbf{\Phi}(0) = \mathbf{I}$$

Para verificar isso, note que:

$$\mathbf{x}(0) = \mathbf{\Phi}(0)\mathbf{x}(0) = \mathbf{x}(0)$$

e

$$\dot{\mathbf{x}}(t) = \dot{\mathbf{\Phi}}(t)\mathbf{x}(0) = \mathbf{A}\mathbf{\Phi}(t)\mathbf{x}(0) = \mathbf{A}\mathbf{x}(t)$$

Confirmamos, portanto, que a Equação 9.38 é a solução da Equação 9.37.

A partir das equações 9.31, 9.35 e 9.38, obtemos:

$$\Phi(t) = e^{\mathbf{A}t} = \mathscr{L}^{-1}[(s\mathbf{I} - \mathbf{A})^{-1}]$$

Note que

$$\Phi^{-1}(t) = e^{-\mathbf{A}t} = \Phi(-1)$$

A partir da Equação 9.38, notamos que a solução da Equação 9.37 é simplesmente uma transformação de condições iniciais. Portanto, a matriz $\Phi(t)$ é denominada matriz de transição de estado. Esta contém toda a informação a respeito da resposta livre do sistema definido pela Equação 9.37.

Se os autovalores $\lambda_1, \lambda_2, \ldots, \lambda_n$ da matriz $\mathbf{A}$ são distintos, então $\Phi(t)$ contém as n exponenciais

$$e^{\lambda_1 t}, e^{\lambda_2 t}, \ldots, e^{\lambda_n t}$$

Em particular, se a matriz $\mathbf{A}$ é diagonal, então

$$\Phi(t) = e^{\mathbf{A}t} = \begin{bmatrix} e^{\lambda_1 t} & & & 0 \\ & e^{\lambda_2 t} & & \\ & & \ddots & \\ 0 & & & e^{\lambda_n t} \end{bmatrix} \quad (\mathbf{A}\text{: diagonal})$$

Se existe uma multiplicidade nos autovalores — por exemplo, se os autovalores de $\mathbf{A}$ forem:

$$\lambda_1, \lambda_1, \lambda_1, \lambda_4, \lambda_5, \ldots, \lambda_n$$

então $\Phi(t)$ conterá, em adição às exponenciais $e^{\lambda_1 t}, e^{\lambda_4 t}, e^{\lambda_5 t}, \ldots, e^{\lambda_n t}$ termos do tipo $te^{\lambda_1 t}$ e $t^2 e^{\lambda_1 t}$.

Propriedades das matrizes de transição de estado. Agora, resumiremos as propriedades importantes da matriz de transição de estado $\Phi(t)$. Para o sistema invariante no tempo

$$\dot{\mathbf{x}} = \mathbf{A}\mathbf{x}$$

para o qual

$$\Phi(t) = e^{\mathbf{A}t}$$

temos:

1. $\Phi(0) = e^{\mathbf{A}0} = \mathbf{I}$
2. $\Phi(t) = e^{\mathbf{A}t} = (e^{-\mathbf{A}t})^{-1} = [\Phi(-t)]^{-1}$ ou $\Phi^{-1}(t) = \Phi(-t)$
3. $\Phi(t_1 + t_2) = e^{\mathbf{A}(t_1+t_2)} = e^{\mathbf{A}t_1}e^{\mathbf{A}t_2} = \Phi(t_1)\Phi(t_2) = \Phi(t_2)\Phi(t_1)$
4. $[\Phi(t)]^n = \Phi(nt)$
5. $\Phi(t_2 - t_1)\Phi(t_1 - t_0) = \Phi(t_2 - t_0) = \Phi(t_1 - t_0)\Phi(t_2 - t_1)$

Exemplo 9.5 Obtenha a matriz de transição de estado $\Phi(t)$ do seguinte sistema:

$$\begin{bmatrix} \dot{x}_1 \\ \dot{x}_2 \end{bmatrix} = \begin{bmatrix} 0 & 1 \\ -2 & -3 \end{bmatrix} \begin{bmatrix} x_1 \\ x_2 \end{bmatrix}$$

Obtenha também a inversa da matriz de transição de estado, $\Phi^{-1}(t)$.

Para esse sistema,

$$\mathbf{A} = \begin{bmatrix} 0 & 1 \\ -2 & -3 \end{bmatrix}$$

A matriz de transição de estado $\Phi(t)$ é dada por:

$$\Phi(t) = e^{\mathbf{A}t} = \mathscr{L}^{-1}[(s\mathbf{I} - \mathbf{A})^{-1}]$$

Como

$$s\mathbf{I} - \mathbf{A} = \begin{bmatrix} s & 0 \\ 0 & s \end{bmatrix} - \begin{bmatrix} 0 & 1 \\ -2 & -3 \end{bmatrix} = \begin{bmatrix} s & -1 \\ 2 & s+3 \end{bmatrix}$$

a inversa de $(s\mathbf{I} - \mathbf{A})$ é dada por:

$$(s\mathbf{I} - \mathbf{A})^{-1} = \frac{1}{(s+1)(s+2)}\begin{bmatrix} s+3 & 1 \\ -2 & s \end{bmatrix}$$

$$= \begin{bmatrix} \dfrac{s+3}{(s+1)(s+2)} & \dfrac{1}{(s+1)(s+2)} \\ \dfrac{-2}{(s+1)(s+2)} & \dfrac{s}{(s+1)(s+2)} \end{bmatrix}$$

Logo,

$$\Phi(t) = e^{\mathbf{A}t} = \mathscr{L}^{-1}[(s\mathbf{I} - \mathbf{A})]^{-1}$$

$$= \begin{bmatrix} 2e^{-t} - e^{-2t} & e^{-t} - e^{-2t} \\ -2e^{-t} + 2e^{-2t} & -e^{-t} + 2e^{-2t} \end{bmatrix}$$

Sabendo que $\Phi^{-1}(t) = \Phi(-t)$, obtemos a inversa da matriz de transição de estado como segue:

$$\Phi^{-1}(t) = e^{-\mathbf{A}t} = \begin{bmatrix} 2e^{t} - e^{2t} & e^{t} - e^{2t} \\ -2e^{t} + 2e^{2t} & -e^{t} + 2e^{2t} \end{bmatrix}$$

Solução das equações de estado não homogêneas. Começaremos considerando o caso escalar:

$$\dot{x} = ax + bu \qquad (9.39)$$

Vamos reescrever a Equação 9.39 como:

$$\dot{x} - ax = bu$$

Multiplicando ambos os lados dessa equação por e^{-at}, obtemos:

$$e^{-at}[\dot{x}(t) - ax(t)] = \frac{d}{dt}[e^{-at}x(t)] = e^{-at}bu(t)$$

Integrando essa equação entre 0 e t, temos:

$$e^{-at}x(t) - x(0) = \int_0^t e^{-a\tau}bu(\tau)d\tau$$

ou

$$x(t) = e^{at}x(0) + e^{at}\int_0^t e^{-a\tau}bu(\tau)d\tau$$

O primeiro termo do lado direito é a resposta à condição inicial e o segundo termo é a resposta à entrada $u(t)$.

Agora, consideraremos a equação de estado não homogênea descrita por:

$$\dot{\mathbf{x}} = \mathbf{A}\mathbf{x} + \mathbf{B}\mathbf{u} \qquad (9.40)$$

onde $\mathbf{x}$ = vetor n
 $\mathbf{u}$ = vetor r
 $\mathbf{A}$ = matriz constante $n \times n$
 $\mathbf{B}$ = matriz constante $n \times r$

Escrevendo a Equação 9.40 como:

$$\dot{\mathbf{x}}(t) - \mathbf{A}\mathbf{x}(t) = \mathbf{B}\mathbf{u}(t)$$

e pré-multiplicando ambos os lados dessa equação por $e^{-\mathbf{A}t}$, obtemos:

$$e^{-\mathbf{A}t}[\dot{\mathbf{x}}(t) - \mathbf{A}\mathbf{x}(t)] = \frac{d}{dt}[e^{-\mathbf{A}t}\mathbf{x}(t)] = e^{-\mathbf{A}t}\mathbf{B}\mathbf{u}(t)$$

Integrando a equação precedente entre 0 e t, temos:

$$e^{-\mathbf{A}t}\mathbf{x}(t) - \mathbf{x}(0) = \int_0^t e^{-\mathbf{A}\tau}\mathbf{B}\mathbf{u}(\tau)d\tau$$

ou

$$\mathbf{x}(t) = e^{\mathbf{A}t}\mathbf{x}(0) + \int_0^t e^{\mathbf{A}(t-\tau)}\mathbf{B}\mathbf{u}(\tau)d\tau \qquad (9.41)$$

A Equação 9.41 também pode ser escrita como:

$$\mathbf{x}(t) = \mathbf{\Phi}(t)\mathbf{x}(0) + \int_0^t \mathbf{\Phi}(t-\tau)\mathbf{B}\mathbf{u}(\tau)d\tau \qquad (9.42)$$

onde $\mathbf{\Phi}(t) = e^{\mathbf{A}t}$. A Equação 9.41 ou a 9.42 é a solução da Equação 9.40. A solução $\mathbf{x}(t)$ é claramente a soma de um termo que consiste na transição do estado inicial e de um termo proveniente do vetor de entrada.

Abordagem pela transformada de Laplace na solução das equações de estado não homogêneas. A solução da equação de estado não homogênea

$$\dot{\mathbf{x}} = \mathbf{A}\mathbf{x} + \mathbf{B}\mathbf{u}$$

também pode ser obtida por meio da abordagem pela transformada de Laplace. A transformada de Laplace dessa última equação resulta em:

$$s\mathbf{X}(s) - \mathbf{X}(0) = \mathbf{A}\mathbf{x}(s) + \mathbf{B}\mathbf{U}(s)$$

ou

$$(s\mathbf{I} - \mathbf{A})\mathbf{X}(s) = \mathbf{x}(0) + \mathbf{B}\mathbf{U}(s)$$

Pré-multiplicando ambos os lados dessa última equação por $(s\mathbf{I} - \mathbf{A})^{-1}$, obtemos:

$$\mathbf{X}(s) = (s\mathbf{I} - \mathbf{A})^{-1}\mathbf{x}(0) + (s\mathbf{I} - \mathbf{A})^{-1}\mathbf{B}\mathbf{U}(s)$$

Utilizando a relação dada pela Equação 9.36, temos:

$$\mathbf{X}(s) = \mathscr{L}[e^{\mathbf{A}t}]\mathbf{x}(0) + \mathscr{L}[e^{\mathbf{A}t}]\mathbf{B}\mathbf{U}(s)$$

A transformada inversa de Laplace dessa última equação pode ser obtida pelo uso da integral de convolução, como segue:

$$\mathbf{x}(t) = e^{\mathbf{A}t}\mathbf{x}(0) + \int_0^t e^{\mathbf{A}(t-\tau)}\mathbf{B}\mathbf{u}(\tau)d\tau$$

Solução em termos de $\mathbf{x}(t_0)$. Até agora, supusemos que o instante inicial fosse nulo. No entanto, se o instante inicial for dado por t_0, em vez de 0, então a solução da Equação 9.40 precisará ser modificada para:

$$\mathbf{x}(t) = e^{\mathbf{A}(t-t_0)}\mathbf{x}(t_0) + \int_0^t e^{\mathbf{A}(t-\tau)}\mathbf{B}\mathbf{u}(\tau)d\tau \qquad (9.43)$$

Exemplo 9.6 Obtenha a resposta temporal do seguinte sistema:

$$\begin{bmatrix}\dot{x}_1\\\dot{x}_2\end{bmatrix} = \begin{bmatrix}0 & 1\\-2 & -3\end{bmatrix}\begin{bmatrix}x_1\\x_2\end{bmatrix} + \begin{bmatrix}0\\1\end{bmatrix}u$$

onde $u(t)$ é a função degrau unitário que ocorre em $t = 0$, ou

$$u(t) = 1(t)$$

Para esse sistema,

$$\mathbf{A} = \begin{bmatrix}0 & 1\\-2 & -3\end{bmatrix}, \quad \mathbf{B} = \begin{bmatrix}0\\1\end{bmatrix}$$

A matriz de transição de estado $\mathbf{\Phi}(t) = e^{\mathbf{A}t}$ foi obtida no Exemplo 9.5 como:

$$\mathbf{\Phi}(t) = e^{\mathbf{A}t} = \begin{bmatrix}2e^{-t} - e^{-2t} & e^{-t} - e^{-2t}\\-2e^{-t} + 2e^{-2t} & -e^{-t} + 2e^{-2t}\end{bmatrix}$$

A resposta ao degrau unitário é, então, obtida como:

$$\mathbf{x}(t) = e^{\mathbf{A}t}\mathbf{x}(0) + \int_0^t \begin{bmatrix} 2e^{-(t-\tau)} - e^{-2(t-\tau)} & e^{-(t-\tau)} - e^{-2(t-\tau)} \\ -2e^{-(t-\tau)} + 2e^{-2(t-\tau)} & -e^{-(t-\tau)} + 2e^{-2(t-\tau)} \end{bmatrix} \begin{bmatrix} 0 \\ 1 \end{bmatrix} [1] d\tau$$

ou

$$\begin{bmatrix} x_1(t) \\ x_2(t) \end{bmatrix} = \begin{bmatrix} 2e^{-t} - e^{-2t} & e^{-t} - e^{-2t} \\ -2e^{-t} + 2e^{-2t} & -e^{-t} + 2e^{-2t} \end{bmatrix} \begin{bmatrix} x_1(0) \\ x_2(0) \end{bmatrix} + \begin{bmatrix} \dfrac{1}{2} - e^{-t} + \dfrac{1}{2}e^{-2t} \\ e^{-t} - e^{-2t} \end{bmatrix}$$

Se o estado inicial for nulo, ou $\mathbf{x}(0) = \mathbf{0}$, então $\mathbf{x}(t)$ poderá ser simplificada para:

$$\begin{bmatrix} x_1(t) \\ x_2(t) \end{bmatrix} = \begin{bmatrix} \dfrac{1}{2} - e^{-t} + \dfrac{1}{2}e^{-2t} \\ e^{-t} - e^{-2t} \end{bmatrix}$$

9.5 | Alguns resultados úteis na análise vetorial-matricial

Nesta seção, apresentamos alguns resultados úteis na análise vetorial-matricial que utilizaremos na Seção 9.6. Especificamente, apresentamos o teorema de Cayley-Hamilton, o polinômio mínimo, o método de interpolação de Sylvester para o cálculo de $e^{\mathbf{A}t}$ e a independência linear de vetores.

Teorema de Cayley-Hamilton. O teorema de Cayley-Hamilton é bastante útil na prova de teoremas que envolvem equações matriciais ou soluciona problemas que envolvem equações matriciais.

Considere uma matriz $\mathbf{A}$ $n \times n$ e sua equação característica:

$$|\lambda \mathbf{I} - \mathbf{A}| = \lambda^n + a_1 \lambda^{n-1} + \ldots + a_{n-1}\lambda + a_n = 0$$

O teorema de Cayley-Hamilton estabelece que a matriz $\mathbf{A}$ satisfaz sua própria equação característica, ou que:

$$\mathbf{A}^n + a_1 \mathbf{A}^{n-1} + \ldots + a_{n-1}\mathbf{A} + a_n \mathbf{I} = 0 \tag{9.44}$$

Para provar esse teorema, note que adj($\lambda \mathbf{I} - \mathbf{A}$) é um polinômio em λ de grau $n-1$. Ou seja,

$$\text{adj}(\lambda \mathbf{I} - \mathbf{A}) = \mathbf{B}_1 \lambda^{n-1} + \mathbf{B}_2 \lambda^{n-2} + \ldots + \mathbf{B}_{n-1}\lambda + \mathbf{B}n$$

onde $\mathbf{B}_1 = \mathbf{I}$. Como

$$(\lambda \mathbf{I} - \mathbf{A}) \, \text{adj}(\lambda \mathbf{I} - \mathbf{A}) = [\text{adj}(\lambda \mathbf{I} - \mathbf{A})](\lambda \mathbf{I} - \mathbf{A}) = |\lambda \mathbf{I} - \mathbf{A}|\mathbf{I}$$

obtemos:

$$|\lambda \mathbf{I} - \mathbf{A})\mathbf{I} = \mathbf{I}\lambda^n + a_1 \mathbf{I}\lambda^{n-1} + \ldots + a_{n-1}\mathbf{I}\lambda + a_n\mathbf{I}$$
$$= (\lambda \mathbf{I} - \mathbf{A})(\mathbf{B}_1 \lambda^{n-1} + \mathbf{B}_2 \lambda^{n-2} + \ldots + \mathbf{B}_{n-1}\lambda + \mathbf{B}_n)|$$
$$= (\mathbf{B}_1 \lambda^{n-1} + \mathbf{B}_2 \lambda^{n-2} + \ldots + \mathbf{B}_{n-1}\lambda + \mathbf{B}_n)(\lambda \mathbf{I} - \mathbf{A})$$

A partir dessa equação, observamos que $\mathbf{A}$ e $\mathbf{B}_i$ ($i = 1, 2, \ldots, n$) comutam. Logo, o produto de $(\lambda \mathbf{I} - \mathbf{A})$ e adj($\lambda \mathbf{I} - \mathbf{A}$) se tornará nulo se qualquer um deles for nulo. Se $\mathbf{A}$ for substituído por λ nessa última equação, então evidentemente $\lambda \mathbf{I} - \mathbf{A}$ se tornará nulo. Portanto, obtemos:

$$\mathbf{A}^n + a_1 \mathbf{A}^{n-1} + \ldots + a_{n-1}\mathbf{A} + a_n \mathbf{I} = \mathbf{0}$$

Isso prova o teorema de Cayley-Hamilton, ou a Equação 9.44.

Polinômio mínimo. Referindo-se ao teorema de Cayley-Hamilton, toda matriz $\mathbf{A}$ $n \times n$ satisfaz sua própria equação característica. A equação característica não é, contudo, necessariamente a equação escalar de menor grau satisfeita por $\mathbf{A}$. O polinômio de menor grau que tem $\mathbf{A}$ como uma raiz é denominado *polinômio mínimo*. Ou seja, o polinômio mínimo de uma matriz $\mathbf{A}$ $n \times n$ é definido como o polinômio $\phi(\lambda)$ de grau mínimo,

$$\phi(\lambda) = \lambda^m + a_1 \lambda^{m-1} + \ldots + a_{m-1}\lambda + a_m, \qquad m \le n$$

tal que $\phi(\mathbf{A}) = \mathbf{0}$, ou

$$\phi(\mathbf{A}) = \mathbf{A}^m + a_1\mathbf{A}^{m-1} + \ldots + a_{m-1}\mathbf{A} + a_m\mathbf{I} = \mathbf{0}$$

O polinômio mínimo tem grande importância no cálculo computacional de polinômios de uma matriz $n \times n$.

Vamos supor que $d(\lambda)$, um polinômio em λ, seja o máximo divisor comum de todos os elementos de $(\lambda\mathbf{I} - \mathbf{A})$. Podemos mostrar que, se o coeficiente do termo de maior grau em λ de $d(\lambda)$ for escolhido como 1, então o polinômio mínimo $\phi(\lambda)$ é dado por:

$$\phi(\lambda) = \frac{|\lambda\mathbf{I} - \mathbf{A}|}{d(\lambda)} \quad (9.45)$$

(Veja o Problema A.9.8 para a obtenção da Equação 9.45.)

Note que o polinômio mínimo $\phi(\lambda)$ de uma matriz $\mathbf{A}$ $n \times n$ pode ser determinado pelo seguinte procedimento:

1. Forme e escreva os elementos de adj$(\lambda\mathbf{I} - \mathbf{A})$ como polinômios fatorados em λ.
2. Determine $d(\lambda)$ como o máximo divisor comum de todos os elementos de adj$(\lambda\mathbf{I} - \mathbf{A})$. Escolha o coeficiente do termo de maior grau em λ de $d(\lambda)$ como 1. Se não há divisor comum, $d(\lambda) = 1$.
3. O polinômio mínimo $\phi(\lambda)$ é, então, dado por $|\lambda\mathbf{I} - \mathbf{A}|$ dividido por $d(\lambda)$.

Matriz exponencial $e^{\mathbf{A}t}$. Na solução de problemas de engenharia de controle, normalmente é necessário calcular $e^{\mathbf{A}t}$. Se a matriz $\mathbf{A}$ for fornecida com todos os seus elementos na forma numérica, o MATLAB fornece uma maneira simples para o cálculo de $e^{\mathbf{A}T}$, onde T é uma constante.

Além dos métodos computacionais, inúmeros métodos analíticos estão disponíveis para o cálculo de $e^{\mathbf{A}t}$. Apresentaremos três métodos aqui.

Cálculo de $e^{\mathbf{A}t}$: método 1. Se a matriz $\mathbf{A}$ pode ser transformada na forma diagonal, então $e^{\mathbf{A}t}$ pode ser dada por:

$$e^{\mathbf{A}t} = \mathbf{P}e^{\mathbf{D}t}\mathbf{P}^{-1} = \mathbf{P}\begin{bmatrix} e^{\lambda_1 t} & & & 0 \\ & e^{\lambda_2 t} & & \\ & & \ddots & \\ 0 & & & e^{\lambda_n t} \end{bmatrix}\mathbf{P}^{-1} \quad (9.46)$$

onde $\mathbf{P}$ é uma matriz que diagonaliza $\mathbf{A}$. (Para a obtenção da Equação 9.46, veja o Problema A.9.11.)

Se a matriz $\mathbf{A}$ pode ser transformada na forma canônica de Jordan, então $e^{\mathbf{A}t}$ pode ser dada por:

$$e^{\mathbf{A}t} = \mathbf{S}e^{\mathbf{J}t}\mathbf{S}^{-1}$$

onde $\mathbf{S}$ é uma matriz de transformação que transforma a matriz $\mathbf{A}$ na forma canônica $\mathbf{J}$.

Como exemplo, considere a seguinte matriz $\mathbf{A}$:

$$\mathbf{A} = \begin{bmatrix} 0 & 1 & 0 \\ 0 & 0 & 1 \\ 1 & -3 & 3 \end{bmatrix}$$

A equação característica é:

$$|\lambda\mathbf{I} - \mathbf{A}| = \lambda^3 - 3\lambda^2 + 3\lambda - 1 = (\lambda - 1)^3 = 0$$

Portanto, a matriz $\mathbf{A}$ tem um autovalor múltiplo de ordem 3 em $\lambda = 1$. Pode ser mostrado que a matriz $\mathbf{A}$ tem um autovetor múltiplo de ordem 3. A matriz de transformação que vai transformar a matriz $\mathbf{A}$ na forma canônica de Jordan pode ser dada por:

$$\mathbf{S} = \begin{bmatrix} 1 & 0 & 0 \\ 1 & 1 & 0 \\ 1 & 2 & 1 \end{bmatrix}$$

A inversa da matriz $\mathbf{S}$ é:

$$\mathbf{S}^{-1} = \begin{bmatrix} 1 & 0 & 0 \\ -1 & 1 & 0 \\ 1 & -2 & 1 \end{bmatrix}$$

Então, pode-se verificar que:

$$\mathbf{S}^{-1}\mathbf{A}\mathbf{S} = \begin{bmatrix} 1 & 0 & 0 \\ -1 & 1 & 0 \\ 1 & -2 & 1 \end{bmatrix} \begin{bmatrix} 0 & 1 & 0 \\ 0 & 0 & 1 \\ 1 & -3 & 3 \end{bmatrix} \begin{bmatrix} 1 & 0 & 0 \\ 1 & 1 & 0 \\ 1 & 2 & 1 \end{bmatrix}$$

$$= \begin{bmatrix} 1 & 1 & 0 \\ 0 & 1 & 1 \\ 0 & 0 & 1 \end{bmatrix} = \mathbf{J}$$

Sabendo-se que:

$$e^{\mathbf{J}t} = \begin{bmatrix} e^t & te^t & \frac{1}{2}t^2 e^t \\ 0 & e^t & te^t \\ 0 & 0 & e^t \end{bmatrix}$$

encontramos:

$$e^{\mathbf{A}t} = \mathbf{S}e^{\mathbf{J}t}\mathbf{S}^{-1}$$

$$= \begin{bmatrix} 1 & 0 & 0 \\ 1 & 1 & 0 \\ 1 & 2 & 1 \end{bmatrix} \begin{bmatrix} e^t & te^t & \frac{1}{2}t^2 e^t \\ 0 & e^t & te^t \\ 0 & 0 & e^t \end{bmatrix} \begin{bmatrix} 1 & 0 & 0 \\ -1 & 1 & 0 \\ 1 & -2 & 1 \end{bmatrix}$$

$$= \begin{bmatrix} e^t - te^t + \frac{1}{2}t^2 e^t & te^t - t^2 e^t & \frac{1}{2}t^2 e^t \\ \frac{1}{2}t^2 e^t & e^t - te^t - t^2 e^t & te^t + \frac{1}{2}t^2 e^t \\ te^t + \frac{1}{2}t^2 e^t & -3te^t - t^2 e^t & e^t + 2te^t + \frac{1}{2}t^2 e^t \end{bmatrix}$$

Cálculo de $e^{\mathbf{A}t}$: método 2. O segundo método de cálculo de $e^{\mathbf{A}t}$ utiliza a abordagem pela transformada de Laplace. Referindo-se à Equação 9.36, $e^{\mathbf{A}t}$ pode ser dada como segue:

$$e^{\mathbf{A}t} = \mathscr{L}^{-1}[(s\mathbf{I} - \mathbf{A})^{-1}]$$

Então, para obter $e^{\mathbf{A}t}$, primeiro inverta a matriz $(s\mathbf{I} - \mathbf{A})$. Isso resulta em uma matriz cujos elementos são funções racionais em s. Então, considere a transformada inversa de Laplace de cada elemento da matriz.

Exemplo 9.7 Considere a seguinte matriz $\mathbf{A}$:

$$\mathbf{A} = \begin{bmatrix} 0 & 1 \\ 0 & -2 \end{bmatrix}$$

Calcule $e^{\mathbf{A}t}$ pela utilização dos dois métodos analíticos apresentados previamente.

Método 1. Os autovalores de $\mathbf{A}$ são 0 e -2 ($\lambda_1 = 0, \lambda_2 = -2$). Uma matriz de transformação necessária $\mathbf{P}$ pode ser obtida como:

$$\mathbf{P} = \begin{bmatrix} 1 & 1 \\ 0 & -2 \end{bmatrix}$$

Então, a partir da Equação 9.46, $e^{\mathbf{A}t}$ é obtida como segue:

$$e^{\mathbf{A}t} = \begin{bmatrix} 1 & 1 \\ 0 & -2 \end{bmatrix} \begin{bmatrix} e^0 & 0 \\ 0 & e^{-2t} \end{bmatrix} \begin{bmatrix} 1 & \frac{1}{2} \\ 0 & -\frac{1}{2} \end{bmatrix} = \begin{bmatrix} 1 & \frac{1}{2}(1 - e^{-2t}) \\ 0 & e^{-2t} \end{bmatrix}$$

Método 2. Como

$$sI - A = \begin{bmatrix} s & 0 \\ 0 & s \end{bmatrix} - \begin{bmatrix} 0 & 1 \\ 0 & -2 \end{bmatrix} = \begin{bmatrix} s & -1 \\ 0 & s+2 \end{bmatrix}$$

obtemos:

$$(sI - A)^{-1} = \begin{bmatrix} \dfrac{1}{s} & \dfrac{1}{s(s+2)} \\ 0 & \dfrac{1}{s+2} \end{bmatrix}$$

Portanto,

$$e^{At} = \mathscr{L}^{-1}[(sI - A)^{-1}] = \begin{bmatrix} 1 & \dfrac{1}{2}(1 - e^{-2t}) \\ 0 & e^{-2t} \end{bmatrix}$$

Cálculo de* e^{At}: *método 3. O terceiro método é fundamentado no método de interpolação de Sylvester. (Veja o Problema A.9.12 para obter a fórmula de interpolação de Sylvester.) Consideraremos primeiro o caso em que as raízes do polinômio mínimo $\phi(\lambda)$ de **A** são distintas. A partir disso, lidaremos com o caso de raízes múltiplas.

*Caso 1: o polinômio mínimo de **A** envolve apenas raízes distintas.* Admitiremos que o grau do polinômio mínimo de **A** é m. Utilizando a fórmula de interpolação de Sylvester, pode-se mostrar que e^{At} pode ser obtida resolvendo-se o determinante da seguinte equação:

$$\begin{vmatrix} 1 & \lambda_1 & \lambda_1^2 & \cdots & \lambda_1^{m-1} & e^{\lambda_1 t} \\ 1 & \lambda_2 & \lambda_2^2 & \cdots & \lambda_2^{m-1} & e^{\lambda_2 t} \\ \vdots & \vdots & \vdots & & \vdots & \vdots \\ 1 & \lambda_m & \lambda_m^2 & \cdots & \lambda_m^{m-1} & e^{\lambda_m t} \\ I & A & A^2 & \cdots & A^{m-1} & e^{At} \end{vmatrix} = 0 \qquad (9.47)$$

Resolvendo-se a Equação 9.47 para e^{At}, e^{At} pode ser obtida em termos de A^k ($k = 0, 1, 2, \ldots, m - 1$) e de $e^{\lambda_i t}$ ($i = 1, 2, 3, \ldots, m$). (A Equação 9.47 pode ser expandida, por exemplo, em relação à última coluna.)

Note que resolver a Equação 9.47 é o mesmo que escrever:

$$e^{At} = \alpha_0(t)I + \alpha_1(t)A + \alpha_2(t)A^2 + \ldots + \alpha_{m-1}(t)A^{m-1} \qquad (9.48)$$

e determinar $\alpha_k(t)$ para ($k = 0, 1, 2, \ldots, m - 1$) por meio da solução do seguinte conjunto de m equações para o $\alpha_k(t)$:

$$\alpha_0(t) + \alpha_1(t)\lambda_1 + \alpha_2(t)\lambda_1^2 + \cdots + \alpha_{m-1}(t)\lambda_1^{m-1} = e^{\lambda_1 t}$$

$$\alpha_0(t) + \alpha_1(t)\lambda_2 + \alpha_2(t)\lambda_2^2 + \cdots + \alpha_{m-1}(t)\lambda_2^{m-1} = e^{\lambda_2 t}$$

$$\vdots$$

$$\alpha_0(t) + \alpha_1(t)\lambda_m + \alpha_2(t)\lambda_m^2 + \cdots + \alpha_{m-1}(t)\lambda_m^{m-1} = e^{\lambda_m t}$$

Se **A** é uma matriz $n \times n$ e possui autovalores distintos, então o número de $\alpha_k(t)$ a ser determinado é $m = n$. Se **A** contém autovalores múltiplos, mas seu polinômio mínimo possui somente raízes simples, então o número m de $\alpha_k(t)$ a ser determinado é menor do que n.

*Caso 2: o polinômio mínimo de **A** envolve raízes múltiplas.* Como um exemplo, considere o caso em que o polinômio mínimo de **A** possui três raízes iguais ($\lambda_1 = \lambda_2 = \lambda_3$) e possui outras raízes ($\lambda_4, \lambda_5, \ldots, \lambda_m$), todas elas distintas. Aplicando a fórmula de interpolação de Sylvester, pode-se mostrar que e^{At} pode ser obtida a partir da seguinte equação determinante:

$$\begin{vmatrix} 0 & 0 & 1 & 3\lambda_1 & \cdots & \dfrac{(m-1)(m-2)}{2}\lambda_1^{m-3} & \dfrac{t^2}{2}e^{\lambda_1 t} \\ 0 & 1 & 2\lambda_1 & 3\lambda_1^2 & \cdots & (m-1)\lambda_1^{m-2} & te^{\lambda_1 t} \\ 1 & \lambda_1 & \lambda_1^2 & \lambda_1^3 & \cdots & \lambda_1^{m-1} & e^{\lambda_1 t} \\ 1 & \lambda_4 & \lambda_4^2 & \lambda_4^3 & \cdots & \lambda_4^{m-1} & e^{\lambda_4 t} \\ \vdots & \vdots & \vdots & \vdots & \cdots & \vdots & \vdots \\ 1 & \lambda_m & \lambda_m^2 & \lambda_m^3 & \cdots & \lambda_m^{m-1} & e^{\lambda_m t} \\ \mathbf{I} & \mathbf{A} & \mathbf{A}^2 & \mathbf{A}^3 & \cdots & \mathbf{A}^{m-1} & e^{\mathbf{A}t} \end{vmatrix} = \mathbf{0} \qquad (9.49)$$

A Equação 9.49 pode ser resolvida em $e^{\mathbf{A}t}$ ao expandi-la em relação à última coluna.

Deve-se notar que, exatamente como no caso 1, resolver a Equação 9.49 em $e^{\mathbf{A}t}$ é o mesmo que escrever:

$$e^{\mathbf{A}t} = \alpha_0(t)\mathbf{I} + \alpha_1(t)\mathbf{A} + \alpha_2(t)\mathbf{A}^2 + \ldots + \alpha_{m-1}(t)\mathbf{A}^{m-1} \qquad (9.50)$$

e determinar $\alpha_k(t)$ para ($k = 0, 1, 2, \ldots, m-1$) para $\alpha_k(t)$ a partir de:

$$\alpha_2(t) + 3\alpha_3(t)\lambda_1 + \cdots + \dfrac{(m-1)(m-2)}{2}\alpha_{m-1}(t)\lambda_1^{m-3} = \dfrac{t^2}{2}e^{\lambda_1 t}$$

$$\alpha_1(t) + 2\alpha_2(t)\lambda_1 + 3\alpha_3(t)\lambda_1^2 + \cdots + (m-1)\alpha_{m-1}(t)\lambda_1^{m-2} = te^{\lambda_1 t}$$

$$\alpha_0(t) + \alpha_1(t)\lambda_1 + \alpha_2(t)\lambda_1^2 + \cdots + \alpha_{m-1}(t)\lambda_1^{m-1} = e^{\lambda_1 t}$$

$$\alpha_0(t) + \alpha_1(t)\lambda_4 + \alpha_2(t)\lambda_4^2 + \cdots + \alpha_{m-1}(t)\lambda_4^{m-1} = e^{\lambda_4 t}$$

$$\vdots$$

$$\alpha_0(t) + \alpha_1(t)\lambda_m + \alpha_2(t)\lambda_m^2 + \cdots + \alpha_{m-1}(t)\lambda_m^{m-1} = e^{\lambda_m t}$$

A extensão é imediata a outros casos em que, por exemplo, existem dois ou mais conjuntos de raízes múltiplas. Note que, se o polinômio mínimo de $\mathbf{A}$ não for encontrado, será possível substituir o polinômio característico pelo polinômio mínimo. A quantidade de cálculos pode, sem dúvida, aumentar.

Exemplo 9.8 Considere a matriz

$$\mathbf{A} = \begin{bmatrix} 0 & 1 \\ 0 & -2 \end{bmatrix}$$

Determine $e^{\mathbf{A}t}$ utilizando a fórmula de interpolação de Sylvester.

A partir da Equação 9.47, obtemos:

$$\begin{vmatrix} 1 & \lambda_1 & e^{\lambda_1 t} \\ 1 & \lambda_2 & e^{\lambda_2 t} \\ \mathbf{I} & \mathbf{A} & e^{\mathbf{A}t} \end{vmatrix} = \mathbf{0}$$

Substituindo 0 para λ_1 e -2 para λ_2 na última equação, obtemos:

$$\begin{vmatrix} 1 & 0 & 1 \\ 1 & -2 & e^{-2t} \\ \mathbf{I} & \mathbf{A} & e^{\mathbf{A}t} \end{vmatrix} = \mathbf{0}$$

Expandindo o determinante, obtemos:

$$-2e^{\mathbf{A}t} + \mathbf{A} + 2\mathbf{I} - \mathbf{A}e^{-2t} = \mathbf{0}$$

ou

$$e^{\mathbf{A}t} = \frac{1}{2}(\mathbf{A} + 2\mathbf{I} - \mathbf{A}e^{-2t})$$

$$= \frac{1}{2}\left\{\begin{bmatrix} 0 & 1 \\ 0 & -2 \end{bmatrix} + \begin{bmatrix} 2 & 0 \\ 0 & 2 \end{bmatrix} - \begin{bmatrix} 0 & 1 \\ 0 & -2 \end{bmatrix} e^{-2t}\right\}$$

$$= \begin{bmatrix} 1 & \frac{1}{2}(1 - e^{-2t}) \\ 0 & e^{-2t} \end{bmatrix}$$

Uma abordagem alternativa é utilizar a Equação 9.48. Determinamos primeiro $\alpha_0(t)$ e $\alpha_1(t)$ a partir de

$$\alpha_0(t) + \alpha_1(t)\lambda_1 = e^{\lambda_1 t}$$
$$\alpha_0(t) + \alpha_1(t)\lambda_2 = e^{\lambda_2 t}$$

Como $\lambda_1 = 0$ e $\lambda_2 = -2$, as últimas duas equações resultam em:

$$\alpha_0(t) = 1$$
$$\alpha_0(t) - 2\alpha_1(t) = e^{-2t}$$

Resolvendo para $\alpha_0(t)$ e $\alpha_1(t)$, temos:

$$\alpha_0(t) = 1, \quad \alpha_1(t) = \frac{1}{2}(1 - e^{-2t})$$

Então, $e^{\mathbf{A}t}$ pode ser escrita como:

$$e^{\mathbf{A}t} = \alpha_0(t)\mathbf{I} + \alpha_1(t)\mathbf{A} = \mathbf{I} + \frac{1}{2}(1 - e^{-2t})\mathbf{A} = \begin{bmatrix} 1 & \frac{1}{2}(1 - e^{-2t}) \\ 0 & e^{-2t} \end{bmatrix}$$

Vetores linearmente independentes. Os vetores $\mathbf{x}_1, \mathbf{x}_2, \ldots, \mathbf{x}_n$ são ditos linearmente independentes se:

$$c_1\mathbf{x}_1 + c_2\mathbf{x}_2 + \ldots + c_n\mathbf{x}_n = \mathbf{0}$$

como $c_1, c_2, \ldots, c_n$ são constantes, implica que:

$$c_1 = c_2 = \ldots = c_n = 0$$

De modo recíproco, os vetores $\mathbf{x}_1, \mathbf{x}_2, \ldots, \mathbf{x}_n$ são ditos linearmente dependentes se, e somente se, $\mathbf{x}_i$ puder ser expresso como uma combinação linear de $\mathbf{x}_j$ ($j = 1, 2, \ldots, n; j \neq i$) ou

$$\mathbf{x}_i = \sum_{\substack{j=1 \\ j \neq i}}^{n} c_j \mathbf{x}_j$$

para algum conjunto de constantes c_j. Isso significa que, se $\mathbf{x}_i$ pode ser expresso como uma combinação linear de outros vetores do conjunto, ele é linearmente dependente deles ou não é um membro independente do conjunto.

Exemplo 9.9 Os vetores

$$\mathbf{x}_1 = \begin{bmatrix} 1 \\ 2 \\ 3 \end{bmatrix}, \quad \mathbf{x}_2 = \begin{bmatrix} 1 \\ 0 \\ 1 \end{bmatrix}, \quad \mathbf{x}_3 = \begin{bmatrix} 2 \\ 2 \\ 4 \end{bmatrix}$$

são linearmente dependentes, uma vez que:

$$\mathbf{x}_1 + \mathbf{x}_2 - \mathbf{x}_3 = \mathbf{0}$$

Os vetores

$$\mathbf{y}_1 = \begin{bmatrix} 1 \\ 2 \\ 3 \end{bmatrix}, \quad \mathbf{y}_2 = \begin{bmatrix} 1 \\ 0 \\ 1 \end{bmatrix}, \quad \mathbf{y}_3 = \begin{bmatrix} 2 \\ 2 \\ 2 \end{bmatrix}$$

são linearmente independentes, uma vez que

$$c_1 \mathbf{y}_1 + c_2 \mathbf{y}_2 + c_3 \mathbf{y}_3 = \mathbf{0}$$

implica que

$$c_1 = c_2 = c_3 = 0$$

Note que, se uma matriz $n \times n$ for não singular (ou seja, que o posto da matriz seja n ou que o determinante seja não nulo), então, n vetores-coluna (ou linha) serão linearmente independentes. Se a matriz $n \times n$ for singular (ou seja, que o posto da matriz seja menor que n ou que o determinante seja nulo), então n vetores coluna (ou linha) serão linearmente dependentes. Para demonstrar isso, veja que:

$$[\mathbf{x}_1 \ \vdots \ \mathbf{x}_2 \ \vdots \ \mathbf{x}_3] = \begin{bmatrix} 1 & 1 & 2 \\ 2 & 0 & 2 \\ 3 & 1 & 4 \end{bmatrix} = \text{singular}$$

$$[\mathbf{y}_1 \ \vdots \ \mathbf{y}_2 \ \vdots \ \mathbf{y}_3] = \begin{bmatrix} 1 & 1 & 2 \\ 2 & 0 & 2 \\ 3 & 1 & 2 \end{bmatrix} = \text{não singular}$$

9.6 | Controlabilidade

Controlabilidade e observabilidade. Um sistema será dito controlável no instante t_0 se for possível, por meio de um vetor de controle não limitado, transferir o sistema de qualquer estado inicial $\mathbf{x}(t_0)$ para qualquer outro estado, em um intervalo de tempo finito.

Um sistema será dito observável no instante t_0 se, com o sistema no estado $\mathbf{x}(t_0)$, for possível determinar esse estado a partir da observação da saída durante um intervalo de tempo finito.

Os conceitos de controlabilidade e observabilidade foram introduzidos por Kalman. Eles têm papel importante no projeto de sistemas de controle no espaço de estados. De fato, as condições de controlabilidade e observabilidade podem ditar a existência de uma solução completa para o problema de projeto do sistema de controle. A solução desse problema pode não existir, se o sistema considerado é não controlável. Embora a maioria dos sistemas físicos seja controlável e observável, os modelos matemáticos correspondentes podem não exibir a propriedade de controlabilidade e observabilidade. Então, é necessário conhecer as condições nas quais um sistema é controlável e observável. Esta seção lida com a controlabilidade e a seção seguinte, com observabilidade.

A seguir, determinaremos primeiro a condição para controlabilidade completa de estado. A partir disso, determinaremos maneiras alternativas da condição para completa controlabilidade de estado, seguida por discussões sobre controlabilidade completa da saída. Por fim, apresentaremos o conceito de estabilizabilidade.

Controlabilidade completa de estado de sistemas de tempo contínuo. Considere o sistema de tempo contínuo.

$$\dot{\mathbf{x}} = \mathbf{A}\mathbf{x} + \mathbf{B}u \tag{9.51}$$

onde $\mathbf{x}$ = vetor de estado (vetor n)

u = sinal de controle (escalar)

$\mathbf{A}$ = matriz $n \times n$

$\mathbf{B}$ = matriz $n \times 1$

O sistema descrito pela Equação 9.51 será dito de estado controlável em $t = t_0$ se for possível construir um sinal de controle não limitado que transfira o sistema de um estado inicial para qualquer estado final, em um intervalo de tempo finito $t_0 \leq t \leq t_1$. Se todo estado for controlável, então o sistema será considerado de estado completamente controlável.

Determinaremos agora a condição para a controlabilidade completa de estado. Sem perda de generalidade, podemos supor que o estado final seja a origem do espaço de estados e o instante inicial seja nulo, ou $t_0 = 0$.

A solução da Equação 9.51 é:

$$\mathbf{x}(t) = e^{\mathbf{A}t}\mathbf{x}(0) + \int_0^t e^{\mathbf{A}(t-\tau)}\mathbf{B}u(\tau)d\tau$$

Aplicando a definição dada de controlabilidade completa de estado, temos:

$$\mathbf{x}(t_1) = \mathbf{0} = e^{\mathbf{A}t_1}\mathbf{x}(0) + \int_0^{t_1} e^{\mathbf{A}(t_1-\tau)}\mathbf{B}u(\tau)d\tau$$

ou

$$\mathbf{x}(0) = -\int_0^{t_1} e^{-\mathbf{A}\tau}\mathbf{B}u(\tau)d\tau \tag{9.52}$$

Referindo-se à Equação 9.48 ou à Equação 9.50, $e^{-\mathbf{A}T}$ pode ser escrita como:

$$e^{-\mathbf{A}\tau} = \sum_{k=0}^{n-1} \alpha_k(\tau)\mathbf{A}^k \tag{9.53}$$

Substituindo a Equação 9.53 na Equação 9.52, temos:

$$\mathbf{x}(0) = -\sum_{k=0}^{n-1} \mathbf{A}^k \mathbf{B} \int_0^{t_1} \alpha_k(\tau)u(\tau)d\tau \tag{9.54}$$

Vamos colocar

$$\int_0^{t_1} \alpha_k(\tau)u(\tau)d\tau = \beta_k$$

Então, a Equação 9.54 torna-se:

$$\mathbf{x}(0) = -\sum_{k=0}^{n-1} \mathbf{A}^k \mathbf{B} \beta_k$$

$$= -[\mathbf{B} \ \vdots \ \mathbf{AB} \ \vdots \ \cdots \ \vdots \ \mathbf{A}^{n-1}\mathbf{B}] \begin{bmatrix} \beta_0 \\ \beta_1 \\ \vdots \\ \beta_{n-1} \end{bmatrix} \tag{9.55}$$

Se o sistema for de estado completamente controlável, então, dado qualquer estado inicial $\mathbf{x}(0)$, a Equação 9.55 deverá ser satisfeita. Isso requer que o posto da matriz $n \times n$

$$[\mathbf{B} \ \vdots \ \mathbf{AB} \ \vdots \ \ldots \ \vdots \ \mathbf{A}^{n-1}\mathbf{B}]$$

seja n.

A partir dessa análise, podemos estabelecer as condições para a controlabilidade completa de estado como segue: o sistema dado pela Equação 9.51 é de estado completamente controlável se, e somente se, os vetores $\mathbf{B}, \mathbf{AB}, \ldots, \mathbf{A}^{n-1}\mathbf{B}$ forem linearmente independentes ou a matriz $n \times n$

$$[\mathbf{B} \ \vdots \ \mathbf{AB} \ \vdots \ \ldots \ \vdots \ \mathbf{A}^{n-1}\mathbf{B}]$$

tiver posto n.

O resultado obtido pode ser estendido ao caso em que o vetor de controle $\mathbf{u}$ seja de dimensão r. Se o sistema é descrito por:

$$\dot{\mathbf{x}} = \mathbf{Ax} + \mathbf{Bu}$$

onde $\mathbf{u}$ é um vetor de dimensão r, então pode-se provar que a condição para controlabilidade completa de estado é que a matriz $n \times nr$

$$[\mathbf{B} \vdots \mathbf{AB} \vdots \ldots \vdots \mathbf{A}^{n-1}\mathbf{B}]$$

tenha posto n ou contenha n vetores-coluna linearmente independentes. A matriz

$$[\mathbf{B} \vdots \mathbf{AB} \vdots \ldots \vdots \mathbf{A}^{n-1}\mathbf{B}]$$

é comumente denominada *matriz de controlabilidade*.

Exemplo 9.10 Considere o sistema dado por:

$$\begin{bmatrix} \dot{x}_1 \\ \dot{x}_2 \end{bmatrix} = \begin{bmatrix} 1 & 1 \\ 0 & -1 \end{bmatrix} \begin{bmatrix} x_1 \\ x_2 \end{bmatrix} + \begin{bmatrix} 1 \\ 0 \end{bmatrix} u$$

Como

$$[\mathbf{B} \vdots \mathbf{AB}] = \begin{bmatrix} 1 & 1 \\ 0 & 0 \end{bmatrix} = \text{singular}$$

o sistema não é de estado completamente controlável.

Exemplo 9.11 Considere o sistema dado por:

$$\begin{bmatrix} \dot{x}_1 \\ \dot{x}_2 \end{bmatrix} = \begin{bmatrix} 1 & 1 \\ 2 & -1 \end{bmatrix} \begin{bmatrix} x_1 \\ x_2 \end{bmatrix} + \begin{bmatrix} 0 \\ 1 \end{bmatrix} [u]$$

Para esse caso,

$$[\mathbf{B} \vdots \mathbf{AB}] = \begin{bmatrix} 0 & 1 \\ 1 & -1 \end{bmatrix} = \text{não singular}$$

O sistema é, portanto, de estado completamente controlável.

Forma alternativa da condição de controlabilidade completa de estado. Considere o sistema definido por:

$$\dot{\mathbf{x}} = \mathbf{A}\mathbf{x} + \mathbf{B}\mathbf{u} \qquad (9.56)$$

onde $\mathbf{x}$ = vetor de estado (vetor n)
 $\mathbf{u}$ = vetor de controle (vetor r)
 $\mathbf{A}$ = matriz $n \times n$
 $\mathbf{B}$ = matriz $n \times r$

Se os autovetores de $\mathbf{A}$ são distintos, então é possível encontrar uma matriz de transformação $\mathbf{P}$ de modo que:

$$\mathbf{P}^{-1}\mathbf{A}\mathbf{P} = \mathbf{D} = \begin{bmatrix} \lambda_1 & & & 0 \\ & \lambda_2 & & \\ & & \ddots & \\ 0 & & & \lambda_n \end{bmatrix}$$

Note que, se os autovalores de $\mathbf{A}$ são distintos, então os autovetores de $\mathbf{A}$ são distintos; contudo, a recíproca não é verdadeira. Por exemplo, uma matriz real simétrica $n \times n$ que possui múltiplos autovalores tem n autovetores distintos. Note também que cada coluna da matriz $\mathbf{P}$ é um autovetor de $\mathbf{A}$ associado a λ_i ($i = 1, 2, \ldots, n$).

Vamos definir

$$\mathbf{x} = \mathbf{P}\mathbf{z} \qquad (9.57)$$

Substituindo a Equação 9.57 na Equação 9.56, obtemos:

$$\dot{\mathbf{z}} = \mathbf{P}^{-1}\mathbf{A}\mathbf{P}\mathbf{z} + \mathbf{P}^{-1}\mathbf{B}\mathbf{u} \qquad (9.58)$$

Definindo

$$\mathbf{P}^{-1}\mathbf{B} = \mathbf{F} = (f_{ij})$$

podemos reescrever a Equação 9.58 como:

$$\dot{z}_1 = \lambda_1 z_1 + f_{11} u_1 + f_{12} u_2 + \ldots + f_{1r} u_r$$
$$\dot{z}_2 = \lambda_2 z_2 + f_{21} u_1 + f_{22} u_2 + \ldots + f_{2r} u_r$$
$$\vdots$$
$$\dot{z}_n = \lambda_n z_n + f_{n1} u_1 + f_{n2} u_2 + \ldots + f_{nr} u_r$$

Se os elementos de qualquer linha da matriz $\mathbf{F}$ $n \times r$ são todos nulos, então a variável de estado correspondente não pode ser controlada por nenhum dos u_j. Portanto, a condição de controlabilidade completa de estado é que os autovetores de $\mathbf{A}$ sejam distintos; assim, o sistema é de estado completamente controlável se, e somente se, nenhuma linha de $\mathbf{P}^{-1}\mathbf{B}$ tiver todos os elementos nulos. É importante notar que, para aplicar essa condição de controlabilidade completa de estado, precisamos colocar a matriz $\mathbf{P}^{-1}\mathbf{AP}$ da Equação 9.58 na forma diagonal.

Se a matriz $\mathbf{A}$ na Equação 9.56 não tiver autovalores distintos, então a diagonalização será impossível. Nesse caso, podemos transformar $\mathbf{A}$ na forma canônica de Jordan. Se, por exemplo, $\mathbf{A}$ tiver os autovalores $\lambda_1, \lambda_1, \lambda_1, \lambda_4, \lambda_4, \lambda_6, \ldots, \lambda_n$ e tiver $n - 3$ autovalores distintos, a forma canônica de Jordan de $\mathbf{A}$ será:

$$\mathbf{J} = \begin{bmatrix} \lambda_1 & 1 & 0 & & & & & 0 \\ 0 & \lambda_1 & 1 & & & & & \\ 0 & 0 & \lambda_1 & & & & & \\ & & & \lambda_4 & 1 & & & \\ & & & 0 & \lambda_4 & & & \\ & & & & & \lambda_6 & & \\ & & & & & & \ddots & \\ 0 & & & & & & & \lambda_n \end{bmatrix}$$

As submatrizes quadradas na diagonal principal são chamadas *blocos de Jordan*.

Suponha que desejamos encontrar a matriz de transformação $\mathbf{S}$ de modo que:

$$\mathbf{S}^{-1}\mathbf{AS} = \mathbf{J}$$

Se definirmos um novo vetor de estado $\mathbf{z}$ por:

$$\mathbf{x} = \mathbf{Sz} \qquad (9.59)$$

então, a substituição da Equação 9.59 na Equação 9.56 resulta em:

$$\dot{\mathbf{z}} = \mathbf{S}^{-1}\mathbf{ASz} + \mathbf{S}^{-1}\mathbf{Bu}$$
$$= \mathbf{Jz} + \mathbf{S}^{-1}\mathbf{Bu} \qquad (9.60)$$

A condição para controlabilidade completa de estado do sistema da Equação 9.56 pode ser estabelecida como segue: o sistema é de estado completamente controlável se, e somente se, (1) não houver dois blocos de Jordan na matriz $\mathbf{J}$ da Equação 9.60 associados ao mesmo autovalor, (2) os elementos de qualquer linha de $\mathbf{S}^{-1}\mathbf{B}$ que correspondem à última linha de cada bloco de Jordan não forem todos nulos, e (3) os elementos de cada linha de $\mathbf{S}^{-1}\mathbf{B}$ que correspondem a autovalores distintos não forem todos nulos.

Exemplo 9.12 Os seguintes sistemas são de estado completamente controlável:

$$\begin{bmatrix} \dot{x}_1 \\ \dot{x}_2 \end{bmatrix} = \begin{bmatrix} -1 & 0 \\ 0 & -2 \end{bmatrix} \begin{bmatrix} x_1 \\ x_2 \end{bmatrix} + \begin{bmatrix} 2 \\ 5 \end{bmatrix} u$$

$$\begin{bmatrix} \dot{x}_1 \\ \dot{x}_2 \\ \dot{x}_3 \end{bmatrix} = \begin{bmatrix} -1 & 1 & 0 \\ 0 & -1 & 0 \\ 0 & 0 & -2 \end{bmatrix} \begin{bmatrix} x_1 \\ x_2 \\ x_3 \end{bmatrix} + \begin{bmatrix} 0 \\ 4 \\ 3 \end{bmatrix} u$$

$$\begin{bmatrix} \dot{x}_1 \\ \dot{x}_2 \\ \dot{x}_3 \\ \dot{x}_4 \\ \dot{x}_5 \end{bmatrix} = \begin{bmatrix} -2 & 1 & 0 & & 0 \\ 0 & -2 & 1 & & \\ 0 & 0 & -2 & & \\ & & & -5 & 1 \\ 0 & & & 0 & -5 \end{bmatrix} \begin{bmatrix} x_1 \\ x_2 \\ x_3 \\ x_4 \\ x_5 \end{bmatrix} + \begin{bmatrix} 0 & 1 \\ 0 & 0 \\ 3 & 0 \\ 0 & 0 \\ 2 & 1 \end{bmatrix} \begin{bmatrix} u_1 \\ u_2 \end{bmatrix}$$

Os seguintes sistemas não são de estado completamente controlável:

$$\begin{bmatrix} \dot{x}_1 \\ \dot{x}_2 \end{bmatrix} = \begin{bmatrix} -1 & 0 \\ 0 & -2 \end{bmatrix} \begin{bmatrix} x_1 \\ x_2 \end{bmatrix} + \begin{bmatrix} 2 \\ 0 \end{bmatrix} u$$

$$\begin{bmatrix} \dot{x}_1 \\ \dot{x}_2 \\ \dot{x}_3 \end{bmatrix} = \begin{bmatrix} -1 & 1 & 0 \\ 0 & -1 & 0 \\ 0 & 0 & -2 \end{bmatrix} \begin{bmatrix} x_1 \\ x_2 \\ x_3 \end{bmatrix} + \begin{bmatrix} 4 & 2 \\ 0 & 0 \\ 3 & 0 \end{bmatrix} \begin{bmatrix} u_1 \\ u_2 \end{bmatrix}$$

$$\begin{bmatrix} \dot{x}_1 \\ \dot{x}_2 \\ \dot{x}_3 \\ \dot{x}_4 \\ \dot{x}_5 \end{bmatrix} = \begin{bmatrix} -2 & 1 & 0 & & 0 \\ 0 & -2 & 1 & & \\ 0 & 0 & -2 & & \\ & & & -5 & 1 \\ 0 & & & 0 & -5 \end{bmatrix} \begin{bmatrix} x_1 \\ x_2 \\ x_3 \\ x_4 \\ x_5 \end{bmatrix} + \begin{bmatrix} 4 \\ 2 \\ 1 \\ 3 \\ 0 \end{bmatrix} u$$

Condição de controlabilidade completa de estado no plano s. A condição de controlabilidade completa de estado pode ser estabelecida em termos de funções de transferência ou de matrizes de transferência.

Pode-se provar que uma condição necessária e suficiente para a controlabilidade completa de estado é que não ocorram cancelamentos na função de transferência ou matriz de transferência. Se ocorrerem cancelamentos, o sistema não poderá ser controlado na direção do modo cancelado.

Exemplo 9.13 Considere a seguinte função de transferência:

$$\frac{X(s)}{U(s)} = \frac{s + 2,5}{(s + 2,5)(s - 1)}$$

Claramente, ocorre o cancelamento do fator $(s + 2,5)$ no numerador e no denominador dessa função de transferência. (Assim, um grau de liberdade é perdido.) Por causa desse cancelamento, o sistema não é de estado completamente controlável.

A mesma conclusão pode ser obtida escrevendo-se essa função de transferência na forma de uma equação de estado. Uma representação no espaço de estados é:

$$\begin{bmatrix} \dot{x}_1 \\ \dot{x}_2 \end{bmatrix} = \begin{bmatrix} 0 & 1 \\ 2,5 & -1,5 \end{bmatrix} \begin{bmatrix} x_1 \\ x_2 \end{bmatrix} + \begin{bmatrix} 1 \\ 1 \end{bmatrix} u$$

Uma vez que

$$[\mathbf{B} \ \vdots \ \mathbf{AB}] = \begin{bmatrix} 1 & 1 \\ 1 & 1 \end{bmatrix}$$

o posto da matriz $[\mathbf{B} \ \vdots \ \mathbf{AB}]$ é 1. Então, chegamos à mesma conclusão: o sistema não é de estado completamente controlável.

Controlabilidade de saída. No projeto prático de um sistema de controle, podemos desejar controlar a saída em vez de controlar o estado do sistema. A controlabilidade completa de estado não é necessária nem suficiente para controlar a saída do sistema. Por essa razão, é desejável definir em separado a controlabilidade de saída.

Considere o sistema descrito por:

$$\dot{x} = Ax + Bu \quad (9.61)$$

$$y = Cx + Du \quad (9.62)$$

onde x = vetor de estado (vetor n)
 u = vetor de controle (vetor r)
 y = vetor de saída (vetor m)
 A = matriz $n \times n$
 B = matriz $n \times r$
 C = matriz $m \times n$
 D = matriz $m \times r$

O sistema descrito pelas equações 9.61 e 9.62 será considerado de saída completamente controlável se for possível construir um vetor de controle $u(t)$ não limitado que transfira qualquer saída inicial $y(t_0)$ para qualquer saída final $y(t_1)$ em um intervalo de tempo finito $t_0 \leq t \leq t_1$.

Pode-se provar que a condição de saída é como segue: o sistema descrito pelas equações 9.61 e 9.62 é de saída completamente controlável se e somente se a matriz $m \times (n+1)r$

$$[CB \ \vdots \ CAB \ \vdots \ CA^2B \ \vdots \ \ldots \ \vdots \ CA^{n-1}B \ \vdots \ D]$$

tiver posto m. (Para uma prova, veja o Problema A.9.16.) Note que a presença do termo Du na Equação 9.62 sempre ajuda a estabelecer a controlabilidade de saída.

Sistema não controlável. Um sistema não controlável possui um subsistema que é fisicamente desconectado da entrada.

Estabilizabilidade. Para sistemas parcialmente controláveis, se os modos não controláveis forem estáveis e os modos instáveis forem controláveis, o sistema será considerado estabilizável. Por exemplo, o sistema definido por:

$$\begin{bmatrix} \dot{x}_1 \\ \dot{x}_2 \end{bmatrix} = \begin{bmatrix} 1 & 0 \\ 0 & -1 \end{bmatrix} \begin{bmatrix} x_1 \\ x_2 \end{bmatrix} + \begin{bmatrix} 1 \\ 0 \end{bmatrix} u$$

não é de estado controlável. O modo estável que corresponde ao autovalor -1 não é controlável. O modo instável que corresponde ao autovalor 1 é controlável. Esse sistema pode ser feito estável pelo uso de uma realimentação apropriada. Assim, o sistema é estabilizável.

9.7 | Observabilidade

Nesta seção, discutiremos a observabilidade de sistemas lineares. Considere o sistema sem excitação descrito pelas seguintes equações:

$$\dot{x} = Ax \quad (9.63)$$

$$y = Cx \quad (9.64)$$

onde x = vetor de controle (vetor n)
 y = vetor de saída (vetor m)
 A = matriz $n \times n$
 C = matriz $m \times n$

O sistema será considerado completamente observável se todo estado $x(t_0)$ puder ser determinado pela observação de $y(t)$ durante um intervalo de tempo finito, $t_0 \leq t \leq t_1$. O sistema é, portanto, completamente observável se cada transição do estado puder afetar cada elemento do vetor de saída. O conceito de observabilidade é útil na solução de problemas de reconstrução de variáveis de estado não mensuráveis a partir de variáveis mensuráveis, no menor intervalo possível de tempo. Nesta seção, tratamos somente de sistemas lineares e invariantes no tempo. Portanto, sem perda de generalidade, podemos supor que $t_0 = 0$.

O conceito de observabilidade é muito importante porque, na prática, a dificuldade encontrada com o controle por realimentação de estado é que algumas das variáveis de estado não são acessíveis por medição direta, resultando ser necessário estimar a variável de estado não mensurável para construir os sinais de controle. Será mostrado na Seção 10.5 que essas estimativas das variáveis de estado são possíveis se e somente se o sistema for completamente observável.

Na discussão das condições de observabilidade, consideramos sistemas sem excitação, como mostram as equações 9.63 e 9.64. A razão para isso é apresentada a seguir. Se um sistema é descrito por:

$$\dot{\mathbf{x}} = \mathbf{A}\mathbf{x} + \mathbf{B}\mathbf{u}$$

$$\mathbf{y} = \mathbf{C}\mathbf{x} + \mathbf{D}\mathbf{u}$$

então,

$$\mathbf{x}(t) = e^{\mathbf{A}t}\mathbf{x}(0) + \int_0^t e^{\mathbf{A}(t-\tau)}\mathbf{B}\mathbf{u}(\tau)d\tau$$

e $\mathbf{y}(t)$ é:

$$\mathbf{y}(t) = \mathbf{C}e^{\mathbf{A}t}\mathbf{x}(0) + \mathbf{C}\int_0^t e^{\mathbf{A}(t-\tau)}\mathbf{B}\mathbf{u}(\tau)d\tau + \mathbf{D}\mathbf{u}$$

Como as matrizes $\mathbf{A}$, $\mathbf{B}$, $\mathbf{C}$ e $\mathbf{D}$ são conhecidas e $\mathbf{u}(t)$ também é conhecido, os dois últimos termos do lado direito dessa última equação são quantidades conhecidas. Portanto, eles podem ser subtraídos do valor observado de $\mathbf{y}(t)$. Consequentemente, para investigar uma condição necessária e suficiente para a observabilidade completa é suficiente considerar o sistema descrito pelas equações 9.63 e 9.64.

Observabilidade completa de sistemas de tempo contínuo. Considere o sistema descrito pelas equações 9.63 e 9.64. O vetor de saída $\mathbf{y}(t)$ é:

$$\mathbf{y}(t) = \mathbf{C}e^{\mathbf{A}t}\mathbf{x}(0)$$

Referindo-se à Equação 9.48 ou à Equação 9.50, temos:

$$e^{\mathbf{A}t} = \sum_{k=0}^{n-1} \alpha_k(t)\mathbf{A}^k$$

onde n é o grau do polinômio característico. (Observe que as equações 9.48 e 9.50, com m substituindo n podem ser deduzidas usando-se o polinômio característico.)

Logo, obtemos:

$$\mathbf{y}(t) = \sum_{k=0}^{n-1} \alpha_k(t)\mathbf{C}\mathbf{A}^k \mathbf{x}(0)$$

ou

$$\mathbf{y}(t) = \alpha_0(t)\mathbf{C}\mathbf{x}(0) + \alpha_1(t)\mathbf{C}\mathbf{A}\mathbf{x}(0) + \ldots + \alpha_{n-1}(t)\mathbf{C}\mathbf{A}^{n-1}\mathbf{x}(0) \tag{9.65}$$

Se o sistema é completamente observável, então, dada a saída $\mathbf{y}(t)$ durante um intervalo de tempo $0 \leq t \leq t_1$, $\mathbf{x}(0)$ é unicamente determinado pela Equação 9.65. Pode-se mostrar que isso requer que o posto da matriz $nm \times n$

$$\begin{bmatrix} \mathbf{C} \\ \hdashline \mathbf{C}\mathbf{A} \\ \hdashline \vdots \\ \hdashline \mathbf{C}\mathbf{A}^{n-1} \end{bmatrix}$$

seja n. (Veja o Problema A.9.19 para a obtenção dessa condição.)

A partir dessa análise, podemos estabelecer a condição de observabilidade completa a seguir. O sistema descrito pelas equações 9.63 e 9.64 é completamente observável se e somente se o posto da matriz $n \times nm$

$$[\mathbf{C}^* \mid \mathbf{A}^*\mathbf{C}^* \mid \ldots \mid (\mathbf{A}^*)^{n-1}\mathbf{C}^*]$$

for n ou tiver n vetores-coluna linearmente independentes. Essa matriz é denominada *matriz de observabilidade*.

Exemplo 9.14 Considere o sistema descrito por:

$$\begin{bmatrix} \dot{x}_1 \\ \dot{x}_2 \end{bmatrix} = \begin{bmatrix} 1 & 1 \\ -2 & -1 \end{bmatrix} \begin{bmatrix} x_1 \\ x_2 \end{bmatrix} + \begin{bmatrix} 0 \\ 1 \end{bmatrix} u$$

$$y = \begin{bmatrix} 1 & 0 \end{bmatrix} \begin{bmatrix} x_1 \\ x_2 \end{bmatrix}$$

Esse sistema é controlável e observável?

Uma vez que o posto da matriz

$$[\mathbf{B} \mid \mathbf{AB}] = \begin{bmatrix} 0 & 1 \\ 1 & -1 \end{bmatrix}$$

é 2, o sistema é de estado completamente controlável.

Para a controlabilidade de saída, vamos determinar o posto da matriz $[\mathbf{CB} \mid \mathbf{CAB}]$. Uma vez que:

$$[\mathbf{CB} \mid \mathbf{CAB}] = [0 \ 1]$$

o posto desta matriz é 1. Consequentemente, o sistema é de saída completamente controlável.

Para testar a condição de observabilidade, examine o posto de $[\mathbf{C}^* \mid \mathbf{A}^*\mathbf{C}^*]$. Visto que:

$$[\mathbf{C}^* \mid \mathbf{A}^*\mathbf{C}^*] = \begin{bmatrix} 1 & 1 \\ 0 & 1 \end{bmatrix}$$

o posto de $[\mathbf{C}^* \mid \mathbf{A}^*\mathbf{C}^*]$ é 2. Como consequências, o sistema é completamente observável.

Condição de observabilidade completa no plano s. As condições de observabilidade completa também podem ser estabelecidas em termos de funções de transferência ou matrizes de transferência. A condição necessária e suficiente para observabilidade completa é que não haja cancelamento na função de transferência ou matriz de transferência. Se ocorrerem cancelamentos, o modo cancelado não poderá ser observado na saída.

Exemplo 9.15 Mostre que o seguinte sistema não é completamente observável:

$$\dot{\mathbf{x}} = \mathbf{A}\mathbf{x} + \mathbf{B}u$$

$$y = \mathbf{C}\mathbf{x}$$

onde

$$\mathbf{x} = \begin{bmatrix} x_1 \\ x_2 \\ x_3 \end{bmatrix}, \quad \mathbf{A} = \begin{bmatrix} 0 & 1 & 0 \\ 0 & 0 & 1 \\ -6 & -11 & -6 \end{bmatrix}, \quad \mathbf{B} = \begin{bmatrix} 0 \\ 0 \\ 1 \end{bmatrix}, \quad \mathbf{C} = [4 \ 5 \ 1]$$

Note que a função de controle u não afeta a observabilidade completa do sistema; para examiná-la, podemos simplesmente impor $u = 0$. Para esse sistema, temos:

$$[\mathbf{C}^* \mid \mathbf{A}^*\mathbf{C}^* \mid (\mathbf{A}^*)^2 \mathbf{C}^*] = \begin{bmatrix} 4 & -6 & 6 \\ 5 & -7 & 5 \\ 1 & -1 & -1 \end{bmatrix}$$

Note que:

$$\begin{vmatrix} 4 & -6 & 6 \\ 5 & -7 & 5 \\ 1 & -1 & -1 \end{vmatrix} = 0$$

Logo, o posto da matriz [**C*** ⋮ **A*C*** ⋮ **(A*)²C***] é menor que 3. Portanto, o sistema não é completamente observável.

De fato, ocorrem cancelamentos nesse sistema, na função de transferência do sistema. A função de transferência entre $X_1(s)$ e $U(s)$ é:

$$\frac{X_1(s)}{U(s)} = \frac{1}{(s+1)(s+2)(s+3)}$$

e a função de transferência entre $Y(s)$ e $X_1(s)$ é:

$$\frac{Y(s)}{X_1(s)} = (s+1)(s+4)$$

Logo, a função de transferência entre a saída $Y(s)$ e a entrada $U(s)$ é:

$$\frac{Y(s)}{U(s)} = \frac{(s+1)(s+4)}{(s+1)(s+2)(s+3)}$$

Claramente, os dois fatores $(s+1)$ se cancelam. Isso significa que existem estados iniciais **x**(0), não nulos, que não podem ser determinados a partir da medição de $y(t)$.

Comentários. A função de transferência não possui cancelamentos se e somente se o sistema for de estado completamente controlável e observável. Isso significa que a função de transferência que possui cancelamentos não carrega toda a informação que caracteriza a dinâmica do sistema.

Forma alternativa da condição de observabilidade completa. Considere o sistema descrito pelas equações 9.63 e 9.64, reescritas como:

$$\dot{\mathbf{x}} = \mathbf{A}\mathbf{x} \qquad (9.66)$$

$$\mathbf{y} = \mathbf{C}\mathbf{x} \qquad (9.67)$$

Suponha que a matriz de transformação **P** transforme **A** em uma matriz diagonal, ou

$$\mathbf{P}^{-1}\mathbf{A}\mathbf{P} = \mathbf{D}$$

onde **D** é uma matriz diagonal. Vamos definir:

$$\mathbf{x} = \mathbf{P}\mathbf{z}$$

Então, as equações 9.66 e 9.67 podem ser escritas como:

$$\dot{\mathbf{z}} = \mathbf{P}^{-1}\mathbf{A}\mathbf{P}\mathbf{z} = \mathbf{D}\mathbf{z}$$

$$\mathbf{y} = \mathbf{C}\mathbf{P}\mathbf{z}$$

Logo,

$$\mathbf{y}(t) = \mathbf{C}\mathbf{P}e^{\mathbf{D}t}\mathbf{z}(0)$$

ou

$$\mathbf{y}(t) = \mathbf{C}\mathbf{P}\begin{bmatrix} e^{\lambda_1 t} & & & 0 \\ & e^{\lambda_2 t} & & \\ & & \ddots & \\ 0 & & & e^{\lambda_n t} \end{bmatrix}\mathbf{z}(0) = \mathbf{C}\mathbf{P}\begin{bmatrix} e^{\lambda_1 t}z_1(0) \\ e^{\lambda_2 t}z_2(0) \\ \vdots \\ e^{\lambda_n t}z_n(0) \end{bmatrix}$$

O sistema é completamente observável se nenhuma das colunas da matriz **CP** $m \times n$ tiver todos os elementos nulos. Isso é porque, se a i-ésima coluna de **CP** tiver todos os elementos nulos, então a variável de estado $z_i(0)$ não vai aparecer na equação de saída e, portanto, não pode ser determinada pela observação de $\mathbf{y}(t)$. Assim, **x**(0), que é relacionado com **z**(0) por meio da matriz não singular **P**, não pode ser determinado. (Lembre-se de que esse teste somente se aplica se a matriz $\mathbf{P}^{-1}\mathbf{AP}$ estiver na forma diagonal.)

Se a matriz **A** não puder ser transformada em uma matriz diagonal, então, com o uso de uma matriz de transformação apropriada **S**, podemos transformar **A** na forma canônica de Jordan, ou

$$\mathbf{S}^{-1}\mathbf{AS} = \mathbf{J}$$

onde **J** é a forma canônica de Jordan.

Vamos definir:

$$\mathbf{x} = \mathbf{Sz}$$

Então, as equações 9.66 e 9.67 podem ser escritas como:

$$\dot{\mathbf{z}} = \mathbf{S}^{-1}\mathbf{ASz} = \mathbf{Jz}$$

$$\mathbf{y} = \mathbf{CSz}$$

Logo,

$$\mathbf{y}(t) = \mathbf{CS}e^{\mathbf{J}t}\mathbf{z}(0)$$

O sistema é completamente observável se (1) não houver dois blocos de Jordan na matriz **J** associados aos mesmos autovalores, (2) não houver colunas de **CS** correspondentes à primeira linha de cada bloco de Jordan, que são constituídas por elementos nulos, e (3) não houver colunas de **CS** correspondentes a autovalores distintos, que são formados por elementos nulos.

Para esclarecer a condição (2), no Exemplo 9.16, circulamos com linhas tracejadas as colunas de **CS** que correspondem à primeira linha de cada bloco de Jordan.

Exemplo 9.16 Os seguintes sistemas são completamente observáveis.

$$\begin{bmatrix} \dot{x}_1 \\ \dot{x}_2 \end{bmatrix} = \begin{bmatrix} -1 & 0 \\ 0 & -2 \end{bmatrix} \begin{bmatrix} x_1 \\ x_2 \end{bmatrix}, \quad y = \begin{bmatrix} 1 & 3 \end{bmatrix} \begin{bmatrix} x_1 \\ x_2 \end{bmatrix}$$

$$\begin{bmatrix} \dot{x}_1 \\ \dot{x}_2 \\ \dot{x}_3 \end{bmatrix} = \begin{bmatrix} 2 & 1 & 0 \\ 0 & 2 & 1 \\ 0 & 0 & 2 \end{bmatrix} \begin{bmatrix} x_1 \\ x_2 \\ x_3 \end{bmatrix}, \quad \begin{bmatrix} y_1 \\ y_2 \end{bmatrix} = \begin{bmatrix} 3 & 0 & 0 \\ 4 & 0 & 0 \end{bmatrix} \begin{bmatrix} x_1 \\ x_2 \\ x_3 \end{bmatrix}$$

$$\begin{bmatrix} \dot{x}_1 \\ \dot{x}_2 \\ \dot{x}_3 \\ \dot{x}_4 \\ \dot{x}_5 \end{bmatrix} = \begin{bmatrix} 2 & 1 & 0 & & 0 \\ 0 & 2 & 1 & & \\ 0 & 0 & 2 & & \\ & & & -3 & 1 \\ 0 & & & 0 & -3 \end{bmatrix} \begin{bmatrix} x_1 \\ x_2 \\ x_3 \\ x_4 \\ x_5 \end{bmatrix}, \quad \begin{bmatrix} y_1 \\ y_2 \end{bmatrix} = \begin{bmatrix} 1 & 1 & 1 & 0 & 0 \\ 0 & 1 & 1 & 1 & 0 \end{bmatrix} \begin{bmatrix} x_1 \\ x_2 \\ x_3 \\ x_4 \\ x_5 \end{bmatrix}$$

Os seguintes sistemas não são completamente observáveis.

$$\begin{bmatrix} \dot{x}_1 \\ \dot{x}_2 \end{bmatrix} = \begin{bmatrix} -1 & 0 \\ 0 & -2 \end{bmatrix} \begin{bmatrix} x_1 \\ x_2 \end{bmatrix}, \quad y = \begin{bmatrix} 0 & 1 \end{bmatrix} \begin{bmatrix} x_1 \\ x_2 \end{bmatrix}$$

$$\begin{bmatrix} \dot{x}_1 \\ \dot{x}_2 \\ \dot{x}_3 \end{bmatrix} = \begin{bmatrix} 2 & 1 & 0 \\ 0 & 2 & 1 \\ 0 & 0 & 2 \end{bmatrix} \begin{bmatrix} x_1 \\ x_2 \\ x_3 \end{bmatrix}, \quad \begin{bmatrix} y_1 \\ y_2 \end{bmatrix} = \begin{bmatrix} 0 & 1 & 3 \\ 0 & 2 & 4 \end{bmatrix} \begin{bmatrix} x_1 \\ x_2 \\ x_3 \end{bmatrix}$$

$$\begin{bmatrix} \dot{x}_1 \\ \dot{x}_2 \\ \dot{x}_3 \\ \dot{x}_4 \\ \dot{x}_5 \end{bmatrix} = \begin{bmatrix} 2 & 1 & 0 & & 0 \\ 0 & 2 & 1 & & \\ 0 & 0 & 2 & & \\ & & & -3 & 1 \\ 0 & & & 0 & -3 \end{bmatrix} \begin{bmatrix} x_1 \\ x_2 \\ x_3 \\ x_4 \\ x_5 \end{bmatrix}, \quad \begin{bmatrix} y_1 \\ y_2 \end{bmatrix} = \begin{bmatrix} 1 & 1 & 1 & 0 & 0 \\ 0 & 1 & 1 & 0 & 0 \end{bmatrix} \begin{bmatrix} x_1 \\ x_2 \\ x_3 \\ x_4 \\ x_5 \end{bmatrix}$$

Princípio da dualidade. Discutiremos agora a relação entre controlabilidade e observabilidade. Introduziremos o princípio da dualidade, devido a Kalman, para esclarecer aparentes analogias entre controlabilidade e observabilidade.

Considere o sistema S_1 descrito por:

$$\dot{\mathbf{x}} = \mathbf{Ax} + \mathbf{Bu}$$

$$\mathbf{y} = \mathbf{Cx}$$

onde $\mathbf{x}$ = vetor de estado (vetor n)
$\mathbf{u}$ = vetor de controle (vetor r)
$\mathbf{y}$ = vetor de saída (vetor m)
$\mathbf{A}$ = matriz $n \times n$
$\mathbf{B}$ = matriz $n \times r$
$\mathbf{C}$ = matriz $m \times n$

e o sistema dual S_2 definido por:

$$\dot{\mathbf{z}} = \mathbf{A}^*\mathbf{z} + \mathbf{C}^*\mathbf{v}$$

$$\mathbf{n} = \mathbf{B}^*\mathbf{z}$$

onde $\mathbf{z}$ = vetor de estado (vetor n)
$\mathbf{v}$ = vetor de controle (vetor m)
$\mathbf{n}$ = vetor de saída (vetor r)
$\mathbf{A}^*$ = transposta conjugada de $\mathbf{A}$
$\mathbf{B}^*$ = transposta conjugada de $\mathbf{B}$
$\mathbf{C}^*$ = transposta conjugada de $\mathbf{C}$

O princípio da dualidade estabelece que o sistema S_1 será de estado completamente controlável (observável) se, e somente se, o sistema S_2 for completamente observável (de estado controlável).

Para verificar esse princípio, vamos escrever as condições necessárias e suficientes da controlabilidade completa de estado e da observabilidade completa para sistemas S_1 e S_2.

Para o sistema S_1:

1. Uma condição necessária e suficiente para a controlabilidade completa de estado é que o posto da matriz $n \times nr$

$$[\mathbf{B}^* \mid \mathbf{AB} \mid ... \mid \mathbf{A}^{n-1}\mathbf{B}]$$

seja n.

2. Uma condição necessária e suficiente para a observabilidade completa é que o posto da matriz $n \times nm$

$$[\mathbf{C}^* \mid \mathbf{A}^*\mathbf{C}^* \mid ... \mid (\mathbf{A}^*)^{n-1}\mathbf{C}^*]$$

seja n.

Para o sistema S_2:

1. Uma condição necessária e suficiente para a observabilidade completa de estado é que o posto da matriz $n \times nm$

$$[\mathbf{C}^* \mid \mathbf{A}^*\mathbf{C}^* \mid ... \mid (\mathbf{A}^*)^{n-1}\mathbf{C}^*]$$

seja n.

2. Uma condição necessária e suficiente para a observabilidade completa é que o posto da matriz $n \times nr$

$$[\mathbf{B} \mid \mathbf{AB} \mid ... \mid \mathbf{A}^{n-1}\mathbf{B}]$$

seja n.

Comparando essas condições, a veracidade do princípio é aparente. Com o uso desse princípio, a observabilidade de um sistema dado pode ser verificada testando-se a controlabilidade de estado do seu dual.

Detectabilidade. Para um sistema parcialmente observável, se os modos não observáveis forem estáveis e os modos observáveis forem instáveis, o sistema será considerado detectável. Note que o conceito de detectabilidade é dual ao conceito de estabilizabilidade.

Exemplos de problemas com soluções

A.9.1 Considere a função de transferência definida pela Equação 9.2, reescrita como:

$$\frac{Y(s)}{U(s)} = \frac{b_0 s^n + b_1 s^{n-1} + \cdots + b_{n-1} s + b_n}{s^n + a_1 s^{n-1} + \cdots + a_{n-1} s + a_n} \quad (9.68)$$

Obtenha a seguinte forma canônica controlável da representação no espaço de estados desta função de transferência:

$$\begin{bmatrix} \dot{x}_1 \\ \dot{x}_2 \\ \vdots \\ \dot{x}_{n-1} \\ \dot{x}_n \end{bmatrix} = \begin{bmatrix} 0 & 1 & 0 & \cdots & 0 \\ 0 & 0 & 1 & \cdots & 0 \\ \vdots & \vdots & \vdots & & \vdots \\ 0 & 0 & 0 & \cdots & 1 \\ -a_n & -a_{n-1} & -a_{n-2} & \cdots & -a_1 \end{bmatrix} \begin{bmatrix} x_1 \\ x_2 \\ \vdots \\ x_{n-1} \\ x_n \end{bmatrix} + \begin{bmatrix} 0 \\ 0 \\ \vdots \\ 0 \\ 1 \end{bmatrix} u \quad (9.69)$$

$$y = [b_n - a_n b_0 \mid b_{n-1} - a_{n-1} b_0 \mid \cdots \mid b_1 - a_1 b_0] \begin{bmatrix} x_1 \\ x_2 \\ \vdots \\ x_n \end{bmatrix} + b_0 u \quad (9.70)$$

Solução. A Equação 9.68 pode ser escrita como:

$$\frac{Y(s)}{U(s)} = b_0 + \frac{(b_1 - a_1 b_0) s^{n-1} + \cdots + (b_{n-1} - a_{n-1} b_0) s + (b_n - a_n b_0)}{s^n + a_1 s^{n-1} + \cdots + a_{n-1} s + a_n}$$

que pode ser modificada para:

$$Y(s) = b_0 U(s) + \hat{Y}(s) \quad (9.71)$$

onde

$$\hat{Y}(s) = \frac{(b_1 - a_1 b_0) s^{n-1} + \cdots + (b_{n-1} - a_{n-1} b_0) s + (b_n - a_n b_0)}{s^n + a_1 s^{n-1} + \cdots + a_{n-1} s + a_n} U(s)$$

Vamos reescrever essa última equação da seguinte maneira:

$$\frac{\hat{Y}(s)}{(b_1 - a_1 b_0) s^{n-1} + \cdots + (b_{n-1} - a_{n-1} b_0) s + (b_n - a_n b_0)} = \frac{U(s)}{s^n + a_1 s^{n-1} + \cdots + a_{n-1} s + a_n} = Q(s)$$

A partir dessa última equação, as duas equações seguintes podem ser obtidas como:

$$s^n Q(s) = -a_1 s^{n-1} Q(s) - \ldots - a_{n-1} s Q(s) - a_n Q(s) + U(s) \quad (9.72)$$

$$\hat{Y}(s) = (b_1 - a_1 b_0) s^{n-1} Q(s) + \ldots + (b_{n-1} - a_{n-1} b_0) s Q(s) + (b_n - a_n b_0) Q(s) \quad (9.73)$$

Agora defina as variáveis de estado, como segue:

$$X_1(s) = Q(s)$$

$$X_2(s) = sQ(s)$$

$$\vdots$$

$$X_{n-1}(s) = s^{n-2}Q(s)$$

$$X_n(s) = s^{n-1}Q(s)$$

Então, evidentemente,

$$sX_1(s) = X_2(s)$$

$$sX_2(s) = X_3(s)$$

$$\vdots$$

$$s)$$

que pode ser reescrita como:

$$\dot{x}_1 = x_2$$

$$\dot{x}_2 = x_3$$

$$\vdots \qquad\qquad (9.74)$$

$$\dot{x}_{n-1} = x_n$$

Sabendo que $s^n Q(s) = sX_n(s)$, podemos reescrever a Equação 9.72 como:

$$sX_n(s) = -a_1 X_n(s) - \ldots - a_{n-1} X_2(s) - a_n X_1(s) + U(s)$$

ou

$$\dot{x}_n = -a_n x_1 - a_{n-1} x_2 - \ldots - a_1 x_n + u \qquad (9.75)$$

Além disso, a partir das equações 9.71 e 9.73, obtemos:

$$Y(s) = b_0 U(s) + (b_1 - a_1 b_0) s^{n-1} Q(s) + \ldots + (b_{n-1} - a_{n-1} b_0) sQ(s) + (b_n - a_n b_0) Q(s)$$

$$= b_0 U(s) + (b_1 - a_1 b_0) X_n(s) + \ldots + (b_{n-1} - a_{n-1} b_0) X_2(s) + (b_n - a_n b_0) X_1(s)$$

A transformada inversa de Laplace dessa equação de saída resulta em:

$$y = (b_n - a_n b_0) x_1 + (b_{n-1} - a_{n-1} b_0) x_2 + \ldots + (b_1 - a_1 b_0) x_n + b_0 u \qquad (9.76)$$

Combinando as equações 9.74 e 9.75 em uma equação diferencial vetorial-matricial, obtemos a Equação 9.69. A Equação 9.76 pode ser reescrita na forma da Equação 9.70. As equações 9.69 e 9.70 estão na forma canônica controlável. A Figura 9.1 mostra a representação por diagrama de blocos do sistema definido pelas equações 9.69 e 9.70.

FIGURA 9.1
Diagrama de blocos do sistema definido pelas equações 9.69 e 9.70 (forma canônica controlável).

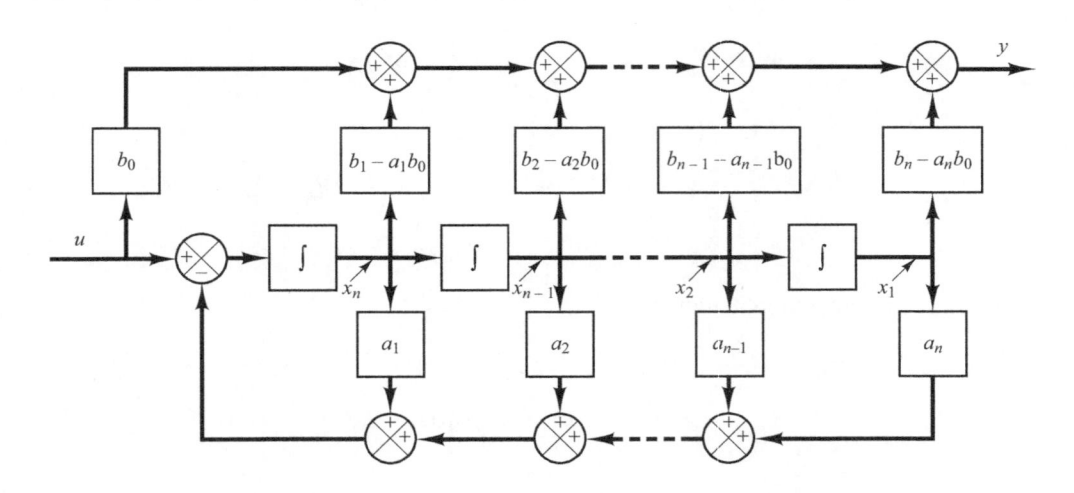

A.9.2 Considere a seguinte função de transferência:

$$\frac{Y(s)}{U(s)} = \frac{b_0 s^n + b_1 s^{n-1} + \cdots + b_{n-1} s + b_n}{s^n + a_1 s^{n-1} + \cdots + a_{n-1} s + a_n} \quad (9.77)$$

Obtenha a seguinte forma canônica observável da representação por espaço de estados para esta função de transferência:

$$\begin{bmatrix} \dot{x}_1 \\ \dot{x}_2 \\ \vdots \\ \dot{x}_n \end{bmatrix} = \begin{bmatrix} 0 & 0 & \cdots & 0 & -a_n \\ 1 & 0 & \cdots & 0 & -a_{n-1} \\ \vdots & \vdots & & \vdots & \vdots \\ 0 & 0 & \cdots & 1 & -a_1 \end{bmatrix} \begin{bmatrix} x_1 \\ x_2 \\ \vdots \\ x_n \end{bmatrix} + \begin{bmatrix} b_n - a_n b_0 \\ b_{n-1} - a_{n-1} b_0 \\ \vdots \\ b_1 - a_1 b_0 \end{bmatrix} u \quad (9.78)$$

$$y = \begin{bmatrix} 0 & 0 & \cdots & 0 & 1 \end{bmatrix} \begin{bmatrix} x_1 \\ x_2 \\ \vdots \\ x_{n-1} \\ x_n \end{bmatrix} + b_0 u \quad (9.79)$$

Solução. A Equação 9.77 pode ser alterada para a seguinte forma:

$$s^n[Y(s) - b_0 U(s)] + s^{n-1}[a_1 Y(s) - b_1 U(s)] + \ldots + s[a_{n-1} Y(s) - b_{n-1} U(s)] + a_n Y(s) - b_n U(s) = 0$$

Dividindo toda a equação por s^n e rearranjando, obtemos:

$$\begin{aligned} Y(s) = b_0 U(s) + \frac{1}{s}[b_1 U(s) - a_1 Y(s)] + \cdots \\ + \frac{1}{s^{n+1}}[b_{n-1} U(s) - a_{n-1} Y(s)] + \frac{1}{s^n}[b_n U(s) - a_n Y(s)] \end{aligned} \quad (9.80)$$

Agora defina as variáveis de estado, como segue:

$$X_n(s) = \frac{1}{s}[b_1 U(s) - a_1 Y(s) + X_{n-1}(s)]$$

$$X_{n-1}(s) = \frac{1}{s}[b_2 U(s) - a_2 Y(s) + X_{n-2}(s)]$$

$$\vdots \quad (9.81)$$

$$X_2(s) = \frac{1}{s}[b_{n-1} U(s) - a_{n-1} Y(s) + X_1(s)]$$

$$X_1(s) = \frac{1}{s}[b_n U(s) - a_n Y(s)]$$

A Equação 9.80 pode ser escrita como:

$$Y(s) = b_0 U(s) + X_n(s) \tag{9.82}$$

Substituindo a Equação 9.82 na Equação 9.81 e multiplicando ambos os lados das equações por s, obtemos:

$$sX_n(s) = X_{n-1}(s) - a_1 X_n(s) + (b_1 - a_1 b_0)U(s)$$

$$sX_{n-1}(s) = X_{n-2}(s) - a_2 X_n(s) + (b_2 - a_2 b_0)U(s)$$

$$\vdots$$

$$sX_2(s) = X_1(s) - a_{n-1} X_n(s) + (b_{n-1} - a_{n-1} b_0)U(s)$$

$$sX_1(s) = - a_n X_n(s) + (b_n - a_n b_0)U(s)$$

Considerando a transformada inversa de Laplace das n equações precedentes e escrevendo-as na ordem reversa, obtemos:

$$\dot{x}_1 = -a_n x_n + (b_n - a_n b_0)u$$

$$\dot{x}_2 = \dot{x}_1 - a_{n-1} x_n + (b_{n-1} - a_{n-1} b_0)u$$

$$\vdots$$

$$\dot{x}_{n-1} = x_{n-2} - a_2 x_n + (b_2 - a_2 b_0)u$$

$$\dot{x}_n = x_{n-1} - a_1 x_n + (b_1 - a_1 b_0)u$$

Por sua vez, a transformada inversa de Laplace da Equação 9.82 fornece:

$$y = x_n + b_0 u$$

Se as equações de estado e de saída forem reescritas na forma vetorial-matricial padrão, obtêm-se as equações 9.78 e 9.79. A Figura 9.2 mostra uma representação de blocos do sistema definido pelas equações 9.78 e 9.79.

FIGURA 9.2
Representação por diagrama de blocos do sistema definido pelas equações 9.78 e 9.79 (forma canônica observável).

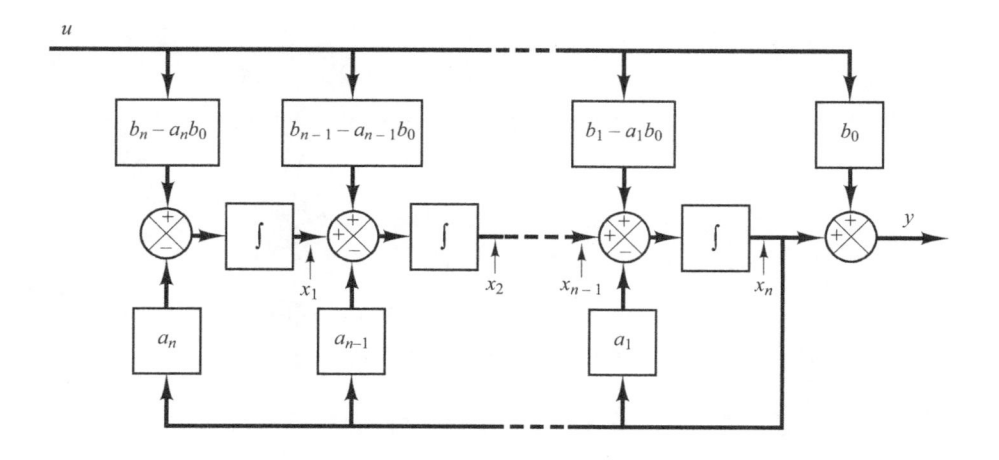

A.9.3 Considere a função de transferência definida por:

$$\frac{Y(s)}{U(s)} = \frac{b_0 s^n + b_1 s^{n-1} + \cdots + b_{n-1} s + b_n}{(s+p_1)(s+p_2)\cdots(s+p_n)}$$

$$= b_0 + \frac{c_1}{s+p_1} + \frac{c_2}{s+p_2} + \cdots + \frac{c_n}{s+p_n} \tag{9.83}$$

onde $p_i \neq p_j$. Obtenha a representação por espaço de estados desse sistema na seguinte forma canônica diagonal:

$$\begin{bmatrix} \dot{x}_1 \\ \dot{x}_2 \\ \vdots \\ \dot{x}_n \end{bmatrix} = \begin{bmatrix} -p_1 & & & 0 \\ & -p_2 & & \\ & & \ddots & \\ 0 & & & -p_n \end{bmatrix} \begin{bmatrix} x_1 \\ x_2 \\ \vdots \\ x_n \end{bmatrix} + \begin{bmatrix} 1 \\ 1 \\ \vdots \\ 1 \end{bmatrix} u \tag{9.84}$$

$$y = \begin{bmatrix} c_1 & c_2 & \cdots & c_n \end{bmatrix} \begin{bmatrix} x_1 \\ x_2 \\ \vdots \\ x_n \end{bmatrix} + b_0 u \tag{9.85}$$

Solução. A Equação 9.83 pode ser escrita como:

$$Y(s) = b_0 U(s) + \frac{c_1}{s+p_1} U(s) + \frac{c_2}{s+p_2} U(s) + \cdots + \frac{c_n}{s+p_n} U(s) \tag{9.86}$$

Defina as variáveis de estado como segue:

$$X_1(s) = \frac{1}{s+p_1} U(s)$$

$$X_2(s) = \frac{1}{s+p_2} U(s)$$

$$\vdots$$

$$X_n(s) = \frac{1}{s+p_n} U(s)$$

que podem ser reescritas como:

$$sX_1(s) = -p_1 X_1(s) + U(s)$$
$$sX_2(s) = -p_2 X_2(s) + U(s)$$
$$\vdots$$
$$sX_n(s) = -p_n X_n(s) + U(s)$$

A transformada inversa de Laplace dessas equações fornece:

$$\dot{x}_1 = -p_1 x_1 + u$$
$$\dot{x}_2 = -p_2 x_2 + u$$
$$\vdots \tag{9.87}$$
$$\dot{x}_n = -p_n x_n + u$$

Essas n equações compõem uma equação de estado.

Em termos das variáveis de estado $X_1(s), X_2(s), \ldots, X_n(s)$, a Equação 9.86 pode ser escrita como:
$$Y(s) = b_0 U(s) + c_1 X_1(s) + c_2 X_2(s) + \ldots + c_n X_n(s)$$

A transformada inversa de Laplace dessa última equação é:
$$y = c_1 x_1 + c_2 x_2 + \ldots + c_n x_n + b_0 u \tag{9.88}$$

que é a equação de saída.

A Equação 9.87 pode ser colocada na forma da equação vetorial-matricial dada pela Equação 9.84. A Equação 9.88 pode ser colocada na forma da Equação 9.85.

A Figura 9.3 mostra uma representação por diagrama de blocos do sistema definido pelas equações 9.84 e 9.85.

Observe que, se escolhemos as variáveis de estado como:
$$\hat{X}_1(s) = \frac{c_1}{s + p_1} U(s)$$
$$\hat{X}_2(s) = \frac{c_2}{s + p_2} U(s)$$
$$\vdots$$
$$\hat{X}_n(s) = \frac{c_n}{s + p_n} U(s)$$

então obtemos uma representação por espaço de estados ligeiramente diferente. Essa escolha das variáveis de estado fornece:
$$s\hat{X}_1(s) = -p_1 \hat{X}_1(s) + c_1 U(s)$$
$$s\hat{X}_2(s) = -p_2 \hat{X}_2(s) + c_2 U(s)$$
$$\vdots$$
$$s\hat{X}_n(s) = -p_n \hat{X}_n(s) + c_n U(s)$$

FIGURA 9.3
Representação por diagrama de blocos do sistema definido pelas equações 9.84 e 9.85 (forma canônica diagonal).

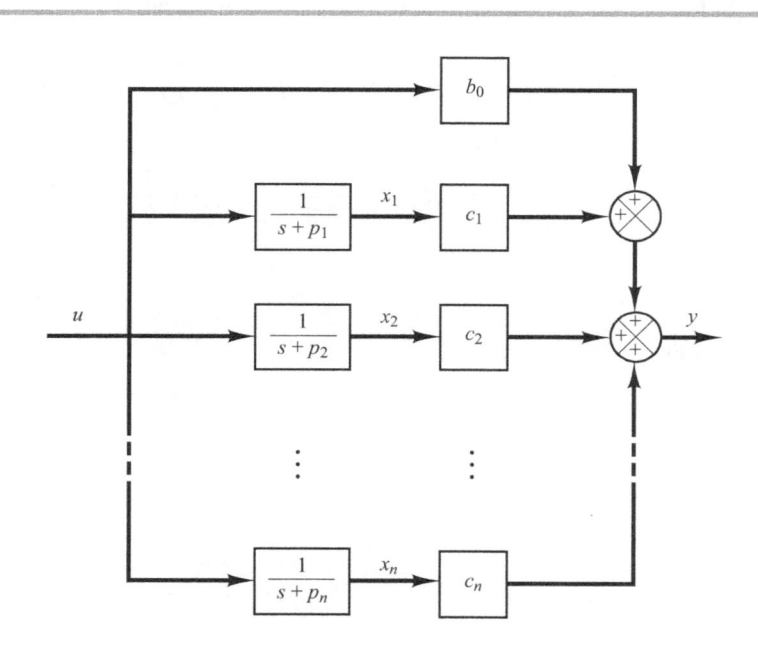

a partir da qual obtemos:

$$\dot{\hat{x}}_1 = -p_1\hat{x}_1 + c_1 u$$
$$\dot{\hat{x}}_2 = -p_2\hat{x}_2 + c_2 u$$
$$\vdots \quad (9.89)$$
$$\dot{\hat{x}}_n = -p_n\hat{x}_n + c_n u$$

Com referência à Equação 9.86, a equação de saída resulta em:

$$Y(s) = b_0 U(s) + \hat{X}_1(s) + \hat{X}_2 + \ldots + \hat{X}_n(s)$$

a partir da qual obtemos:

$$y = \hat{x}_1 + \hat{x}_2 + \ldots + \hat{x}_n + b_0 u \quad (9.90)$$

As equações 9.89 e 9.90 fornecem a seguinte representação por espaço de estados para o sistema:

$$\begin{bmatrix} \dot{\hat{x}}_1 \\ \dot{\hat{x}}_2 \\ \vdots \\ \dot{\hat{x}}_n \end{bmatrix} = \begin{bmatrix} -p_1 & & & 0 \\ & -p_2 & & \\ & & \ddots & \\ 0 & & & -p_n \end{bmatrix} \begin{bmatrix} \hat{x}_1 \\ \hat{x}_2 \\ \vdots \\ \hat{x}_n \end{bmatrix} + \begin{bmatrix} c_1 \\ c_2 \\ \vdots \\ c_n \end{bmatrix} u$$

$$y = \begin{bmatrix} 1 & 1 & \cdots & 1 \end{bmatrix} \begin{bmatrix} \hat{x}_1 \\ \hat{x}_2 \\ \vdots \\ \hat{x}_n \end{bmatrix} + b_0 u$$

A.9.4 Considere o sistema definido por:

$$\frac{Y(s)}{U(s)} = \frac{b_0 s^n + b_1 s^{n-1} + \cdots + b_{n-1} s + b_n}{(s+p_1)^3 (s+p_4)(s+p_5) \cdots (s+p_n)} \quad (9.91)$$

e que contém um polo triplo em $s = -p_1$. (Supomos que, exceto pelos três primeiros p_i que são iguais, os outros p_i sejam diferentes entre si.) Obtenha a forma canônica de Jordan da representação por espaço de estados desse sistema.

Solução. A expansão em frações parciais da Equação 9.91 resulta em:

$$\frac{Y(s)}{U(s)} = b_0 + \frac{c_1}{(s+p_1)^3} + \frac{c_2}{(s+p_1)^2} + \frac{c_3}{s+p_1} + \frac{c_4}{s+p_4} + \cdots + \frac{c_n}{s+p_n}$$

que pode ser escrita como:

$$Y(s) = b_0 U(s) + \frac{c_1}{(s+p_1)^3} U(s) + \frac{c_2}{(s+p_1)^2} U(s)$$

$$+ \frac{c_3}{s+p_1} U(s) + \frac{c_4}{s+p_4} U(s) + \cdots + \frac{c_n}{s+p_n} U(s) \quad (9.92)$$

Defina

$$X_1(s) = \frac{1}{(s+p_1)^3}U(s)$$

$$X_2(s) = \frac{1}{(s+p_1)^2}U(s)$$

$$X_3(s) = \frac{1}{s+p_1}U(s)$$

$$X_4(s) = \frac{1}{s+p_4}U(s)$$

$$\vdots$$

$$X_n(s) = \frac{1}{s+p_n}U(s)$$

Note que existe a seguinte relação entre $X_1(s)$, $X_2(s)$ e $X_3(s)$:

$$\frac{X_1(s)}{X_2(s)} = \frac{1}{s+p_1}$$

$$\frac{X_2(s)}{X_3(s)} = \frac{1}{s+p_1}$$

Então, a partir da definição anterior das variáveis de estado e das relações precedentes, obtemos:

$$sX_1(s) = -p_1 X_1(s) + X_2(s)$$

$$sX_2(s) = -p_1 X_2(s) + X_3(s)$$

$$sX_3(s) = -p_1 X_3(s) + U(s)$$

$$sX_4(s) = -p_4 X_4(s) + U(s)$$

$$\vdots$$

$$sX_n(s) = -p_n X_n(s) + U(s)$$

A transformada inversa de Laplace das n equações precedentes fornece:

$$\dot{x}_1 = -p_1 x_1 + x_2$$

$$\dot{x}_2 = -p_1 x_2 + x_3$$

$$\dot{x}_3 = -p_1 x_3 + u$$

$$\dot{x}_4 = -p_4 x_4 + u$$

$$\vdots$$

$$\dot{x}_n = -p_n x_n + u$$

A equação de saída, Equação 9.92, pode ser reescrita como:

$$Y(s) = b_0 U(s) + c_1 X_1(s) + c_2 X_2(s) + c_3 X_3(s) + c_4 X_4(s) + \ldots + c_n X_n(s)$$

A transformada inversa de Laplace dessa equação de saída é:

$$y = c_1 x_1 + c_2 x_2 + c_3 x_3 + c_4 x_4 + \ldots + c_n x_n + b_0 u$$

Desse modo, a representação por espaço de estados do sistema para o caso em que o polinômio do denominador envolve uma raiz tripla em $-p_1$ pode ser dado como segue:

$$\begin{bmatrix} \dot{x}_1 \\ \dot{x}_2 \\ \dot{x}_3 \\ \dot{x}_4 \\ \vdots \\ \dot{x}_n \end{bmatrix} = \begin{bmatrix} -p_1 & 1 & 0 & 0 & \cdots & 0 \\ 0 & -p_1 & 1 & \vdots & & \vdots \\ 0 & 0 & -p_1 & 0 & \cdots & 0 \\ 0 & \cdots & 0 & -p_4 & & \\ \vdots & & \vdots & & \ddots & \\ 0 & \cdots & 0 & 0 & & -p_n \end{bmatrix} \begin{bmatrix} x_1 \\ x_2 \\ x_3 \\ x_4 \\ \vdots \\ x_n \end{bmatrix} + \begin{bmatrix} 0 \\ 0 \\ 1 \\ 1 \\ \vdots \\ 1 \end{bmatrix} u \quad (9.93)$$

$$y = \begin{bmatrix} c_1 & c_2 & \cdots & c_n \end{bmatrix} \begin{bmatrix} x_1 \\ x_2 \\ \vdots \\ x_n \end{bmatrix} + b_0 u \quad (9.94)$$

A representação por espaço de estados no formato dado pelas equações 9.93 e 9.94 está na forma canônica de Jordan. A Figura 9.4 mostra uma representação por diagrama de blocos do sistema dado pelas equações 9.93 e 9.94.

FIGURA 9.4
Representação por diagrama de blocos do sistema definido pelas equações 9.93 e 9.94 (forma canônica de Jordan).

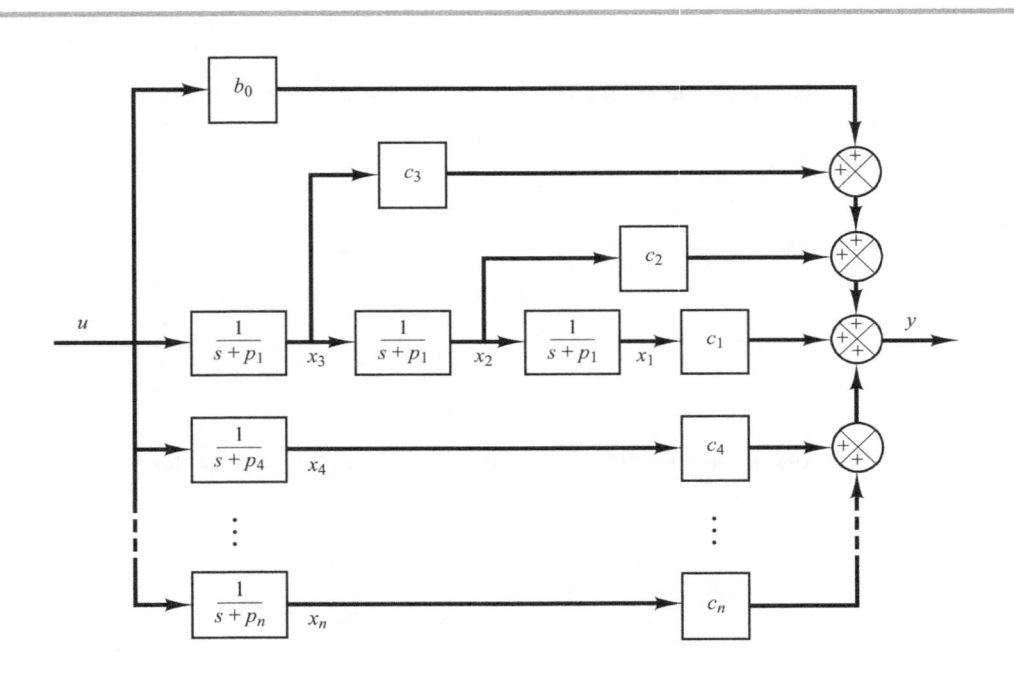

A.9.5 Considere a função de transferência:

$$\frac{Y(s)}{U(s)} = \frac{25{,}04s + 5{,}008}{s^3 + 5{,}03247s^2 + 25{,}1026s + 5{,}008}$$

Obtenha uma representação por espaço de estados desse sistema com o MATLAB.

Solução. O comando em MATLAB

```
[A,B,C,D] = tf2ss(num,den)
```

produzirá uma representação por espaço de estados do sistema. Veja o Programa 9.4 em MATLAB.

Capítulo 9 – Análise de sistemas de controle no espaço de estados 637

```
Programa 9.4 em MATLAB
num = [25.04 5.008];
den = [1 5.03247 25.1026 5.008];
[A,B,C,D] = tf2ss(num,den)

A =
    -5.0325  -25.1026   -5.0080
     1.0000         0         0
          0    1.0000         0

B =
     1
     0
     0

C =
          0   25.0400    5.0080

D =
     0
```

Esta é a representação em MATLAB das seguintes equações de estados:

$$\begin{bmatrix} \dot{x}_1 \\ \dot{x}_2 \\ \dot{x}_3 \end{bmatrix} = \begin{bmatrix} -5{,}0325 & -25{,}1026 & -5{,}008 \\ 1 & 0 & 0 \\ 0 & 1 & 0 \end{bmatrix} \begin{bmatrix} x_1 \\ x_2 \\ x_3 \end{bmatrix} + \begin{bmatrix} 1 \\ 0 \\ 0 \end{bmatrix} u$$

$$y = \begin{bmatrix} 0 & 25{,}04 & 5{,}008 \end{bmatrix} \begin{bmatrix} x_1 \\ x_2 \\ x_3 \end{bmatrix} + [0]u$$

A.9.6 Considere o sistema definido por:

$$\dot{\mathbf{x}} = \mathbf{A}\mathbf{x} + \mathbf{B}\mathbf{u}$$

onde $\mathbf{x}$ = vetor de estado (vetor n)

$\mathbf{u}$ = vetor de controle (vetor r)

$\mathbf{A}$ = matriz constante $n \times n$

$\mathbf{B}$ = matriz constante $n \times r$

Obtenha a resposta do sistema a cada uma das seguintes entradas:

(a) Os r componentes de $\mathbf{u}$ são funções impulso de vários valores.

(b) Os r componentes de $\mathbf{u}$ são funções degrau de vários valores.

(c) Os r componentes de $\mathbf{u}$ são funções rampa de vários valores.

Solução.

(a) *Resposta ao impulso:* com referência à Equação 9.43, a solução da equação de estado dada é:

$$\mathbf{x}(t) = e^{\mathbf{A}(t-t_0)}\mathbf{x}(t_0) + \int_{t_0}^{t} e^{\mathbf{A}(t-\tau)}\mathbf{B}\mathbf{u}(\tau)d\tau$$

Substituindo $t_0 = 0-$ dentro dessa solução, obtemos:

$$\mathbf{x}(t) = e^{\mathbf{A}t}\mathbf{x}(0-) + \int_{0-}^{t} e^{\mathbf{A}(t-\tau)}\mathbf{B}\mathbf{u}(\tau)d\tau$$

Vamos escrever a entrada impulso $\mathbf{u}(t)$ como:

$$\mathbf{u}(t) = \delta(t)\mathbf{w}$$

onde **w** é um vetor cujos componentes são os valores das *r* funções impulso aplicados em *t* = 0.
A solução da equação de estado quando a entrada ao impulso δ(*t*)**w** é fornecida em *t* = 0 é:

$$\mathbf{x}(t) = e^{\mathbf{A}t}\mathbf{x}(0-) + \int_{0-}^{t} e^{\mathbf{A}(t-\tau)} \mathbf{B}\delta(\tau)\mathbf{w}\,d\tau \qquad (9.95)$$

$$= e^{\mathbf{A}t}\mathbf{x}(0-) + e^{\mathbf{A}t}\mathbf{B}\mathbf{w}$$

(b) *Resposta ao degrau:* vamos escrever a entrada ao degrau **u**(*t*) como:

$$\mathbf{u}(t) = \mathbf{k}$$

onde **k** é um vetor cujos componentes são os valores das *r* funções degrau aplicados em *t* = 0.
A solução para a entrada ao degrau em *t* = 0 é dada por:

$$\mathbf{x}(t) = e^{\mathbf{A}t}\mathbf{x}(0) + \int_0^t e^{\mathbf{A}(t-\tau)} \mathbf{B}\mathbf{k}\,d\tau$$

$$= e^{\mathbf{A}t}\mathbf{x}(0) + e^{\mathbf{A}t}\left[\int_0^t \left(\mathbf{I} - \mathbf{A}\tau + \frac{\mathbf{A}^2\tau^2}{2!} - \cdots\right)d\tau\right]\mathbf{B}\mathbf{k}$$

$$= e^{\mathbf{A}t}\mathbf{x}(0) + e^{\mathbf{A}t}\left(\mathbf{I}t - \frac{\mathbf{A}t^2}{2!} + \frac{\mathbf{A}^2 t^3}{3!} - \cdots\right)\mathbf{B}\mathbf{k}$$

Se **A** é não singular, então essa última equação pode ser simplificada, resultando em:

$$\mathbf{x}(t) = e^{\mathbf{A}t}\mathbf{x}(0) + e^{\mathbf{A}t}[-(\mathbf{A}^{-1})(e^{-\mathbf{A}t} - \mathbf{I})]\,\mathbf{B}\mathbf{k}$$

$$= e^{\mathbf{A}t}\mathbf{x}(0) + \mathbf{A}^{-1}(e^{-\mathbf{A}t} - \mathbf{I})\,\mathbf{B}\mathbf{k} \qquad (9.96)$$

(c) *Resposta à rampa:* vamos escrever a entrada em rampa **u**(*t*) como:

$$\mathbf{u}(t) = t\mathbf{v}$$

onde **v** é um vetor cujos componentes são os valores das funções rampa aplicados em *t* = 0.
A solução para a entrada em rampa *t***v** fornecida em *t* = 0 é:

$$\mathbf{x}(t) = e^{\mathbf{A}t}\mathbf{x}(0) + \int_0^t e^{\mathbf{A}(t-\tau)} \mathbf{B}\tau\mathbf{v}\,d\tau$$

$$= e^{\mathbf{A}t}\mathbf{x}(0) + e^{\mathbf{A}t}\int_0^t e^{-\mathbf{A}\tau}\tau\,d\tau\,\mathbf{B}\mathbf{v}$$

$$= e^{\mathbf{A}t}\mathbf{x}(0) + e^{\mathbf{A}t}\left(\frac{\mathbf{I}}{2}t^2 - \frac{2\mathbf{A}}{3!}t^3 + \frac{3\mathbf{A}^2}{4!}t^4 - \frac{4\mathbf{A}^3}{5!}t^5 + \cdots\right)\mathbf{B}\mathbf{v}$$

Se **A** é não singular, então essa última equação pode ser simplificada, resultando em:

$$\mathbf{x}(t) = e^{\mathbf{A}t}\mathbf{x}(0) + \mathbf{A}^{-2}(e^{\mathbf{A}t} - \mathbf{I} - \mathbf{A}t)\,\mathbf{B}\mathbf{v}$$

$$= e^{\mathbf{A}t}\mathbf{x}(0) + [\mathbf{A}^{-2}(e^{\mathbf{A}t} - \mathbf{I}) - \mathbf{A}^{-1}t]\,\mathbf{B}\mathbf{v} \qquad (9.97)$$

A.9.7 Obtenha a resposta *y*(*t*) do seguinte sistema:

$$\begin{bmatrix}\dot{x}_1\\\dot{x}_1\end{bmatrix} = \begin{bmatrix}-1 & -0{,}5\\1 & 0\end{bmatrix}\begin{bmatrix}x_1\\x_2\end{bmatrix} + \begin{bmatrix}0{,}5\\0\end{bmatrix}u,\quad \begin{bmatrix}x_1(0)\\x_2(0)\end{bmatrix} = \begin{bmatrix}0\\0\end{bmatrix}$$

$$y = \begin{bmatrix}1 & 0\end{bmatrix}\begin{bmatrix}x_1\\x_2\end{bmatrix}$$

onde *u*(*t*) é uma entrada ao degrau unitário que ocorre em *t* = 0 ou

$$u(t) = 1(t)$$

Solução. Para esse sistema

$$\mathbf{A} = \begin{bmatrix}-1 & -0{,}5\\1 & 0\end{bmatrix},\quad \mathbf{B} = \begin{bmatrix}0{,}5\\0\end{bmatrix}$$

A matriz de transição de estado $\Phi(t) = e^{\mathbf{A}t}$ pode ser obtida como segue:

$$\Phi(t) = e^{\mathbf{A}t} = \mathscr{L}^{-1}[(s\mathbf{I}-\mathbf{A})^{-1}]$$

Como

$$(s\mathbf{I}-\mathbf{A})^{-1} = \begin{bmatrix} s+1 & 0,5 \\ -1 & s \end{bmatrix}^{-1} = \frac{1}{s^2+s+0,5}\begin{bmatrix} s & -0,5 \\ 1 & s+1 \end{bmatrix}$$

$$= \begin{bmatrix} \dfrac{s+0,5-0,5}{(s+0,5)^2+0,5^2} & \dfrac{-0,5}{(s+0,5)^2+0,5^2} \\ \dfrac{1}{(s+0,5)^2+0,5^2} & \dfrac{s+0,5+0,5}{(s+0,5)^2+0,5^2} \end{bmatrix}$$

temos:

$$\Phi(t) = e^{\mathbf{A}t} = \mathscr{L}^{-1}[(s\mathbf{I}-\mathbf{A})^{-1}]$$

$$= \begin{bmatrix} e^{-0,5t}(\cos 0,5t - \operatorname{sen} 0,5t) & e^{-0,5t}\operatorname{sen} 0,5t \\ 2e^{-0,5t}\operatorname{sen} 0,5t & e^{-0,5t}(\cos 0,5t + \operatorname{sen} 0,5t) \end{bmatrix}$$

Uma vez que $\mathbf{x}(0) = \mathbf{0}$ e $k = 1$, com referência à Equação 9.96, temos:

$$\mathbf{x}(t) = e^{\mathbf{A}t}\mathbf{x}(0) + \mathbf{A}^{-1}(e^{\mathbf{A}t}-\mathbf{I})\mathbf{B}k$$

$$= \mathbf{A}^{-1}(e^{\mathbf{A}t}-\mathbf{I})\mathbf{B}$$

$$= \begin{bmatrix} 0 & 1 \\ -2 & -2 \end{bmatrix}\begin{bmatrix} 0,5e^{-0,5t}(\cos 0,5t - \operatorname{sen} 0,5t) - 0,5 \\ e^{-0,5t}\operatorname{sen} 0,5t \end{bmatrix}$$

$$= \begin{bmatrix} e^{-0,5t}\operatorname{sen} 0,5t \\ -e^{-0,5t}(\cos 0,5t - \operatorname{sen} 0,5t) + 1 \end{bmatrix}$$

Logo, a saída $y(t)$ pode ser dada por:

$$y(t) = \begin{bmatrix} 1 & 0 \end{bmatrix}\begin{bmatrix} x_1 \\ x_2 \end{bmatrix} = x_1 = e^{-0,5t}\operatorname{sen} 0,5t$$

A.9.8 O teorema de Cayley-Hamilton estabelece que toda matriz $\mathbf{A}$ $n \times n$ satisfaz sua própria equação característica. No entanto, a equação característica não é, necessariamente, a equação escalar de mínimo grau que $\mathbf{A}$ satisfaz. O polinômio de grau mínimo que tem $\mathbf{A}$ como uma raiz é denominado *polinômio mínimo*. Ou seja, o polinômio mínimo de uma matriz $\mathbf{A}$ $n \times n$ é definido como o polinômio $\phi(\lambda)$ de grau mínimo,

$$\phi(\lambda) = \lambda^m + a_1\lambda^{m-1} + \ldots + a_{m-1}\lambda + a_m, \qquad m \leq n$$

tal que $\phi(\mathbf{A}) = \mathbf{0}$, ou

$$\phi(\mathbf{A}) = \mathbf{A}^m + a_1\mathbf{A}^{m-1} + \ldots + a_{m-1}\mathbf{A} + a_m\mathbf{I} = \mathbf{0}$$

O polinômio mínimo tem papel importante na solução de polinômios de uma matriz $n \times n$.

Vamos supor que $d(\lambda)$, um polinômio em λ, seja o máximo divisor comum de todos os elementos de adj$(\lambda\mathbf{I}-\mathbf{A})$. Mostre que, se o coeficiente do termo de mais alto grau em λ de $d(\lambda)$ for escolhido como 1, então o polinômio mínimo $\phi(\lambda)$ será dado por:

$$\phi(\lambda) = \left| \frac{\lambda\mathbf{I}-\mathbf{A}}{d(\lambda)} \right|$$

Solução. Por hipótese, o máximo divisor comum da matriz adj$(\lambda\mathbf{I}-\mathbf{A})$ é $d(\lambda)$. Consequentemente,

$$\operatorname{adj}(\lambda\mathbf{I}-\mathbf{A}) = d(\lambda)\,\mathbf{B}(\lambda)$$

onde o máximo divisor comum dos n^2 elementos (que são funções de λ) de $\mathbf{B}(\lambda)$ é unitário. Como

$$(\lambda\mathbf{I}-\mathbf{A})\operatorname{adj}(\lambda\mathbf{I}-\mathbf{A}) = |\lambda\mathbf{I}-\mathbf{A}|\,\mathbf{I}$$

obtemos:
$$d(\lambda)(\lambda I - A) B(\lambda) = |\lambda I - A| I \quad (9.98)$$
a partir da qual determinamos que $|\lambda I - A|$ é divisível por $d(\lambda)$. Vamos colocar
$$|\lambda I - A| = d(\lambda)\psi(\lambda) \quad (9.99)$$
Uma vez que o coeficiente do termo de mais alto grau em termos de λ do $d(\lambda)$ foi escolhido como 1, o coeficiente de mais alto grau em termos de λ do $\psi(\lambda)$ também é 1. A partir das equações 9.98 e 9.99, temos:
$$(\lambda I - A) B(\lambda) = \psi(\lambda) I$$
Logo,
$$\psi(A) = 0$$
Note que $\psi(\lambda)$ pode ser escrita como:
$$\psi(\lambda) = g(\lambda)\phi(\lambda) + \alpha(\lambda)$$
onde $\alpha(\lambda)$ é de um grau menor que $\phi(\lambda)$. Como $\psi(A) = 0$ e $\phi(A) = 0$, precisamos ter $\alpha(A) = 0$. Além disso, como $\phi(\lambda)$ é o polinômio mínimo, $\alpha(\lambda)$ precisa ser identicamente nulo ou
$$\psi(\lambda) = g(\lambda)\phi(\lambda)$$
Note que, como $\phi(A) = 0$, podemos escrever:
$$\phi(\lambda) I = (\lambda I - A) C(\lambda)$$
Logo,
$$\psi(\lambda) I = g(\lambda)\phi(\lambda) I = g(\lambda)(\lambda I - A) C(\lambda)$$
Observando que $(\lambda I - A) B(\lambda) = \psi(\lambda) I$, obtemos:
$$B(\lambda) = g(\lambda) C(\lambda)$$
Como o máximo divisor comum dos n^2 elementos de $B(\lambda)$ é unitário, temos
$$g(\lambda) = 1$$
Consequentemente,
$$\psi(\lambda) = \phi(\lambda)$$
Então, a partir dessa última equação e da Equação 9.99, obtemos:
$$\phi(\lambda) = \left|\frac{\lambda I - A}{d(\lambda)}\right|$$

A.9.9 Se uma matriz A $n \times n$ possui n autovalores distintos, então o polinômio mínimo de A é idêntico ao polinômio característico. Além disso, se os autovalores múltiplos de A estão ligados em uma cadeia de Jordan, o polinômio mínimo e o polinômio característico são idênticos. Entretanto, se os autovalores múltiplos de A não forem ligados em uma cadeia de Jordan, o polinômio mínimo é de grau menor que o do polinômio característico.

Usando as seguintes matrizes A e B como exemplos, comprove as declarações precedentes com relação ao polinômio mínimo quando autovalores múltiplos estiverem envolvidos:

$$A = \begin{bmatrix} 2 & 1 & 4 \\ 0 & 2 & 0 \\ 0 & 3 & 1 \end{bmatrix}, \quad B = \begin{bmatrix} 2 & 0 & 0 \\ 0 & 2 & 0 \\ 0 & 3 & 1 \end{bmatrix}$$

Solução. Primeiro, considere a matriz A. O polinômio característico é dado por:
$$|\lambda I - A| = \begin{bmatrix} \lambda - 2 & -1 & -4 \\ 0 & \lambda - 2 & 0 \\ 0 & -3 & \lambda - 1 \end{bmatrix} = (\lambda - 2)^2(\lambda - 1)$$

Logo, os autovalores de A são 2, 2 e 1. Pode-se mostrar que a forma canônica de Jordan de A é:

$$\begin{bmatrix} 2 & 1 & 0 \\ 0 & 2 & 0 \\ 0 & 0 & 1 \end{bmatrix}$$

e que os autovalores múltiplos são ligados em uma cadeia de Jordan, como é mostrado.

Para determinar o polinômio mínimo, vamos obter primeiro adj$(\lambda\mathbf{I} - \mathbf{A})$. Ela é dada por:

$$\text{adj}(\lambda\mathbf{I} - \mathbf{A}) = \begin{bmatrix} (\lambda - 2)(\lambda - 1) & (\lambda + 11) & 4(\lambda - 2) \\ 0 & (\lambda - 2)(\lambda - 1) & 0 \\ 0 & 3(\lambda - 2) & (\lambda - 2)^2 \end{bmatrix}$$

Observe que não existe divisor comum de todos os elementos de adj$(\lambda\mathbf{I} - \mathbf{A})$. Consequentemente, $d(\lambda) = 1$. Portanto, o polinômio mínimo $\phi(\lambda)$ é idêntico ao polinômio característico, ou

$$\phi(\lambda) = |\lambda\mathbf{I} - \mathbf{A}| = (\lambda - 2)^2(\lambda - 1) = \lambda^3 - 5\lambda^2 + 8\lambda - 4$$

Cálculos simples provam que:

$$\mathbf{A}^3 - 5\mathbf{A}^2 + 8\mathbf{A} - 4\mathbf{I}$$

$$= \begin{bmatrix} 8 & 72 & 28 \\ 0 & 8 & 0 \\ 0 & 21 & 1 \end{bmatrix} - 5\begin{bmatrix} 4 & 16 & 12 \\ 0 & 4 & 0 \\ 0 & 9 & 1 \end{bmatrix} + 8\begin{bmatrix} 2 & 1 & 4 \\ 0 & 2 & 0 \\ 0 & 3 & 1 \end{bmatrix} - 4\begin{bmatrix} 1 & 0 & 0 \\ 0 & 1 & 0 \\ 0 & 0 & 1 \end{bmatrix}$$

$$= \begin{bmatrix} 0 & 0 & 0 \\ 0 & 0 & 0 \\ 0 & 0 & 0 \end{bmatrix} = \mathbf{0}$$

mas

$$\mathbf{A}^2 - 3\mathbf{A} + 2\mathbf{I}$$

$$= \begin{bmatrix} 4 & 16 & 12 \\ 0 & 4 & 0 \\ 0 & 9 & 1 \end{bmatrix} - 3\begin{bmatrix} 2 & 1 & 4 \\ 0 & 2 & 0 \\ 0 & 3 & 1 \end{bmatrix} + 2\begin{bmatrix} 1 & 0 & 0 \\ 0 & 1 & 0 \\ 0 & 0 & 1 \end{bmatrix}$$

$$= \begin{bmatrix} 0 & 13 & 0 \\ 0 & 0 & 0 \\ 0 & 0 & 0 \end{bmatrix} \neq \mathbf{0}$$

Portanto, mostramos que o polinômio mínimo e o polinômio característico da matriz $\mathbf{A}$ são os mesmos.

Em seguida, considere a matriz $\mathbf{B}$. O polinômio característico é dado por:

$$|\lambda\mathbf{I} - \mathbf{B}| = \begin{vmatrix} \lambda - 2 & 0 & 0 \\ 0 & \lambda - 2 & 0 \\ 0 & -3 & \lambda - 1 \end{vmatrix} = (\lambda - 2)^2(\lambda - 1)$$

Cálculos simples revelam que a matriz $\mathbf{B}$ tem três autovetores e que a forma canônica de Jordan de $\mathbf{B}$ é dada por:

$$\begin{bmatrix} 2 & 0 & 0 \\ 0 & 2 & 0 \\ 0 & 0 & 1 \end{bmatrix}$$

Portanto, os autovalores múltiplos não são ligados. Para obter o polinômio mínimo, calculamos primeiro adj$(\lambda\mathbf{I} - \mathbf{B})$:

$$\text{adj}(\lambda\mathbf{I} - \mathbf{B}) = \begin{bmatrix} (\lambda - 2)(\lambda - 1) & 0 & 0 \\ 0 & (\lambda - 2)(\lambda - 1) & 0 \\ 0 & 3(\lambda - 2) & (\lambda - 2)^2 \end{bmatrix}$$

A partir do qual é evidente que:

$$d(\lambda) = \lambda - 2$$

Portanto,

$$\phi(\lambda) = \frac{|\lambda \mathbf{I} - \mathbf{B}|}{d(\lambda)} = \frac{(\lambda - 2)^2(\lambda - 1)}{\lambda - 2} = \lambda^2 - 3\lambda + 2$$

Como uma verificação, vamos calcular $\phi(\mathbf{B})$:

$$\phi(\mathbf{B}) = \mathbf{B}^2 - 3\mathbf{B} + 2\mathbf{I} = \begin{bmatrix} 4 & 0 & 0 \\ 0 & 4 & 0 \\ 0 & 9 & 1 \end{bmatrix} - 3\begin{bmatrix} 2 & 0 & 0 \\ 0 & 2 & 0 \\ 0 & 3 & 1 \end{bmatrix} + 2\begin{bmatrix} 1 & 0 & 0 \\ 0 & 1 & 0 \\ 0 & 0 & 1 \end{bmatrix} = \begin{bmatrix} 0 & 0 & 0 \\ 0 & 0 & 0 \\ 0 & 0 & 1 \end{bmatrix} = \mathbf{0}$$

Para a matriz **B** dada, o grau do polinômio mínimo é menor, em uma unidade, que o grau do polinômio característico. Como mostrado aqui, se os autovalores múltiplos de uma matriz $n \times n$ não estão ligados em uma cadeia de Jordan, o polinômio mínimo é de grau menor que o do polinômio característico.

A.9.10 Mostre que, com o uso do polinômio mínimo, a inversa de uma matriz **A** não singular pode ser expressa como um polinômio em **A** com coeficientes escalares, como segue:

$$\mathbf{A}^{-1} = -\frac{1}{a_m}(\mathbf{A}^{m-1} + a_1\mathbf{A}^{m-2} + \cdots + a_{m-2}\mathbf{A} + a_{m-1}\mathbf{I}) \qquad (9.100)$$

onde $a_1, a_2, \ldots, a_m$ são coeficientes do polinômio mínimo

$$\phi(\lambda) = \lambda^m + a_1\lambda^{m-1} + \ldots + a_{m-1}\lambda + a_m$$

Em seguida, obtenha a inversa da seguinte matriz **A**:

$$\mathbf{A} = \begin{bmatrix} 1 & 2 & 0 \\ 3 & -1 & -2 \\ 1 & 0 & -3 \end{bmatrix}$$

Solução. Para uma matriz **A**, não singular, seu polinômio mínimo $\phi(\mathbf{A})$ pode ser escrito como:

$$\phi(\mathbf{A}) = \mathbf{A}^m + a_1\mathbf{A}^{m-1} + \ldots + a_{m-1}\mathbf{A} + a_m\mathbf{I} = \mathbf{0}$$

onde $a_m \neq 0$. Portanto,

$$\mathbf{I} = -\frac{1}{a_m}(\mathbf{A}^m + a_1\mathbf{A}^{m-1} + \cdots + a_{m-2}\mathbf{A}^2 + a_{m-1}\mathbf{A})$$

Pré-multiplicando por $\mathbf{A}^{-1}$, obtemos:

$$\mathbf{A}^{-1} = -\frac{1}{a_m}(\mathbf{A}^{m-1} + a_1\mathbf{A}^{m-2} + \cdots + a_{m-2}\mathbf{A} + a_{m-1}\mathbf{I})$$

que é a Equação 9.100.

Para a matriz **A** fornecida, $\text{adj}(\lambda \mathbf{I} - \mathbf{A})$ pode ser dada por:

$$\text{adj}(\lambda \mathbf{I} - \mathbf{A}) = \begin{bmatrix} \lambda^2 + 4\lambda + 3 & 2\lambda + 6 & -4 \\ 3\lambda + 7 & \lambda^2 + 2\lambda - 3 & -2\lambda + 2 \\ \lambda + 1 & 2 & \lambda^2 - 7 \end{bmatrix}$$

Claramente, não há divisor comum $d(\lambda)$ para todos os elementos de $\text{adj}(\lambda \mathbf{I} - \mathbf{A})$. Portanto, $d(\lambda) = 1$. Consequentemente, o polinômio mínimo $\phi(\lambda)$ é dado por:

$$\phi(\lambda) = \frac{|\lambda \mathbf{I} - \mathbf{A}|}{d(\lambda)} = |\lambda \mathbf{I} - \mathbf{A}|$$

Assim, o polinômio mínimo $\phi(\lambda)$ é o mesmo que o polinômio característico.

Como o polinômio característico é:

$$|\lambda \mathbf{I} - \mathbf{A}| = \lambda^3 + 3\lambda^2 - 7\lambda - 17$$

obtemos:

$$\phi(\lambda) = \lambda^3 + 3\lambda^2 - 7\lambda - 17$$

Identificando os coeficientes a_i do polinômio mínimo (que, nesse caso, é o mesmo que o polinômio característico), temos:

$$a_1 = 3, \quad a_2 = -7, \quad a_3 = -17$$

A inversa de **A** pode ser obtida a partir da Equação 9.100, como segue:

$$\mathbf{A}^{-1} = -\frac{1}{a_3}(\mathbf{A}^2 + a_1\mathbf{A} + a_2\mathbf{I}) = \frac{1}{17}(\mathbf{A}^2 + 3\mathbf{A} - 7\mathbf{I})$$

$$= \frac{1}{17}\left\{\begin{bmatrix} 7 & 0 & -4 \\ -2 & 7 & 8 \\ -2 & 2 & 9 \end{bmatrix} + 3\begin{bmatrix} 1 & 2 & 0 \\ 3 & -1 & -2 \\ 1 & 0 & -3 \end{bmatrix} - 7\begin{bmatrix} 1 & 0 & 0 \\ 0 & 1 & 0 \\ 0 & 0 & 1 \end{bmatrix}\right\}$$

$$= \frac{1}{17}\begin{bmatrix} 3 & 6 & -4 \\ 7 & -3 & 2 \\ 1 & 2 & -7 \end{bmatrix}$$

$$= \begin{bmatrix} \frac{3}{17} & \frac{6}{17} & -\frac{4}{17} \\ \frac{7}{17} & -\frac{3}{17} & \frac{2}{17} \\ \frac{1}{17} & \frac{2}{17} & -\frac{7}{17} \end{bmatrix}$$

A.9.11 Mostre que se a matriz **A** pode ser diagonalizada, então

$$e^{\mathbf{A}t} = \mathbf{P}e^{\mathbf{D}t}\mathbf{P}^{-1}$$

onde **P** é uma matriz de transformação diagonalizante que transforma **A** em uma matriz diagonal. Ou $\mathbf{P}^{-1}\mathbf{A}\mathbf{P} = \mathbf{D}$, onde **D** é a matriz diagonal.

Mostre também que, se a matriz **A** pode ser transformada na forma canônica de Jordan, então

$$e^{\mathbf{A}t} = \mathbf{S}e^{\mathbf{J}t}\mathbf{S}^{-1}$$

onde **S** é a matriz de transformação, que transforma **A** para a forma canônica de Jordan **J**, ou $\mathbf{S}^{-1}\mathbf{A}\mathbf{S} = \mathbf{J}$.

Solução. Considere a equação de estado

$$\dot{\mathbf{x}} = \mathbf{A}\mathbf{x}$$

Se uma matriz quadrada pode ser diagonalizada, então existe uma matriz diagonalizante (matriz de transformação) que pode ser obtida por um método-padrão. Seja **P** a matriz diagonalizante de **A**. Vamos definir:

$$\mathbf{x} = \mathbf{P}\hat{\mathbf{x}}$$

Então,

$$\dot{\hat{\mathbf{x}}} = \mathbf{P}^{-1}\mathbf{A}\mathbf{P}\hat{\mathbf{x}} = \mathbf{D}\hat{\mathbf{x}}$$

onde **D** é uma matriz diagonal. A solução dessa última equação é:

$$\hat{\mathbf{x}}(t) = e^{\mathbf{D}t}\hat{\mathbf{x}}(0)$$

Portanto,

$$\mathbf{x}(t) = \mathbf{P}\hat{\mathbf{x}}(t) = \mathbf{P}e^{\mathbf{D}t}\mathbf{P}^{-1}\mathbf{x}(0)$$

Notando que $\mathbf{x}(t)$ também pode ser dada pela equação

$$\mathbf{x}(t) = e^{\mathbf{A}t}\mathbf{x}(0)$$

obtemos $e^{\mathbf{A}t} = \mathbf{P}e^{\mathbf{D}t}\mathbf{P}^{-1}$, ou

$$e^{\mathbf{A}t} = \mathbf{P}e^{\mathbf{D}t}\mathbf{P}^{-1} = \mathbf{P}\begin{bmatrix} e^{\lambda_1 t} & & & 0 \\ & e^{\lambda_2 t} & & \\ & & \ddots & \\ 0 & & & e^{\lambda_n t} \end{bmatrix}\mathbf{P}^{-1} \quad (9.101)$$

Em seguida, consideraremos o caso em que a matriz **A** pode ser transformada na forma canônica de Jordan. Considere novamente a equação de estado

$$\dot{\mathbf{x}} = \mathbf{A}\mathbf{x}$$

Primeiro, obtenha uma matriz de transformação **S** que vai transformar a matriz **A** na forma canônica de Jordan, de modo que

$$\mathbf{S}^{-1}\mathbf{A}\mathbf{S} = \mathbf{J}$$

onde **J** é a matriz na forma canônica de Jordan. Agora defina:

$$\mathbf{x} = \mathbf{S}\hat{\mathbf{x}}$$

Então,

$$\dot{\hat{\mathbf{x}}} = \mathbf{S}^{-1}\mathbf{A}\mathbf{S}\hat{\mathbf{x}} = \mathbf{J}\hat{\mathbf{x}}$$

A solução dessa última equação é:

$$\hat{\mathbf{x}}(t) = e^{\mathbf{J}t}\hat{\mathbf{x}}(0)$$

Portanto,

$$\mathbf{x}(t) = \mathbf{S}\hat{\mathbf{x}}(t) = \mathbf{S}e^{\mathbf{J}t}\mathbf{S}^{-1}\mathbf{x}(0)$$

Uma vez que a solução $\mathbf{x}(t)$ também pode ser dada pela equação

$$\mathbf{x}(t) = e^{\mathbf{A}t}\mathbf{x}(0)$$

obtemos:

$$e^{\mathbf{A}t} = \mathbf{S}e^{\mathbf{J}t}\mathbf{S}^{-1}$$

Note que $e^{\mathbf{J}t}$ é uma matriz triangular [o que significa que os elementos abaixo (ou acima, dependendo do caso) da linha diagonal principal são nulos] cujos elementos são $e^{\lambda t}$, $te^{\lambda t}$, $\frac{1}{2}t^2 e^{\lambda t}$ e assim por diante. Por exemplo, se a matriz **J** tiver a seguinte forma canônica de Jordan:

$$\mathbf{J} = \begin{bmatrix} \lambda_1 & 1 & 0 \\ 0 & \lambda_1 & 1 \\ 0 & 0 & \lambda_1 \end{bmatrix}$$

então,

$$e^{\mathbf{J}t} = \begin{bmatrix} e^{\lambda_1 t} & te^{\lambda_1 t} & \frac{1}{2}t^2 e^{\lambda_1 t} \\ 0 & e^{\lambda_1 t} & te^{\lambda_1 t} \\ 0 & 0 & e^{\lambda_1 t} \end{bmatrix}$$

De maneira semelhante, se

$$\mathbf{J} = \begin{bmatrix} \lambda_1 & 1 & 0 & & & & 0 \\ 0 & \lambda_1 & 1 & & & & \\ 0 & 0 & \lambda_1 & & & & \\ & & & \lambda_4 & 1 & & \\ & & & 0 & \lambda_4 & & \\ & & & & & \lambda_6 & \\ 0 & & & & & & \lambda_7 \end{bmatrix}$$

então,

$$e^{\mathbf{J}t} = \begin{bmatrix} e^{\lambda_1 t} & te^{\lambda_1 t} & \frac{1}{2}t^2 e^{\lambda_1 t} & & & & 0 \\ 0 & e^{\lambda_1 t} & te^{\lambda_1 t} & & & & \\ 0 & 0 & e^{\lambda_1 t} & & & & \\ & & & e^{\lambda_4 t} & te^{\lambda_4 t} & & \\ & & & 0 & e^{\lambda_4 t} & & \\ & & & & & e^{\lambda_6 t} & 0 \\ 0 & & & & & 0 & e^{\lambda_7 t} \end{bmatrix}$$

A.9.12 Considere o seguinte polinômio em λ de grau $m-1$, supondo que $\lambda_1, \lambda_2, \ldots, \lambda_m$ sejam distintos:

$$p_k(\lambda) = \frac{(\lambda - \lambda_1)\cdots(\lambda - \lambda_{k-1})(\lambda - \lambda_{k+1})\cdots(\lambda - \lambda_m)}{(\lambda_k - \lambda_1)\cdots(\lambda_k - \lambda_{k-1})(\lambda_k - \lambda_{k+1})\cdots(\lambda_k - \lambda_m)}$$

onde $k = 1, 2, \ldots, m$. Observe que:

$$p_k(\lambda_i) = \begin{cases} 1, & \text{se } i = k \\ 0, & \text{se } i \neq k \end{cases}$$

Então, o polinômio $f(\lambda)$ de grau $m-1$,

$$f(\lambda) = \sum_{k=1}^{m} f(\lambda_k) p_k(\lambda)$$

$$= \sum_{k=1}^{m} f(\lambda_k) \frac{(\lambda - \lambda_1)\cdots(\lambda - \lambda_{k-1})(\lambda - \lambda_{k+1})\cdots(\lambda - \lambda_m)}{(\lambda_k - \lambda_1)\cdots(\lambda_k - \lambda_{k-1})(\lambda_k - \lambda_{k+1})\cdots(\lambda_k - \lambda_m)}$$

considera os valores de $f(\lambda_k)$ nos pontos λ_k. Essa última equação é comumente denominada *fórmula de interpolação de Lagrange*. O polinômio $f(\lambda)$ de grau $m-1$ é determinado a partir dos m dados independentes $f(\lambda_1), f(\lambda_2), \ldots, f(\lambda_m)$. Ou seja, o polinômio $f(\lambda)$ passa pelos m pontos $f(\lambda_1), f(\lambda_2), \ldots, f(\lambda_m)$. Como $f(\lambda)$ é um polinômio de grau $m-1$, ele é unicamente determinado. Quaisquer outras representações do polinômio de grau $m-1$ podem ser reduzidas ao polinômio $f(\lambda)$ de Lagrange.

Ao supor que os autovalores de uma matriz $\mathbf{A}$ $n \times n$ sejam distintos, substitua $\mathbf{A}$ por λ no polinômio $p_k(\lambda)$. Obtemos, então,

$$p_k(\mathbf{A}) = \frac{(\mathbf{A} - \lambda_1 \mathbf{I})\cdots(\mathbf{A} - \lambda_{k-1} \mathbf{I})(\mathbf{A} - \lambda_{k+1} \mathbf{I})\cdots(\mathbf{A} - \lambda_m \mathbf{I})}{(\lambda_k - \lambda_1)\cdots(\lambda_k - \lambda_{k-1})(\lambda_k - \lambda_{k+1})\cdots(\lambda_k - \lambda_m)}$$

Observe que $p_k(\mathbf{A})$ é um polinômio em $\mathbf{A}$ de grau $m-1$. Veja também que:

$$p_k(\lambda_i \mathbf{I}) = \begin{cases} \mathbf{I}, & \text{se } i = k \\ \mathbf{0}, & \text{se } i \neq k \end{cases}$$

Agora defina

$$f(\mathbf{A}) = \sum_{k=1}^{m} f(\lambda_k) p_k(\mathbf{A})$$

$$= \sum_{k=1}^{m} f(\lambda_k) \frac{(\mathbf{A} - \lambda_1 \mathbf{I})\cdots(\mathbf{A} - \lambda_{k-1} \mathbf{I})(\mathbf{A} - \lambda_{k+1} \mathbf{I})\cdots(\mathbf{A} - \lambda_m \mathbf{I})}{(\lambda_k - \lambda_1)\cdots(\lambda_k - \lambda_{k-1})(\lambda_k - \lambda_{k+1})\cdots(\lambda_k - \lambda_m)} \quad (9.102)$$

A Equação 9.102 é conhecida como fórmula de interpolação de Sylvester. A Equação 9.102 é equivalente à seguinte equação:

$$\begin{vmatrix} 1 & 1 & \cdots & 1 & \mathbf{I} \\ \lambda_1 & \lambda_2 & \cdots & \lambda_m & \mathbf{A} \\ \lambda_1^2 & \lambda_2^2 & \cdots & \lambda_m^2 & \mathbf{A}^2 \\ \vdots & \vdots & & \vdots & \vdots \\ \lambda_1^{m-1} & \lambda_2^{m-1} & \cdots & \lambda_m^{m-1} & \mathbf{A}^{m-1} \\ f(\lambda_1) & f(\lambda_2) & \cdots & f(\lambda_m) & f(\mathbf{A}) \end{vmatrix} = \mathbf{0} \qquad (9.103)$$

As equações 9.102 e 9.103 são, frequentemente, utilizadas na determinação de funções $f(\mathbf{A})$ da matriz $\mathbf{A}$ — por exemplo, $(\lambda \mathbf{I} - \mathbf{A})^{-1}$, $e^{\mathbf{A}t}$ e assim por diante. Note que a Equação 9.103 também pode ser escrita como:

$$\begin{vmatrix} 1 & \lambda_1 & \lambda_1^2 & \cdots & \lambda_1^{m-1} & f(\lambda_1) \\ 1 & \lambda_2 & \lambda_2^2 & \cdots & \lambda_2^{m-1} & f(\lambda_2) \\ \vdots & \vdots & \vdots & & \vdots & \vdots \\ 1 & \lambda_m & \lambda_m^2 & \cdots & \lambda_m^{m-1} & f(\lambda_m) \\ \mathbf{I} & \mathbf{A} & \mathbf{A}^2 & \cdots & \mathbf{A}^{m-1} & f(\mathbf{A}) \end{vmatrix} = \mathbf{0} \qquad (9.104)$$

Mostre que as equações 9.102 e 9.103 são equivalentes. Para simplificar os argumentos, suponha que $m = 4$.

Solução. A Equação 9.103, onde $m = 4$, pode ser expandida como segue:

$$\Delta = \begin{vmatrix} 1 & 1 & 1 & 1 & \mathbf{I} \\ \lambda_1 & \lambda_2 & \lambda_3 & \lambda_4 & \mathbf{A} \\ \lambda_1^2 & \lambda_2^2 & \lambda_3^2 & \lambda_4^2 & \mathbf{A}^2 \\ \lambda_1^3 & \lambda_2^3 & \lambda_3^3 & \lambda_4^3 & \mathbf{A}^3 \\ f(\lambda_1) & f(\lambda_2) & f(\lambda_3) & f(\lambda_4) & f(\mathbf{A}) \end{vmatrix}$$

$$= f(\mathbf{A}) \begin{vmatrix} 1 & 1 & 1 & 1 \\ \lambda_1 & \lambda_2 & \lambda_3 & \lambda_4 \\ \lambda_1^2 & \lambda_2^2 & \lambda_3^2 & \lambda_4^2 \\ \lambda_1^3 & \lambda_2^3 & \lambda_3^3 & \lambda_4^3 \end{vmatrix} - f(\lambda_4) \begin{vmatrix} 1 & 1 & 1 & \mathbf{I} \\ \lambda_1 & \lambda_2 & \lambda_3 & \mathbf{A} \\ \lambda_1^2 & \lambda_2^2 & \lambda_3^2 & \mathbf{A}^2 \\ \lambda_1^3 & \lambda_2^3 & \lambda_3^3 & \mathbf{A}^3 \end{vmatrix}$$

$$+ f(\lambda_3) \begin{vmatrix} 1 & 1 & 1 & \mathbf{I} \\ \lambda_1 & \lambda_2 & \lambda_4 & \mathbf{A} \\ \lambda_1^2 & \lambda_2^2 & \lambda_4^2 & \mathbf{A}^2 \\ \lambda_1^3 & \lambda_2^3 & \lambda_4^3 & \mathbf{A}^3 \end{vmatrix} - f(\lambda_2) \begin{vmatrix} 1 & 1 & 1 & \mathbf{I} \\ \lambda_1 & \lambda_3 & \lambda_4 & \mathbf{A} \\ \lambda_1^2 & \lambda_3^2 & \lambda_4^2 & \mathbf{A}^2 \\ \lambda_1^3 & \lambda_3^3 & \lambda_4^3 & \mathbf{A}^3 \end{vmatrix}$$

$$+ f(\lambda_1) \begin{vmatrix} 1 & 1 & 1 & \mathbf{I} \\ \lambda_2 & \lambda_3 & \lambda_4 & \mathbf{A} \\ \lambda_2^2 & \lambda_3^2 & \lambda_4^2 & \mathbf{A}^2 \\ \lambda_2^3 & \lambda_3^3 & \lambda_4^3 & \mathbf{A}^3 \end{vmatrix}$$

Como

$$\begin{vmatrix} 1 & 1 & 1 & 1 \\ \lambda_1 & \lambda_2 & \lambda_3 & \lambda_4 \\ \lambda_1^2 & \lambda_2^2 & \lambda_3^2 & \lambda_4^2 \\ \lambda_1^3 & \lambda_2^3 & \lambda_3^3 & \lambda_4^3 \end{vmatrix} = (\lambda_4 - \lambda_3)(\lambda_4 - \lambda_2)(\lambda_4 - \lambda_1)(\lambda_3 - \lambda_2)(\lambda_3 - \lambda_1)(\lambda_2 - \lambda_1)$$

e

$$\begin{vmatrix} 1 & 1 & 1 & \mathbf{I} \\ \lambda_i & \lambda_j & \lambda_k & \mathbf{A} \\ \lambda_i^2 & \lambda_j^2 & \lambda_k^2 & \mathbf{A}^2 \\ \lambda_i^3 & \lambda_j^3 & \lambda_k^3 & \mathbf{A}^3 \end{vmatrix} = (\mathbf{A} - \lambda_k \mathbf{I})(\mathbf{A} - \lambda_j \mathbf{I})(\mathbf{A} - \lambda_i \mathbf{I})(\lambda_k - \lambda_j)(\lambda_k - \lambda_i)(\lambda_j - \lambda_i)$$

obtemos:

$$\Delta = f(\mathbf{A})[(\lambda_4 - \lambda_3)(\lambda_4 - \lambda_2)(\lambda_4 - \lambda_1)(\lambda_3 - \lambda_2)(\lambda_3 - \lambda_1)(\lambda_2 - \lambda_1)]$$
$$- f(\lambda_4)[(\mathbf{A} - \lambda_3\mathbf{I})(\mathbf{A} - \lambda_2\mathbf{I})(\mathbf{A} - \lambda_1\mathbf{I})(\lambda_3 - \lambda_2)(\lambda_3 - \lambda_1)(\lambda_2 - \lambda_1)]$$
$$+ f(\lambda_3)[(\mathbf{A} - \lambda_4\mathbf{I})(\mathbf{A} - \lambda_2\mathbf{I})(\mathbf{A} - \lambda_1\mathbf{I})(\lambda_4 - \lambda_2)(\lambda_4 - \lambda_1)(\lambda_2 - \lambda_1)]$$
$$- f(\lambda_2)[(\mathbf{A} - \lambda_4\mathbf{I})(\mathbf{A} - \lambda_3\mathbf{I})(\mathbf{A} - \lambda_1\mathbf{I})(\lambda_4 - \lambda_3)(\lambda_4 - \lambda_1)(\lambda_3 - \lambda_1)]$$
$$+ f(\lambda_1)[(\mathbf{A} - \lambda_4\mathbf{I})(\mathbf{A} - \lambda_3\mathbf{I})(\mathbf{A} - \lambda_2\mathbf{I})(\lambda_4 - \lambda_3)(\lambda_4 - \lambda_2)(\lambda_3 - \lambda_2)]$$
$$= \mathbf{0}$$

Resolvendo essa última equação para $f(\mathbf{A})$, obtemos:

$$f(\mathbf{A}) = f(\lambda_1)\frac{(\mathbf{A} - \lambda_2\mathbf{I})(\mathbf{A} - \lambda_3\mathbf{I})(\mathbf{A} - \lambda_4\mathbf{I})}{(\lambda_1 - \lambda_2)(\lambda_1 - \lambda_3)(\lambda_1 - \lambda_4)} + f(\lambda_2)\frac{(\mathbf{A} - \lambda_1\mathbf{I})(\mathbf{A} - \lambda_3\mathbf{I})(\mathbf{A} - \lambda_4\mathbf{I})}{(\lambda_2 - \lambda_1)(\lambda_2 - \lambda_3)(\lambda_2 - \lambda_4)}$$
$$+ f(\lambda_3)\frac{(\mathbf{A} - \lambda_1\mathbf{I})(\mathbf{A} - \lambda_2\mathbf{I})(\mathbf{A} - \lambda_4\mathbf{I})}{(\lambda_3 - \lambda_1)(\lambda_3 - \lambda_2)(\lambda_3 - \lambda_4)} + f(\lambda_4)\frac{(\mathbf{A} - \lambda_1\mathbf{I})(\mathbf{A} - \lambda_2\mathbf{I})(\mathbf{A} - \lambda_3\mathbf{I})}{(\lambda_4 - \lambda_1)(\lambda_4 - \lambda_2)(\lambda_4 - \lambda_3)}$$
$$= \sum_{k=1}^{m} f(\lambda_k)\frac{(\mathbf{A} - \lambda_1\mathbf{I})\cdots(\mathbf{A} - \lambda_{k-1}\mathbf{I})(\mathbf{A} - \lambda_{k+1}\mathbf{I})(\mathbf{A} - \lambda_m\mathbf{I})}{(\lambda_k - \lambda_1)\cdots(\lambda_k - \lambda_{k-1})(\lambda_k - \lambda_{k+1})\cdots(\lambda_k - \lambda_m)}$$

onde $m = 4$. Dessa maneira, mostramos a equivalência das equações 9.102 e 9.103. Apesar de supormos que $m = 4$, todo o argumento pode ser estendido para um m inteiro, positivo e arbitrário. (Para o caso em que a matriz $\mathbf{A}$ envolve múltiplos autovalores, consulte o Problema A.9.13.)

A.9.13 Considere a fórmula de interpolação de Sylvester na forma dada pela Equação 9.104:

$$\begin{vmatrix} 1 & \lambda_1 & \lambda_1^2 & \cdots & \lambda_1^{m-1} & f(\lambda_1) \\ 1 & \lambda_2 & \lambda_2^2 & \cdots & \lambda_2^{m-1} & f(\lambda_2) \\ \vdots & \vdots & \vdots & & \vdots & \vdots \\ 1 & \lambda_m & \lambda_m^2 & \cdots & \lambda_m^{m-1} & f(\lambda_m) \\ \mathbf{I} & \mathbf{A} & \mathbf{A}^2 & \cdots & \mathbf{A}^{m-1} & f(\mathbf{A}) \end{vmatrix} = \mathbf{0}$$

Essa fórmula de determinação de $f(\mathbf{A})$ se aplica ao caso em que o polinômio mínimo de $\mathbf{A}$ envolve somente raízes distintas.

Suponha que o polinômio mínimo de $\mathbf{A}$ envolva raízes múltiplas. Então, as linhas no determinante que correspondem às raízes múltiplas tornam-se idênticas. Portanto, uma modificação do determinante na Equação 9.104 se torna necessária.

Modifique a maneira da fórmula de interpolação de Sylvester dada pela Equação 9.104 para o caso em que o polinômio mínimo de $\mathbf{A}$ envolve raízes múltiplas. Para obter uma equação determinante modificada, suponha que existam três raízes iguais ($\lambda_1 = \lambda_2 = \lambda_3$) no polinômio mínimo de $\mathbf{A}$ e outras raízes ($\lambda_4, \lambda_5, \ldots \lambda_m$) que sejam distintas.

Solução. Uma vez que o polinômio mínimo de $\mathbf{A}$ envolve três raízes iguais, o polinômio mínimo $\phi(\lambda)$ pode ser escrito como:

$$\phi(\lambda) = \lambda^m + a_1\lambda^{m-1} + \ldots + a_{m-1}\lambda + a_m$$
$$= (\lambda - \lambda_1)^3(\lambda - \lambda_4)(\lambda - \lambda_5)\ldots(\lambda - \lambda_m)$$

Uma função arbitrária $f(\mathbf{A})$ de uma matriz $\mathbf{A}$ $n \times n$ pode ser escrita como:

$$f(\mathbf{A}) = g(\mathbf{A})\phi(\mathbf{A}) + \alpha(\mathbf{A})$$

onde o polinômio mínimo $\phi(\mathbf{A})$ é de grau m e $\alpha(\mathbf{A})$ é um polinômio em $\mathbf{A}$ de grau $m - 1$ ou menor. Consequentemente, temos:

$$f(\lambda) = g\lambda\phi(\lambda) + \alpha(\lambda)$$

onde $\alpha(\lambda)$ é um polinômio em λ de grau $m - 1$ ou menor, que pode, então, ser escrito como:

$$\alpha(\lambda) = \alpha_0 + \alpha_1\lambda + \alpha_2\lambda^2 + \ldots + \alpha_{m-1}\lambda^{m-1} \qquad (9.105)$$

No presente caso, temos:

$$f(\lambda) = g(\lambda)\phi(\lambda) + \alpha(\lambda)$$
$$= g(\lambda)[(\lambda - \lambda_1)^3(\lambda - \lambda_4)\ldots(\lambda - \lambda_m)] + \alpha(\lambda) \quad (9.106)$$

Substituindo $\lambda_1, \lambda_4, \ldots, \lambda_m$ por λ na Equação 9.106, obtemos as seguintes equações $m - 2$:

$$f(\lambda_1) = \alpha(\lambda_1)$$
$$f(\lambda_4) = \alpha(\lambda_4)$$
$$\vdots \quad (9.107)$$
$$f(\lambda_m) = \alpha(\lambda_m)$$

Diferenciando a Equação 9.106 em relação a λ, obtemos:

$$\frac{d}{d\lambda}f(\lambda) = (\lambda - \lambda_1)^2 h(\lambda) + \frac{d}{d\lambda}\alpha(\lambda) \quad (9.108)$$

onde

$$(\lambda - \lambda_1)^2 h(\lambda) = \frac{d}{d\lambda}[g(\lambda)(\lambda - \lambda_1)^3(\lambda - \lambda_4)\cdots(\lambda - \lambda_m)]$$

A substituição de λ_1 por λ na Equação 9.108 fornece:

$$\left.\frac{d}{d\lambda}f(\lambda)\right|_{\lambda=\lambda_1} = f'(\lambda_1) = \left.\frac{d}{d\lambda}\alpha(\lambda)\right|_{\lambda=\lambda_1}$$

Com relação à Equação 9.105, essa última equação resulta em:

$$f'(\lambda_1) = \alpha_1 + 2\alpha_2\lambda_1 + \ldots + (m-1)\alpha_{m-1}\lambda_1^{m-2} \quad (9.109)$$

Da mesma maneira, diferenciando a Equação 9.106 duas vezes em relação a λ e substituindo λ_1 por λ, obtemos:

$$\left.\frac{d^2}{d^2\lambda}f(\lambda)\right|_{\lambda=\lambda_1} = f''(\lambda_1) = \left.\frac{d^2}{d\lambda^2}\alpha(\lambda)\right|_{\lambda=\lambda_1}$$

Essa última equação pode ser escrita como:

$$f''(\lambda_1) = 2\alpha_2 + 6\alpha_3\lambda_1 + \ldots + (m-1)(m-2)\alpha_{m-1}\lambda_1^{m-3} \quad (9.110)$$

Reescrevendo as equações 9.110, 9.109 e 9.107, obtemos:

$$\alpha_2 + 3\alpha_3\lambda_1 + \cdots + \frac{(m-1)(m-2)}{2}\alpha_{m-1}\lambda_1^{m-3} = \frac{f''(\lambda_1)}{2}$$

$$\alpha_1 + 2\alpha_2\lambda_1 + \cdots + (m-1)\alpha_{m-1}\lambda_1^{m-2} = f'(\lambda_1)$$

$$\alpha_0 + \alpha_1\lambda_1 + \alpha_2\lambda_1^2 + \cdots + \alpha_{m-1}\lambda_1^{m-1} = f(\lambda_1) \quad (9.111)$$

$$\alpha_0 + \alpha_1\lambda_4 + \alpha_2\lambda_4^2 + \cdots + \alpha_{m-1}\lambda_4^{m-1} = f(\lambda_4)$$

$$\vdots$$

$$\alpha_0 + \alpha_1\lambda_m + \alpha_2\lambda_m^2 + \cdots + \alpha_{m-1}\lambda_m^{m-1} = f(\lambda_m)$$

Essas m equações simultâneas determinam os valores de α_k (onde $k = 0, 1, 2, p, m - 1$). Sabendo que $\phi(\mathbf{A}) = \mathbf{0}$ por ser um polinômio mínimo, chegamos a uma $f(\mathbf{A})$, como segue:

$$f(\mathbf{A}) = g(\mathbf{A})\phi(\mathbf{A}) + \alpha(\mathbf{A}) = \alpha(\mathbf{A})$$

Consequentemente, com relação à Equação 9.105, temos:

$$f(\mathbf{A}) = \alpha(\mathbf{A}) = \alpha_0\mathbf{I} + \alpha_1\mathbf{A} + \alpha_2\mathbf{A}^2 + \ldots + \alpha_{m-1}\mathbf{A}^{m-1} \quad (9.112)$$

onde os valores de α_k são dados em termos de $f(\lambda_1), f'(\lambda_1), f''(\lambda_1), f(\lambda_4), f(\lambda_5), \ldots, f(\lambda_m)$. Em termos da equação determinante, $f(\mathbf{A})$ pode ser obtida resolvendo-se a seguinte equação:

$$\begin{vmatrix} 0 & 0 & 1 & 3\lambda_1 & \cdots & \dfrac{(m-1)(m-2)}{2}\lambda_1^{m-3} & \dfrac{f''(\lambda_1)}{2} \\ 0 & 1 & 2\lambda_1 & 3\lambda_1^2 & \cdots & (m-1)\lambda_1^{m-2} & f'(\lambda_1) \\ 1 & \lambda_1 & \lambda_1^2 & \lambda_1^3 & \cdots & \lambda_1^{m-1} & f(\lambda_1) \\ 1 & \lambda_4 & \lambda_4^2 & \lambda_4^3 & \cdots & \lambda_4^{m-1} & f(\lambda_4) \\ \vdots & \vdots & \vdots & \vdots & & \vdots & \vdots \\ 1 & \lambda_m & \lambda_m^2 & \lambda_m^3 & \cdots & \lambda_m^{m-1} & f(\lambda_m) \\ \mathbf{I} & \mathbf{A} & \mathbf{A}^2 & \mathbf{A}^3 & \cdots & \mathbf{A}^{m-1} & f(\mathbf{A}) \end{vmatrix} = \mathbf{0} \qquad (9.113)$$

A Equação 9.113 mostra as modificações desejadas na forma do determinante. Essa equação fornece a forma da fórmula de interpolação de Sylvester quando o polinômio mínimo de $\mathbf{A}$ envolve três raízes iguais. (A modificação necessária na forma do determinante para outros casos é imediata.)

A.9.14 Usando a fórmula de interpolação de Sylvester, determine $e^{\mathbf{A}t}$, onde

$$\mathbf{A} = \begin{bmatrix} 2 & 1 & 4 \\ 0 & 2 & 0 \\ 0 & 3 & 1 \end{bmatrix}$$

Solução. Com relação ao Problema A.9.9, o polinômio característico e o polinômio mínimo são os mesmos para esta $\mathbf{A}$. O polinômio mínimo (polinômio característico) é dado por:

$$\phi(\lambda) = (\lambda - 2)^2(\lambda - 1)$$

Note que $\lambda_1 = \lambda_2 = 2$ e $\lambda_3 = 1$. Com relação à Equação 9.112 e sabendo-se que $f(\mathbf{A})$ neste problema é $e^{\mathbf{A}t}$, temos:

$$e^{\mathbf{A}t} = = \alpha_0(t)\mathbf{I} + \alpha_1(t)\mathbf{A} + \alpha_2(t)\mathbf{A}^2$$

onde $\alpha_0(t)$, $\alpha_1(t)$ e $\alpha_2(t)$ são determinados pelas equações:

$$\alpha_1(t) + 2\alpha_2(t)\lambda_1 = te^{\lambda_1 t}$$
$$\alpha_0(t) + \alpha_1(t)\lambda_1 + \alpha_2(t)\lambda_1^2 = e^{\lambda_1 t}$$
$$\alpha_0(t) + \alpha_1(t)\lambda_3 + \alpha_2(t)\lambda_3^2 = e^{\lambda_3 t}$$

Substituindo $\lambda_1 = 2$ e $\lambda_3 = 1$ nessas três equações, temos:

$$\alpha_1(t) + 4\alpha_2(t) = te^{2t}$$
$$\alpha_0(t) + 2\alpha_1(t) + 4\alpha_2(t) = e^{2t}$$
$$\alpha_0(t) + \alpha_1(t) + \alpha_2(t) = e^t$$

Resolvendo para $\alpha_0(t)$, $\alpha_1(t)$ e $\alpha_2(t)$, obtemos:

$$\alpha_0(t) = 4e^t - 3e^{2t} + 2te^{2t}$$
$$\alpha_1(t) = -4e^t + 4e^{2t} - 3te^{2t}$$
$$\alpha_2(t) = e^t - e^{2t} + te^{2t}$$

Portanto,

$$e^{\mathbf{A}t} = (4e^t - 3e^{2t} + 2te^{2t})\begin{bmatrix}1 & 0 & 0\\0 & 1 & 0\\0 & 0 & 1\end{bmatrix} + (-4e^t + 4e^{2t} - 3te^{2t})\begin{bmatrix}2 & 1 & 4\\0 & 2 & 0\\0 & 3 & 1\end{bmatrix}$$

$$+ (e^t - e^{2t} - te^{2t})\begin{bmatrix}4 & 16 & 12\\0 & 4 & 0\\0 & 9 & 1\end{bmatrix}$$

$$= \begin{bmatrix}e^{2t} & 12e^t - 12e^{2t} - 13te^{2t} & -4e^t + 4e^{2t}\\0 & e^{2t} & 0\\0 & -3e^t + 3e^{2t} & e^t\end{bmatrix}$$

A.9.15 Mostre que o sistema descrito por:

$$\dot{\mathbf{x}} = \mathbf{A}\mathbf{x} + \mathbf{B}\mathbf{u} \tag{9.114}$$

$$\mathbf{y} = \mathbf{C}\mathbf{x} \tag{9.115}$$

onde $\mathbf{x}$ = vetor de estado (vetor n)

$\mathbf{u}$ = vetor de controle (vetor r)

$\mathbf{y}$ = vetor de saída (vetor m) ($m \leq n$)

$\mathbf{A}$ = matriz $n \times n$

$\mathbf{B}$ = matriz $n \times r$

$\mathbf{C}$ = matriz $m \times n$

é de saída completamente controlável se, e somente se, a matriz composta $\mathbf{P}$ $m \times nr$, onde

$$\mathbf{P} = [\mathbf{CB} \mid \mathbf{CAB} \mid \mathbf{CA}^2\mathbf{B} \mid ... \mid \mathbf{CA}^{n-1}\mathbf{B}]$$

tiver posto m. (Observe que a controlabilidade completa de estado não é necessária nem suficiente para a controlabilidade completa de saída.)

Solução. Suponha que o sistema seja de saída controlável e a saída $\mathbf{y}(t)$, partindo de qualquer saída inicial $\mathbf{y}(0)$, possa ser transferida para a origem do espaço de saída em um intervalo de tempo finito $0 \leq t \leq T$. Ou seja,

$$\mathbf{y}(T) = \mathbf{C}\mathbf{x}(T) = \mathbf{0} \tag{9.116}$$

Como a solução da Equação 9.114 é:

$$\mathbf{x}(t) = e^{\mathbf{A}t}\left[\mathbf{x}(0) + \int_0^t e^{-\mathbf{A}\tau}\mathbf{B}\mathbf{u}(\tau)d\tau\right]$$

em $t = T$, temos:

$$\mathbf{x}(T) = e^{\mathbf{A}T}\left[\mathbf{x}(0) + \int_0^T e^{-\mathbf{A}\tau}\mathbf{B}\mathbf{u}(\tau)d\tau\right] \tag{9.117}$$

Substituindo a Equação 9.117 na Equação 9.118, obtemos:

$$\mathbf{y}(T) = \mathbf{C}\mathbf{x}(T)$$
$$= \mathbf{C}e^{\mathbf{A}T}\left[\mathbf{x}(0) + \int_0^T e^{-\mathbf{A}\tau}\mathbf{B}\mathbf{u}(\tau)d\tau\right] = \mathbf{0} \tag{9.118}$$

Por outro lado, $\mathbf{y}(0) = \mathbf{C}\mathbf{x}(0)$. Veja que a controlabilidade completa de saída significa que o vetor $\mathbf{C}\mathbf{x}(0)$ gera o espaço de saída de dimensão m. Como $e^{\mathbf{A}T}$ é não singular, se $\mathbf{C}\mathbf{x}(0)$ gera o espaço de saída de dimensão m, então $\mathbf{C}e^{\mathbf{A}T}\mathbf{x}(0)$ também o fará e vice-versa. A partir da Equação 9.120, obtemos:

$$\mathbf{C}e^{\mathbf{A}T}\mathbf{x}(0) = -\mathbf{C}e^{\mathbf{A}T}\int_0^T e^{-\mathbf{A}\tau}\mathbf{B}\mathbf{u}(\tau)d\tau$$

$$= -\mathbf{C}\int_0^T e^{\mathbf{A}\tau}\mathbf{B}\mathbf{u}(T-\tau)d\tau$$

Note que $\int_0^T e^{-A\tau} \mathbf{B} u(T-\tau)\,d\tau$ pode ser expressa como a soma de $\mathbf{A}^i \mathbf{B}_j$, ou seja,

$$\int_0^T e^{A\tau} \mathbf{B} u(T-\tau)\,d\tau = \sum_{i=0}^{p-1} \sum_{j=1}^{r} \gamma_{ij} \mathbf{A}^i \mathbf{B}_j$$

onde

$$\gamma_{ij} = \int_0^T \alpha_i(\tau) u_j(T-\tau)\,d\tau = \text{escalar}$$

e $\alpha_i(\tau)$ satisfaz

$$e^{A\tau} = \sum_{i=0}^{p-1} \alpha_i(\tau) \mathbf{A}^i \quad (p: \text{grau do polinômio mínimo de } \mathbf{A})$$

e $\mathbf{B}_j$ é j-ésima coluna de $\mathbf{B}$. Portanto, podemos escrever $\mathbf{C} e^{AT} \mathbf{x}(0)$ como:

$$\mathbf{C} e^{AT} \mathbf{x}(0) = -\sum_{i=0}^{p-1} \sum_{j=1}^{r} \gamma_{ij} \mathbf{C} \mathbf{A}^i \mathbf{B}_j$$

A partir dessa última equação, vemos que $\mathbf{C} e^{AT} \mathbf{x}(0)$ é uma combinação linear de $\mathbf{C}\mathbf{A}^i\mathbf{B}_j$ ($i = 0, 1, 2, \ldots, p-1; j = 1, 2, \ldots, r$). Note que, se o posto de $\mathbf{Q}$, onde

$$\mathbf{Q} = [\mathbf{CB} \;\vdots\; \mathbf{CAB} \;\vdots\; \mathbf{CA}^2\mathbf{B} \;\vdots\; \ldots \;\vdots\; \mathbf{CA}^{p-1}\mathbf{B}] \quad (p \leq n)$$

for m, então o posto de $\mathbf{P}$ também será m e vice-versa. [Isso é óbvio se $p = n$. Se $p < n$, então $\mathbf{CA}^h\mathbf{B}_j$ (onde $p \leq h \leq n-1$) são linearmente dependentes de $\mathbf{CB}_j, \mathbf{CAB}_j, \ldots, \mathbf{CA}^{p-1}\mathbf{B}_j$. Consequentemente, o posto de $\mathbf{P}$ é igual ao posto de $\mathbf{Q}$.] Se o posto de $\mathbf{P}$ for m, então $\mathbf{C}e^{AT}\mathbf{x}(0)$ gera o espaço de saída de dimensão m. Isso significa que o posto de $\mathbf{P}$ é m, então $\mathbf{Cx}(0)$ também gera o espaço de saída de dimensão m e o sistema é de saída completamente controlável.

Reciprocamente, suponha que o sistema seja de saída completamente controlável, mas que o posto de $\mathbf{P}$ seja k, onde $k < m$. Então, o conjunto de todas as saídas iniciais que podem ser transferidas para a origem é do espaço de dimensão k. Consequentemente, a dimensão desse conjunto é menor que m. Isso contradiz a hipótese de que o sistema é de saída completamente controlável. Isso completa a prova.

Note que se pode provar imediatamente que, no sistema das equações 9.114 e 9.115, a controlabilidade completa de estado para $0 \leq t \leq T$ implica a controlabilidade completa de saída para $0 \leq t \leq T$ se, e somente se, m linhas de $\mathbf{C}$ forem linearmente independentes.

A.9.16 Discuta a controlabilidade de estado do seguinte sistema:

$$\begin{bmatrix} \dot{x}_1 \\ \dot{x}_2 \end{bmatrix} = \begin{bmatrix} -3 & 1 \\ -2 & 1{,}5 \end{bmatrix} \begin{bmatrix} x_1 \\ x_2 \end{bmatrix} + \begin{bmatrix} 1 \\ 4 \end{bmatrix} u \tag{9.119}$$

Solução. Para esse sistema,

$$\mathbf{A} = \begin{bmatrix} -3 & 1 \\ -2 & 1{,}5 \end{bmatrix}, \quad \mathbf{B} = \begin{bmatrix} 1 \\ 4 \end{bmatrix}$$

Como

$$\mathbf{AB} = \begin{bmatrix} -3 & 1 \\ -2 & 1{,}5 \end{bmatrix} \begin{bmatrix} 1 \\ 4 \end{bmatrix} = \begin{bmatrix} 1 \\ 4 \end{bmatrix}$$

vemos que os vetores $\mathbf{B}$ e $\mathbf{AB}$ não são linearmente independentes e o posto da matriz $[\mathbf{B} \;\vdots\; \mathbf{AB}]$ é 1. Portanto, o sistema não é de estado completamente controlável. De fato, a eliminação de x_2 da Equação 9.119, ou as seguintes equações simultâneas,

$$\dot{x}_1 = -3x_1 + x_2 + u$$
$$\dot{x}_2 = -2x_1 + 1{,}5x_2 + 4u$$

levam a

$$\ddot{x}_1 + 1{,}5\dot{x}_1 - 2{,}5x_1 = \dot{u} + 2{,}5u$$

ou, na forma de uma função de transferência,

$$\frac{X_1(s)}{U(s)} = \frac{s + 2{,}5}{(s + 2{,}5)(s - 1)}$$

Note que o cancelamento do fator $(s + 2{,}5)$ ocorre no numerador e no denominador da função de transferência. Por causa desse cancelamento, esse sistema não é de estado completamente controlável. Este é um sistema instável. Lembre-se de que estabilidade e controlabilidade são coisas bem diferentes. Existem muitos sistemas que são instáveis, mas que são de estado completamente controlável.

A.9.17 Uma representação no espaço de estados de um sistema na forma canônica controlável é dada por:

$$\begin{bmatrix} \dot{x}_1 \\ \dot{x}_2 \end{bmatrix} = \begin{bmatrix} 0 & 1 \\ -0{,}4 & -1{,}3 \end{bmatrix} \begin{bmatrix} x_1 \\ x_2 \end{bmatrix} + \begin{bmatrix} 0 \\ 1 \end{bmatrix} u \qquad (9.120)$$

$$y = \begin{bmatrix} 0{,}8 & 1 \end{bmatrix} \begin{bmatrix} x_1 \\ x_2 \end{bmatrix} \qquad (9.121)$$

O mesmo sistema pode ser representado pela seguinte equação no espaço de estados, que está na forma canônica observável:

$$\begin{bmatrix} \dot{x}_1 \\ \dot{x}_2 \end{bmatrix} = \begin{bmatrix} 0 & -0{,}4 \\ 1 & -1{,}3 \end{bmatrix} \begin{bmatrix} x_1 \\ x_2 \end{bmatrix} + \begin{bmatrix} 0{,}8 \\ 1 \end{bmatrix} u \qquad (9.122)$$

$$y = \begin{bmatrix} 0 & 1 \end{bmatrix} \begin{bmatrix} x_1 \\ x_2 \end{bmatrix} \qquad (9.123)$$

Mostre que a representação no espaço de estados dada pelas equações 9.120 e 9.121 fornece um sistema que é de estado controlável, porém não é observável. Mostre, por outro lado, que a representação no espaço de estados definida pelas equações 9.122 e 9.123 fornece um sistema que não é de estado completamente controlável, porém é observável. Explique o que causa a aparente diferença na controlabilidade e observabilidade do mesmo sistema.

Solução. Considere o sistema definido pelas equações 9.120 e 9.121. O posto da matriz de controlabilidade

$$[\mathbf{B} \;\vdots\; \mathbf{AB}] = \begin{bmatrix} 0 & 1 \\ 1 & -1{,}3 \end{bmatrix}$$

é 2. Portanto, o sistema é de estado completamente controlável. O posto da matriz de observabilidade

$$[\mathbf{C}^* \;\vdots\; \mathbf{A}^*\mathbf{C}^*] = \begin{bmatrix} 0{,}8 & -0{,}4 \\ 1 & -0{,}5 \end{bmatrix}$$

é 1. Portanto, o sistema não é observável.

Em seguida, considere o sistema definido pelas equações 9.122 e 9.123. O posto da matriz de controlabilidade

$$[\mathbf{B} \;\vdots\; \mathbf{AB}] = \begin{bmatrix} 0{,}8 & -0{,}4 \\ 1 & -0{,}5 \end{bmatrix}$$

é 1. Portanto, o sistema não é de estado completamente controlável. O posto da matriz de observabilidade

$$[\mathbf{C}^* \;\vdots\; \mathbf{A}^*\mathbf{C}^*] = \begin{bmatrix} 0 & 1 \\ 1 & -1{,}3 \end{bmatrix}$$

é 2. Portanto, o sistema é observável.

A aparente diferença na controlabilidade e observabilidade do mesmo sistema é causada pelo fato de que o sistema original apresenta cancelamentos de polos e zeros na função de transferência. Com relação à Equação 2.29, para $D = 0$ temos:

$$G(s) = \mathbf{C}(s\mathbf{I} - \mathbf{A})^{-1}\mathbf{B}$$

Se utilizarmos as equações 9.120 e 9.121, então

$$G(s) = [0,8 \ \ 1]\begin{bmatrix} s & -1 \\ 0,4 & s+1,3 \end{bmatrix}^{-1}\begin{bmatrix} 0 \\ 1 \end{bmatrix}$$

$$= \frac{1}{s^2 + 1,3s + 0,4}[0,8 \ \ 1]\begin{bmatrix} s+1,3 & 1 \\ -0,4 & s \end{bmatrix}\begin{bmatrix} 0 \\ 1 \end{bmatrix}$$

$$= \frac{s + 0,8}{(s + 0,8)(s + 0,5)}$$

(Note que a mesma função de transferência pode ser obtida por meio das equações 9.122 e 9.123.) Claramente, ocorre um cancelamento nessa função de transferência.

Se um cancelamento de polos e zeros ocorre na função de transferência, então a controlabilidade e observabilidade variam dependendo de como as variáveis de estado são escolhidas. Lembre-se de que, para ser de estado completamente controlável e observável, a função de transferência não pode ter qualquer cancelamento de polos e zeros.

A.9.18 Prove que o sistema definido por:

$$\dot{\mathbf{x}} = \mathbf{A}\mathbf{x}$$

$$\mathbf{y} = \mathbf{C}\mathbf{x}$$

onde $\mathbf{x}$ = vetor de estado (vetor n)

$\mathbf{y}$ = vetor de saída (vetor m) ($m \leq n$)

$\mathbf{A}$ = matriz $n \times n$

$\mathbf{C}$ = matriz $m \times n$

é completamente observável se e somente se a matriz composta $\mathbf{P}$ $mn \times n$ onde

$$\mathbf{P} = \begin{bmatrix} \mathbf{C} \\ \mathbf{CA} \\ \vdots \\ \mathbf{CA}^{n-1} \end{bmatrix}$$

tiver posto n.

Solução. Obteremos, primeiro, a condição necessária. Suponha que

$$\text{posto } \mathbf{P} < n$$

Então, existe $\mathbf{x}(0)$, de modo que

$$\mathbf{P}\mathbf{x}(0) = \mathbf{0}$$

ou

$$\mathbf{P}\mathbf{x}(0) = \begin{bmatrix} \mathbf{C} \\ \mathbf{CA} \\ \vdots \\ \mathbf{CA}^{n-1} \end{bmatrix}\mathbf{x}(0) = \begin{bmatrix} \mathbf{C}\mathbf{x}(0) \\ \mathbf{CA}\mathbf{x}(0) \\ \vdots \\ \mathbf{CA}^{n-1}\mathbf{x}(0) \end{bmatrix} = \mathbf{0}$$

Consequentemente, obtemos, para certo $\mathbf{x}(0)$,

$$\mathbf{CA}^i\mathbf{x}(0) = \mathbf{0}, \qquad \text{para } i = 0, 1, 2, ..., n-1$$

Note que, a partir da Equação 9.48 ou 9.50, temos:

$$e^{\mathbf{A}t} = \alpha_0(t)\mathbf{I} + \alpha_1(t)\mathbf{A} + \alpha_2(t)\mathbf{A}^2 + ... + \alpha_{m-1}(t)\mathbf{A}^{m-1}$$

onde $m(m \leq n)$ é o grau do polinômio mínimo de **A**. Portanto, para certo **x**(0), temos:

$$\mathbf{C}e^{\mathbf{A}t}\mathbf{x}(0) = \mathbf{C}[\alpha_0(t)\mathbf{I} + \alpha_1(t)\mathbf{A} + \alpha_2(t)\mathbf{A}^2 + \ldots + \alpha_{m-1}(t)\mathbf{A}^{m-1}]\mathbf{x}(0) = \mathbf{0}$$

Consequentemente, para certo **x**(0),

$$\mathbf{y}(t) = \mathbf{C}\mathbf{x}(t) = \mathbf{C}e^{\mathbf{A}t}\mathbf{x}(0) = \mathbf{0}$$

implicando que, para certo **x**(0), **x**(0) não pode ser determinado a partir de **y**(t). Consequentemente, o posto da matriz **P** precisa ser igual a n.

Em seguida, obteremos a condição suficiente. Suponha que o posto de **P** = n. Como

$$\mathbf{y}(t) = \mathbf{C}e^{\mathbf{A}t}\mathbf{x}(0)$$

pré-multiplicando ambos os lados dessa última equação por $e^{\mathbf{A}^*t}\mathbf{C}^*$, obtemos:

$$e^{\mathbf{A}^*t}\mathbf{C}^*\mathbf{y}(t) = e^{\mathbf{A}^*t}\mathbf{C}^*\mathbf{C}e^{\mathbf{A}t}\mathbf{x}(0)$$

Se integrarmos essa última equação de 0 a t, obtemos:

$$\int_0^t e^{\mathbf{A}^*t}\mathbf{C}*\mathbf{y}(t)dt = \int_0^t e^{\mathbf{A}^*t}\mathbf{C}*\mathbf{C}e^{\mathbf{A}t}\mathbf{x}(0)dt \tag{9.124}$$

Note que o lado esquerdo dessa equação é uma quantidade conhecida. Defina

$$\mathbf{Q}(t) = \int_0^t e^{\mathbf{A}^*t}\mathbf{C}*\mathbf{y}(t)dt = \text{quantidade conhecida} \tag{9.125}$$

Então, a partir das equações 9.124 e 9.125, temos:

$$\mathbf{Q}(t) = \mathbf{W}(t)\mathbf{x}(t) \tag{9.126}$$

onde

$$\mathbf{W}(t) = \int_0^t e^{\mathbf{A}^*\tau}\mathbf{C}*\mathbf{C}e^{\mathbf{A}\tau}d\tau$$

Pode-se mostrar, como segue, que **W**(t) é uma matriz não singular: se $|\mathbf{W}(t)|$ fosse igual a 0, então

$$\mathbf{x}*\mathbf{W}(t_1)\mathbf{x} = \int_0^{t_1}\|\mathbf{C}e^{\mathbf{A}t}\mathbf{x}\|^2 dt = 0$$

significando que

$$\mathbf{C}e^{\mathbf{A}t}\mathbf{x} = \mathbf{0}, \qquad \text{para } 0 \leq t \leq t_1$$

o que implica que o posto **P** < n. Consequentemente, $|\mathbf{W}(t)| \neq 0$, ou **W**(t) é não singular. Então, a partir da Equação 9.126, obtemos:

$$\mathbf{x}(0) = [\mathbf{W}(t)]^{-1}\mathbf{Q}(t) \tag{9.127}$$

e **x**(0) pode ser determinado a partir da Equação 9.127.

Portanto, provamos que **x**(0) pode ser determinado a partir de **y**(t) se, e somente se, o posto de **P** = n. Note que **x**(0) e **y**(t) são relacionados por:

$$\mathbf{y}(t) = \mathbf{C}e^{\mathbf{A}t}\mathbf{x}(0) = \alpha_0(t)\mathbf{C}\mathbf{x}(0) + \alpha_1(t)\mathbf{C}\mathbf{A}\mathbf{x}(0) + \ldots + \alpha_{n-1}(t)\mathbf{C}\mathbf{A}^{n-1}\mathbf{x}(0)$$

Problemas

B.9.1 Considere a seguinte função de transferência:

$$\frac{Y(s)}{U(s)} = \frac{s+6}{s^2+5s+6}$$

Obtenha a representação no espaço de estados desse sistema na (a) forma canônica controlável e (b) forma canônica observável.

B.9.2 Considere o seguinte sistema:
$$\dddot{y} + 6\ddot{y} + 11\dot{y} + 6y = 6u$$
Obtenha a representação no espaço de estados do sistema na forma canônica diagonal.

B.9.3 Considere o sistema definido por:
$$\dot{\mathbf{x}} = \mathbf{A}\mathbf{x} + \mathbf{B}u$$
$$y = \mathbf{C}\mathbf{x}$$
onde
$$\mathbf{A} = \begin{bmatrix} 1 & 2 \\ -4 & -3 \end{bmatrix}, \quad \mathbf{B} = \begin{bmatrix} 1 \\ 2 \end{bmatrix}, \quad \mathbf{C} = \begin{bmatrix} 1 & 1 \end{bmatrix}$$
Transforme o sistema de equações para a forma canônica controlável.

B.9.4 Considere o sistema definido por:
$$\dot{\mathbf{x}} = \mathbf{A}\mathbf{x} + \mathbf{B}u$$
$$y = \mathbf{C}\mathbf{x}$$
onde
$$\mathbf{A} = \begin{bmatrix} -1 & 0 & 1 \\ 1 & -2 & 0 \\ 0 & 0 & -3 \end{bmatrix}, \quad \mathbf{B} = \begin{bmatrix} 0 \\ 0 \\ 1 \end{bmatrix}, \quad \mathbf{C} = \begin{bmatrix} 1 & 1 & 0 \end{bmatrix}$$
Obtenha a função de transferência $Y(s)/U(s)$.

B.9.5 Considere a seguinte matriz $\mathbf{A}$:
$$\mathbf{A} = \begin{bmatrix} 0 & 1 & 0 & 0 \\ 0 & 0 & 1 & 0 \\ 0 & 0 & 0 & 1 \\ 1 & 0 & 0 & 0 \end{bmatrix}$$
Obtenha os autovalores $\lambda_1, \lambda_2, \lambda_3$ e λ_4 da matriz $\mathbf{A}$. Em seguida, obtenha a matriz de transformação $\mathbf{P}$ de modo que
$$\mathbf{P}^{-1}\mathbf{A}\mathbf{P} = \text{diagonal}(\lambda_1, \lambda_2, \lambda_3, \lambda_4)$$

B.9.6 Considere a seguinte matriz $\mathbf{A}$:
$$\mathbf{A} = \begin{bmatrix} 0 & 1 \\ -2 & -3 \end{bmatrix}$$
Determine $e^{\mathbf{A}t}$ por três métodos.

B.9.7 Dado o sistema de equações:
$$\begin{bmatrix} \dot{x}_1 \\ \dot{x}_2 \\ \dot{x}_3 \end{bmatrix} = \begin{bmatrix} 2 & 1 & 0 \\ 0 & 2 & 1 \\ 0 & 0 & 2 \end{bmatrix} \begin{bmatrix} x_1 \\ x_2 \\ x_3 \end{bmatrix}$$
determine a solução em termos das condições iniciais $x_1(0)$, $x_2(0)$ e $x_3(0)$.

B.9.8 Determine $x_1(t)$ e $x_2(t)$ do sistema descrito por:
$$\begin{bmatrix} \dot{x}_1 \\ \dot{x}_2 \end{bmatrix} = \begin{bmatrix} 0 & 1 \\ -3 & -2 \end{bmatrix} \begin{bmatrix} x_1 \\ x_2 \end{bmatrix}$$

onde as condições iniciais são:

$$\begin{bmatrix} x_1(0) \\ x_2(0) \end{bmatrix} = \begin{bmatrix} 1 \\ -1 \end{bmatrix}$$

B.9.9 Considere a seguinte equação de estado e de saída:

$$\begin{bmatrix} \dot{x}_1 \\ \dot{x}_2 \\ \dot{x}_3 \end{bmatrix} = \begin{bmatrix} -6 & 1 & 0 \\ -11 & 0 & 1 \\ -6 & 0 & 0 \end{bmatrix} \begin{bmatrix} x_1 \\ x_2 \\ x_3 \end{bmatrix} + \begin{bmatrix} 2 \\ 6 \\ 2 \end{bmatrix} u$$

$$y = \begin{bmatrix} 1 & 0 & 0 \end{bmatrix} \begin{bmatrix} x_1 \\ x_2 \\ x_3 \end{bmatrix}$$

Mostre que a equação de estado pode ser transformada na seguinte forma pelo uso de uma matriz de transformação apropriada:

$$\begin{bmatrix} \dot{z}_1 \\ \dot{z}_2 \\ \dot{z}_3 \end{bmatrix} = \begin{bmatrix} 0 & 0 & -6 \\ 1 & 0 & -11 \\ 0 & 1 & -6 \end{bmatrix} \begin{bmatrix} z_1 \\ z_2 \\ z_3 \end{bmatrix} + \begin{bmatrix} 1 \\ 0 \\ 0 \end{bmatrix} u$$

Então, obtenha a saída y em termos de z_1, z_2 e z_3.

B.9.10 Obtenha a representação no espaço de estados com o MATLAB do seguinte sistema:

$$\frac{Y(s)}{U(s)} = \frac{10{,}4s^2 + 47s + 160}{s^3 + 14s^2 + 56s + 160}$$

B.9.11 Obtenha, com o MATLAB, uma representação por função de transferência do seguinte sistema:

$$\begin{bmatrix} \dot{x}_1 \\ \dot{x}_2 \\ \dot{x}_3 \end{bmatrix} = \begin{bmatrix} 0 & 1 & 0 \\ -1 & -1 & 0 \\ 1 & 0 & 0 \end{bmatrix} \begin{bmatrix} x_1 \\ x_2 \\ x_3 \end{bmatrix} + \begin{bmatrix} 0 \\ 1 \\ 0 \end{bmatrix} u$$

$$y = \begin{bmatrix} 0 & 0 & 1 \end{bmatrix} \begin{bmatrix} x_1 \\ x_2 \\ x_3 \end{bmatrix}$$

B.9.12 Obtenha, com o MATLAB, uma representação por função de transferência do seguinte sistema:

$$\begin{bmatrix} \dot{x}_1 \\ \dot{x}_2 \\ \dot{x}_3 \end{bmatrix} = \begin{bmatrix} 2 & 1 & 0 \\ 0 & 2 & 0 \\ 0 & 1 & 3 \end{bmatrix} \begin{bmatrix} x_1 \\ x_2 \\ x_3 \end{bmatrix} + \begin{bmatrix} 0 & 1 \\ 1 & 0 \\ 0 & 1 \end{bmatrix} \begin{bmatrix} u_1 \\ u_2 \end{bmatrix}$$

$$y = \begin{bmatrix} 1 & 0 & 0 \end{bmatrix} \begin{bmatrix} x_1 \\ x_2 \\ x_3 \end{bmatrix}$$

B.9.13 Considere o sistema definido por:

$$\begin{bmatrix} \dot{x}_1 \\ \dot{x}_2 \\ \dot{x}_3 \end{bmatrix} = \begin{bmatrix} -1 & -2 & -2 \\ 0 & -1 & 1 \\ 1 & 0 & -1 \end{bmatrix} \begin{bmatrix} x_1 \\ x_2 \\ x_3 \end{bmatrix} + \begin{bmatrix} 2 \\ 0 \\ 1 \end{bmatrix} u$$

$$y = \begin{bmatrix} 1 & 1 & 0 \end{bmatrix} \begin{bmatrix} x_1 \\ x_2 \\ x_3 \end{bmatrix}$$

O sistema é de estado completamente controlável e completamente observável?

B.9.14 Considere o sistema dado por:

$$\begin{bmatrix} \dot{x}_1 \\ \dot{x}_2 \\ \dot{x}_3 \end{bmatrix} = \begin{bmatrix} 2 & 0 & 0 \\ 0 & 2 & 0 \\ 0 & 3 & 1 \end{bmatrix} \begin{bmatrix} x_1 \\ x_2 \\ x_3 \end{bmatrix} + \begin{bmatrix} 0 & 1 \\ 1 & 0 \\ 0 & 1 \end{bmatrix} \begin{bmatrix} u_1 \\ u_2 \end{bmatrix}$$

$$\begin{bmatrix} y_1 \\ y_2 \end{bmatrix} = \begin{bmatrix} 1 & 0 & 0 \\ 0 & 1 & 0 \end{bmatrix} \begin{bmatrix} x_1 \\ x_2 \\ x_3 \end{bmatrix}$$

O sistema é de estado completamente controlável e completamente observável? O sistema é de saída completamente controlável?

B.9.15 O seguinte sistema é de estado completamente controlável e completamente observável?

$$\begin{bmatrix} \dot{x}_1 \\ \dot{x}_2 \\ \dot{x}_3 \end{bmatrix} = \begin{bmatrix} 0 & 1 & 0 \\ 0 & 0 & 1 \\ -6 & -11 & -6 \end{bmatrix} \begin{bmatrix} x_1 \\ x_2 \\ x_3 \end{bmatrix} + \begin{bmatrix} 0 \\ 0 \\ 1 \end{bmatrix} u$$

$$y = \begin{bmatrix} 20 & 9 & 1 \end{bmatrix} \begin{bmatrix} x_1 \\ x_2 \\ x_3 \end{bmatrix}$$

B.9.16 Considere o sistema definido por:

$$\begin{bmatrix} \dot{x}_1 \\ \dot{x}_2 \\ \dot{x}_3 \end{bmatrix} = \begin{bmatrix} 0 & 1 & 0 \\ 0 & 0 & 1 \\ -6 & -11 & -6 \end{bmatrix} \begin{bmatrix} x_1 \\ x_2 \\ x_3 \end{bmatrix} + \begin{bmatrix} 0 \\ 0 \\ 1 \end{bmatrix} u$$

$$y = \begin{bmatrix} c_1 & c_2 & c_3 \end{bmatrix} \begin{bmatrix} x_1 \\ x_2 \\ x_3 \end{bmatrix}$$

Exceto por uma escolha óbvia de $c_1 = c_2 = c_3 = 0$, determine um exemplo de um conjunto de c_1, c_2, c_3 que tornará o sistema não observável.

B.9.17 Considere o sistema:

$$\begin{bmatrix} \dot{x}_1 \\ \dot{x}_2 \\ \dot{x}_3 \end{bmatrix} = \begin{bmatrix} 2 & 0 & 0 \\ 0 & 2 & 0 \\ 0 & 3 & 1 \end{bmatrix} \begin{bmatrix} x_1 \\ x_2 \\ x_3 \end{bmatrix}$$

A saída é dada por:

$$y = \begin{bmatrix} 1 & 1 & 1 \end{bmatrix} \begin{bmatrix} x_1 \\ x_2 \\ x_3 \end{bmatrix}$$

(a) Mostre que o sistema não é completamente observável.

(b) Mostre que o sistema será completamente observável, se a saída for dada por:

$$\begin{bmatrix} y_1 \\ y_2 \end{bmatrix} = \begin{bmatrix} 1 & 1 & 1 \\ 1 & 2 & 3 \end{bmatrix} \begin{bmatrix} x_1 \\ x_2 \\ x_3 \end{bmatrix}$$

CAPÍTULO 10
Projeto de sistemas de controle no espaço de estados

10.1 | Introdução

Este capítulo discute métodos de projeto no espaço de estados baseados nos métodos da alocação de polos, observadores, o regulador quadrático ótimo e os aspectos introdutórios dos sistemas de controle robusto. O método da alocação de polos é, de certa maneira, similar ao método do lugar das raízes, no qual alocamos os polos de malha fechada nas posições desejadas. A diferença básica é que, no projeto pelo lugar das raízes, alocamos somente os polos dominantes de malha fechada nas posições desejadas, enquanto no projeto por alocação de polos alocamos todos os polos de malha fechada nas posições desejadas.

Começamos apresentando os materiais básicos sobre a alocação de polos em sistemas reguladores. Discutimos então o projeto de observadores de estado, seguido pelo projeto de sistemas reguladores e sistemas de controle utilizando a abordagem da alocação de polos com observadores de estado. Em seguida, apresentamos os sistemas reguladores quadráticos ótimos e, por fim, uma introdução aos sistemas de controle robusto.

Visão geral do capítulo. A Seção 10.1 apresenta material introdutório e a Seção 10.2 discute a abordagem da alocação de polos no projeto de sistemas de controle. Começamos com a obtenção das condições necessárias e suficientes para uma alocação arbitrária de polos. Então, calculamos equações da matriz de ganho **K** de realimentação de estado da alocação de polos. A Seção 10.3 traz a solução do problema de alocação de polos com o MATLAB. A Seção 10.4 discute o projeto de servossistemas usando a abordagem por alocação de polos. A Seção 10.5 mostra os observadores de estado e discute os observadores de ordem plena e os de ordem mínima. Obtêm-se também as funções de transferência dos controladores por meio de observadores. A Seção 10.6 apresenta o projeto de sistemas reguladores com observadores. A Seção 10.7 trata do projeto de sistemas de controle com observadores. A Seção 10.8 discute os sistemas reguladores quadráticos ótimos. Note que a matriz de ganho **K** de realimentação de estado pode ser obtida tanto pelo método da alocação de polos como pelo método do controle quadrático ótimo. Por fim, a Seção 10.9 exibe os sistemas de controle robusto. As discussões limitam-se apenas a questões introdutórias.

10.2 | Alocação de polos

Nesta seção, apresentaremos um método de projeto comumente denominado *alocação de polos* ou *designação de polos*. Admitimos que todas as variáveis de estado sejam mensuráveis e que estejam disponíveis para realimentação. Será mostrado que, se o sistema considerado for de estado completamente controlável, então os polos de malha fechada do sistema poderão ser alocados em qualquer posição desejada por meio de uma realimentação de estado, empregando uma matriz de ganho apropriada.

Essa técnica de projeto inicia-se com a determinação dos polos de malha fechada desejados, com base nas especificações da resposta temporal e/ou da resposta em frequência, como velocidade, coeficiente de amortecimento ou banda passante, bem como das especificações de regime permanente.

Vamos supor que os polos desejados de malha fechada devam estar em $s = \mu_1$, $s = \mu_2$, ..., $s = \mu_n$. Escolhendo uma matriz de ganho apropriada de realimentação de estado, é possível forçar o sistema a ter polos de malha fechada nas posições desejadas, desde que o sistema original seja de estado completamente controlável.

Neste capítulo, limitamos nossa discussão aos sistemas de uma entrada e uma saída. Ou seja, vamos supor que o sinal de controle $u(t)$ e o sinal de saída $y(t)$ sejam escalares. No desenvolvimento desta seção, vamos supor que o sinal de referência $r(t)$ seja nulo. [Na Seção 10.7, discutiremos o caso em que o sinal de referência $r(t)$ é não nulo.]

A seguir, provaremos que há uma condição necessária e suficiente para que os polos de malha fechada possam ser alocados em posições arbitrárias no plano s: o estado do sistema precisa ser completamente controlável. Então, discutiremos métodos para a determinação da matriz de ganho de realimentação de estado requerida.

Note que, quando o sinal de controle é uma quantidade vetorial, os aspectos matemáticos do esquema de alocação de polos se tornam complicados. Não discutiremos esse caso neste livro. (Quando o sinal de controle é uma quantidade vetorial, a matriz de ganho de realimentação de estado não é única. É possível escolher livremente mais de n parâmetros; ou seja, além de podermos alocar corretamente n polos de malha fechada, temos a liberdade de satisfazer alguns requisitos extras, se existirem, do sistema de malha fechada.)

Projeto por alocação de polos. Na abordagem convencional, para projetar o sistema de uma entrada e uma saída, projetamos um controlador (compensador) tal que os polos dominantes de malha fechada tenham um coeficiente de amortecimento ζ desejado e uma frequência natural não amortecida ω_n. Nessa abordagem, a ordem do sistema pode ser aumentada em 1 ou 2, a menos que ocorram cancelamentos de polos e zeros. Note que, nessa abordagem, admitimos que os efeitos na resposta dos polos não dominantes de malha fechada sejam desprezíveis.

Em vez de especificar somente os polos dominantes de malha fechada (abordagem pelo projeto convencional), a presente abordagem especifica todos os polos de malha fechada. (Contudo, existe um custo associado à alocação de todos os polos de malha fechada, porque essa alocação requer que todas as variáveis de estado possam ser medidas com sucesso, ou, então, requer a inclusão de um observador de estado no sistema.) Também existe uma condição com relação ao sistema para que os polos de malha fechada sejam arbitrariamente alocados em posições escolhidas. O requisito é que o sistema seja de estado completamente controlável. Provaremos esse fato nesta seção.

Considere o sistema de controle

$$\dot{\mathbf{x}} = \mathbf{A}\mathbf{x} + \mathbf{B}u \qquad (10.1)$$

$$y = \mathbf{C}\mathbf{x} + Du$$

onde $\mathbf{x}$ = vetor de estado (vetor n)
 y = sinal de saída (escalar)
 u = sinal de controle (escalar)
 $\mathbf{A}$ = matriz constante $n \times n$
 $\mathbf{B}$ = matriz constante $n \times 1$

C = matriz constante 1 × n

D = constante (escalar)

Escolheremos o sinal de controle como

$$u = -\mathbf{K}\mathbf{x} \tag{10.2}$$

Isso significa que o sinal de controle *u* é determinado por um estado instantâneo. Esse esquema é denominado realimentação de estado. A matriz **K** 1 × n é denominada matriz de ganho de realimentação de estado. Vamos supor que todas as variáveis de estado estejam disponíveis para realimentação. Na análise seguinte, vamos supor que *u* seja não limitado. Um diagrama de blocos desse sistema é mostrado na Figura 10.1.

Esse sistema de malha fechada não possui entradas. Seu objetivo é manter a saída nula. Por causa dos distúrbios que podem estar presentes, a saída vai se desviar de zero. A saída não nula vai retornar para o valor nulo correspondente à entrada de referência nula, por causa do esquema de realimentação de estado do sistema. Esse sistema em que a entrada de referência é sempre nula é denominado sistema regulador. (Note que, se a referência de entrada do sistema for sempre uma constante não nula, o sistema também será denominado sistema regulador.)

A substituição da Equação 10.2 na Equação 10.1 resulta em:

$$\dot{\mathbf{x}}(t) = (\mathbf{A} - \mathbf{B}\mathbf{K})\mathbf{x}(t)$$

A solução dessa equação é dada por:

$$\mathbf{x}(t) = e^{(\mathbf{A} - \mathbf{B}\mathbf{K})t}\mathbf{x}(0) \tag{10.3}$$

onde **x**(0) é o estado inicial causado pelos distúrbios externos. A estabilidade e a característica da resposta temporal são determinadas pelos autovalores da matriz **A** − **BK**. Se a matriz **K** for escolhida corretamente, a matriz **A** − **BK** poderá ser assintoticamente estável e, para todo $\mathbf{x}(0) \neq \mathbf{0}$, será possível fazer **x**(*t*) tender a **0**, à medida que *t* tender a infinito. Os autovalores da matriz **A** − **BK** são denominados polos reguladores. Se eles forem posicionados no lado esquerdo do plano *s*, então **x**(*t*) tenderá a **0** à medida que *t* tender a infinito. O problema de alocar polos reguladores (polos de malha fechada) nas posições desejadas é denominado problema de alocação de polos.

A seguir, provaremos que a alocação arbitrária de polos para dado sistema é possível se, e somente se, o sistema for de estado completamente controlável.

Condição necessária e suficiente para alocação arbitrária de polos. Provaremos que há uma condição necessária e suficiente para uma alocação arbitrária de polos: o estado do sistema precisa ser completamente controlável. Obteremos primeiro a condição necessária. Começamos provando que, se o sistema não for de estado completamente controlável, então existem autovalores da matriz **A** − **BK** que não podem ser controlados por realimentação de estado.

Suponha que o sistema dado pela Equação 10.1 não seja de estado completamente controlável. Então, o posto da matriz de controlabilidade será menor que *n*, ou

$$\text{posto } [\mathbf{B} \mid \mathbf{AB} \mid \dots \mid \mathbf{A}^{n-1}\mathbf{B}] = q < n$$

FIGURA 10.1
Sistema de controle de malha fechada com *u* = −**Kx**.

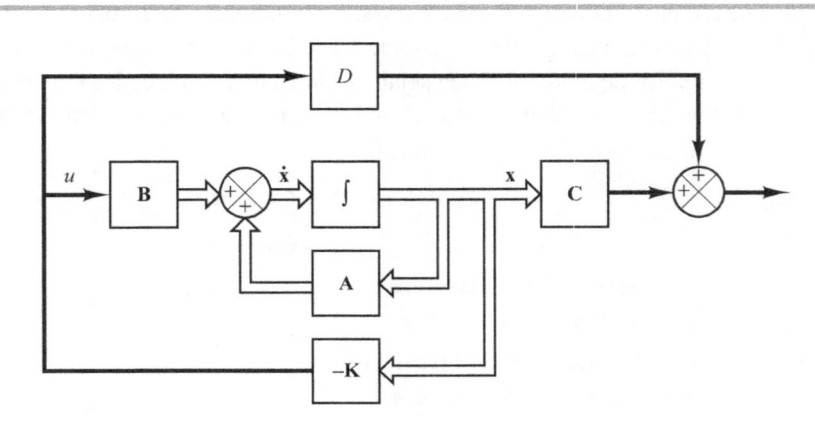

Isso significa que existem q vetores-coluna linearmente independentes na matriz de controlabilidade. Vamos definir esses vetores-coluna linearmente independentes como $\mathbf{f}_1, \mathbf{f}_2, \ldots, \mathbf{f}_q$ e escolher também $n - q$ vetores adicionais $\mathbf{v}_{q+1}, \mathbf{v}_{q+2}, \ldots, \mathbf{v}_n$ de dimensão n de modo que

$$\mathbf{P} = [\mathbf{f}_1 \mid \mathbf{f}_2 \mid \ldots \mid \mathbf{f}_q \mid \mathbf{v}_{q+1} \mid \mathbf{v}_{q+2} \mid \ldots \mid \mathbf{v}_n]$$

tenha posto n. Então, pode-se mostrar que:

$$\hat{\mathbf{A}} = \mathbf{P}^{-1}\mathbf{A}\mathbf{P} = \begin{bmatrix} \mathbf{A}_{11} & \mathbf{A}_{12} \\ \mathbf{0} & \mathbf{A}_{22} \end{bmatrix}, \quad \hat{\mathbf{B}} = \mathbf{P}^{-1}\mathbf{B} = \begin{bmatrix} \mathbf{B}_{11} \\ \mathbf{0} \end{bmatrix}$$

(Veja o Problema A.10.1 para a obtenção dessas equações.) Agora, defina:

$$\hat{\mathbf{K}} = \mathbf{K}\mathbf{P} = [\mathbf{k}_1 \mid \mathbf{k}_2]$$

Então, temos:

$$|s\mathbf{I} - \mathbf{A} + \mathbf{BK}| = |\mathbf{P}^{-1}(s\mathbf{I} - \mathbf{A} + \mathbf{BK})\mathbf{P}|$$
$$= |s\mathbf{I} - \mathbf{P}^{-1}\mathbf{A}\mathbf{P} + \mathbf{P}^{-1}\mathbf{BKP}|$$
$$= |s\mathbf{I} - \hat{\mathbf{A}} + \hat{\mathbf{B}}\hat{\mathbf{K}}|$$
$$= \left| s\mathbf{I}_q - \begin{bmatrix} \mathbf{A}_{11} & \mathbf{A}_{12} \\ \mathbf{0} & \mathbf{A}_{22} \end{bmatrix} + \begin{bmatrix} \mathbf{B}_{11} \\ \mathbf{0} \end{bmatrix}[\mathbf{k}_1 \mid \mathbf{k}_2] \right|$$
$$= \left| \begin{matrix} s\mathbf{I}_q - \mathbf{A}_{11} + \mathbf{B}_{11}\mathbf{k}_1 & -\mathbf{A}_{12} + \mathbf{B}_{11}\mathbf{k}_2 \\ \mathbf{0} & s\mathbf{I}_{n-q} - \mathbf{A}_{22} \end{matrix} \right|$$
$$= |s\mathbf{I}_q - \mathbf{A}_{11} + \mathbf{B}_{11}\mathbf{k}_1| \cdot |s\mathbf{I}_{n-q} - \mathbf{A}_{22}| = 0$$

onde $\mathbf{I}_q$ é uma matriz-identidade de dimensão q e $\mathbf{I}_{n-q}$ é uma matriz-identidade de dimensão $(n-q)$.

Note que os autovalores de $\mathbf{A}_{22}$ não dependem de $\mathbf{K}$. Assim, se o sistema não for de estado completamente controlável, então existem autovalores da matriz $\mathbf{A}$ que não poderão ser arbitrariamente alocados. Por consequência, para alocar os autovalores da matriz $\mathbf{A} - \mathbf{BK}$ de maneira aleatória, o sistema deve ser de estado completamente controlável (condição necessária).

Em seguida, provaremos a condição suficiente: ou seja, se o sistema for de estado completamente controlável, então todos os autovalores da matriz $\mathbf{A}$ poderão ser arbitrariamente alocados.

Para provar a condição suficiente, é conveniente transformar a equação de estado dada pela Equação 10.1 na forma canônica controlável.

Defina uma matriz de transformação $\mathbf{T}$ por:

$$\mathbf{T} = \mathbf{MW} \tag{10.4}$$

onde $\mathbf{M}$ é a matriz de controlabilidade

$$\mathbf{M} = [\mathbf{B} \mid \mathbf{AB} \mid \ldots \mid \mathbf{A}^{n-1}\mathbf{B}] \tag{10.5}$$

e

$$\mathbf{W} = \begin{bmatrix} a_{n-1} & a_{n-2} & \cdots & a_1 & 1 \\ a_{n-2} & a_{n-3} & \cdots & 1 & 0 \\ \vdots & \vdots & & \vdots & \vdots \\ a_1 & 1 & \cdots & 0 & 0 \\ 1 & 0 & \cdots & 0 & 0 \end{bmatrix} \tag{10.6}$$

onde os a_i são coeficientes do polinômio característico

$$|s\mathbf{I} - \mathbf{A}| = s^n + a_1 s^{n-1} + \ldots + a_{n-1}s + a_n$$

Defina um novo vetor de estado $\hat{\mathbf{x}}$ por:

$$\mathbf{x} = \mathbf{T}\hat{\mathbf{x}}$$

Se o posto da matriz $\mathbf{M}$ de controlabilidade for n (significando que o sistema é de estado completamente controlável), então a inversa da matriz $\mathbf{T}$ existe e a Equação 10.1 poderá ser modificada para

onde

$$\dot{\hat{\mathbf{x}}} = \mathbf{T}^{-1}\mathbf{A}\mathbf{T}\hat{x} + \mathbf{T}^{-1}\mathbf{B}u \tag{10.7}$$

$$\mathbf{T}^{-1}\mathbf{A}\mathbf{T} = \begin{bmatrix} 0 & 1 & 0 & \cdots & 0 \\ 0 & 0 & 1 & \cdots & 0 \\ \vdots & \vdots & \vdots & & \vdots \\ 0 & 0 & 0 & \cdots & 1 \\ -a_n & -a_{n-1} & -a_{n-2} & \cdots & -a_1 \end{bmatrix} \tag{10.8}$$

$$\mathbf{T}^{-1}\mathbf{B} = \begin{bmatrix} 0 \\ 0 \\ \vdots \\ 0 \\ 1 \end{bmatrix} \tag{10.9}$$

(Veja os problemas A.10.2 e A.10.3 para obter as equações 10.8 e 10.9.) A Equação 10.7 está na forma canônica controlável. Assim, dada uma equação de estado, a Equação 10.1, ela pode ser transformada para a forma canônica controlável se o sistema for de estado completamente controlável e se transformarmos o vetor de estado $\mathbf{x}$ no vetor de estado $\hat{\mathbf{x}}$ com a utilização da matriz de transformação $\mathbf{T}$ dada pela Equação 10.4.

Vamos escolher um conjunto de autovalores desejados como $\mu_1, \mu_2, \ldots, \mu_n$. Então, a equação característica desejada resulta em:

$$(s - \mu_1)(s - \mu_2) \ldots (s - \mu_n) = s^n + \alpha_1 s^{n-1} + \ldots + \alpha_{n-1} s + \alpha_n = 0 \tag{10.10}$$

Vamos escrever:

$$\mathbf{KT} = [\delta_n \ \delta_{n-1} \ \ldots \ \delta_1] \tag{10.11}$$

Quando $u = -\mathbf{KT}\hat{x}$ for utilizada para controlar o sistema dado pela Equação 10.7, a equação do sistema resultará em:

$$\dot{\hat{\mathbf{x}}} = \mathbf{T}^{-1}\mathbf{A}\mathbf{T}\hat{x} - \mathbf{T}^{-1}\mathbf{B}\mathbf{KT}\hat{x}$$

A equação característica é:

$$|s\mathbf{I} - \mathbf{T}^{-1}\mathbf{A}\mathbf{T} + \mathbf{T}^{-1}\mathbf{B}\mathbf{KT}| = 0$$

Essa equação característica é igual à equação característica do sistema definido pela Equação 10.1, quando $u = -\mathbf{K}\mathbf{x}$ for utilizada como sinal de controle. Isso pode ser observado como a seguir. Como

$$\dot{\mathbf{x}} = \mathbf{A}\mathbf{x} + \mathbf{B}u = (\mathbf{A} - \mathbf{B}\mathbf{K})\mathbf{x}$$

a equação característica desse sistema é:

$$|s\mathbf{I} - \mathbf{A} + \mathbf{B}\mathbf{K}| = |\mathbf{T}^{-1}(s\mathbf{I} - \mathbf{A} + \mathbf{B}\mathbf{K})\mathbf{T}| = |s\mathbf{I} - \mathbf{T}^{-1}\mathbf{A}\mathbf{T} + \mathbf{T}^{-1}\mathbf{B}\mathbf{KT}| = 0$$

Vamos agora simplificar a equação característica do sistema na forma canônica controlável. Com relação às equações 10.8, 10.9 e 10.11, temos:

$$|s\mathbf{I} - \mathbf{T}^{-1}\mathbf{A}\mathbf{T} + \mathbf{T}^{-1}\mathbf{B}\mathbf{KT}|$$

$$= \left| s\mathbf{I} - \begin{bmatrix} 0 & 1 & \cdots & 0 \\ \vdots & \vdots & & \vdots \\ 0 & 0 & \cdots & 1 \\ -a_n & -a_{n-1} & \cdots & -a_1 \end{bmatrix} + \begin{bmatrix} 0 \\ \vdots \\ 0 \\ 1 \end{bmatrix} [\delta_n \delta_{n-1} \cdots \delta_1] \right|$$

$$= \begin{vmatrix} s & -1 & \cdots & 0 \\ 0 & s & \cdots & 0 \\ \vdots & \vdots & & \vdots \\ a_n + \delta_n & a_{n-1} + \delta_{n-1} & \cdots & s + a_1 + \delta_1 \end{vmatrix}$$

$$= s^n + (a_1 + \delta_1)s^{n-1} + \cdots + (a_{n-1} + \delta_{n-1})s + (a_n + \delta_n) = 0 \tag{10.12}$$

Esta é a equação característica do sistema com realimentação de estado. Consequentemente, ela deve ser igual à Equação 10.10, a equação característica desejada. Igualando os coeficientes de mesma potência em s, temos:

$$a_1 + \delta_1 = \alpha_1$$
$$a_2 + \delta_2 = \alpha_2$$
$$\vdots$$
$$a_n + \delta_n = \alpha_n$$

Resolvendo as equações precedentes para os δ e substituindo-as na Equação 10.11, obtemos:

$$\mathbf{K} = [\delta_n \ \delta_{n-1} \dots \delta_1]\mathbf{T}^{-1}$$
$$= [\alpha_n - a_n \ \vdots \ \alpha_{n-1} - a_{n-1} \ \vdots \ \dots \ \vdots \ \alpha_2 - a_2 \ \vdots \ \alpha_1 - a_1]\mathbf{T}^{-1} \quad (10.13)$$

Assim, se o sistema for de estado completamente controlável, todos os autovalores poderão ser arbitrariamente alocados escolhendo-se a matriz $\mathbf{K}$ de acordo com a Equação 10.13 (condição suficiente).

Provamos, então, a condição necessária e suficiente para uma alocação arbitrária de polos: o estado do sistema é completamente controlável.

Note que, se o sistema não for de estado completamente controlável, mas for estabilizável, então será possível tornar todo o sistema estável alocando os polos de malha fechada nas posições desejadas para os q modos controláveis. Os $n - q$ modos não controláveis remanescentes são estáveis. Logo, o sistema completo pode ser feito estável.

Determinação da matriz K com a utilização da matriz de transformação T. Suponha que o sistema seja definido por:

$$\dot{\mathbf{x}} = \mathbf{A}\mathbf{x} + \mathbf{B}u$$

e que o sinal de controle seja dado por:

$$u = -\mathbf{K}\mathbf{x}$$

A matriz de ganho $\mathbf{K}$ de realimentação que força os autovalores de $\mathbf{A} - \mathbf{BK}$ a serem $\mu_1, \mu_2, \dots, \mu_n$ (valores desejados) pode ser determinada pelas seguintes etapas (se μ_i for um autovalor complexo, então seu conjugado também precisará ser um autovalor de $\mathbf{A} - \mathbf{BK}$):

Etapa 1: verifique a condição de controlabilidade do sistema. Se o sistema for de estado completamente controlável, então utilize os passos seguintes:

Etapa 2: a partir da equação característica da matriz $\mathbf{A}$, ou seja,

$$|s\mathbf{I} - \mathbf{A}| = s^n + a_1 s^{n-1} + \dots + a_{n-1}s + a_n$$

determine os valores de $a_1, a_2, \dots, a_n$.

Etapa 3: determine a matriz de transformação $\mathbf{T}$ que transforma a equação de estado do sistema na forma canônica controlável. (Se a equação do sistema dado já estiver na forma canônica controlável, então $\mathbf{T} = \mathbf{I}$.) Não é necessário escrever a equação de estado na forma canônica controlável. Tudo o que precisamos aqui é encontrar a matriz $\mathbf{T}$. A matriz de transformação $\mathbf{T}$ é dada pela Equação 10.4, ou

$$\mathbf{T} = \mathbf{MW}$$

onde $\mathbf{M}$ é dada pela Equação 10.5 e $\mathbf{W}$ é dada pela Equação 10.6.

Etapa 4: utilizando os autovalores desejados (polos desejados de malha fechada), escreva o polinômio característico desejado:

$$(s - \mu_1)(s - \mu_2) \dots (s - \mu_n) = s^n + \alpha_1 s^{n-1} + \dots + \alpha_{n-1}s + \alpha_n$$

e determine os valores de $\alpha_1, \alpha_2, \dots, \alpha_n$.

Etapa 5: a matriz de ganho **K** de realimentação de estado requerida pode ser determinada pela Equação 10.13, reescrita desta maneira:

$$\mathbf{K} = [\alpha_n - a_n \mid \alpha_{n-1} - a_{n-1} \mid \ldots \mid \alpha_2 - a_2 \mid \alpha_1 - a_1]\mathbf{T}^{-1}$$

Determinação da matriz K com a utilização do método de substituição direta. Se o sistema for de ordem baixa ($n \leq 3$), a substituição direta da matriz **K** no polinômio característico desejado poderá ser mais simples. Por exemplo, se $n = 3$, então escreva a matriz de ganho **K** de realimentação de estado como:

$$\mathbf{K} = [k_1 \ k_2 \ k_3]$$

Substitua essa matriz **K** no polinômio característico desejado $|s\mathbf{I} - \mathbf{A} + \mathbf{BK}|$ e igual a $(s - \mu_1)(s - \mu_2)(s - \mu_3)$, ou

$$|s\mathbf{I} - \mathbf{A} + \mathbf{BK}| = (s - \mu_1)(s - \mu_2)(s - \mu_3)$$

Como ambos os lados da equação característica são polinômios em s, igualando os coeficientes de mesma potência em s em ambos os lados, é possível determinar os valores de k_1, k_2 e k_3. Essa abordagem é conveniente se $n = 2$ ou 3. (Para $n = 4, 5, 6, \ldots$, essa abordagem pode se tornar muito tediosa.)

Note que, se o sistema não for de estado completamente controlável, a matriz **K** não poderá ser determinada (não existe solução).

Determinação da matriz K com a utilização da fórmula de Ackermann. Existe uma fórmula bem conhecida, denominada fórmula de Ackermann, para a determinação da matriz de ganho **K** de realimentação de estado. Apresentaremos esta fórmula a seguir.

Considere o sistema

$$\dot{\mathbf{x}} = \mathbf{Ax} + \mathbf{B}u$$

onde utilizamos o controle por realimentação de estado $u = -\mathbf{Kx}$. Vamos supor que o sistema seja de estado completamente controlável. Vamos supor também que os polos desejados de malha fechada estejam em $s = \mu_1, s = \mu_2, \ldots, s = \mu_n$.

O uso do controle por realimentação de estado

$$u = -\mathbf{Kx}$$

modifica a equação do sistema para

$$\dot{\mathbf{x}} = (\mathbf{A} - \mathbf{BK})\mathbf{x} \tag{10.14}$$

Vamos definir:

$$\tilde{\mathbf{A}} = \mathbf{A} - \mathbf{BK}$$

A equação característica desejada é:

$$|s\mathbf{I} - \mathbf{A} + \mathbf{BK}| = |s\mathbf{I} - \tilde{\mathbf{A}}| = (s - \mu_1)(s - \mu_2) \ldots (s - \mu_n)$$
$$= s^n + \alpha_1 s^{n-1} + \ldots + \alpha_{n-1} s + \alpha_n = 0$$

Como o teorema de Cayley-Hamilton estabelece que $\tilde{\mathbf{A}}$ satisfaz sua própria equação característica, temos:

$$\phi(\tilde{\mathbf{A}}) = \tilde{\mathbf{A}}^n + \alpha_1 \tilde{\mathbf{A}}^{n-1} + \ldots + \alpha_{n-1}\tilde{\mathbf{A}} + \alpha_n \mathbf{I} = \mathbf{0} \tag{10.15}$$

Utilizaremos a Equação 10.15 na obtenção da fórmula de Ackermann. Para simplificar o procedimento, consideramos o caso em que $n = 3$. (O procedimento pode ser facilmente estendido para qualquer outro n, positivo e inteiro.)

Considere as seguintes identidades:

$$\mathbf{I} = \mathbf{I}$$
$$\tilde{\mathbf{A}} = \mathbf{A} - \mathbf{BK}$$
$$\tilde{\mathbf{A}}^2 = (\mathbf{A} - \mathbf{BK})^2 = \mathbf{A}^2 - \mathbf{ABK} - \mathbf{BK}\tilde{\mathbf{A}}$$
$$\tilde{\mathbf{A}}^3 = (\mathbf{A} - \mathbf{BK})^3 = \mathbf{A}^3 - \mathbf{A}^2\mathbf{BK} - \mathbf{ABK}\tilde{\mathbf{A}} - \mathbf{BK}\tilde{\mathbf{A}}^2$$

Multiplicando as equações precedentes, na mesma ordem, respectivamente por α_3, α_2, α_1 e α_0 (onde $\alpha_0 = 1$) e somando os resultados, obtemos:

$$\alpha_3 \mathbf{I} + \alpha_2 \tilde{\mathbf{A}} + \alpha_1 \tilde{\mathbf{A}}^2 + \tilde{\mathbf{A}}^3$$
$$= \alpha_3 \mathbf{I} + \alpha_2 (\mathbf{A} - \mathbf{BK}) + \alpha_1 (\mathbf{A}^2 - \mathbf{ABK} - \mathbf{BK}\tilde{\mathbf{A}}) + \mathbf{A}^3 - \mathbf{A}^2\mathbf{BK} - \mathbf{ABK}\tilde{\mathbf{A}} - \mathbf{BK}\tilde{\mathbf{A}}^2$$
$$= \alpha_3 \mathbf{I} + \alpha_2 \mathbf{A} + \alpha_1 \mathbf{A}^2 + \mathbf{A}^3 - \alpha_2 \mathbf{BK} - \alpha_1 \mathbf{ABK} - \alpha_1 \mathbf{BK}\tilde{\mathbf{A}} - \mathbf{A}^2\mathbf{BK}$$
$$- \mathbf{ABK}\tilde{\mathbf{A}} - \mathbf{BK}\tilde{\mathbf{A}}^2 \tag{10.16}$$

Com relação à Equação 10.15, temos:

$$\alpha_3 \mathbf{I} + \alpha_2 \tilde{\mathbf{A}} + \alpha_1 \tilde{\mathbf{A}}^2 + \tilde{\mathbf{A}}^3 = \phi(\tilde{\mathbf{A}}) = \mathbf{0}$$

Temos também que:

$$\alpha_3 \mathbf{I} + \alpha_2 \mathbf{A} + \alpha_1 \mathbf{A}^2 + \mathbf{A}^3 = \phi(\mathbf{A}) \neq \mathbf{0}$$

Substituindo as últimas duas equações na Equação 10.16, temos:

$$\phi(\tilde{\mathbf{A}}) = \phi(\mathbf{A}) - \alpha_2 \mathbf{BK} - \alpha_1 \mathbf{BK}\tilde{\mathbf{A}} - \mathbf{BK}\tilde{\mathbf{A}}^2 - \alpha_1 \mathbf{ABK} - \mathbf{ABK}\tilde{\mathbf{A}} - \mathbf{A}^2\mathbf{BK}$$

Como $\phi(\tilde{\mathbf{A}}) = \mathbf{0}$, obtemos:

$$\phi(\mathbf{A}) = \mathbf{B}(\alpha_2 \mathbf{K} + \alpha_1 \mathbf{K}\tilde{\mathbf{A}} + \mathbf{K}\tilde{\mathbf{A}}^2) + \mathbf{AB}(\alpha_1 \mathbf{K} + \mathbf{K}\tilde{\mathbf{A}}) + \mathbf{A}^2 \mathbf{BK}$$

$$= [\mathbf{B} \vdots \mathbf{AB} \vdots \mathbf{A}^2\mathbf{B}] \begin{bmatrix} \alpha_2 \mathbf{K} + \alpha_1 \mathbf{K}\tilde{\mathbf{A}} + \mathbf{K}\tilde{\mathbf{A}}^2 \\ \alpha_1 \mathbf{K} + \mathbf{K}\tilde{\mathbf{A}} \\ \mathbf{K} \end{bmatrix} \tag{10.17}$$

Uma vez que o sistema é de estado completamente controlável, a inversa da matriz de controlabilidade

$$[\mathbf{B} \vdots \mathbf{AB} \vdots \mathbf{A}^2\mathbf{B}]$$

existe. Pré-multiplicando ambos os lados da Equação 10.17 pela inversa da matriz de controlabilidade, obtemos:

$$[\mathbf{B} \vdots \mathbf{AB} \vdots \mathbf{A}^2\mathbf{B}]^{-1} \phi(\mathbf{A}) = \begin{bmatrix} \alpha_2 \mathbf{K} + \alpha_1 \mathbf{K}\tilde{\mathbf{A}} + \mathbf{K}\tilde{\mathbf{A}}^2 \\ \alpha_1 \mathbf{K} + \mathbf{K}\tilde{\mathbf{A}} \\ \mathbf{K} \end{bmatrix}$$

Pré-multiplicando ambos os lados dessa última equação por [0 0 1], obtemos:

$$[0 \ 0 \ 1][\mathbf{B} \vdots \mathbf{AB} \vdots \mathbf{A}^2\mathbf{B}]^{-1} \phi(\mathbf{A}) = [0 \ 0 \ 1] \begin{bmatrix} \alpha_2 \mathbf{K} + \alpha_1 \mathbf{K}\tilde{\mathbf{A}} + \mathbf{K}\tilde{\mathbf{A}}^2 \\ \alpha_1 \mathbf{K} + \mathbf{K}\tilde{\mathbf{A}} \\ \mathbf{K} \end{bmatrix} = \mathbf{K}$$

que pode ser reescrita como:

$$\mathbf{K} = [0 \ 0 \ 1][\mathbf{B} \vdots \mathbf{AB} \vdots \mathbf{A}^2\mathbf{B}]^{-1} \phi(\mathbf{A})$$

Essa última equação fornece a matriz de ganho **K** de realimentação de estado requerida.

Para um *n* inteiro, positivo e arbitrário, temos:

$$\mathbf{K} = [0 \ 0 \ ... \ 0 \ 1][\mathbf{B} \vdots \mathbf{AB} \vdots ... \vdots \mathbf{A}^{n-1}\mathbf{B}]^{-1} \phi(\mathbf{A}) \tag{10.18}$$

A Equação 10.18 é conhecida como fórmula de Ackermann para a determinação da matriz de ganho **K** de realimentação de estado.

Sistemas reguladores e sistemas de controle. Sistemas que incluem controladores podem ser divididos em duas categorias: sistemas reguladores (onde o sinal de referência é constante, incluindo o zero) e sistemas de controle (onde o sinal de referência varia com o tempo). A seguir, consideraremos os sistemas reguladores. Os sistemas de controle serão considerados na Seção 10.7.

Escolhendo a localização dos polos de malha fechada desejados. O primeiro passo na abordagem de projeto por alocação de polos consiste em escolher a localização dos polos de malha fechada desejados. A técnica mais frequentemente utilizada está baseada na escolha desses polos com base na experiência do projeto pelo lugar das raízes, alocando um par de polos dominantes de malha fechada e escolhendo os outros polos de modo que eles fiquem bem distantes, à esquerda dos polos dominantes de malha fechada.

Observe que, se alocarmos os polos dominantes de malha fechada distantes do eixo $j\omega$, de modo que a resposta do sistema se torne muito rápida, os sinais no sistema se tornarão muito elevados, fazendo que o sistema se torne não linear, o que deve ser evitado.

Outra opção de projeto é baseada na abordagem pelo controle quadrático ótimo. Essa abordagem determinará os polos desejados de malha fechada para que haja uma conciliação entre a resposta aceitável e o total de energia de controle requerida. (Veja a Seção 10.8.) Note que requerer uma resposta de alta velocidade implica exigir grande quantidade de energia de controle. Da mesma maneira, em geral, um aumento na velocidade de resposta requer um atuador maior e mais pesado, que custará mais.

Exemplo 10.1 Considere o sistema regulador mostrado na Figura 10.2. A planta é dada por:

$$\dot{\mathbf{x}} = \mathbf{A}\mathbf{x} + \mathbf{B}u$$

onde

$$\mathbf{A} = \begin{bmatrix} 0 & 1 & 0 \\ 0 & 0 & 1 \\ -1 & -5 & -6 \end{bmatrix}, \quad \mathbf{B} = \begin{bmatrix} 0 \\ 0 \\ 1 \end{bmatrix}$$

O sistema utiliza o controle por realimentação de estado $\mathbf{u} = -\mathbf{K}\mathbf{x}$. Vamos escolher os polos desejados de malha fechada em

$$s = -2 + j4, \quad s = -2 - j4, \quad s = -10$$

(Fazemos essa escolha porque sabemos, por experiência, que esse conjunto de polos de malha fechada resultará em uma resposta temporal razoável ou, ao menos, aceitável.) Determine a matriz de ganho $\mathbf{K}$ de realimentação de estado.

Primeiro, precisamos verificar a matriz de controlabilidade do sistema. Como a matriz de controlabilidade $\mathbf{M}$ é dada por:

$$\mathbf{M} = [\mathbf{B} \mid \mathbf{AB} \mid \mathbf{A}^2\mathbf{B}] = \begin{bmatrix} 0 & 0 & 1 \\ 0 & 1 & -6 \\ 1 & -6 & 31 \end{bmatrix}$$

encontramos $|\mathbf{M}| = -1$ e, portanto, o posto de $\mathbf{M} = 3$. Assim, o sistema é de estado completamente controlável e a alocação arbitrária de polos é possível.

FIGURA 10.2
Sistema regulador.

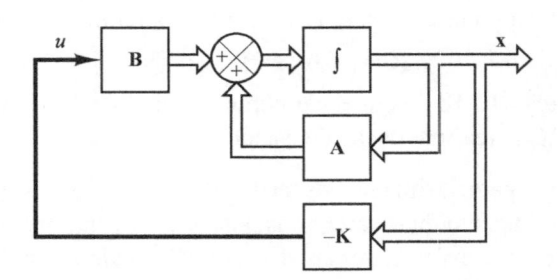

A seguir, resolveremos esse problema. Demonstraremos cada um dos três métodos apresentados neste capítulo.

Método 1: o primeiro método faz uso da Equação 10.13. A equação característica do sistema é:

$$|s\mathbf{I} - \mathbf{A}| = \begin{vmatrix} s & -1 & 0 \\ 0 & s & -1 \\ 1 & 5 & s+6 \end{vmatrix}$$

$$= s^3 + 6s^2 + 5s + 1$$

$$= s^3 + a_1 s^2 + a_2 s + a_3 = 0$$

Portanto,

$$a_1 = 6, \quad a_2 = 5, \quad a_3 = 1$$

A equação característica desejada é:

$$(s+2-j4)(s+2+j4)(s+10) = s^3 + 14s^2 + 60s + 200 = s^3 + \alpha_1 s^2 + \alpha_2 s + \alpha_3 = 0$$

Portanto,

$$\alpha_1 = 14, \quad \alpha_2 = 60, \quad \alpha_3 = 200$$

Com relação à Equação 10.13, temos:

$$\mathbf{K} = [\alpha_3 - a_3 \ \vdots \ \alpha_2 - a_2 \ \vdots \ \alpha_1 - a_1]\mathbf{T}^{-1}$$

onde, para esse problema, $\mathbf{T} = \mathbf{I}$, uma vez que a equação de estado é fornecida na forma canônica controlável. Então, temos:

$$\mathbf{K} = [200 - 1 \ \vdots \ 60 - 5 \ \vdots \ 14 - 6] = [199 \ \ 55 \ \ 8]$$

Método 2: definindo a matriz desejada de ganho $\mathbf{K}$ de realimentação de estado como:

$$\mathbf{K} = [k_1 \ k_2 \ k_3]$$

e igualando $|s\mathbf{I} - \mathbf{A} + \mathbf{BK}|$ com a equação característica desejada, obtemos:

$$|s\mathbf{I} - \mathbf{A} + \mathbf{BK}| = \left| \begin{bmatrix} s & 0 & 0 \\ 0 & s & 0 \\ 0 & 0 & s \end{bmatrix} - \begin{bmatrix} 0 & 1 & 0 \\ 0 & 0 & 1 \\ -1 & -5 & -6 \end{bmatrix} + \begin{bmatrix} 0 \\ 0 \\ 1 \end{bmatrix}[k_1 \ k_2 \ k_3] \right|$$

$$= \begin{vmatrix} s & -1 & 0 \\ 0 & s & -1 \\ 1+k_1 & 5+k_2 & s+6+k_3 \end{vmatrix}$$

$$= s^3 + (6 + k_3)s^2 + (5 + k_2)s + 1 + k_1$$

$$= s^3 + 14s^2 + 60s + 200$$

Logo,

$$6 + k_3 = 14, \quad 5 + k_2 = 60, \quad 1 + k_1 = 200$$

a partir da qual obtemos:

$$k_1 = 199, \quad k_2 = 55, \quad k_3 = 8$$

ou

$$\mathbf{K} = [199 \ \ 55 \ \ 8]$$

Método 3: o terceiro método faz uso da fórmula de Ackermann. Com relação à Equação 10.18, temos:

$$\mathbf{K} = [0 \ 0 \ 1][\mathbf{B} \ \vdots \ \mathbf{AB} \ \vdots \ \mathbf{A}^2\mathbf{B}]^{-1}\phi(\mathbf{A})$$

Como

$$\phi(\mathbf{A}) = \mathbf{A}^3 + 14\mathbf{A}^2 + 60\mathbf{A} + 200\mathbf{I}$$

$$= \begin{bmatrix} 0 & 1 & 0 \\ 0 & 0 & 1 \\ -1 & -5 & -6 \end{bmatrix}^3 + 14\begin{bmatrix} 0 & 1 & 0 \\ 0 & 0 & 1 \\ -1 & -5 & -6 \end{bmatrix}^2$$

$$+ 60\begin{bmatrix} 0 & 1 & 0 \\ 0 & 0 & 1 \\ -1 & -5 & -6 \end{bmatrix} + 200\begin{bmatrix} 1 & 1 & 0 \\ 0 & 1 & 0 \\ 0 & 0 & 1 \end{bmatrix}$$

$$= \begin{bmatrix} 199 & 55 & 8 \\ -8 & 159 & 7 \\ -7 & -43 & 117 \end{bmatrix}$$

e

$$[\mathbf{B} \vdots \mathbf{AB} \vdots \mathbf{A}^2\mathbf{B}] = \begin{bmatrix} 0 & 0 & 1 \\ 0 & 1 & -6 \\ 1 & -6 & 31 \end{bmatrix}$$

obtemos:

$$\mathbf{K} = \begin{bmatrix} 0 & 0 & 1 \end{bmatrix} \begin{bmatrix} 0 & 0 & 1 \\ 0 & 1 & -6 \\ 1 & -6 & 31 \end{bmatrix}^{-1} \begin{bmatrix} 199 & 55 & 8 \\ -8 & 159 & 7 \\ -7 & -43 & 117 \end{bmatrix}$$

$$= \begin{bmatrix} 0 & 0 & 1 \end{bmatrix} \begin{bmatrix} 5 & 6 & 1 \\ 6 & 1 & 0 \\ 1 & 0 & 0 \end{bmatrix} \begin{bmatrix} 199 & 55 & 8 \\ -8 & 159 & 7 \\ -7 & -43 & 117 \end{bmatrix}$$

$$= \begin{bmatrix} 199 & 55 & 8 \end{bmatrix}$$

Como era de esperar, as matrizes de ganho **K** obtidas pelos três métodos são as mesmas. Com essa realimentação de estado, os polos de malha fechada ficam alocados em $s = -2 \pm j4$ e $s = -10$, como especificado.

Note que, se a ordem n do sistema for 4 ou maior, os métodos 1 e 3 serão recomendados, uma vez que todas as manipulações matriciais podem ser realizadas pelo computador. Se o método 2 for usado, os cálculos manuais se tornarão necessários, pois o computador pode não ser apropriado para lidar com uma equação característica com parâmetros desconhecidos $k_1, k_2, \ldots, k_n$.

Comentários. É importante notar que a matriz **K** não é única para um sistema dado, mas depende da localização desejada dos polos de malha fechada (que determinam a velocidade e o amortecimento da resposta) selecionados. Note que a seleção dos polos de malha fechada desejados ou da equação característica desejada é um compromisso entre a velocidade de resposta do vetor de erro e a sensibilidade aos distúrbios e aos ruídos de medida. Ou seja, se aumentarmos a velocidade da resposta do erro, em geral os efeitos contrários nos distúrbios e nos ruídos de medida aumentarão. Se o sistema for de segunda ordem, então as dinâmicas do sistema (resposta característica) poderão ser precisamente correlacionadas com as localizações dos polos de malha fechada e com o(s) zero(s) da planta. Para sistemas de ordem superior, a localização dos polos de malha fechada e as dinâmicas do sistema (resposta característica) não são tão facilmente correlacionadas. Consequentemente, para a determinação da matriz de ganho **K** de realimentação de estado para dado sistema, é desejável examinar a resposta característica por meio de simulações computacionais para várias matrizes **K** distintas (com base em várias e distintas equações características desejadas) e escolher aquela que confere o melhor desempenho global do sistema.

10.3 | Resolvendo problemas de alocação de polos com o MATLAB

Problemas de alocação de polos podem ser facilmente resolvidos com o MATLAB, o qual possui dois comandos — acker e place — para o cálculo da matriz de ganho **K** de realimentação. O comando acker é baseado na fórmula de Ackermann. Esse comando se aplica somente a sistemas de uma entrada e uma saída. Os polos desejados de malha fechada podem incluir polos múltiplos (situados na mesma posição).

Se o sistema envolver múltiplas entradas, para um conjunto especificado de polos de malha fechada, a matriz de ganho **K** de realimentação de estado não será única e teremos um grau de liberdade adicional (ou graus de liberdade) para escolher **K**. Existem várias abordagens que permitem utilizar construtivamente essa liberdade adicional na determinação de **K**. Um uso comum é maximizar a margem de estabilidade. A alocação de polos baseada nessa abordagem é denominada alocação robusta de polos. O comando em MATLAB para a alocação robusta de polos é place.

Embora o comando place possa ser utilizado tanto para os sistemas de uma entrada como para os de múltiplas entradas, ele requer que a multiplicidade dos polos desejados de malha fechada não seja superior ao posto de **B**. Ou seja, se a matriz **B** for uma matriz $n \times 1$, o comando place requererá que não haja polos múltiplos no conjunto de polos desejados de malha fechada.

Para sistemas de uma entrada, os comandos acker e place produzem a mesma **K**. (Contudo, para sistemas de múltiplas entradas, deve-se utilizar o comando place em vez do comando acker.)

Note que, quando o sistema de uma entrada é pouco controlável, alguns problemas computacionais podem ocorrer se o comando acker for utilizado. Nesses casos, é preferível utilizar o comando place, desde que não haja polos múltiplos envolvidos no conjunto desejado dos polos de malha fechada.

Para utilizar os comandos acker ou place, introduzimos primeiro as seguintes matrizes no programa:

$$\text{matriz } \mathbf{A}, \quad \text{matriz } \mathbf{B}, \quad \text{matriz } \mathbf{J}$$

onde a matriz **J** é a que consiste nos polos desejados de malha fechada, de modo que

$$\mathbf{J} = [\mu_1 \ \mu_2 \ \dots \ \mu_n]$$

A partir disso, introduzimos

```
K = acker(A,B,J)
```

ou

```
K = place(A,B,J)
```

Observe que o comando eig (A-B*K) pode ser utilizado para verificar que o K, então obtido, fornece os autovalores desejados.

Exemplo 10.2 Considere o mesmo sistema que foi considerado no Exemplo 10.1. A equação do sistema é

$$\dot{\mathbf{x}} = \mathbf{A}\mathbf{x} + \mathbf{B}u$$

onde

$$\mathbf{A} = \begin{bmatrix} 0 & 1 & 0 \\ 0 & 0 & 1 \\ -1 & -5 & -6 \end{bmatrix}, \quad \mathbf{B} = \begin{bmatrix} 0 \\ 0 \\ 1 \end{bmatrix}$$

Utilizando-se o controle por realimentação de estado $u = -\mathbf{Kx}$, deseja-se obter os polos de malha fechada em $s = \mu_i$ ($i = 1, 2, 3$), onde

$$\mu_1 = -2 + j4, \quad \mu_2 = -2 - j4, \quad \mu_3 = -10$$

Determine com o MATLAB a matriz de ganho **K** de realimentação de estado.

O programa em MATLAB que gera a matriz **K** é mostrado nos programas 10.1 e 10.2. O Programa 10.1 em MATLAB utiliza o comando `acker` e o Programa 10.2 em MATLAB, o comando `place`.

Programa 10.1 em MATLAB
```
A = [0 1 0;0 0 1;-1 -5 -6];
B = [0;0;1];
J = [-2+j*4 -2-j*4 -10];
K = acker(A,B,J)
K =
    199  55   8
```

Programa 10.2 em MATLAB
```
A = [0 1 0;0 0 1;-1 -5 -6];
B = [0;0;1];
J = [-2+j*4 -2-j*4 -10];
K = place(A,B,J)
place: ndigits = 15
K =
    199.0000  55.0000   8.0000
```

Exemplo 10.3 Considere o mesmo sistema discutido no Exemplo 10.1. Deseja-se que esse sistema regulador tenha polos de malha fechada em

$$s = -2 + j4, \quad s = -2 - j4, \quad s = -10$$

A matriz necessária de ganho **K** de realimentação de estado foi obtida no Exemplo 10.1, como segue:

$$\mathbf{K} = [199 \quad 55 \quad 8]$$

Utilizando o MATLAB, obtemos a resposta do sistema à seguinte condição inicial:

$$\mathbf{x}(0) = \begin{bmatrix} 1 \\ 0 \\ 0 \end{bmatrix}$$

Resposta à condição inicial: para obter a resposta a uma dada condição inicial $\mathbf{x}(0)$, substituímos $u = -\mathbf{Kx}$ na equação da planta para obter

$$\dot{\mathbf{x}} = (\mathbf{A} - \mathbf{BK})\mathbf{x}, \quad \mathbf{x}(0) = \begin{bmatrix} 1 \\ 0 \\ 0 \end{bmatrix}$$

Para exibir as curvas de resposta (x_1 *versus t*, x_2 *versus t* e x_3 *versus t*), podemos utilizar o comando `initial`. Primeiro, definimos as equações do sistema no espaço de estados, como segue:

$$\dot{\mathbf{x}} = (\mathbf{A} - \mathbf{BK})\mathbf{x} + \mathbf{Iu}$$

$$\mathbf{y} = \mathbf{Ix} + \mathbf{Iu}$$

onde incluímos **u** (um vetor de entrada de dimensão 3). Esse vetor **u** é considerado **0** no cálculo da resposta à condição inicial. Então, definimos:

```
sys = ss(A - Bk, eye(3), eye(3), eye(3))
```

e utilizamos o comando `initial` como:

```
x = initial(sys, [1;0;0],t)
```

onde *t* é o intervalo de tempo que desejamos utilizar, como

```
t = 0:0.01:4;
```

Então, obtemos x1, x2 e x3, como segue:

```
x1 = [1 0 0]*x';
x2 = [0 1 0]*x';
x3 = [0 0 1]*x';
```

e utilizamos o comando plot. Esse programa é mostrado no Programa 10.3 em MATLAB. As curvas de resposta resultantes são mostradas na Figura 10.3.

Programa 10.3 em MATLAB

```
% Resposta à condição inicial:
A = [0 1 0;0 0 1;-1 -5 -6];
B = [0;0;1];
K = [199 55 8];
sys = ss(A-B*K, eye(3), eye(3), eye(3));
t = 0:0.01:4;
x = initial(sys,[1;0;0],t);
x1 = [1 0 0]*x';
x2 = [0 1 0]*x';
x3 = [0 0 1]*x';

subplot(3,1,1); plot(t,x1), grid
title('Resposta à condição inicial')
ylabel('variável de estado x1')

subplot(3,1,2); plot(t,x2),grid
ylabel('variável de estado x2')

subplot(3,1,3); plot(t,x3),grid
xlabel('t (s)')
ylabel('variável de estado x3')
```

FIGURA 10.3
Resposta à condição inicial.

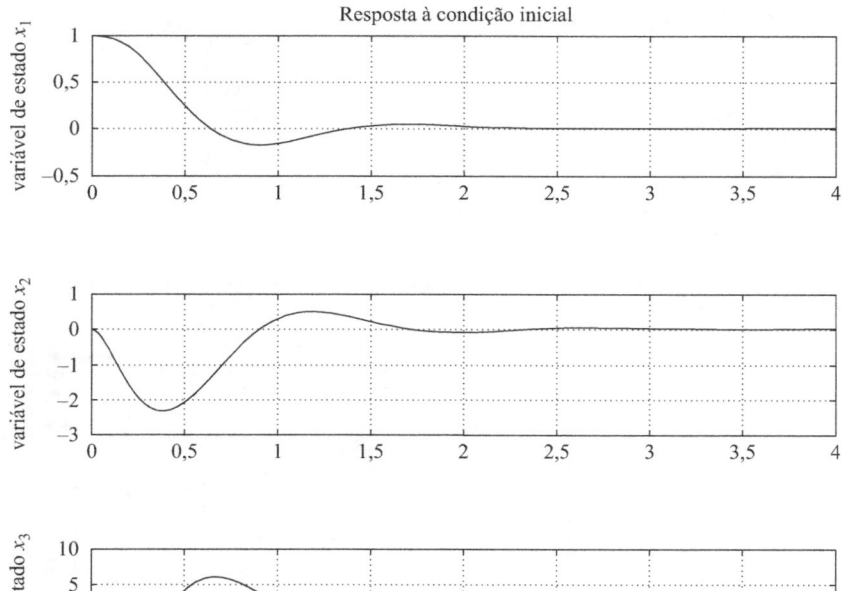

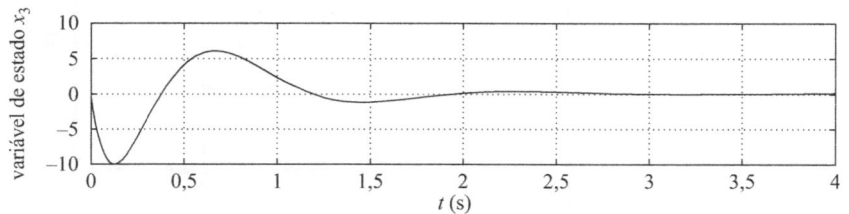

10.4 | Projeto de servossistemas

Nesta seção, discutiremos a abordagem de alocação de polos para servossistemas de tipo 1. Limitaremos aqui nossos sistemas ao caso de um sinal escalar u de controle e um sinal escalar y.

A seguir, discutiremos primeiro o problema de projetar servossistemas do tipo 1 quando a planta envolve um integrador. A partir daí, discutiremos o projeto de servossistemas do tipo 1 quando a planta não possuir integradores.

Projeto de servossistemas do tipo 1 quando a planta possui um integrador. Suponha que a planta seja definida por:

$$\dot{\mathbf{x}} = \mathbf{A}\mathbf{x} + \mathbf{B}u \tag{10.19}$$

$$y = \mathbf{C}\mathbf{x} \tag{10.20}$$

onde $\mathbf{x}$ = vetor de estado para a planta (vetor n)
u = sinal de controle (escalar)
y = sinal de saída (escalar)
$\mathbf{A}$ = matriz constante $n \times n$
$\mathbf{B}$ = matriz constante $n \times 1$
$\mathbf{C}$ = matriz constante $1 \times n$

Como foi estabelecido anteriormente, vamos supor que o sinal de controle u e de saída y sejam escalares. Por meio da escolha apropriada de um conjunto de variáveis de estado, é possível escolher a saída igual a uma das variáveis de estado. (Veja o método apresentado no Capítulo 2 para a obtenção da representação de estado de funções de transferência para os quais a saída y se torna igual a x_1.)

A Figura 10.4 mostra uma configuração geral de servossistemas do tipo 1 quando a planta possui um integrador. Vamos supor aqui que $y = x_1$. Nesta análise, supomos que o sinal de referência r seja uma função degrau. Nesse sistema, utilizamos o seguinte esquema de controle por realimentação de estado:

$$u = -\begin{bmatrix} 0 & k_2 & k_3 & \cdots & k_n \end{bmatrix} \begin{bmatrix} x_1 \\ x_2 \\ \vdots \\ x_n \end{bmatrix} + k_1(r - x_1) \tag{10.21}$$

$$= -\mathbf{K}\mathbf{x} + k_1 r$$

FIGURA 10.4
Servossistema do tipo 1 quando a planta possui um integrador.

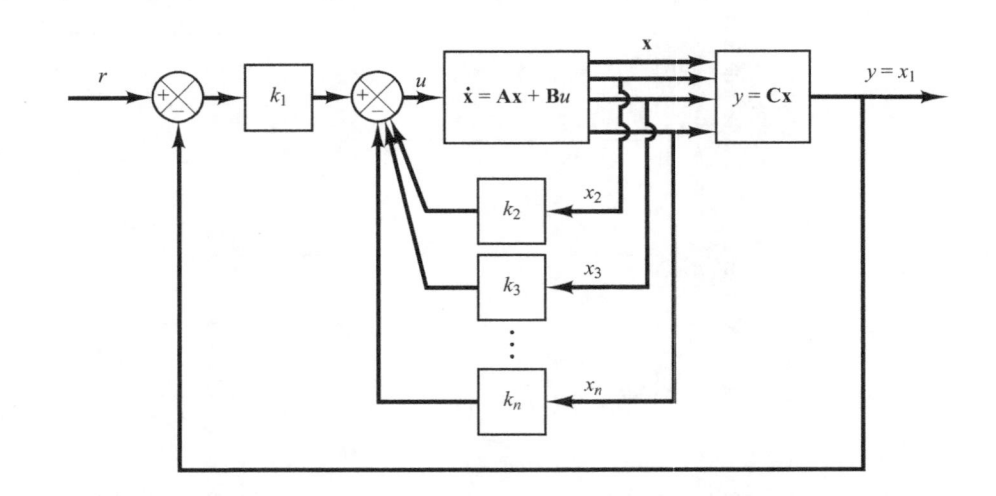

onde

$$\mathbf{K} = [k_1 \ k_2 \ \ldots \ k_n]$$

Suponha que a entrada de referência (função degrau) seja aplicada em $t = 0$. Então, para $t > 0$, as dinâmicas do sistema podem ser descritas pelas equações 10.19 e 10.21, ou

$$\dot{\mathbf{x}} = \mathbf{A}\mathbf{x} + \mathbf{B}u = (\mathbf{A} - \mathbf{B}\mathbf{K})\mathbf{x} + \mathbf{B}k_1 r \qquad (10.22)$$

Projetaremos servossistemas do tipo 1 de forma que os polos de malha fechada estejam localizados nas posições desejadas. O sistema projetado será um sistema assintoticamente estável, $y(\infty)$ tenderá ao valor constante r, e $u(\infty)$ tenderá a zero (r é uma entrada em degrau.)

Note que, no regime permanente, temos:

$$\dot{\mathbf{x}}(\infty) = (\mathbf{A} - \mathbf{B}\mathbf{K})\mathbf{x}(\infty) + \mathbf{B}k_1 r(\infty) \qquad (10.23)$$

Sabendo que $r(t)$ é uma entrada em degrau, temos $r(\infty) = r(t) = r$(constante) para $t > 0$. Subtraindo a Equação 10.23 da Equação 10.22, obtemos:

$$\dot{\mathbf{x}}(t) - \dot{\mathbf{x}}(\infty) = (\mathbf{A} - \mathbf{B}\mathbf{K})[\mathbf{x}(t) - \mathbf{x}(\infty)] \qquad (10.24)$$

Defina

$$\mathbf{x}(t) - \mathbf{x}(\infty) = \mathbf{e}(t)$$

Então, a Equação 10.24 se torna:

$$\dot{\mathbf{e}} = (\mathbf{A} - \mathbf{B}\mathbf{K})\mathbf{e} \qquad (10.25)$$

A Equação 10.25 descreve as dinâmicas de erro.

O projeto de um servossistema do tipo 1 é convertido aqui para o projeto de um sistema regulador assintoticamente estável, de maneira que $\mathbf{e}(t)$ tende a zero para qualquer condição inicial $\mathbf{e}(0)$ fornecida. Se o sistema definido pela Equação 10.19 for de estado completamente controlável, então, com a especificação dos autovalores desejados $\mu_1, \mu_2, \ldots, \mu_n$ da matriz $\mathbf{A} - \mathbf{B}\mathbf{K}$, a matriz $\mathbf{K}$ poderá ser determinada pela técnica de alocação de polos apresentada na Seção 10.2.

Os valores estacionários de $\mathbf{x}(t)$ e $u(t)$ podem ser encontrados como segue: no regime permanente ($t = \infty$), temos, a partir da Equação 10.22,

$$\dot{\mathbf{x}}(\infty) = \mathbf{0} = (\mathbf{A} - \mathbf{B}\mathbf{K})\mathbf{x}(\infty) + \mathbf{B}k_1 r$$

Como os valores desejados dos autovalores de $\mathbf{A} - \mathbf{B}\mathbf{K}$ estão todos do lado esquerdo no plano s, existe a inversa da matriz $\mathbf{A} - \mathbf{B}\mathbf{K}$. Consequentemente, $\mathbf{x}(\infty)$ pode ser determinada como:

$$\mathbf{x}(\infty) = -(\mathbf{A} - \mathbf{B}\mathbf{K})^{-1}\mathbf{B}k_1 r$$

Da mesma maneira, $u(\infty)$ pode ser obtida como:

$$u(\infty) = -\mathbf{K}\mathbf{x}(\infty) + k_1 r = 0$$

(Veja o Exemplo 10.4 para verificar essa última equação.)

Exemplo 10.4 Projete um servossistema do tipo 1 para o caso em que a função de transferência da planta possui um integrador. Suponha que a função de transferência da planta seja dada por:

$$\frac{Y(s)}{U(s)} = \frac{1}{s(s+1)(s+2)}$$

Os polos desejados de malha fechada são $s = -2 \pm j2\sqrt{3}$ e $s = -10$. Suponha que a configuração do sistema seja a mesma mostrada na Figura 10.4 e que a entrada de referência r seja uma função degrau. Obtenha a resposta ao degrau unitário do sistema projetado.

Defina as variáveis de estado x_1, x_2 e x_3, como segue:

$$x_1 = y$$
$$x_2 = \dot{x}_1$$
$$x_3 = \dot{x}_2$$

Então, a representação no espaço de estados do sistema resulta em:

$$\dot{\mathbf{x}} = \mathbf{A}\mathbf{x} + \mathbf{B}u \qquad (10.26)$$

$$y = \mathbf{C}\mathbf{x} \qquad (10.27)$$

onde

$$\mathbf{A} = \begin{bmatrix} 0 & 1 & 0 \\ 0 & 0 & 1 \\ 0 & -2 & -3 \end{bmatrix}, \quad \mathbf{B} = \begin{bmatrix} 0 \\ 0 \\ 1 \end{bmatrix} \quad \mathbf{C} = \begin{bmatrix} 1 & 0 & 0 \end{bmatrix}$$

Com relação à Figura 10.4 e sabendo que $n = 3$, o sinal de controle u é dado por:

$$u = -(k_2 x_2 + k_3 x_3) + k_1(r - x_1) = -\mathbf{K}\mathbf{x} + k_1 r \qquad (10.28)$$

onde

$$\mathbf{K} = [k_1 \; k_2 \; k_3]$$

A matriz de ganho **K** de realimentação de estado pode ser obtida facilmente com o MATLAB. Veja o Programa 10.4 em MATLAB.

A matriz de ganho **K** de realimentação de estado é, portanto,

```
K = [160  54  11]
```

Resposta ao degrau unitário do sistema projetado: a resposta ao degrau unitário do sistema projetado pode ser obtida como demonstrado a seguir.

Como

$$\mathbf{A} - \mathbf{B}\mathbf{K} = \begin{bmatrix} 0 & 1 & 0 \\ 0 & 0 & 1 \\ 0 & -2 & -3 \end{bmatrix} - \begin{bmatrix} 0 \\ 0 \\ 1 \end{bmatrix} [160 \; 54 \; 11] = \begin{bmatrix} 0 & 1 & 0 \\ 0 & 0 & 1 \\ -160 & -56 & -14 \end{bmatrix}$$

a partir da Equação 10.22, a equação de estado do sistema projetado é:

$$\begin{bmatrix} \dot{x}_1 \\ \dot{x}_2 \\ \dot{x}_3 \end{bmatrix} = \begin{bmatrix} 0 & 1 & 0 \\ 0 & 0 & 1 \\ -160 & -56 & -14 \end{bmatrix} \begin{bmatrix} x_1 \\ x_2 \\ x_3 \end{bmatrix} + \begin{bmatrix} 0 \\ 0 \\ 160 \end{bmatrix} r \qquad (10.29)$$

e a equação de saída é:

$$y = \begin{bmatrix} 1 & 0 & 0 \end{bmatrix} \begin{bmatrix} x_1 \\ x_2 \\ x_3 \end{bmatrix} \qquad (10.30)$$

Resolvendo as equações 10.29 e 10.30 para $y(t)$, onde r é uma função degrau unitário, obtém-se a curva de resposta ao degrau unitário $y(t)$ versus t. O Programa 10.5 em MATLAB fornece a curva de resposta ao degrau unitário. A curva resultante de resposta ao degrau unitário é mostrada na Figura 10.5.

```
Programa 10.4 em MATLAB

A = [0 1 0;0 0 1;0 -2 -3];
B = [0;0;1];
J = [-2+j*2*sqrt(3) -2-j*2*sqrt(3) -10];
K = acker(A,B,J)
K =
    160.0000  54.0000  11.0000
```

FIGURA 10.5
Curva de resposta ao degrau unitário $y(t)$ *versus t* para o sistema projetado no Exemplo 10.4.

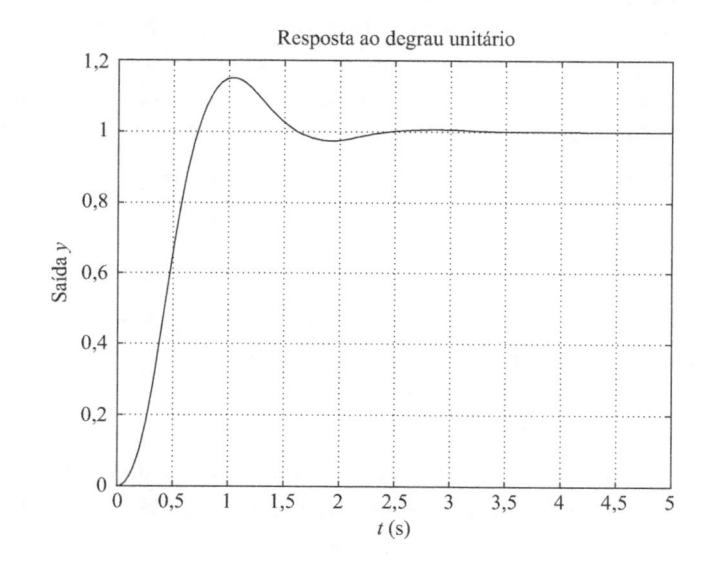

```
Programa 10.5 em MATLAB
% ---------- Resposta ao degrau unitário ----------
% ***** Entre coma matriz de estado, a matriz de controle, a
% matriz de saída e a matriz de transição do sistema projetado *****
AA = [0 1 0;0 0 1;-160 -56 -14];
BB = [0;0;160];
CC = [1 0 0];
DD = [0];
% ***** Entre com o comando step e com o comando plot *****
t = 0:0.01:5;
y = step(AA,BB,CC,DD,1,t);
plot(t,y)
grid
title('Resposta ao degrau unitário')
xlabel('t (s)')
ylabel('Saída y')
```

Note que, como

$$u(\infty) = -\mathbf{K}\mathbf{x}(\infty) + k_1 r(\infty) = -\mathbf{K}\mathbf{x}(\infty) + k_1 r$$

temos:

$$u(\infty) = -[160 \ 54 \ 11]\begin{bmatrix} x_1(\infty) \\ x_2(\infty) \\ x_3(\infty) \end{bmatrix} + 160r$$

$$= -[160 \ 54 \ 11]\begin{bmatrix} r \\ 0 \\ 0 \end{bmatrix} + 160r = 0$$

No regime permanente, o sinal de controle u se torna nulo.

Projeto de servossistemas do tipo 1 quando a planta não possui integrador. Se a planta não tiver integrador (planta do tipo 0), o princípio básico do projeto de um servossistema do tipo 1 será inserir um integrador no ramo direto entre o comparador de erro e a planta, como mostra a Figura 10.6. (O diagrama de blocos da Figura 10.6 é uma forma básica do servossistema do tipo 1, onde a planta não possui integrador.) A partir do diagrama, obtemos:

$$\dot{\mathbf{x}} = \mathbf{A}\mathbf{x} + \mathbf{B}u \tag{10.31}$$

$$y = \mathbf{C}\mathbf{x} \tag{10.32}$$

$$u = -\mathbf{K}\mathbf{x} + k_1 \xi \tag{10.33}$$

$$\dot{\xi} = r - y = r - \mathbf{C}\mathbf{x} \tag{10.34}$$

onde $\mathbf{x}$ = vetor de estado da planta (vetor n)
u = sinal de controle (escalar)
y = sinal de saída (escalar)
ξ = saída do integrador (variável de estado do sistema, escalar)
r = sinal de entrada de referência (função degrau, escalar)
$\mathbf{A}$ = matriz constante $n \times n$
$\mathbf{B}$ = matriz constante $n \times 1$
$\mathbf{C}$ = matriz constante $1 \times n$

Vamos supor que a planta dada pela Equação 10.31 seja de estado completamente controlável. A função de transferência da planta pode ser dada por:

$$Gp(s) = \mathbf{C}(s\mathbf{I} - \mathbf{A})^{-1}\mathbf{B}$$

Para evitar a possibilidade de o integrador inserido ser cancelado por um zero na origem da planta, vamos supor que $G_p(s)$ não possua zeros na origem.

Suponha que a entrada de referência (função degrau) seja aplicada em $t = 0$. Então, para $t > 0$, as dinâmicas do sistema podem ser descritas por uma equação que é a combinação das equações 10.31 e 10.34:

$$\begin{bmatrix} \dot{\mathbf{x}}(t) \\ \dot{\xi}(t) \end{bmatrix} = \begin{bmatrix} \mathbf{A} & \mathbf{0} \\ -\mathbf{C} & 0 \end{bmatrix} \begin{bmatrix} \mathbf{x}(t) \\ \xi(t) \end{bmatrix} + \begin{bmatrix} \mathbf{B} \\ 0 \end{bmatrix} u(t) + \begin{bmatrix} 0 \\ 1 \end{bmatrix} r(t) \tag{10.35}$$

Projetaremos um sistema assintoticamente estável, tal que $\mathbf{x}(\infty)$, $\xi(\infty)$ e $u(\infty)$ tendam a valores constantes, respectivamente. Então, no regime permanente, obtemos $y(\infty) = r$.

Note que, no regime permanente, temos:

$$\begin{bmatrix} \dot{\mathbf{x}}(\infty) \\ \dot{\xi}(\infty) \end{bmatrix} = \begin{bmatrix} \mathbf{A} & \mathbf{0} \\ -\mathbf{C} & 0 \end{bmatrix} \begin{bmatrix} \mathbf{x}(\infty) \\ \xi(\infty) \end{bmatrix} + \begin{bmatrix} \mathbf{B} \\ 0 \end{bmatrix} u(\infty) + \begin{bmatrix} 0 \\ 1 \end{bmatrix} r(\infty) \tag{10.36}$$

FIGURA 10.6
Servossistema do tipo 1.

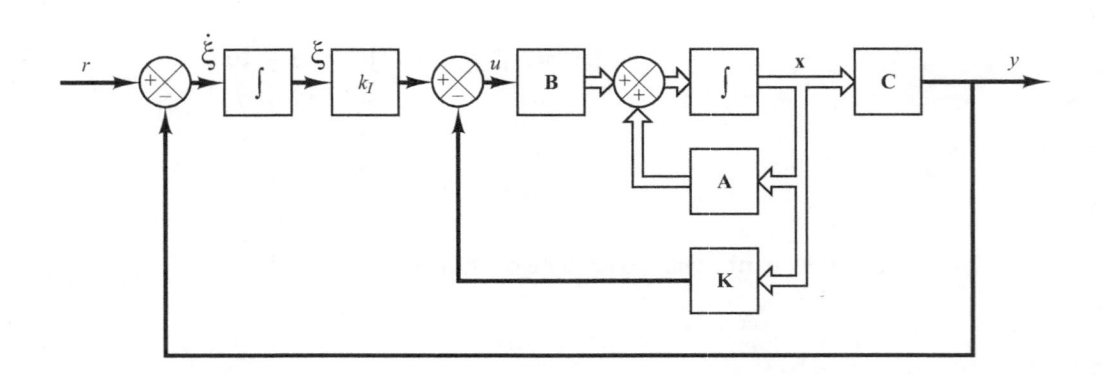

Sabendo que $r(t)$ é uma entrada em degrau, temos $r(\infty) = r(t) = r$ (constante) para $t > 0$. Subtraindo a Equação 10.36 da Equação 10.35, obtemos:

$$\begin{bmatrix} \dot{\mathbf{x}}(t) - \dot{\mathbf{x}}(\infty) \\ \dot{\xi}(t) - \dot{\xi}(\infty) \end{bmatrix} = \begin{bmatrix} \mathbf{A} & \mathbf{0} \\ -\mathbf{C} & 0 \end{bmatrix} \begin{bmatrix} \mathbf{x}(t) - \mathbf{x}(\infty) \\ \xi(t) - \xi(\infty) \end{bmatrix} + \begin{bmatrix} \mathbf{B} \\ 0 \end{bmatrix} [u(t) - u(\infty)] \qquad (10.37)$$

Defina

$$\mathbf{x}(t) - \mathbf{x}(\infty) = \mathbf{x}_e(t)$$

$$\xi(t) - \xi(\infty) = \xi_e(t)$$

$$u(t) - u(\infty) = u_e(t)$$

Então, a Equação 10.37 pode ser escrita como:

$$\begin{bmatrix} \dot{\mathbf{x}}_e(t) \\ \dot{\xi}_e(t) \end{bmatrix} = \begin{bmatrix} \mathbf{A} & \mathbf{0} \\ -\mathbf{C} & 0 \end{bmatrix} \begin{bmatrix} \mathbf{x}_e(t) \\ \xi_e(t) \end{bmatrix} + \begin{bmatrix} \mathbf{B} \\ 0 \end{bmatrix} u_e(t) \qquad (10.38)$$

onde

$$u_e(t) = -\mathbf{K}\mathbf{x}_e(t) + k_1 \xi_e(t) \qquad (10.39)$$

Defina um novo vetor de erro $\mathbf{e}(t)$ de ordem $(n + 1)$ por:

$$\mathbf{e}(t) = \begin{bmatrix} \mathbf{x}_e(t) \\ \xi_e(t) \end{bmatrix} = (n+1)\text{-vetor}$$

Então, a Equação 10.38 resulta em:

$$\dot{\mathbf{e}} = \hat{\mathbf{A}}\mathbf{e} + \hat{\mathbf{B}}u_e \qquad (10.40)$$

onde

$$\hat{\mathbf{A}} = \begin{bmatrix} \mathbf{A} & \mathbf{0} \\ -\mathbf{C} & 0 \end{bmatrix}, \quad \hat{\mathbf{B}} = \begin{bmatrix} \mathbf{B} \\ 0 \end{bmatrix}$$

e a Equação 10.39 resulta em:

$$u_e = -\hat{\mathbf{K}}\mathbf{e} \qquad (10.41)$$

onde

$$\hat{\mathbf{K}} = [\mathbf{K} \ \vdots \ -k_I]$$

A equação de estado do erro pode ser obtida pela substituição da Equação 10.41 na Equação 10.40:

$$\dot{\mathbf{e}} = (\hat{\mathbf{A}} - \hat{\mathbf{B}}\hat{\mathbf{K}})\mathbf{e} \qquad (10.42)$$

Se os autovalores desejados da matriz $\hat{\mathbf{A}} - \hat{\mathbf{B}}\hat{\mathbf{K}}$ (ou seja, os polos desejados de malha fechada) forem especificados por $\mu_1, \mu_2, \ldots, \mu_{n+1}$, então a matriz de ganho $\mathbf{K}$ de realimentação de estado e a constante de ganho integral k_I poderão ser determinadas pela técnica de alocação de polos, apresentada na Seção 10.2, desde que o sistema definido pela Equação 10.40 seja de estado completamente controlável. Note que, se a matriz

$$\begin{bmatrix} \mathbf{A} & \mathbf{B} \\ -\mathbf{C} & 0 \end{bmatrix}$$

tem posto $n + 1$, então o sistema definido pela Equação 10.40 é de estado completamente controlável. (Veja o Problema A.10.12.)

Como geralmente é o caso, nem todas as variáveis de estado podem ser medidas diretamente. Dessa maneira, precisamos utilizar um observador de estado. A Figura 10.7 mostra um diagrama de blocos de um servossistema do tipo 1 com um observador de estado. [Na figura, cada bloco com um símbolo de integral representa um integrador $(1/s)$.] Uma discussão detalhada dos observadores de estado é dada na Seção 10.5.

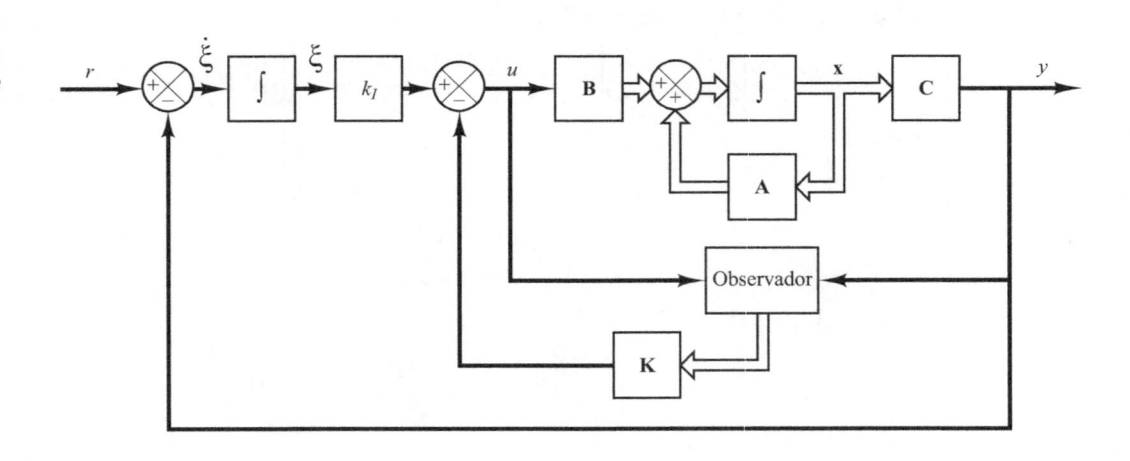

FIGURA 10.7
Servossistema do tipo 1 com observador de estado.

Exemplo 10.5 Considere o sistema de controle de um pêndulo invertido, mostrado na Figura 10.8. Neste exemplo, estamos preocupados com o movimento do pêndulo e com o movimento do carro no plano da página.

Deseja-se manter, tanto quanto possível, o pêndulo invertido na vertical e, ainda, controlar a posição do carro — por exemplo, movendo o carro por degraus. Para controlar a posição do carro, precisamos construir um servossistema do tipo 1. O sistema do pêndulo invertido montado em um carro não possui um integrador. Portanto, injetamos o sinal de posição y (que indica a posição do carro) de volta para a entrada e inserimos um integrador no ramo direto, como mostra a Figura 10.9. Vamos supor que o ângulo θ e a velocidade angular $\dot\theta$ sejam pequenos, tal que sen $\theta \doteq \theta$, cos $\theta \doteq 1$ e $\theta\dot\theta^2 \doteq 0$. Vamos supor também que os valores numéricos de M, m e l sejam dados por:

$$M = 2 \text{ kg}, \quad m = 0{,}1 \text{ kg}, \quad l = 0{,}5 \text{ m}$$

Anteriormente, no Exemplo 3.6, obtivemos as equações para o sistema de pêndulo invertido mostrado na Figura 3.6, que é o mesmo da Figura 10.8. Com relação à Figura 3.6, começamos com as equações de equilíbrio de força e equilíbrio de conjugado e chegamos às equações 3.20

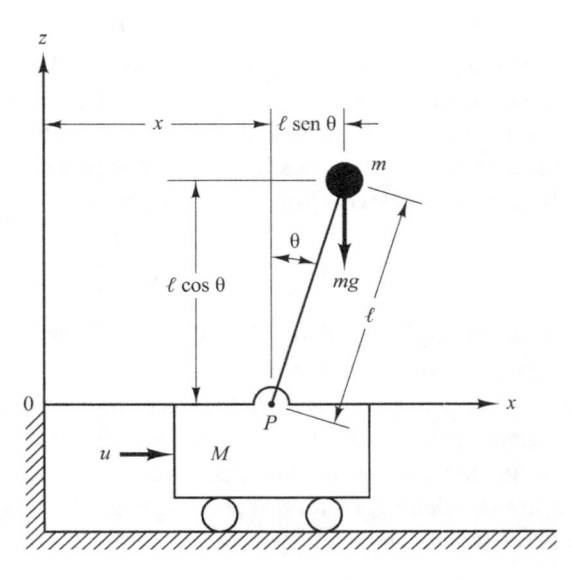

FIGURA 10.8
Sistema de controle do pêndulo invertido.

FIGURA 10.9
Sistema de controle do pêndulo invertido. (Servossistema do tipo 1 quando a planta não possui integrador.)

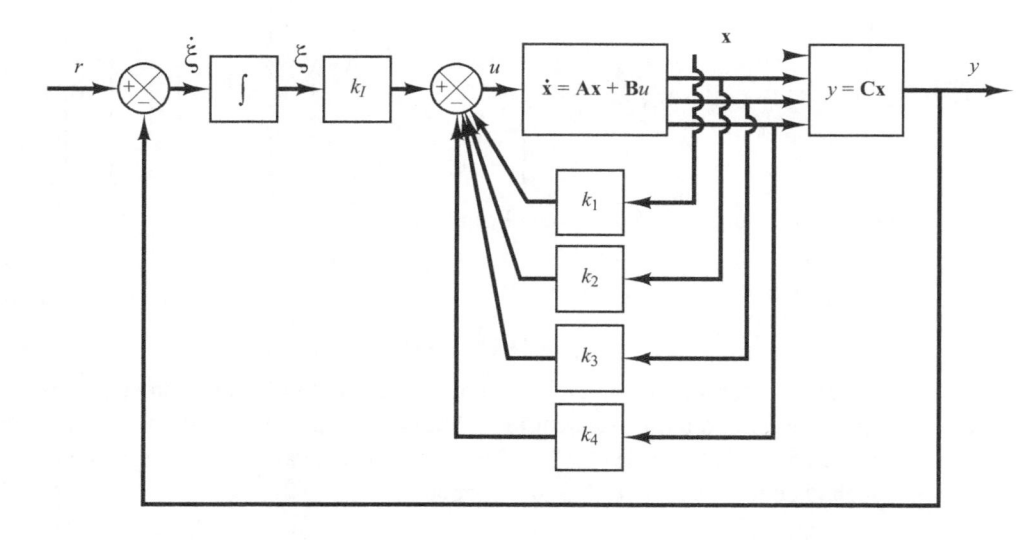

e 3.21 para a modelagem do sistema de pêndulo invertido. Com relação às equações 3.20 e 3.21, as equações do sistema de controle do pêndulo invertido mostrado na Figura 10.8 são:

$$Ml\ddot{\theta} = (M+m)g\theta - u \qquad (10.43)$$

$$M\ddot{x} = u - mg\theta \qquad (10.44)$$

Quando os valores numéricos dados são substituídos, as equações 10.43 e 10.44 resultam em:

$$\ddot{\theta} = 20{,}601\theta - u \qquad (10.45)$$

$$\ddot{x} = 0{,}5u - 0{,}4905\theta \qquad (10.46)$$

Vamos definir as variáveis de estado x_1, x_2, x_3 e x_4 por:

$$x_1 = \theta$$
$$x_2 = \dot{\theta}$$
$$x_3 = x$$
$$x_4 = \dot{x}$$

Então, com relação às equações 10.45 e 10.46 e à Figura 10.9, considerando-se a posição do carro x como a saída do sistema, obtemos as equações, como segue:

$$\dot{\mathbf{x}} = \mathbf{A}\mathbf{x} + \mathbf{B}u \qquad (10.47)$$

$$y = \mathbf{C}\mathbf{x} \qquad (10.48)$$

$$u = -\mathbf{K}\mathbf{x} + k_I\xi \qquad (10.49)$$

$$\dot{\xi} = r - y = r - \mathbf{C}\mathbf{x} \qquad (10.50)$$

onde

$$\mathbf{A} = \begin{bmatrix} 0 & 1 & 0 & 0 \\ 20{,}601 & 0 & 0 & 0 \\ 0 & 0 & 0 & 1 \\ -0{,}4905 & 0 & 0 & 0 \end{bmatrix}, \quad \mathbf{B} = \begin{bmatrix} 0 \\ -1 \\ 0 \\ 0{,}5 \end{bmatrix}, \quad \mathbf{C} = \begin{bmatrix} 0 & 0 & 1 & 0 \end{bmatrix}$$

Para o servossistema do tipo 1, temos que a equação de estado do erro é dada pela Equação 10.40:

$$\dot{\mathbf{e}} = \hat{\mathbf{A}}\mathbf{e} + \hat{\mathbf{B}}u_e \qquad (10.51)$$

onde

$$\hat{\mathbf{A}} = \begin{bmatrix} \mathbf{A} & \mathbf{0} \\ -\mathbf{C} & 0 \end{bmatrix} = \begin{bmatrix} 0 & 1 & 0 & 0 & 0 \\ 20{,}601 & 0 & 0 & 0 & 0 \\ 0 & 0 & 0 & 1 & 0 \\ -0{,}4905 & 0 & 0 & 0 & 0 \\ 0 & 0 & -1 & 0 & 0 \end{bmatrix}, \quad \hat{\mathbf{B}} = \begin{bmatrix} \mathbf{B} \\ 0 \end{bmatrix} = \begin{bmatrix} 0 \\ -1 \\ 0 \\ 0{,}5 \\ 0 \end{bmatrix}$$

e o sinal de controle é dado pela Equação 10.41:

$$u_e = -\hat{\mathbf{K}}\mathbf{e}$$

onde

$$\hat{\mathbf{K}} = [\mathbf{K} \;\vdots\; -k_I] = [k_1 \; k_2 \; k_3 \; k_4 \;\vdots\; -k_I]$$

Para obter uma velocidade e um amortecimento razoáveis na resposta do sistema projetado (por exemplo, o tempo de acomodação aproximadamente entre 4 ~ 5 s e o máximo sobressinal entre 15% ~ 16% na resposta ao degrau do carro), vamos escolher os polos desejados de malha fechada em $s = \mu_i$ ($i = 1, 2, 3, 4, 5$), onde

$$\mu_1 = -1 + j\sqrt{3}, \qquad \mu_2 = -1 - j\sqrt{3}, \qquad \mu_3 = -5, \qquad \mu_4 = -5, \qquad \mu_5 = -5$$

Determinaremos a matriz de ganho de realimentação de estado necessária com o uso do MATLAB.

Antes de irmos adiante, precisamos examinar o posto da matriz $\mathbf{P}$, onde

$$\mathbf{P} = \begin{bmatrix} \mathbf{A} & \mathbf{B} \\ -\mathbf{C} & 0 \end{bmatrix}$$

A matriz $\mathbf{P}$ é dada por:

$$\mathbf{P} = \begin{bmatrix} \mathbf{A} & \mathbf{B} \\ -\mathbf{C} & 0 \end{bmatrix} = \begin{bmatrix} 0 & 1 & 0 & 0 & 0 \\ 20{,}601 & 0 & 0 & 0 & -1 \\ 0 & 0 & 0 & 1 & 0 \\ -0{,}4905 & 0 & 0 & 0 & 0{,}5 \\ 0 & 0 & -1 & 0 & 0 \end{bmatrix} \qquad (10.52)$$

O posto dessa matriz vale 5. Por consequência, o sistema definido pela Equação 10.51 é de estado completamente controlável e uma alocação arbitrária de polos é, portanto, possível. O Programa 10.6 em MATLAB produz a matriz $\hat{\mathbf{K}}$ de ganho de realimentação de estado.

Logo, obtemos:

$$\mathbf{K} = [k_1 \; k_2 \; k_3 \; k_4] = [-157{,}6336 \; -35{,}3733 \; -56{,}0652 \; -36{,}7466]$$

e

$$k_I = -50{,}9684$$

```
Programa 10.6 em MATLAB

A = [0 1 0 0; 20.601 0 0 0; 0 0 0 1; -0.4905 0 0 0];
B = [0;-1;0;0.5];
C = [0 0 1 0];
Ahat = [A zeros(4,1); -C 0];
Bhat = [B;0];
J = [-1+j*sqrt(3) -1-j*sqrt(3) -5 -5 -5];
Khat = acker(Ahat,Bhat,J)

Khat =
    -157.6336  -35.3733  -56.0652  -36.7466  50.9684
```

Características da resposta ao degrau unitário do sistema projetado. Uma vez determinada a matriz de ganho $\mathbf{K}$ de realimentação e a constante k_I de ganho da integral, pode-se obter a resposta ao degrau da posição do carro resolvendo-se a seguinte equação, que é obtida pela substituição da Equação 10.49 na Equação 10.35:

$$\begin{bmatrix} \dot{\mathbf{x}} \\ \dot{\xi} \end{bmatrix} = \begin{bmatrix} \mathbf{A} - \mathbf{BK} & \mathbf{B}k_I \\ -\mathbf{C} & 0 \end{bmatrix} \begin{bmatrix} \mathbf{x} \\ \xi \end{bmatrix} + \begin{bmatrix} \mathbf{0} \\ 1 \end{bmatrix} r \quad (10.53)$$

A saída $y(t)$ do sistema é $x_3(t)$, ou

$$y = \begin{bmatrix} 0 & 0 & 1 & 0 & 0 \end{bmatrix} \begin{bmatrix} \mathbf{x} \\ \xi \end{bmatrix} + [0]r \quad (10.54)$$

Defina as matrizes de estado, de controle, de saída e a matriz de transmissão direta do sistema dado pelas equações 10.53 e 10.54 como AA, BB, CC e DD, respectivamente. O Programa 10.7 em MATLAB pode ser utilizado para obter as curvas de resposta ao degrau do sistema projetado. Note que, para obter a resposta ao degrau unitário, introduzimos o comando

```
[y,x,t] = step(AA,BB,CC,DD,1,t)
```

A Figura 10.10 mostra as curvas x_1 versus t, x_2 versus t, x_3 (= saída y) versus t, x_4 versus t e x_5 (= ξ) versus t. Note que $y(t)$ [= $x_3(t)$] tem aproximadamente 15% de sobressinal e um tempo de acomodação de aproximadamente 4,5 s. A variável $\xi(t)$ [= $x_5(t)$] tende a 1,1. Esse resultado pode ser obtido como a seguir. Como

$$\dot{\mathbf{x}}(\infty) = \mathbf{0} = \mathbf{A}\mathbf{x}(\infty) + \mathbf{B}u(\infty)$$

ou

$$\begin{bmatrix} 0 \\ 0 \\ 0 \\ 0 \end{bmatrix} = \begin{bmatrix} 0 & 1 & 0 & 0 \\ 20,601 & 0 & 0 & 0 \\ 0 & 0 & 0 & 1 \\ -0,4905 & 0 & 0 & 0 \end{bmatrix} \begin{bmatrix} 0 \\ 0 \\ r \\ 0 \end{bmatrix} + \begin{bmatrix} 0 \\ -1 \\ 0 \\ 0,5 \end{bmatrix} u(\infty)$$

FIGURA 10.10
Curvas de x_1 versus t, x_2 versus t, x_3 (= saída y) versus t, x_4 versus t e x_5 (= ξ) versus t.

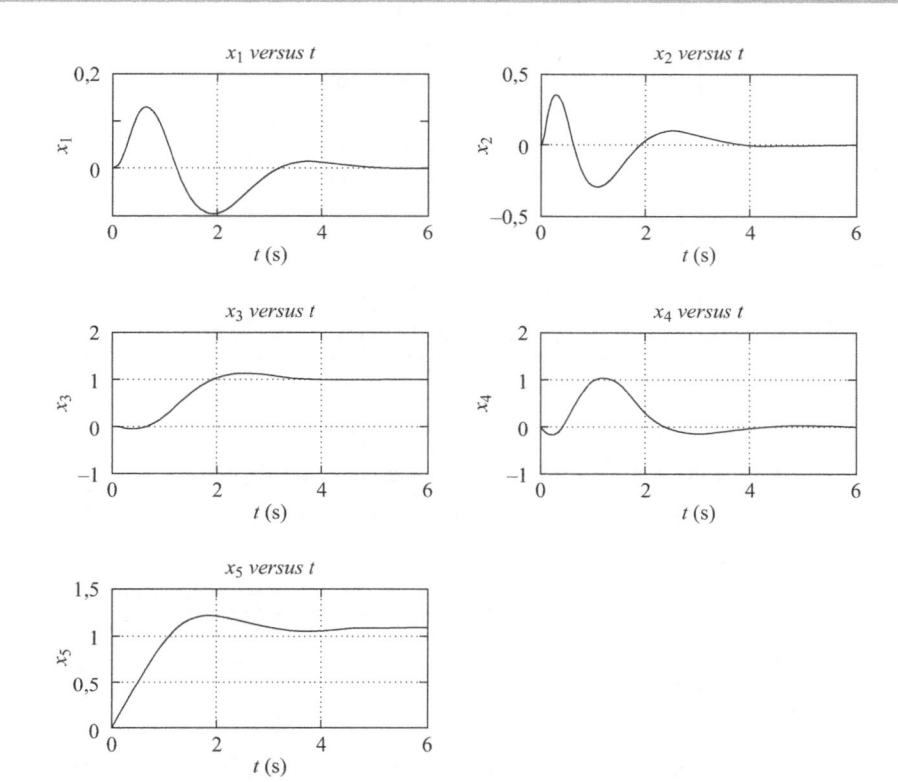

```
Programa 10.7 em MATLAB

%**** O seguinte programa obtém a resposta ao degrau do
% sistema do pêndulo invertido recém-projetado *****
A = [0 1 0 0;20.601 0 0 0;0 0 0 1;-0.4905 0 0 0];
B = [0;-1;0;0.5];
C = [0 0 1 0]
D = [0];
K = [-157.6336 -35.3733 -56.0652 -36.7466];
KI = -50.9684;
AA = [A - B*K B*KI;-C 0];
BB = [0;0;0;0;1];
CC = [C 0];
DD = [0];

%***** Para obter separadamente as curvas de resposta x1
% versus t, x2 versus t, x3 versus t, x4 versus t, e x5 versus
% t, digite o seguinte comando *****
t = 0:0.02:6;
[y,x,t] = step(AA,BB,CC,DD,1,t);
x1 = [1 0 0 0 0]*x';
x2 = [0 1 0 0 0]*x';
x3 = [0 0 1 0 0]*x';
x4 = [0 0 0 1 0]*x';
x5 = [0 0 0 0 1]*x';
subplot(3,2,1); plot(t,x1); grid
title('x1 versus t')
xlabel('t (s)'); ylabel('x1')

subplot(3,2,2); plot(t,x2); grid
title('x2 versus t')
xlabel('t (s)'); ylabel('x2')

subplot(3,2,3); plot(t,x3); grid
title('x3 versus t')
xlabel('t (s)'); ylabel('x3')

subplot(3,2,4); plot(t,x4); grid
title('x4 versus t')
xlabel('t (s)'); ylabel('x4')

subplot(3,2,5); plot(t,x5); grid
title('x5 versus t')
xlabel('t (s)'); ylabel('x5')
```

obtemos:

$$u(\infty) = 0$$

Como $u(\infty) = 0$, temos, a partir da Equação 10.33,

$$u(\infty) = 0 = -\mathbf{K}\mathbf{x}(\infty) + k_I \xi(\infty)$$

portanto,

$$\xi(\infty) = \frac{1}{k_I}[\mathbf{K}\mathbf{x}(\infty)] = \frac{1}{k_I} k_3 x_3(\infty) = \frac{-56,0652}{-50,9684} r = 1,1r$$

Por isso, para $r = 1$, temos:

$$\xi(\infty) = 1,1$$

Note que, como em todo problema de projeto, se a velocidade e o amortecimento não forem satisfatórios, então precisaremos modificar a equação característica desejada e determinar uma nova matriz $\hat{\mathbf{K}}$. Devem-se repetir as simulações computacionais até que um resultado satisfatório seja obtido.

10.5 | Observadores de estado

Na abordagem por alocação de polos no projeto de sistemas de controle, vamos supor que todas as variáveis de estado estejam disponíveis para realimentação. Na prática, contudo, nem todas as variáveis estão disponíveis para realimentação. Então, precisamos estimar as variáveis de estado não disponíveis. A estimativa de variáveis de estado não mensuráveis é comumente denominada *observação*. Um dispositivo (ou programa de computador) que estima ou observa as variáveis de estado é denominado *observador de estado* ou simplesmente *observador*. Se o observador de estado observa todas as variáveis do sistema, independentemente de algumas das variáveis de estado estarem disponíveis para medição direta, ele é denominado *observador de estado de ordem plena*. Haverá vezes em que isso não será necessário, quando necessitarmos da observação somente das variáveis de estado não mensuráveis, e não das variáveis que são diretamente mensuráveis. Por exemplo, como as variáveis de saída são observáveis e são linearmente relacionadas com as variáveis de estado, não precisamos observar todas as variáveis de estado, mas somente $n - m$ dessas variáveis, onde n é a dimensão do vetor de estado e m é a dimensão do vetor de saída.

Um observador que estima menos que n variáveis de estado, onde n é a dimensão do vetor de estado, é denominado *observador de estado de ordem reduzida* ou, simplesmente, *observador de ordem reduzida*. Se a ordem do observador de estado de ordem reduzida for a menor possível, o observador será denominado *observador de estado de ordem mínima* ou *observador de ordem mínima*. Nesta seção, discutiremos tanto os observadores de ordem plena como os observadores de ordem mínima.

Observador de estado. Um observador de estado estima as variáveis de estado baseado nas medidas das variáveis de saída e das variáveis de controle. Aqui, o conceito de observabilidade, discutido na Seção 9.7, tem um papel importante. Como será visto mais tarde, observadores de estado podem ser projetados se, e somente se, a condição de observabilidade for satisfeita.

Nas discussões seguintes sobre observadores de estado, utilizaremos a notação $\tilde{x}$ para representar o vetor de estado observado. Em muitos casos práticos, o vetor de estado observado $\tilde{x}$ é utilizado na realimentação de estado para gerar o vetor de controle desejado.

Considere a planta definida por:

$$\dot{x} = Ax + Bu \qquad (10.55)$$

$$y = Cx \qquad (10.56)$$

O observador é um subsistema reconstrutor do vetor de estado da planta. O modelo matemático do observador é basicamente o mesmo que o da planta, exceto por um termo adicional que incorpora o erro de estimação para compensar as incertezas nas matrizes A e B e a ausência do erro inicial. O erro de estimação ou erro de observação é a diferença entre a saída medida e a saída estimada. O erro inicial é a diferença entre o estado inicial e o estado inicial estimado. Portanto, definimos o modelo matemático do observador como

$$\dot{\tilde{x}} = A\tilde{x} + Bu + K_e(y - C\tilde{x}) = (A - K_eC)\tilde{x} + Bu + K_ey \qquad (10.57)$$

onde $\tilde{x}$ é o estado estimado e $C\tilde{x}$ é a saída estimada. As entradas do observador são a saída y e a entrada de controle u. A matriz K_e, denominada matriz de ganho do observador, é uma matriz de penalização do termo de correção que envolve a diferença entre a saída medida y e a saída estimada $C\tilde{x}$. Esse termo corrige continuamente a saída do modelo e aumenta o desempenho do observador. A Figura 10.11 mostra o diagrama de blocos do sistema e o observador de estado de ordem plena.

Observador de estado de ordem plena. A ordem do observador de estado que será discutida aqui é a mesma da planta. Suponha que a planta seja definida pelas equações 10.55 e 10.56 e que o modelo do observador seja definido pela Equação 10.57.

FIGURA 10.11
Diagrama de blocos do sistema e do observador de estado de ordem plena, quando a entrada *u* e a saída *y* são escalares.

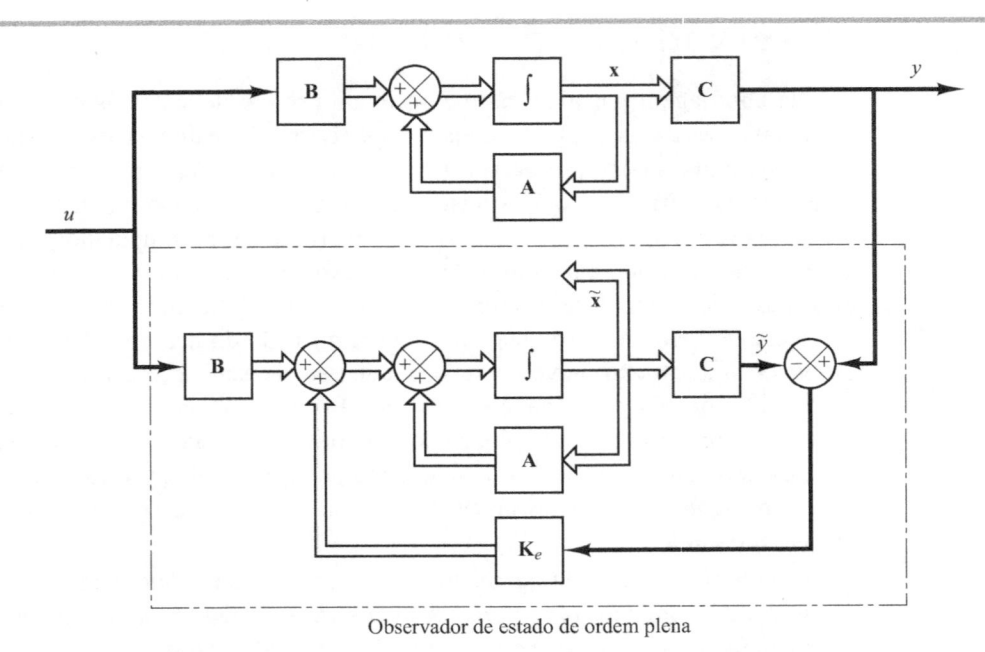

Observador de estado de ordem plena

Para obter a equação do erro de observação, vamos subtrair a Equação 10.57 a partir da Equação 10.55:

$$\dot{\mathbf{x}} - \dot{\tilde{\mathbf{x}}} = \mathbf{A}\mathbf{x} - \mathbf{A}\tilde{\mathbf{x}} - \mathbf{K}_e(\mathbf{C}\mathbf{x} - \mathbf{C}\tilde{\mathbf{x}}) = (\mathbf{A} - \mathbf{K}_e\mathbf{C})(\mathbf{x} - \tilde{\mathbf{x}}) \tag{10.58}$$

Defina a diferença entre $\mathbf{x}$ e $\tilde{\mathbf{x}}$ como o vetor de erro $\mathbf{e}$, ou

$$\mathbf{e} = \mathbf{x} - \tilde{\mathbf{x}}$$

Então, a Equação 10.58 torna-se:

$$\dot{\mathbf{e}} = (\mathbf{A} - \mathbf{K}_e\mathbf{C})\mathbf{e} \tag{10.59}$$

A partir da Equação 10.59, notamos que o comportamento dinâmico do vetor de erro é determinado pelos autovalores da matriz $\mathbf{A} - \mathbf{K}_e\mathbf{C}$. Se a matriz $\mathbf{A} - \mathbf{K}_e\mathbf{C}$ for uma matriz estável, o vetor de erro convergirá para zero, qualquer que seja o vetor de erro inicial $\mathbf{e}(0)$. Ou seja, $\tilde{\mathbf{x}}(t)$ convergirá para $\mathbf{x}(t)$ independentemente do valor de $\mathbf{x}(0)$ e $\tilde{\mathbf{x}}(0)$. Se os autovalores da matriz $\mathbf{A} - \mathbf{K}_e\mathbf{C}$ forem escolhidos de tal maneira que o comportamento dinâmico do vetor de erro seja assintoticamente estável e adequadamente rápido, então qualquer vetor de erro tenderá a zero (a origem) com uma velocidade adequada.

Se a planta for completamente observável, então poderá ser provado que é possível escolher a matriz $\mathbf{K}_e$ tal que $\mathbf{A} - \mathbf{K}_e\mathbf{C}$ tenha seus autovalores arbitrariamente escolhidos. Ou seja, a matriz de ganho $\mathbf{K}_e$ do observador pode ser determinada para fornecer a matriz $\mathbf{A} - \mathbf{K}_e\mathbf{C}$ desejada. Discutiremos esse assunto a seguir.

O problema dual. O problema de projetar um observador de ordem plena resulta na determinação da matriz de ganho $\mathbf{K}_e$ do observador, tal que as dinâmicas do erro definido pela Equação 10.59 sejam assintoticamente estáveis, com uma velocidade suficiente de resposta. (A estabilidade assintótica e a velocidade de resposta das dinâmicas do erro são determinadas pelos autovalores da matriz $\mathbf{A} - \mathbf{K}_e\mathbf{C}$.) Consequentemente, o projeto do observador de ordem plena resulta na determinação de uma $\mathbf{K}_e$ apropriada tal que $\mathbf{A} - \mathbf{K}_e\mathbf{C}$ possua os autovalores desejados. Assim, o problema aqui resulta no mesmo que o problema de alocação de polos, que discutimos na Seção 10.2. De fato, os problemas são matematicamente os mesmos. Essa propriedade é denominada dualidade.

Considere o sistema definido por:

$$\dot{\mathbf{x}} = \mathbf{A}\mathbf{x} + \mathbf{B}u$$

$$y = \mathbf{C}\mathbf{x}$$

No projeto do observador de estado de ordem plena, podemos resolver o problema dual, ou seja, resolver o problema de alocação de polos para o sistema dual

$$\dot{z} = A^*z + C^*v$$

$$n = B^*z$$

considerando o sinal de controle v como

$$v = -Kz$$

Se o sistema dual for de estado completamente controlável, então a matriz de ganho K de realimentação de estado poderá ser determinada de tal forma que a matriz $A^* - C^*K$ fornecerá o conjunto dos autovalores desejados.

Se $\mu_1, \mu_2, \ldots, \mu_n$ forem os autovalores desejados da matriz do observador de estado, então, tomando-se os mesmos μ_i como os autovalores desejados da matriz de ganho de realimentação de estado do sistema dual, obteremos:

$$|sI - (A^* - C^*K)| = (s - \mu_1)(s - \mu_2) \ldots (s - \mu_n)$$

Sabendo que os autovalores de $A^* - C^*K$ e os de $A - K^*C$ são os mesmos, temos:

$$|sI - (A^* - C^*K)| = |sI - (A - K^*C)|$$

Comparando o polinômio característico $|sI - (A - K^*C)|$ com o polinômio característico para o sistema observador $|sI - (A - K_eC)|$ (recorra à Equação 10.57), descobrimos que K_e e K^* são relacionados por

$$K_e = K^*$$

Assim, utilizando a matriz K determinada pela abordagem de alocação de polos no sistema dual, a matriz de ganho K_e do observador do sistema original pode ser determinada utilizando-se a relação $K_e = K^*$. (Veja o Problema A.10.10 para obter detalhes.)

Condição necessária e suficiente para observação de estado. Como foi discutido, uma condição necessária e suficiente para a determinação da matriz de ganho K_e do observador, na determinação dos autovalores de $A - K_e C$, mostra que o dual do sistema original

$$\dot{z} = A^*z + C^*v$$

é de estado completamente controlável. A condição de controlabilidade completa de estado para esse sistema com dualidade é que o posto de

$$[C^* \,\vdots\, A^*C^* \,\vdots\, \ldots \,\vdots\, (A^*)^{n-1}C^*]$$

seja n. Esta é a condição de observabilidade completa do sistema original definido pelas equações 10.55 e 10.56. Isso significa que uma condição necessária e suficiente para a observação do estado do sistema definido pelas equações 10.55 e 10.56 mostra que o sistema é completamente observável.

Uma vez que tenhamos selecionado os autovalores desejados (ou a equação característica desejada), o observador de estado de ordem plena poderá ser projetado, desde que a planta seja completamente observável. Os autovalores desejados da equação característica devem ser escolhidos de modo que o observador de estado responda, pelo menos, duas a cinco vezes mais rápido que o sistema de malha fechada considerado. Como foi estabelecido anteriormente, a equação do observador de estado de ordem plena é:

$$\dot{\tilde{x}} = (A - K_e C)\tilde{x} + Bu + K_e y \qquad (10.60)$$

Note que até agora estivemos supondo que as matrizes A, B e C do observador são exatamente as mesmas da planta física. Se existirem discrepâncias entre as matrizes A, B e C do observador e da planta, as dinâmicas do erro do observador não serão mais governadas pela Equação 10.59. Isso significa que o erro pode não tender a zero, como esperado. Portanto, precisamos escolher K_e tal que o observador seja estável e o erro permaneça aceitavelmente pequeno na presença de pequenos erros de modelagem.

Técnica da transformação para obtenção da matriz de ganho K_e do observador de estado. Seguindo a mesma abordagem que utilizamos na determinação da equação da matriz de ganho **K** de realimentação de estado, podemos obter as seguintes equações:

$$\mathbf{K}_e = \mathbf{Q} \begin{bmatrix} \alpha_n - a_n \\ \alpha_{n-1} - a_{n-1} \\ \vdots \\ \alpha_1 - a_1 \end{bmatrix} = (\mathbf{WN}^*)^{-1} \begin{bmatrix} \alpha_n - a_n \\ \alpha_{n-1} - a_{n-1} \\ \vdots \\ \alpha_1 - a_1 \end{bmatrix} \quad (10.61)$$

onde $\mathbf{K}_e$ é uma matriz $n \times 1$

$$\mathbf{Q} = (\mathbf{WN}^*)^{-1}$$

e

$$\mathbf{N} = [\mathbf{C}^* \mid \mathbf{A}^*\mathbf{C}^* \mid \cdots \mid (\mathbf{A}^*)^{n-1}\mathbf{C}^*]$$

$$\mathbf{W} = \begin{bmatrix} a_{n-1} & a_{n-2} & \cdots & a_1 & 1 \\ a_{n-2} & a_{n-3} & \cdots & 1 & 0 \\ \vdots & \vdots & & \vdots & \vdots \\ a_1 & 1 & \cdots & 0 & 0 \\ 1 & 0 & \cdots & 0 & 0 \end{bmatrix}$$

(Recorra ao Problema A.10.10 para a obtenção da Equação 10.61.)

Abordagem pela substituição direta para obtenção da matriz de ganho K_e do observador de estado. Da mesma maneira que o caso de alocação de polos, se o sistema for de ordem reduzida, então a substituição direta da matriz $\mathbf{K}_e$ no polinômio característico desejado poderá ser mais simples. Por exemplo, se **x** for um vetor de dimensão 3, então escreva a matriz de ganho $\mathbf{K}_e$ do observador como:

$$\mathbf{K}_e = \begin{bmatrix} k_{e1} \\ k_{e2} \\ k_{e3} \end{bmatrix}$$

Substitua essa matriz $\mathbf{K}_e$ no polinômio característico desejado:

$$|s\mathbf{I} - (\mathbf{A} - \mathbf{K}_e\mathbf{C})| = (s - \mu_1)(s - \mu_2)(s - \mu_3)$$

Igualando os coeficientes de mesma potência em s, em ambos os lados dessa última equação, podemos determinar os valores de k_{e1}, k_{e2} e k_{e3}. Essa abordagem será conveniente se $n = 1, 2$ ou 3, onde n é a dimensão do vetor de estado **x**. (Embora essa abordagem possa ser utilizada quando $n = 4, 5, 6, \ldots$, os cálculos envolvidos poderão se tornar muito tediosos.)

Outra abordagem para a determinação da matriz de ganho $\mathbf{K}_e$ do observador de estado refere-se ao uso da fórmula de Ackermann. Ela é apresentada a seguir.

Fórmula de Ackermann. Considere o sistema definido por:

$$\dot{\mathbf{x}} = \mathbf{A}\mathbf{x} + \mathbf{B}u \quad (10.62)$$

$$y = \mathbf{C}\mathbf{x} \quad (10.63)$$

Na Seção 10.2, obtivemos a fórmula de Ackermann para o problema de alocação de polos do sistema definido pela Equação 10.62. O resultado foi dado pela Equação 10.18, reescrita deste modo:

$$\mathbf{K} = [0 \ 0 \ \ldots \ 0 \ 1][\mathbf{B} \mid \mathbf{AB} \mid \ldots \mid \mathbf{A}^{n-1}\mathbf{B}]^{-1}\phi(\mathbf{A})$$

Para o dual do sistema definido pelas equações 10.62 e 10.63,

$$\dot{z} = \mathbf{A}^*z + \mathbf{C}^*v$$

$$n = \mathbf{B}^*z$$

a fórmula de Ackermann precedente para a alocação de polos é modificada para

$$\mathbf{K} = [0 \ 0 \ \ldots \ 0 \ 1][\mathbf{C}^* \mid \mathbf{A}^*\mathbf{C}^* \mid \ldots \mid (\mathbf{A}^*)^{n-1}\mathbf{C}^*]^{-1}\phi(\mathbf{A}^*) \quad (10.64)$$

Como foi estabelecido anteriormente, a matriz de ganho $\mathbf{K}_e$ do observador de estado é dada por $\mathbf{K}^*$, sendo $\mathbf{K}$ dada pela Equação 10.64. Assim,

$$\mathbf{K}_e = \mathbf{K}^* = \phi(\mathbf{A}^*)^* \begin{bmatrix} \mathbf{C} \\ \mathbf{CA} \\ \vdots \\ \mathbf{CA}^{n-2} \\ \mathbf{CA}^{n-1} \end{bmatrix}^{-1} \begin{bmatrix} 0 \\ 0 \\ \vdots \\ 0 \\ 1 \end{bmatrix} = \phi(\mathbf{A}) \begin{bmatrix} \mathbf{C} \\ \mathbf{CA} \\ \vdots \\ \mathbf{CA}^{n-2} \\ \mathbf{CA}^{n-1} \end{bmatrix}^{-1} \begin{bmatrix} 0 \\ 0 \\ \vdots \\ 0 \\ 1 \end{bmatrix} \quad (10.65)$$

onde $\phi(s)$ é o polinômio característico desejado do observador de estado, ou

$$\phi(s) = (s - \mu_1)(s - \mu_2) \ldots (s - \mu_n)$$

onde $\mu_1, \mu_2, \ldots, \mu_n$ são os autovalores desejados. A Equação 10.65 é denominada fórmula de Ackermann da determinação da matriz de ganho $\mathbf{K}_e$ do observador.

Comentários sobre a seleção da melhor $\mathbf{K}_e$. Com relação à Figura 10.11, note que o sinal de realimentação que passa pela matriz de ganho $\mathbf{K}_e$ do observador serve como um sinal de correção do modelo da planta, fazendo que incertezas da planta sejam levadas em consideração. Se incertezas significativas estiverem envolvidas, o sinal de realimentação que passa pela matriz $\mathbf{K}_e$ precisará ser relativamente grande. Contudo, se a saída do sinal estiver significativamente contaminada por distúrbios e ruídos de medida, então a saída y não é confiável e o sinal de realimentação que passa pela matriz $\mathbf{K}_e$ deverá ser relativamente pequeno. Na determinação da matriz $\mathbf{K}_e$, devemos examinar cuidadosamente os efeitos dos distúrbios e dos ruídos de medida relacionados com a saída y.

Lembre-se de que a matriz de ganho $\mathbf{K}_e$ do observador depende da equação característica desejada

$$(s - \mu_1)(s - \mu_2) \ldots (s - \mu_n) = 0$$

A escolha de um conjunto $\mu_1, \mu_2, \ldots, \mu_n$, em muitos exemplos, não é única. Como regra, contudo, os polos do observador devem ser de duas a cinco vezes mais rápidos que os polos do controlador, para garantir que o erro de observação (erro de estimação) convirja rapidamente para zero. Isso significa que o erro de estimativa do observador decai de duas a cinco vezes mais rápido que o vetor de estado $\mathbf{x}$. Essa redução mais rápida do erro do observador, comparada com as dinâmicas desejadas, faz os polos do controlador serem dominantes na resposta do sistema.

É importante notar que, se o ruído do sensor for considerável, poderemos escolher os polos do observador mais lentos que duas vezes a velocidade dos polos do controlador, tal que a banda passante do sistema se torne menor e filtre o ruído. Nesse caso, a resposta do sistema será fortemente influenciada pelos polos do observador. Se estes estiverem localizados à direita dos polos do controlador, no lado esquerdo do plano s, a resposta do sistema será dominada pelos polos do observador em vez de pelos polos do controle.

No projeto de observadores de estado, é aconselhável determinar várias matrizes de ganho $\mathbf{K}_e$ do observador, baseadas em diferentes equações características desejadas. Para cada uma das diferentes matrizes $\mathbf{K}_e$, deve-se realizar simulações para determinar o desempenho do sistema resultante. Selecionamos, então, a melhor $\mathbf{K}_e$ do ponto de vista do desempenho do sistema global. Em vários casos práticos, a seleção da melhor matriz $\mathbf{K}_e$ se resume a um compromisso entre velocidade de resposta e sensibilidade aos distúrbios e ruídos.

Exemplo 10.6 Considere o sistema

$$\dot{\mathbf{x}} = \mathbf{A}\mathbf{x} + \mathbf{B}u$$

$$y = \mathbf{C}\mathbf{x}$$

onde

$$\mathbf{A} = \begin{bmatrix} 0 & 20{,}6 \\ 1 & 0 \end{bmatrix}, \quad \mathbf{B} = \begin{bmatrix} 0 \\ 1 \end{bmatrix}, \quad \mathbf{C} = \begin{bmatrix} 0 & 1 \end{bmatrix}$$

Utilizamos a realimentação por estado observado, tal que

$$u = -\mathbf{K}\tilde{\mathbf{x}}$$

Projete um observador de ordem plena, supondo que a configuração do sistema seja idêntica àquela mostrada na Figura 10.11. Considere que os autovalores desejados da matriz do observador sejam

$$\mu_1 = -10, \qquad \mu_2 = -10$$

O projeto do observador de estado se reduz à determinação de uma matriz apropriada de ganho $\mathbf{K}_e$ do observador.

Vamos examinar a matriz de observabilidade. O posto de

$$[\mathbf{C}^* \;\vdots\; \mathbf{A}^*\mathbf{C}^*] = \begin{bmatrix} 0 & 1 \\ 1 & 0 \end{bmatrix}$$

é 2. Por consequência, o sistema é completamente observável, e a determinação da matriz de ganho do observador é possível. Resolveremos esse problema por três métodos.

Método 1: determinaremos a matriz de ganho do observador com a utilização da Equação 10.61. O sistema dado já está na forma canônica observável. Assim, a matriz de transformação $\mathbf{Q} = (\mathbf{WN}^*)^{-1}$ é $\mathbf{I}$. Como a equação característica do sistema dado é:

$$[s\mathbf{I} - \mathbf{A}] = \begin{bmatrix} s & -20{,}6 \\ -1 & s \end{bmatrix} = s^2 - 20{,}6 = s^2 + a_1 s + a_2 = 0$$

temos:

$$a_1 = 0, \qquad a_2 = -20{,}6$$

A equação característica desejada é:

$$(s+10)^2 = s^2 + 20s + 100 = s^2 + \alpha_1 s + \alpha_2 = 0$$

Logo,

$$\alpha_1 = 20, \qquad \alpha_2 = 100$$

Então, a matriz de ganho $\mathbf{K}_e$ do observador pode ser obtida a partir da Equação 10.61, como segue:

$$\mathbf{K}_e = (\mathbf{WN}^*)^{-1} \begin{bmatrix} \alpha_2 - a_2 \\ \alpha_1 - a_1 \end{bmatrix} = \begin{bmatrix} 1 & 0 \\ 0 & 1 \end{bmatrix} \begin{bmatrix} 100 + 20{,}6 \\ 20 - 0 \end{bmatrix} = \begin{bmatrix} 120{,}6 \\ 20 \end{bmatrix}$$

Método 2: com relação à Equação 10.59:

$$\dot{\mathbf{e}} = (\mathbf{A} - \mathbf{K}_e \mathbf{C})\mathbf{e}$$

a equação característica do observador resulta em:

$$|s\mathbf{I} - \mathbf{A} + \mathbf{K}_e \mathbf{C}| = 0$$

Defina:

$$\mathbf{K}_e = \begin{bmatrix} k_{e1} \\ k_{e2} \end{bmatrix}$$

Então, a equação característica resulta em:

$$\left| \begin{bmatrix} s & 0 \\ 0 & s \end{bmatrix} - \begin{bmatrix} 0 & 20{,}6 \\ 1 & 0 \end{bmatrix} + \begin{bmatrix} k_{e1} \\ k_{e2} \end{bmatrix} [0 \; 1] \right| = \begin{vmatrix} s & -20{,}6 + k_{e1} \\ -1 & s + k_{e2} \end{vmatrix}$$

$$= s^2 + k_{e2} s - 20{,}6 + k_{e1} = 0 \qquad (10.66)$$

Como a equação característica desejada é:

$$s^2 + 20s + 100 = 0$$

comparando a Equação 10.66 com essa última equação, obtemos:

$$k_{e1} = 120{,}6, \qquad k_{e2} = 20$$

ou

$$\mathbf{K}_e = \begin{bmatrix} 120,6 \\ 20 \end{bmatrix}$$

Método 3: utilizaremos a fórmula de Ackermann dada pela Equação 10.65:

$$\mathbf{K}_e = \phi(\mathbf{A}) \begin{bmatrix} \mathbf{C} \\ \mathbf{CA} \end{bmatrix}^{-1} \begin{bmatrix} 0 \\ 1 \end{bmatrix}$$

onde

$$\phi(s) = (s - \mu_1)(s - \mu_2) = s^2 + 20s + 100$$

Logo,

$$\phi(\mathbf{A}) = \mathbf{A}^2 + 20\mathbf{A} + 100\mathbf{I}$$

e

$$\mathbf{K}_e = (\mathbf{A}^2 + 20\mathbf{A} + 100\mathbf{I}) \begin{bmatrix} 0 & 1 \\ 1 & 0 \end{bmatrix}^{-1} \begin{bmatrix} 0 \\ 1 \end{bmatrix}$$

$$= \begin{bmatrix} 120,6 & 412 \\ 20 & 120,6 \end{bmatrix} \begin{bmatrix} 0 & 1 \\ 1 & 0 \end{bmatrix} \begin{bmatrix} 0 \\ 1 \end{bmatrix} = \begin{bmatrix} 120,6 \\ 20 \end{bmatrix}$$

Como era de esperar, obtivemos a mesma $\mathbf{K}_e$, independentemente do método empregado.

A equação do observador de estado de ordem plena é dada pela Equação 10.57,

$$\dot{\tilde{\mathbf{x}}} = (\mathbf{A} - \mathbf{K}_e\mathbf{C})\tilde{\mathbf{x}} + \mathbf{B}u + \mathbf{K}_e y$$

ou

$$\begin{bmatrix} \dot{\tilde{x}}_1 \\ \dot{\tilde{x}}_2 \end{bmatrix} = \begin{bmatrix} 0 & -100 \\ 1 & -20 \end{bmatrix} \begin{bmatrix} \tilde{x}_1 \\ \tilde{x}_2 \end{bmatrix} + \begin{bmatrix} 0 \\ 1 \end{bmatrix} u = \begin{bmatrix} 120,6 \\ 20 \end{bmatrix} y$$

Por fim, note que, similarmente ao caso de alocação de polos, se a ordem n do sistema for 4 ou maior, os métodos 1 e 3 serão recomendados, uma vez que todas as manipulações computacionais podem ser conduzidas por um computador, enquanto o método 2 sempre requer cálculos manuais de uma equação característica que envolve parâmetros desconhecidos $k_{e1}, k_{e2}, \ldots, k_{en}$.

Efeitos da adição do observador em um sistema de malha fechada. No processo de projeto por alocação de polos, vamos supor que o estado real $\mathbf{x}(t)$ estava disponível para fins de realimentação. Na prática, contudo, o estado real $\mathbf{x}(t)$ pode não ser mensurável, de modo que seja preciso projetar um observador e utilizar o estado observado $\tilde{\mathbf{x}}(t)$ na realimentação, como mostra a Figura 10.12. O processo de projeto, portanto, passa a ter dois estágios, sendo o primeiro a determinação da matriz de ganho $\mathbf{K}$ de realimentação que produzirá a equação característica desejada, e o segundo consiste na determinação da matriz de ganho $\mathbf{K}_e$ do observador que produzirá a equação característica do observador desejada.

Vamos agora investigar o efeito do uso do estado observado $\tilde{\mathbf{x}}(t)$, em vez do uso do estado real $\mathbf{x}(t)$, na equação característica de um sistema de controle de malha fechada.

Considere o sistema de estado completamente controlável e observável, definido pelas equações:

$$\dot{\mathbf{x}} = \mathbf{A}\mathbf{x} + \mathbf{B}u$$

$$y = \mathbf{C}\mathbf{x}$$

Para o controle por realimentação de estado baseado no estado observado $\tilde{\mathbf{x}}$,

$$u = -\mathbf{K}\tilde{\mathbf{x}}$$

Com esse controle, a equação de estado resulta em:

$$\dot{\mathbf{x}} = \mathbf{A}\mathbf{x} - \mathbf{B}\mathbf{K}\tilde{\mathbf{x}} = (\mathbf{A} - \mathbf{B}\mathbf{K})\mathbf{x} + \mathbf{B}\mathbf{K}(\mathbf{x} - \tilde{\mathbf{x}}) \qquad (10.67)$$

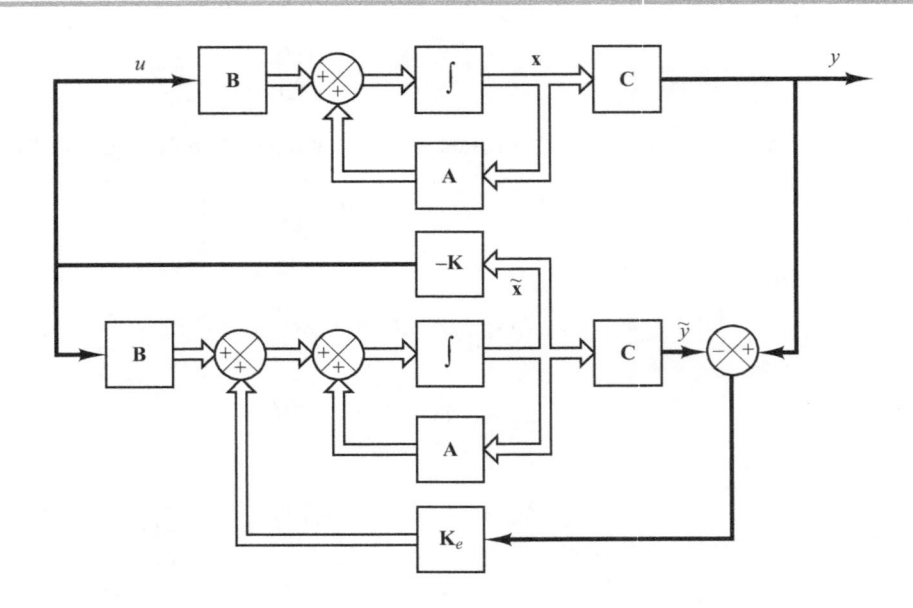

FIGURA 10.12
Sistema de controle realimentado por estado observado.

A diferença entre o estado real $\mathbf{x}(t)$ e o estado observado $\tilde{\mathbf{x}}(t)$ foi definida como o erro $\mathbf{e}(t)$:

$$\mathbf{e}(t) = \mathbf{x}(t) - \tilde{\mathbf{x}}(t)$$

A substituição do vetor de erro $\mathbf{e}(t)$ na Equação 10.67 fornece:

$$\dot{\mathbf{x}} = (\mathbf{A} - \mathbf{BK})\mathbf{x} + \mathbf{BKe} \qquad (10.68)$$

Note que a equação do erro do observador foi dada pela Equação 10.59, repetida aqui:

$$\dot{\mathbf{e}} = (\mathbf{A} - \mathbf{K}_e\mathbf{C})\mathbf{e} \qquad (10.69)$$

Combinando as equações 10.68 e 10.69, obtemos:

$$\begin{bmatrix} \dot{\mathbf{x}} \\ \dot{\mathbf{e}} \end{bmatrix} = \begin{bmatrix} \mathbf{A} - \mathbf{BK} & \mathbf{BK} \\ \mathbf{0} & \mathbf{A} - \mathbf{K}_e\mathbf{C} \end{bmatrix} \begin{bmatrix} \mathbf{x} \\ \mathbf{e} \end{bmatrix} \qquad (10.70)$$

A Equação 10.70 descreve as dinâmicas do sistema de controle realimentado por estado observado. A equação característica do sistema é:

$$\begin{bmatrix} s\mathbf{I} - \mathbf{A} + \mathbf{BK} & -\mathbf{BK} \\ \mathbf{0} & s\mathbf{I} - \mathbf{A} + \mathbf{K}_e\mathbf{C} \end{bmatrix} = 0$$

ou

$$|s\mathbf{I} - \mathbf{A} + \mathbf{BK}| \, |s\mathbf{I} - \mathbf{A} + \mathbf{K}_e\mathbf{C})| = 0$$

Note que os polos de malha fechada do sistema de controle realimentado por estado observado consistem nos polos decorrentes do projeto por alocação de polos e dos polos decorrentes do projeto isolado do observador. Isso significa que o projeto da alocação de polos e o projeto do observador são independentes entre si. Eles podem ser conduzidos separadamente e combinados para formar o sistema de controle realimentado por estado observado. Observe que, se a ordem da planta for n, então o observador também será de enésima ordem (se o observador de estado de ordem plena for usado), e a equação característica resultante do sistema de malha fechada global se tornará de ordem $2n$.

Função de transferência do controlador baseado em observador. Considere a planta definida por:

$$\dot{\mathbf{x}} = \mathbf{Ax} + \mathbf{B}u$$

$$y = \mathbf{Cx}$$

Suponha que a planta seja completamente observável. Considere que é utilizado um controle do tipo realimentação de estado observado $u = -K\tilde{x}$. Então, as equações do observador são dadas por:

$$\dot{\tilde{x}} = (A - K_eC - BK)\tilde{x} + K_e y \quad (10.71)$$

$$u = -K\tilde{x} \quad (10.72)$$

uma vez que a Equação 10.71 é obtida pela substituição de $u = -K\tilde{x}$ na Equação 10.57.

Considerando a transformada de Laplace da Equação 10.71, ao supor uma condição inicial nula e resolvendo para $\tilde{X}(s)$, obtemos:

$$\tilde{X}(s) = (sI - A + K_eC + BK)^{-1}K_e Y(s)$$

Substituindo este $\tilde{X}(s)$ na transformada de Laplace da Equação 10.72, obtemos:

$$U(s) = -K(sI - A + K_eC + BK)^{-1}K_e Y(s) \quad (10.73)$$

Então, a função de transferência $U(s)/Y(s)$ pode ser obtida como:

$$\frac{U(s)}{Y(s)} = -K(sI - A + K_eC + BK)^{-1}K_e$$

A Figura 10.13 mostra a representação por diagrama de blocos do sistema. Note que a função de transferência

$$K(sI - A + K_eC + BK)^{-1}K_e$$

age como um controlador do sistema. Por isso, denominamos a função de transferência

$$\frac{U(s)}{-Y(s)} = \frac{\text{num}}{\text{den}} = K(sI - A + K_eC + BK)^{-1}K_e \quad (10.74)$$

do controlador baseado em observador ou, simplesmente, função de transferência do controlador-observador.

Note que a matriz do controlador-observador

$$A - K_eC - BK$$

pode ser estável ou não, embora $A - BK$ e $A - K_eC$ sejam escolhidas para serem estáveis. De fato, em alguns casos, a matriz $A - K_eC - BK$ pode ser pouco estável ou mesmo instável.

FIGURA 10.13 Representação por diagrama de blocos do sistema com um controlador-observador.

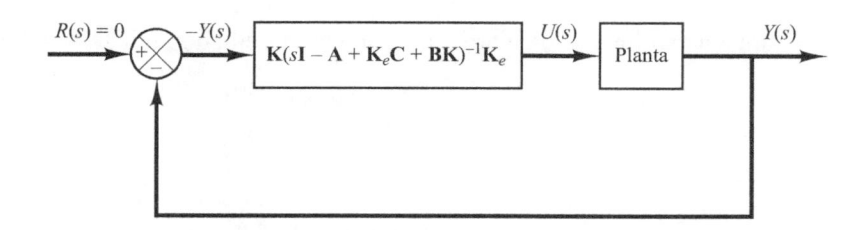

Exemplo 10.7 Considere o projeto de um sistema regulador para a seguinte planta:

$$\dot{x} = Ax + Bu \quad (10.75)$$

$$y = Cx \quad (10.76)$$

onde

$$A = \begin{bmatrix} 0 & 1 \\ 20{,}6 & 0 \end{bmatrix}, \quad B = \begin{bmatrix} 0 \\ 1 \end{bmatrix}, \quad C = \begin{bmatrix} 1 & 0 \end{bmatrix}$$

Suponha que se utilize a abordagem por alocação de polos para projetar o sistema e que os polos desejados de malha fechada para esse sistema estejam em $s = \mu_i$ ($i = 1, 2$), onde $\mu_1 = -1{,}8 + j2{,}4$ e $\mu_2 = -1{,}8 - j2{,}4$. A matriz de ganho K de realimentação de estado, nesse caso, resulta em:

$$\mathbf{K} = [29,6 \quad 3,6]$$

Utilizando essa matriz de ganho **K** de realimentação de estado, o sinal de controle u fica definido por:

$$u = -\mathbf{K}\mathbf{x} = -[29,6 \quad 3,6]\begin{bmatrix} x_1 \\ x_2 \end{bmatrix}$$

Suponha que se utilize um controle por realimentação do estado observado em vez do controle por realimentação do estado real, ou

$$u = -\mathbf{K}\tilde{\mathbf{x}} = -[29,6 \quad 3,6]\begin{bmatrix} \tilde{x}_1 \\ \tilde{x}_2 \end{bmatrix}$$

e escolhemos os polos do observador para estar em

$$s = -8, \quad s = -8$$

Obtenha a matriz de ganho $\mathbf{K}_e$ do observador e desenhe um diagrama de blocos para o sistema de controle realimentado por meio do estado observado. Então, obtenha a função de transferência $U(s)/[-Y(s)]$ do controlador-observador e desenhe outro diagrama de blocos com o controlador-observador como um controlador em série no ramo direto. Por fim, obtenha a resposta do sistema às seguintes condições iniciais:

$$\mathbf{x}(0) = \begin{bmatrix} 1 \\ 0 \end{bmatrix}, \quad \mathbf{e}(0) = \mathbf{x}(0) - \tilde{\mathbf{x}}(0) = \begin{bmatrix} 0,5 \\ 0 \end{bmatrix}$$

Para o sistema definido pela Equação 10.75, o polinômio característico é:

$$|s\mathbf{I} - \mathbf{A}| = \begin{vmatrix} s & -1 \\ -20,6 & s \end{vmatrix} = s^2 - 20,6 = s^2 + a_1 s + a_2$$

Assim,

$$a_1 = 0, \quad a_2 = -20,6$$

O polinômio característico desejado do observador é:

$$(s - \mu_1)(s - \mu_2) = (s + 8)(s + 8) = s^2 + 16s + 64 = s^2 + \alpha_1 s + \alpha_2$$

Consequentemente,

$$\alpha_1 = 16, \quad \alpha_2 = 64$$

Para a determinação da matriz de ganho do observador, utilizamos a Equação 10.61, ou

$$\mathbf{K}_e = (\mathbf{W}\mathbf{N}^*)^{-1}\begin{bmatrix} \alpha_2 - a_2 \\ \alpha_1 - a_1 \end{bmatrix}$$

onde

$$\mathbf{N} = [\mathbf{C}^* \vdots \mathbf{A}^*\mathbf{C}^*] = \begin{bmatrix} 1 & 0 \\ 0 & 1 \end{bmatrix}$$

$$\mathbf{W} = \begin{bmatrix} a_1 & 1 \\ 1 & 0 \end{bmatrix} = \begin{bmatrix} 0 & 1 \\ 1 & 0 \end{bmatrix}$$

Assim,

$$\mathbf{K}_e = \left\{\begin{bmatrix} 0 & 1 \\ 1 & 0 \end{bmatrix}\begin{bmatrix} 1 & 0 \\ 0 & 1 \end{bmatrix}\right\}^{-1}\begin{bmatrix} 64 + 20,6 \\ 16 - 0 \end{bmatrix}$$

$$= \begin{bmatrix} 0 & 1 \\ 1 & 0 \end{bmatrix}\begin{bmatrix} 84,6 \\ 16 \end{bmatrix} = \begin{bmatrix} 16 \\ 84,6 \end{bmatrix} \tag{10.77}$$

A Equação 10.77 fornece a matriz de ganho $\mathbf{K}_e$ do observador. A equação do observador é dada pela Equação 10.60:

$$\dot{\tilde{\mathbf{x}}} = (\mathbf{A} - \mathbf{K}_e\mathbf{C})\tilde{\mathbf{x}} + \mathbf{B}u + \mathbf{K}_e y \tag{10.78}$$

Como
$$u = -\mathbf{K}\tilde{\mathbf{x}}$$
a Equação 10.78 resulta em:
$$\dot{\tilde{\mathbf{x}}} = (\mathbf{A} - \mathbf{K}_e\mathbf{C} - \mathbf{B}\mathbf{K})\tilde{\mathbf{x}} + \mathbf{K}_e y$$
ou
$$\begin{bmatrix}\dot{\tilde{x}}_1 \\ \dot{\tilde{x}}_2\end{bmatrix} = \left\{\begin{bmatrix}0 & 1 \\ 20,6 & 0\end{bmatrix} - \begin{bmatrix}16 \\ 84,6\end{bmatrix}[1\ 0] - \begin{bmatrix}0 \\ 1\end{bmatrix}[29,6\ \ 3,6]\right\}\begin{bmatrix}\tilde{x}_1 \\ \tilde{x}_2\end{bmatrix} + \begin{bmatrix}16 \\ 84,6\end{bmatrix}y$$

$$= \begin{bmatrix}-16 & 1 \\ -93,6 & -3,6\end{bmatrix}\begin{bmatrix}\tilde{x}_1 \\ \tilde{x}_2\end{bmatrix} + \begin{bmatrix}16 \\ 84,6\end{bmatrix}y$$

O diagrama de blocos do sistema realimentado por meio do estado observado é mostrado na Figura 10.14(a).

Com relação à Equação 10.74, a função de transferência do controlador-observador é:

$$\frac{U(s)}{-Y(s)} = \mathbf{K}(s\mathbf{I} - \mathbf{A} + \mathbf{K}_e\mathbf{C} + \mathbf{B}\mathbf{K})^{-1}\mathbf{K}_e$$

$$= [29,6\ \ 3,6]\begin{bmatrix}s+16 & -1 \\ 93,6 & s+3,6\end{bmatrix}^{-1}\begin{bmatrix}16 \\ 84,6\end{bmatrix}$$

$$= \frac{778,2s + 3.690,7}{s^2 + 19,6s + 151,2}$$

FIGURA 10.14
(a) Diagrama de blocos do sistema realimentado por meio do estado observado;
(b) diagrama de blocos da função de transferência do sistema.

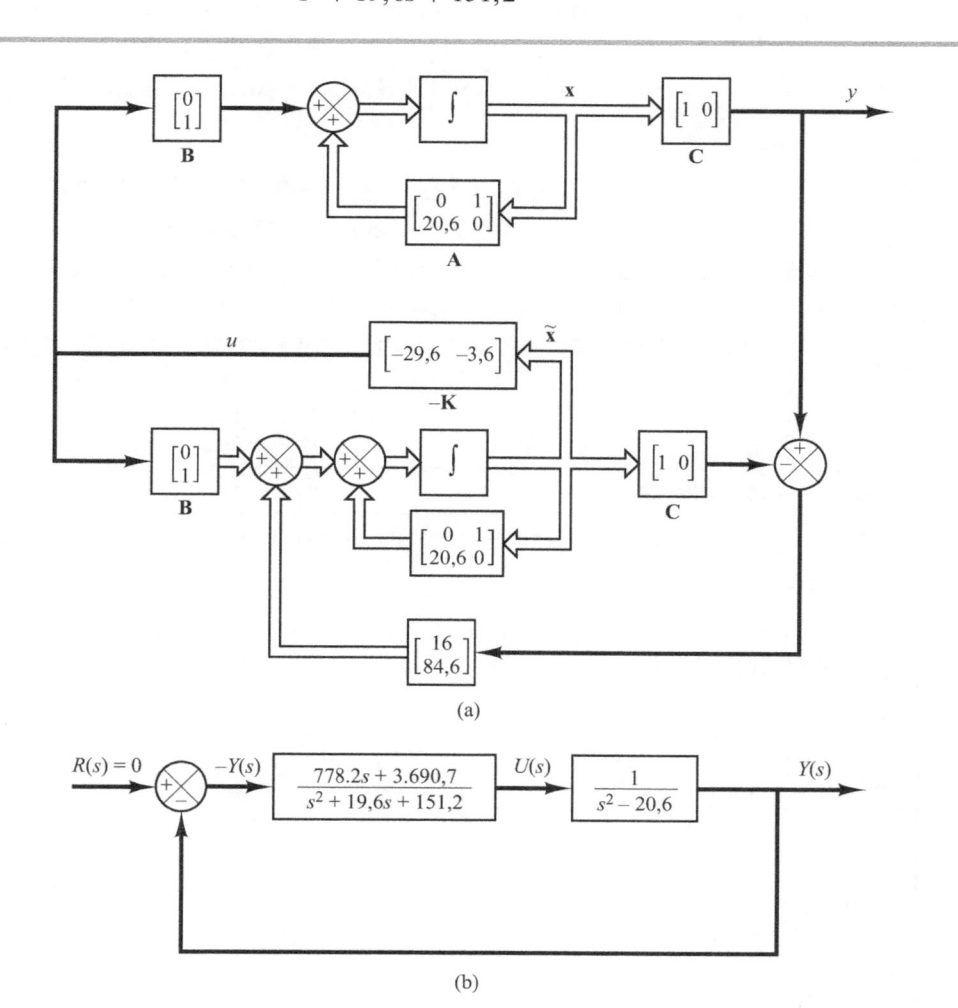

Logicamente, a mesma função de transferência pode ser obtida com o MATLAB. Por exemplo, o Programa 10.8 em MATLAB produz a função de transferência do controlador-observador para o caso de um observador de ordem plena. A Figura 10.14(b) mostra um diagrama de blocos do sistema.

A dinâmica do sistema de controle realimentado por meio do estado observado projetado anteriormente pode ser descrita pelas seguintes equações. Para a planta,

$$\begin{bmatrix} \dot{x}_1 \\ \dot{x}_2 \end{bmatrix} = \begin{bmatrix} 0 & 1 \\ 20,6 & 0 \end{bmatrix} \begin{bmatrix} x_1 \\ x_2 \end{bmatrix} + \begin{bmatrix} 0 \\ 1 \end{bmatrix} u$$

$$y = \begin{bmatrix} 1 & 0 \end{bmatrix} \begin{bmatrix} x_1 \\ x_2 \end{bmatrix}$$

Para o observador,

$$\begin{bmatrix} \dot{\tilde{x}}_1 \\ \dot{\tilde{x}}_2 \end{bmatrix} = \begin{bmatrix} -16 & 1 \\ -93,6 & -3,6 \end{bmatrix} \begin{bmatrix} \tilde{x}_1 \\ \tilde{x}_2 \end{bmatrix} + \begin{bmatrix} 16 \\ 84,6 \end{bmatrix} y$$

$$u = -\begin{bmatrix} 29,6 & 3,6 \end{bmatrix} \begin{bmatrix} \tilde{x}_1 \\ \tilde{x}_2 \end{bmatrix}$$

O sistema, como um todo, é de quarta ordem. A equação característica do sistema é:

$$sI - A + BK||sI - A + K_eC| = (s^2 + 3,6s + 9)(s^2 + 16s + 64)$$
$$= s^4 + 19,6s^3 + 130,6s^2 + 374,4s + 576 = 0$$

A equação característica também pode ser obtida a partir do diagrama de blocos No sistema mostrado na Figura 10.14(b). Uma vez que a função de transferência de malha fechada é:

$$\frac{Y(s)}{R(s)} = \frac{778,2s + 3.690,7}{(s^2 + 19,6s + 151,2)(s^2 - 20,6) + 778,2s + 3.690,7}$$

a equação característica é:

$$(s^2 + 19,6s + 151,2)(s^2 - 20,6) + 778,2s + 3.690,7$$
$$= s^4 + 19,6s^3 + 130,6s^2 + 374,4s + 576 = 0$$

Naturalmente, a equação característica do sistema é a mesma, tanto para a representação no espaço de estados como para a representação por função de transferência.

Por fim, obteremos a resposta do sistema à seguinte condição inicial:

$$\mathbf{x}(0) = \begin{bmatrix} 1 \\ 0 \end{bmatrix}, \quad \mathbf{e}(0) = \begin{bmatrix} 0,5 \\ 0 \end{bmatrix}$$

Programa 10.8 em MATLAB

```
% Obtendo a função de transferência de controlador-observador --- observador de ordem completa
A = [0 1;20.6 0];
B = [0;1];
C = [1 0];
K = [29.6 3.6];
Ke = [16;84.6];
AA = A-Ke*C-B*K;
BB = Ke;
CC = K;
DD = 0;
[num,den] = ss2tf(AA,BB,CC,DD)

num =
   1.0e+003*
     0   0.7782   3.6907

den =
   1.0000   19.6000   151.2000
```

Com relação à Equação 10.70, a reposta à condição inicial pode ser determinada a partir de

$$\begin{bmatrix} \dot{\mathbf{x}} \\ \dot{\mathbf{e}} \end{bmatrix} = \begin{bmatrix} \mathbf{A} - \mathbf{BK} & \mathbf{BK} \\ \mathbf{0} & \mathbf{A} - \mathbf{K}_e\mathbf{C} \end{bmatrix} \begin{bmatrix} \mathbf{x} \\ \mathbf{e} \end{bmatrix}, \quad \begin{bmatrix} \mathbf{x}(0) \\ \mathbf{e}(0) \end{bmatrix} = \begin{bmatrix} 1 \\ 0 \\ 0,5 \\ 0 \end{bmatrix}$$

Um programa em MATLAB que permite obter a resposta é mostrado no Programa 10.9 em MATLAB. As curvas de resposta resultantes são mostradas na Figura 10.15.

Programa 10.9 em MATLAB

```
A = [0 1; 20.6 0];
B = [0;1];
C = [1 0];
K = [29.6 3.6];
Ke = [16; 84.6];
sys = ss([A-B*K B*K; zeros(2,2) A-Ke*C],eye(4),eye(4),eye(4));
t = 0:0.01:4;
z = initial(sys,[1;0;0.5;0],t);
x1 = [1 0 0 0]*z';
x2 = [0 1 0 0]*z';
e1 = [0 0 1 0]*z';
e2 = [0 0 0 1]*z';

subplot(2,2,1); plot(t,x1 ),grid
title('Resposta à condição inicial')
ylabel('variável de estado x1')

subplot(2,2,2); plot(t,x2),grid
title('Resposta à condição inicial')
ylabel('variável de estado x2')

subplot(2,2,3); plot(t,e1),grid
xlabel('t (s)'), ylabel('variável de estado de erro e1')

subplot(2,2,4); plot(t,e2),grid
xlabel('t (s)'), ylabel('variável de estado de erro e2')
```

FIGURA 10.15 Curvas de resposta à condição inicial.

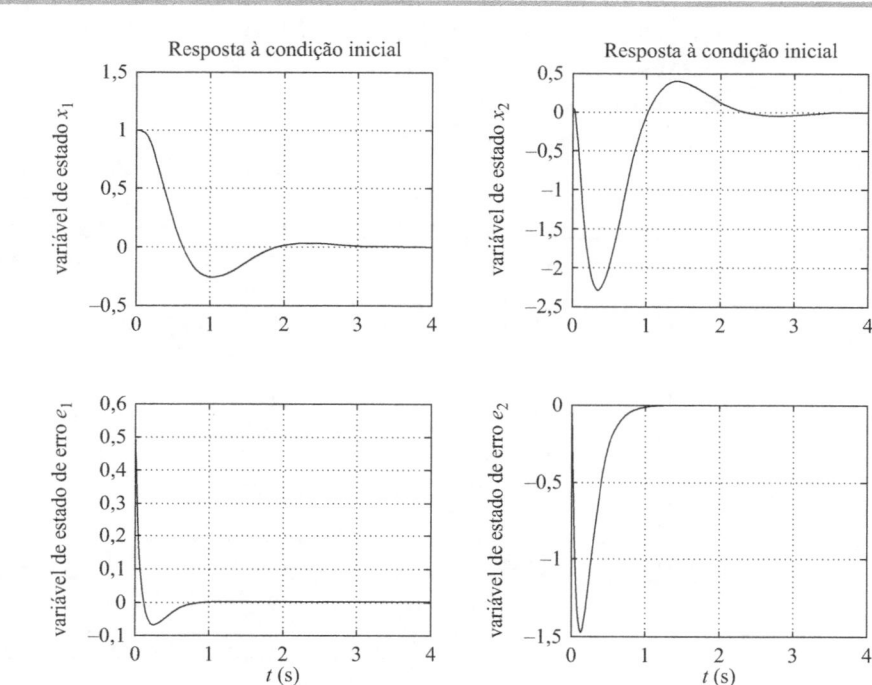

Observador de ordem mínima. Os observadores discutidos até agora são projetados para reconstruir todas as variáveis de estado. Na prática, algumas das variáveis de estado podem ser precisamente medidas e não necessitam ser estimadas.

Suponha que o vetor de estado **x** seja um vetor de dimensão n e que a saída seja um vetor **y** de dimensão m que pode ser medido. Como as m variáveis de saída são combinações lineares das variáveis de estado, então m variáveis de estado não precisam ser estimadas. Precisamos estimar apenas $n - m$ variáveis de estado. Então, o observador de ordem reduzida se torna um observador de ordem $(n - m)$. Esse observador de ordem $(n - m)$ é um observador de ordem mínima. A Figura 10.16 mostra o diagrama de blocos de um sistema com um observador de ordem mínima.

É importante notar, contudo, que, se a medida das variáveis de saída envolve ruídos significativos e é relativamente imprecisa, então o uso de observadores de ordem plena poderá resultar em um desempenho melhor.

Para apresentar a ideia básica do observador de ordem mínima, sem complicações matemáticas desnecessárias, mostraremos o caso em que a saída é um escalar (ou seja, $m = 1$) e obteremos as equações de estado do observador de ordem mínima. Considere o sistema

$$\dot{\mathbf{x}} = \mathbf{A}\mathbf{x} + \mathbf{B}u \tag{10.79}$$

$$y = \mathbf{C}\mathbf{x} \tag{10.80}$$

onde o vetor de estado **x** pode ser dividido em duas partes x_a (um escalar) e $\mathbf{x}_b$ [um vetor de dimensão $(n-1)$]. Aqui, a variável de estado x_a é igual à saída y e, portanto, pode ser diretamente medida, enquanto $\mathbf{x}_b$ é a porção não mensurável do vetor de estado. Desse modo, a equação de estado particionado e a de saída resultam em:

$$\begin{bmatrix} \dot{x}_a \\ \dot{\mathbf{x}}_b \end{bmatrix} = \begin{bmatrix} A_{aa} & \mathbf{A}_{ab} \\ \mathbf{A}_{ba} & \mathbf{A}_{bb} \end{bmatrix} \begin{bmatrix} x_a \\ \mathbf{x}_b \end{bmatrix} + \begin{bmatrix} B_a \\ \mathbf{B}_b \end{bmatrix} u \tag{10.81}$$

$$y = \begin{bmatrix} 1 & \vdots & \mathbf{0} \end{bmatrix} \begin{bmatrix} x_a \\ \mathbf{x}_b \end{bmatrix} \tag{10.82}$$

onde A_{aa} = escalar
$\mathbf{A}_{ab}$ = matriz $1 \times (n-1)$
$\mathbf{A}_{ba}$ = matriz $(n-1) \times 1$
$\mathbf{A}_{bb}$ = matriz $(n-1) \times (n-1)$
B_a = escalar
$\mathbf{B}_b$ = matriz $(n-1) \times 1$

FIGURA 10.16 Sistema de controle realimentado por estado observado com um observador de ordem mínima.

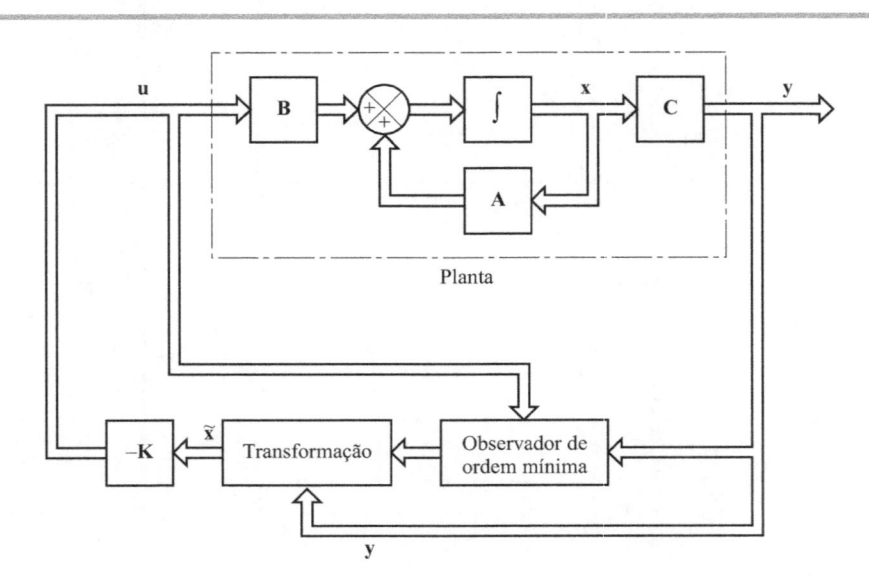

A partir da Equação 10.81, a equação da porção mensurável do estado resulta em:

$$\dot{x}_a = A_{aa}x_a + \mathbf{A}_{ab}\mathbf{x}_b + B_a u$$

ou

$$\dot{\mathbf{x}}_a = A_{aa}x_a - B_a u = \mathbf{A}_{ab}\mathbf{x}_b \qquad (10.83)$$

Os termos do lado esquerdo da Equação 10.83 podem ser medidos. Essa equação age como a equação de saída. No projeto de observadores de ordem mínima, consideramos o lado esquerdo dessa equação como quantidades conhecidas. Assim, a equação 10.83 relaciona quantidades mensuráveis e não mensuráveis de estado.

Da Equação 10.81, a equação da porção não mensurável do estado resulta em:

$$\dot{\mathbf{x}}_b = \mathbf{A}_{ba}x_b + \mathbf{A}_{bb}\mathbf{x}_b + \mathbf{B}_b u \qquad (10.84)$$

Sabendo que os termos $\mathbf{A}_{ba}x_a$ e $\mathbf{B}_b u$ são quantidades conhecidas, a Equação 10.84 descreve as dinâmicas da porção não mensurável do estado.

A seguir, apresentaremos um método para a determinação do observador de ordem mínima. O procedimento de projeto pode ser simplificado se utilizarmos a técnica de projeto desenvolvida para o observador de ordem plena.

Vamos comparar a equação de estado do observador de ordem plena com a do observador de ordem mínima. A equação de estado do observador de estado de ordem plena é:

$$\dot{\mathbf{x}} = \mathbf{A}\mathbf{x} + \mathbf{B}u$$

e a 'equação de estado' do observador de ordem mínima é:

$$\dot{\mathbf{x}}_b = \mathbf{A}_{bb}\mathbf{x}_a + \mathbf{A}_{ba}x_a + \mathbf{B}_b u$$

A equação de saída do observador de ordem plena é:

$$y = \mathbf{C}\mathbf{x}$$

e a 'equação de saída' do observador de ordem mínima é:

$$\dot{x}_a - A_{aa}x_a - B_a u = \mathbf{A}_{ab}\mathbf{x}_b$$

O projeto do observador de ordem mínima pode ser conduzido como segue: primeiro, note que a equação do observador de ordem plena é dada pela Equação 10.57, que repetimos aqui:

$$\dot{\tilde{\mathbf{x}}} = (\mathbf{A} - \mathbf{K}_e\mathbf{C})\tilde{\mathbf{x}} + \mathbf{B}u + \mathbf{K}_e y \qquad (10.85)$$

Então, fazendo as substituições da Tabela 10.1 na Equação 10.85, obtemos:

$$\dot{\tilde{\mathbf{x}}}_b = (\mathbf{A}_{bb} - \mathbf{K}_e\mathbf{A}_{ab})\tilde{\mathbf{x}}_b + \mathbf{A}_{ba}x_a + \mathbf{B}_b u + \mathbf{K}_e(\dot{x}_a - A_{aa}x_a - B_a u) \qquad (10.86)$$

onde a matriz de ganho $\mathbf{K}_e$ do observador de estado é uma matriz $(n-1) \times 1$. Na Equação 10.86, note que, para estimar $\tilde{\mathbf{x}}_b$, precisamos diferenciar x_a. Isso representa uma dificuldade, pois a diferenciação amplifica ruídos. Se $x_a (= y)$ for ruidoso, o uso de $\dot{x}_a$ será inaceitável.

TABELA 10.1 Lista das substituições necessárias para escrever a equação do observador de estado de ordem mínima.

Observador de estado de ordem plena	Observador de estado de ordem mínima
$\tilde{\mathbf{x}}$	$\tilde{\mathbf{x}}_b$
$\mathbf{A}$	$\mathbf{A}_{bb}$
$\mathbf{B}u$	$\mathbf{A}_{ba}x_a + \mathbf{B}_b u$
y	$\dot{x}_a - A_{aa}x_a - B_a u$
$\mathbf{C}$	$\mathbf{A}_{ab}$
$\mathbf{K}_e$ (matriz $n \times 1$)	$\mathbf{K}_e$ [matriz $(n-1) \times 1$]

Para evitar essa dificuldade, eliminamos $\dot{x}_a$ da seguinte maneira. Primeiro, reescreva a Equação 10.86 como:

$$\dot{\tilde{\mathbf{x}}}_b - \mathbf{K}_e \dot{x}_a = (\mathbf{A}_{bb} - \mathbf{K}_e \mathbf{A}_{ab}) \tilde{\mathbf{x}}_b + (\mathbf{A}_{ba} - \mathbf{K}_e \mathbf{A}_{aa})y + (\mathbf{B}_b - \mathbf{K}_e B_a)u$$
$$= (\mathbf{A}_{bb} - \mathbf{K}_e \mathbf{A}_{ab})(\tilde{\mathbf{x}}_b - \mathbf{K}_e y)$$
$$+ [(\mathbf{A}_{bb} - \mathbf{K}_e \mathbf{A}_{ab})\mathbf{K}_e + \mathbf{A}_{ba} - \mathbf{K}_e A_{aa}]y$$
$$+ (\mathbf{B}_b - \mathbf{K}_e B_a)u \quad (10.87)$$

Defina

$$\mathbf{x}_b - \mathbf{K}_e y = \mathbf{x}_b - \mathbf{K}_e x_a = \eta$$

e

$$\tilde{\mathbf{x}}_b - \mathbf{K}_e y = \tilde{\mathbf{x}}_b - \mathbf{K}_e x_a = \tilde{\eta} \quad (10.88)$$

Então, a Equação 10.87 resulta em:

$$\dot{\tilde{\eta}} = (\mathbf{A}_{bb} - \mathbf{K}_e \mathbf{A}_{ab})\tilde{\eta} + [(\mathbf{A}_{bb} - \mathbf{K}_e A_{ab})\mathbf{K}_e$$
$$+ \mathbf{A}_{ba} - \mathbf{K}_e \mathbf{A}_{aa}]y + (\mathbf{B}_b - \mathbf{K}_e B_a)u \quad (10.89)$$

Defina

$$\hat{\mathbf{A}} = \mathbf{A}_{bb} - \mathbf{K}_e \mathbf{A}_{ab}$$
$$\hat{\mathbf{B}} = \hat{\mathbf{A}}\mathbf{K}_e + \mathbf{A}_{ba} - \mathbf{K}_e A_{aa}$$
$$\hat{\mathbf{F}} = \mathbf{B}_b - \mathbf{K}_e B_a$$

Então, a Equação 10.89 resulta em:

$$\dot{\tilde{\eta}} = \hat{\mathbf{A}}\tilde{\eta} + \hat{\mathbf{B}}y + \hat{\mathbf{F}}u \quad (10.90)$$

Juntas, as equações 10.90 e 10.88 definem o observador de ordem mínima.

Como

$$y = [1 \mid \mathbf{0}] \begin{bmatrix} x_a \\ \mathbf{x}_b \end{bmatrix}$$

$$\tilde{\mathbf{x}} = \begin{bmatrix} x_a \\ \tilde{\mathbf{x}}_b \end{bmatrix} = \begin{bmatrix} y \\ \tilde{\mathbf{x}}_b \end{bmatrix} = \begin{bmatrix} \mathbf{0} \\ \mathbf{I}_{n-1} \end{bmatrix} [\tilde{x}_b - \mathbf{K}_e y] + \begin{bmatrix} 1 \\ \mathbf{K}_e \end{bmatrix} y$$

onde $\mathbf{0}$ é um vetor-linha que contém $(n-1)$ zeros, se definirmos:

$$\hat{\mathbf{C}} = \begin{bmatrix} \mathbf{0} \\ \mathbf{I}_{n-1} \end{bmatrix}, \quad \hat{\mathbf{D}} = \begin{bmatrix} 1 \\ \mathbf{K}_e \end{bmatrix}$$

então, poderemos escrever $\tilde{\mathbf{x}}$ em termos de $\tilde{\eta}$ e y, como segue:

$$\tilde{\mathbf{x}} = \hat{\mathbf{C}}\tilde{\eta} + \hat{\mathbf{D}}y \quad (10.91)$$

Essa equação fornece a transformação de $\tilde{\eta}$ em $\tilde{\mathbf{x}}$.

A Figura 10.17 mostra o diagrama de blocos do sistema de controle realimentado por estado observado com o observador de ordem mínima, fundamentado nas equações 10.79, 10.80, 10.90 e 10.91 e $u = -\mathbf{K}\tilde{\mathbf{x}}$.

Em seguida, obteremos a equação do erro do observador. Utilizando a Equação 10.83, a Equação 10.86 pode ser modificada para:

$$\dot{\tilde{\mathbf{x}}}_b = (\mathbf{A}_{bb} - \mathbf{K}_e \mathbf{A}_{ab})\tilde{\mathbf{x}}_b + \mathbf{A}_{ba} x_a + \mathbf{B}_b u + \mathbf{K}_e \mathbf{A}_{ab} \mathbf{x}_b \quad (10.92)$$

Subtraindo a Equação 10.92 da Equação 10.84, obtemos:

$$\dot{\mathbf{x}}_b - \dot{\tilde{\mathbf{x}}}_b = (\mathbf{A}_{bb} - \mathbf{K}_e \mathbf{A}_{ab})(\mathbf{x}_b - \tilde{\mathbf{x}}_b) \quad (10.93)$$

Defina

$$\mathbf{e} = \mathbf{x}_b - \tilde{\mathbf{x}}_b = \eta - \tilde{\eta}$$

FIGURA 10.17
Sistema com realimentação por estado observado, onde o observador é de ordem mínima.

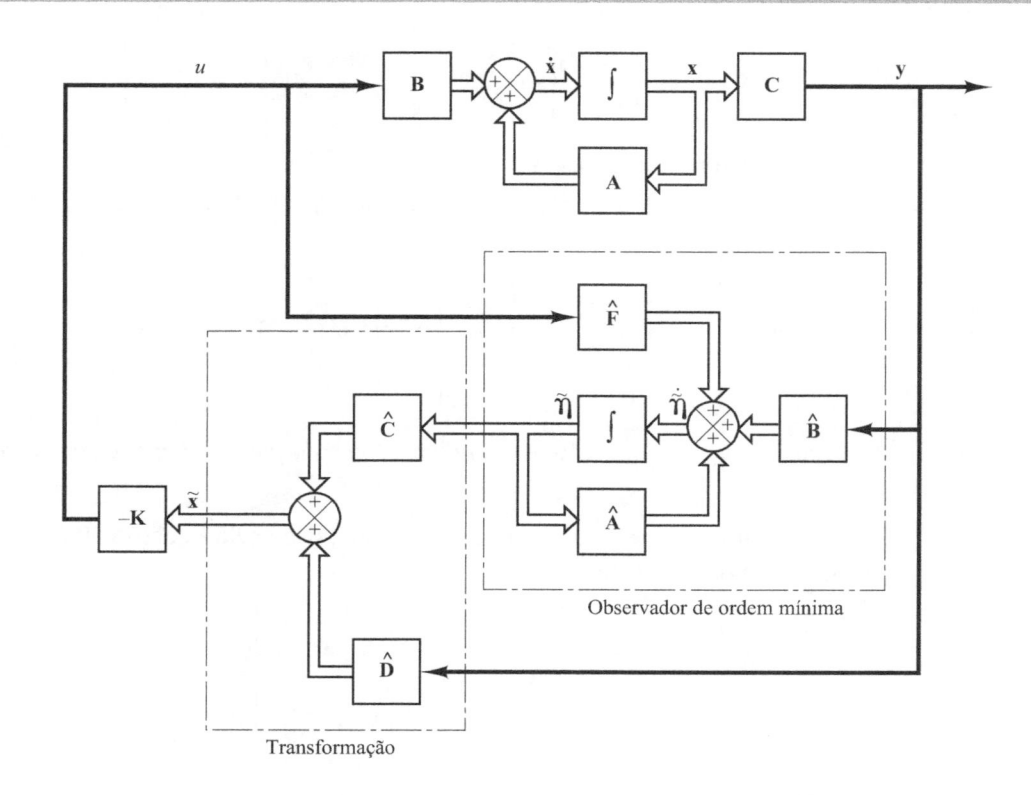

Então, a Equação 10.93 resulta em:

$$\dot{\mathbf{e}} = (\mathbf{A}_{bb} - \mathbf{K}_e \mathbf{A}_{ab})\mathbf{e} \qquad (10.94)$$

Esta é a equação do erro do observador de ordem mínima. Note que **e** é um vetor de dimensão $(n-1)$.

As dinâmicas de erro podem ser livremente escolhidas, seguindo-se a técnica desenvolvida para o observador de ordem plena, desde que o posto da matriz

$$\begin{bmatrix} \mathbf{A}_{ab} \\ \mathbf{A}_{ab}\mathbf{A}_{bb} \\ \vdots \\ \mathbf{A}_{ab}\mathbf{A}_{bb}^{n-2} \end{bmatrix}$$

seja $n-1$. (Esta é a condição de observabilidade completa aplicada ao observador de ordem mínima.)

A equação característica do observador de ordem mínima é obtida a partir da Equação 10.94, como segue:

$$|s\mathbf{I} - \mathbf{A}_{bb} - \mathbf{K}_e \mathbf{A}_{ab}| = (s - \mu_1)(s - \mu_2) \ldots (s - \mu_{n-1}) =$$
$$s^{n-1} + \hat{\alpha}_1 s^{n-2} + \ldots + \hat{\alpha}_{n-2} s + \hat{\alpha}_{n-1} = 0 \qquad (10.95)$$

onde $\mu_1, \mu_2, \ldots, \mu_{n-1}$ são os autovalores desejados do observador de ordem mínima. A matriz de ganho $\mathbf{K}_e$ do observador pode ser determinada escolhendo-se primeiro os autovalores desejados do observador de ordem mínima (ou seja, alocando-se as raízes da equação característica, a Equação 10.95, nas posições desejadas) e utilizando-se o procedimento desenvolvido para o observador de ordem plena com as modificações apropriadas. Por exemplo, se a fórmula de determinação da matriz de ganho $\mathbf{K}_e$, dada pela Equação 10.61, for utilizada, ela deverá ser modificada para:

$$\mathbf{K}_e = \hat{\mathbf{Q}} \begin{bmatrix} \hat{\alpha}_{n-1} - \hat{a}_{n-1} \\ \hat{\alpha}_{n-2} - \hat{a}_{n-2} \\ \vdots \\ \hat{\alpha}_1 - \hat{a}_1 \end{bmatrix} = (\hat{\mathbf{W}}\hat{\mathbf{N}}*)^{-1} \begin{bmatrix} \hat{\alpha}_{n-1} - \hat{a}_{n-1} \\ \hat{\alpha}_{n-2} - \hat{a}_{n-2} \\ \vdots \\ \hat{\alpha}_1 - \hat{a}_1 \end{bmatrix} \quad (10.96)$$

onde $\mathbf{K}_e$ será uma matriz $(n-1) \times 1$ e

$$\hat{\mathbf{N}} = [\mathbf{A}_{ab}* \mid \mathbf{A}_{bb}*\mathbf{A}_{ab}* \mid \cdots \mid (\mathbf{A}_{bb}*)^{n-2}\mathbf{A}_{ab}*] = \text{matriz } (n-1) \times (n-1)$$

$$\hat{\mathbf{W}} = \begin{bmatrix} \hat{a}_{n-2} & \hat{a}_{n-3} & \cdots & \hat{a}_1 & 1 \\ \hat{a}_{n-3} & \hat{a}_{n-4} & \cdots & 1 & 0 \\ \vdots & \vdots & & \vdots & \vdots \\ \hat{a}_1 & 1 & \cdots & 0 & 0 \\ 1 & 0 & \cdots & 0 & 0 \end{bmatrix} = \text{matriz } (n-1) \times (n-1)$$

Note que $\hat{a}_1, \hat{a}_2, \ldots, \hat{a}_{n-2}$ são os coeficientes na equação característica da equação de estado

$$|s\mathbf{I} - \mathbf{A}_{bb}| = s^{n-1} + \hat{a}_1 s^{n-2} + \ldots + \hat{a}_{n-2}s + \hat{a}_{n-1} = 0$$

Da mesma maneira, se a fórmula de Ackermann, dada pela Equação 10.65, for usada, então ela deverá ser modificada para

$$\mathbf{K}_e = \phi(\mathbf{A}_{bb}) \begin{bmatrix} \mathbf{A}_{ab} \\ \mathbf{A}_{ab}\mathbf{A}_{bb} \\ \vdots \\ \mathbf{A}_{ab}\mathbf{A}_{bb}^{n-3} \\ \mathbf{A}_{ab}\mathbf{A}_{bb}^{n-2} \end{bmatrix}^{-1} \begin{bmatrix} 0 \\ 0 \\ \vdots \\ 0 \\ 1 \end{bmatrix} \quad (10.97)$$

onde

$$\phi(\mathbf{A}_{bb}) = \mathbf{A}_{bb}^{n-1} + \hat{\alpha}_1 \mathbf{A}_{bb}^{n-2} + \ldots + \hat{\alpha}_{n-2}\mathbf{A}_{bb} + \hat{\alpha}_{n-1}\mathbf{I}$$

Sistema de controle realimentado por meio de estado observado com observador de ordem mínima. Para o caso do sistema de controle realimentado por estado observado, com observador de ordem plena, mostramos que os polos de malha fechada consistem nos polos devidos ao projeto isolado da alocação de polos e dos polos devidos ao projeto isolado do observador. Consequentemente, o projeto da alocação de polos e o projeto do observador de estado de ordem plena são independentes entre si.

Para o caso do sistema de controle realimentado por estado observado com observador de ordem mínima, a mesma conclusão se aplica. A equação característica do sistema pode ser obtida como

$$|s\mathbf{I} - \mathbf{A} + \mathbf{BK}||s\mathbf{I} - \mathbf{A}_{bb} + \mathbf{K}_e\mathbf{A}_{ab}| = 0 \quad (10.98)$$

(Veja o Problema A.10.11 para obter detalhes.) Os polos de malha fechada do sistema de controle realimentado por estado observado com um observador de ordem mínima compreendem os polos de malha fechada da alocação de polos [os autovalores da matriz $(\mathbf{A} - \mathbf{BK})$] e os polos de malha fechada devidos ao observador de ordem mínima [os autovalores da matriz $(\mathbf{A}_{bb} - \mathbf{K}_e\mathbf{A}_{ab})$]. Portanto, o projeto da alocação de polos e o projeto do observador de estado de ordem mínima são independentes entre si.

Determinação da matriz de ganho $\mathbf{K}_e$ do observador com o MATLAB. Por causa da dualidade entre a alocação de polos e o projeto do observador, o mesmo algoritmo pode ser aplicado tanto para o problema de alocação de polos como para o problema de projeto do observador. Assim, os comandos `acker` e `place` podem ser usados para a determinação da matriz de ganho $\mathbf{K}_e$ do observador.

Os polos de malha fechada do observador são os autovalores da matriz $\mathbf{A} - \mathbf{K}_e\mathbf{C}$. Os polos de malha fechada do problema de alocação de polos são os autovalores da matriz $\mathbf{A} - \mathbf{BK}$.

Com base na dualidade entre o problema de alocação de polos e o problema de projeto do observador, podemos determinar $\mathbf{K}_e$ considerando o problema de alocação de polos para o sistema dual. Ou seja, determinamos $\mathbf{K}_e$ por meio da alocação dos autovalores de $\mathbf{A}^* - \mathbf{C}^*\mathbf{K}_e$ nas posições desejadas. Como $\mathbf{K}_e = \mathbf{K}^*$, para o observador de ordem plena, utilizamos o comando

$$K_e = \text{acker}(A',C',L)'$$

onde L é o vetor dos autovalores desejados do observador. Da mesma maneira, podemos utilizar, para o observador de ordem plena,

$$K_e = \text{place}(A',C',L)'$$

desde que L não contenha polos múltiplos. [Nos comandos anteriores, o apóstrofo (') indica a transposição.] Para os observadores de ordem mínima (ou ordem reduzida), use os seguintes comandos:

$$K_e = \text{acker}(Abb',Aab',L)'$$

ou

$$K_e = \text{place}(Abb',Aab',L)'$$

Exemplo 10.8 Considere o sistema

$$\dot{\mathbf{x}} = \mathbf{A}\mathbf{x} + \mathbf{B}u$$
$$y = \mathbf{C}\mathbf{x}$$

onde

$$\mathbf{A} = \begin{bmatrix} 0 & 1 & 0 \\ 0 & 0 & 1 \\ -6 & -11 & -6 \end{bmatrix}, \quad \mathbf{B} = \begin{bmatrix} 0 \\ 0 \\ 1 \end{bmatrix} \quad \mathbf{C} = \begin{bmatrix} 1 & 0 & 0 \end{bmatrix}$$

Vamos supor que desejemos alocar os polos de malha fechada em:

$$s_1 = -2 + j2\sqrt{3}, \quad s_2 = -2 - j2\sqrt{3}, \quad s_3 = -6$$

Então, a matriz de ganho $\mathbf{K}$ necessária da realimentação de estado resultará em:

$$\mathbf{K} = [90 \quad 29 \quad 4]$$

(Veja o Programa 10.10 em MATLAB para a determinação da matriz $\mathbf{K}$ com o MATLAB.)

Em seguida, vamos supor que a saída y possa ser medida precisamente, tal que a variável de estado x_1 (que é igual a y) não precise ser estimada. Vamos projetar um observador de ordem mínima. (O observador de ordem mínima é de segunda ordem.) Suponha que escolhemos os polos desejados de malha fechada em

$$s = -10, \quad s = -10$$

Com relação à Equação 10.95, a equação característica do observador de ordem mínima é:

$$|s\mathbf{I} - \mathbf{A}_{bb} + \mathbf{K}_e\mathbf{A}_{ab}| = (s - \mu_1)(s - \mu_2) = (s + 10)(s + 10) = s^2 + 20s + 100 = 0$$

A seguir, utilizaremos a fórmula de Ackermann, dada pela Equação 10.97:

$$\mathbf{K}_e = \phi(\mathbf{A}_{bb}) \begin{bmatrix} \mathbf{A}_{ab} \\ \mathbf{A}_{ab}\mathbf{A}_{bb} \end{bmatrix}^{-1} \begin{bmatrix} 0 \\ 1 \end{bmatrix} \quad (10.99)$$

onde

$$\phi(\mathbf{A}_{bb}) = \mathbf{A}_{bb}^2 + \hat{\alpha}_1\mathbf{A}_{bb} + \hat{\alpha}_2\mathbf{I} = \mathbf{A}_{bb}^2 + 20\mathbf{A}_{bb} + 100\mathbf{I}$$

Como

$$\tilde{\mathbf{x}} = \begin{bmatrix} x_a \\ \tilde{\mathbf{x}}_b \end{bmatrix} = \begin{bmatrix} x_1 \\ \tilde{x}_2 \\ \tilde{x}_3 \end{bmatrix}, \quad \mathbf{A} = \begin{bmatrix} 0 & 1 & 0 \\ 0 & 0 & 1 \\ -6 & -11 & -6 \end{bmatrix}, \quad \mathbf{B} = \begin{bmatrix} 0 \\ 0 \\ 1 \end{bmatrix}$$

temos:

$$A_{aa} = 0, \quad \mathbf{A}_{ab} = \begin{bmatrix} 1 & 0 \end{bmatrix}, \quad \mathbf{A}_{ba} = \begin{bmatrix} 0 \\ -6 \end{bmatrix}$$

$$\mathbf{A}_{bb} = \begin{bmatrix} 0 & 1 \\ -11 & -6 \end{bmatrix}, \quad B_a = 0, \quad \mathbf{B}_b = \begin{bmatrix} 0 \\ 1 \end{bmatrix}$$

A Equação 10.99 agora resulta em:

$$\mathbf{K}_e = \left\{ \begin{bmatrix} 0 & 1 \\ -11 & -6 \end{bmatrix}^2 + 20 \begin{bmatrix} 0 & 1 \\ -11 & -6 \end{bmatrix} + 100 \begin{bmatrix} 1 & 0 \\ 0 & 1 \end{bmatrix} \right\} \begin{bmatrix} 1 & 0 \\ 0 & 1 \end{bmatrix}^{-1} \begin{bmatrix} 0 \\ 1 \end{bmatrix}$$

$$= \begin{bmatrix} 89 & 14 \\ -154 & 5 \end{bmatrix} \begin{bmatrix} 0 \\ 1 \end{bmatrix} = \begin{bmatrix} 14 \\ 5 \end{bmatrix}$$

(A determinação desta $\mathbf{K}_e$ com o MATLAB é dada pelo Programa 10.10 em MATLAB.)

Com relação às equações 10.88 e 10.89, a equação do observador de ordem mínima pode ser dada por:

$$\dot{\tilde{\eta}} = (\mathbf{A}_{bb} - \mathbf{K}_e \mathbf{A}_{ab})\tilde{\eta} + [(\mathbf{A}_{bb} - \mathbf{K}_e \mathbf{A}_{ab})\mathbf{K}_e$$
$$+ \mathbf{A}_{ba} - \mathbf{K}_e A_{aa}]y + (\mathbf{B}_b - \mathbf{K}_e B_a)u \qquad (10.100)$$

onde

$$\tilde{\eta} = \tilde{\mathbf{x}}_b - \mathbf{K}_e y = \tilde{\mathbf{x}}_b - \mathbf{K}_e x_1$$

Sabendo que

$$\mathbf{A}_{bb} - \mathbf{K}_e \mathbf{A}_{ab} = \begin{bmatrix} 0 & 1 \\ -11 & -6 \end{bmatrix} - \begin{bmatrix} 14 \\ 5 \end{bmatrix} \begin{bmatrix} 1 & 0 \end{bmatrix} = \begin{bmatrix} -14 & 1 \\ -16 & -6 \end{bmatrix}$$

a equação do observador de ordem mínima, Equação 10.100, resulta em:

$$\begin{bmatrix} \dot{\tilde{\eta}}_2 \\ \dot{\tilde{\eta}}_3 \end{bmatrix} = \begin{bmatrix} -14 & 1 \\ -16 & -6 \end{bmatrix} \begin{bmatrix} \tilde{\eta}_2 \\ \tilde{\eta}_3 \end{bmatrix} + \left\{ \begin{bmatrix} -14 & 1 \\ -16 & -6 \end{bmatrix} \begin{bmatrix} 14 \\ 5 \end{bmatrix} \right.$$

$$\left. + \begin{bmatrix} 0 \\ -6 \end{bmatrix} - \begin{bmatrix} 14 \\ 5 \end{bmatrix} 0 \right\} y + \left\{ \begin{bmatrix} 0 \\ 1 \end{bmatrix} - \begin{bmatrix} 14 \\ 5 \end{bmatrix} 0 \right\} u$$

ou

$$\begin{bmatrix} \dot{\tilde{\eta}}_2 \\ \dot{\tilde{\eta}}_3 \end{bmatrix} = \begin{bmatrix} -14 & 1 \\ -16 & -6 \end{bmatrix} \begin{bmatrix} \tilde{\eta}_2 \\ \tilde{\eta}_3 \end{bmatrix} + \begin{bmatrix} -191 \\ -260 \end{bmatrix} y + \begin{bmatrix} 0 \\ 1 \end{bmatrix} u$$

```
Programa 10.10 em MATLAB

A = [0 1 0;0 0 1;-6 -11 -6];
B = [0;0;1];
J = [-2+j*2*sqrt(3) -2-j*2*sqrt(3) -6];
K = acker(A,B,J)

K =
     90.0000  29.0000   4.0000

Abb = [0 1;-11 -6];
Aab = [1 0];
L = [-10 -10];
Ke = acker(Abb',Aab',L)'

Ke =
     14
      5
```

onde

$$\begin{bmatrix} \tilde{\eta}_2 \\ \tilde{\eta}_3 \end{bmatrix} = \begin{bmatrix} \tilde{x}_2 \\ \tilde{x}_3 \end{bmatrix} - \mathbf{K}_e y$$

ou

$$\begin{bmatrix} \tilde{x}_2 \\ \tilde{x}_3 \end{bmatrix} = \begin{bmatrix} \tilde{\eta}_2 \\ \tilde{\eta}_3 \end{bmatrix} + \mathbf{K}_e x_1$$

Se a realimentação do estado observado for utilizada, então o sinal de controle u resultará em

$$u = -\mathbf{K}\tilde{\mathbf{x}} = -\mathbf{K}\begin{bmatrix} x_1 \\ \tilde{x}_2 \\ \tilde{x}_3 \end{bmatrix}$$

onde $\mathbf{K}$ será a matriz de ganho de realimentação de estado. A Figura 10.18 é um diagrama de blocos que mostra a configuração do sistema com a realimentação do estado observado, onde o observador é de ordem mínima.

FIGURA 10.18
Sistema com realimentação por estado observado, onde o observador de ordem mínima é projetado conforme o Exemplo 10.8.

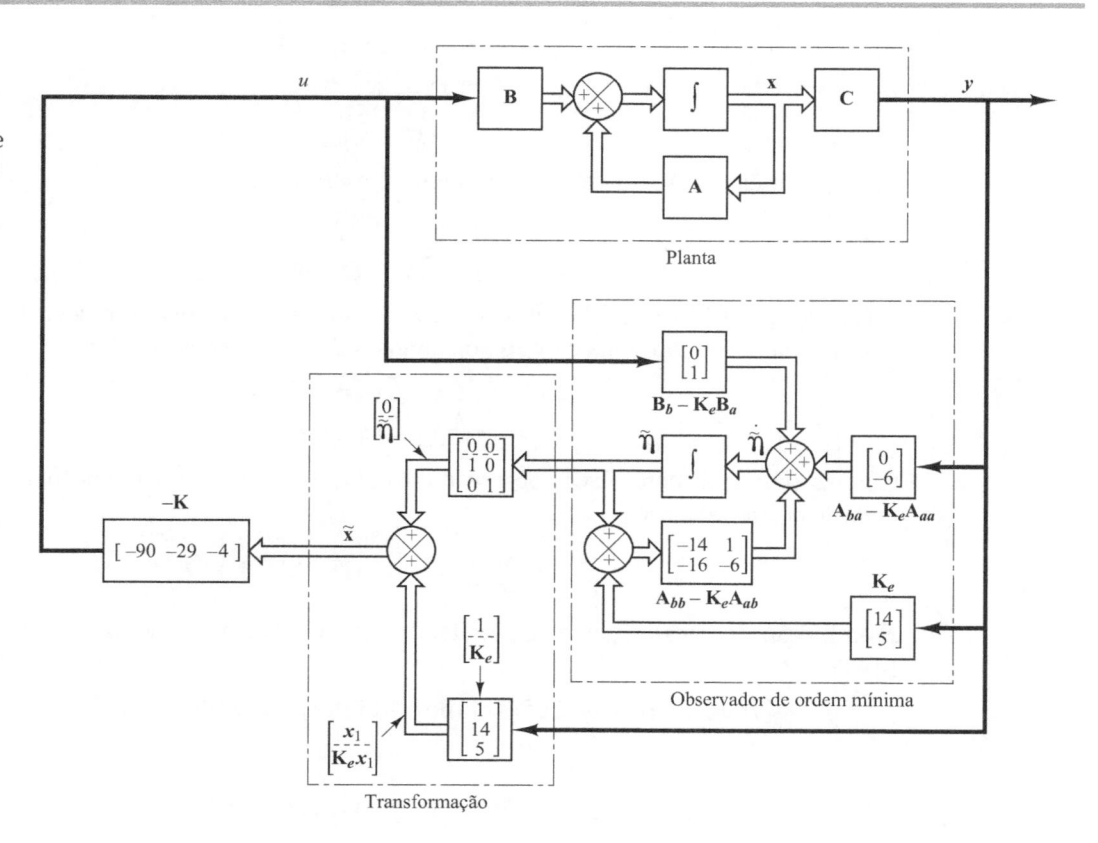

Função de transferência do controlador baseado em observador de ordem mínima.
Na equação do observador de ordem mínima dada pela Equação 10.89:

$$\dot{\tilde{\eta}} = (\mathbf{A}_{bb} - \mathbf{K}_e \mathbf{A}_{ab})\tilde{\eta} + [(\mathbf{A}_{bb} - \mathbf{K}_e \mathbf{A}_{ab})\mathbf{K}_e + \mathbf{A}_{ba} - \mathbf{K}_e \mathbf{A}_{aa}]y + (\mathbf{B}_b - \mathbf{K}_e B_a)u$$

defina, similarmente à determinação da Equação 10.90,

$$\hat{\mathbf{A}} = \mathbf{A}_{bb} - \mathbf{K}_e \mathbf{A}_{ab}$$

$$\hat{\mathbf{B}} = \hat{\mathbf{A}}\mathbf{K}_e + \mathbf{A}_{ba} - \mathbf{K}_e A_{aa}$$

$$\hat{\mathbf{F}} = \mathbf{B}_b - \mathbf{K}_e B_a$$

Então, as três equações seguintes definem o observador de ordem mínima:

$$\dot{\tilde{\eta}} = \hat{\mathbf{A}}\tilde{\eta} + \hat{\mathbf{B}}y + \hat{\mathbf{F}}u \qquad (10.101)$$

$$\tilde{\eta} = \tilde{\mathbf{x}}_b - \mathbf{K}_e y \qquad (10.102)$$

$$u = -\mathbf{K}\tilde{\mathbf{x}} \qquad (10.103)$$

Como a Equação 10.103 poda ser reescrita como:

$$u = -\mathbf{K}\tilde{\mathbf{x}} = -[K_a \ \mathbf{K}_b]\begin{bmatrix} y \\ \tilde{\mathbf{x}}_b \end{bmatrix} = -K_a y - \mathbf{K}_b \tilde{\mathbf{x}}_b$$

$$= -\mathbf{K}_b \tilde{\eta} - (K_a + \mathbf{K}_b \mathbf{K}_e)y \qquad (10.104)$$

pela substituição da Equação 10.104 na Equação 10.101, obtemos:

$$\dot{\tilde{\eta}} = \hat{\mathbf{A}}\tilde{\eta} + \hat{\mathbf{B}}y + \hat{\mathbf{F}}[-\mathbf{K}_b \tilde{\eta} - (K_a + \mathbf{K}_b \mathbf{K}_e)y]$$

$$= (\hat{\mathbf{A}} - \hat{\mathbf{F}}\mathbf{K}_b)\tilde{\eta} + [\hat{\mathbf{B}} - \hat{\mathbf{F}}(K_a + \mathbf{K}_b \mathbf{K}_e)]y \qquad (10.105)$$

Defina

$$\tilde{\mathbf{A}} = \hat{\mathbf{A}} - \hat{\mathbf{F}}\mathbf{K}_b$$

$$\tilde{\mathbf{B}} = \hat{\mathbf{B}} - \hat{\mathbf{F}}(K_a + \mathbf{K}_b \mathbf{K}_e)$$

$$\tilde{\mathbf{C}} = -\mathbf{K}_b$$

$$\tilde{D} = -(K_a + \mathbf{K}_b \mathbf{K}_e)$$

Então, as equações 10.104 e 10.105 podem ser escritas como:

$$\dot{\tilde{\eta}} = \tilde{\mathbf{A}}\tilde{\eta} + \tilde{\mathbf{B}}y \qquad (10.106)$$

$$u = \tilde{\mathbf{C}}\tilde{\eta} + \tilde{D}y \qquad (10.107)$$

As equações 10.106 e 10.107 definem o controlador baseado em observador de ordem mínima. Considerando u como saída e $-y$ como entrada, $U(s)$ pode ser escrita como:

$$U(s) = [\tilde{\mathbf{C}}(s\mathbf{I} - \tilde{\mathbf{A}})^{-1}\tilde{\mathbf{B}} + \tilde{D}]Y(s)$$

$$= -[\tilde{\mathbf{C}}(s\mathbf{I} - \tilde{\mathbf{A}})^{-1}\tilde{\mathbf{B}} + \tilde{D}] [-Y(s)]$$

Como a entrada do controlador-observador é $-Y(s)$, em vez de $Y(s)$, a função de transferência do controlador-observador é:

$$\frac{U(s)}{-Y(s)} = \frac{\text{num}}{\text{den}} = -[\tilde{\mathbf{C}}(s\mathbf{I} - \tilde{\mathbf{A}})^{-1}\tilde{\mathbf{B}} + \tilde{D}] \qquad (10.108)$$

Essa função de transferência pode ser facilmente obtida com o uso da seguinte declaração em MATLAB:

```
[num,den] = ss2tf(Atilde, Btilde, -Ctilde, -Dtilde)      (10.109)
```

10.6 | Projeto de sistemas reguladores com observadores

Nesta seção, vamos considerar um problema de projeto de sistemas reguladores utilizando o método de alocação de polos com observador.

Considere o sistema regulador mostrado na Figura 10.19. (A entrada de referência é zero.) A função de transferência da planta é:

$$G(s) = \frac{10(s + 2)}{s(s + 4)(s + 6)}$$

Utilizando o método de alocação de polos, projete um controlador de modo que, quando o sistema for submetido à seguinte condição inicial:

FIGURA 10.19
Sistema regulador.

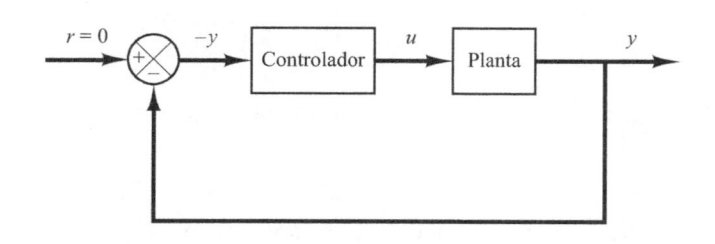

$$\mathbf{x}(0) = \begin{bmatrix} 1 \\ 0 \\ 0 \end{bmatrix}, \quad \mathbf{e}(0) = \begin{bmatrix} 1 \\ 0 \end{bmatrix}$$

onde **x** é o vetor de estado da planta e **e** é o vetor de erro do observador, o máximo sobressinal de $y(t)$ seja de 25% a 35% e o tempo de acomodação seja de cerca de 4 s. Suponha que estejamos utilizando um observador de ordem mínima. (Vamos supor que apenas a saída y seja mensurável.)

Utilizaremos o seguinte procedimento de projeto:

1. Obtenha um modelo para a planta no espaço de estados.
2. Escolha os polos de malha fechada para efeito de alocação de polos e os polos desejados do observador.
3. Determine a matriz de ganho de realimentação de estado **K** e a matriz de ganho $\mathbf{K}_e$ do observador.
4. Utilizando as matrizes de ganho **K** e $\mathbf{K}_e$ obtidas na etapa 3, obtenha a função de transferência do controlador-observador. Se for um controlador estável, verifique a resposta para dada condição inicial. Se a resposta não for aceitável, ajuste a alocação de polos de malha fechada e/ou a alocação de polos do observador, até obter uma resposta aceitável.

Etapa 1 do projeto: vamos obter a representação no espaço de estados da planta. Como a função de transferência da planta é:

$$\frac{Y(s)}{U(s)} = \frac{10(s+2)}{s(s+4)(s+6)}$$

a equação diferencial correspondente é:

$$\dddot{y} + 10\ddot{y} + 24\dot{y} = 10\dot{u} + 20u$$

Considerando a Seção 2.5, vamos definir as variáveis de estado x_1, x_2 e x_3 como segue:

$$x_1 = y - \beta_0 u$$
$$x_2 = \dot{x}_1 - \beta_1 u$$
$$x_3 = \dot{x}_2 - \beta_2 u$$

Além disso, $\dot{x}_3$ é definido por

$$\dot{x}_3 = -a_3 x_1 - a_2 x_2 - a_1 x_3 + \beta_3 u$$
$$= -24 x_2 - 10 x_3 + \beta_3 u$$

onde $\beta_0 = 0$, $\beta_1 = 0$, $\beta_2 = 10$ e $\beta_3 = -80$.

(Veja a Equação 2.35 para cálculo dos β.) Em seguida, a equação no espaço de estados e a equação de saída podem ser obtidas, como segue:

$$\begin{bmatrix} \dot{x}_1 \\ \dot{x}_2 \\ \dot{x}_3 \end{bmatrix} = \begin{bmatrix} 0 & 1 & 0 \\ 0 & 0 & 1 \\ 0 & -24 & -10 \end{bmatrix} \begin{bmatrix} x_1 \\ x_2 \\ x_3 \end{bmatrix} + \begin{bmatrix} 0 \\ 10 \\ -80 \end{bmatrix} u$$

$$y = \begin{bmatrix} 1 & 0 & 0 \end{bmatrix} \begin{bmatrix} x_1 \\ x_2 \\ x_3 \end{bmatrix} + [0]u$$

Etapa 2 do projeto: como primeira tentativa, vamos escolher os polos de malha fechada desejados em

$$s = -1 + j2, \quad s = -1 - j2, \quad s = -5$$

e escolher os polos desejados do observador em

$$s = -10, \quad s = -10$$

Etapa 3 do projeto: utilizaremos o MATLAB para calcular a matriz de ganho **K** de realimentação de estado e a matriz de ganho $\mathbf{K}_e$ do observador. O Programa 10.11 em MATLAB produz as matrizes **K** e $\mathbf{K}_e$.

No programa, as matrizes **J** e **L** representam os polos de malha fechada desejados para efeito de alocação de polos e de polos desejados do observador, respectivamente. As matrizes **K** e $\mathbf{K}_e$ são obtidas como:

$$\mathbf{K} = [1,25 \quad 1,25 \quad 0,19375]$$

$$\mathbf{K}_e = \begin{bmatrix} 10 \\ -24 \end{bmatrix}$$

Etapa 4 do projeto: vamos determinar a função de transferência do controlador-observador. Considerando a Equação 10.108, a função de transferência do controlador-observador pode ser dada por:

$$G_c(s) = \frac{U(s)}{-Y(s)} = \frac{\text{num}}{\text{den}} - [\tilde{\mathbf{C}}(s\mathbf{I} - \tilde{\mathbf{A}})^{-1}\tilde{\mathbf{B}} + \tilde{D}]$$

Utilizaremos o MATLAB para calcular a função de transferência do controlador-observador. O Programa 10.12 em MATLAB produz essa função de transferência. O resultado é:

$$G_c(s) = \frac{9,1s^2 + 73,5s + 125}{s^2 + 17s - 30}$$

$$= \frac{9,1(s + 5,6425)(s + 2,4344)}{(s + 18,6119)(s - 1,6119)}$$

Defina como Sistema 1 o sistema com esse controlador-observador. A Figura 10.20 mostra o diagrama de blocos do Sistema 1.

```
Programa 10.11 em MATLAB
% Obtendo-se a matriz de ganhos de realimentação de estados K
A = [0 1 0;0 0 1;0 -24 -10];
B = [0;10;-80];
C = [1 0 0];
J = [-1+j*2 -1-j*2 -5];
K = acker(A,B,J)

K =
    1.2500 1.2500 0.19375

% Obtendo-se a matriz de ganho do observador Ke
Aaa = 0; Aab = [1 0]; Aba = [0;0]; Abb = [0 1;-24 -10];Ba = 0; Bb = [10;-80];
L = [-10 -10];
Ke = acker(Abb',Aab',L)'

Ke =
    10
   -24
```

FIGURA 10.20
Diagrama de blocos do Sistema 1.

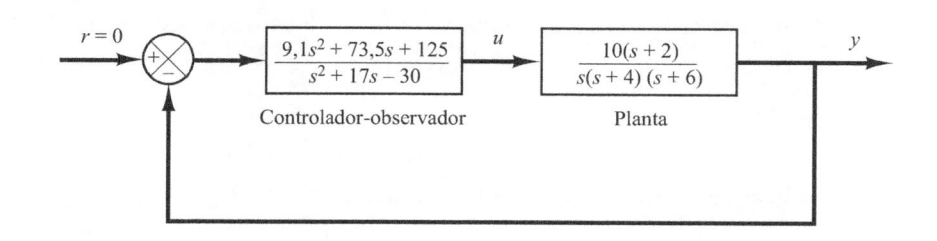

$r = 0 \rightarrow \bigotimes \xrightarrow{} \boxed{\dfrac{9{,}1s^2 + 73{,}5s + 125}{s^2 + 17s - 30}} \xrightarrow{u} \boxed{\dfrac{10(s+2)}{s(s+4)(s+6)}} \xrightarrow{} y$

Controlador-observador   Planta

Programa 10.12 em MATLAB

```
% Determinação de função de transferência do controlador-observador
A = [0 1 0;0 0 1;0 -24 -10];
B = [0;10;-80];
Aaa = 0; Aab = [1 0]; Aba = [0;0]; Abb = [0 1;-24 -10];
Ba = 0; Bb = [10;-80];
Ka = 1.25; Kb = [1.25 0.19375];
Ke = [10;-24];
Ahat = Abb - Ke*Aab;
Bhat = Ahat*Ke + Aba - Ke*Aaa;
Fhat = Bb - Ke*Ba;
Atilde = Ahat - Fhat*Kb;
Btilde = Bhat - Fhat*(Ka + Kb*Ke);
Ctilde = -Kb;
Dtilde = -(Ka + Kb*Ke);
[num,den] = ss2tf(Atilde, Btilde, -Ctilde, -Dtilde)

num =
    9.1000   73.5000  125.0000
den =
    1.0000   17.0000  -30.0000
```

O controlador-observador tem um polo no semiplano direito do plano ($s = 1{,}6119$). A existência de um polo de malha aberta no semiplano direito do plano s no controlador-observador significa que o sistema é de malha aberta e instável, embora o sistema de malha fechada seja estável. Isso pode ser visto a partir da equação característica deste último sistema:

$$|s\mathbf{I} - \mathbf{A} + \mathbf{BK}| \cdot |s\mathbf{I} - \mathbf{A}_{bb} + \mathbf{K}_e\mathbf{A}_{ab}|$$
$$= s^5 + 27s^4 + 255s^3 + 1.025s^2 + 2.000s + 2.500$$
$$= (s + 1 + j2)(s + 1 - j2)(s + 5)(s + 10)(s + 10) = 0$$

(Veja o Programa 10.13 em MATLAB para o cálculo da equação característica.)

Uma desvantagem de utilizar um controlador instável é que o sistema se torna instável se o ganho do sistema se tornar pequeno. Esse sistema de controle não é nem desejado nem aceitável. Então, para obter um sistema satisfatório, é necessário modificar a alocação de polos de malha fechada e/ou a alocação de polos do observador.

Programa 10.13 em MATLAB

```
% Obtendo-se a equação característica
[num1,den1] = ss2tf(A-B*K,eye(3),eye(3),eye(3),1);
[num2,den2] = ss2tf(Abb-Ke*Aab,eye(2),eye(2),eye(2),1);
charact_eq = conv(den1,den2)

charact_eq =
    1.0e+003*
    0.0010 0.0270 0.2550 1.0250 2.0000 2.5000
```

Segunda tentativa: vamos conservar os polos de malha fechada desejados como antes para efeito de alocação de polos, mas vamos modificar a localização dos polos do observador, como segue:

$$s = -4,5, \quad s = -4,5$$

Assim,

$$\mathbf{L} = [-4,5 \quad -4,5]$$

Utilizando o MATLAB, encontramos a nova matriz $\mathbf{K}_e$ como

$$\mathbf{K}_e = \begin{bmatrix} -1 \\ 6,25 \end{bmatrix}$$

A seguir, vamos obter a função de transferência do controlador-observador. O Programa 10.14 em MATLAB produz essa função de transferência como segue:

$$G_c(s) = \frac{1,2109s^2 + 11,2125s + 25,3125}{s^2 + 6s - 2,1406}$$

$$= \frac{1,2109(s + 5,3582)(s + 3,9012)}{(s + 5,619)(s - 0,381)}$$

Note que este é um controlador estável. Defina como Sistema 2 o sistema com esse controlador-observador. Para obtermos a resposta do Sistema 2 a dada condição inicial, vamos prosseguir:

$$\mathbf{x}(0) = \begin{bmatrix} 1 \\ 0 \\ 0 \end{bmatrix}, \quad \mathbf{e}(0) = \begin{bmatrix} 1 \\ 0 \end{bmatrix}$$

Pela substituição de $u = -\mathbf{K}\tilde{\mathbf{x}}$ na equação no espaço de estados da planta, obtemos:

$$\dot{\mathbf{x}} = \mathbf{Ax} - \mathbf{BK}\tilde{\mathbf{x}} = \mathbf{Ax} - \mathbf{BK}\begin{bmatrix} x_a \\ \tilde{\mathbf{x}}_b \end{bmatrix} = \mathbf{Ax} - \mathbf{BK}\begin{bmatrix} x_a \\ \tilde{\mathbf{x}}_b - \mathbf{e} \end{bmatrix}$$

$$= \mathbf{Ax} - \mathbf{BK}\left\{\mathbf{x} - \begin{bmatrix} 0 \\ \mathbf{e} \end{bmatrix}\right\} = \mathbf{Ax} - \mathbf{BKx} + \mathbf{B}[K_a \quad K_b]\begin{bmatrix} 0 \\ \mathbf{e} \end{bmatrix} \quad (10.110)$$

A equação do erro do observador de ordem mínima é:

$$\dot{\mathbf{e}} = (\mathbf{A}_{bb} - \mathbf{K}_e\mathbf{A}_{ab})\mathbf{e} \quad (10.111)$$

Programa 10.14 em MATLAB

```
% Determinação da função de transferência do controlador-observador.

A = [0 1 0;0 0 1;0 -24 -10];
B = [0;10;-80];
Aaa = 0; Aab = [1 0]; Aba = [0;0]; Abb = [0 1;-24 -10];
Ba = 0; Bb = [10;-80];
Ka = 1.25; Kb = [1.25 0.19375];
Ke = [-1;6.25];
Ahat = Abb - Ke*Aab;
Bhat = Ahat*Ke + Aba - Ke*Aaa;
Fhat = Bb - Ke*Ba;
Atilde = Ahat - Fhat*Kb;
Btilde = Bhat - Fhat*(Ka + Kb*Ke);
Ctilde = -Kb;
Dtilde = -(Ka + Kb*Ke);
[num,den] = ss2tf(Atilde,Btilde,-Ctilde,-Dtilde)

num =
    1.2109  11.2125  25.3125

den =
    1.0000   6.0000   2.1406
```

Combinando as equações 10.110 e 10.111, obtemos:

$$\begin{bmatrix} \dot{\mathbf{x}} \\ \dot{\mathbf{e}} \end{bmatrix} = \begin{bmatrix} \mathbf{A} - \mathbf{BK} & \mathbf{BK}_b \\ \mathbf{0} & \mathbf{A}_{bb} - \mathbf{K}_e\mathbf{A}_{ab} \end{bmatrix} \begin{bmatrix} \mathbf{x} \\ \mathbf{e} \end{bmatrix}$$

com a condição inicial

$$\begin{bmatrix} \mathbf{x}(0) \\ \mathbf{e}(0) \end{bmatrix} = \begin{bmatrix} 1 \\ 0 \\ 0 \\ 1 \\ 0 \end{bmatrix}$$

O Programa 10.15 em MATLAB produz a resposta a dada condição inicial. A Figura 10.21 mostra as curvas de resposta. Elas parecem ser aceitáveis.

```
Programa 10.15 em MATLAB

% Resposta à condição inicial.
A = [0 1 0;0 0 1;0 -24 -10];
B = [0;10;-80];
K = [1.25 1.25 0.19375];
Kb = [1.25 0.19375];
Ke = [-1;6.25];
Aab = [1 0]; Abb = [0 1;-24 -10];
AA = [A-B*K B*Kb; zeros(2,3) Abb-Ke*Aab];
sys = ss(AA,eye(5),eye(5),eye(5));
t = 0:0.01:8;
x = initial(sys,[1;0;0;1;0],t);
x1 = [1 0 0 0 0]*x';
x2 = [0 1 0 0 0]*x';
x3 = [0 0 1 0 0]*x';
e1 = [0 0 0 1 0]*x';
e2 = [0 0 0 0 1]*x';
subplot(3,2,1); plot(t,x1); grid
xlabel ('t (s)'); ylabel('x1')

subplot(3,2,2); plot(t,x2); grid
xlabel ('t (s)'); ylabel('x2')

subplot(3,2,3); plot(t,x3); grid
xlabel ('t (s)'); ylabel('x3')

subplot(3,2,4); plot(t,e1); grid
xlabel('t (s)'); ylabel('e1')

subplot(3,2,5); plot(t,e2); grid
xlabel('t (s)'); ylabel('e2')
```

Em seguida, verificaremos as características da resposta em frequência. O diagrama de Bode de malha aberta do sistema projetado está indicado na Figura 10.22. A margem de fase é de cerca de 40° e a margem de ganho é $+\infty$ dB. A Figura 10.23 mostra o diagrama de Bode do sistema de malha fechada. A banda passante do sistema é de aproximadamente 3,8 rad/s.

Por fim, vamos comparar os gráficos do lugar das raízes do primeiro sistema com $L = [-10 -10]$ e o do segundo sistema, com $L = [-4,5 -4,5]$. O gráfico do primeiro sistema indicado na Figura 10.24(a) mostra que o sistema é instável para pequenos ganhos cc e se torna estável para ganhos cc elevados. Por outro lado, o gráfico do segundo sistema indicado na Figura 10.24(b) mostra que o sistema é estável para qualquer ganho cc positivo.

Comentários

1. No projeto de sistemas reguladores, note que, se os polos dominantes do controlador estiverem situados muito à esquerda do eixo $j\omega$, os elementos da matriz de ganho **K** de

FIGURA 10.21
Resposta à condição inicial; $x_1(0) = 1$, $x_2(0) = 0$, $x_3(0) = 0$, $e_1(0) = 1$, $e_2(0) = 0$.

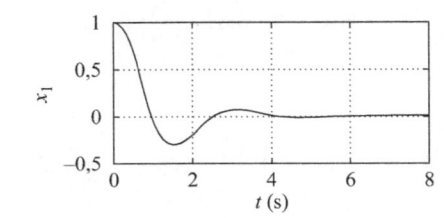

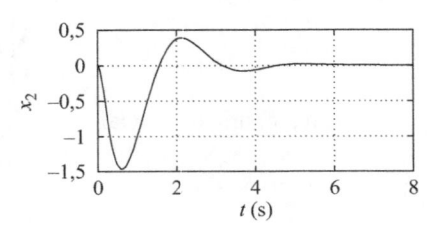

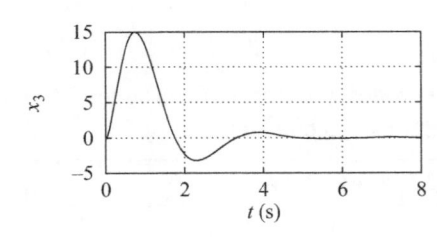

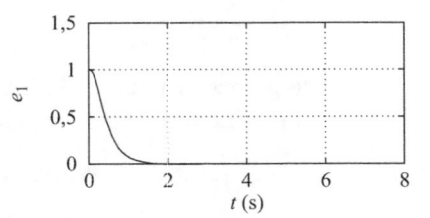

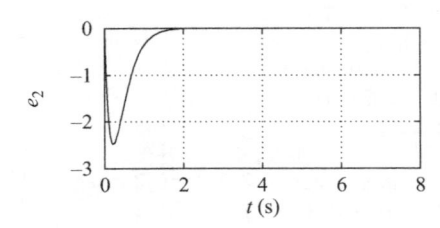

FIGURA 10.22
Diagrama de Bode da função de transferência de malha aberta do Sistema 2.

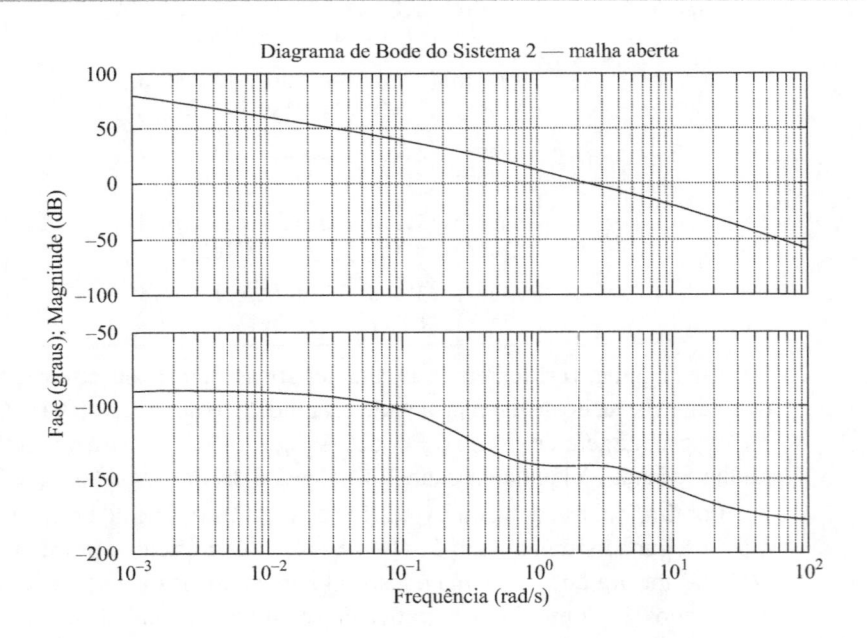

Diagrama de Bode do Sistema 2 — malha aberta

FIGURA 10.23
Diagrama de Bode da função de transferência de malha fechada do Sistema 2.

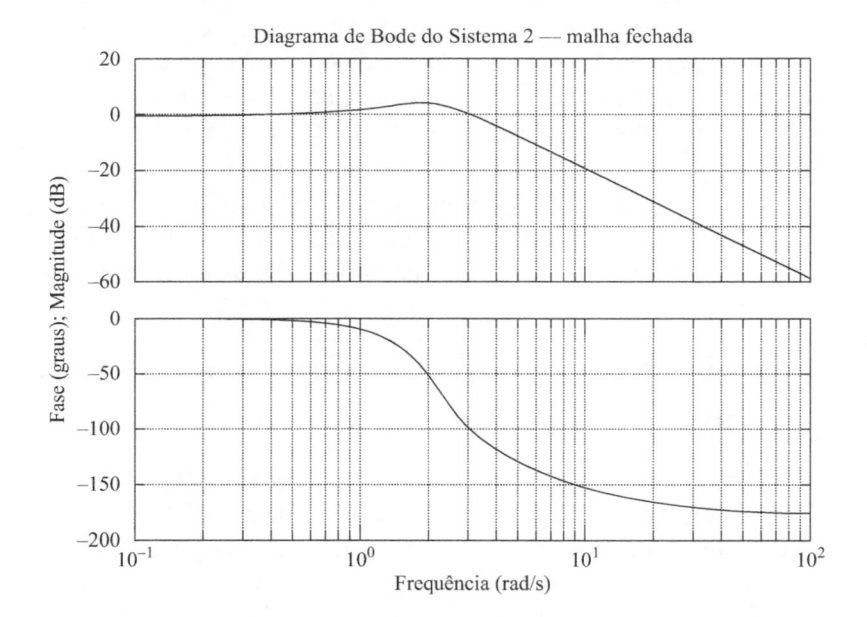

FIGURA 10.24
(a) Gráfico do lugar das raízes do sistema com polos do observador em $s = -10$ e $s = -10$;
(b) gráfico do lugar das raízes do sistema com polos do observador em $s = -4,5$ e $s = -4,5$.

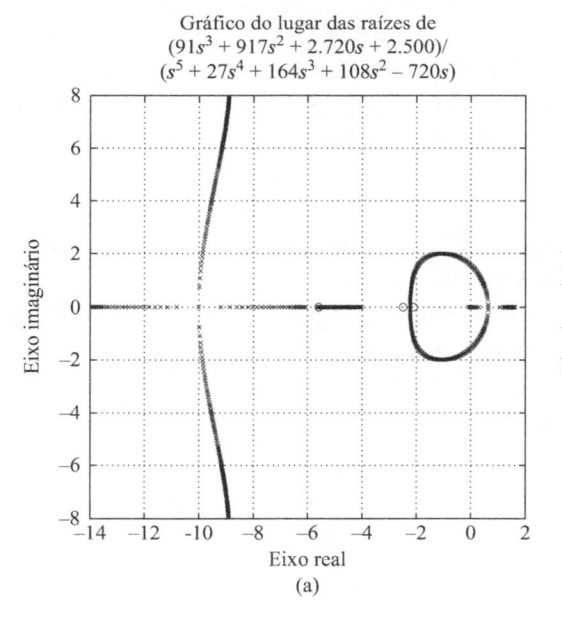

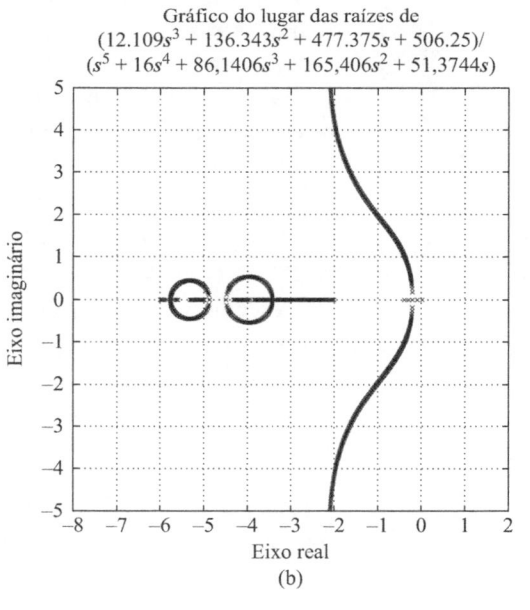

realimentação de estado se tornarão grandes. Os valores elevados de ganho farão que a saída do atuador seja grande, de modo que haja saturações. Então, o sistema projetado não se comportará conforme o previsto.

2. Também, pelo posicionamento dos polos do observador bem à esquerda do eixo $j\omega$, o controlador-observador se torna instável, embora o sistema de malha fechada seja estável. Um controlador-observador instável não é aceitável.

3. Se o controlador-observador se tornar instável, mova os polos do observador para a direita no semiplano esquerdo do plano s até que o controlador-observador se torne estável. Também pode ser necessário modificar as localizações dos polos de malha fechada desejados.

4. Note que, se os polos do observador estiverem situados muito à esquerda do eixo $j\omega$, a banda passante do observador aumentará e causará problemas de ruídos. Se houver um problema sério de ruído, os polos do observador não poderão ficar alocados muito à esquerda do eixo $j\omega$. O requisito geral é que a banda passante seja suficientemente baixa para que o ruído do sensor não se torne um problema.
5. A banda passante do sistema com o observador de ordem mínima é mais alta que a do sistema com o observador de ordem plena, uma vez que os polos múltiplos do observador estão situados no mesmo lugar para ambos os observadores. Se o ruído do sensor for um problema sério, o uso de um observador de ordem plena será recomendável.

10.7 | Projeto de sistemas de controle com observadores

Na Seção 10.6, discutimos o projeto de sistemas reguladores com observadores. (Os sistemas não tinham referência ou entradas de comando.) Nesta seção, vamos considerar o projeto de sistemas de controle com observadores quando os sistemas tiverem entradas de referência ou entradas de comando. A saída do sistema de controle deve seguir a entrada, que é variável no tempo. Ao seguir a entrada de comando, o sistema deve apresentar desempenho satisfatório (um tempo razoável de subida, sobressinal, tempo de acomodação e assim por diante).

Nesta seção, vamos considerar sistemas de controle que são projetados utilizando-se a alocação de polos com observador. Vamos considerar especificamente sistemas utilizando controladores-observadores. Na Seção 10.6, discutimos os sistemas reguladores cujo diagrama de blocos está indicado na Figura 10.25. Esse sistema não tem entrada de referência, ou seja, $r = 0$. Quando o sistema tem uma entrada de referência, são concebíveis várias configurações de diagramas de blocos, cada uma tendo um controlador-observador. As figuras 10.26(a) e (b) apresentam duas dessas configurações; vamos considerá-las nesta seção.

Configuração 1: considere o sistema indicado na Figura 10.27. Nesse sistema, a entrada de referência é simplesmente adicionada ao somador. Gostaríamos de projetar o controlador-observador de modo que, na resposta ao degrau unitário, o máximo sobressinal seja menor do que 30% e o tempo de acomodação esteja em torno de 5 s.

A seguir, vamos projetar primeiro um sistema regulador. Em seguida, utilizando o controlador-observador projetado, vamos simplesmente adicionar a entrada de referência r no somador.

Antes de projetar o controlador-observador, necessitamos obter a representação da planta no espaço de estados. Como

$$\frac{Y(s)}{U(s)} = \frac{1}{s(s^2 + 1)}$$

obtemos:

$$\dddot{y} + \dot{y} = u$$

FIGURA 10.25
Sistema regulador.

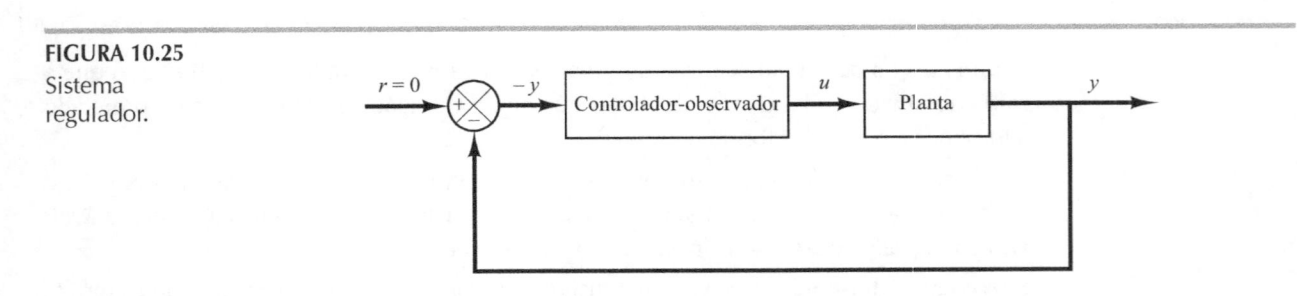

FIGURA 10.26
(a) Sistema de controle com controlador-observador no ramo direito;
(b) sistema de controle com controlador-observador no ramo de realimentação.

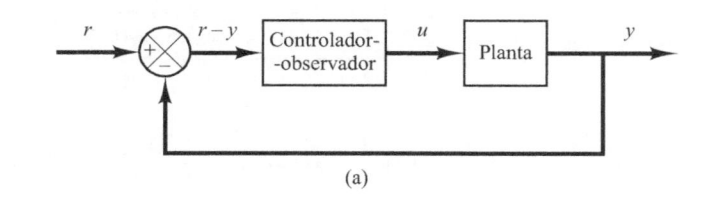

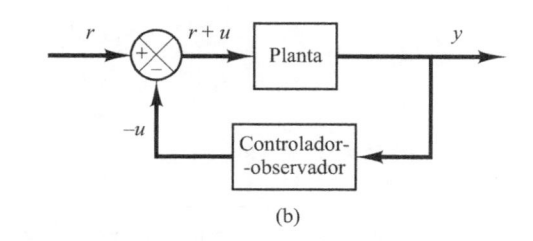

(a)

(b)

FIGURA 10.27
Sistema de controle com controlador-observador no ramo direto.

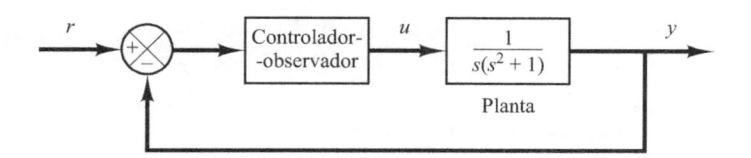

Escolhendo as variáveis de estado

$$x_1 = y$$
$$x_2 = \dot{y}$$
$$x_3 = \ddot{y}$$

temos:

$$\dot{\mathbf{x}} = \mathbf{A}\mathbf{x} + \mathbf{B}u$$
$$y = \mathbf{C}\mathbf{x}$$

onde

$$\mathbf{A} = \begin{bmatrix} 0 & 1 & 0 \\ 0 & 0 & 1 \\ 0 & -1 & 0 \end{bmatrix}, \quad \mathbf{B} = \begin{bmatrix} 0 \\ 0 \\ 1 \end{bmatrix}, \quad \mathbf{C} = \begin{bmatrix} 1 & 0 & 0 \end{bmatrix}$$

Em seguida, escolhemos os polos de malha fechada desejados para efeito de alocação de polos em

$$s = -1 + j, \quad s = -1 - j, \quad s = -8$$

e os polos desejados do observador em

$$s = -4, \quad s = -4$$

A matriz de ganho **K** de realimentação de estado e a matriz de ganho $\mathbf{K}_e$ do observador podem ser obtidas como segue:

$$\mathbf{K} = \begin{bmatrix} 16 & 17 & 10 \end{bmatrix}$$

$$\mathbf{K}_e = \begin{bmatrix} 8 \\ 15 \end{bmatrix}$$

Veja o Programa 10.16 em MATLAB.

```
Programa 10.16 em MATLAB
A = [0 1 0;0 0 1;0 -1 0];
B = [0;0;1];
J = [-1+j -1-j -8];
K = acker(A,B,J)

K =
     16  17  10
Aab = [1 0];
Abb = [0 1;-1 0];
L = [-4 -4];
Ke = acker(Abb',Aab',L)'

Ke =
     8
    15
```

A função de transferência do controlador-observador é obtida por meio do Programa 10.17 em MATLAB. O resultado é:

$$G_c(s) = \frac{302s^2 + 303s + 256}{s^2 + 18s + 113}$$

$$= \frac{302(s + 0,5017 + j0,772)(s + 0,5017 - j0,772)}{(s + 9 + j5,6569)(s + 9 - j5,6569)}$$

```
Programa 10.17 em MATLAB
% Determinação da função de transferência do controlador-observador
A = [0 1 0;0 0 1;0 -1 0];
B = [0;0;1];
Aaa = 0; Aab = [1 0]; Aba = [0;0]; Abb = [0 1;-1 0];
Ba = 0; Bb = [0;1];
Ka = 16; Kb=[17 10];
Ke = [8;15];
Ahat = Abb - Ke*Aab;
Bhat = Ahat*Ke + Aba - Ke*Aaa;
Fhat = Bb - Ke*Ba;
Atilde = Ahat - Fhat*Kb;
Btilde = Bhat - Fhat*(Ka + Kb*Ke);
Ctilde = -Kb;
Dtilde = -(Ka + Kb*Ke);
[num,den] = ss2tf(Atilde,Btilde,-Ctilde,-Dtilde)

num =
    302.0000  303.0000  256.0000

den =
    1  18  113
```

A Figura 10.28 apresenta o diagrama de blocos do sistema regulador que acabou de ser projetado. A Figura 10.29 mostra o diagrama de blocos de uma configuração possível do sistema de controle baseado no sistema regulador da Figura 10.28. A curva de resposta ao degrau unitário desse sistema de controle está indicada na Figura 10.30. O máximo sobressinal é de cerca de 28% e o tempo de acomodação é de cerca de 4,5 s. Assim, o sistema projetado satisfaz os requisitos do projeto.

Configuração 2: a Figura 10.31 mostra uma configuração diferente do sistema de controle. O controlador-observador está situado no ramo de realimentação. A entrada *r* é introduzida no sistema de malha fechada por meio do bloco de ganho *N*. A partir desse diagrama de blocos, a função de transferência é obtida como

FIGURA 10.28
Sistema regulador com controlador-observador.

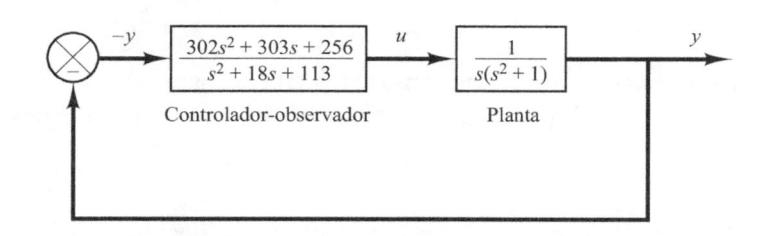

Controlador-observador: $\dfrac{302s^2 + 303s + 256}{s^2 + 18s + 113}$

Planta: $\dfrac{1}{s(s^2+1)}$

FIGURA 10.29
Sistema de controle com controlador-observador no ramo direto.

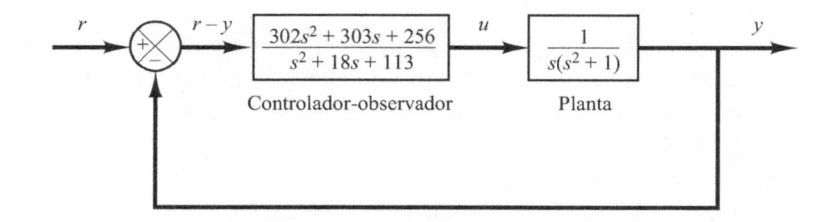

Controlador-observador: $\dfrac{302s^2 + 303s + 256}{s^2 + 18s + 113}$

Planta: $\dfrac{1}{s(s^2+1)}$

FIGURA 10.30
Resposta ao degrau unitário do sistema de controle mostrado na Figura 10.29.

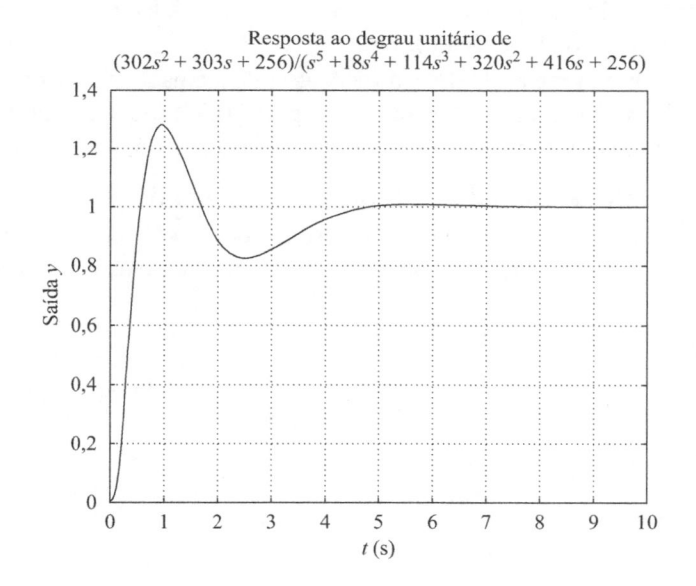

Resposta ao degrau unitário de
$(302s^2 + 303s + 256)/(s^5 + 18s^4 + 114s^3 + 320s^2 + 416s + 256)$

FIGURA 10.31
Sistema de controle com controlador-observador no ramo de realimentação.

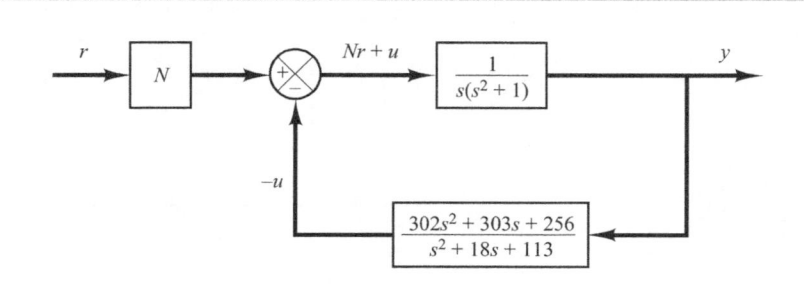

$\dfrac{1}{s(s^2+1)}$

$\dfrac{302s^2 + 303s + 256}{s^2 + 18s + 113}$

$$\frac{Y(s)}{R(s)} = \frac{N(s^2 + 18s + 113)}{s(s^2 + 1)(s^2 + 18s + 113) + 302s^2 + 303s + 256}$$

Determinamos o valor da constante N tal que, para a entrada r em degrau unitário, a saída y se torne unitária à medida que t tende a infinito. Assim, escolhemos:

$$N = \frac{256}{113} = 2{,}2655$$

A Figura 10.32 mostra a resposta do sistema ao degrau unitário. Note que o máximo sobressinal é muito pequeno, aproximadamente 4%. O tempo de acomodação é de cerca de 5 s.

Comentários. Consideramos duas configurações possíveis para os sistemas de controle de malha fechada utilizando controladores-observadores. Como foi afirmado anteriormente, outras configurações são possíveis.

A primeira configuração, que posiciona o controlador-observador no ramo direto, geralmente fornece um sobressinal consideravelmente grande. A segunda configuração, que posiciona o controlador-observador no ramo de realimentação, produz um sobressinal menor. Essa curva de resposta é bastante similar à do sistema projetado pelo método de alocação de polos utilizando o controlador-observador. Veja a curva de resposta do sistema ao degrau unitário, mostrada na Figura 10.33, projetada pelo método de alocação de polos, sem observador. Aqui, os polos desejados de malha fechada utilizados são:

$$s = -1 + j, \quad s = -1 - j, \quad s = -8$$

Note que, nesses dois sistemas, o tempo de subida e o tempo de acomodação são determinados principalmente pelos polos desejados de malha fechada para efeito de alocação de polos. (Veja as figuras 10.32 e 10.33.)

Os diagramas de Bode do sistema 1 de malha fechada (indicado na Figura 10.29) e do sistema 2 de malha fechada (mostrado na Figura 10.31) são apresentados na Figura 10.34. A partir dessa figura, vemos que a banda passante do sistema 1 é 5 rad/s e a do sistema 2 é 1,3 rad/s.

Resumo do método de projeto no espaço de estados

1. O método de projeto no espaço de estados com base no enfoque de alocação de polos, combinado com observador, é muito poderoso. É um método no domínio do tempo. Os

FIGURA 10.32
Resposta ao degrau unitário do sistema indicado na Figura 10.31. (Os polos de malha fechada para efeito de alocação de polos são $s = -1 \pm j$, $s = -8$. Os polos do observador estão em $s = -4$, $s = -4$.)

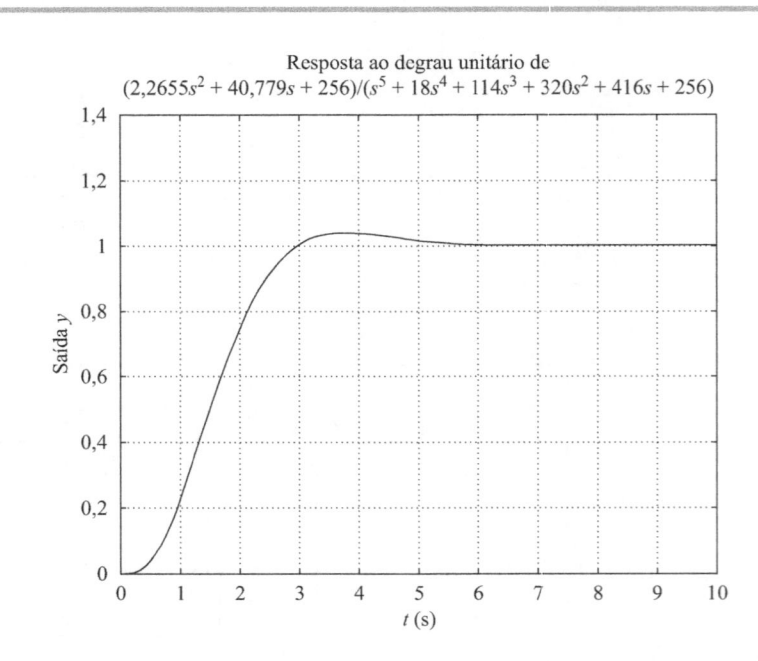

Resposta ao degrau unitário de
$(2{,}2655s^2 + 40{,}779s + 256)/(s^5 + 18s^4 + 114s^3 + 320s^2 + 416s + 256)$

FIGURA 10.33
Resposta ao degrau unitário do sistema de controle projetado pelo método de alocação de polos sem observador. (Os polos de malha fechada estão em $s = -1 \pm j$, $s = -8$.)

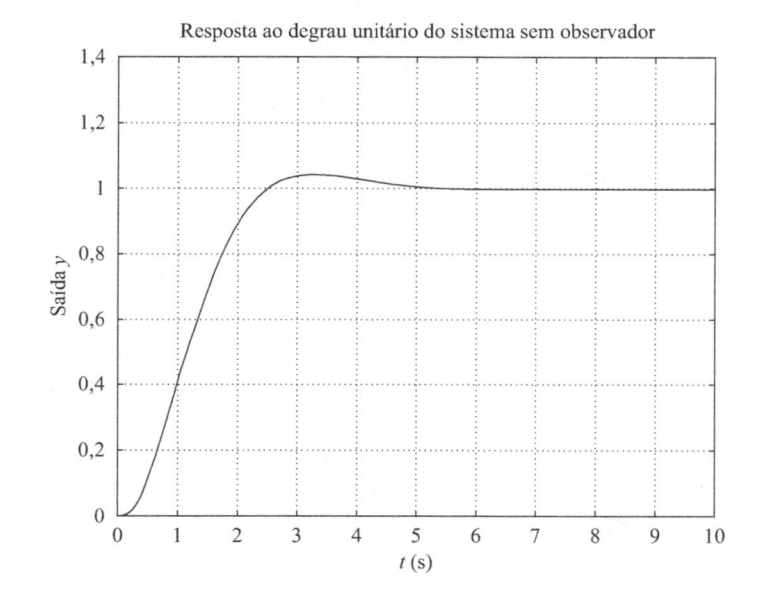

FIGURA 10.34
Diagramas de Bode do sistema 1 de malha fechada (mostrado na Figura 10.29) e do sistema 2 de malha fechada (mostrado na Figura 10.31).

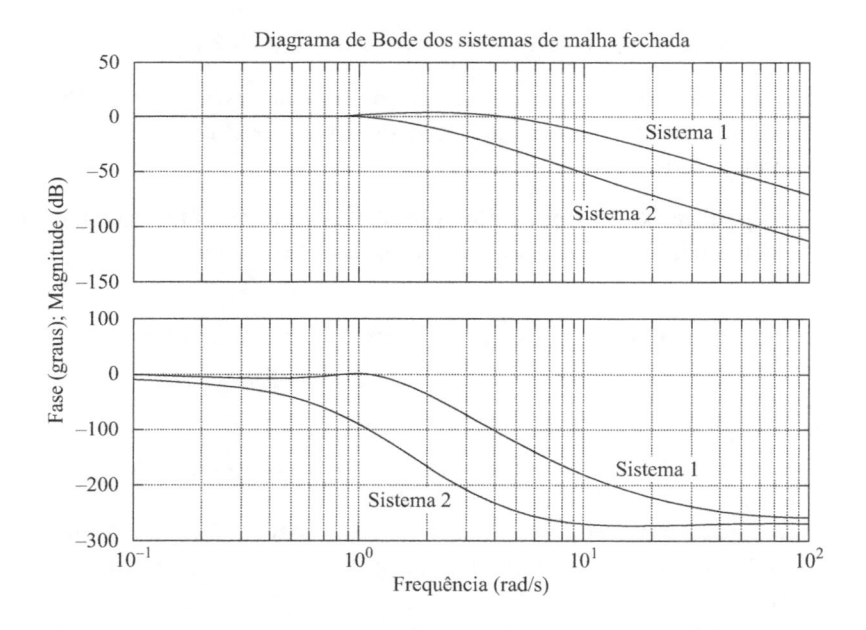

polos desejados de malha fechada podem ser alocados arbitrariamente, desde que a planta seja de estado completamente controlável.

2. Se nem todas as variáveis de estado puderem ser medidas, deve-se incorporar um observador para estimar as variáveis de estado não mensuráveis.

3. No projeto de um sistema utilizando o método de alocação de polos, é necessário considerar vários conjuntos diferentes de polos de malha fechada desejados, comparar as características de resposta e escolher a melhor delas.

4. A banda passante do controlador-observador geralmente é grande, porque escolhemos polos do observador bem à esquerda no plano s. Uma banda passante grande transmite ruídos de alta frequência, causando problemas de ruído.

5. Geralmente, a adição de um observador ao sistema reduz a margem de estabilidade. Em alguns casos, um controlador-observador pode ter zero(s) no semiplano direito do plano s, o que significa que o controlador pode ser estável, mas de fase não mínima. Em outros casos, o controlador pode ter polo(s) no semiplano direito do plano s — isto é, o controlador é instável. Então, o sistema projetado pode se tornar condicionalmente estável.

6. Quando o sistema é projetado pelo método de alocação de polos com observador, é recomendável verificar as margens de estabilidade (margem de fase e margem de ganho), utilizando-se o método da resposta em frequência. Se as margens de estabilidade do sistema projetado forem pequenas, é possível que o sistema se torne instável, se o modelo matemático envolver incertezas.

7. Note que, para sistemas de ordem n, os métodos clássicos de projeto (os métodos do lugar das raízes e de resposta em frequência) resultam em compensadores de ordem pequena (primeira ou segunda ordens). Como os controladores com base em observadores são de ordem n [ou de ordem $(N-m)$, se for utilizado o observador de ordem mínima] para um sistema de ordem n, o sistema projetado se tornará de ordem $2n$ [ou de ordem $(2n-m)$]. Como os compensadores de menor ordem são mais baratos que os de maior ordem, o projetista deve aplicar primeiro os métodos clássicos e, se não puder ser determinado nenhum compensador adequado, então deve tentar o método de projeto de alocação de polos com observador apresentado neste capítulo.

10.8 | Sistemas reguladores quadráticos ótimos

Uma vantagem do método de controle quadrático ótimo sobre o método de alocação é que o primeiro fornece um modo sistemático de cálculo da matriz de ganho de controle por realimentação de estado.

O problema do regulador quadrático ótimo. Vamos considerar agora o problema do regulador quadrático ótimo que, dada a equação do sistema:

$$\dot{\mathbf{x}} = \mathbf{A}\mathbf{x} + \mathbf{B}\mathbf{u} \tag{10.112}$$

permite determinar a matriz $\mathbf{K}$ do vetor de controle ótimo

$$\mathbf{u}(t) = -\mathbf{K}\mathbf{x}(t) \tag{10.113}$$

para minimizar o índice de desempenho

$$J = \int_0^\infty (\mathbf{x}^* \mathbf{Q}\mathbf{x} + \mathbf{u}^* \mathbf{R}\mathbf{u}) dt \tag{10.114}$$

onde $\mathbf{Q}$ é uma matriz hermitiana definida positiva (ou semidefinida positiva) ou real simétrica e $\mathbf{R}$ é uma matriz hermitiana definida positiva ou real simétrica. Note que o segundo termo do lado direito da Equação 10.114 representa o consumo de energia dos sinais de controle. As matrizes $\mathbf{Q}$ e $\mathbf{R}$ determinam a importância relativa do erro e o consumo dessa energia. Nesse problema, vamos supor que o vetor de controle $\mathbf{u}(t)$ não seja limitado.

Como será visto posteriormente, a lei de controle linear dada pela Equação 10.113 é a lei de controle ótimo. Portanto, se os elementos não conhecidos da matriz $\mathbf{K}$ forem determinados para minimizar o índice de desempenho, então $\mathbf{u}(t) = -\mathbf{K}\mathbf{x}(t)$ será ótimo para qualquer estado inicial $\mathbf{x}(0)$. O diagrama de blocos mostrando a configuração ótima está indicado na Figura 10.35.

Vamos resolver agora o problema de otimização. Substituindo a Equação 10.113 na Equação 10.112, obtemos:

$$\dot{\mathbf{x}} = \mathbf{A}\mathbf{x} - \mathbf{B}\mathbf{K}\mathbf{x} = (\mathbf{A} - \mathbf{B}\mathbf{K})\mathbf{x}$$

Nas deduções seguintes, vamos supor que a matriz $\mathbf{A} - \mathbf{B}\mathbf{K}$ seja estável ou que os autovalores de $\mathbf{A} - \mathbf{B}\mathbf{K}$ tenham partes reais negativas.

FIGURA 10.35
Sistema regulador ótimo.

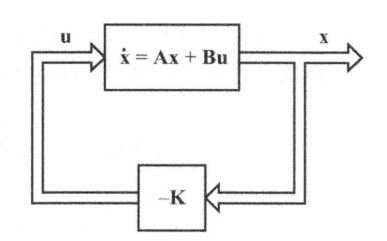

Substituindo a Equação 10.113 na Equação 10.114, temos:

$$J = \int_0^\infty (\mathbf{x}^* \mathbf{Q} \mathbf{x} + \mathbf{x}^* \mathbf{K}^* \mathbf{R} \mathbf{K} \mathbf{x}) dt$$

$$= \int_0^\infty \mathbf{x}^* (\mathbf{Q} + \mathbf{K}^* \mathbf{R} \mathbf{K}) \mathbf{x} \, dt$$

Fazendo

$$\mathbf{x}^* (\mathbf{Q} + \mathbf{K}^* \mathbf{R} \mathbf{K}) \mathbf{x} = -\frac{d}{dt}(\mathbf{x}^* \mathbf{P} \mathbf{x})$$

onde **P** é uma matriz hermitiana definida positiva ou simétrica real. Assim, obtemos:

$$\mathbf{x}^*(\mathbf{Q} + \mathbf{K}^*\mathbf{R}\mathbf{K})\mathbf{x} = -\dot{\mathbf{x}}^*\mathbf{P}\mathbf{x} - \mathbf{x}^*\mathbf{P}\dot{\mathbf{x}} = -\mathbf{x}^*[(\mathbf{A}-\mathbf{B}\mathbf{K})^*\mathbf{P} + \mathbf{P}(\mathbf{A}-\mathbf{B}\mathbf{K})]\mathbf{x}$$

Comparando ambos os lados da última equação e notando que essa deve ser verdadeira, qualquer que seja **x**, temos necessariamente:

$$(\mathbf{A} - \mathbf{B}\mathbf{K})^*\mathbf{P} + \mathbf{P}(\mathbf{A} - \mathbf{B}\mathbf{K}) = -(\mathbf{Q} + \mathbf{K}^*\mathbf{R}\mathbf{K}) \quad (10.115)$$

Pode-se provar que, se **A − BK** for uma matriz estável, existirá uma matriz definida positiva **P** que satisfaça a Equação 10.115. (Veja o Problema A.10.15.)

Portanto, o procedimento consiste em determinar os elementos de **P** a partir da Equação 10.115 e verificar se ela é definida positiva. (Note que mais de uma matriz **P** pode satisfazer essa equação. Se o sistema for estável, sempre existirá uma matriz **P** definida positiva que satisfaça essa equação. Isso quer dizer que, se resolvermos essa equação e encontrarmos uma matriz definida positiva **P**, o sistema será estável. Outras matrizes **P** que satisfazem essa equação não são definidas positivas e devem ser descartadas.)

O índice de desempenho J pode ser calculado como:

$$J = \int_0^\infty \mathbf{x}^*(\mathbf{Q} + \mathbf{K}^*\mathbf{R}\mathbf{K})\mathbf{x}\,dt = -\mathbf{x}^*\mathbf{P}\mathbf{x}\Big|_0^\infty = -\mathbf{x}^*(\infty)\mathbf{P}\mathbf{x}(\infty) + \mathbf{x}^*(0)\mathbf{P}\mathbf{x}(0)$$

Como se supõe que todos os autovalores de **A − BK** tenham partes reais negativas, temos $\mathbf{x}(\infty) \to \mathbf{0}$. Portanto, obtemos:

$$J = \mathbf{x}^*(0)\mathbf{P}\mathbf{x}(0) \quad (10.116)$$

Assim, o índice de desempenho J pode ser obtido em termos da condição inicial $\mathbf{x}(0)$ e **P**.

Para obter a solução do problema de controle quadrático ótimo, procedemos da seguinte maneira: ao supor que **R** seja uma matriz hermitiana definida positiva ou real simétrica, pode-se escrever:

$$\mathbf{R} = \mathbf{T}^*\mathbf{T}$$

onde **T** é uma matriz não singular. Então, a Equação 10.115 pode ser escrita como:

$$(\mathbf{A}^* - \mathbf{K}^*\mathbf{B}^*)\mathbf{P} + \mathbf{P}(\mathbf{A} - \mathbf{B}\mathbf{K}) + \mathbf{Q} + \mathbf{K}^*\mathbf{T}^*\mathbf{T}\mathbf{K} = \mathbf{0}$$

que pode ser reescrita como:

$$\mathbf{A}^*\mathbf{P} + \mathbf{P}\mathbf{A} + [\mathbf{T}\mathbf{K} - (\mathbf{T}^*)^{-1}\mathbf{B}^*\mathbf{P}]^*[\mathbf{T}\mathbf{K} - (\mathbf{T}^*)^{-1}\mathbf{B}^*\mathbf{P}] - \mathbf{P}\mathbf{B}\mathbf{R}^{-1} + \mathbf{Q} = \mathbf{0}$$

A minimização de J em relação a $\mathbf{K}$ requer a minimização de

$$\mathbf{x}^*[\mathbf{TK} - (\mathbf{T}^*)^{-1}\mathbf{B}^*\mathbf{P}]^*[\mathbf{TK} - (\mathbf{T}^*)^{-1}\mathbf{B}^*\mathbf{P}]\mathbf{x}$$

em relação a $\mathbf{K}$. (Veja o Problema A.10.16.) Como essa última expressão é não negativa, o mínimo ocorre quando ela é zero ou quando

$$\mathbf{TK} = (\mathbf{T}^*)^{-1}\mathbf{B}^*\mathbf{P}$$

Portanto,

$$\mathbf{K} - \mathbf{T}^{-1}(\mathbf{T}^*)^{-1}\mathbf{B}^*\mathbf{P} = \mathbf{R}^{-1}\mathbf{B}^*\mathbf{P} \tag{10.117}$$

A Equação 10.117 fornece a matriz ótima $\mathbf{K}$. Assim, a lei de controle ótimo do problema de controle quadrático ótimo, quando o índice de desempenho é dado pela Equação 10.114, é linear e é dada por:

$$\mathbf{u}(t) = -\mathbf{Kx}(t) = -\mathbf{R}^{-1}\mathbf{B}^*\mathbf{P}\mathbf{x}(t)$$

A matriz $\mathbf{P}$ na Equação 10.117 deve satisfazer a Equação 10.115 ou a seguinte equação reduzida:

$$\mathbf{A}^*\mathbf{P} + \mathbf{PA} - \mathbf{PBR}^{-1}\mathbf{B}^*\mathbf{P} + \mathbf{Q} = \mathbf{0} \tag{10.118}$$

A Equação 10.118 é denominada equação matricial reduzida de Riccati. As etapas do projeto podem ser expressas como segue:

1. Resolva a Equação 10.118, equação matricial reduzida de Riccati, para a matriz $\mathbf{P}$. [Se existir uma matriz definida positiva $\mathbf{P}$ (certos sistemas podem não ter a matriz definida positiva $\mathbf{P}$), o sistema será estável ou a matriz $\mathbf{A} - \mathbf{BK}$ será estável.]
2. Substitua essa matriz $\mathbf{P}$ na Equação 10.117. A matriz $\mathbf{K}$ resultante é a matriz ótima.

Um exemplo de projeto baseado nesse enfoque é dado no Exemplo 10.9. Note que, se a matriz $\mathbf{A} - \mathbf{BK}$ for estável, o método apresentado sempre fornecerá o resultado correto.

Por fim, observe que, se o índice de desempenho for dado em termos do vetor de saída em vez do vetor de estado, isto é,

$$J = \int_0^\infty (\mathbf{y}^*\mathbf{Qy} + \mathbf{u}^*\mathbf{Ru})dt$$

então a expressão do índice pode ser modificada utilizando-se a equação de saída

$$\mathbf{y} = \mathbf{Cx}$$

para

$$J = \int_0^\infty (\mathbf{x}^*\mathbf{C}^*\mathbf{QCx} + \mathbf{u}^*\mathbf{Ru})dt \tag{10.119}$$

e as etapas do projeto, apresentadas nesta seção, podem ser aplicadas para obter a matriz ótima $\mathbf{K}$.

Exemplo 10.9 Considere o sistema indicado na Figura 10.36. Ao supor que o sinal de controle seja:

$$u(t) = -\mathbf{Kx}(t)$$

determine a matriz de ganho $\mathbf{K}$ ótima de realimentação de ganho ótimo, de modo que o seguinte índice de desempenho seja minimizado:

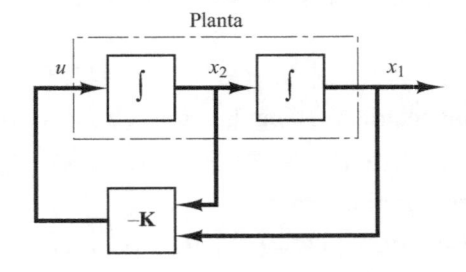

FIGURA 10.36
Sistema de controle.

$$J = \int_0^\infty (\mathbf{x}^T \mathbf{Q} \mathbf{x} + u^2) dt$$

onde

$$\mathbf{Q} = \begin{bmatrix} 1 & 0 \\ 0 & \mu \end{bmatrix} \quad (\mu \geq 0)$$

A partir da Figura 10.36, vemos que a equação de estado da planta é:

$$\dot{\mathbf{x}} = \mathbf{A}\mathbf{x} + \mathbf{B}u$$

onde

$$\mathbf{A} = \begin{bmatrix} 0 & 1 \\ 0 & 0 \end{bmatrix}, \quad \mathbf{B} = \begin{bmatrix} 0 \\ 1 \end{bmatrix}$$

Mostraremos o uso da equação matricial reduzida de Riccati no projeto do sistema de controle ótimo. Vamos resolver a Equação 10.118, reescrevendo-a como:

$$\mathbf{A}^*\mathbf{P}^* + \mathbf{P}\mathbf{A} - \mathbf{P}\mathbf{B}\mathbf{R}^{-1}\mathbf{B}^*\mathbf{P} + \mathbf{Q} = 0$$

Notando que a matriz $\mathbf{A}$ é real e a matriz $\mathbf{Q}$ é real simétrica, vemos que a matriz $\mathbf{P}$ é uma matriz real simétrica. Portanto, essa última equação pode ser escrita como:

$$\begin{bmatrix} 0 & 1 \\ 0 & 0 \end{bmatrix} \begin{bmatrix} p_{11} & p_{12} \\ p_{12} & p_{22} \end{bmatrix} + \begin{bmatrix} p_{11} & p_{12} \\ p_{12} & p_{22} \end{bmatrix} \begin{bmatrix} 0 & 1 \\ 0 & 0 \end{bmatrix}$$

$$- \begin{bmatrix} p_{11} & p_{12} \\ p_{12} & p_{22} \end{bmatrix} \begin{bmatrix} 0 \\ 1 \end{bmatrix} [1][0 \ 1] \begin{bmatrix} p_{11} & p_{12} \\ p_{12} & p_{22} \end{bmatrix} + \begin{bmatrix} 1 & 0 \\ 0 & \mu \end{bmatrix} = \begin{bmatrix} 0 & 0 \\ 0 & 0 \end{bmatrix}$$

Essa equação pode ser simplificada para:

$$\begin{bmatrix} 0 & 0 \\ p_{11} & p_{12} \end{bmatrix} + \begin{bmatrix} 0 & p_{11} \\ 0 & p_{12} \end{bmatrix} - \begin{bmatrix} p_{12}^2 & p_{12}p_{22} \\ p_{12}p_{22} & p_{22}^2 \end{bmatrix} + \begin{bmatrix} 1 & 0 \\ 0 & \mu \end{bmatrix} = \begin{bmatrix} 0 & 0 \\ 0 & 0 \end{bmatrix}$$

da qual são obtidas as três equações seguintes:

$$1 - p_{12}^2 = 0$$

$$p_{11} - p_{12}p_{22} = 0$$

$$\mu + 2p_{12} - p_{22}^2 = 0$$

Resolvendo essas três equações simultâneas para p_{11}, p_{12} e p_{22}, impondo que $\mathbf{P}$ seja definida positiva, obtemos:

$$\mathbf{P} = \begin{bmatrix} p_{11} & p_{12} \\ p_{12} & p_{22} \end{bmatrix} = \begin{bmatrix} \sqrt{\mu + 2} & 1 \\ 1 & \sqrt{\mu + 2} \end{bmatrix}$$

Considerando a Equação 10.117, a matriz de ganho $\mathbf{K}$ ótima de realimentação é obtida como:

$$\mathbf{K} = \mathbf{R}^{-1}\mathbf{B}^*\mathbf{P}$$

$$= [1][0 \ 1] \begin{bmatrix} p_{11} & p_{12} \\ p_{12} & p_{22} \end{bmatrix}$$

$$= [p_{12} \ p_{22}]$$

$$= [1 \ \sqrt{\mu + 2}]$$

Assim, o sinal de controle ótimo é:

$$u = -\mathbf{K}\mathbf{x} = -x_1 - \sqrt{\mu + 2}\, x_2 \tag{10.120}$$

Note que a lei de controle dada pela Equação 10.120 produz um resultado ótimo para qualquer estado inicial para o índice de desempenho dado. A Figura 10.37 é o diagrama de blocos desse sistema.

FIGURA 10.37
Controle ótimo da planta apresentada na Figura 10.36.

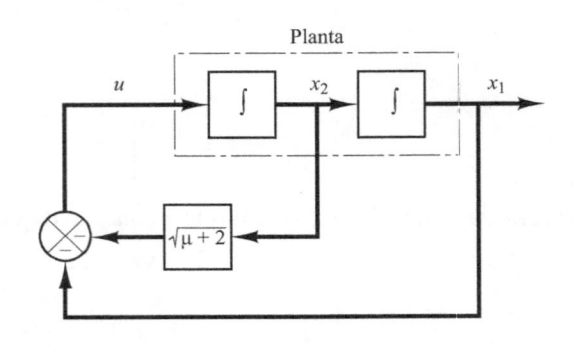

Como a equação característica é:
$$|s\mathbf{I} - \mathbf{A} + \mathbf{BK}| = s^2 + \sqrt{\mu + 2}\,s + 1 = 0$$

se $\mu = 1$, os dois polos de malha fechada se situam em
$$s = -0{,}866 + j0{,}5, \qquad s = -0{,}866 - j0{,}5$$

Estes correspondem aos polos desejados de malha fechada quando $\mu = 1$.

Resolvendo o problema do regulador quadrático ótimo com o MATLAB. No MATLAB, o comando

```
lqr(A,B,Q,R)
```

resolve o problema do regulador quadrático, linear, de tempo contínuo e a equação de Riccati associada. Esse comando calcula a matriz de ganho **K** ótima de realimentação, de modo que a lei de controle de realimentação

$$u = -\mathbf{Kx}$$

minimiza o índice de desempenho

$$J = \int_0^\infty (\mathbf{x}^*\mathbf{Qx} + \mathbf{u}^*\mathbf{Ru})\,dt$$

sujeita à equação de estado

$$\dot{\mathbf{x}} = \mathbf{Ax} + \mathbf{Bu}$$

Outro comando

```
[K,P,E] = lqr(A,B,Q,R)
```

retorna a matriz de ganho **K**, o vetor de autovalores **E** e a matriz **P**, a única solução definida positiva da equação matricial associada de Riccati:

$$\mathbf{PA} + \mathbf{A}^*\mathbf{P} - \mathbf{PRB}^{-1}\mathbf{B}^*\mathbf{P} + \mathbf{Q} = 0$$

Se a matriz $\mathbf{A} - \mathbf{BK}$ for uma matriz estável, essa solução definida positiva **P** sempre existirá. Os autovalores do vetor **E** fornecem os polos de malha fechada de $\mathbf{A} - \mathbf{BK}$.

É importante notar que, para certos sistemas, a matriz $\mathbf{A} - \mathbf{BK}$ não pode se tornar uma matriz estável, qualquer que seja a **K** escolhida. Nesse caso, não existe uma matriz **P** definida positiva para a equação matricial de Riccati. Para esse caso, os comandos

```
K = lqr (A,B,Q,R)
[K,P,E] = lqr(A,B,Q,R)
```

não fornecem a solução. Veja o Programa 10.18 em MATLAB.

Exemplo 10.10 Considere o sistema definido por:

$$\begin{bmatrix} \dot{x}_1 \\ \dot{x}_2 \end{bmatrix} = \begin{bmatrix} -1 & 1 \\ 0 & 2 \end{bmatrix} \begin{bmatrix} x_1 \\ x_2 \end{bmatrix} + \begin{bmatrix} 1 \\ 0 \end{bmatrix} u$$

Mostre que o sistema não pode ser estabilizado pelo esquema de controle por realimentação de estado

$$u = -\mathbf{K}\mathbf{x}$$

qualquer que seja a matriz **K** escolhida. (Note que esse sistema é de estado não controlável.)
Defina

$$\mathbf{K}\,[k_1 \ k_2]$$

Então,

$$\mathbf{A} - \mathbf{B}\mathbf{K} = \begin{bmatrix} -1 & 1 \\ 0 & 2 \end{bmatrix} - \begin{bmatrix} 1 \\ 0 \end{bmatrix}[k_1 \ k_2]$$

$$= \begin{bmatrix} -1 - k_1 & 1 - k_2 \\ 0 & 2 \end{bmatrix}$$

Portanto, a equação característica torna-se:

$$|s\mathbf{I} - \mathbf{A} + \mathbf{B}\mathbf{K}| = \begin{vmatrix} s + 1 + k_1 & -1 + k_2 \\ 0 & s - 2 \end{vmatrix}$$

$$= (s + 1 + k_1)(s - 2) = 0$$

Os polos de malha fechada estão localizados em:

$$s = -1 - k_1, \qquad s = 2$$

Como o polo em $s = 2$ está no semiplano direito do plano s, o sistema é instável, qualquer que seja a matriz **K** escolhida. Em consequência, as técnicas de controle quadrático ótimo não podem ser aplicadas a esse sistema.

Vamos supor que as matrizes **Q** e **R** do índice de desempenho quadrático sejam dadas por:

$$\mathbf{Q} = \begin{bmatrix} 1 & 0 \\ 0 & 1 \end{bmatrix}, \quad R = [1]$$

e que escrevemos o Programa 10.18 em MATLAB. A solução resultante pelo MATLAB é:

K = [NaN NaN]

(NaN significa 'not a number', ou seja, não é um número.) Quando a solução de um problema de controle quadrático ótimo não existe, o MATLAB informa que a matriz **K** é constituída por NaN.

Programa 10.18 em MATLAB

```
% ---------- Projeto do sistema regulador quadrático ótimo ----------
A = [-1 1;0 2];
B = [1;0];
Q = [1 0;0 1];
R = [1];
K = lqr(A,B,Q,R)
Cuidado: a matriz é singular no trabalho de precisão.
K =
    NaN NaN
% ***** Se digitarmos o comando [K,P,E] = lqr(A,B,Q,R), então *****
[K,P,E] = lqr(A,B,Q,R)
Cuidado: a matriz é singular no trabalho de precisão.
K =
    NaN NaN
P =
    -Inf -Inf
    -Inf -Inf
E =
    -2.0000
    -1.4142
```

Exemplo 10.11 Considere o sistema descrito por:

$$\dot{x} = Ax + Bu$$

onde

$$A = \begin{bmatrix} 0 & 1 \\ 0 & -1 \end{bmatrix}, \quad B = \begin{bmatrix} 0 \\ 1 \end{bmatrix}$$

O índice de desempenho J é dado por:

$$J = \int_0^\infty (x'Qx + u'Ru)dt$$

onde

$$Q = \begin{bmatrix} 1 & 0 \\ 0 & 1 \end{bmatrix}, \quad R = [1]$$

Suponha que seja utilizado o seguinte controle u:

$$u = -Kx$$

Determine a matriz de ganho K ótima de realimentação.

Pode-se obter a matriz de ganho K ótima de realimentação resolvendo-se a seguinte equação de Riccati para uma matriz definida positiva P:

$$A'P + PA - PRB^{-1}B'P + Q = 0$$

O resultado é:

$$P = \begin{bmatrix} 2 & 1 \\ 1 & 1 \end{bmatrix}$$

Substituindo essa matriz P na equação a seguir, temos a matriz ótima K:

$$K = R^{-1}B'P$$

$$= [1][0 \ 1]\begin{bmatrix} 2 & 1 \\ 1 & 1 \end{bmatrix} = [1 \ 1]$$

Assim, o sinal ótimo de controle é dado por:

$$u = -Kx = -x_1 - x_2$$

O Programa 10.19 em MATLAB também fornece a solução desse problema.

```
Programa 10.19 em MATLAB

% ---------- Projeto do sistema regulador quadrático ótimo ----------
A = [0 1;0 -1];
B = [0;1];
Q = [1 0; 0 1];
R = [1];
K = lqr(A,B,Q,R)

K =
    1.0000 1.0000
```

Exemplo 10.12 Considere o sistema dado por:

$$\dot{x} = Ax + Bu$$

onde

$$A = \begin{bmatrix} 0 & 1 & 0 \\ 0 & 0 & 1 \\ -35 & -27 & -9 \end{bmatrix}, \quad B = \begin{bmatrix} 0 \\ 0 \\ 1 \end{bmatrix}$$

O índice de desempenho J é dado por:

$$J = \int_0^\infty (\mathbf{x}'\mathbf{Q}\mathbf{x} + u'Ru)dt$$

onde

$$\mathbf{Q} = \begin{bmatrix} 1 & 0 & 0 \\ 0 & 1 & 0 \\ 0 & 0 & 1 \end{bmatrix}, \quad R = [1]$$

Obtenha a matriz definida positiva **P** de solução da equação de Riccati, a matriz de ganho **K** ótima de realimentação e os autovalores da matriz **A** − **BK**.

O Programa 10.20 em MATLAB fornecerá a solução desse problema.

A seguir, vamos obter a resposta **x** do sistema regulador para a condição inicial **x**(0), onde

$$\mathbf{x}(0) = \begin{bmatrix} 1 \\ 0 \\ 0 \end{bmatrix}$$

Com realimentação de estado $u = -\mathbf{K}\mathbf{x}$, a equação de estado desse sistema torna-se:

$$\dot{\mathbf{x}} = \mathbf{A}\mathbf{x} + \mathbf{B}u = (\mathbf{A} - \mathbf{B}\mathbf{K})\mathbf{x}$$

Então, o sistema, ou sys, pode ser dado por:

sys = ss(A-B*K,eye(3), eye(3), eye(3))

O Programa 10.21 em MATLAB produz a resposta para dada condição inicial. A Figura 10.38 mostra as curvas de resposta.

```
Programa 10.20 em MATLAB
% ---------- Projeto do sistema regulador quadrático ótimo ----------
A = [0 1 0;0 0 1;-35 -27 -9];
B = [0;0;1];
Q = [1 0 0;0 1 0;0 0 1];
R = [1];
[K,P,E] = lqr(A,B,Q,R)

K =
    0.0143  0.1107  0.0676

P =
    4.2625  2.4957  0.0143
    2.4957  2.8150  0.1107
    0.0143  0.1107  0.0676

E =
   -5.0958
   -1.9859 + 1.7110i
   -1.9859 - 1.7110i
```

FIGURA 10.38
Curvas de resposta à condição inicial.

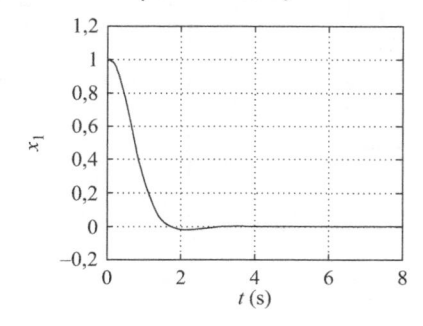

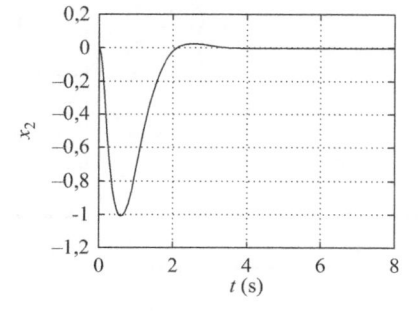

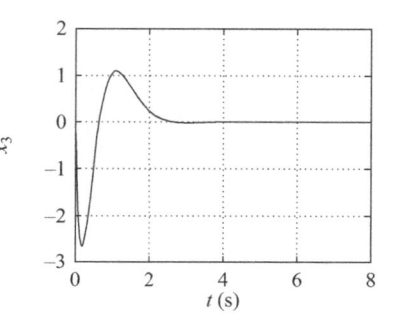

```
Programa 10.21 em MATLAB

% Resposta à condição inicial.
A = [0 1 0;0 0 1;-35 -27 -9];
B = [0;0;1];
K = [0.0143 0.1107 0.0676];
sys = ss(A-B*K, eye(3),eye(3),eye(3));
t = 0:0.01:8;
x = initial(sys,[1;0;0],t);
x1 = [1 0 0]*x';
x2 = [0 1 0]*x';
X3 = [0 0 1]*x';

subplot(2,2,1); plot(t,x1); grid
xlabel('t (s)'); ylabel('x1')

subplot(2,2,2); plot(t,x2); grid
xlabel('t (s)'); ylabel('x2')

subplot(2,2,3); plot(t,x3); grid
xlabel('t (s)'); ylabel('x3')
```

Exemplo 10.13 Considere o sistema indicado na Figura 10.39. A planta é definida pelas seguintes equações no espaço de estados:

$$\dot{x} = Ax + Bu$$
$$y = Cx + Du$$

onde

$$A = \begin{bmatrix} 0 & 1 & 0 \\ 0 & 0 & 1 \\ 0 & -2 & -3 \end{bmatrix}, \quad B = \begin{bmatrix} 0 \\ 0 \\ 1 \end{bmatrix}, \quad C = \begin{bmatrix} 1 & 0 & 0 \end{bmatrix}, \quad D = [0]$$

O sinal de controle u é dado por:

$$u = k_1(r - x_1) - (k_2 x_2 + k_3 x_3) = k_1 r - (k_1 x_1 + k_2 x_2 + k_3 x_3)$$

Na determinação da lei de controle ótimo, vamos supor que a entrada seja zero, ou $r = 0$.

Vamos determinar a matriz de ganho **K** de realimentação de estado, onde

$$K = [k_1 \quad k_2 \quad k_3]$$

de modo que o seguinte índice de desempenho seja minimizado:

$$J = \int_0^\infty (x'Qx + u'Ru)dt$$

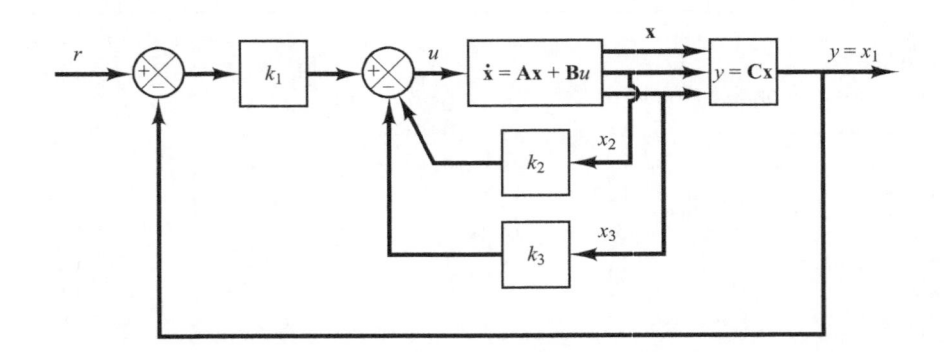

FIGURA 10.39
Sistema de controle.

onde

$$\mathbf{Q} = \begin{bmatrix} q_{11} & 0 & 0 \\ 0 & q_{22} & 0 \\ 0 & 0 & q_{33} \end{bmatrix}, \quad R = 1, \quad \mathbf{x} = \begin{bmatrix} x_1 \\ x_2 \\ x_3 \end{bmatrix} = \begin{bmatrix} y \\ \dot{y} \\ \ddot{y} \end{bmatrix}$$

Para obter uma resposta rápida, q_{11} deve ser suficientemente grande, comparado a q_{22}, q_{33} e R. Nesse problema, escolhemos:

$$q_{11} = 100, \qquad q_{22} = q_{33} = 1, \qquad R = 0,01$$

Para resolver esse problema com o MATLAB, utilizamos o comando

K = lqr(A,B,Q,R)

O Programa 10.22 em MATLAB conduz à solução desse problema.

```
Programa 10.22 em MATLAB
% ---------- Projeto do sistema regulador quadrático ótimo ----------
A = [0 1 0;0 0 1;0 -2 -3];
B = [0;0;1];
Q = [100 0 0;0 1 0;0 0 1];
R = [0.01];
K = lqr(A,B,Q,R)
K =
    100.0000 53.1200 11.6711
```

A seguir, vamos investigar as características da resposta ao degrau unitário do sistema projetado utilizando a matriz **K** já determinada. A equação de estado do sistema projetado é:

$$\dot{\mathbf{x}} = \mathbf{A}\mathbf{x} + \mathbf{B}u$$
$$= \mathbf{A}\mathbf{x} + \mathbf{B}(-\mathbf{K}\mathbf{x} + k_1 r)$$
$$= (\mathbf{A} - \mathbf{B}\mathbf{K})\mathbf{x} + \mathbf{B}k_1 r$$

e a equação de saída é:

$$y = \mathbf{C}\mathbf{x} = \begin{bmatrix} 1 & 0 & 0 \end{bmatrix} \begin{bmatrix} x_1 \\ x_2 \\ x_3 \end{bmatrix}$$

Para obter a resposta ao degrau unitário, utilize o seguinte comando:

[y,x,t] = step(AA,BB,CC,DD)

onde

$$AA = \mathbf{A} - \mathbf{B}\mathbf{K}, \qquad BB = \mathbf{B}k_1, \qquad CC = \mathbf{C}, \qquad DD = D$$

O Programa 10.23 em MATLAB produz a resposta ao degrau unitário do sistema projetado. A Figura 10.40 mostra as curvas de resposta x_1, x_2 e x_3 *versus* t em um diagrama.

Programa 10.23 em MATLAB

```
% ---------- Resposta ao degrau unitário do sistema projetado ----------
A = [0 1 0;0 0 1;0 -2 -3];
B = [0;0;1];
C = [1 0 0];
D = [0];
K = [100.0000 53.1200 11.6711];
k1 = K(1); k2 = K(2); k3 = K(3);

% ***** Defina matriz de estado, matriz de controle, matriz de saída
% e matriz de transmissão direta dos sistemas projetados como
% BB, CC, e DD *****

AA = A - B*K;
BB = B*k1;
CC = C;
DD = D;
t = 0:0.01:8;
[y,x,t] = step (AA,BB,CC,DD,1,t);

plot(t,x)
grid
title('Curvas de resposta x1, x2, x3, versus t')
xlabel('t (s))
ylabel('x1,x2,x3')
text(2.6,1.35,'x1')
text(1.2,1.5,'x2')
text(0.6,3.5,'x3')
```

FIGURA 10.40
Curvas de resposta x_1 versus t, x_2 versus t e x_3 versus t.

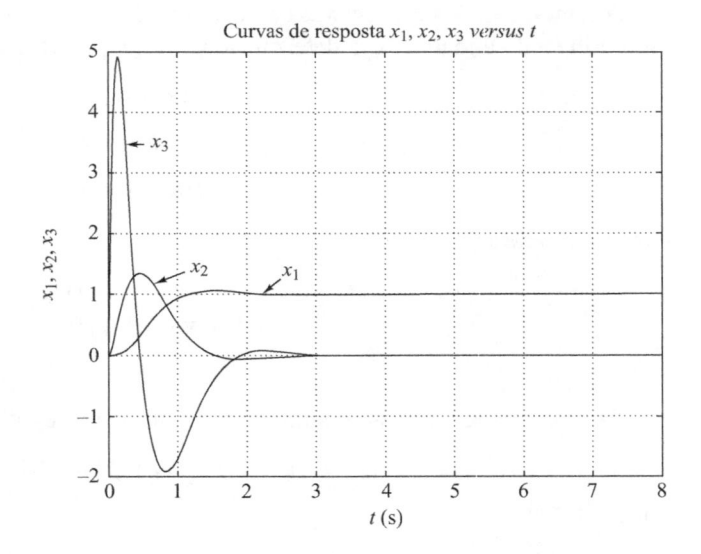

Comentários finais sobre sistemas reguladores ótimos

1. Dado um estado inicial $\mathbf{x}(t_0)$ qualquer, o problema do regulador ótimo é encontrar um possível vetor de controle $\mathbf{u}(t)$ que transfira o estado para a região do espaço de estados desejada e para o qual o índice de desempenho seja minimizado. Para que exista um vetor de controle ótimo $\mathbf{u}(t)$, o sistema deve ser de estado completamente controlável.

2. O sistema que minimiza (ou maximiza, conforme o caso) o índice de desempenho selecionado é, por definição, ótimo. Embora o controlador possa, em muitas aplicações prá-

ticas, não ter nada a ver com a 'característica ótima', o ponto importante é que o projeto baseado no índice quadrático de desempenho resulte em um sistema de controle estável.

3. A característica de uma lei de controle ótimo, baseada em um índice quadrático de desempenho, é a de ser uma função linear das variáveis de estado, o que implica a necessidade de realimentar todas as variáveis de estado. Isso requer que todas essas variáveis estejam disponíveis para realimentação. Se nem todas as variáveis estiverem disponíveis para realimentação, então será necessário empregar um observador de estado para estimar as variáveis de estado não mensuráveis e utilizar os valores estimados para gerar sinais de controle ótimo.

Note que os polos de malha fechada do sistema projetado por meio do método do regulador quadrático ótimo podem ser encontrados a partir de:

$$|s\mathbf{I} - \mathbf{A} + \mathbf{B}\mathbf{K}| = 0$$

Como esses polos correspondem aos polos de malha fechada desejados, no método de alocação, as funções de transferência dos controladores-observadores podem ser obtidas ou da Equação 10.74, se o observador for de ordem plena, ou da Equação 10.108, se o observador for de ordem mínima.

4. Se o sistema de controle ótimo for projetado no domínio do tempo, será desejável investigar as características da resposta em frequência para compensar efeitos de ruído. As características da resposta em frequência do sistema devem ser tais que o sistema atenue fortemente na faixa de frequências em que são esperados os ruídos e a ressonância dos componentes. (Para compensar os efeitos de ruído, devemos, em alguns casos, modificar a configuração ótima e aceitar um desempenho abaixo de ótimo ou alterar o índice de desempenho.)

5. Se o limite superior de integração no índice de desempenho J dado pela Equação 10.114 for finito, então se pode mostrar que o vetor de controle ótimo ainda é uma função linear das variáveis de estado, mas com coeficientes variantes no tempo. (Portanto, a determinação do vetor de controle ótimo envolve as matrizes ótimas variantes no tempo.)

10.9 | Sistemas de controle robusto

Suponha que, para dado determinado objeto de controle (por exemplo, um sistema com braço flexível), queiramos projetar um sistema de controle. O primeiro passo no projeto de um sistema de controle é a obtenção de um modelo matemático do objeto de controle, com base nas leis da física. Frequentemente o modelo pode ser não linear e é possível que tenha parâmetros distribuídos. Um modelo assim pode ser difícil de analisar. É desejável fazer uma aproximação por meio de uma equação linear de coeficientes constantes que proporcionará uma aproximação bastante boa do objeto real. Observe que, embora o modelo a ser usado para fins de projeto seja simplificado, é necessário que tal modelo inclua todas as características intrínsecas do objeto real. Presumindo que podemos obter um modelo que se aproxima satisfatoriamente do sistema real, precisamos obter um modelo simplificado com o objetivo de projetar o sistema de controle que requer um compensador da menor ordem possível. Portanto, o modelo do objeto de controle (seja ele qual for) provavelmente incluirá um erro no processo de modelagem. Observe que, no método de resposta em frequência para o projeto de sistemas de controle, usamos as margens de fase e de ganho para solucionar os erros de modelagem. No entanto, no método de espaço de estados — que se baseia nas equações diferenciais da dinâmica da planta — tais 'margens' não fazem parte do processo de projeto.

Como a planta real difere do modelo usado no projeto, surge a questão quanto ao controlador projetado por meio de um modelo ser capaz de funcionar satisfatoriamente na planta real. Para ter certeza de que isso acontecerá, a teoria do controle robusto foi desenvolvida por volta de 1980.

A teoria do controle robusto parte do pressuposto de que os modelos que usamos para projetar sistemas de controle contêm erros de modelagem. Nesta seção, vamos apresentar uma introdução a essa teoria. Fundamentalmente, a teoria presume que existe incerteza ou erro entre a planta real e seu modelo matemático e inclui essa incerteza ou erro no processo de projeto do sistema de controle.

Sistemas projetados com base na teoria do controle robusto têm as seguintes propriedades:

(1) *Estabilidade robusta.* O sistema de controle projetável é estável na presença de distúrbios.
(2) *Desempenho robusto.* O sistema de controle manifesta características de reposta predeterminadas na presença de distúrbios.

Essa teoria requer considerações baseadas na análise de resposta em frequência e na análise de domínio do tempo. Em virtude da complexidade matemática associada à teoria do controle robusto, a discussão detalhada dessa teoria está além do escopo do estudante dos últimos anos de engenharia. Nesta seção, será apresentada apenas uma discussão introdutória à teoria do controle robusto.

Elementos de incerteza na dinâmica das plantas. O termo *incerteza* refere-se às diferenças ou erros entre o modelo da planta e a planta em si.

Elementos de incerteza que podem surgir em sistemas práticos podem ser classificados como incerteza *estruturada* e incerteza *não estruturada*. Exemplos de incerteza estruturada são todas as variações de parâmetro na dinâmica da planta, como variações nos polos e zeros na função de transferência da planta. Exemplos de incerteza não estruturada incluem as incertezas dependentes de frequência, como modos de alta frequência que normalmente negligenciamos na modelagem da dinâmica das plantas. Por exemplo, na modelagem de um sistema de braço flexível, o modelo pode incluir um número finito de modos de oscilação. Os modos de oscilação que não são incluídos na modelagem comportam-se como incerteza do sistema. Outro exemplo de incerteza ocorre na linearização de uma planta não linear. Se a planta real for não linear e o modelo for linear, a diferença atua como incerteza não estruturada.

Nesta seção, consideramos o caso em que a incerteza é não estruturada. Além disso, presumimos que a planta tem apenas uma incerteza. (Algumas plantas podem ter vários elementos de incerteza.)

Na teoria de controle robusto, definimos a incerteza não estruturada como $\Delta(s)$. Como a descrição exata de $\Delta(s)$ é desconhecida, fazemos uma estimativa de $\Delta(s)$ (quanto à magnitude e característica de fase) e usamos essa estimativa no projeto do controlador que estabiliza o sistema de controle. A estabilidade de um sistema com incerteza não estruturada pode, então, ser examinada utilizando-se o teorema do ganho pequeno que será dado em seguida à definição da norma H_∞.

Norma H_∞. A norma H_∞ de um sistema estável com entrada e saídas unitárias é o maior fator de amplificação possível da resposta em estado permanente à excitação senoidal.

Para um escalar $\Phi(s)$, $\|\Phi\|_\infty$ resulta no valor máximo de $|\Phi(j\omega)|$. É a chamada norma H_∞. Veja a Figura 10.41.

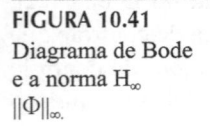

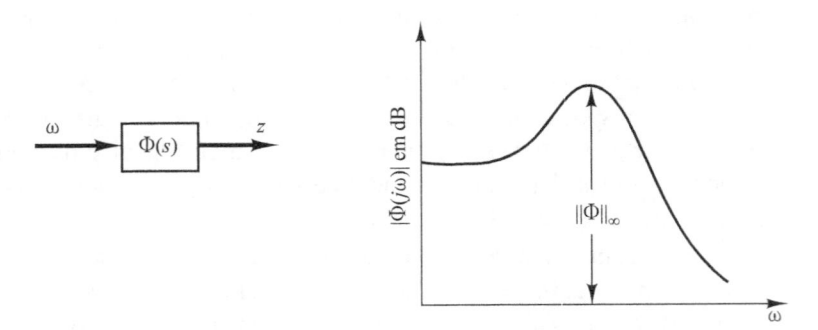

FIGURA 10.41
Diagrama de Bode e a norma H_∞ $\|\Phi\|_\infty$.

Na teoria do controle robusto, medimos a magnitude da função de transferência pela norma H_∞. Suponha que a função de transferência $\Phi(s)$ seja própria e estável. [Observe que uma função de transferência $\Phi(s)$ será identificada como própria se $\Phi(\infty)$ for limitada e definida. Se $\Phi(\infty) = 0$, será chamada estritamente própria.] A norma H_∞ de $\Phi(s)$ é definida por

$$\|\Phi\|_\infty = \overline{\sigma}[\Phi(j\omega)]$$

$\overline{\sigma}[\Phi(j\omega)]$ significa o valor singular máximo de $[\Phi(j\omega)]$. ($\overline{\sigma}$ significa σ_{max}.) Observe que o valor singular de uma função de transferência Φ é definido por

$$\sigma_i(\Phi) = \sqrt{\lambda_i(\Phi^* \Phi)}$$

onde $\lambda_i(\Phi^*\Phi)$ é o autovalor de i-ésima grandeza de $\Phi^*\Phi$ e é sempre um valor não negativo e real. Tornando $\|\Phi\|_\infty$ menor, tornamos o efeito da entrada w na saída z menor. Frequentemente ocorre que, em vez de usar o valor máximo singular de $\|\Phi\|_\infty$, usamos a desigualdade

$$\|\Phi\|_\infty < \gamma$$

e limitamos a magnitude de $\Phi(s)$ por γ. Para que $\|\Phi\|_\infty$ seja de magnitude pequena, escolhemos um γ pequeno e impomos que $\|\Phi\|_\infty < \gamma$.

Teorema do ganho pequeno. Considere o sistema de malha fechada mostrado na Figura 10.42. Na figura, $\Delta(s)$ e $M(s)$ são funções de transferência próprias e estáveis.

O teorema do ganho pequeno diz que, se

$$\|\Delta(s)M(s)\|_\infty < 1$$

então este sistema de malha fechada é estável. Ou seja, se a norma H_∞ de $\Delta(s)M(s)$ for menor do que 1, esse sistema de malha fechada será estável. Esse teorema é uma extensão do critério de estabilidade de Nyquist.

É importante notar que o teorema do ganho pequeno proporciona condição suficiente para a estabilidade. Ou seja, um sistema pode ser estável mesmo que não satisfaça esse teorema; no entanto, se um sistema satisfaz o teorema do ganho pequeno, ele sempre será estável.

Sistema com incerteza não estruturada. Em alguns casos, um erro de incerteza não estruturada pode ser considerado multiplicativo, de forma que

$$\widetilde{G} = G(1 + \Delta_m)$$

onde $\widetilde{G}$ é a dinâmica da planta real e G é a dinâmica do modelo da planta. Em outros casos, um erro de incerteza não estruturada pode ser considerado aditivo, de forma que

$$\widetilde{G} = G + \Delta_a$$

Em ambos os casos, presumimos que a norma Δ_m ou Δ_a é delimitada, de forma que

$$\|\Delta_m\| < \gamma_m, \qquad \|\Delta_a\| < \gamma_a$$

onde γ_m e γ_a são constantes positivas.

FIGURA 10.42
Sistema de malha fechada.

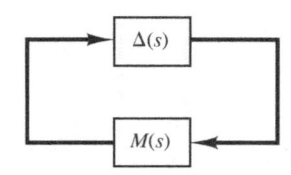

Exemplo 10.14 Considere um sistema de controle com incerteza não estruturada multiplicativa. Vamos examinar a estabilidade robusta e o desempenho robusto do sistema. (O Problema A.10.18 aborda um sistema com incerteza não estruturada aditiva.)

Estabilidade robusta. Vamos definir que

$\widetilde{G}$ = dinâmica da planta real

G = dinâmica do modelo da planta

Δ_m = incerteza não estruturada multiplicativa

Presumimos que Δ_m seja estável e que seu limite superior seja conhecido. Presumimos também que $\widetilde{G}$ e G tenham a seguinte relação:

$$\widetilde{G} = G(I + \Delta_m)$$

Considere o sistema mostrado na Figura 10.43(a). Vamos examinar a função de transferência entre o ponto A e o ponto B. Observe que a Figura 10.43(a) pode ser redesenhada como mostra a Figura 10.43(b). A função de transferência entre o ponto A e o ponto B pode ser dada por

$$\frac{KG}{1 + KG} = (1 + KG)^{-1} KG$$

FIGURA 10.43
(a) Diagrama de blocos de um sistema com incerteza não estruturada multiplicativa; (b) a (d) modificações sucessivas no diagrama de blocos de (a); (e) diagrama de blocos de planta generalizada com incerteza não estruturada multiplicativa; (f) diagrama da planta generalizada.

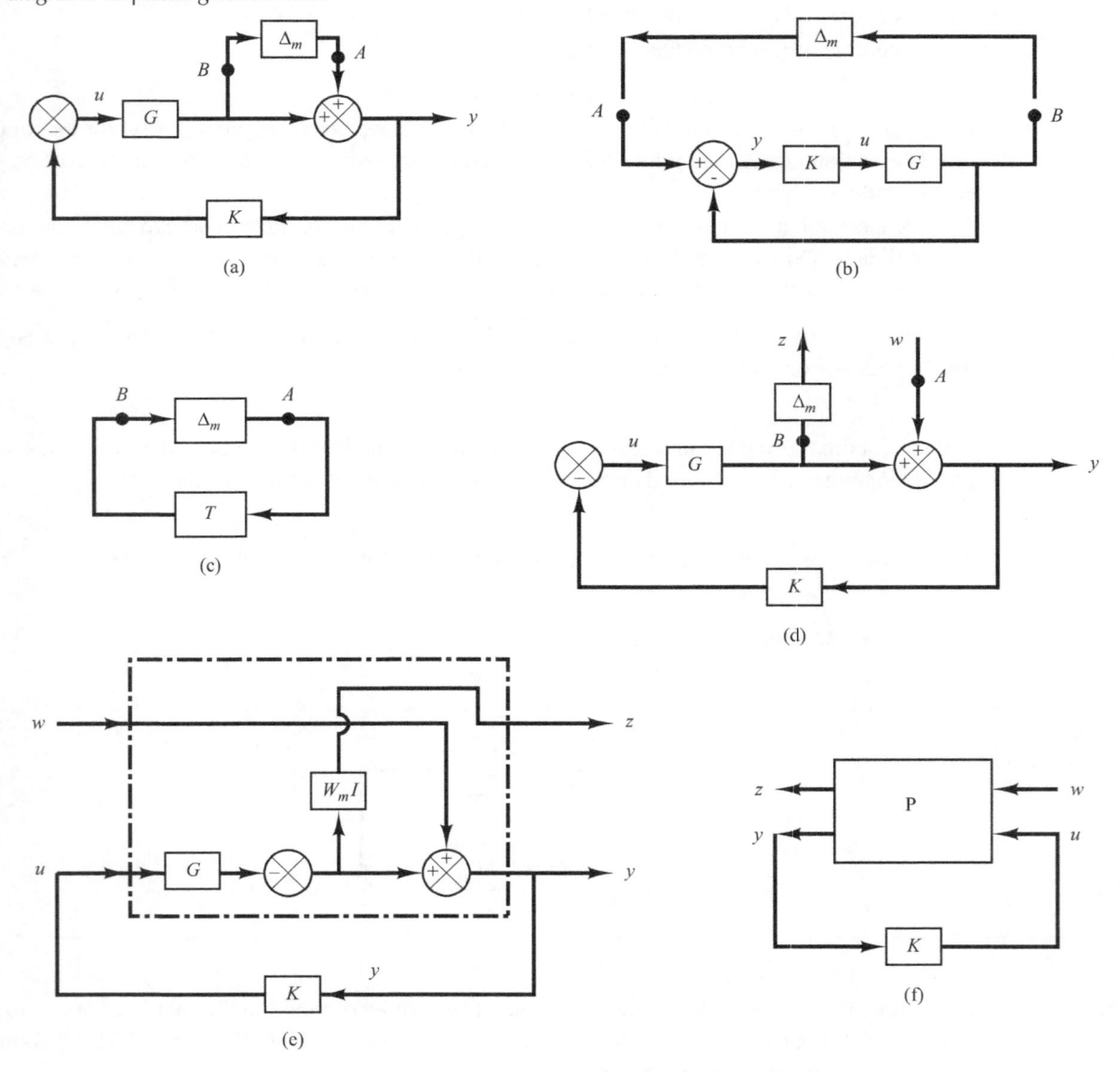

Defina

$$(1 + KG)^{-1}KG = T \tag{10.121}$$

Usando a Equação 10.121, podemos redesenhar a Figura 10.43(b) como a Figura 10.43(c). Aplicando o teorema do ganho pequeno ao sistema que consiste em Δ_m e T, como mostra a Figura 10.43(c), obtemos que a condição de estabilidade é

$$\|\Delta_m T\|_\infty < 1 \tag{10.122}$$

Em geral, é impossível modelar Δ_m com precisão. Portanto, vamos usar uma função de transferência escalar $W_m(j\omega)$ de forma que

$$\bar{\sigma}\{\Delta_m(j\omega)\} < |W_m(j\omega)|$$

onde $\bar{\sigma}\{\Delta_m(j\omega)\}$ é o maior valor singular de $\Delta_m(j\omega)$.

Considere, em lugar da Desigualdade 10.122, a seguinte desigualdade:

$$\|W_m T\|_\infty < 1 \tag{10.123}$$

Se a Desigualdade 10.123 for verdadeira, a Desigualdade 10.122 sempre será satisfeita. Tornando a norma H_∞ de $W_m T$ menor que 1, obtemos o controlador K que tornará o sistema estável.

Suponha que, na Figura 10.43(a), cortemos a reta no ponto A. Obteremos, então, a Figura 10.43(d). Substituindo Δ_m por $W_m I$, obtemos a Figura 10.43(e). Redesenhando a Figura 10.43(e), obtemos a Figura 10.43(f). A Figura 10.43(f) é chamada *diagrama de planta generalizada*.

Considerando a Equação 10.121, T é dado por

$$T = \frac{KG}{1 + KG} \tag{10.124}$$

Então, a Desigualdade 10.123 pode ser reescrita como

$$\left\| \frac{W_m K(s)G(s)}{1 + K(s)G(s)} \right\|_\infty < 1 \tag{10.125}$$

Obviamente, para um modelo estável de planta $G(s)$, $K(s) = 0$ vai satisfazer a Desigualdade 10.125. No entanto, $K(s) = 0$ não é a função de transferência desejável para o controlador. Para encontrar uma função de transferência aceitável para $K(s)$, podemos acrescentar outra condição — por exemplo, que o sistema resultante tenha desempenho robusto de forma que a saída acompanhe a entrada com erro mínimo, ou outra condição razoável. A seguir, obteremos a condição para o desempenho robusto.

Desempenho robusto. Considere o sistema mostrado na Figura 10.44. Suponha que queiramos que a saída $y(t)$ acompanhe a entrada $r(t)$, tão próximo quanto possível, ou seja, queremos que

$$\lim_{t \to \infty}[r(t) - y(t)] = \lim_{t \to \infty} e(t) \to 0$$

Como a função de transferência $Y(s)/R(s)$ é

$$\frac{Y(s)}{R(s)} = \frac{KG}{1 + KG}$$

temos

$$\frac{E(s)}{R(s)} = \frac{R(s) - Y(s)}{R(s)} = 1 - \frac{Y(s)}{R(s)} = \frac{1}{1 + KG}$$

FIGURA 10.44
Sistema de malha fechada.

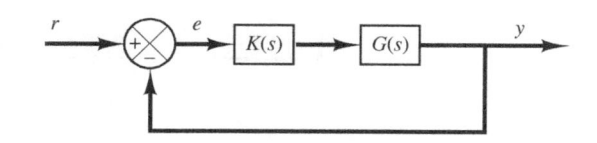

Defina

$$\frac{1}{1+KG} = S$$

onde S é normalmente chamado função de sensibilidade e T, definido pela Equação 10.124, é denominado função complementar de sensibilidade. Neste problema de desempenho robusto, queremos que a norma H_∞ de S seja menor que a função de transferência desejada W_s^{-1} ou $\|S\|_\infty < W_s^{-1}$, que pode ser escrita como

$$\|W_s S\|_\infty < 1 \qquad (10.126)$$

Combinando as Desigualdades 10.123 e 10.126, obtemos

$$\left\| \frac{W_m T}{W_s S} \right\|_\infty < 1$$

onde $T + S = 1$, ou

$$\left\| \begin{array}{c} W_m(s) \dfrac{K(s)G(s)}{1+K(s)G(s)} \\ W_s(s) \dfrac{1}{1+K(s)G(s)} \end{array} \right\|_\infty < 1 \qquad (10.127)$$

Nosso problema, então, se torna encontrar $K(s)$ que satisfaça a Desigualdade 10.127. Observe que, dependendo dos $W_m(s)$ e $W_s(s)$, escolhidos, vários $K(s)$ poderão satisfazer a Desigualdade 10.127, ou pode não haver $K(s)$ que satisfaça a Desigualdade 10.127. Um problema de controle robusto desse tipo, que utiliza a Desigualdade 10.127, é chamado problema de sensibilidade mista.

A Figura 10.45(a) é um diagrama de planta generalizada, no qual duas condições (estabilidade robusta e desempenho robusto) estão especificadas. A Figura 10.45(b) mostra uma versão simplificada do diagrama.

FIGURA 10.45
(a) Diagrama de planta generalizada; (b) versão simplificada do diagrama de planta generalizada mostrado em (a).

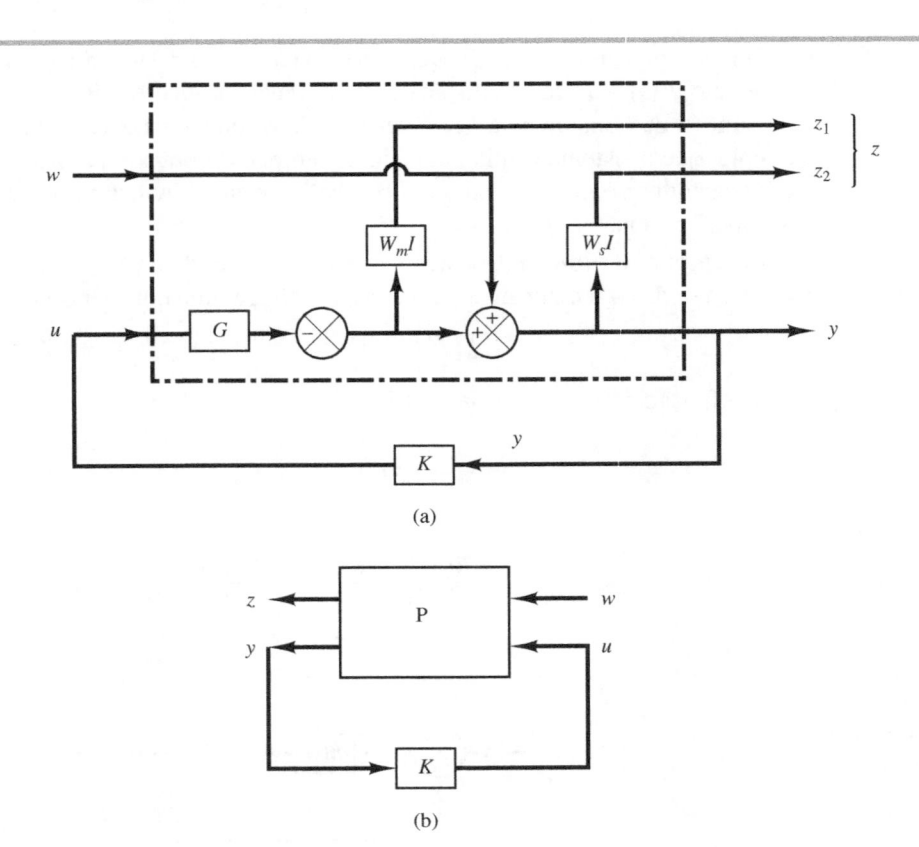

Encontrando a função de transferência $z(s)/w(s)$ a partir de um diagrama de planta generalizada. Considere o diagrama de planta generalizada mostrado na Figura 10.46.

Nesse diagrama, $w(s)$ é o distúrbio exógeno e $u(s)$ é a variável manipulada; $z(s)$ é a variável controlada e $y(s)$ é a variável observada.

Considere o sistema de controle que consiste na planta generalizada $P(s)$ e no controlador $K(s)$. A equação que estabelece a relação entre as saídas $z(s)$ e $y(s)$ e as entradas $w(s)$ e $u(s)$ da planta generalizada $P(s)$ é

$$\begin{bmatrix} z(s) \\ y(s) \end{bmatrix} = \begin{bmatrix} P_{11} & P_{12} \\ P_{21} & P_{22} \end{bmatrix} \begin{bmatrix} w(s) \\ u(s) \end{bmatrix}$$

A equação que estabelece a relação entre $u(s)$ e $y(s)$ é dada por

$$u(s) = K(s)y(s)$$

Defina a função de transferência que relaciona a variável controlada $z(s)$ ao distúrbio exógeno $w(s)$ como $\Phi(s)$. Então

$$z(s) = \Phi(s)w(s)$$

Observe que $\Phi(s)$ pode ser determinada como segue: como

$$z(s) = P_{11}w(s) + P_{12}u(s)$$
$$y(s) = P_{21}w(s) + P_{22}u(s)$$
$$u(s) = K(s)y(s)$$

obtemos

$$y(s) = P_{21}w(s) + P_{22}K(s)y(s)$$

Portanto,

$$[I - P_{22}K(s)]y(s) = P_{21}w(s)$$

ou

$$y(s) = [I - P_{22}K(s)]^{-1}P_{21}w(s)$$

Consequentemente,

$$z(s) = P_{11}w(s) + P_{12}K(s)[I - P_{22}K(s)]^{-1}P_{21}w(s)$$
$$= \{P_{11} + P_{12}K(s)[I - P_{22}K(s)]^{-1}P_{21}\}w(s)$$

Logo,

$$\Phi(s) = P_{11} + P_{12}K(s)[I - P_{22}K(s)]^{-1}P_{21} \tag{10.128}$$

FIGURA 10.46
Diagrama de planta generalizada.

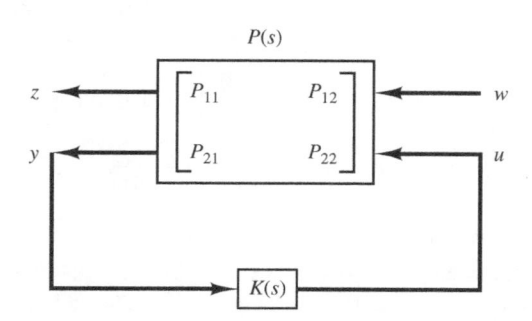

Exemplo 10.15 Vamos determinar a matriz P no diagrama de planta generalizada do sistema de controle considerado no Exemplo 10.14. Deduzimos a Desigualdade 10.125 para que o sistema de controle tenha estabilidade robusta. Reescrevendo a Desigualdade 10.125, temos:

$$\left\|\frac{W_m KG}{1+KG}\right\|_\infty < 1 \qquad (10.129)$$

Se definirmos

$$\Phi_1 = \frac{W_m KG}{1+KG} \qquad (10.130)$$

então a Desigualdade 10.129 pode ser escrita como

$$\|\Phi_1\|_\infty < 1$$

Considerando a Equação 10.128, reescrita como

$$\Phi = P_{11} + P_{12}K(I - P_{22}K)^{-1}P_{21}$$

observe que, se escolhermos a matriz P da planta generalizada como

$$P = \begin{bmatrix} 0 & W_m G \\ I & -G \end{bmatrix} \qquad (10.131)$$

Então, obteremos

$$\Phi = P_{11} + P_{12}K(I - P_{22}K)^{-1}P_{21}$$
$$= W_m KG(I + KG)^{-1}$$

que é exatamente o mesmo que Φ_1 na Equação 10.130.

Deduzimos, no Exemplo 10.14, que, se quisermos que a saída y acompanhe a entrada r o mais perto possível, precisamos que a norma H_∞ de $\Phi_2(s)$ onde

$$\Phi_2 = \frac{W_s}{I+KG} \qquad (10.132)$$

seja menor que 1. (Veja a Desigualdade 10.126.)

Observe que a variável controlada z está relacionada ao distúrbio exógeno w por

$$z = \Phi(s)w$$

e considerando a Equação 10.128

$$\Phi(s) = P_{11} + P_{12}K(I - P_{22}K)^{-1}P_{21}$$

Observe que, se escolhermos a matriz P como

$$P = \begin{bmatrix} W_s & -W_s G \\ I & -G \end{bmatrix} \qquad (10.133)$$

então, obtemos

$$\Phi = P_{11} + P_{12}K(I - P_{22}K)^{-1}P_{21}$$
$$= W_s - W_s KG(I + KG)^{-1}$$
$$= W_s\left[1 - \frac{KG}{1+KG}\right]$$
$$= W_s\left[\frac{1}{1+KG}\right]$$

que é o mesmo que Φ_2 na Equação 10.132.

Se ambas as condições de estabilidade robusta e desempenho robusto forem necessárias, o sistema de controle deve satisfazer a condição dada pela Desigualdade 10.127, reescrita como

$$\left\| \begin{matrix} W_m \dfrac{KG}{1+KG} \\ W_s \dfrac{1}{1+KG} \end{matrix} \right\| < 1 \qquad (10.134)$$

Para a matriz P, combinamos as equações 10.133 e 10.131, e obtemos

$$P = \begin{bmatrix} W_s & -W_s G \\ 0 & W_m G \\ I & -G \end{bmatrix} \quad (10.135)$$

Se construirmos $P(s)$ conforme dado pela Equação 10.135, então o problema de projetar um sistema de controle para satisfazer tanto a condição de estabilidade robusta quanto a de desempenho robusto pode ser formulado usando-se a planta generalizada representada pela Equação 10.135. Conforme mencionado anteriormente, esse problema é chamado problema de sensibilidade mista. Usando-se a planta generalizada dada pela Equação 10.135, podemos determinar o controlador $K(s)$ que satisfaz a Desigualdade 10.134. O diagrama de planta generalizada para o sistema considerado no Exemplo 10.14 torna-se como o que é mostrado na Figura 10.47.

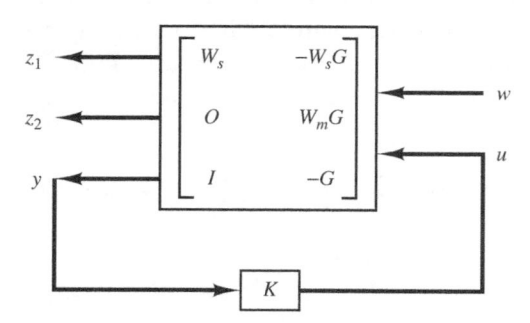

FIGURA 10.47
Planta generalizada do sistema discutido no Exemplo 10.15.

Problema de controle H infinito. Para projetar um controlador K de um sistema de controle de forma que ele satisfaça várias especificações de estabilidade e desempenho, utilizamos o conceito de planta generalizada.

Conforme mencionamos anteriormente, uma planta generalizada é um modelo linear que consiste em um modelo da planta e funções de ponderação correspondentes às especificações para o desempenho exigido. Considerando a planta generalizada mostrada na Figura 10.48, o problema de controle H infinito é o problema de projetar um controlador K que torne a norma H_∞ da função de transferência entre o distúrbio exógeno w e a variável controlada z, menor que um valor especificado.

O motivo pelo qual empregamos plantas generalizadas, em lugar de diagramas de blocos individuais de sistemas de controle, é que vários sistemas de controle com elementos de incerteza foram projetados utilizando-se plantas generalizadas e, consequentemente, abordagens de projeto usando-se essas plantas estão disponíveis.

Observe que qualquer função de ponderação, como $W(s)$, é um parâmetro importante que influenciará o controlador $K(s)$ resultante. De fato, a qualidade do sistema consequentemente projetado depende da escolha da função ou das funções de ponderação utilizada(s) no projeto.

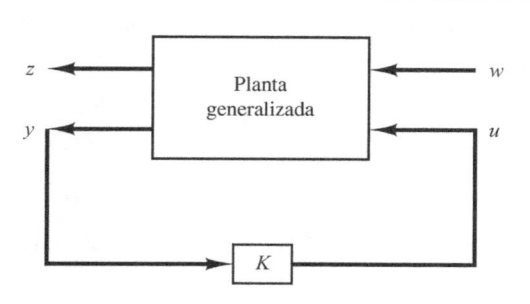

FIGURA 10.48
Diagrama de planta generalizada.

O controlador, que é a solução para o problema de controle H infinito, é normalmente chamado controlador H infinito.

Solução de problemas de controle robusto. Existem três abordagens estabelecidas para a solução de problemas de controle robusto. São elas:

1. Resolver o problema de controle robusto deduzindo as equações de Riccati e resolvendo-as.
2. Resolver o problema de controle robusto utilizando a abordagem de desigualdade da matriz linear.
3. Resolver o problema de controle robusto que inclui incertezas estruturais utilizando a abordagem de análise de μ e a síntese de μ.

A solução de problemas de controle, por meio de qualquer um dos métodos citados, requer amplo conhecimento de matemática.

Nesta seção, apresentamos apenas uma introdução à teoria de controle robusto. Resolver qualquer problema de controle robusto requer conhecimento matemático além do escopo dos estudantes dos últimos anos de engenharia. Portanto, o leitor interessado poderá optar por um curso de extensão universitária para estudar o assunto mais detalhadamente.

Exemplos de problemas com soluções

A.10.1 Considere o sistema definido por:

$$\dot{\mathbf{x}} = \mathbf{A}\mathbf{x} + \mathbf{B}u$$

Suponha que esse sistema não seja de estado completamente controlável. Então, o posto da matriz de controlabilidade é menor que n, ou

$$\text{posto } [\mathbf{B} \mid \mathbf{AB} \mid \ldots \mid \mathbf{A}^{n-1}\mathbf{B}] = q < n \qquad (10.136)$$

Isso significa que existem q vetores-coluna linearmente independentes na matriz de controlabilidade. Vamos representar esses vetores por $\mathbf{f}_1, \mathbf{f}_2, \ldots, \mathbf{f}_q$. Vamos escolher também $n - q$ vetores de dimensão n adicionais $\mathbf{v}_{q+1}, \mathbf{v}_{q+2}, \ldots, \mathbf{v}_n$, de modo que

$$\mathbf{P} = [\mathbf{f}_1 \mid \mathbf{f}_2 \mid \ldots \mid \mathbf{f}_q \mid \mathbf{v}_{q+1} \mid \mathbf{v}_{q+2} \mid \ldots \mid \mathbf{v}_n]$$

seja de posto n. Utilizando a matriz $\mathbf{P}$ como matriz de transformação, defina:

$$\mathbf{P}^{-1}\mathbf{A}\mathbf{P} = \hat{\mathbf{A}}, \qquad \mathbf{P}^{-1}\mathbf{B} = \hat{\mathbf{B}}$$

Mostre que $\hat{\mathbf{A}}$ pode ser dada por:

$$\hat{\mathbf{A}} = \begin{bmatrix} \mathbf{A}_{11} & \mathbf{A}_{12} \\ \hline \mathbf{0} & \mathbf{A}_{22} \end{bmatrix}$$

onde $\mathbf{A}_{11}$ é uma matriz $q \times q$, $\mathbf{A}_{12}$ é uma matriz $q \times (n-q)$, $\mathbf{A}_{22}$ é uma matriz $(n-q) \times (n-q)$ e $\mathbf{0}$ é uma matriz $(n-q) \times q$. Mostre também que a matriz $\hat{\mathbf{B}}$ pode ser dada por:

$$\hat{\mathbf{B}} = \begin{bmatrix} \mathbf{B}_{11} \\ \hline \mathbf{0} \end{bmatrix}$$

onde $\mathbf{B}_{11}$ é uma matriz $q \times 1$ e $\mathbf{0}$ é uma matriz $(n-q) \times 1$.

Solução. Note que

$$\mathbf{AP} = \mathbf{P}\hat{\mathbf{A}}$$

ou

$$[\mathbf{A}\mathbf{f}_1 \mid \mathbf{A}\mathbf{f}_2 \mid \ldots \mid \mathbf{A}\mathbf{f}_q \mid \mathbf{A}\mathbf{v}_{q+1} \mid \ldots \mid \mathbf{A}\mathbf{v}_n]$$
$$= [\mathbf{f}_1 \mid \mathbf{f}_2 \mid \ldots \mid \mathbf{f}_q \mid \mathbf{v}_{q+1} \mid \ldots \mid \mathbf{v}_n]\hat{\mathbf{A}} \qquad (10.137)$$

Além disso,

$$\mathbf{P} = \mathbf{P}\hat{\mathbf{B}} \qquad (10.138)$$

Como temos q vetores-coluna linearmente independentes $\mathbf{f}_1, \mathbf{f}_2, \ldots, \mathbf{f}_q$, podemos usar o teorema de Cayley-Hamilton para exprimir os vetores $\mathbf{A}\mathbf{f}_1, \mathbf{A}\mathbf{f}_2, \ldots, \mathbf{A}\mathbf{f}_q$ em termos de q vetores. Ou seja,

$$\mathbf{A}\mathbf{f}_1 = a_{11}\mathbf{f}_1 + a_{21}\mathbf{f}_2 + \ldots + a_{q1}\mathbf{f}_q$$
$$\mathbf{A}\mathbf{f}_2 = a_{12}\mathbf{f}_1 + a_{22}\mathbf{f}_2 + \ldots + a_{q2}\mathbf{f}_q$$
$$\vdots$$
$$\mathbf{A}\mathbf{f}_q = a_{1q}\mathbf{f}_1 + a_{2q}\mathbf{f}_2 + \ldots + a_{qq}\mathbf{f}_q$$

Então, a Equação 10.137 pode ser escrita como segue:

$$[\mathbf{A}\mathbf{f}_1 \mid \mathbf{A}\mathbf{f}_2 \mid \cdots \mid \mathbf{A}\mathbf{f}_q \mid \mathbf{A}\mathbf{v}_{q+1} \mid \cdots \mid \mathbf{A}\mathbf{v}_n]$$

$$= [\mathbf{f}_1 \mid \mathbf{f}_2 \mid \cdots \mid \mathbf{f}_q \mid \mathbf{v}_{q+1} \mid \cdots \mid \mathbf{v}_n]\begin{bmatrix} a_{11} & \cdots & a_{1q} & a_{1q+1} & \cdots & a_{1n} \\ a_{21} & \cdots & a_{2q} & a_{2q+1} & \cdots & a_{2n} \\ \vdots & & \vdots & \vdots & & \vdots \\ a_{q1} & \cdots & a_{qq} & a_{qq+1} & \cdots & a_{qn} \\ \hline 0 & \cdots & 0 & a_{q+1q+1} & \cdots & a_{q+1n} \\ \vdots & & \vdots & \vdots & & \vdots \\ 0 & \cdots & 0 & a_{nq+1} & \cdots & a_{nn} \end{bmatrix}$$

Defina

$$\begin{bmatrix} a_{11} & \cdots & a_{1q} \\ a_{21} & \cdots & a_{2q} \\ \vdots & & \vdots \\ a_{q1} & \cdots & a_{qq} \end{bmatrix} = \mathbf{A}_{11}$$

$$\begin{bmatrix} a_{1q+1} & \cdots & a_{1n} \\ a_{2q+1} & \cdots & a_{2n} \\ \vdots & & \vdots \\ a_{qq+1} & \cdots & a_{qn} \end{bmatrix} = \mathbf{A}_{12}$$

$$\begin{bmatrix} 0 & \cdots & 0 \\ \vdots & & \vdots \\ 0 & \cdots & 0 \end{bmatrix} = \mathbf{A}_{21} = \text{matriz zero } (n-q) \times q$$

$$\begin{bmatrix} a_{q+1q+1} & \cdots & a_{q+1n} \\ \vdots & & \vdots \\ a_{nq+1} & \cdots & a_{nn} \end{bmatrix} = \mathbf{A}_{22}$$

Então, a Equação 10.137 pode ser escrita como:

$$[\mathbf{A}\mathbf{f}_1 \mid \mathbf{A}\mathbf{f}_2 \mid \cdots \mid \mathbf{A}\mathbf{f}_q \mid \mathbf{A}\mathbf{v}_{q+1} \mid \cdots \mid \mathbf{A}\mathbf{v}_n]$$

$$= [\mathbf{f}_1 \mid \mathbf{f}_2 \mid \cdots \mid \mathbf{f}_q \mid \mathbf{v}_{q+1} \mid \cdots \mid \mathbf{v}_n]\begin{bmatrix} \mathbf{A}_{11} & \mathbf{A}_{12} \\ \hline \mathbf{0} & \mathbf{A}_{22} \end{bmatrix}$$

Assim,

$$\mathbf{AP} = \mathbf{P}\begin{bmatrix} \mathbf{A}_{11} & \mathbf{A}_{12} \\ \hline \mathbf{0} & \mathbf{A}_{22} \end{bmatrix}$$

Então,

$$\mathbf{P}^{-1}\mathbf{A}\mathbf{P} = \hat{\mathbf{A}} = \left[\begin{array}{c|c}\mathbf{A}_{11} & \mathbf{A}_{12} \\ \hline \mathbf{0} & \mathbf{A}_{22}\end{array}\right]$$

Em seguida, considerando a Equação 10.138, temos:

$$\mathbf{B} = [\mathbf{f}_1 \mid \mathbf{f}_2 \mid \ldots \mid \mathbf{f}_q \mid \mathbf{v}_{q+1} \mid \ldots \mid \mathbf{v}_n]\hat{\mathbf{B}} \tag{10.139}$$

Considerando a Equação 10.136, observe que o vetor **B** pode ser escrito em termos de q vetores-coluna linearmente independentes $\mathbf{f}_1, \mathbf{f}_2, \ldots, \mathbf{f}_q$. Assim, temos

$$\mathbf{B} = b_{11}\mathbf{f}_1 + b_{21}\mathbf{f}_2 + \ldots + b_{q1}\mathbf{f}_q$$

Em consequência, a Equação 10.139 pode ser escrita como segue:

$$b_{11}\mathbf{f}_1 + b_{21}\mathbf{f}_2 + \cdots + b_{q1}\mathbf{f}_q = [\mathbf{f}_1 \mid \mathbf{f}_2 \mid \cdots \mid \mathbf{f}_q \mid \mathbf{v}_{q+1} \mid \cdots \mid \mathbf{v}_n]\begin{bmatrix}b_{11}\\b_{21}\\\vdots\\b_{q1}\\0\\\vdots\\0\end{bmatrix}$$

Então,

$$\hat{\mathbf{B}} = \left[\begin{array}{c}\mathbf{B}_{11}\\\hline\mathbf{0}\end{array}\right]$$

onde

$$\mathbf{B}_{11} = \begin{bmatrix}b_{11}\\b_{21}\\\vdots\\b_{q1}\end{bmatrix}$$

A.10.2 Considere o sistema de estado completamente controlável

$$\dot{\mathbf{x}} = \mathbf{A}\mathbf{x} + \mathbf{B}u$$

Defina a matriz de controlabilidade **M**:

$$\mathbf{M} = [\mathbf{B} \mid \mathbf{A}\mathbf{B} \mid \ldots \mid \mathbf{A}^{n-1}\mathbf{B}]$$

Mostre que:

$$\mathbf{M}^{-1}\mathbf{A}\mathbf{M} = \begin{bmatrix}0 & 0 & \cdots & 0 & -a_n\\1 & 0 & \cdots & 0 & -a_{n-1}\\0 & 1 & \cdots & 0 & -a_{n-2}\\\vdots & \vdots & & \vdots & \vdots\\0 & 0 & \cdots & 1 & -a_1\end{bmatrix}$$

onde $a_1, a_2, \ldots, a_n$ são os coeficientes do polinômio característico

$$|s\mathbf{I} - \mathbf{A}| = s^n + a_1 s^{n-1} + \ldots + a_{n-1}s + a_n$$

Solução. Consideremos o caso em que $n = 3$. Mostraremos que:

$$\mathbf{A}\mathbf{M} = \mathbf{M}\begin{bmatrix}0 & 0 & -a_3\\1 & 0 & -a_2\\0 & 1 & -a_1\end{bmatrix} \tag{10.140}$$

O lado esquerdo da Equação 10.140 é:

$$\mathbf{A}\mathbf{M} = \mathbf{A}[\mathbf{B} \mid \mathbf{A}\mathbf{B} \mid \mathbf{A}^2\mathbf{B}] = [\mathbf{A}\mathbf{B} \mid \mathbf{A}^2\mathbf{B} \mid \mathbf{A}^3\mathbf{B}]$$

O lado direito da Equação 10.140 é:

$$[\mathbf{B} \vdots \mathbf{AB} \vdots \mathbf{A}^2\mathbf{B}]\begin{bmatrix} 0 & 0 & -a_3 \\ 1 & 0 & -a_2 \\ 0 & 1 & -a_1 \end{bmatrix} = [\mathbf{AB} \vdots \mathbf{A}^2\mathbf{B} \vdots -a_3\mathbf{B} - a_2\mathbf{AB} - a_1\mathbf{A}^2\mathbf{B}] \tag{10.141}$$

O teorema de Cayley-Hamilton afirma que a matriz $\mathbf{A}$ satisfaz sua própria equação característica ou, no caso em que $n = 3$,

$$\mathbf{A}^3 + a_1\mathbf{A}^2 + a_2\mathbf{A} + a_3\mathbf{I} = \mathbf{0} \tag{10.142}$$

Utilizando-se a Equação 10.142, a terceira coluna do lado direito da Equação 10.141 torna-se:

$$-a_3\mathbf{B} - a_2\mathbf{AB} - a_1\mathbf{A}^2\mathbf{B} = (-a_3\mathbf{I} - a_2\mathbf{A} - a_1\mathbf{A}^2)\mathbf{B} = \mathbf{A}^3\mathbf{B}$$

Assim, a Equação 10.141 torna-se

$$[\mathbf{B} \vdots \mathbf{AB} \vdots \mathbf{A}^2\mathbf{B}]\begin{bmatrix} 0 & 0 & -a_3 \\ 1 & 0 & -a_2 \\ 0 & 1 & -a_1 \end{bmatrix} = [\mathbf{AB} \vdots \mathbf{A}^2\mathbf{B} \vdots \mathbf{A}^3\mathbf{B}]$$

Então, o lado esquerdo e o lado direito da Equação 10.140 são iguais. Mostramos, assim, que a Equação 10.140 está correta. Consequentemente,

$$\mathbf{M}^{-1}\mathbf{AM} = \begin{bmatrix} 0 & 0 & -a_3 \\ 1 & 0 & -a_2 \\ 0 & 1 & -a_1 \end{bmatrix}$$

A demonstração precedente pode ser facilmente estendida ao caso geral, para qualquer n inteiro e positivo.

A.10.3 Considere o sistema de estado completamente controlável.

$$\dot{\mathbf{x}} = \mathbf{Ax} + \mathbf{B}u$$

Defina

$$\mathbf{M} = [\mathbf{B} \vdots \mathbf{AB} \vdots \ldots \vdots \mathbf{A}^{n-1}\mathbf{B}]$$

e

$$\mathbf{W} = \begin{bmatrix} a_{n-1} & a_{n-2} & \cdots & a_1 & 1 \\ a_{n-2} & a_{n-3} & \cdots & 1 & 0 \\ \vdots & \vdots & & \vdots & \vdots \\ a_1 & 1 & \cdots & 0 & 0 \\ 1 & 0 & \cdots & 0 & 0 \end{bmatrix}$$

onde os a_i são os coeficientes do polinômio característico

$$|s\mathbf{I} - \mathbf{A}| = s^n + a_1 s^{n-1} + \ldots + a_{n-1}s + a_n$$

Defina também

$$\mathbf{T} = \mathbf{MW}$$

Mostre que:

$$\mathbf{T}^{-1}\mathbf{AT} = \begin{bmatrix} 0 & 1 & 0 & \cdots & 0 \\ 0 & 0 & 1 & \cdots & 0 \\ \vdots & \vdots & \vdots & & \vdots \\ 0 & 0 & 0 & \cdots & 1 \\ -a_n & -a_{n-1} & -a_{n-2} & \cdots & -a_1 \end{bmatrix}, \quad \mathbf{T}^{-1}\mathbf{B} = \begin{bmatrix} 0 \\ 0 \\ \vdots \\ 0 \\ 1 \end{bmatrix}$$

Solução. Consideremos o caso em que $n = 3$. Mostraremos que:

$$\mathbf{T}^{-1}\mathbf{AT} = (\mathbf{MW})^{-1}\mathbf{A}(\mathbf{MW}) = \mathbf{W}^{-1}(\mathbf{M}^{-1}\mathbf{AM})\mathbf{W} = \begin{bmatrix} 0 & 1 & 0 \\ 0 & 0 & 1 \\ -a_3 & -a_2 & -a_1 \end{bmatrix} \quad (10.143)$$

Considerando o Problema A.10.2, temos:

$$\mathbf{M}^{-1}\mathbf{AM} = \begin{bmatrix} 0 & 0 & -a_3 \\ 1 & 0 & -a_2 \\ 0 & 1 & -a_1 \end{bmatrix}$$

Então, a Equação 10.143 pode ser reescrita como:

$$\mathbf{W}^{-1} \begin{bmatrix} 0 & 0 & -a_3 \\ 1 & 0 & -a_2 \\ 0 & 1 & -a_1 \end{bmatrix} \mathbf{W} = \begin{bmatrix} 0 & 1 & 0 \\ 0 & 0 & 1 \\ -a_3 & -a_2 & -a_1 \end{bmatrix}$$

Portanto, devemos mostrar que:

$$\begin{bmatrix} 0 & 0 & -a_3 \\ 1 & 0 & -a_2 \\ 0 & 1 & -a_1 \end{bmatrix} \mathbf{W} = \mathbf{W} \begin{bmatrix} 0 & 1 & 0 \\ 0 & 0 & 1 \\ -a_3 & -a_2 & -a_1 \end{bmatrix} \quad (10.144)$$

O lado esquerdo da Equação 10.144 é:

$$\begin{bmatrix} 0 & 0 & -a_3 \\ 1 & 0 & -a_2 \\ 0 & 1 & -a_1 \end{bmatrix} \begin{bmatrix} a_2 & a_1 & 1 \\ a_1 & 1 & 0 \\ 1 & 0 & 0 \end{bmatrix} = \begin{bmatrix} -a_3 & 0 & 0 \\ 0 & a_1 & 1 \\ 0 & 1 & 0 \end{bmatrix}$$

O lado direito da Equação 10.144 é:

$$\begin{bmatrix} a_2 & a_1 & 1 \\ a_1 & 1 & 0 \\ 1 & 0 & 0 \end{bmatrix} \begin{bmatrix} 0 & 1 & 0 \\ 0 & 0 & 1 \\ -a_3 & -a_2 & -a_1 \end{bmatrix} = \begin{bmatrix} -a_3 & 0 & 0 \\ 0 & a_1 & 1 \\ 0 & 1 & 0 \end{bmatrix}$$

Evidentemente, a Equação 10.144 é verdadeira. Então, mostramos que:

$$\mathbf{T}^{-1}\mathbf{AT} = \begin{bmatrix} 0 & 1 & 0 \\ 0 & 0 & 1 \\ -a_3 & -a_2 & -a_1 \end{bmatrix}$$

Em seguida, devemos mostrar que:

$$\mathbf{T}^{-1}\mathbf{B} = \begin{bmatrix} 0 \\ 0 \\ 1 \end{bmatrix} \quad (10.145)$$

Observe que a Equação 10.145 pode ser escrita como:

$$\mathbf{B} = \mathbf{T}\begin{bmatrix} 0 \\ 0 \\ 1 \end{bmatrix} = \mathbf{MW}\begin{bmatrix} 0 \\ 0 \\ 1 \end{bmatrix}$$

Notando que

$$\mathbf{T}\begin{bmatrix} 0 \\ 0 \\ 1 \end{bmatrix} = [\mathbf{B} \;\vdots\; \mathbf{AB} \;\vdots\; \mathbf{A}^2\mathbf{B}] \begin{bmatrix} a_2 & a_1 & 1 \\ a_1 & 1 & 0 \\ 1 & 0 & 0 \end{bmatrix} \begin{bmatrix} 0 \\ 0 \\ 1 \end{bmatrix} = [\mathbf{B} \;\vdots\; \mathbf{AB} \;\vdots\; \mathbf{A}^2\mathbf{B}] \begin{bmatrix} 1 \\ 0 \\ 0 \end{bmatrix} = \mathbf{B}$$

temos:

$$\mathbf{T}^{-1}\mathbf{B} = \begin{bmatrix} 0 \\ 0 \\ 1 \end{bmatrix}$$

A demonstração feita aqui pode ser facilmente estendida para o caso geral de qualquer n inteiro e positivo.

A.10.4 Considere a equação de estado

$$\dot{x} = Ax + Bu$$

onde

$$A = \begin{bmatrix} 1 & 1 \\ -4 & -3 \end{bmatrix}, \quad B = \begin{bmatrix} 0 \\ 2 \end{bmatrix}$$

O posto da matriz de controlabilidade M,

$$M = [B \vdots AB] = \begin{bmatrix} 0 & 2 \\ 2 & -6 \end{bmatrix}$$

é 2. Então, o sistema é de estado completamente controlável. Transforme a equação de estado dada para a forma canônica controlável.

Solução. Como

$$|sI - A| = \begin{vmatrix} s-1 & -1 \\ 4 & s+3 \end{vmatrix} = (s-1)(s+3) + 4$$

$$= s^2 + 2s + 1 = s^2 + a_1 s + a_2$$

temos:

$$a_1 = 2, \quad a_2 = 1$$

Defina

$$T = MW$$

onde

$$M = \begin{bmatrix} 0 & 2 \\ 2 & -6 \end{bmatrix}, \quad W = \begin{bmatrix} 2 & 1 \\ 1 & 0 \end{bmatrix}$$

Então,

$$T = \begin{bmatrix} 0 & 2 \\ 2 & -6 \end{bmatrix} \begin{bmatrix} 2 & 1 \\ 1 & 0 \end{bmatrix} = \begin{bmatrix} 2 & 0 \\ -2 & 2 \end{bmatrix}$$

e

$$T^{-1} = \begin{bmatrix} 0{,}5 & 0 \\ 0{,}5 & 0{,}5 \end{bmatrix}$$

Defina

$$x = T\hat{x}$$

Então, a equação de estado torna-se:

$$\dot{\hat{x}} = T^{-1}AT\hat{x} + T^{-1}Bu$$

Como

$$T^{-1}AT = \begin{bmatrix} 0{,}5 & 0 \\ 0{,}5 & 0{,}5 \end{bmatrix} \begin{bmatrix} 1 & 1 \\ -4 & -3 \end{bmatrix} \begin{bmatrix} 2 & 0 \\ -2 & 2 \end{bmatrix} = \begin{bmatrix} 0 & 1 \\ -1 & -2 \end{bmatrix}$$

e

$$T^{-1}B = \begin{bmatrix} 0{,}5 & 0 \\ 0{,}5 & 0{,}5 \end{bmatrix} \begin{bmatrix} 0 \\ 2 \end{bmatrix} = \begin{bmatrix} 0 \\ 1 \end{bmatrix}$$

temos:

$$\begin{bmatrix} \dot{\hat{x}}_1 \\ \dot{\hat{x}}_2 \end{bmatrix} = \begin{bmatrix} 0 & 1 \\ -1 & -2 \end{bmatrix} \begin{bmatrix} \hat{x}_1 \\ \hat{x}_2 \end{bmatrix} + \begin{bmatrix} 0 \\ 1 \end{bmatrix} u$$

que está na forma canônica controlável.

A.10.5 Considere o sistema definido por:

$$\dot{\mathbf{x}} = \mathbf{A}\mathbf{x} + \mathbf{B}u$$
$$y = \mathbf{C}\mathbf{x}$$

onde

$$\mathbf{A} = \begin{bmatrix} 0 & 1 \\ -2 & -3 \end{bmatrix}, \quad \mathbf{B} = \begin{bmatrix} 0 \\ 2 \end{bmatrix}, \quad \mathbf{C} = \begin{bmatrix} 1 & 0 \end{bmatrix}$$

A equação característica do sistema é:

$$|s\mathbf{I} - \mathbf{A}| = \begin{vmatrix} s & -1 \\ 2 & s+3 \end{vmatrix} = s^2 + 3s + 2 = (s+1)(s+2) = 0$$

Os autovalores da matriz $\mathbf{A}$ são -1 e -2.

Deseja-se obter os autovalores -3 e -5 utilizando uma realimentação de estado na forma $u = -\mathbf{K}\mathbf{x}$. Determine a matriz de ganho $\mathbf{K}$ de realimentação, bem como o sinal de controle u.

Solução. O sistema é de estado completamente controlável, pois o posto de

$$\mathbf{M} = [\mathbf{B} \; \vdots \; \mathbf{AB}] = \begin{bmatrix} 0 & 2 \\ 2 & -6 \end{bmatrix}$$

é 2. Então, é possível a alocação arbitrária dos polos.

Como a equação característica do sistema original é:

$$s^2 + 3s + 2 = s^2 + a_1 s + a_2) = 0$$

temos:

$$a_1 = 3, \quad a_2 = 2$$

A equação característica desejada é:

$$(s+3)(s+5) = s^2 + 8s + 15 = s^2 + \alpha_1 s + \alpha_2 = 0$$

Então,

$$\alpha_1 = 8, \quad \alpha_2 = 15$$

É importante mencionar que a equação de estado original não está na forma canônica controlável, porque a matriz $\mathbf{B}$ não é:

$$\begin{bmatrix} 0 \\ 1 \end{bmatrix}$$

Então, a matriz $\mathbf{T}$ de transformação deve ser determinada.

$$\mathbf{T} = \mathbf{MW} = [\mathbf{B} \; \vdots \; \mathbf{AB}] \begin{bmatrix} a_1 & 1 \\ 1 & 0 \end{bmatrix} = \begin{bmatrix} 0 & 2 \\ 2 & -6 \end{bmatrix} \begin{bmatrix} 3 & 1 \\ 1 & 0 \end{bmatrix} = \begin{bmatrix} 2 & 0 \\ 0 & 2 \end{bmatrix}$$

Então,

$$\mathbf{T}^{-1} = \begin{bmatrix} 0{,}5 & 0 \\ 0 & 0{,}5 \end{bmatrix}$$

Considerando a Equação 10.13, a matriz de ganho de realimentação é dada por:

$$\mathbf{K} = [\alpha_2 - a_2 \ \vdots \ \alpha_1 - a_1]\mathbf{T}^{-1}$$

$$= [15 - 2 \ \vdots \ 8 - 3]\begin{bmatrix} 0,5 & 0 \\ 0 & 0,5 \end{bmatrix} = [6,5 \ \ 2,5]$$

Assim, o sinal u de controle será:

$$u = -\mathbf{K}\mathbf{x} = -[6,5 \ \ 2,5]\begin{bmatrix} x_1 \\ x_2 \end{bmatrix}$$

A.10.6 A planta de um sistema regulador é:

$$\frac{Y(s)}{U(s)} = \frac{10}{(s+1)(s+2)(s+3)}$$

Defina as variáveis de estado como:

$$x_1 = y$$
$$x_2 = \dot{x}_1$$
$$x_3 = \dot{x}_2$$

Utilizando o controle por realimentação de estado $u = -\mathbf{K}\mathbf{x}$, deseja-se alocar os polos de malha fechada em

$$s = -2 + j2\sqrt{3}, \qquad s = -2 - 2j\sqrt{3}, \qquad s = -10$$

Obtenha, com o auxílio do MATLAB, a matriz de ganho $\mathbf{K}$ necessária de realimentação de estado.

Solução. A equação de estado desse sistema é:

$$\begin{bmatrix} \dot{x}_1 \\ \dot{x}_2 \\ \dot{x}_3 \end{bmatrix} = \begin{bmatrix} 0 & 1 & 0 \\ 0 & 0 & 1 \\ -6 & -11 & -6 \end{bmatrix}\begin{bmatrix} x_1 \\ x_2 \\ x_3 \end{bmatrix} + \begin{bmatrix} 0 \\ 0 \\ 10 \end{bmatrix}u$$

$$y = \begin{bmatrix} 1 & 0 & 0 \end{bmatrix}\begin{bmatrix} x_1 \\ x_2 \\ x_3 \end{bmatrix} + 0u$$

Então,

$$\mathbf{A} = \begin{bmatrix} 0 & 1 & 0 \\ 0 & 0 & 1 \\ -6 & -11 & -6 \end{bmatrix}, \quad \mathbf{B} = \begin{bmatrix} 0 \\ 0 \\ 10 \end{bmatrix}$$

$$\mathbf{C} = \begin{bmatrix} 1 & 0 & 0 \end{bmatrix}, \qquad D = [0]$$

(Note que, para a alocação de polos, as matrizes $\mathbf{C}$ e D não afetam a matriz de ganho $\mathbf{K}$ de realimentação de estado.)

Dois programas em MATLAB para a obtenção da matriz de ganho $\mathbf{K}$ de realimentação de estado são dados nos programas 10.24 e 10.25.

```
Programa 10.24 em MATLAB

A = [0 1 0;0 0 1;-6 -11 -6];
B = [0;0;10];
J = [-2+j*2*sqrt(3) -2-j*2*sqrt(3) -10];
K = acker(A,B,J)

K =
    15.4000  4.5000  0.8000
```

```
Programa 10.25 em MATLAB
A = [0 1 0;0 0 1; -6 -11 -6];
B = [0;0;10];
J = [-2+j*2*sqrt(3) -2-J*2*Sqrt(3) -10];
K = place(A,B,J)
place: ndigits= 15

K =
    15.4000  4.5000  0.8000
```

A.10.7 Considere o sistema completamente observável

$$\dot{x} = Ax$$
$$y = Cx$$

Defina a matriz de observabilidade **N**:

$$N = [C^* \ \vdots \ A^*C^* \ \vdots \ ... \ \vdots \ (A^*)^{n-1}C^*]$$

Mostre que:

$$N^* A(N^*)^{-1} = \begin{bmatrix} 0 & 1 & 0 & \cdots & 0 \\ 0 & 0 & 1 & \cdots & 0 \\ \vdots & \vdots & \vdots & & \vdots \\ 0 & 0 & 0 & \cdots & 1 \\ -a_n & -a_{n-1} & -a_{n-2} & \cdots & -a_1 \end{bmatrix} \quad (10.146)$$

onde $a_1, a_2, ..., a_n$ são os coeficientes do polinômio característico

$$|sI - A| = s^n + a_1 s^{n-1} + ... + a_{n-1} s + a_n$$

Solução. Consideremos o caso em que $n = 3$. Então, a Equação 10.146 pode ser escrita como:

$$N^* A(N^*)^{-1} = \begin{bmatrix} 0 & 1 & 0 \\ 0 & 0 & 1 \\ -a_3 & -a_2 & -a_1 \end{bmatrix} \quad (10.147)$$

A Equação 10.147 pode ser reescrita como:

$$N^* A = \begin{bmatrix} 0 & 1 & 0 \\ 0 & 0 & 1 \\ -a_3 & -a_2 & -a_1 \end{bmatrix} N^* \quad (10.148)$$

Mostraremos que a Equação 10.148 é verdadeira. O lado esquerdo dessa equação é:

$$N^* A = \begin{bmatrix} C \\ CA \\ CA^2 \end{bmatrix} A = \begin{bmatrix} CA \\ CA^2 \\ CA^3 \end{bmatrix} \quad (10.149)$$

O lado direito é:

$$\begin{bmatrix} 0 & 1 & 0 \\ 0 & 0 & 1 \\ -a_3 & -a_2 & -a_1 \end{bmatrix} N^* = \begin{bmatrix} 0 & 1 & 0 \\ 0 & 0 & 1 \\ -a_3 & -a_2 & -a_1 \end{bmatrix} \begin{bmatrix} C \\ CA \\ CA^2 \end{bmatrix}$$

$$= \begin{bmatrix} CA \\ CA^2 \\ -a_3 C - a_2 CA - a_1 CA^2 \end{bmatrix} \quad (10.150)$$

O teorema de Cayley-Hamilton afirma que a matriz **A** satisfaz sua própria equação característica, ou

$$A^3 + a_1 A^2 + a_2 A + a_3 I = 0$$

Então,
$$-a_1\mathbf{CA}^2 - a_2\mathbf{CA} - a_3\mathbf{C} = \mathbf{CA}^3$$

Dessa maneira, o lado direito da Equação 10.150 se torna igual ao lado direito da Equação 10.149. Consequentemente,

$$\mathbf{N^* A} = \begin{bmatrix} 0 & 1 & 0 \\ 0 & 0 & 1 \\ -a_3 & -a_2 & -a_1 \end{bmatrix} \mathbf{N^*}$$

que é a Equação 10.148. Essa última equação pode ser escrita sob a forma:

$$\mathbf{N^* A (N^*)^{-1}} = \begin{bmatrix} 0 & 1 & 0 \\ 0 & 0 & 1 \\ -a_3 & -a_2 & -a_1 \end{bmatrix}$$

A demonstração apresentada aqui pode ser estendida ao caso geral de qualquer n inteiro e positivo.

A.10.8 Considere o sistema completamente observável definido por:

$$\dot{\mathbf{x}} = \mathbf{Ax} + \mathbf{B}u \qquad (10.151)$$
$$y = \mathbf{Cx} + Du \qquad (10.152)$$

Defina
$$\mathbf{N} = [\mathbf{C^*} \mid \mathbf{A^*C^*} \mid ... \mid (\mathbf{A^*})^{n-1}\mathbf{C^*}]$$

e

$$\mathbf{W} = \begin{bmatrix} a_{n-1} & a_{n-2} & \cdots & a_1 & 1 \\ a_{n-2} & a_{n-3} & \cdots & 1 & 0 \\ \vdots & \vdots & & \vdots & \vdots \\ a_1 & 1 & \cdots & 0 & 0 \\ 1 & 0 & \cdots & 0 & 0 \end{bmatrix}$$

onde os a são os coeficientes do polinômio característico

$$|s\mathbf{I} - \mathbf{A}| = s^n + a_1 s^{n-1} + ... + a_{n-1}s + a_n$$

Defina também
$$\mathbf{Q} = (\mathbf{WN^*})^{-1}$$

Mostre que

$$\mathbf{Q}^{-1}\mathbf{AQ} = \begin{bmatrix} 0 & 0 & \cdots & 0 & -a_n \\ 1 & 0 & \cdots & 0 & -a_{n-1} \\ 0 & 1 & \cdots & 0 & -a_{n-2} \\ \vdots & \vdots & & \vdots & \vdots \\ 0 & 0 & \cdots & 1 & -a_1 \end{bmatrix}$$

$$\mathbf{CQ} = [0 \ 0 \ \cdots \ 0 \ 1]$$

$$\mathbf{Q}^{-1}\mathbf{B} = \begin{bmatrix} b_n - a_n b_0 \\ b_{n-1} - a_{n-1} b_0 \\ \vdots \\ b_1 - a_1 b_0 \end{bmatrix}$$

onde os b_k ($k = 0, 1, 2, ..., n$) são os coeficientes que aparecem no numerador da função de transferência, quando $\mathbf{C}(s\mathbf{I} - \mathbf{A})^{-1}\mathbf{B} + D$ for escrito sob a forma:

$$\mathbf{C}(s\mathbf{I} - \mathbf{A})^{-1}\mathbf{B} + D = \frac{b_0 s^n + b_1 s^{n-1} + \cdots + b_{n-1}s + b_n}{s^n + a_1 s^{n-1} + \cdots + a_{n-1}s + a_n}$$

onde $D = b_0$.

Solução. Consideremos o caso em que $n = 3$. Mostraremos que:

$$\mathbf{Q}^{-1}\mathbf{A}\mathbf{Q} = (\mathbf{W}\mathbf{N}^*)\mathbf{A}(\mathbf{W}\mathbf{N}^*)^{-1} = \begin{bmatrix} 0 & 0 & -a_3 \\ 1 & 0 & -a_2 \\ 0 & 1 & -a_1 \end{bmatrix} \qquad (10.153)$$

Note que, considerando o Problema A.10.7, temos:

$$(\mathbf{W}\mathbf{N}^*)\mathbf{A}(\mathbf{W}\mathbf{N}^*)^{-1} = \mathbf{W}[\mathbf{N}^*\mathbf{A}(\mathbf{N}^*)^{-1}]\mathbf{W}^{-1} = \mathbf{W}\begin{bmatrix} 0 & 1 & 0 \\ 0 & 0 & 1 \\ -a_3 & -a_2 & -a_1 \end{bmatrix}\mathbf{W}^{-1}$$

Então, devemos mostrar que:

$$\mathbf{W}\begin{bmatrix} 0 & 1 & 0 \\ 0 & 0 & 1 \\ -a_3 & -a_2 & -a_1 \end{bmatrix}\mathbf{W}^{-1} = \begin{bmatrix} 0 & 0 & -a_3 \\ 1 & 0 & -a_2 \\ 0 & 1 & -a_1 \end{bmatrix}$$

ou

$$\mathbf{W}\begin{bmatrix} 0 & 1 & 0 \\ 0 & 0 & 1 \\ -a_3 & -a_2 & -a_1 \end{bmatrix} = \begin{bmatrix} 0 & 0 & -a_3 \\ 1 & 0 & -a_2 \\ 0 & 1 & -a_1 \end{bmatrix}\mathbf{W} \qquad (10.154)$$

O lado esquerdo da Equação 10.154 é:

$$\mathbf{W}\begin{bmatrix} 0 & 1 & 0 \\ 0 & 0 & 1 \\ -a_3 & -a_2 & -a_1 \end{bmatrix} = \begin{bmatrix} a_2 & a_1 & 1 \\ a_1 & 1 & 0 \\ 1 & 0 & 0 \end{bmatrix}\begin{bmatrix} 0 & 1 & 0 \\ 0 & 0 & 1 \\ -a_3 & -a_2 & -a_1 \end{bmatrix}$$

$$= \begin{bmatrix} -a_3 & 0 & 0 \\ 0 & a_1 & 1 \\ 0 & 1 & 0 \end{bmatrix}$$

O lado direito da Equação 10.154 é:

$$\begin{bmatrix} 0 & 0 & -a_3 \\ 1 & 0 & -a_2 \\ 0 & 1 & -a_1 \end{bmatrix}\mathbf{W} = \begin{bmatrix} 0 & 0 & -a_3 \\ 1 & 0 & -a_2 \\ 0 & 1 & -a_1 \end{bmatrix}\begin{bmatrix} a_2 & a_1 & 1 \\ a_1 & 1 & 0 \\ 1 & 0 & 0 \end{bmatrix}$$

$$= \begin{bmatrix} -a_3 & 0 & 0 \\ 0 & a_1 & 1 \\ 0 & 1 & 0 \end{bmatrix}$$

Assim, verificamos que a Equação 10.154 é verdadeira. Então, fica provado que a Equação 10.153 é verdadeira.

A seguir, vamos mostrar que:

$$\mathbf{C}\mathbf{Q} = [0 \ 0 \ 1]$$

ou

$$\mathbf{C}(\mathbf{W}\mathbf{N}^*)^{-1} = [0 \ 0 \ 1]$$

Note que

$$[0 \ 0 \ 1](\mathbf{W}\mathbf{N}^*) = [0 \ 0 \ 1]\begin{bmatrix} a_2 & a_1 & 1 \\ a_1 & 1 & 0 \\ 1 & 0 & 0 \end{bmatrix}\begin{bmatrix} \mathbf{C} \\ \mathbf{C}\mathbf{A} \\ \mathbf{C}\mathbf{A}^2 \end{bmatrix}$$

$$= [1 \ 0 \ 0]\begin{bmatrix} \mathbf{C} \\ \mathbf{C}\mathbf{A} \\ \mathbf{C}\mathbf{A}^2 \end{bmatrix} = \mathbf{C}$$

Então, mostramos que:
$$[0\ 0\ 1] = \mathbf{C}(\mathbf{WN}^*)^{-1} = \mathbf{CQ}$$

Em seguida, defina:
$$\mathbf{x} = \mathbf{Q}\hat{\mathbf{x}}$$

Então, a Equação 10.151 torna-se:
$$\dot{\hat{\mathbf{x}}} = \mathbf{Q}^{-1}\mathbf{A}\mathbf{Q}\hat{\mathbf{x}} + \mathbf{Q}^{-1}\mathbf{B}u \qquad (10.155)$$

e a Equação 10.152 torna-se:
$$y = \mathbf{CQ}\hat{\mathbf{x}} + Du \qquad (10.156)$$

Considerando a Equação 10.153, a Equação 10.155 torna-se:
$$\begin{bmatrix}\dot{\hat{x}}_1\\ \dot{\hat{x}}_2\\ \dot{\hat{x}}_3\end{bmatrix} = \begin{bmatrix}0 & 0 & -a_3\\ 1 & 0 & -a_2\\ 0 & 1 & -a_1\end{bmatrix}\begin{bmatrix}\hat{x}_1\\ \hat{x}_2\\ \hat{x}_3\end{bmatrix} + \begin{bmatrix}\gamma_3\\ \gamma_2\\ \gamma_1\end{bmatrix}u$$

onde
$$\begin{bmatrix}\gamma_3\\ \gamma_2\\ \gamma_1\end{bmatrix} = \mathbf{Q}^{-1}\mathbf{B}$$

A função de transferência $G(s)$ para o sistema definido pelas equações 10.155 e 10.156 é:
$$G(s) = \mathbf{CQ}(s\mathbf{I} - \mathbf{Q}^{-1}\mathbf{A}\mathbf{Q})^{-1}\mathbf{Q}^{-1}\mathbf{B} + D$$

Sabendo-se que
$$\mathbf{CQ} = [0\ 0\ 1]$$

temos:
$$G(s) = [0\ 0\ 1]\begin{bmatrix}s & 0 & a_3\\ -1 & s & a_2\\ 0 & -1 & s+a_1\end{bmatrix}^{-1}\begin{bmatrix}\gamma_3\\ \gamma_2\\ \gamma_1\end{bmatrix} + D$$

Note que $D = b_0$. Como
$$\begin{bmatrix}s & 0 & a_3\\ -1 & s & a_2\\ 0 & -1 & s+a_1\end{bmatrix}^{-1} = \frac{1}{s^3 + a_1 s^2 + a_2 s + a_3}\begin{bmatrix}s^2 + a_1 s + a_2 & -a_3 & -a_3 s\\ s + a_1 & s^2 + a_1 s & -a_2 s - a_3\\ 1 & s & s^2\end{bmatrix}$$

temos:
$$G(s) = \frac{1}{s^3 + a_1 s^2 + a_2 s + a_3}[1\ s\ s^2]\begin{bmatrix}\gamma_3\\ \gamma_2\\ \gamma_1\end{bmatrix} + D$$

$$= \frac{\gamma_1 s^2 + \gamma_2 s + \gamma_3}{s^3 + a_1 s^2 + a_2 s + a_3} + b_0$$

$$= \frac{b_0 s^3 + (\gamma_1 + a_1 b_0)s^2 + (\gamma_2 + a_2 b_0)s + \gamma_3 + a_3 b_0}{s^3 + a_1 s^2 + a_2 s + a_3}$$

$$= \frac{b_0 s^3 + b_1 s^2 + b_2 s + b_3}{s^3 + a_1 s^2 + a_2 s + a_3}$$

Então,
$$\gamma_1 = b_1 - a_1 b_0, \qquad \gamma_2 = b_2 - a_2 b_0, \qquad \gamma_3 = b_3 - a_3 b_0$$

Portanto, mostramos que:

$$\mathbf{Q}^{-1}\mathbf{B} = \begin{bmatrix} \gamma_3 \\ \gamma_2 \\ \gamma_1 \end{bmatrix} = \begin{bmatrix} b_3 - a_3 b_0 \\ b_2 - a_2 b_0 \\ b_1 - a_1 b_0 \end{bmatrix}$$

Note que a demonstração feita aqui pode ser facilmente estendida para o caso de qualquer valor inteiro e positivo de n.

A.10.9 Considere o sistema definido por:

$$\dot{\mathbf{x}} = \mathbf{A}\mathbf{x} + \mathbf{B}u$$

$$y = \mathbf{C}\mathbf{x}$$

onde

$$\mathbf{A} = \begin{bmatrix} 1 & 1 \\ -4 & -3 \end{bmatrix}, \quad \mathbf{B} = \begin{bmatrix} 0 \\ 2 \end{bmatrix}, \quad \mathbf{C} = \begin{bmatrix} 1 & 1 \end{bmatrix}$$

O posto da matriz de observabilidade $\mathbf{N}$,

$$\mathbf{N} = [\mathbf{C}^* \;\vdots\; \mathbf{A}^*\mathbf{C}^*] = \begin{bmatrix} 1 & -3 \\ 1 & -2 \end{bmatrix}$$

é 2. Então, o sistema é completamente observável. Transforme as equações do sistema para a forma canônica observável.

Solução. Como

$$|s\mathbf{I} - \mathbf{A}| = s^2 + 2s + 1 = s^2 + a_1 s + a_2$$

temos:

$$a_1 = 2, \quad a_2 = 1$$

Defina

$$\mathbf{Q} = (\mathbf{W}\mathbf{N}^*)^{-1}$$

onde

$$\mathbf{N} = \begin{bmatrix} 1 & -3 \\ 1 & -2 \end{bmatrix}, \quad \mathbf{W} = \begin{bmatrix} a_1 & 1 \\ 1 & 0 \end{bmatrix} = \begin{bmatrix} 2 & 1 \\ 1 & 0 \end{bmatrix}$$

Então,

$$\mathbf{Q} = \left\{ \begin{bmatrix} 2 & 1 \\ 1 & 0 \end{bmatrix} \begin{bmatrix} 1 & 1 \\ -3 & -2 \end{bmatrix} \right\}^{-1} = \begin{bmatrix} -1 & 0 \\ 1 & 1 \end{bmatrix}^{-1} = \begin{bmatrix} -1 & 0 \\ 1 & 1 \end{bmatrix}$$

e

$$\mathbf{Q}^{-1} = \begin{bmatrix} -1 & 0 \\ 1 & 1 \end{bmatrix}$$

Defina

$$\mathbf{x} = \mathbf{Q}\hat{\mathbf{x}}$$

Então, a equação de estado torna-se:

$$\dot{\hat{\mathbf{x}}} = \mathbf{Q}^{-1}\mathbf{A}\mathbf{Q}\hat{\mathbf{x}} + \mathbf{Q}^{-1}\mathbf{B}u$$

ou

Capítulo 10 – Projeto de sistemas de controle no espaço de estados

$$\begin{bmatrix} \dot{\hat{x}}_1 \\ \dot{\hat{x}}_2 \end{bmatrix} = \begin{bmatrix} -1 & 0 \\ 1 & 1 \end{bmatrix} \begin{bmatrix} 1 & 1 \\ -4 & -3 \end{bmatrix} \begin{bmatrix} -1 & 0 \\ 1 & 1 \end{bmatrix} \begin{bmatrix} \hat{x}_1 \\ \hat{x}_2 \end{bmatrix} + \begin{bmatrix} -1 & 0 \\ 1 & 1 \end{bmatrix} \begin{bmatrix} 0 \\ 2 \end{bmatrix} u$$

$$= \begin{bmatrix} 0 & -1 \\ 1 & -2 \end{bmatrix} \begin{bmatrix} \hat{x}_1 \\ \hat{x}_2 \end{bmatrix} + \begin{bmatrix} 0 \\ 2 \end{bmatrix} u \qquad (10.157)$$

A equação de saída torna-se:

$$y = \mathbf{CQ}\hat{\mathbf{x}}$$

ou

$$y = \begin{bmatrix} 1 & 1 \end{bmatrix} \begin{bmatrix} -1 & 0 \\ 1 & 1 \end{bmatrix} \begin{bmatrix} \hat{x}_1 \\ \hat{x}_2 \end{bmatrix} = \begin{bmatrix} 0 & 1 \end{bmatrix} \begin{bmatrix} \hat{x}_1 \\ \hat{x}_2 \end{bmatrix} \qquad (10.158)$$

As equações 10.157 e 10.158 estão na forma canônica observável.

A.10.10 Para o sistema definido por:

$$\dot{\mathbf{x}} = \mathbf{Ax} + \mathbf{B}u$$

$$y = \mathbf{Cx}$$

considere o problema de projetar um observador de estado tal que os autovalores desejados para a matriz de ganho do observador sejam $\mu_1, \mu_2, \ldots, \mu_n$.

Mostre que a matriz de ganho do observador, dada pela Equação 10.61, reescrita como:

$$\mathbf{K}_e = (\mathbf{WN}^*)^{-1} \begin{bmatrix} \alpha_n - a_n \\ \alpha_{n-1} - a_{n-1} \\ \vdots \\ \alpha_1 - a_1 \end{bmatrix} \qquad (10.159)$$

pode ser obtida a partir da Equação 10.13, considerando-se o problema dual. Isto é, a matriz $\mathbf{K}_e$ pode ser determinada considerando-se o problema de alocação de polos para o sistema dual, obtendo-se a matriz de ganho $\mathbf{K}$ de realimentação de estado e considerando-se sua transposta conjugada $\mathbf{K}_e = \mathbf{K}^*$.

Solução. O dual do sistema dado é:

$$\dot{\mathbf{z}} = \mathbf{A}^*\mathbf{z} + \mathbf{C}^*v$$

$$n = \mathbf{B}^*\mathbf{z} \qquad (10.160)$$

Utilizando-se o controle por realimentação de estado

$$v = -\mathbf{Kz}$$

a Equação 10.160 torna-se:

$$\dot{\mathbf{z}} = (\mathbf{A}^* - \mathbf{C}^*\mathbf{K})\mathbf{z}$$

A Equação 10.13, reescrita aqui, é:

$$\mathbf{K} = [\alpha_n - a_n \;\vdots\; \alpha_{n-1} - a_{n-1} \;\vdots\; \ldots \;\vdots\; \alpha_2 - a_2 \;\vdots\; \alpha_1 - a_1]\mathbf{T}^{-1} \qquad (10.161)$$

onde

$$\mathbf{T} = \mathbf{MW} = [\mathbf{C}^* \;\vdots\; \mathbf{A}^*\mathbf{C}^* \;\vdots\; \ldots \;\vdots\; (\mathbf{A}^*)^{n-1}\mathbf{C}^*]\mathbf{W}$$

Para o sistema original, a matriz de observabilidade é:

$$[\mathbf{C}^* \;\vdots\; \mathbf{A}^*\mathbf{C}^* \;\vdots\; \ldots \;\vdots\; (\mathbf{A}^*)^{n-1}\mathbf{C}^*] = \mathbf{N}$$

Então, a matriz $\mathbf{T}$ também pode ser escrita como

$$\mathbf{T} = \mathbf{NW}$$

Como $\mathbf{W} = \mathbf{W}^*$, temos:

$$\mathbf{T}^* = \mathbf{W}^*\mathbf{N}^* = \mathbf{WN}^*$$

e
$$(\mathbf{T}^*)^{-1} = (\mathbf{WN}^*)^{-1}$$

Considerando o conjugado transposto de ambos os termos da Equação 10.146, temos:

$$\mathbf{K}^* = (\mathbf{T}^{-1})^* \begin{bmatrix} \alpha_n - a_n \\ \alpha_{n-1} - a_{n-1} \\ \vdots \\ \alpha_1 - a_1 \end{bmatrix} = (\mathbf{T}^*)^{-1} \begin{bmatrix} \alpha_n - a_n \\ \alpha_{n-1} - a_{n-1} \\ \vdots \\ \alpha_1 - a_1 \end{bmatrix} = (\mathbf{WN}^*)^{-1} \begin{bmatrix} \alpha_n - a_n \\ \alpha_{n-1} - a_{n-1} \\ \vdots \\ \alpha_1 - a_1 \end{bmatrix}$$

Como $\mathbf{K}_e = \mathbf{K}^*$, essa última equação é a mesma Equação 10.159. Assim, obtivemos a Equação 10.159 considerando o problema dual.

A.10.11 Considere um sistema de controle com realimentação por estado observado, com um observador de ordem mínima, descrito pelas seguintes equações:

$$\dot{\mathbf{x}} = \mathbf{A}\mathbf{x} + \mathbf{B}u \qquad (10.162)$$

$$y = \mathbf{C}\mathbf{x}$$

$$u = -\mathbf{K}\tilde{x} \qquad (10.163)$$

onde

$$\mathbf{x} = \begin{bmatrix} x_a \\ \mathbf{x}_b \end{bmatrix}, \quad \tilde{\mathbf{x}} = \begin{bmatrix} x_a \\ \tilde{\mathbf{x}}_b \end{bmatrix}$$

(x_a é a variável de estado que pode ser diretamente medida e $\tilde{\mathbf{x}}_b$ corresponde às variáveis de estado observadas.)

Mostre que os polos de malha fechada do sistema compreendem os polos de malha fechada graças à alocação de polos [autovalores da matriz $(\mathbf{A} - \mathbf{BK})$] e os polos de malha fechada em virtude do observador de ordem mínima [autovalores da matriz $(\mathbf{A}_{bb} - \mathbf{K}_e \mathbf{A}_{ab})$].

Solução. A equação do erro do observador de ordem mínima pode ser deduzida como indica a Equação 10.94, reescrita como:

$$\dot{\mathbf{e}} = (\mathbf{A}_{bb} - \mathbf{K}_e \mathbf{A}_{ab})\mathbf{e} \qquad (10.164)$$

onde

$$\mathbf{e} = \mathbf{x}_b - \tilde{\mathbf{x}}_b$$

A partir das equações 10.162 e 10.163, obtemos:

$$\dot{\mathbf{x}} = \mathbf{A}\mathbf{x} - \mathbf{B}\mathbf{K}\tilde{\mathbf{x}} = \mathbf{A}\mathbf{x} - \mathbf{B}\mathbf{K} \begin{bmatrix} x_a \\ \tilde{\mathbf{x}}_b \end{bmatrix} = \mathbf{A}\mathbf{x} - \mathbf{B}\mathbf{K} \begin{bmatrix} x_a \\ \mathbf{x}_b - \mathbf{e} \end{bmatrix}$$

$$= \mathbf{A}\mathbf{x} - \mathbf{B}\mathbf{K} \left\{ \mathbf{x} - \begin{bmatrix} 0 \\ \mathbf{e} \end{bmatrix} \right\} = (\mathbf{A} - \mathbf{B}\mathbf{K})\mathbf{x} + \mathbf{B}\mathbf{K} \begin{bmatrix} 0 \\ \mathbf{e} \end{bmatrix} \qquad (10.165)$$

Combinando as equações 10.164 e 10.165 e escrevendo:

$$\mathbf{K} = [K_a \; \vdots \; K_b]$$

obtemos:

$$\begin{bmatrix} \dot{\mathbf{x}} \\ \dot{\mathbf{e}} \end{bmatrix} = \begin{bmatrix} \mathbf{A} - \mathbf{B}\mathbf{K} & \mathbf{B}\mathbf{K}_b \\ 0 & \mathbf{A}_{bb} - \mathbf{K}_e \mathbf{A}_{ab} \end{bmatrix} \begin{bmatrix} \mathbf{x} \\ \mathbf{e} \end{bmatrix} \qquad (10.166)$$

A Equação 10.166 descreve a dinâmica de um sistema com realimentação por estado observador, com um observador de ordem mínima. A equação característica desse sistema é:

$$\begin{vmatrix} s\mathbf{I} - \mathbf{A} + \mathbf{B}\mathbf{K} & -\mathbf{B}\mathbf{K}_b \\ 0 & s\mathbf{I} - \mathbf{A}_{bb} + \mathbf{K}_e \mathbf{A}_{ab} \end{vmatrix} = 0$$

ou

$$|s\mathbf{I} - \mathbf{A} + \mathbf{BK}||s\mathbf{I} - \mathbf{A}_{bb} + \mathbf{K}_e\mathbf{A}_{ab}| = 0$$

Os polos de malha fechada de um sistema de controle com realimentação por estado observador, com um observador de ordem mínima, consistem nos polos de malha fechada graças à alocação de polos e nos polos de malha fechada em virtude do observador de ordem mínima. (Portanto, o projeto de alocação de polos e o projeto do observador de ordem mínima são independentes entre si.)

A.10.12 Considere um sistema de estado completamente controlável definido por:

$$\dot{\mathbf{x}} = \mathbf{A}\mathbf{x} + \mathbf{B}u \tag{10.167}$$

$$y = \mathbf{C}\mathbf{x}$$

onde $\mathbf{x}$ = vetor de estado (vetor n)

u = sinal de controle (escalar)

y = sinal de saída (escalar)

$\mathbf{A}$ = matriz constante $n \times n$

$\mathbf{B}$ = matriz constante $n \times 1$

$\mathbf{C}$ = matriz constantes $1 \times n$

Suponha que o posto da seguinte matriz $(n + 1) \times (n + 1)$

$$\begin{bmatrix} \mathbf{A} & \mathbf{B} \\ -\mathbf{C} & 0 \end{bmatrix}$$

seja $n + 1$. Mostre que o sistema definido por:

$$\dot{\mathbf{e}} = \hat{\mathbf{A}}\mathbf{e} + \hat{\mathbf{B}}u_e \tag{10.168}$$

onde

$$\hat{\mathbf{A}} = \begin{bmatrix} \mathbf{A} & \mathbf{0} \\ -\mathbf{C} & 0 \end{bmatrix}, \quad \hat{\mathbf{B}} = \begin{bmatrix} \mathbf{B} \\ \mathbf{0} \end{bmatrix}, \quad u_e = u(t) - u(\infty)$$

é de estado completamente controlável.

Solução. Defina

$$\mathbf{M} = [\mathbf{B} \ \vdots \ \mathbf{AB} \ \vdots \ \ldots \ \vdots \ \mathbf{A}^{n-1}\mathbf{B}]$$

Como o sistema é definido pela Equação 10.167, de estado completamente controlável, o posto da matriz $\mathbf{M}$ é n. Então, o posto de

$$\begin{bmatrix} \mathbf{M} & \mathbf{0} \\ \mathbf{0} & 1 \end{bmatrix}$$

é $n + 1$. Considere a seguinte equação:

$$\begin{bmatrix} \mathbf{A} & \mathbf{B} \\ -\mathbf{C} & 0 \end{bmatrix} \begin{bmatrix} \mathbf{M} & \mathbf{0} \\ \mathbf{0} & 1 \end{bmatrix} = \begin{bmatrix} \mathbf{AM} & \mathbf{B} \\ -\mathbf{CM} & 0 \end{bmatrix} \tag{10.169}$$

Como a matriz

$$\begin{bmatrix} \mathbf{A} & \mathbf{B} \\ -\mathbf{C} & 0 \end{bmatrix}$$

é de posto $n + 1$, o lado esquerdo da Equação 10.169 é de posto $n + 1$. Portanto, o lado direito da Equação 10.169 também é de posto $n + 1$. Como

$$\begin{bmatrix} \mathbf{AM} & \mathbf{B} \\ -\mathbf{CM} & 0 \end{bmatrix} = \begin{bmatrix} \mathbf{A}[\mathbf{B} \vdots \mathbf{AB} \vdots \cdots \vdots \mathbf{A}^{n-1}\mathbf{B}] & \mathbf{B} \\ -\mathbf{C}[\mathbf{B} \vdots \mathbf{AB} \vdots \cdots \vdots \mathbf{A}^{n-1}\mathbf{B}] & 0 \end{bmatrix}$$

$$= \begin{bmatrix} \mathbf{AB} & \vdots & \mathbf{A}^2\mathbf{B} & \vdots & \cdots & \vdots & \mathbf{A}^n\mathbf{B} & \vdots & \mathbf{B} \\ -\mathbf{CB} & \vdots & -\mathbf{CAB} & \vdots & \cdots & \vdots & -\mathbf{CA}^{n-1}\mathbf{B} & \vdots & 0 \end{bmatrix}$$

$$= [\hat{\mathbf{A}}\hat{\mathbf{B}} \vdots \hat{\mathbf{A}}^2\hat{\mathbf{B}} \vdots \cdots \vdots \hat{\mathbf{A}}^n\hat{\mathbf{B}} \vdots \hat{\mathbf{B}}]$$

vemos que o posto de

$$[\hat{\mathbf{B}} \vdots \hat{\mathbf{A}}\hat{\mathbf{B}} \vdots \hat{\mathbf{A}}^2\hat{\mathbf{B}} \vdots \ldots \vdots \hat{\mathbf{A}}^n\hat{\mathbf{B}}]$$

é $n + 1$. Assim, o sistema definido pela Equação 10.168 é de estado completamente controlável.

A.10.13 Considere o sistema indicado na Figura 10.49. Utilizando o método de alocação de polos com observador, projete um sistema regulador tal que o sistema mantenha a posição zero ($y_1 = 0$ e $y_2 = 0$) na presença de distúrbios. Adote, para os polos de malha fechada a serem alocados, o seguinte posicionamento

$$s = -2 + j2\sqrt{3}, \quad s = -2 - j2\sqrt{3}, \quad s = -10, \quad s = -10$$

sendo os polos desejados do observador de ordem mínima

$$s = -15, \quad s = -16$$

Inicialmente, determine a matriz de ganho $\mathbf{K}$ de realimentação de estado e a matriz de ganho $\mathbf{K}_e$ do observador. Depois, obtenha a resposta do sistema a uma condição inicial arbitrária — por exemplo,

$$y_1(0) = 0{,}1, \quad y_2(0) = 0, \quad \dot{y}_1(0) = 0, \quad \dot{y}_2(0) = 0$$
$$e_1(0) = 0{,}1, \quad e_2(0) = 0{,}05$$

onde e_1 e e_2 são definidos por:

$$e_1 = y_1 - \tilde{y}_1$$
$$e_2 = y_2 - \tilde{y}_2$$

Suponha que $m_1 = 1$ kg, $m_2 = 2$ kg, $k = 36$ N/m e $b = 0{,}6$ N-s/m.

Solução. As equações do sistema são:

$$m_1 \ddot{y}_1 = k(y_2 - y_1) + b(\dot{y}_2 - \dot{y}_1) + u$$
$$m_2 \ddot{y}_2 = k(y_1 - y_2) + b(\dot{y}_1 - \dot{y}_2)$$

Substituindo m_1, m_2, k e b pelos valores numéricos dados e simplificando, obtemos:

$$\ddot{y}_1 = -36 y_1 + 36 y_2 - 0{,}6 \dot{y}_1 + 0{,}6 \dot{y}_2 + u$$
$$\ddot{y}_2 = 18 y_1 - 18 y_2 + 0{,}3 \dot{y}_1 - 0{,}3 \dot{y}_2$$

Vamos escolher as variáveis de estado da seguinte maneira:

$$x_1 = y_1$$

FIGURA 10.49
Sistema mecânico.

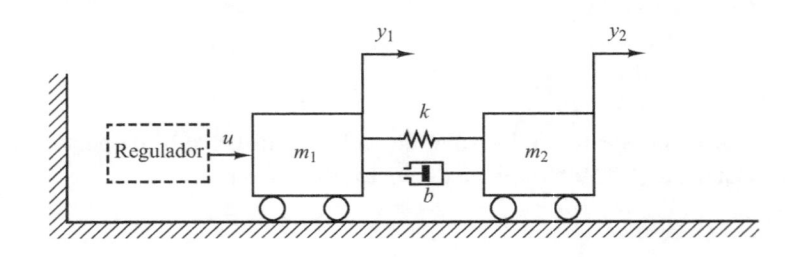

$$x_2 = y_2$$
$$x_3 = \dot{y}_1$$
$$x_4 = \dot{y}_2$$

Assim, temos a seguinte equação de estado:

$$\begin{bmatrix} \dot{x}_1 \\ \dot{x}_2 \\ \dot{x}_3 \\ \dot{x}_4 \end{bmatrix} = \begin{bmatrix} 0 & 0 & 1 & 0 \\ 0 & 0 & 0 & 1 \\ -36 & 36 & -0,6 & 0,6 \\ 18 & -18 & 0,3 & -0,3 \end{bmatrix} \begin{bmatrix} x_1 \\ x_2 \\ x_3 \\ x_4 \end{bmatrix} + \begin{bmatrix} 0 \\ 0 \\ 1 \\ 0 \end{bmatrix} u$$

$$\begin{bmatrix} y_1 \\ y_2 \end{bmatrix} = \begin{bmatrix} 1 & 0 & 0 & 0 \\ 0 & 1 & 0 & 0 \end{bmatrix} \begin{bmatrix} x_1 \\ x_2 \\ x_3 \\ x_4 \end{bmatrix}$$

Defina

$$\mathbf{A} = \left[\begin{array}{cc|cc} 0 & 0 & 1 & 0 \\ 0 & 0 & 0 & 1 \\ \hline -36 & 36 & -0,6 & 0,6 \\ 18 & -18 & 0,3 & -0,3 \end{array}\right] = \begin{bmatrix} \mathbf{A}_{aa} & \mathbf{A}_{ab} \\ \mathbf{A}_{ba} & \mathbf{A}_{bb} \end{bmatrix}, \quad \mathbf{B} = \begin{bmatrix} 0 \\ 0 \\ 1 \\ 0 \end{bmatrix} = \begin{bmatrix} \mathbf{B}_a \\ \mathbf{B}_b \end{bmatrix}$$

A matriz de ganho $\mathbf{K}$ de realimentação de estado e a matriz de ganho $\mathbf{K}_e$ do observador podem ser facilmente obtidas com auxílio do MATLAB, como segue:

$$\mathbf{K} = [130,4444 \quad -41,5556 \quad 23,1000 \quad 15,4185]$$

$$\mathbf{K}_e = \begin{bmatrix} 14,4 & 0,6 \\ 0,3 & 15,7 \end{bmatrix}$$

(Veja o Programa 10.26 em MATLAB.)

Resposta às condições iniciais: a seguir, obtemos a resposta do sistema projetado às condições iniciais dadas. Como

$$\dot{\mathbf{x}} = \mathbf{A}\mathbf{x} + \mathbf{B}u$$
$$u = -\mathbf{K}\tilde{\mathbf{x}}$$
$$\tilde{\mathbf{x}} = \begin{bmatrix} \mathbf{x}_a \\ \tilde{\mathbf{x}}_b \end{bmatrix} = \begin{bmatrix} \mathbf{y} \\ \tilde{\mathbf{x}}_b \end{bmatrix}$$

```
Programa 10.26 em MATLAB
```
```
A = [0 0 1 0;0 0 0 1;-36 36 -0.6 0.6;18 -18 0.3 -0.3];
B = [0;0;1;0];
J = [-2+j*2*sqrt(3) -2-j*2*sqrt(3) -10 -10];
K = acker(A,B,J)

K =

    130.4444  -41.5556  23.1000  15.4185

Aab = [1 0;0 1];
Abb = [-0.6 0.6;0.3 -0.3];
L = [-15 -16];
Ke = place(Abb',Aab',L)'
place: ndigits= 15

Ke =
    14.4000   0.6000
     0.3000  15.7000
```

temos:
$$\dot{x} = Ax - BK\tilde{x} = (A - BK)x + BK(x - \tilde{x}) \qquad (10.170)$$

Note que
$$x - \tilde{x} = \begin{bmatrix} x_a \\ x_b \end{bmatrix} - \begin{bmatrix} x_a \\ \tilde{x}_b \end{bmatrix} = \begin{bmatrix} 0 \\ x_b - \tilde{x}_b \end{bmatrix} = \begin{bmatrix} 0 \\ e \end{bmatrix} = \begin{bmatrix} 0 \\ I \end{bmatrix} e = Fe$$

onde
$$F = \begin{bmatrix} 0 \\ I \end{bmatrix}$$

Então, a Equação 10.170 pode ser escrita como:
$$\dot{x} = (A - BK)x + BKFe \qquad (10.171)$$

Como, a partir da Equação 10.94, temos:
$$\dot{e} = (A_{bb} - K_e A_{ab})e \qquad (10.172)$$

combinando as equações 10.171 e 10.172 em uma única equação, temos:
$$\begin{bmatrix} \dot{x} \\ \dot{e} \end{bmatrix} = \begin{bmatrix} A - BK & BKF \\ 0 & A_{bb} - K_e A_{ab} \end{bmatrix} \begin{bmatrix} x \\ e \end{bmatrix}$$

A matriz de estado, aqui, é uma matriz 6×6. A resposta do sistema às condições iniciais pode ser facilmente obtida com o MATLAB. (Veja o Programa 10.27 em MATLAB.) As curvas de resposta obtidas estão na Figura 10.50. Essas curvas de resposta parecem ser aceitáveis.

FIGURA 10.50
Curvas de resposta às condições iniciais.

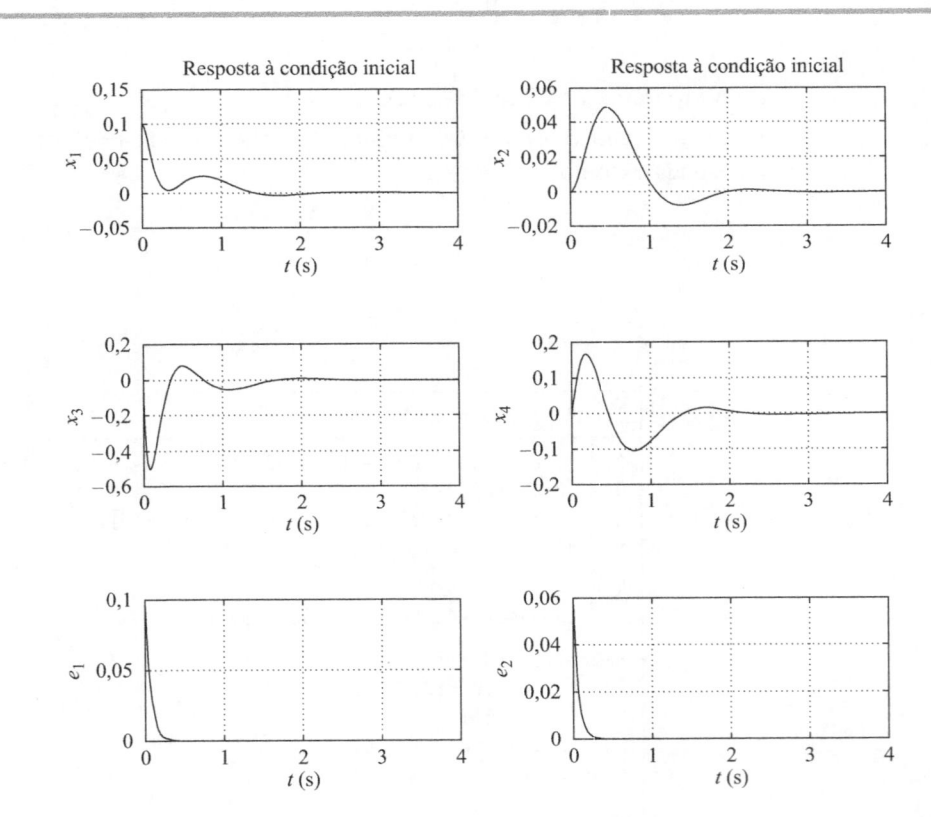

Programa 10.27 em MATLAB

```
% Resposta à condição inicial
A = [0 0 1 0;0 0 0 1;-36 36 -0.6 0.6;18 -18 0.3 -0.3];
B = [0;0;1;0];
K = [130.4444 -41.5556 23.1000 15.4185];
Ke = [14.4 0.6;0.3 15.7];
F = [0 0;0 0;1 0;0 1];
Aab = [1 0;0 1];
Abb = [-0.6 0.6;0.3 -0.3];
AA = [A-B*K B*K*F; zeros(2,4) Abb-Ke*Aab];
sys = ss(AA,eye(6),eye(6),eye(6));
t = 0:0.01:4;
y = initial(sys,[0.1;0;0;0;0.1;0.05],t);
x1 = [1 0 0 0 0 0]*y';
x2 = [0 1 0 0 0 0]*y';
x3 = [0 0 1 0 0 0]*y';
x4 = [0 0 0 1 0 0]*y';
e1 = [0 0 0 0 1 0]*y';
e2 = [0 0 0 0 0 1]*y';
subplot(3,2,1); plot(t,x1); grid; title('Resposta à condição inicial'),
xlabel('t (s)'); ylabel('x1')
subplot(3,2,2); plot(t,x2); grid; title('Resposta à condição inicial'),
xlabel('t (s)'); ylabel('x2')
subplot(3,2,3); plot(t,x3); grid; xlabel('t (s)'); ylabel('x3')
subplot(3,2,4); plot(t,x4); grid; xlabel('t (s)'); ylabel('x4')
subplot(3,2,5); plot(t,e1); grid; xlabel('t (s)');ylabel('e1')
subplot(3,2,6); plot(t,e2); grid; xlabel('t (s)'); ylabel('e2')
```

A.10.14 Considere o sistema mostrado na Figura 10.51. Projete observadores de ordem plena e de ordem mínima para a planta. Suponha que se deseje que os polos de malha fechada, no que se refere aos polos alocados, estejam localizados em:

$$s = -2 + j2\sqrt{3}, \qquad s = -2 - j2\sqrt{3}$$

Suponha também que se deseje que os polos do observador estejam localizados em

(a) $s = -8$, $s = -8$ para o observador de ordem plena

(b) $s = -8$ para o observador de ordem mínima

Compare as respostas às condições iniciais especificadas a seguir:

(a) para o observador de ordem plena:

$$x_1(0) = 1, \qquad x_2(0) = 0, \qquad e_1(0) = 1, \qquad e_2(0) = 0$$

(b) para o observador de ordem mínima:

$$x_1(0) = 1, \qquad x_2(0) = 0, \qquad e_1(0) = 1$$

Compare também as bandas passantes de ambos os sistemas.

Solução. Determinemos inicialmente a representação no espaço de estados do sistema. Definindo as variáveis de estado x_1 e x_2 como:

$$x_1 = y$$

FIGURA 10.51
Sistema regulador.

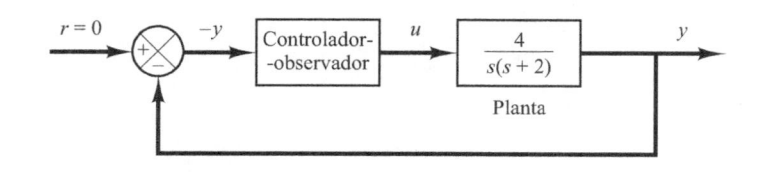

obtemos:

$$\begin{bmatrix} \dot{x}_1 \\ \dot{x}_2 \end{bmatrix} = \begin{bmatrix} 0 & 1 \\ 0 & -2 \end{bmatrix} \begin{bmatrix} x_1 \\ x_2 \end{bmatrix} + \begin{bmatrix} 0 \\ 4 \end{bmatrix} u$$

$$y = \begin{bmatrix} 1 & 0 \end{bmatrix} \begin{bmatrix} x_1 \\ x_2 \end{bmatrix}$$

Para a parte de alocação de polos, determinamos a matriz de ganho **K** de realimentação de estado. Utilizando o MATLAB, achamos **K** como:

$$\mathbf{K}\ [4\ \ 0{,}5]$$

(Veja o Programa 10.28 em MATLAB.)

Em seguida, determinamos a matriz de ganho $\mathbf{K}_e$ do observador de ordem plena. Utilizando o MATLAB, achamos $\mathbf{K}_e$ como:

$$\mathbf{K}_e = \begin{bmatrix} 14 \\ 36 \end{bmatrix}$$

(Veja o Programa 10.28 em MATLAB.)

```
Programa 10.28 em MATLAB

% Obtendo-se as matrizes K e Ke.
A = [0 1;0 -2];
B = [0;4];
C = [1 0];
J = [-2+j*2*sqrt(3) -2-j*2*sqrt(3)];
L = [-8 -8];
K = acker(A,B,J)

K =
    4.0000  0.5000

Ke = acker(A',C',L)'

Ke =
    14
    36
```

Agora, determinamos a resposta do sistema à condição inicial dada. Considerando a Equação 10.70, temos:

$$\begin{bmatrix} \dot{\mathbf{x}} \\ \dot{\mathbf{e}} \end{bmatrix} = \begin{bmatrix} \mathbf{A} - \mathbf{BK} & \mathbf{BK} \\ \mathbf{0} & \mathbf{A} - \mathbf{K}_e\mathbf{C} \end{bmatrix} \begin{bmatrix} \mathbf{x} \\ \mathbf{e} \end{bmatrix}$$

Essa equação define a dinâmica do sistema projetado utilizando o observador de ordem plena. O Programa 10.29 em MATLAB produz a resposta à condição inicial dada. As curvas de resposta resultantes são mostradas na Figura 10.52.

FIGURA 10.52
Curvas de resposta à condição inicial.

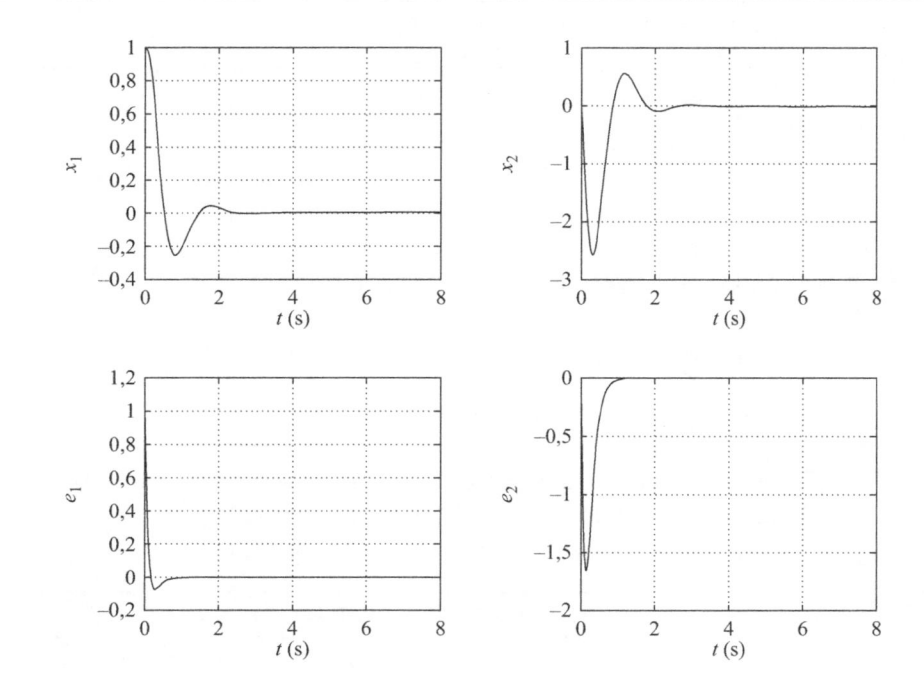

Programa 10.29 em MATLAB

```
% Resposta à condição inicial ---- Observador de ordem plena
A = [0 1;0 -2];
B = [0;4];
C = [1 0];
K = [4 0.5];
Ke = [14;36];
AA = [A-B*K B*K; zeros(2,2) A-Ke*C];
sys = ss(AA, eye(4), eye(4), eye(4));
t = 0:0.01:8;
x = inicial(sys, [1;0;1;0],t);
x1 = [1 0 0 0]*x';
x2 = [0 1 0 0]*x';
e1 = [0 0 1 0]*x';
e2 = [0 0 0 1]*x';

subplot(2,2,1); plot(t,x1); grid
xlabel('t (s)'); ylabel('x1')

subplot(2,2,2); plot(t,x2); grid
xlabel('t (s)'); ylabel('x2')

subplot(2,2,3); plot(t,e1); grid
xlabel('t (s)'); ylabel('e1')

subplot(2,2,4); plot(t,e2); grid
xlabel('t (s)'); ylabel('e2')
```

Para obter a função de transferência do controlador-observador, utilizamos o MATLAB. O Programa 10.30 em MATLAB produz essa função de transferência. O resultado é:

$$\frac{\text{num}}{\text{den}} = \frac{74s + 256}{s^2 + 18s + 108} = \frac{74(s + 3,4595)}{(s + 9 + j5,1962)(s + 9 - j5,1962)}$$

```
Programa 10.30 em MATLAB

% Determinação da função de transferência do controlador-observador ----
% Observador de ordem pelna
A = [0 1;0 -2];
B = [0;4];
C = [1 0];
K = [4 0.5];
Ke = [14;36];
[num,den] = ss2tf(A-Ke*C-B*K, Ke,K,0)

num =
0  74.0000  256.0000

den =
1  18  108
```

Em seguida, obtemos a matriz de ganho K_e do observador para o observador de ordem mínima. O Programa 10.31 em MATLAB produz K_e. O resultado é:

$$K_e = 6$$

```
Programa 10.31 em MATLAB

% Obtendo Ke ---- Observador de ordem mínima
Aab = [1];
Abb = [-2];
LL = [-8];
Ke = acker(Abb',Aab',LL)'

Ke =
6
```

A resposta do sistema com observador de ordem mínima à condição inicial pode ser obtida como segue: substituindo $u = -K\tilde{x}$ na equação da planta dada pela Equação 10.79, temos:

$$\dot{x} = Ax - BK\tilde{x} = Ax - BKx + BK(x - \tilde{x})$$

$$= (A - BK)x + B[K_a \ K_b]\begin{bmatrix}0\\e\end{bmatrix}$$

ou

$$\dot{x} = (A - BK)x + BK_b e$$

A equação do erro é:

$$\dot{e} = (A_{bb} - K_e A_{ab})e$$

Então, a dinâmica do sistema fica definida por:

$$\begin{bmatrix}\dot{x}\\\dot{e}\end{bmatrix} = \begin{bmatrix}A - BK & BK_b\\ 0 & A_{bb} - K_e A_{ab}\end{bmatrix}\begin{bmatrix}x\\e\end{bmatrix}$$

Com base nessa última equação, o Programa 10.32 em MATLAB produz a resposta a uma condição inicial dada. As curvas de resposta resultantes são mostradas na Figura 10.53.

Programa 10.32 em MATLAB

```
% Resposta à condição inicial ---- Observador de ordem mínima
A = [0 1;0 -2];
B = [0;4];
K = [4 0.5];
Kb = 0.5;
Ke = 6;
Aab = 1; Abb = -2;
AA = [A-B*K B*Kb; zeros(1,2) Abb-Ke*Aab];
sys = ss(AA,eye(3),eye(3),eye(3));
t = 0:0.01:8;
x = initial(sys,[1;0;1],t);
x1 = [1 0 0]*x';
x2 = [0 1 0]*x';
e = [0 0 1]*x';

subplot(2,2,1); plot(t,x1); grid
xlabel('t (s)'); ylabel('x1')

subplot(2,2,2); plot(t,x2); grid
xlabel('t (s)'); ylabel('x2')

subplot(2,2,3); plot(t,e); grid
xlabel('t (s)'); ylabel('e')
```

FIGURA 10.53
Curvas de resposta à condição inicial.

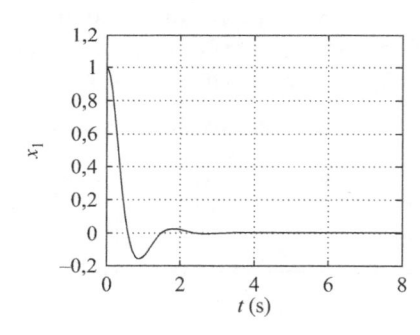

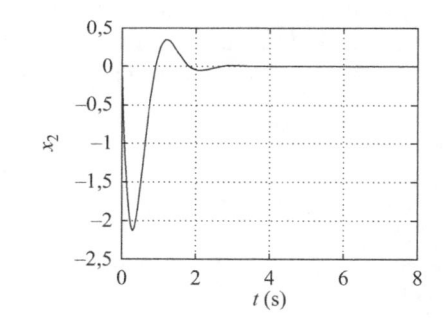

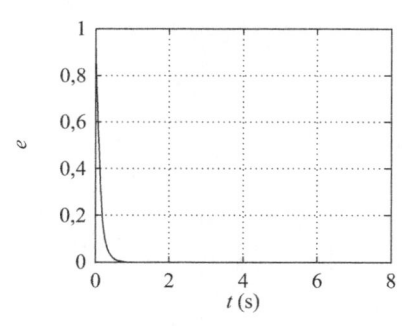

A função de transferência do controlador-observador, quando o sistema utiliza o observador de ordem mínima, pode ser obtida pelo uso do Programa 10.33 em MATLAB. O resultado é:

$$\frac{\text{num}}{\text{den}} = \frac{7s + 32}{s + 10} = \frac{7(s + 4,5714)}{s + 10}$$

Programa 10.33 em MATLAB

```
% Determinação da função de transferência do controlador-observador ----
% Observador de ordem mínima

A = [0 1;0 -2];
B = [0;4];
Aaa = 0; Aab = 1; Aba = 0; Abb = -2;
Ba = 0; Bb = 4;
Ka = 4; Kb = 0.5;
Ke = 6;
Ahat = Abb - Ke*Aab;
Bhat = Ahat*Ke + Aba - Ke*Aaa;
Fhat = Bb - Ke*Ba;
Atilde = Ahat - Fhat*Kb;
Btilde = Bhat - Fhat*(Ka + Kb*Ke);
Ctilde = -Kb;
Dtilde = -(Ka + Kb*Ke);
[num,den] = ss2tf(Atilde, Btilde, -Ctilde, -Dtilde)

num =
     7   32

den =
     1   10
```

O controlador-observador é, evidentemente, um compensador de avanço de fase.

Os diagramas de Bode do Sistema 1 (sistema de malha fechada com observador de ordem plena) e do Sistema 2 (sistema de malha fechada com observador de ordem mínima) são mostrados na Figura 10.54. Evidentemente, a banda passante do Sistema 2 é maior que a do Sistema 1. Este tem melhor característica de rejeição a ruído em altas frequências que o Sistema 2.

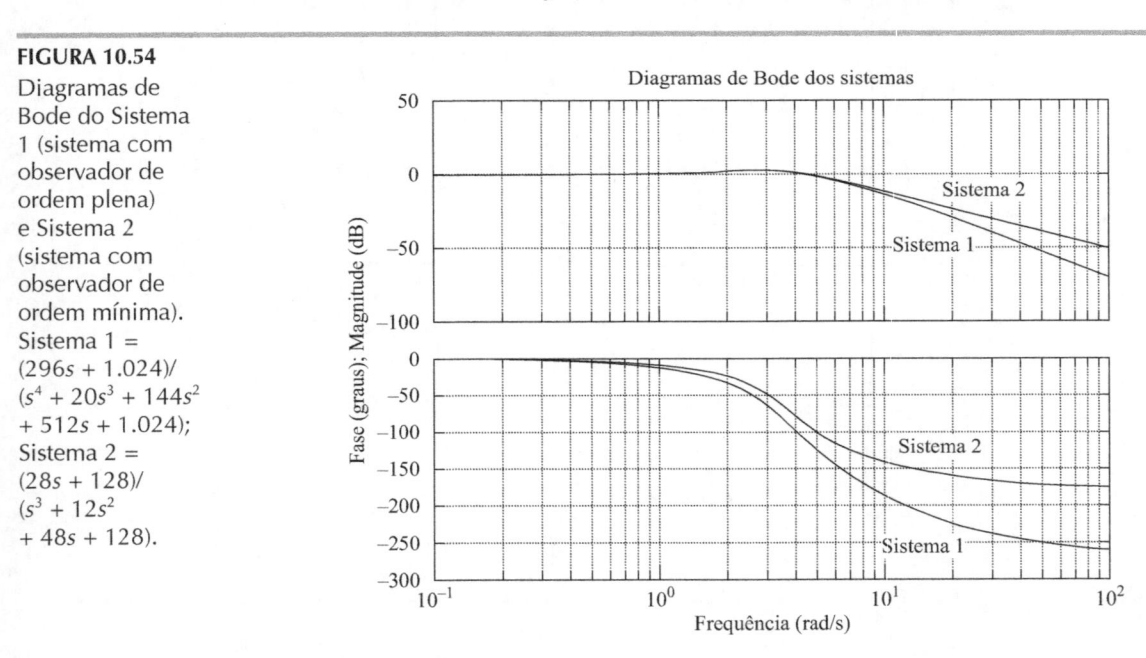

FIGURA 10.54
Diagramas de Bode do Sistema 1 (sistema com observador de ordem plena) e Sistema 2 (sistema com observador de ordem mínima).
Sistema 1 = $(296s + 1.024)/(s^4 + 20s^3 + 144s^2 + 512s + 1.024)$;
Sistema 2 = $(28s + 128)/(s^3 + 12s^2 + 48s + 128)$.

A.10.15 Considere o sistema

$$\dot{x} = Ax$$

onde **x** é um vetor de estado (vetor de dimensão n) e **A** é uma matriz constante $n \times n$. Vamos supor que **A** seja não singular. Prove que, se o estado **x** = **0** de equilíbrio for assintoticamente estável (isto é, se **A** for uma matriz estável), então existirá uma matriz hermitiana definida positiva **P** tal que

$$\mathbf{A}^*\mathbf{P} + \mathbf{PA} = -\mathbf{Q}$$

onde **Q** será uma matriz hermitiana positiva definida.

Solução. A equação diferencial matricial

$$\dot{\mathbf{X}} = \mathbf{A}^*\mathbf{X} + \mathbf{XA}, \qquad \mathbf{X}(0) = \mathbf{Q}$$

tem a solução

$$\mathbf{X} = e^{\mathbf{A}^*t}\mathbf{Q}e^{\mathbf{A}t}$$

Integrando ambos os lados dessa equação matricial diferencial de $t = 0$ para $t = \infty$, obtemos:

$$\mathbf{X}(\infty) - \mathbf{X}(0) = \mathbf{A}^*\left(\int_0^\infty \mathbf{X}\,dt\right) + \left(\int_0^\infty \mathbf{X}\,dt\right)\mathbf{A}$$

Sabendo que **A** é uma matriz estável e, portanto, $\mathbf{X}(\infty) = \mathbf{0}$, obtemos:

$$-\mathbf{X}(0) = -\mathbf{Q} = \mathbf{A}^*\left(\int_0^\infty \mathbf{X}\,dt\right) + \left(\int_0^\infty \mathbf{X}\,dt\right)\mathbf{A}$$

Seja

$$\mathbf{P} = \int_0^\infty \mathbf{X}\,dt = \int_0^\infty e^{\mathbf{A}^*t}\mathbf{Q}e^{\mathbf{A}t}\,dt$$

Note que os elementos de $e^{\mathbf{A}t}$ são somas finitas de termos como $e^{\lambda_i t}$, $te^{\lambda_i t}$ ..., $t^{m_i-1}e^{\lambda_i t}$, onde λ_i são os autovalores de **A** e m_i é a multiplicidade de λ_i. Como os λ_i têm partes reais negativas,

$$\int_0^\infty e^{\mathbf{A}^*t}\mathbf{Q}e^{\mathbf{A}t}\,dt$$

existe. Observe que

$$\mathbf{P}^* = \int_0^\infty e^{\mathbf{A}^*t}\mathbf{Q}e^{\mathbf{A}t}\,dt = \mathbf{P}$$

Assim, **P** é hermitiana (ou simétrica, se **P** for uma matriz real). Mostramos então que, para **A** estável e para uma matriz **Q** hermitiana positiva definida, existe uma matriz hermitiana **P**, tal que $\mathbf{A}^*\mathbf{P} + \mathbf{PA} = -\mathbf{Q}$. Agora, devemos provar que **P** é positiva definida. Considere a seguinte forma hermitiana:

$$\mathbf{x}^*\mathbf{Px} = \mathbf{x}^*\int_0^\infty e^{\mathbf{A}^*t}\mathbf{Q}e^{\mathbf{A}t}\,dt\,\mathbf{x}$$

$$= \int_0^\infty (e^{\mathbf{A}t}\mathbf{x})^*\mathbf{Q}(e^{\mathbf{A}t}\mathbf{x})\,dt > 0, \quad \text{para } \mathbf{x} \neq \mathbf{0}$$

$$= 0, \quad \text{para } \mathbf{x} = \mathbf{0}$$

Então, **P** é positiva definida. Isso completa a prova.

A.10.16 Considere o sistema de controle descrito por:

$$\dot{\mathbf{x}} = \mathbf{Ax} + \mathbf{B}u \qquad (10.173)$$

onde

$$\mathbf{A} = \begin{bmatrix} 0 & 1 \\ 0 & 0 \end{bmatrix}, \quad \mathbf{B} = \begin{bmatrix} 0 \\ 1 \end{bmatrix}$$

Ao supor que a lei de controle linear

$$u = -\mathbf{Kx} = -k_1 x_1 - k_2 x_2 \qquad (10.174)$$

determine as constantes k_1 e k_2 de modo que o índice de desempenho a seguir seja minimizado:

$$J = \int_0^\infty \mathbf{x}^T \mathbf{x}\, dt$$

Considere apenas o caso em que a condição inicial seja:

$$\mathbf{x}(0) = \begin{bmatrix} c \\ 0 \end{bmatrix}$$

Escolha a frequência natural não amortecida do sistema como 2 rad/s.

Solução. Substituindo a Equação 10.174 na Equação 10.173, obtemos:

$$\dot{\mathbf{x}} = \mathbf{A}\mathbf{x} - \mathbf{B}\mathbf{K}\mathbf{x}$$

ou

$$\begin{bmatrix} \dot{x}_1 \\ \dot{x}_2 \end{bmatrix} = \begin{bmatrix} 0 & 1 \\ 0 & 0 \end{bmatrix}\begin{bmatrix} x_1 \\ x_2 \end{bmatrix} + \begin{bmatrix} 0 \\ 1 \end{bmatrix}[-k_1 x_1 - k_2 x_2]$$
$$= \begin{bmatrix} 0 & 1 \\ -k_1 & -k_2 \end{bmatrix}\begin{bmatrix} x_1 \\ x_2 \end{bmatrix} \quad (10.175)$$

Portanto,

$$\mathbf{A} - \mathbf{B}\mathbf{K} = \begin{bmatrix} 0 & 1 \\ -k_1 & -k_2 \end{bmatrix}$$

Eliminando x_2 da Equação 10.175, temos:

$$\ddot{x}_1 + k_2 \dot{x}_1 + k_1 x_1 = 0$$

Como a frequência natural não amortecida do sistema foi especificada como 2 rad/s, obtém-se:

$$k_1 = 4$$

Assim,

$$\mathbf{A} - \mathbf{B}\mathbf{K} = \begin{bmatrix} 0 & 1 \\ -4 & -k_2 \end{bmatrix}$$

sendo $\mathbf{A} - \mathbf{B}\mathbf{K}$ uma matriz estável para $k_2 > 0$. Nosso problema agora é determinar o valor de k_2, de modo que o índice de desempenho

$$J = \int_0^\infty \mathbf{x}^T \mathbf{x}\, dt = \mathbf{x}^T(0)\mathbf{P}(0)\mathbf{x}(0)$$

seja minimizado, onde a matriz $\mathbf{P}$ é determinada a partir da Equação 10.115, reescrita como:

$$(\mathbf{A} - \mathbf{B}\mathbf{K})^*\mathbf{P} + \mathbf{P}(\mathbf{A} - \mathbf{B}\mathbf{K}) = -(\mathbf{Q} + \mathbf{K}^*\mathbf{R}\mathbf{K})$$

Como nesse sistema $\mathbf{Q} = \mathbf{I}$ e $\mathbf{R} = \mathbf{0}$, essa última equação pode ser simplificada para:

$$(\mathbf{A} - \mathbf{B}\mathbf{K})^*\mathbf{P} + \mathbf{P}(\mathbf{A} - \mathbf{B}\mathbf{K}) = -\mathbf{I} \quad (10.176)$$

Visto que o sistema contém apenas vetores reais e matrizes reais, $\mathbf{P}$ se torna uma matriz real simétrica. A Equação 10.176 pode ser escrita como:

$$\begin{bmatrix} 0 & -4 \\ 1 & -k_2 \end{bmatrix}\begin{bmatrix} p_{11} & p_{12} \\ p_{12} & p_{22} \end{bmatrix} + \begin{bmatrix} p_{11} & p_{12} \\ p_{12} & p_{22} \end{bmatrix}\begin{bmatrix} 0 & 1 \\ -4 & -k_2 \end{bmatrix} = \begin{bmatrix} -1 & 0 \\ 0 & -1 \end{bmatrix}$$

Resolvendo para a matriz $\mathbf{P}$, obtemos:

$$\mathbf{P} = \begin{bmatrix} p_{11} & p_{12} \\ p_{12} & p_{22} \end{bmatrix} = \begin{bmatrix} \dfrac{5}{2k_2} + \dfrac{k_2}{8} & \dfrac{1}{8} \\ \dfrac{1}{8} & \dfrac{5}{8k_2} \end{bmatrix}$$

Então, o índice de desempenho é:

$$J = \mathbf{x}^T(0)\mathbf{P}\mathbf{x}(0)$$

$$= [c \;\; 0]\begin{bmatrix} p_{11} & p_{12} \\ p_{12} & p_{22} \end{bmatrix}\begin{bmatrix} c \\ 0 \end{bmatrix} = p_{11}c^2$$

$$= \left(\frac{5}{2k_2} + \frac{k_2}{8}\right)c^2 \qquad (10.177)$$

Para minimizar J, diferenciamos J em relação a k_2 e igualamos $\partial J/\partial k_2$ a zero, como segue:

$$\frac{\partial J}{\partial k_2} = \left(\frac{-5}{2k_2^2} + \frac{1}{8}\right)c^2 = 0$$

Então,

$$k_2 = \sqrt{20}$$

Com esse valor de k_2, temos $\partial^2 J/\partial k_2^2 > 0$. Portanto, o valor mínimo de J é obtido substituindo-se $k_2 = \sqrt{20}$ na Equação 10.177, ou

$$J_{mín} = \frac{\sqrt{5}}{2}c^2$$

O sistema projetado tem a lei de controle

$$u = -4x_1 - \sqrt{20}\,x_2$$

O sistema projetado é ótimo, pois resulta em um valor mínimo do índice de desempenho J para a condição inicial fornecida.

A.10.17 Considere o mesmo sistema de pêndulo invertido discutido no Exemplo 10.5. O sistema é mostrado na Figura 10.8, onde $M = 2$ kg, $m = 0{,}1$ kg e $l = 0{,}5$ m. O diagrama de blocos do sistema está indicado na Figura 10.9. As equações do sistema são dadas por:

$$\dot{\mathbf{x}} = \mathbf{A}\mathbf{x} + \mathbf{B}u$$

$$y = \mathbf{C}\mathbf{x}$$

$$u = -\mathbf{K}\mathbf{x} + k_1\xi$$

$$\dot{\xi} = r - y = r - \mathbf{C}\mathbf{x}$$

onde

$$\mathbf{A} = \begin{bmatrix} 0 & 1 & 0 & 0 \\ 20{,}601 & 0 & 0 & 0 \\ 0 & 0 & 0 & 1 \\ -0{,}4905 & 0 & 0 & 0 \end{bmatrix}, \quad \mathbf{B} = \begin{bmatrix} 0 \\ -1 \\ 0 \\ 0{,}5 \end{bmatrix}, \quad \mathbf{C} = [0 \;\; 0 \;\; 1 \;\; 0]$$

Considerando a Equação 10.51, a equação de erro do sistema é dada por:

$$\dot{\mathbf{e}} = \hat{\mathbf{A}}\mathbf{e} + \hat{\mathbf{B}}u_e$$

onde

$$\hat{\mathbf{A}} = \begin{bmatrix} \mathbf{A} & \mathbf{0} \\ -\mathbf{C} & 0 \end{bmatrix} = \begin{bmatrix} 0 & 1 & 0 & 0 & 0 \\ 20{,}601 & 0 & 0 & 0 & 0 \\ 0 & 0 & 0 & 1 & 0 \\ -0{,}4905 & 0 & 0 & 0 & 0 \\ 0 & 0 & -1 & 0 & 0 \end{bmatrix}, \quad \hat{\mathbf{B}} = \begin{bmatrix} \mathbf{B} \\ 0 \end{bmatrix} = \begin{bmatrix} 0 \\ -1 \\ 0 \\ 0{,}5 \\ 0 \end{bmatrix}$$

e o sinal de controle é dado pela Equação 10.41:

$$u_e = -\hat{\mathbf{K}}\mathbf{e}$$

onde

$$\hat{\mathbf{K}} = [\mathbf{K} \mid -k_I] = [k_1 \ k_2 \ k_3 \ k_4 \mid -k_I]$$

$$\mathbf{e} = \begin{bmatrix} \mathbf{x}_e \\ \xi_e \end{bmatrix} = \begin{bmatrix} \mathbf{x}(t) - \mathbf{x}(\infty) \\ \xi(t) - \xi(\infty) \end{bmatrix}$$

$$\mathbf{x} = \begin{bmatrix} x_1 \\ x_2 \\ x_3 \\ x_4 \end{bmatrix} = \begin{bmatrix} \theta \\ \dot{\theta} \\ x \\ \dot{x} \end{bmatrix}$$

Utilizando o MATLAB, determine a matriz de ganho de realimentação de estado $\hat{\mathbf{K}}$, de modo que o índice de desempenho J seja minimizado:

$$J = \int_0^\infty (\mathbf{e}^* \mathbf{Q} \mathbf{e} + u^* R u) dt$$

onde

$$\mathbf{Q} = \begin{bmatrix} 100 & 0 & 0 & 0 & 0 \\ 0 & 1 & 0 & 0 & 0 \\ 0 & 0 & 1 & 0 & 0 \\ 0 & 0 & 0 & 1 & 0 \\ 0 & 0 & 0 & 0 & 1 \end{bmatrix}, \quad R = 0{,}01$$

Obtenha a resposta ao degrau unitário do sistema projetado.

Solução. Um programa em MATLAB para determinar $\hat{\mathbf{K}}$ é dado pelo Programa 10.34 em MATLAB. O resultado é:

$k_1 = -188{,}079$, $\quad k_2 = -37{,}0738$, $\quad k_3 = -26{,}6767$, $\quad k_4 = -30{,}5824$, $\quad k_I = -10{,}0000$

Reposta ao degrau unitário. Uma vez determinada a matriz de ganho $\mathbf{K}$ de realimentação e a constante de ganho integral k_I, podemos determinar a resposta ao degrau unitário do sistema projetado. A equação do sistema é:

$$\begin{bmatrix} \dot{\mathbf{x}} \\ \dot{\xi} \end{bmatrix} = \begin{bmatrix} \mathbf{A} & \mathbf{0} \\ -\mathbf{C} & 0 \end{bmatrix} \begin{bmatrix} \mathbf{x} \\ \xi \end{bmatrix} + \begin{bmatrix} \mathbf{B} \\ 0 \end{bmatrix} u + \begin{bmatrix} 0 \\ 1 \end{bmatrix} r \qquad (10.178)$$

(Veja a Equação 10.35.) Como

$$u = -\mathbf{K}\mathbf{x} + k_1 \xi$$

A Equação 10.178 pode ser escrita como segue:

$$\begin{bmatrix} \dot{\mathbf{x}} \\ \dot{\xi} \end{bmatrix} = \begin{bmatrix} \mathbf{A} - \mathbf{B}\mathbf{K} & \mathbf{B}k_I \\ -\mathbf{C} & 0 \end{bmatrix} \begin{bmatrix} \mathbf{x} \\ \xi \end{bmatrix} + \begin{bmatrix} 0 \\ 1 \end{bmatrix} r \qquad (10.179)$$

Programa 10.34 em MATLAB

```
% Projeto do sistema de controle quadrático ótimo
A = [0 1 0 0;20.601 0 0 0;0 0 0 1;-0.4905 0 0 0];
B = [0;-1;0;0.5];
C = [0 0 1 0];
D = [0];
Ahat = [A zeros(4,1);-C 0];
Bhat = [B;0];
Q = [100 0 0 0 0;0 1 0 0 0;0 0 1 0 0;0 0 0 1 0;0 0 0 0 1];
R = [0.01];
Khat = lqr(Ahat,Bhat,Q,R)

Khat =
    -188.0799  -37.0738  -26.6767  -30.5824   10.0000
```

A equação de saída é:

$$y = [\mathbf{C} \ 0]\begin{bmatrix}\mathbf{x}\\ \xi\end{bmatrix} + [0]r$$

O Programa 10.35 em MATLAB fornece a resposta ao degrau unitário do sistema dado pela Equação 10.179. As curvas de resposta resultantes são apresentadas na Figura 10.55. Ela mostra as curvas de resposta θ [= $x_1(t)$] versus t, θ̇ [= $x_2(t)$] versus t, y [= $x_3(t)$] versus t, ẏ[= $x_4(t)$] versus t e ξ [= $x_5(t)$] versus t, onde a entrada r(t) para o carro é a função degrau unitário [r(t) = 1 m]. Todas as condições iniciais são nulas. A Figura 10.56 é uma versão ampliada da posição do carro y [= $x_3(t)$] versus t. O carro se move muito pouco para trás durante o primeiro 0,6 segundo ou aproximadamente isso. (Observe que a velocidade do carro é negativa no primeiro 0,4 segundo.) Isso é em virtude de o sistema pêndulo-invertido-sobre-carro ser um sistema de fase não mínima.

Comparando as características da resposta desse sistema com as do Exemplo 10.5, notamos que a resposta do presente sistema é menos oscilatória e exibe um máximo sobressinal menor na resposta de posição (x_3 versus t). O sistema projetado pelo método do regulador quadrático ótimo geralmente apresenta estas características — menos oscilatória e bem amortecida.

Programa 10.35 em MATLAB

```
% Resposta à entrada em degrau unitário
A = [0 1 0 0;20.601 0 0 0;0 0 0 1;-0.4905 0 0 0];
B = [0;-1;0;0.5];
C = [0 0 1 0];
D = [0];
K = [-188.0799 -37.0738 -26.6767 -30.5824];
kI = -10.0000;
AA = [A-B*K B*kI; -C 0];
BB = [0;0;0;0;1];
CC= [C 0];
DD = D;
t = 0:0.01:10;
[y,x,t] = step(AA,BB,CC,DD,1,t);
x1 = [1 0 0 0 0]*x';
x2 = [0 1 0 0 0]*x';
x3 = [0 0 1 0 0]*x';
x4 = [0 0 0 1 0]*x';
x5 = [0 0 0 0 1]*x';
subplot(3,2,1); plot(t,x1); grid;
xlabel('t (s)'); ylabel('x1')
subplot(3,2,2); plot(t,x2); grid;
xlabel('t (s)'); ylabel('x2')
subplot(3,2,3); plot(t,x3); grid;
xlabel('t (s)'); ylabel('x3')
subplot(3,2,4); plot(t,x4); grid;
xlabel('t (s)'); ylabel('x4')
subplot(3,2,5); plot(t,x5); grid;
xlabel('t (s)'); ylabel('x5')
```

FIGURA 10.55
Curvas de resposta ao degrau unitário.

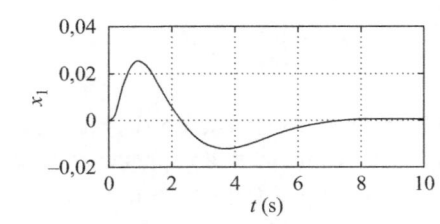

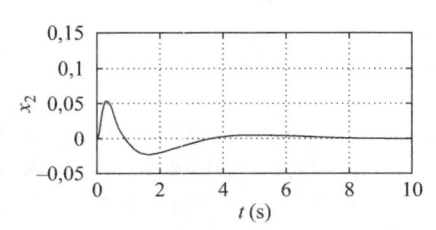

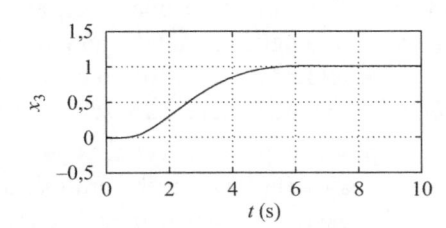

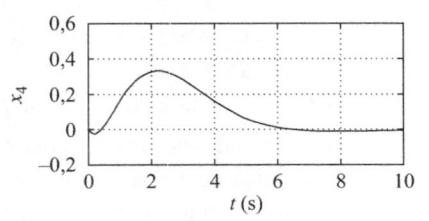

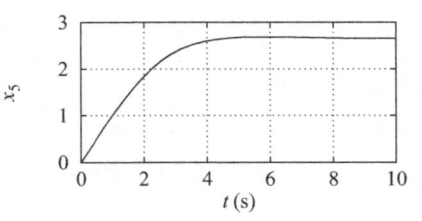

FIGURA 10.56
Curva da posição do carro *versus t*.

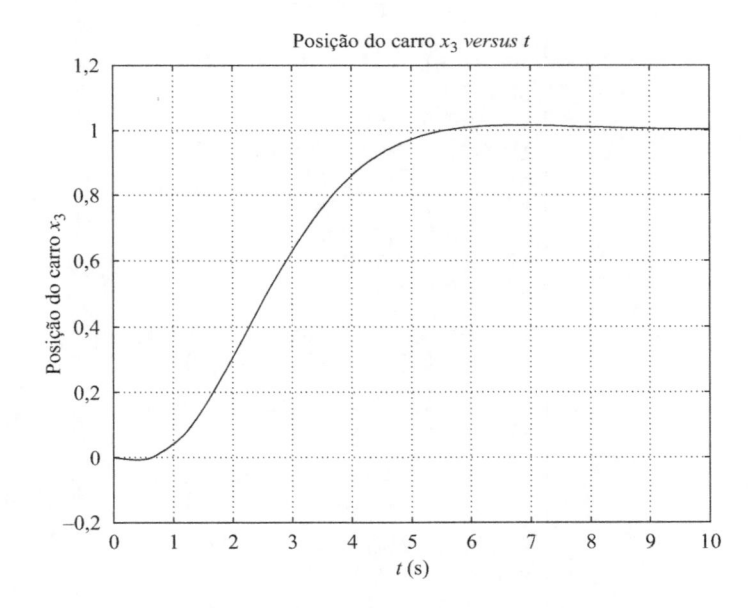

A.10.18 Considere a estabilidade de um sistema com incerteza não estruturada aditiva, como mostra a Figura 10.57(a). Defina

$\widetilde{G}$ = dinâmica da planta real

G = modelo da dinâmica da planta

Δ_a = incerteza não estruturada aditiva

FIGURA 10.57
(a) Diagrama de blocos de um sistema com incerteza aditiva não estruturada; (b) a (d) modificações sucessivas no diagrama de blocos de (a); (e) diagrama de blocos mostrando uma planta generalizada com incerteza não estruturada aditiva; (f) diagrama de planta generalizada.

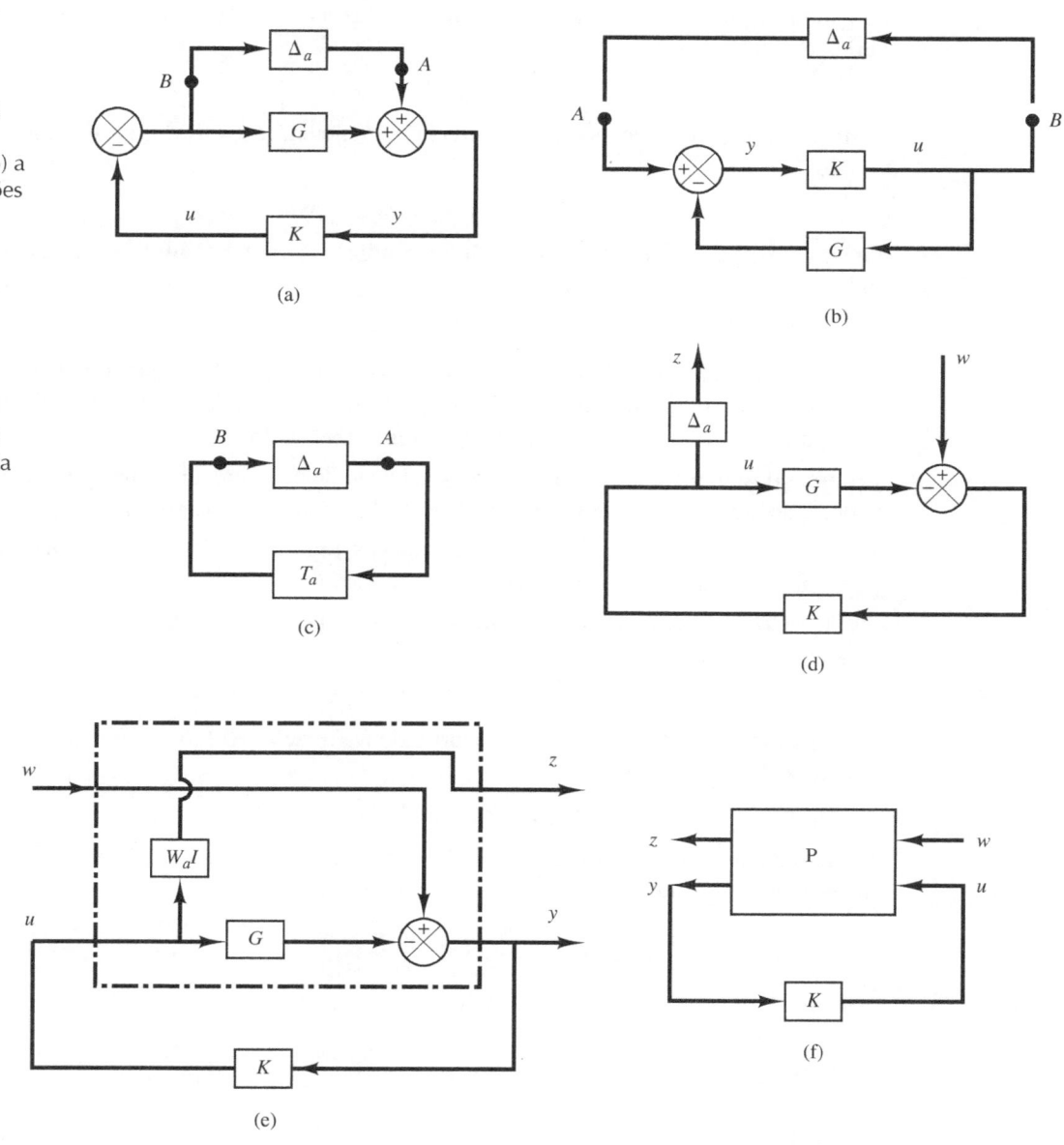

Presuma que Δ_a seja estável e que seu limite superior seja conhecido. Presuma também que $\widetilde{G}$ e G tenha a seguinte relação:

$$\widetilde{G} = G + \Delta_a$$

Obtenha a condição de que o controlador K deve satisfazer para que haja estabilidade robusta. Obtenha também um diagrama de planta generalizada para esse sistema.

Solução. Vamos obter a função de transferência entre o ponto A e o ponto B na Figura 10.57(a). Redesenhando a Figura 10.57(a), obtemos a Figura 10.57(b). Então, a função de transferência entre os pontos A e B pode ser obtida como

$$\frac{K}{1 + GK} = K(1 + GK)^{-1}$$

Defina

$$K(1 + GK)^{-1} = T_a$$

Então a Figura 10.57(b) pode ser redesenhada como a Figura 10.57(c). Por meio do teorema do ganho pequeno, a condição para estabilidade robusta do sistema de malha fechada pode ser obtida como

$$\|\Delta_a T_a\|_\infty < 1 \tag{10.180}$$

Como é impossível modelar Δ_a com precisão, temos de encontrar uma função escalar $W_a(j\omega)$ tal que

$$\bar{\sigma}\{\Delta_a(j\omega)\} < |W_a(j\omega)| \qquad \text{para todo } \omega$$

e usar essa $W_a(j\omega)$ em vez de Δ_a. Então, a condição para a estabilidade robusta do sistema de malha fechada pode ser dada por

$$\|W_a T_a\|_\infty < 1 \tag{10.181}$$

Se a Desigualdade 10.181 for verdadeira, é evidente que a Desigualdade 10.180 também será verdadeira. Portanto, esta é a condição para garantir a estabilidade robusta do sistema projetado. Na Figura 10.57(e), o Δ_a da Figura 10.57(d) foi substituído por $W_a I$.

Resumindo, se fizermos que a norma H_∞ da função de transferência entre w e z seja menor que 1, o controlador K que satisfaz a Desigualdade 10.181 poderá ser determinado.

A Figura 10.57(e) pode ser redesenhada como a Figura 10.57(f), que é o diagrama de planta generalizada para o sistema considerado.

Observe que, para esse problema, a matriz Φ que relaciona a variável controlada z e o distúrbio exógeno w é dada por

$$z = \Phi(s)w = (W_a T_a)w = [W_a K(I + GK)^{-1}]w$$

Considerando que $u(s) = K(s)y(s)$ e recorrendo à Equação 10.128, $\Phi(s)$ é dada pelos elementos da matriz P, como segue:

$$\Phi(s) = P_{11} + P_{12}K(I - P_{22}K)^{-1}P_{21}$$

Para tornar essa $\Phi(s)$ igual a $W_a K(I + GK)^{-1}$, podemos escolher $P_{11} = 0, P_{12} = W_a, P_{21} = I,$ e $P_{22} = -G$. Então, a matriz P para esse problema pode ser obtida como

$$P = \begin{bmatrix} 0 & W_a \\ I & -G \end{bmatrix}$$

Problemas

B.10.1 Considere o sistema definido por:

$$\dot{\mathbf{x}} = \mathbf{A}\mathbf{x} + \mathbf{B}u$$

$$y = \mathbf{C}\mathbf{x}$$

onde

$$\mathbf{A} = \begin{bmatrix} -1 & 0 & 1 \\ 1 & -2 & 0 \\ 0 & 0 & -3 \end{bmatrix}, \quad \mathbf{B} = \begin{bmatrix} 0 \\ 0 \\ 1 \end{bmatrix}, \quad \mathbf{C} = \begin{bmatrix} 1 & 1 & 0 \end{bmatrix}$$

Transforme as equações do sistema para (a) forma canônica controlável e (b) forma canônica observável.

B.10.2 Considere o sistema definido por:

$$\dot{\mathbf{x}} = \mathbf{A}\mathbf{x} + \mathbf{B}u$$

onde

$$A = \begin{bmatrix} -1 & 0 & 1 \\ 1 & -2 & 0 \\ 0 & 0 & -3 \end{bmatrix}, \quad B = \begin{bmatrix} 0 \\ 1 \\ 1 \end{bmatrix}, \quad C = [1 \ 1 \ 1]$$

Transforme as equações do sistema para a forma canônica observável.

B.10.3 Considere o sistema definido por:

$$\dot{x} = Ax + Bu$$
$$y = Cx$$

onde

$$A = \begin{bmatrix} 0 & 1 & 0 \\ 0 & 0 & 1 \\ -1 & -5 & -6 \end{bmatrix}, \quad B = \begin{bmatrix} 0 \\ 1 \\ 1 \end{bmatrix}$$

Usando o controle de realimentação de estado $u = -Kx$, desejamos ter os polos de malha fechada em $s = -2 \pm j4$, $s = -10$. Determine a matriz de ganho K de realimentação de estado.

B.10.4 Resolva o Problema 10.3 com o MATLAB.

B.10.5 Considere o sistema definido por:

$$\begin{bmatrix} \dot{x}_1 \\ \dot{x}_2 \end{bmatrix} = \begin{bmatrix} 0 & 1 \\ 0 & 2 \end{bmatrix} \begin{bmatrix} x_1 \\ x_2 \end{bmatrix} + \begin{bmatrix} 1 \\ 0 \end{bmatrix} u$$

Mostre que esse sistema não pode ser estabilizado pelo controle de realimentação de estado $u = -Kx$, qualquer que seja a matriz K escolhida.

B.10.6 Um sistema regulador tem a planta

$$\frac{Y(s)}{U(s)} = \frac{10}{(s+1)(s+2)(s+3)}$$

Defina as variáveis de estado como:

$$x_1 = y$$
$$x_2 = \dot{x}_1$$
$$x_3 = \dot{x}_2$$

Usando-se o controle de realimentação de estado $u = -Kx$, desejamos localizar os polos de malha fechada em:

$$s = -2 + j2\sqrt{3}, \quad s = -2 - j2\sqrt{3}, \quad s = -10$$

Determine a matriz de ganho K de realimentação de estado necessária.

B.10.7 Resolva o Problema 10.6 com o MATLAB.

B.10.8 Considere o servossistema do tipo 1 indicado na Figura 10.58. As matrizes A, B e C na Figura 10.58 são dadas por:

$$A = \begin{bmatrix} 0 & 1 & 0 \\ 0 & 0 & 1 \\ 0 & -5 & -6 \end{bmatrix}, \quad B = \begin{bmatrix} 0 \\ 0 \\ 1 \end{bmatrix}, \quad C = [1 \ 0 \ 0]$$

Determine as constantes de ganho de realimentação k_1, k_2 e k_3, de modo que os polos de malha fechada estejam localizados em:

$$s = -2 + j4, \quad s = -2 - j4, \quad s = -10$$

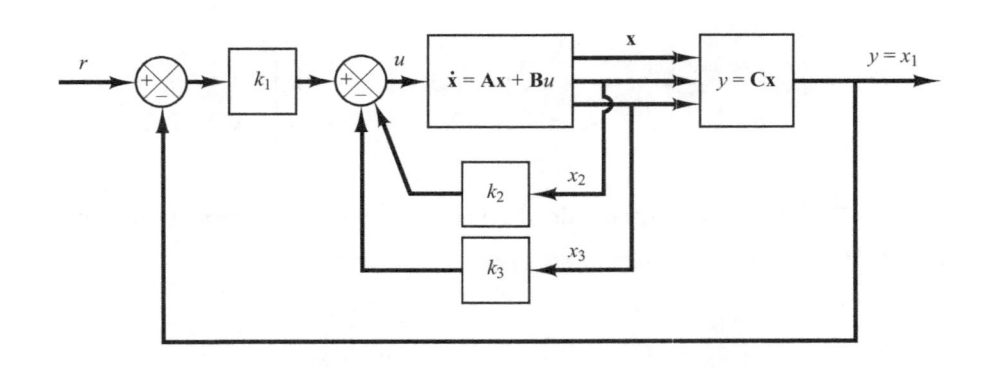

FIGURA 10.58
Servossistema do tipo 1.

Obtenha a resposta ao degrau unitário e trace a curva de saída $y(t)$ versus t.

B.10.9 Considere o sistema de pêndulo invertido indicado na Figura 10.59. Suponha que

$$M = 2 \text{ kg}, \quad m = 0,5 \text{ kg}, \quad l = 1 \text{ m}$$

Defina as variáveis de estado como:

$$x_1 = \theta, \quad x_2 = \dot{\theta}, \quad x_3 = x, \quad x_4 = \dot{x}$$

e as variáveis de saída como:

$$y_1 = \theta = x_1, \quad y_2 = x = x_3$$

Obtenha as equações no espaço de estados desse sistema.

Deseja-se ter polos de malha fechada em

$$s = -4 + j4, \quad s = -4 - j4, \quad s = -20, \quad s = -20$$

Determine a matriz de ganho **K** de realimentação de estado.

Usando a matriz de ganho **K** de realimentação de estado, assim determinada, examine o desempenho do sistema por meio de simulação por computador. Escreva um programa em MATLAB para obter a resposta do sistema a uma condição inicial arbitrária. Obtenha as curvas de resposta $x_1(t)$ versus t, $x_2(t)$ versus t, $x_3(t)$ versus t e $x_4(t)$ versus t para o seguinte conjunto de condições iniciais

$$x_1(0) = 0, \quad x_2(0) = 0, \quad x_3(0) = 0, \quad x_4(0) = 1 \text{ m/s}$$

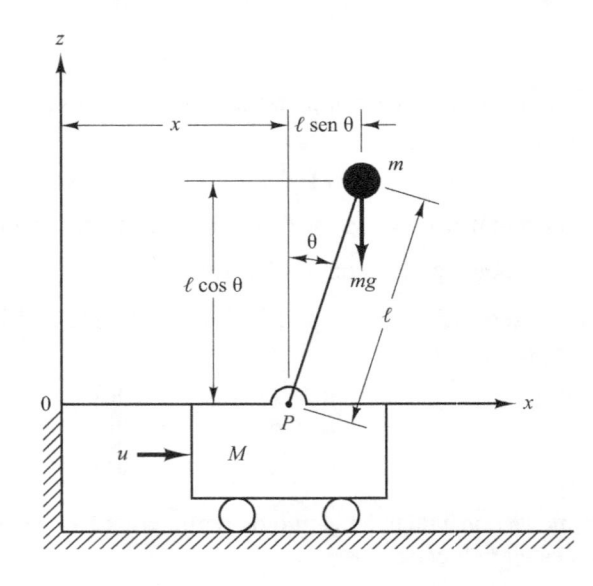

FIGURA 10.59
Sistema de pêndulo invertido.

B.10.10 Considere o sistema definido por:

$$\dot{x} = Ax$$
$$y = Cx$$

onde

$$A = \begin{bmatrix} -1 & 1 \\ 1 & -2 \end{bmatrix}, \quad C = \begin{bmatrix} 1 & 0 \end{bmatrix}$$

Projete um observador de estado de ordem plena. Os polos desejados do observador são $s = -5$ e $s = -5$.

B.10.11 Considere o sistema definido por:

$$\dot{x} = Ax + Bu$$
$$y = Cx$$

onde

$$A = \begin{bmatrix} 0 & 1 & 0 \\ 0 & 0 & 1 \\ -5 & -6 & 0 \end{bmatrix}, \quad B = \begin{bmatrix} 0 \\ 0 \\ 1 \end{bmatrix}, \quad C = \begin{bmatrix} 1 & 0 & 0 \end{bmatrix}$$

Projete um observador de estado de ordem plena, supondo que os polos do observador estejam localizados em

$$s = -10, \qquad s = -10, \qquad s = -15$$

B.10.12 Considere o sistema definido por:

$$\begin{bmatrix} \dot{x}_1 \\ \dot{x}_2 \\ \dot{x}_3 \end{bmatrix} = \begin{bmatrix} 0 & 1 & 0 \\ 0 & 0 & 1 \\ 1,244 & 0,3956 & -3,145 \end{bmatrix} \begin{bmatrix} x_1 \\ x_2 \\ x_3 \end{bmatrix}$$

$$+ \begin{bmatrix} 0 \\ 0 \\ 1,244 \end{bmatrix} u$$

$$y = \begin{bmatrix} 1 & 0 & 0 \end{bmatrix} \begin{bmatrix} x_1 \\ x_2 \\ x_3 \end{bmatrix}$$

Dado o conjunto de polos desejados do observador como:

$$s = -5 + j5\sqrt{3}, \qquad s = -5 - j5\sqrt{3}, \qquad s = -10$$

projete um observador de ordem plena.

B.10.13 Considere o sistema duplo integrador definido por:

$$\ddot{y} = u$$

Se escolhermos as variáveis de estado como

$$x_1 = y$$
$$x_2 = \dot{y}$$

então a representação do sistema no espaço de estados ficará a seguinte:

$$\begin{bmatrix} \dot{x}_1 \\ \dot{x}_2 \end{bmatrix} = \begin{bmatrix} 0 & 1 \\ 0 & 0 \end{bmatrix} \begin{bmatrix} x_1 \\ x_2 \end{bmatrix} + \begin{bmatrix} 0 \\ 1 \end{bmatrix} u$$

$$y = \begin{bmatrix} 1 & 0 \end{bmatrix} \begin{bmatrix} x_1 \\ x_2 \end{bmatrix}$$

Deseja-se projetar um regulador para esse sistema. Utilizando o método de alocação de polos com observador, projete um controlador-observador.

Para efeito de alocação, escolha os polos de malha fechada desejados em:

$$s = -0{,}7071 + j0{,}7071, \qquad s = -0{,}7071 - j0{,}7071,$$

e, admitindo que o observador utilizado seja de ordem mínima, escolha o polo do observador em:

$$s = -5$$

B.10.14 Considere o sistema

$$\dot{\mathbf{x}} = \mathbf{A}\mathbf{x} + \mathbf{B}u$$
$$y = \mathbf{C}\mathbf{x}$$

onde

$$\mathbf{A} = \begin{bmatrix} 0 & 1 & 0 \\ 0 & 0 & 1 \\ -6 & -11 & -6 \end{bmatrix}, \quad \mathbf{B} = \begin{bmatrix} 0 \\ 0 \\ 1 \end{bmatrix}, \quad \mathbf{C} = \begin{bmatrix} 1 & 0 & 0 \end{bmatrix}$$

Projete um sistema regulador pelo método de alocação de polos com observador. Admita que os polos de malha fechada desejados para efeito de alocação de polos estejam localizados em:

$$s = -1 + j, \qquad s = -1 - j, \qquad s = -5$$

Os polos desejados do observador estão situados em:

$$s = -6, \qquad s = -6, \qquad s = -6$$

Obtenha também a função de transferência do controlador-observador.

B.10.15 Utilizando o método de alocação de polos com observador, projete controladores-observadores (um com um observador de ordem plena e outro com um observador de ordem mínima) para o sistema mostrado na Figura 10.60. Os polos de malha fechada desejados para efeito de alocação de polos são:

$$s = -1 + j2, \qquad s = -1 - j2, \qquad s = -5$$

Os polos desejados do observador são

$$s = -10, \qquad s = -10, \qquad s = -10 \quad \text{para o observador de ordem plena.}$$

$$s = -10, \qquad s = -10 \quad \text{para o observador de ordem mínima.}$$

Compare as respostas ao degrau unitário dos sistemas projetados. Compare também as bandas passantes de ambos os sistemas.

FIGURA 10.60 Sistema de controle com controlador-observador no ramo direto.

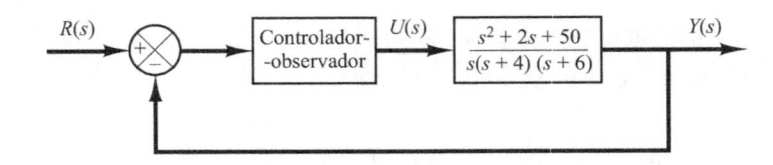

$$R(s) \longrightarrow \bigotimes \longrightarrow \boxed{\text{Controlador-observador}} \xrightarrow{U(s)} \boxed{\dfrac{s^2 + 2s + 50}{s(s+4)(s+6)}} \longrightarrow Y(s)$$

B.10.16 Utilizando o método de alocação de polos com observador, projete os sistemas de controle mostrados nas figuras 10.61 (a) e (b). Suponha que os polos desejados de malha fechada para efeito de alocação de polos estejam localizados em

$$s = -2 + j2, \qquad s = -2 - j2$$

e que os polos desejados do observador estejam localizados em

$$s = -8, \qquad s = -8$$

FIGURA 10.61
Sistemas de controle com controlador-observador:
(a) controlador-observador no ramo direto;
(b) controlador-observador no ramo de realimentação.

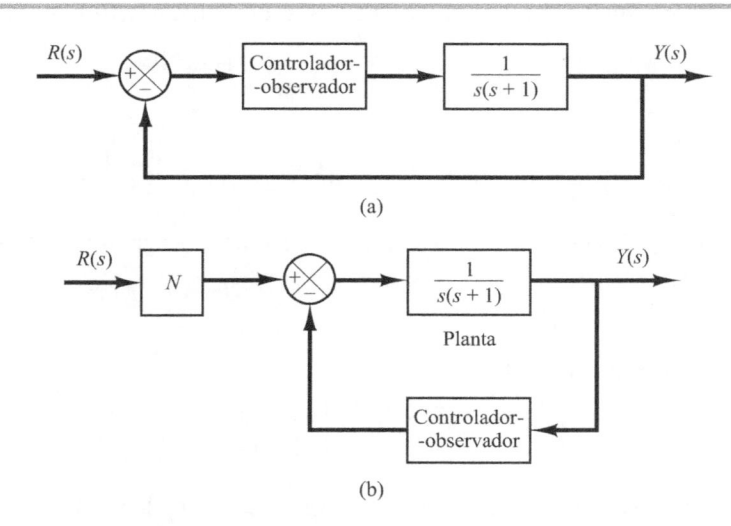

(a)

(b)

Obtenha a função de transferência do controlador-observador. Compare as respostas ao degrau unitário de ambos os sistemas. [No sistema (b), determine a constante N de modo que a resposta em regime permanente $y(\infty)$ seja unitária quando a entrada for uma entrada em degrau unitário.]

B.10.17 Considere o sistema definido por:

$$\dot{\mathbf{x}} = \mathbf{A}\mathbf{x}$$

onde

$$\mathbf{A} = \begin{bmatrix} 0 & 1 & 0 \\ 0 & 0 & 1 \\ -1 & -2 & -a \end{bmatrix}$$

a = parâmetro ajustável > 0

Determine o valor do parâmetro a para minimizar o índice de desempenho a seguir:

$$J = \int_0^\infty \mathbf{x}^T \mathbf{x} \, dt$$

Suponha que o estado inicial $\mathbf{x}(0)$ seja dado por:

$$\mathbf{x}(0) = \begin{bmatrix} c_1 \\ 0 \\ 0 \end{bmatrix}$$

B.10.18 Considere o sistema indicado na Figura 10.62. Determine o valor do ganho K de modo que o coeficiente de amortecimento ζ do sistema de malha fechada seja igual a 0,5. Em seguida, determine também a frequência natural não amortecida ω_n do sistema de malha fechada. Ao supor que $e(0) = 1$ e $\dot{e}(0) = 0$, calcule:

$$\int_0^\infty e^2(t) \, dt$$

FIGURA 10.62
Sistema de controle.

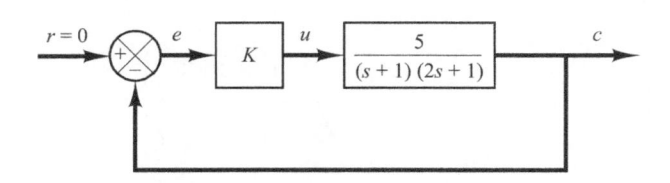

B.10.19 Determine o sinal de controle ótimo u do sistema definido por:

$$\dot{\mathbf{x}} = \mathbf{A}\mathbf{x} + \mathbf{B}u$$

onde

$$\mathbf{A} = \begin{bmatrix} 0 & 1 \\ 0 & -1 \end{bmatrix}, \quad \mathbf{B} = \begin{bmatrix} 0 \\ 1 \end{bmatrix}$$

de modo que o seguinte índice de desempenho seja minimizado:

$$J = \int_0^\infty (\mathbf{x}^T\mathbf{x} + u^2)dt$$

B.10.20 Considere o sistema

$$\begin{bmatrix} \dot{x}_1 \\ \dot{x}_2 \end{bmatrix} = \begin{bmatrix} 0 & 1 \\ 0 & 0 \end{bmatrix}\begin{bmatrix} x_1 \\ x_2 \end{bmatrix} + \begin{bmatrix} 0 \\ 1 \end{bmatrix}u$$

Deseja-se encontrar o sinal de controle ótimo u, de modo que o índice de desempenho

$$J = \int_0^\infty (\mathbf{x}^T\mathbf{Q}\mathbf{x} + u^2)dt, \quad \mathbf{Q} = \begin{bmatrix} 1 & 0 \\ 0 & \mu \end{bmatrix}$$

seja minimizado. Determine o sinal ótimo $u(t)$.

B.10.21 Considere o sistema de pêndulo invertido indicado na Figura 10.59. Deseja-se projetar um sistema regulador que mantenha o pêndulo invertido na posição vertical, na presença de perturbações em termos do ângulo θ e/ou velocidade angular $\dot{\theta}$. O sistema regulador é necessário para retornar o carro à sua posição de referência no final de cada processo. (Não há entrada de referência para o carro.)

A equação no espaço de estados do sistema é dada por:

$$\dot{\mathbf{x}} = \mathbf{A}\mathbf{x} + \mathbf{B}u$$

onde

$$\mathbf{A} = \begin{bmatrix} 0 & 1 & 0 & 0 \\ 20,601 & 0 & 0 & 0 \\ 0 & 0 & 0 & 1 \\ -0,4905 & 0 & 0 & 0 \end{bmatrix}$$

$$\mathbf{B} = \begin{bmatrix} 0 \\ -1 \\ 0 \\ 0,5 \end{bmatrix}, \quad \mathbf{x} = \begin{bmatrix} \theta \\ \dot{\theta} \\ x \\ \dot{x} \end{bmatrix}$$

Vamos usar o esquema de controle de realimentação de estado

$$u = -\mathbf{K}\mathbf{x}$$

Usando o MATLAB, determine a matriz de ganho de realimentação de estado $\mathbf{K} = [k_1\ k_2\ k_3\ k_4]$, de modo que o seguinte índice de desempenho J seja minimizado:

$$J = \int_0^\infty (\mathbf{x}^* \mathbf{Q}\mathbf{x} + u^* Ru)dt$$

onde

$$\mathbf{Q} = \begin{bmatrix} 100 & 0 & 0 & 0 \\ 0 & 1 & 0 & 0 \\ 0 & 0 & 1 & 0 \\ 0 & 0 & 0 & 1 \end{bmatrix}, \quad R = 1$$

Em seguida, obtenha a resposta do sistema para a seguinte condição inicial:

$$\begin{bmatrix} x_1(0) \\ x_2(0) \\ x_3(0) \\ x_4(0) \end{bmatrix} = \begin{bmatrix} 0,1 \\ 0 \\ 0 \\ 0 \end{bmatrix}$$

Trace as curvas de resposta θ *versus t*, $\dot{\theta}$ *versus t*, x *versus t* e $\dot{x}$ *versus t*.

APÊNDICE A — Tabelas para a transformada de Laplace

O Apêndice A apresenta, inicialmente, as variáveis complexas e as funções complexas. Em seguida, traz tabelas de pares para a transformada de Laplace e as propriedades de transformadas de Laplace. Por fim, demonstra teoremas da transformada de Laplace usados frequentemente e as transformadas de Laplace de funções de pulso e impulso.

Variáveis complexas. Um número complexo tem uma parte real e uma parte imaginária, ambas constantes. Se a parte real e/ou a imaginária forem variáveis, teremos então o que se denomina *variável complexa*. Na transformada de Laplace, utiliza-se a notação s como variável complexa. Ou seja,

$$s = \sigma + j\omega$$

onde σ é a parte real e ω é a parte imaginária.

Funções complexas. Uma função complexa $G(s)$, uma função de s que tem uma parte real e uma parte imaginária, ou

$$G(s) = G_x + jG_y$$

onde G_x e G_y são quantidades reais. O módulo de $G(s)$ é $\sqrt{G_x^2 + G_y^2}$, e o argumento angular θ de $G(s)$ é $\operatorname{tg}^{-1}(G_y/G_x)$. O ângulo é medido no sentido anti-horário a partir do sentido positivo do eixo real. O complexo conjugado de $G(s)$ é $\overline{G}(s) = G_x - jG_y$.

As funções complexas normalmente encontradas na análise de sistemas de controle linear são funções unívocas de s e são determinadas univocamente para dado valor de s.

Uma função complexa $G(s)$ é dita *analítica* em uma região se $G(s)$ e todas as suas derivadas existirem nessa região. A derivada de uma função analítica $G(s)$ é dada por:

$$\frac{d}{ds}G(s) = \lim_{\Delta s \to 0}\frac{G(s + \Delta s) - G(s)}{\Delta s} = \lim_{\Delta s \to 0}\frac{\Delta G}{\Delta s}$$

Como $\Delta s = \Delta\sigma + j\Delta\omega$, Δs pode tender a zero ao longo de um número infinito de diferentes percursos. Isso pode ser demonstrado, mas não será provado aqui, pois, se as derivadas calculadas ao longo de dois percursos específicos, ou seja, $\Delta s = \Delta\sigma$ e $\Delta s = j\Delta\omega$, forem iguais, a derivada será a mesma para qualquer outro percurso, $\Delta s = \Delta\sigma + j\Delta\omega$ e, portanto, ela existe.

Para um percurso específico $\Delta s = \Delta\sigma$ (o que significa que o caminho é paralelo ao eixo real),

$$\frac{d}{ds}G(s) = \lim_{\Delta\sigma \to 0}\left(\frac{\Delta G_x}{\Delta\sigma} + j\frac{\Delta G_y}{\Delta\sigma}\right) = \frac{\partial G_x}{\partial \sigma} + j\frac{\partial G_y}{\partial \sigma}$$

Para outro caminho específico $\Delta s = j\Delta\omega$ (o que significa que o caminho é paralelo ao eixo imaginário),

$$\frac{d}{ds}G(s) = \lim_{j\Delta\omega \to 0}\left(\frac{\Delta G_x}{j\Delta\omega} + j\frac{\Delta G_y}{j\Delta\omega}\right) = -j\frac{\partial G_x}{\partial\omega} + \frac{\Delta G_y}{\partial\omega}$$

Se essas duas derivadas forem iguais,

$$\frac{\partial G_x}{\partial\sigma} + j\frac{\partial G_y}{\partial\sigma} = \frac{\partial G_y}{\partial\omega} - j\frac{\partial G_x}{\partial\omega}$$

ou se as duas condições a seguir

$$\frac{\partial G_x}{\partial\sigma} = \frac{\partial G_y}{\partial\omega} \quad \text{e} \quad \frac{\partial G_y}{\partial\sigma} = -\frac{\partial G_x}{\partial\omega}$$

forem satisfeitas, então a derivada $dG(s)/ds$ será univocamente determinada. Essas duas condições são conhecidas como condições de Cauchy-Riemann. Se essas condições forem satisfeitas, a função $G(s)$ será analítica.

Como exemplo, vamos considerar a seguinte $G(s)$:

$$G(s) = \frac{1}{s+1}$$

Então,

$$G(\sigma + j\omega) = \frac{1}{\sigma + j\omega + 1} = G_x + jG_y$$

onde

$$G_x = \frac{\sigma + 1}{(\sigma + 1)^2 + \omega^2} \quad \text{e} \quad G_y = \frac{-\omega}{(\sigma + 1)^2 + \omega^2}$$

Pode-se observar que, exceto para o ponto $s = -1$ (ou seja, $\sigma = -1$, $\omega = 0$), $G(s)$ satisfaz as condições de Cauchy–Riemann:

$$\frac{\partial G_x}{\partial\sigma} = \frac{\partial G_y}{\partial\omega} = \frac{\omega^2 - (\sigma + 1)^2}{[(\sigma + 1)^2 + \omega^2]^2}$$

$$\frac{\partial G_y}{\partial\sigma} = -\frac{\partial G_x}{\partial\omega} = \frac{2\omega(\sigma + 1)}{[(\sigma + 1)^2 + \omega^2]^2}$$

Então, $G(s) = 1/(s + 1)$ é analítica em todo o plano s, exceto em $s = -1$. A derivada $dG(s)/ds$, exceto em $s = 1$, é dada por:

$$\frac{d}{ds}G(s) = \frac{\partial G_x}{\partial\sigma} + j\frac{\partial G_y}{\partial\sigma} = \frac{\partial G_y}{\partial\omega} - j\frac{\partial G_x}{\partial\omega}$$

$$= -\frac{1}{(\sigma + j\omega + 1)^2} = -\frac{1}{(s+1)^2}$$

Note que a derivada de uma função analítica pode ser obtida simplesmente pela derivação de $G(s)$ em relação à s. Nesse exemplo,

$$\frac{d}{ds}\left(\frac{1}{s+1}\right) = -\frac{1}{(s+1)^2}$$

Os pontos do plano s nos quais a função $G(s)$ é analítica são conhecidos como pontos *ordinários*, ao passo que os pontos do plano s nos quais a função $G(s)$ não é analítica são denominados pontos *singulares*. Os pontos singulares em que a função $G(s)$ ou suas derivadas tendem ao infinito são denominados *polos*. Os pontos singulares nos quais $G(s)$ é nula são chamados *zeros*.

Se $G(s)$ tender ao infinito enquanto s tende a $-p$ e se a função

$$G(s)(s+p)^n, \qquad \text{para } n = 1, 2, 3, \ldots$$

tiver um valor finito, não nulo em $s = -p$, então $s = -p$ será chamado polo de ordem n. Se $n = 1$, o polo é denominado polo simples. Se $n = 2, 3, \ldots$, o polo é chamado polo de segunda ordem, de terceira ordem e assim por diante.

Para ilustrar, considere a função complexa

$$G(s) = \frac{K(s + 2)(s + 10)}{s(s + 1)(s + 5)(s + 15)^2}$$

onde $G(s)$ tem zeros em $s = -2$, $s = -10$, polos simples em $s = 0$, $s = -1$ e $s = -5$ e um polo duplo (polo múltiplo de ordem 2) em $s = -15$. Note que $G(s)$ se torna zero em $s = \infty$. Como para valores elevados de s:

$$G(s) \doteq \frac{K}{s^3}$$

$G(s)$ possui um zero triplo (zero múltiplo de ordem 3) em $s = \infty$. Se pontos no infinito forem incluídos, $G(s)$ terá o mesmo número de polos e de zeros. Em resumo, $G(s)$ tem cinco zeros ($s = -2, s = -10, s = \infty, s = \infty, s = \infty$) e cinco polos ($s = 0, s = -1, s = -5, s = -15, s = -15$).

Transformada de Laplace. Vamos definir:

$f(t)$ = uma função de tempo em que $f(t) = 0$ para $t < 0$

s = uma variável complexa

$\mathcal{L}$ = um símbolo operacional que indica que a grandeza que ele antecede vai ser transformada por meio da integral de Laplace $\int_0^\infty e^{-st} dt$

$F(s)$ = transformada de Laplace de $f(t)$

Então, a transformada de Laplace de $f(t)$ é dada por:

$$\mathcal{L}[f(t)] = F(s) = \int_0^\infty e^{-st} dt [f(t)] = \int_0^\infty f(t) e^{-st} dt$$

O processo inverso de determinação da função de tempo $f(t)$ a partir da transformada de Laplace $F(s)$ é chamado *transformada inversa de Laplace* e a notação utilizada para designá-la é $\mathcal{L}^{-1}$. A transformada inversa de Laplace pode ser obtida a partir de $F(s)$, com o auxílio da seguinte integral de inversão:

$$\mathcal{L}^{-1}[F(s)] = f(t) = \frac{1}{2\pi j} \int_{c-j\infty}^{c+j\infty} F(s) e^{st} ds, \quad \text{para } t > 0$$

onde c, a abscissa de convergência, é uma constante real e é escolhida com valor superior à parte real de todos os pontos singulares de $F(s)$. Assim, o caminho de integração é paralelo ao eixo $j\omega$ e é deslocado do eixo de um valor de c. Esse caminho de integração fica à direita de todos os pontos singulares.

O cálculo da integral de inversão é, aparentemente, complicado. Na prática, raramente utilizamos essa integral para a obtenção de $f(t)$. Frequentemente usamos os métodos de expansão em frações parciais, dado no Apêndice B.

A seguir, apresentamos a Tabela A-1, que traz pares de transformadas de Laplace de funções comumente encontradas, e a Tabela A-2, que traz propriedades de transformadas de Laplace.

TABELA A.1
Pares de transformadas de Laplace.

	$f(t)$	$F(s)$
1	Impulso unitário $\delta(t)$	1
2	Degrau unitário $1(t)$	$\dfrac{1}{s}$
3	t	$\dfrac{1}{s^2}$
4	$\dfrac{t^{n-1}}{(n-1)!}$ $(n=1,2,3,\ldots)$	$\dfrac{1}{s^n}$
5	t^n $(n=1,2,3,\ldots)$	$\dfrac{n!}{s^{n+1}}$
6	e^{-at}	$\dfrac{1}{(s+a)}$
7	te^{-at}	$\dfrac{1}{(s+a)^2}$
8	$\dfrac{1}{(n-1)!}t^{n-1}e^{-at}$ $(n=1,2,3,\ldots)$	$\dfrac{1}{(s+a)^n}$
9	$t^n e^{-at}$ $(n=1,2,3,\ldots)$	$\dfrac{n!}{(s+a)^{n+1}}$
10	$\operatorname{sen}\omega t$	$\dfrac{\omega}{s^2+\omega^2}$
11	$\cos\omega t$	$\dfrac{s}{s^2+\omega^2}$
12	$\operatorname{senh}\omega t$	$\dfrac{\omega}{s^2-\omega^2}$
13	$\cosh\omega t$	$\dfrac{s}{s^2-\omega^2}$
14	$\dfrac{1}{a}(1-e^{-at})$	$\dfrac{1}{s(s+a)}$
15	$\dfrac{1}{b-a}(e^{-at}-e^{-bt})$	$\dfrac{1}{(s+a)(s+b)}$
16	$\dfrac{1}{b-a}(be^{-bt}-ae^{-at})$	$\dfrac{s}{(s+a)(s+b)}$
17	$\dfrac{1}{ab}\left[1+\dfrac{1}{a-b}(be^{-at}-ae^{-bt})\right]$	$\dfrac{1}{s(s+a)(s+b)}$
18	$\dfrac{1}{a^2}(1-e^{-at}-ate^{-at})$	$\dfrac{1}{s(s+a)^2}$
19	$\dfrac{1}{a^2}(at-1+e^{-at})$	$\dfrac{1}{s^2(s+a)}$
20	$e^{-at}\operatorname{sen}\omega t$	$\dfrac{\omega}{(s+a)^2+\omega^2}$

(*continua*)

(continuação)

	$f(t)$	$F(s)$
21	$e^{-at}\cos\omega t$	$\dfrac{s+a}{(s+a)^2+\omega^2}$
22	$\dfrac{\omega_n}{\sqrt{1-\zeta^2}}e^{-\zeta\omega_n t}\operatorname{sen}\omega_n\sqrt{1-\zeta^2}\,t \quad (0<\zeta<1)$	$\dfrac{\omega_n^2}{s^2+2\zeta\omega_n s+\omega_n^2}$
23	$-\dfrac{1}{\sqrt{1-\zeta^2}}e^{-\zeta\omega_n t}\operatorname{sen}(\omega_n\sqrt{1-\zeta^2}\,t-\phi)$ $\phi=\operatorname{tg}^{-1}\dfrac{\sqrt{1-\zeta^2}}{\zeta}$ $(0<\zeta<1,\ 0<\phi<\pi/2)$	$\dfrac{s}{s^2+2\zeta\omega_n s+\omega_n^2}$
24	$1-\dfrac{1}{\sqrt{1-\zeta^2}}e^{-\zeta\omega_n t}\operatorname{sen}(\omega_n\sqrt{1-\zeta^2}\,t+\phi)$ $\phi=\operatorname{tg}^{-1}\dfrac{\sqrt{1-\zeta^2}}{\zeta}$ $(0<\zeta<1,\ 0<\phi<\pi/2)$	$\dfrac{\omega_n^2}{s(s^2+2\zeta\omega_n s+\omega_n^2)}$
25	$1-\cos\omega t$	$\dfrac{\omega^2}{s(s^2+\omega^2)}$
26	$\omega t-\operatorname{sen}\omega t$	$\dfrac{\omega^3}{s^2(s^2+\omega^2)}$
27	$\operatorname{sen}\omega t-\omega t\cos\omega t$	$\dfrac{2\omega^3}{(s^2+\omega^2)^2}$
28	$\dfrac{1}{2\omega}t\operatorname{sen}\omega t$	$\dfrac{s}{(s^2+\omega^2)^2}$
29	$t\cos\omega t$	$\dfrac{s^2-\omega^2}{(s^2+\omega^2)^2}$
30	$\dfrac{1}{\omega_2^2-\omega_1^2}(\cos\omega_1 t-\cos\omega_2 t) \quad (\omega_1^2\neq\omega_2^2)$	$\dfrac{s}{(s^2+\omega_1^2)(s^2+\omega_2^2)}$
31	$\dfrac{1}{2\omega}(\operatorname{sen}\omega t+\omega t\cos\omega t)$	$\dfrac{s^2}{(s^2+\omega^2)^2}$

TABELA A.2
Propriedades das transformadas de Laplace.

1	$\mathscr{L}[Af(t)] = AF(s)$
2	$\mathscr{L}[f_1(t) \pm f_2(t)] = F_1(s) \pm F_2(s)$
3	$\mathscr{L}_\pm\left[\dfrac{d}{dt}f(t)\right] = sF(s) - f(0\pm)$
4	$\mathscr{L}_\pm\left[\dfrac{d^2}{dt^2}f(t)\right] = s^2 F(s) - sf(0\pm) - \dot{f}(0\pm)$
5	$\mathscr{L}_\pm\left[\dfrac{d^n}{dt^n}f(t)\right] = s^n F(s) - \sum_{k=1}^{n} s^{n-k}\overset{(k-1)}{f}(0\pm)$ onde $\overset{(k-1)}{f}(t) = \dfrac{d^{k-1}}{dt^{k-1}}f(t)$
6	$\mathscr{L}_\pm\left[\int f(t)dt\right] = \dfrac{F(s)}{s^n} + \dfrac{1}{s}\left[\int f(t)dt\right]_{t=0\pm}$
7	$\mathscr{L}_\pm\left[\int \cdots \int f(t)(dt)^n\right] = \dfrac{F(s)}{s^n} + \sum_{k=1}^{n}\dfrac{1}{s^{n-k+1}}\left[\int \cdots \int f(t)(dt)^k\right]_{t=0\pm}$
8	$\mathscr{L}\left[\int_0^t f(t)dt\right] = \dfrac{F(s)}{s}$
9	$\int_0^\infty f(t)dt = \lim_{s \to 0} F(s)$ se $\int_0^\infty f(t)dt$ existe
10	$\mathscr{L}[e^{-at})f(t)] = F(s+a)$
11	$\mathscr{L}[f(t-\alpha)1(t-\alpha)] = e^{-\alpha s}F(s) \qquad \alpha \geq 0$
12	$\mathscr{L}[tf(t)] = -\dfrac{dF(s)}{ds}$
13	$\mathscr{L}[t^2 f(t)] = -\dfrac{d^2}{ds^2}F(s)$
14	$\mathscr{L}[t^n f(t)] = (-1)^n \dfrac{d^n}{ds^n}F(s) \qquad (n = 1, 2, 3, \ldots)$
15	$\mathscr{L}\left[\dfrac{1}{t}f(t)\right] = \int_s^\infty F(s)ds$ se $\lim_{t \to 0}\dfrac{1}{t}f(t)$ existe
16	$\mathscr{L}\left[f\left(\dfrac{1}{a}\right)\right] = aF(as)$
17	$\mathscr{L}\left[\int_0^t f_1(t-\tau)f_2(\tau)d\tau\right] = F_1(s)F_2(s)$
18	$\mathscr{L}[f(t)g(t)] = \dfrac{1}{2\pi j}\int_{c-j\infty}^{c+j\infty} F(p)G(s-p)dp$

Por fim, apresentamos dois teoremas frequentemente utilizados, juntamente com as transformadas de Laplace da função pulso e da função impulso.

Teorema do valor inicial	$f(0+) = \lim_{t \to 0+} f(t) = \lim_{s \to \infty} sF(s)$
Teorema do valor final	$f(\infty) = \lim_{t \to \infty} f(t) = \lim_{s \to 0} sF(s)$
Função pulso $f(t) = \dfrac{A}{t_0} 1(t) - \dfrac{A}{t_0} 1(t - t_0)$	$\mathscr{L}[f(t)] = \dfrac{A}{t_0 s} - \dfrac{A}{t_0 s} e^{-st_0}$
Função impulso $g(t) = \lim_{t_0 \to 0} \dfrac{A}{t_0},$ para $0 < t < t_0$ $\quad\quad = 0, \quad$ para $t < 0, t_0 < t$	$\mathscr{L}[g(t)] = \lim_{t_0 \to 0} \left[\dfrac{A}{t_0 s}(1 - e^{-st_0}) \right]$ $= \lim_{t_0 \to 0} \dfrac{\dfrac{d}{dt_0}[A(1 - e^{-st_0})]}{\dfrac{d}{dt_0}(t_0 s)}$ $= \dfrac{As}{s} = A$

APÊNDICE B
Expansão em frações parciais

Antes de apresentarmos a abordagem do MATLAB para a expansão em frações parciais das funções de transferência, vamos discutir o método manual para essa expansão.

Expansão em frações parciais quando $F(s)$ envolve somente polos distintos. Consideremos $F(s)$ escrito na forma fatorada

$$F(s) = \frac{B(s)}{A(s)} = \frac{K(s + z_1)(s + z_2) \cdots (s + z_m)}{(s + p_1)(s + p_2) \cdots (s + p_n)}, \quad \text{para } m < n$$

onde $p_1, p_2, \ldots, p_n$ e $z_1, z_2, \ldots, z_m$ podem ser quantidades reais ou complexas, mas para cada complexo p_i ou z_j existe o correspondente complexo conjugado de p_i ou z_j, respectivamente. Se $F(s)$ possuir somente polos distintos, então ela poderá ser expandida em uma soma de frações parciais simples, como está indicado a seguir:

$$F(s) = \frac{B(s)}{A(s)} = \frac{a_1}{s + p_1} + \frac{a_2}{s + p_2} + \cdots + \frac{a_n}{s + p_n} \tag{B.1}$$

onde a_k ($k = 1, 2, \ldots, n$) são constantes. O coeficiente a_k é chamado *resíduo* do polo em $s = -p_k$. O valor de a_k pode ser encontrado ao se multiplicar ambos os lados da Equação B.1 por $(s + p_k)$ e ao fazer $s = -p_k$, o que resulta em:

$$\left[(s + p_k) \frac{B(s)}{A(s)} \right]_{s = -p_k} = \left[\frac{a_1}{s + p_1}(s + p_k) + \frac{a_2}{s + p_2}(s + p_k) \right.$$

$$\left. + \cdots + \frac{a_k}{s + p_k}(s + p_k) + \cdots + \frac{a_n}{s + p_n}(s + p_k) \right]_{s = -p_k}$$

$$= a_k$$

Vemos que todos os termos expandidos são eliminados, com exceção de a_k. Assim, o resíduo a_k é determinado por:

$$a_k = \left[(s + p_k) \frac{B(s)}{A(s)} \right]_{s = -p_k}$$

Note que, como $f(t)$ é uma função real de tempo, se p_1 e p_2 forem complexos conjugados, então os resíduos a_1 e a_2 também serão complexos conjugados. Somente um dos complexos conjugados, a_1 ou a_2, deve ser calculado, porque o outro é conhecido automaticamente.

Como

$$\mathscr{L}^{-1}\left[\frac{a_k}{s+p_k}\right] = a_k e^{-p_k t}$$

$f(t)$ é obtido como:

$$f(t) = \mathscr{L}^{-1}[F(s)] = a_1 e^{-p_1 t} + a_2 e^{-p_2 t} + \ldots + a_n e^{-p_n t}, \quad \text{para } t \geq 0.$$

Exemplo B.1 Determine a transformada inversa de Laplace de

$$F(s) = \frac{s+3}{(s+1)(s+2)}$$

A expansão em frações parciais de $F(s)$ é:

$$F(s) = \frac{s+3}{(s+1)(s+2)} = \frac{a_1}{s+1} + \frac{a_2}{s+2}$$

onde a_1 e a_2 são determinadas como

$$a_1 = \left[(s+1)\frac{s+3}{(s+1)(s+2)}\right]_{s=-1} = \left[\frac{s+3}{s+2}\right]_{s=-1} = 2$$

$$a_2 = \left[(s+2)\frac{s+3}{(s+1)(s+2)}\right]_{s=-2} = \left[\frac{s+3}{s+1}\right]_{s=-2} = -1$$

Assim,

$$f(t) = \mathscr{L}^{-1}[F(s)]$$
$$= \mathscr{L}^{-1}\left[\frac{2}{s+1}\right] + \mathscr{L}^{-1}\left[\frac{-1}{s+2}\right]$$
$$= 2e^{-t} - e^{-2t}, \quad \text{para } t \geq 0$$

Exemplo B.2 Obtenha a transformada inversa de Laplace de

$$G(s) = \frac{s^3 + 5s^2 + 9s + 7}{(s+1)(s+2)}$$

Nesse caso, como o grau do polinômio do numerador é maior que o do polinômio do denominador, devemos dividir o numerador pelo denominador:

$$G(s) = s + 2 + \frac{s+3}{(s+1)(s+2)}$$

Observe que a transformada de Laplace da função impulso unitário $\delta(t)$ é 1 e que a transformada de Laplace de $d\delta(t)/dt$ é s. O terceiro termo do lado direito da última equação é $F(s)$ no Exemplo B.1. Assim, a transformada inversa de Laplace de $G(s)$ é dada por:

$$g(t) = \frac{d}{dt}\delta(t) + 2\delta(t) + 2e^{-t} - e^{-2t}, \quad \text{para } t \geq 0-$$

Exemplo B.3 Encontre a transformada inversa de Laplace de

$$F(s) = \frac{2s+12}{s^2+2s+5}$$

Observe que o polinômio do denominador pode ser fatorado da seguinte maneira:

$$s^2 + 2s + 5 = (s+1+j2)(s+1-j2)$$

Se a função $F(s)$ incluir um par de polos complexos conjugados, não é conveniente expandir $F(s)$ do modo usual em frações parciais, mas fazer a expansão na soma de uma função senoidal amortecida e uma função cossenoidal amortecida.

Observando-se que $s^2 + 2s + 5 = (s+1)^2 + 2^2$ e tendo como referência a transformada de Laplace de $e^{-\alpha t}\operatorname{sen}\omega t$ e $e^{-\alpha t}\cos\omega t$, podemos reescrever da seguinte maneira:

$$\mathscr{L}[e^{-\alpha t}\operatorname{sen}\omega t] = \frac{\omega}{(s+\alpha)^2 + \omega^2}$$

$$\mathscr{L}[e^{-\alpha t}\cos\omega t] = \frac{s+\alpha}{(s+\alpha)^2 + \omega^2}$$

a função $F(s)$ pode ser escrita como a função senoidal amortecida e a função cossenoidal amortecida

$$F(s) = \frac{2s + 12}{s^2 + 2s + 5} = \frac{10 + 2(s+1)}{(s+1)^2 + 2^2}$$

$$= 5\frac{2}{(s+1)^2 + 2^2} + 2\frac{s+1}{(s+1)^2 + 2^2}$$

Segue-se que:

$$f(t) = \mathscr{L}^{-1}[F(s)]$$

$$= 5\mathscr{L}^{-1}\left[\frac{2}{(s+1)^2 + 2^2}\right] + 2\mathscr{L}^{-1}\left[\frac{s+1}{(s+1)^2 + 2^2}\right]$$

$$= 5e^{-1}\operatorname{sen}2t + 2e^{-1}\cos 2t, \quad \text{para } t \geq 0$$

Expansão em frações parciais quando F(s) inclui polos múltiplos. Em vez de discutirmos um caso genérico, utilizaremos um exemplo para mostrar como obter a expansão em frações parciais de $F(s)$.

Consideremos a seguinte $F(s)$:

$$F(s) = \frac{s^2 + 2s + 3}{(s+1)^3}$$

A expansão em frações parciais dessa $F(s)$ envolve três termos,

$$F(s) = \frac{B(s)}{A(s)} = \frac{b_1}{s+1} + \frac{b_2}{(s+1)^2} + \frac{b_3}{(s+1)^3}$$

onde b_3, b_2 e b_1 são determinados a seguir. Por meio da multiplicação de ambos os lados dessa última equação por $(s+1)^3$, teremos:

$$(s+1)^3 \frac{B(s)}{A(s)} = b_1(s+1)^2 + b_2(s+1) + b_3 \tag{B.2}$$

Se $s = -1$, a Equação B.2 dará:

$$\left[(s+1)^3 \frac{B(s)}{A(s)}\right]_{s=-1} = b_3$$

Além disso, a diferenciação de ambos os lados da Equação B.2 referente a s resulta em:

$$\frac{d}{ds}\left[(s+1)^3 \frac{B(s)}{A(s)}\right] = b_2 + 2b_1(s+1) \tag{B.3}$$

Se definirmos $s = -1$ na Equação B.3, então

$$\frac{d}{ds}\left[(s+1)^3 \frac{B(s)}{A(s)}\right]_{s=-1} = b_2$$

Pela diferenciação de ambos os lados da Equação B.3 em relação a s, o resultado é:

$$\frac{d^2}{ds^2}\left[(s+1)^3 \frac{B(s)}{A(s)}\right] = 2b_1$$

Pela análise precedente, pode-se constatar que os valores de b_3, b_2 e b_1 são determinados sistematicamente como:

$$b_3 = \left[(s+1)^3 \frac{B(s)}{A(s)}\right]_{s=-1}$$
$$= (s^2 + 2s + 3)_{s=-1}$$
$$= 2$$
$$b_2 = \left\{\frac{d}{ds}\left[(s+1)^3 \frac{B(s)}{A(s)}\right]\right\}_{s=-1}$$
$$= \left[\frac{d}{ds}(s^2 + 2s + 3)\right]_{s=-1}$$
$$= (2s + 2)_{s=-1}$$
$$= 0$$
$$b_1 = \frac{1}{2!}\left\{\frac{d^2}{ds^2}\left[(s+1)^3 \frac{B(s)}{A(s)}\right]\right\}_{s=-1}$$
$$= \frac{1}{2!}\left[\frac{d^2}{ds^2}(s^2 + 2s + 3)\right]_{s=-1}$$
$$= \frac{1}{2}(2) = 1$$

Desse modo, obteremos:

$$f(t) = \mathcal{L}^{-1}[F(s)]$$
$$= \mathcal{L}^{-1}\left[\frac{1}{s+1}\right] + \mathcal{L}^{-1}\left[\frac{0}{(s+1)^2}\right] + \mathcal{L}^{-1}\left[\frac{2}{(s+1)^3}\right]$$
$$= e^{-t} + 0 + t^2 e^{-t}$$
$$= (1 + t^2)e^{-t}, \quad \text{para } t \geq 0$$

Comentários. Para as funções de grande complexidade, com denominadores que envolvem polinômios de ordem elevada, a expansão em frações parciais pode consumir muito tempo. Nesses casos, o uso do MATLAB é recomendado.

Expansão em frações parciais com o MATLAB. O MATLAB tem um comando para obter a expansão em frações parciais de $B(s)/A(s)$. Considere a seguinte função $B(s)/A(s)$:

$$\frac{B(s)}{A(s)} = \frac{\text{num}}{\text{den}} = \frac{b_0 s^n + b_1 s^{n-1} + \cdots + b_n}{s^n + a_1 s^{n-1} + \cdots + a_n}$$

onde alguns dos a_i e b_j podem ser nulos. No MATLAB, os vetores linha num e den são formados pelos coeficientes do numerador e do denominador da função de transferência. Ou seja,

```
num = [b₀ b₁ ... bₙ]
den = [1 a₁ ... aₙ]
```

O comando

```
[r,p,k] = residue(num,den)
```

determina os resíduos (r), os polos (p) e os termos diretos (k) da expansão em frações parciais da relação entre dois polinômios $B(s)$ e $A(s)$.

A expansão em frações parciais de $B(s)/A(s)$ é dada por:

$$\frac{B(s)}{A(s)} = \frac{r(1)}{s - p(1)} + \frac{r(2)}{s - p(2)} + \cdots + \frac{r(n)}{s - p(n)} + k(s) \tag{B.4}$$

Comparando as equações B.1 e B.4, notamos que $p(1) = -p_1, p(2) = -p_2, \ldots, p(n) = -p_n; r(1) = a_1, r(2) = a_2, \ldots, r(n) = a_n$. [$k(s)$ é um termo direto.]

Exemplo B.4 Considere a seguinte função de transferência:

$$\frac{B(s)}{A(s)} = \frac{2s^3 + 5s^2 + 3s + 6}{s^3 + 6s^2 + 11s + 6}$$

Para essa função,

$$\text{num} = [2\ 5\ 3\ 6]$$
$$\text{den} = [1\ 6\ 11\ 6]$$

O comando

$$[r,p,k] = \text{residue}(\text{num},\text{den})$$

apresenta o seguinte resultado:

```
[r,p,k] = residue(num,den)
r =
    -6.0000
    -4.0000
     3.0000
p =
    -3.0000
    -2.0000
    -1.0000
k =
     2
```

(Note que os resíduos retornam na coluna vetor r, o lugar dos polos, na coluna vetor p, e o termo direto, na linha vetor k.) Esta é a representação em MATLAB da seguinte expansão em frações parciais de $B(s)/A(s)$:

$$\frac{B(s)}{A(s)} = \frac{2s^3 + 5s^2 + 3s + 6}{s^3 + 6s^2 + 11s + 6}$$

$$= \frac{-6}{s+3} + \frac{-4}{s+2} + \frac{3}{s+1} + 2$$

Observe que, se $p(j) = p(j+1) = \ldots = p(j+m-1)$ [isto é, $p_j = p_{j+1} = \ldots = p_{j+m-1}$], o polo $p(j)$ é um polo de multiplicidade m. Nesses casos, a expansão inclui termos como segue:

$$\frac{r(j)}{s = p(j)} + \frac{r(j+1)}{[s-p(j)]^2} + \cdots + \frac{r(j+m-1)}{[s-p(j)]^m}$$

Para obter mais detalhes, veja o Exemplo B.5.

Exemplo B.5 Expanda a seguinte $B(s)/A(s)$ em frações parciais com MATLAB:

$$\frac{B(s)}{A(s)} = \frac{s^2 + 2s + 3}{(s+1)^3} = \frac{s^2 + 2s + 3}{s^3 + 3s^2 + 3s + 1}$$

Para essa função, temos:

$$\text{num} = [1\ 2\ 3]$$
$$\text{den} = [1\ 3\ 3\ 1]$$

O comando

$$[r,p,k] = \text{residue}(\text{num},\text{den})$$

apresenta o resultado mostrado a seguir:

```
num = [1 2 3];
den = [1 3 3 1];
[r,p,k] = residue(num,den)
r =
    1.0000
    0.0000
    2.0000
p =
   -1.0000
   -1.0000
    1.0000
k =
    []
```

Esta é a representação em MATLAB da seguinte expansão em frações parciais de $B(s)/A(s)$:

$$\frac{B(s)}{A(s)} = \frac{1}{s+1} + \frac{0}{(s+1)^2} + \frac{2}{(s+1)^3}$$

Note que o termo direto k é zero.

APÊNDICE C
Álgebra vetorial e matricial

Neste Apêndice, vamos primeiro revisar o determinante de uma matriz, e, em seguida, definiremos matriz adjunta, matriz inversa e derivada e integral de uma matriz.

Determinante de uma matriz. Para toda matriz quadrada, existe um determinante. O determinante da matriz quadrada **A** é geralmente escrito $|\mathbf{A}|$ ou det **A**. O determinante tem as seguintes propriedades:

1. Se duas linhas ou colunas consecutivas forem intercambiadas, o determinante mudará de sinal.
2. Se qualquer linha ou coluna consistir apenas em zeros, o valor do determinante será zero.
3. Se os elementos de qualquer linha (ou de qualquer coluna) forem exatamente k vezes os de outra linha (ou de outra coluna), então o valor do determinante será zero.
4. Se qualquer múltiplo constante de outra linha (ou coluna) for somado a qualquer linha (ou coluna), o valor do determinante permanecerá inalterado.
5. Se um determinante for multiplicado por uma constante, somente uma linha (ou uma coluna), será multiplicada por essa constante. Observe, porém, que o determinante de k multiplicado por uma matriz **A** $n \times n$ é k^n multiplicado pelo determinante de **A**, ou

$$|k\mathbf{A}| = k^n|\mathbf{A}|$$

Isso ocorre porque

$$k\mathbf{A} = \begin{bmatrix} ka_{11} & ka_{12} & \cdots & ka_{1m} \\ ka_{21} & ka_{22} & \cdots & ka_{2m} \\ \vdots & \vdots & & \vdots \\ ka_{n1} & ka_{n2} & \cdots & ka_{nm} \end{bmatrix}$$

6. O determinante do produto de duas matrizes quadradas **A** e **B** é o produto dos determinantes, ou seja,

$$|\mathbf{AB}| = |\mathbf{A}|\,|\mathbf{B}|$$

Se **B** = matriz $n \times m$ e **C** = matriz $m \times n$, então

$$\det(\mathbf{I}_n + \mathbf{BC}) = \det(\mathbf{I}_m + \mathbf{CB})$$

Se $\mathbf{A} \neq \mathbf{0}$ e **D** = matriz $m \times m$, então

$$\det\begin{bmatrix} A & B \\ C & D \end{bmatrix} = \det A \cdot \det S$$

onde $S = D - CA^{-1}B$.

Se $D \neq 0$, então

$$\det\begin{bmatrix} A & B \\ C & D \end{bmatrix} = \det D \cdot \det T$$

onde $T = A - BD^{-1}C$

Se $B = 0$ ou $C = 0$, então

$$\det\begin{bmatrix} A & 0 \\ C & D \end{bmatrix} = \det A \cdot \det D$$

$$\det\begin{bmatrix} A & B \\ 0 & D \end{bmatrix} = \det A \cdot \det D$$

Posto da matriz. Diz-se que a matriz A é uma matriz de posto m, se houver uma submatriz M $m \times m$ de A tal que o determinante de M seja não nulo e o determinante de toda submatriz $r \times r$ (onde $r \geq m + 1$) de A seja zero.

Como exemplo, considere a seguinte matriz

$$A = \begin{bmatrix} 1 & 2 & 3 & 4 \\ 0 & 1 & -1 & 0 \\ 1 & 0 & 1 & 2 \\ 1 & 1 & 0 & 2 \end{bmatrix}$$

Observe que $|A| = 0$. Uma de várias das maiores submatrizes cujo determinante não é igual a zero é

$$\begin{bmatrix} 1 & 2 & 3 \\ 0 & 1 & -1 \\ 1 & 0 & 1 \end{bmatrix}$$

Portanto, o posto da matriz A é 3.

Menor M_{ij}. Se a i-ésima linha e a j-ésima colunas forem removidas de uma matriz A $n \times n$, a matriz resultante será uma matriz $(n-1) \times (n-1)$. O determinante dessa matriz $(n-1) \times (n-1)$ é chamado menor M_{ij} da matriz A.

Cofator A_{ij}. O cofator A_{ij} do elemento a_{ij} da matriz A $n \times n$ é definido pela equação

$$A_{ij} = (-1)^{i+j} M_{ij}$$

Ou seja, o cofator A_{ij} do elemento a_{ij} é $(-1)^{i+j}$, multiplicado pelo determinante da matriz, formado removendo-se i-ésima linha e a j-ésima coluna de A. Observe que o cofator A_{ij} do elemento a_{ij} é o coeficiente do termo a_{ij} na expansão do determinante $|A|$, já que se demonstra que

$$a_{i1}A_{i1} + a_{i2}A_{i2} + \ldots + a_{in}A_{in} = |A|$$

Se $a_{i1}, a_{i2}, \ldots, a_{in}$ forem substituídos por $a_{j1}, a_{j2}, \ldots, a_{jn}$, então

$$a_{j1}A_{i1} + a_{j2}A_{i2} + \ldots + a_{jn}A_{in} = 0 \qquad i \neq j$$

porque o determinante de A, nesse caso, tem duas linhas idênticas. Portanto, obtemos

$$\sum_{k=1}^{n} a_{jk} A_{ik} = \delta_{ji} |A|$$

Da mesma forma,

$$\sum_{k=1}^{n} a_{ki} A_{kj} = \delta_{ij} |\mathbf{A}|$$

Matriz Adjunta. A matriz **B**, cujo elemento na *i*-ésima linha e *j*-ésima coluna é igual a A_{ji}, é chamada ajunta de **A** e é identificada por adj **A**, ou

$$\mathbf{B} = (b_{ij}) = (A_{ji}) = \text{adj } \mathbf{A}$$

Ou seja, a adjunta de **A** é a transposta da matriz cujos elementos são os cofatores de **A**, ou

$$\text{adj } \mathbf{A} = \begin{bmatrix} A_{11} & A_{21} & \cdots & A_{n1} \\ A_{12} & A_{22} & \cdots & A_{n2} \\ \vdots & \vdots & & \vdots \\ A_{1n} & A_{2n} & \cdots & A_{nm} \end{bmatrix}$$

Veja que o elemento da *j*-ésima linha e *i*-ésima coluna do produto **A**(adj **A**) é

$$\sum_{k=1}^{n} a_{jk} b_{ki} = \sum_{k=1}^{n} a_{jk} A_{ik} = \delta_{ji} |\mathbf{A}|$$

Portanto, **A**(adj **A**) é uma matriz diagonal, com elementos diagonais iguais a |**A**|, ou

$$\mathbf{A}(\text{adj } \mathbf{A}) = |\mathbf{A}| \, \mathbf{I}$$

Da mesma forma, o elemento da *j*-ésima linha e da *i*-ésima coluna do produto (adj **A**) **A** é

$$\sum_{k=1}^{n} b_{jk} a_{ki} = \sum_{k=1}^{n} A_{kj} a_{ki} = \delta_{ij} |\mathbf{A}|$$

Portanto, temos a relação

$$\mathbf{A}(\text{adj } \mathbf{A}) = (\text{adj } \mathbf{A})\mathbf{A} = |\mathbf{A}| \, \mathbf{I} \tag{C.1}$$

Assim,

$$\mathbf{A}^{-1} = \frac{\text{adj } \mathbf{A}}{|\mathbf{A}|} = \begin{bmatrix} \frac{A_{11}}{|\mathbf{A}|} & \frac{A_{21}}{|\mathbf{A}|} & \cdots & \frac{A_{n1}}{|\mathbf{A}|} \\ \frac{A_{12}}{|\mathbf{A}|} & \frac{A_{22}}{|\mathbf{A}|} & \cdots & \frac{A_{n2}}{|\mathbf{A}|} \\ \vdots & \vdots & & \vdots \\ \frac{A_{1n}}{|\mathbf{A}|} & \frac{A_{2n}}{|\mathbf{A}|} & \cdots & \frac{A_{nn}}{|\mathbf{A}|} \end{bmatrix}$$

onde A_{ij} é o cofator de a_{ij} da matriz **A**. Consequentemente, os termos da *i*-ésima coluna de $\mathbf{A}^{-1}$ são 1/|**A**| multiplicado pelos cofatores da *i*-ésima linha da matriz original **A**. Por exemplo, se

$$\mathbf{A} = \begin{bmatrix} 1 & 2 & 0 \\ 3 & -1 & -2 \\ 1 & 0 & -3 \end{bmatrix}$$

então a adjunta de **A** e o determinante de |**A**| são, respectivamente,

$$\text{adj } \mathbf{A} = \begin{bmatrix} \begin{vmatrix} -1 & -2 \\ 0 & -3 \end{vmatrix} & -\begin{vmatrix} 2 & 0 \\ 0 & -3 \end{vmatrix} & \begin{vmatrix} 2 & 0 \\ -1 & -2 \end{vmatrix} \\ -\begin{vmatrix} 3 & -2 \\ 1 & -3 \end{vmatrix} & \begin{vmatrix} 1 & 0 \\ 1 & -3 \end{vmatrix} & -\begin{vmatrix} 1 & 0 \\ 3 & -2 \end{vmatrix} \\ \begin{vmatrix} 3 & -1 \\ 1 & 0 \end{vmatrix} & -\begin{vmatrix} 1 & 2 \\ 1 & 0 \end{vmatrix} & \begin{vmatrix} 1 & 2 \\ 3 & -1 \end{vmatrix} \end{bmatrix}$$

$$= \begin{bmatrix} 3 & 6 & -4 \\ 7 & -3 & 2 \\ 1 & 2 & -7 \end{bmatrix}$$

e
$$|\mathbf{A}| = 17$$

Assim, a inversa de $\mathbf{A}$ é

$$\mathbf{A}^{-1} = \frac{\text{adj}\,\mathbf{A}}{|\mathbf{A}|} = \begin{bmatrix} \frac{3}{17} & \frac{6}{17} & -\frac{4}{17} \\ \frac{7}{17} & -\frac{3}{17} & \frac{2}{17} \\ \frac{1}{17} & \frac{2}{17} & -\frac{7}{17} \end{bmatrix}$$

A seguir, damos fórmulas para encontrar as matrizes inversas das matrizes 2×2 e 3×3. Para as matrizes 2×2

$$\mathbf{A} = \begin{bmatrix} a & b \\ c & d \end{bmatrix} \quad \text{onde } ad - bc \neq 0$$

a matriz inversa é dada por

$$\mathbf{A}^{-1} = \frac{1}{ad - bc} \begin{bmatrix} d & -b \\ -c & a \end{bmatrix}$$

Para a matriz 3×3

$$\mathbf{A} = \begin{bmatrix} a & b & c \\ d & e & f \\ g & h & i \end{bmatrix} \quad \text{onde } |\mathbf{A}| \neq 0$$

a matriz inversa é dada por

$$\mathbf{A}^{-1} = \frac{1}{|\mathbf{A}|} \begin{bmatrix} \begin{vmatrix} e & f \\ h & i \end{vmatrix} & -\begin{vmatrix} b & c \\ h & i \end{vmatrix} & \begin{vmatrix} b & c \\ e & f \end{vmatrix} \\ -\begin{vmatrix} d & f \\ g & i \end{vmatrix} & \begin{vmatrix} a & c \\ g & i \end{vmatrix} & -\begin{vmatrix} a & c \\ d & f \end{vmatrix} \\ \begin{vmatrix} d & e \\ g & h \end{vmatrix} & -\begin{vmatrix} a & b \\ g & h \end{vmatrix} & \begin{vmatrix} a & b \\ d & e \end{vmatrix} \end{bmatrix}$$

Observe que

$$(\mathbf{A}^{-1})^{-1} = \mathbf{A}$$
$$(\mathbf{A}^{-1})' = (\mathbf{A}')^{-1}$$
$$(\mathbf{A}^{-1})^* = (\mathbf{A}^*)^{-1}$$

Existem várias outras fórmulas disponíveis. Presuma que $\mathbf{A}$ = matriz $n \times n$, $\mathbf{B}$ = matriz $n \times m$, $\mathbf{C}$ = matriz $m \times n$ e $\mathbf{D}$ = matriz $m \times m$. Então,

$$[\mathbf{A} + \mathbf{BC}]^{-1} = \mathbf{A}^{-1} - \mathbf{A}^{-1}\mathbf{B}[\mathbf{I}_m + \mathbf{CA}^{-1}\mathbf{B}]^{-1}\mathbf{CA}^{-1}$$

Se $|\mathbf{A}| \neq 0$ e $|\mathbf{D}| \neq 0$, então

$$\begin{bmatrix} \mathbf{A} & \mathbf{B} \\ \mathbf{0} & \mathbf{D} \end{bmatrix}^{-1} = \begin{bmatrix} \mathbf{A}^{-1} & -\mathbf{A}^{-1}\mathbf{BD}^{-1} \\ \mathbf{0} & \mathbf{D}^{-1} \end{bmatrix}$$

$$\begin{bmatrix} \mathbf{A} & \mathbf{0} \\ \mathbf{C} & \mathbf{D} \end{bmatrix}^{-1} = \begin{bmatrix} \mathbf{A}^{-1} & \mathbf{0} \\ -\mathbf{D}^{-1}\mathbf{CA}^{-1} & \mathbf{D}^{-1} \end{bmatrix}$$

Se $|\mathbf{A}| \neq 0$, $\mathbf{S} = \mathbf{D} - \mathbf{CA}^{-1}\mathbf{B}$, $|\mathbf{S}| \neq 0$, então

$$\begin{bmatrix} \mathbf{A} & \mathbf{B} \\ \mathbf{C} & \mathbf{D} \end{bmatrix}^{-1} = \begin{bmatrix} \mathbf{A}^{-1} + \mathbf{A}^{-1}\mathbf{BS}^{-1}\mathbf{CA}^{-1} & -\mathbf{A}^{-1}\mathbf{BS}^{-1} \\ -\mathbf{S}^{-1}\mathbf{CA}^{-1} & \mathbf{S}^{-1} \end{bmatrix}$$

Se $|\mathbf{D}| \neq 0$, $\mathbf{T} = \mathbf{A} - \mathbf{BD}^{-1}\mathbf{C}$, $|\mathbf{T}| \neq 0$, então

$$\begin{bmatrix} \mathbf{A} & \mathbf{B} \\ \mathbf{C} & \mathbf{D} \end{bmatrix}^{-1} = \begin{bmatrix} \mathbf{T}^{-1} & -\mathbf{T}^{-1}\mathbf{B}\mathbf{D}^{-1} \\ -\mathbf{D}^{-1}\mathbf{C}\mathbf{T}^{-1} & \mathbf{D}^{-1} + \mathbf{D}^{-1}\mathbf{C}\mathbf{T}^{-1}\mathbf{B}\mathbf{D}^{-1} \end{bmatrix}$$

Por fim, apresentamos o método do MATLAB para a obtenção da matriz inversa de uma matriz quadrada. Se todos os elementos da matriz forem dados como valores numéricos, este método é o melhor.

Método do MATLAB para a obtenção da matriz inversa de uma matriz quadrada. A matriz inversa de uma matriz **A** pode ser obtida com o comando

inv(A)

Por exemplo, se a matriz **A** for dada por

$$\mathbf{A} = \begin{bmatrix} 1 & 1 & 2 \\ 3 & 4 & 0 \\ 1 & 2 & 5 \end{bmatrix}$$

então a matriz inversa da matriz **A** será obtida como segue:

```
A = [1 1 2;3 4 0;1 2 5];
inv(A)

ans =
    2.2222   -0.1111   -0.8889
   -1.6667    0.3333    0.6667
    0.2222   -0.1111    0.1111
```

Ou seja,

$$\mathbf{A}^{-1} = \begin{bmatrix} 2,2222 & -0,1111 & -0,8889 \\ -1,6667 & 0,3333 & 0,6667 \\ 0,2222 & -0,1111 & 0,1111 \end{bmatrix}$$

O MATLAB diferencia entre maiúsculas e minúsculas. É importante observar que o MATLAB é *case sensitive*, ou seja, distingue entre letras maiúsculas e minúsculas. Portanto, x e X não são a mesma variável. Todos os nomes de função devem estar em letras minúsculas, como inv(A), eig(A) e poly(A).

Diferenciação e integração de matrizes. A derivada de uma matriz $n \times m$ $\mathbf{A}(t)$ é, por definição, a matriz $n \times m$, da qual cada elemento é o derivado do elemento correspondente da matriz original, desde que todos os elementos $a_{ij}(t)$ tenham derivados com relação a t. Ou seja,

$$\frac{d}{dt}\mathbf{A}(t) = \left(\frac{d}{dt}a_{ij}(t)\right) = \begin{bmatrix} \frac{d}{dt}a_{11}(t) & \frac{d}{dt}a_{12}(t) & \cdots & \frac{d}{dt}a_{1m}(t) \\ \frac{d}{dt}a_{21}(t) & \frac{d}{dt}a_{22}(t) & \cdots & \frac{d}{dt}a_{2m}(t) \\ \vdots & \vdots & & \vdots \\ \frac{d}{dt}a_{n1}(t) & \frac{d}{dt}a_{n2}(t) & \cdots & \frac{d}{dt}a_{nm}(t) \end{bmatrix}$$

Da mesma forma, a integral de uma matriz $n \times m$ $\mathbf{A}(t)$ é, por definição,

$$\int \mathbf{A}(t)dt = \left(\int a_{ij}(t)dt\right) = \begin{bmatrix} \int a_{11}(t)dt & \int a_{12}(t)dt & \cdots & \int a_{1m}(t)dt \\ \int a_{21}(t)dt & \int a_{22}(t)dt & \cdots & \int a_{2m}(t)dt \\ \vdots & \vdots & & \vdots \\ \int a_{n1}(t)dt & \int a_{2n}(t)dt & \cdots & \int a_{nm}(t)dt \end{bmatrix}$$

Diferenciação do produto de duas matrizes. Se as matrizes $\mathbf{A}(t)$ e $\mathbf{B}(t)$ podem ser diferenciadas com relação a t, então

$$\frac{d}{dt}[\mathbf{A}(t)\mathbf{B}(t)] = \frac{d\mathbf{A}(t)}{dt}\mathbf{B}(t) + \mathbf{A}(t)\frac{d\mathbf{B}(t)}{dt}$$

Aqui, novamente a multiplicação de $\mathbf{A}(t)$ e $d\mathbf{B}(t)/dt$ [ou $d\mathbf{A}(t)/dt$ e $\mathbf{B}(t)$] é, em geral, não comutativa.

Diferenciação de $\mathbf{A}^{-1}(t)$. Se uma matriz $\mathbf{A}(t)$ e sua inversa $\mathbf{A}^{-1}(t)$ forem diferenciáveis com relação a t, então a derivada de $\mathbf{A}^{-1}(t)$ é dada por

$$\frac{d\mathbf{A}^{-1}(t)}{dt} = -\mathbf{A}^{-1}(t)\frac{d\mathbf{A}(t)}{dt}\mathbf{A}^{-1}(t)$$

A derivada pode ser obtida pela diferenciação de $\mathbf{A}(t)\mathbf{A}^{-1}(t)$ com relação a t. Como

$$\frac{d}{dt}[\mathbf{A}(t)\mathbf{A}^{-1}(t)] = \frac{d\mathbf{A}(t)}{dt}\mathbf{A}^{-1}(t) + \mathbf{A}(t)\frac{d\mathbf{A}^{-1}(t)}{dt}$$

e

$$\frac{d}{dt}[\mathbf{A}(t)\mathbf{A}^{-1}(t)] = \frac{d}{dt}\mathbf{I} = \mathbf{0}$$

obtemos

$$\mathbf{A}(t)\frac{d\mathbf{A}^{-1}(t)}{dt} = -\frac{d\mathbf{A}(t)}{dt}\mathbf{A}^{-1}(t)$$

ou

$$\frac{d\mathbf{A}^{-1}(t)}{dt} = -\mathbf{A}^{-1}(t)\frac{d\mathbf{A}(t)}{dt}\mathbf{A}^{-1}(t)$$

Referências

Anderson, B. D. O., e J. B. Moore, *Linear Optimal Control*. Upper Saddle River, NJ: Prentice Hall, 1971.

Athans, M., e P. L. Falb, *Optimal Control: An Introduction to the Theory and Its Applications*. New York: McGraw-Hill Book Company, 1965.

Barnet, S., "Matrices, Polynomials, and Linear Time-Invariant Systems," *IEEE Trans. Automatic Control*, 1973, pp. 1–10.

Bayliss, L. E., *Living Control Systems*. London: English Universities Press Limited, 1966.

Bellman, R., *Introduction to Matrix Analysis*. New York: McGraw-Hill Book Company, 1960.

Bode, H. W., *Network Analysis and Feedback Design*. New York: Van Nostrand Reinhold, 1945.

Brogan, W. L., *Modern Control Theory*. Upper Saddle River, NJ: Prentice Hall, 1985.

Butman, S., e R. Sivan (Sussman), "On Cancellations, Controllability and Observability," *IEEE Trans. Automatic Control*, 1964, pp. 317–8.

Campbell, D. P, *Process Dynamics*. New York: John Wiley & Sons, Inc., 1958.

Cannon, R., *Dynamics of Physical Systems*. New York: McGraw-Hill Book Company, 1967.

Chang, P. M., and S. Jayasuriya, "An Evaluation of Several Controller Synthesis Methodologies Using a Rotating Flexible Beam as a Test Bed," *ASME J. Dynamic Systems, Measurement, and Control*, 117 (1995), pp. 360–73.

Cheng, D. K., *Analysis of Linear Systems*. Reading, MA: Addison-Wesley Publishing Company, Inc., 1959.

Churchill, R. V., *Operational Mathematics*, 3rd ed. New York: McGraw-Hill Book Company, 1972.

Coddington, E. A., and N. Levinson, *Theory of Ordinary Differential Equations*. New York: McGraw-Hill Book Company, 1955.

Craig, J. J., *Introduction to Robotics, Mechanics and Control*. Reading, MA: AddisonWesley Publishing Company, Inc., 1986.

Cunningham, W J., *Introduction to Nonlinear Analysis*. New York: McGraw-Hill Book Company, 1958.

Dorf, R. C., and R. H. Bishop, *Modern Control Systems*, 9th ed. Upper Saddle River, NJ: Prentice Hall, 2001.

Enns, M., J. R. Greenwood III, J. E. Matheson, and F. T. Thompson, "Practical Aspects of State-Space Methods Part I: System Formulation and Reduction," *IEEE Trans. Military Electronics*, 1964, pp. 81–93.

Evans, W. R., "Graphical Analysis of Control Systems," *AIEE Trans. Part II*, **67** (1948), pp. 547-51.

Evans, W. R., "Control System Synthesis by Root Locus Method," *AIEE Trans Part II*, **69** (1950), pp. 66–9.

Evans, W. R.,"The Use of Zeros and Poles for Frequency Response or Transient Response," *ASME Trans*. 76 (1954), pp. 1135–44.

Evans, W. R., *Control System Dynamics*. New York: McGraw-Hill Book Company, 1954.

Franklin, G. F, J. D. Powell, and A. Emami-Naeini, *Feedback Control of Dynamic Systems*, 3rd ed. Reading, MA:Addison-Wesley Publishing Company, Inc., 1994.

Friedland, B., *Control System Design*. New York: McGraw-Hill Book Company, 1986.

Fu, K. S., R. C. Gonzalez, and C. S. G. Lee, Robotics: Control, Sensing, Vision, and Intelligence. New York: McGraw-Hill Book Company, 1987.

Gantmacher, F. R., *Theory of Matrices*, Vols. I and II. NewYork: Chelsea Publishing

Company, Inc., 1959.

Gardner, M. F, and J. L. Barnes, *Transients in Linear Systems.* New York: John Wiley & Sons, Inc., 1942.

Gibson, J. E., *Nonlinear Automatic Control*. New York: McGraw-Hill Book Company, 1963.

Gilbert, E. G.,"Controllability and Observability in Multivariable Control Systems," *J. SIAM Control*, ser. A, 1 (1963), pp. 128–51.

Graham, D., and R. C. Lathrop, "The Synthesis of Optimum Response: Criteria and Standard Forms," *AIEE Trans. Part II*, 72 (1953), pp. 273–88.

Hahn, W., *Theory and Application of Liapunov's Direct Method*. Upper Saddle River, NJ: Prentice Hall, 1963.

Halmos, P. R., *Finite Dimensional Vector Spaces*. New York:Van Nostrand Reinhold, 1958.

Higdon, D. T., and R. H. Cannon, Jr., "On the Control of Unstable Multiple-Output Mechanical Systems," *ASME Paper no. 63-WA-148*, 1963.

Irwin, J. D., *Basic Engineering Circuit Analysis*. New York: Macmillan, Inc., 1984.

Jayasuriya, S., "Frequency Domain Design for Robust Performance Under Parametric, Unstructured, or Mixed Uncertainties," *ASME J. Dynamic Systems, Measurement, and Control*, 115 (1993), pp. 439–51.

Kailath, T., *Linear Systems*. Upper Saddle River, NJ: Prentice Hall, 1980.

Kalman, R. E., "Contributions to the Theory of Optimal Control," *Bol. Soc Mat. Mex.*, 5 (1960), pp. 102–19.

Kalman, R. E.,"On the General Theory of Control Systems," *Proc. First Intern. Cong. IFAC, Moscow*, 1960, *Automatic and Remote Control*. London: Butterworths & Company Limited, 1961, pp. 481–92.

Kalman, R. E.,"Canonical Structure of Linear Dynamical Systems," Proc. Natl. Acad. Sci., USA, 48 (1962), pp. 596–600.

Kalman, R. E.,"When Is a Linear Control System Optimal?" *ASMEJ. Basic Engineering*, ser. D, 86 (1964), pp. 51–60.

Kalman, R. E., and J. E. Bertram, "Control System Analysis and Design via the Second Method of Lyapunov: I Continuous-Time Systems," *ASME J. Basic Engineering*, ser. D, 82 (1960), pp. 371–93.

Kalman, R. E., Y. C. Ho, and K. S. Narendra,"Controllability of Linear Dynamic Systems," in *Contributions to Differential Equations*, Vol. 1. New York:Wiley-Interscience Publishers, Inc., 1962.

Kautsky, J., and N. Nichols, "Robust Pole Assignment in Linear State Feedback," *Intern. J. Control*, 41 (1985), pp. 1129–55.

Kreindler, E., and P. E. Sarachick, "On the Concepts of Controllability and Observability of Linear Systems," *IEEE Trans. Automatic Control*, 1964, pp. 129–36.

Kuo, B. C., *Automatic Control Systems*, 6th ed. Upper Saddle River, NJ: Prentice Hall, 1991.

LaSalle, J. P, and S. Lefschetz, *Stability by Liapunov's Direct Method with Applications*. New York: Academic Press, Inc., 1961.

Levin, W. S., *The Control Handbook*. Boca Raton, FL: CRC Press, 1996.

Levin, W. S. *Control System Fundamentals*. Boca Raton, FL: CRC Press, 2000.

Luenberger, D. G.,"Observing the State of a Linear System," *IEEE Trans. Military Electr.*, 1964, pp. 74–80.

Luenberger, D. G., "An Introduction to Observers," *IEEE Trans. Automatic Control*, 1971, pp. 596–602.

Lur'e, A. I., and E. N. Rozenvasser,"On Methods of Constructing Liapunov Functions in the Theory of Nonlinear Control Systems," *Proc. First Intern. Cong. IFAC*, Moscow, 1960, *Automatic and Remote Control*. London: Butterworths & Company Limited, 1961, pp. 928–33.

MathWorks, Inc., *The Student Edition of MATLAB*, version 5. Upper Saddle River, NJ: Prentice Hall, 1997.

Melbourne, W. G., "Three Dimensional Optimum Thrust Trajectories for Power-Limited Propulsion Systems," *ARS J.*, 31 (1961), pp. 1723–8.

Melbourne, W. G., and C. G. Sauer, Jr.,"Optimum Interplanetary Rendezvous with Power- Limited Vehicles," *AIAA J.*, 1 (1963), pp. 54–60.

Minorsky, N., *Nonlinear Oscillations*. New York:Van Nostrand Reinhold, 1962.

Monopoli, R. V., "Controller Design for Nonlinear and Time-Varying Plants." *NASA*. Jan., 1965.

Noble, B., and J. Daniel, *Applied Linear Algebra*, 2nd ed. Upper Saddle River, NJ: Prentice Hall, 1977.

Nyquist, H., "Regeneration Theory," *Bell System Tech. J.*, 11 (1932), pp. 126–47.

Ogata, K., *State Space Analysis of Control Systems*. Upper Saddle River, NJ: Prentice Hall, 1967.

Ogata, K., *Solving Control Engineering Problems with MATLAB*. Upper Saddle River, NJ: Prentice Hall, 1994.

Ogata, K., *Designing Linear Control Systems with MATLAB*. Upper Saddle River, NJ: Prentice Hall, 1994.

Ogata, K., *Discrete-Time Control Systems*, 2nd ed. Upper Saddle River, NJ: Prentice Hall, 1995.

Ogata, K., *System Dynamics*, 4th ed. Upper Saddle River, NJ: Prentice Hall, 2004.

Ogata, K., *MATLAB for Control Engineers*. Upper Saddle River, NJ: Pearson Prentice Hall, 2008.

Phillips, C. L., and R. D. Harbor, *Feedback Control Systems*. Upper Saddle River, NJ: Prentice Hall, 1988.

Pontryagin, L. S., V. G. Boltyanskii, R. V. Gamkrelidze, and E. F. Mishchenko, *The Mathematical Theory of Optimal Processes*. New York: John Wiley & Sons, Inc., 1962.

Rekasius, Z. V.,"A General Performance Index for Analytical Design of Control Systems," *IRE Trans. Automatic Control*, 1961, pp. 217–22.

Rowell, G., and D. Wormley, *System Dynamics*. Upper Saddle River, NJ: Prentice Hall, 1997.

Schultz, W. C., and V. C. Rideout, "Control System Performance Measures: Past, Present, and Future," *IRE Trans. Automatic Control*, 1961, pp. 22–35.

Smith, R. J., *Electronics: Circuits and Devices*, 2d ed. New York: John Wiley & Sons, Inc., 1980.

Staats, P. F. "A Survey of Adaptive Control Topics," *Plan B paper*, Dept. of Mech. Eng., University of Minnesota, March 1966.

Strang, G., *Linear Algebra and Its Applications*. New York: Academic Press, Inc., 1976.

Truxal, J. G., *Automatic Feedback Systems Synthesis*. New York: McGraw-Hill Book Company, 1955.

Umez-Eronini, E., *System Dynamics and Control*. Pacific Grove, CA: Brooks_Cole Publishing Company, 1999.

Valkenburg, M. E., *Network Analysis*. Upper Saddle River, NJ: Prentice Hall, 1974.

Van Landingham, H. F., and W. A. Blackwell, "Controller Design for Nonlinear and Time-Varying Plants," *Educational Monograph*, College of Engineering, Oklahoma State University, 1967.

Webster, J. G., *Wiley Encyclopedia of Electrical and Electronics Engineering*, Vol. 4. New York: John Wiley & Sons, Inc., 1999.

Wilcox, R. B., "Analysis and Synthesis of Dynamic Performance of Industrial Organizations — The Application of Feedback Control Techniques to Organizational Systems," *IRE Trans. Automatic Control*, 1962, pp. 55–67.

Willems, J. C., and S. K. Mitter, "Controllability, Observability, Pole Allocation, and State Reconstruction," *IEEE Trans. Automatic Control*, 1971, pp. 582–95.

Wojcik, C. K.,"Analytical Representation of the Root Locus," *ASME J. Basic Engineering*, ser. D, 86 (1964), pp. 37–43.

Wonham, W. M.,"On Pole Assignment in Multi-Input Controllable Linear Systems,"*IEEE Trans. Automatic Control*, 1967, pp. 660–65.

Zhou, K., J. C. Doyle, and K. Glover, *Robust and Optimal Control*. Upper Saddle River, NJ: Prentice Hall, 1996.

Zhou, K., and J. C. Doyle, *Essentials of Robust Control,* Upper Saddle River, NJ: Prentice Hall, 1998.

Ziegler, J. G., and N. B. Nichols, "Optimum Settings for Automatic Controllers," *ASME Trans*. 64 (1942), pp. 759–68.

Ziegler, J. G., and N. B. Nichols,"Process Lags in Automatic Control Circuits,"*ASME Trans*. 65 (1943), pp. 433–44.

Índice remissivo

A

Abordagem de otimização computacional para projeto de controlador PID 535-41
Ação de controle de duas posições ou on-off, 19-20
Ação de controle de duas posições, 19-20
Ação de controle derivativa, 107-09, 201
Ação de controle integral, 21, 196-97
Ação de controle pneumática proporcional-integral, 109-11
Ação de controle pneumática proporcional-integral-derivativa, 110-12
Ação de controle proporcional, 21
Ação de controle proporcional-derivativa, 21-2
Ação de controle proporcional-integral, 21
Ação de controle proporcional-integral-derivativa, 21-2
Ações básicas de controle:
    de duas posições ou on-off, 19
    de duas posições, 19-20
    integral, 21
    proporcional, 21
    proporcional-derivativo, 21
    proporcional-integral, 21
    proporcional-integral-derivativo, 30
Ações de controle, 18
Alocação de polo robusto, 668-69
Alocação de zero, 546-48, 560-61
    abordagem para melhorar as características de resposta, 546-48
Alocação do polo:
    condições necessárias e suficientes para alocação arbitrária, 660-61
Amortecedor, 57, 119
Amortecedor, 57, 119-20
Amplificador diferencial, 68-9
Amplificador do tipo bocal-palheta, 100
Amplificador inversor, 68-9
Amplificador não inversor, 69-70
Amplificador operacional, 68-9
Amplificador pneumático do tipo bocal palheta, 100
Amplificador(es) operacional(is), 68-9
Análise de estabilidade de Nyquist, 415-23
Análise de estabilidade, 415-23
no plano complexo, 165
Ângulo máximo de avanço de fase, 452-53, 456
Ângulo:
condição de ângulo, 248
de chegada, 261
de partida, 256, 261
Aproximação linear:
de modelos matemáticos não-lineares, 36-7
Assíntotas:
de diagrama de Bode, 373-374
do lugar das raízes, 250-51, 259-60
Atenuação, 150
Atraso de transporte, 383
características do ângulo de fase de , 383
Atuador, 18-9

B

Bloco funcional, 14-5
Bloco, 14-5
Blocos de Jordan, 620

C

Cancelamento de polos e zeros, 262-63
Capacitância térmica, 123
Capacitância:
de sistema de pressão, 97-9
de sistema térmico, 123
de tanque de água, 94
Carta de Nichols, 442-45

Circuito de atraso de primeira ordem, 70
Circuito LRC , 63-4
Circuitos de amplificador operacional, 82-3
para compensador por avanço ou atraso de fase:
tabela de, 75
Circunferências M , 438-39
uma família de constantes, 439
Circunferências N , 440-41
uma família de constantes, 441
Classificação dos sistemas de controle, 203
Coeficiente da válvula, 115
Coeficiente de amortecimento, 150
linhas de constante, 270
Coeficiente de atrito viscoso equivalente, 57-8, 211
Cofator, 792-73
Compensação de atraso e avanço de fase, 301-02, 305-06, 308, 343, 468-74
Compensação de comando, 577
Compensação em série, 281-82, 312
Compensação paralela, 281-82, 312-13
Compensação por atraso de fase, 293
Compensação por realimentação, 281-82, 312, 475
Compensação:
em série, 281
paralela, 281
realimentação, 281
Compensador de atraso e avanço de fase:
diagrama de Bode, 510
diagrama polar de, 468-69
eletrônico, 301-03
projeto pelo método de lugar das raízes, 302-03, 346-48
projeto pelo método de resposta em frequência, 469-74
Compensador de avanço de fase, 284, 452
diagrama de Bode, 452-53
diagrama polar, 452-53
projeto pelo método de lugar das raízes, 284-90
projeto pelo método de resposta em frequência, 452-60
Compensador por atraso de fase, 284, 293, 460
diagrama de Bode, 461
diagrama polar de, 461
projeto pelo método de lugar das raízes, 293, 295
projeto pelo método de resposta em frequência, 460-68
Compensador:
de atraso de fase, 295, 461-62
de avanço de fase, 285-86, 453-55
de avanço ou atraso de fase, 303-05, 468-70
Compensadores por avanço, por atraso e por atraso e avanço de fase:
comparação entre, 473-74
Condição de magnitude, 247-48
Condição inicial:
resposta a, 183-91
Condições de Cauchy–Riemann, 778-79
Transferência de calor por condução, 123
Constante de erro estático de aceleração, 206, 386
determinação de, 386-87
Constante de erro estático de posição, 203-04, 384-85

Constante de erro estático de velocidade, 205, 385
Constante de gás, 98-9
para o ar, 127-28
universal, 98-9
Constante de torque de motor, 84
Constante elástica da mola equivalente, 57
Constante universal dos gases, 98-9
Controlabilidade completa de estado, 617-21
no plano s, 621-22
Controlabilidade completa de saída, 650
Controlabilidade de saída, 622
Controlabilidade do estado:
completa, 617-18, 619, 621
Controlabilidade, 617-22
matriz, 618-19
saída, 622
Controlador automático, 18
Controlador baseado em observador:
função de transferência de, 691
Controlador de duas posições ou on-off, 19
Controlador de duas posições, 19
Controlador de pilha, 104
Controlador eletrônico, 67-8, 73
Controlador hidráulico:
com bocal de jato, 132-33
integral, 117
proporcional, 118
proporcional-derivativo, 121-22
proporcional-integral, 120-21
proporcional-integral-derivativo, 122-23
Controlador integral, 19
Controlador observador:
no ramo de realimentação do sistema de controle, 713, 715-18
no ramo direto do sistema de controle, 713-16
Controlador PD, 562-63
Controlador PI , 1-2, 562-63
Controlador pneumático de duas posições , 104
Controlador pneumático de duas posições ou on-off, 104
Controlador pneumático proporcional, 102-05
tipo força-distância, 102-04
tipo força-equilíbrio, 104-05
Controlador pneumático proporcional-derivativo, 108-09
Controlador proporcional, 19
Controlador proporcional-derivativo, 19, 496
Controlador proporcional-integral, 19, 110, 496
Controlador proporcional-integral-derivativo, 19
Controlador, 19
Controladores com bocal de jato, 131-33
Controladores industriais, 19
Controladores pneumáticos , 129-31, 140-41
Controle de realimentação, 2-3
Controle de sistema de tráfego, 7
Controle integral, 198
Controle I-PD, 543-44
Controle PD, 340
Controle PI-D , 541-44

Controle PID-PD, 543-44
Controle PI-PD, 543-44
Controle proporcional, 197
Controle proporcional-derivativo:
de sistema com carga de inércia, 201
de sistema de segunda ordem, 202
Controle robusto:
sistema, 13-4, 728-38
teoria,1-2, 6
Convolução, integral de, 13-4
Critério de estabilidade de Nyquist, 407-16
aplicado a diagramas polares inversos, 422-23
Critério de estabilidade de Routh, 191-97
Curva de resposta em freqüência de malha aberta:
reconfigurada, 452
Curva em forma de S, 522-23
Curva exponencial de resposta, 148
Curvas de resposta a impulso unitário:
obtenção com o uso do MATLAB, 177-78
uma família de, 161-62
Curvas de resposta em frequência em malha fechada:
formas desejáveis de, 451
formas indesejáveis de, 451

D

Década, 372
Decibel, 371
Decremento logarítmico, 214
Desempenho robusto, 6, 729, 733-34
Detectabilidade, 627-28
Determinante, 791
Diagonalização da matriz n*n, 598
Diagrama de bloco, 14-5
redução, 23-4, 41-2
Diagrama de Bode, 371
de fatores de primeira ordem, 373-74, 375-76
de fatores quadráticos, 376-78
de sistema definido em espaço de estado, 391-92
erro em expressão assintótica de, 371
construção com MATLAB, 387-90
procedimento geral de construção, 379
Diagrama de corpo livre, 61-2
Diagrama de Nyquist, 371, 402-03, 405-06
de sistema com realimentação positiva, 489-92
de sistema definido no espaço de estados, 403-06
Diagrama polar inverso, 422-23, 491-93
Diagrama polar, 371, 392-93, 395-96
Diagrama tridimensional, 174-75
das curvas de resposta ao degrau unitário com MATLAB, 173-75
Diagramas de Nichols, 371
Diferenciação:
de matriz, 795-96
de matriz inversa, 796
do produto de duas matrizes, 795-96
Diferenciador:
aproximado, 565

Distúrbios, 2-3, 22
Dualidade, 684-85

E

e^{At}
cálculo de, 612-13
Elemento de medição, 18
Entrada de aceleração unitária, 223
Entrada de referência, 18
Equação característica, 598
Equação de erro do observador, 683-84
Equação de espaço de estados, 25-6
correlação entre função de transferência e, 596, 601
solução de, 604
Equação de estado não homogênea:
solução da, 609-10
Equação de estado, 26-7
solução de homogênea, 604
solução de não-homogênea, 609-10
solução pela transformada de Laplace, 606-07
Equação de Riccati, 720
Equação de saída, 26-7
Equação matricial de Riccati reduzida, 720-22
Equação matricial de Riccati, 722, 724
Erro de atuação, 7
Erro de estado estacionário, 146, 203-04
em termos de ganho K, 207
para entrada em parabólica unitária, 206-07
para entrada em rampa unitária, 206
Erro de velocidade, 205
Erro estacionário, 234
Espaço de estados, 25-6
Espaço morto, 36-7
Especificações de desempenho, 8
Estabilidade absoluta, 146
Estabilidade condicional, 273-74, 467-68
Estabilidade relativa, 146, 195-96, 423
Estabilidade robusta, 6, 729-31
Estabilizabilidade, 627-28
Estado, 25
Evans, W. R., 1, 9-10, 246
Expansão em frações parciais, 785-90
com MATLAB, 788-90
Expansão em série de Taylor, 36-8

F

Fator quadrático, 376-77
curvas de ângulo de fase de, 377-78
curvas de magnitude logarítimica de, 377-78
Filtro de entrada, 236-37, 577
Filtro passa-altas, 453-54
Força contra-eletromotriz, 84
constante, 84
Forma canônica controlável, 596, 627-28
Forma canônica de Jordan, 597, 634, 643-44
Forma canônica diagonal, 633
Forma canônica observável, 596-97, 631

Formas canônicas:
controláveis, 596
diagonais, 596-97
Jordan, 597, 599
observáveis, 596-97
Fórmula de Ackermann:
para alocação de polos, 664-65
para matriz de ganhos do observador, 686-87
Fórmula de interpolação de Lagrange, 645
Frequencia de corte ou de mudança de inclinação, 373
Frequência de canto ou de mudança, 373
Frequência de corte, 474
Frequência de cruzamento de fase, 427-30
Frequência de cruzamento de ganho, 427-30
Frequência de ressonância, 395, 430-31
Frequência natural amortecida, 152
Frequência natural não amortecida, 150
Função analítica, 779
Função complexa, 778
Função de transferência de fase mínima, 381
Função de transferência de fase não mínima, 381, 447
Função de transferência do observador-controlador, 691-92
Função de transferência em cascata, 17
Função de transferência em malha aberta, 16
Função de transferência em malha fechada, 16-7
Função de transferência do ramo direto, 16
Função de transferência senoidal, 368-69
Função de transferência, 12-3
de controlador de ordem mínima baseado em observador, 704
de elementos em cascata, 64-5
de elementos sem carga em cascata, 67-8
de malha fechada, 17
de sistema de malha fechada, 17
de sistema de realimentação, 16
de sistemas em cascata, 17
de sistemas paralelos, 17
determinação experimental de, 448-49
expressão em termos de A,B,C, e D, 29
malha aberta, 16
antecipação, 16
observador-controlador, 691-92, 706-08
senoidal, 368-69
Função impulso, 784
Função peso, 14-5
Função pulso, 784

G

Ganho derivativo, 74
Ganho integral, 53-4
Ganho proporcional, 21-2, 53-4
Gerador senoidal de sinais, 445-46
Gráficos logarítmicos, 371

H

Hazen, 1, 9-10

I

Impedância complexa, 66
Impedância:
abordagem para obter função de transferência, 66-7
Incerteza não estruturada:
aditiva, 768-69
multiplicativa, 731
sistema com, 731
Índice de desempenho, 718
Integração de matriz, 795-96
Intervalo diferencial, 20-1
Inversão de matrizes:
abordagem MATLAB para obter, 794-95
Inversor de sinal, 69-70

K

Kalman, R. E., 10, 617

L

Largura de banda, 434, 493
Lei das correntes de Kirchhoff, 63-4
Lei das malhas de Kirchhoff, 63-4
Lei das tensões de Kirchhoff, 63-4
Lei dos gases ideais, 98-9
Lei dos nós de Kirchhoff, 63-4
Linearização:
de sistemas não lineares, 36-7
Linha de conversão de um número em decibel, 371
Linhas z constantes, 272
Lugar das raízes circular, 258
Lugar das raízes, 247-48
método, 246-47
Lugares geométricos de ganho constante, 276-78
Lugares das raízes:
para sistema com realimentação positiva, 277-80
regras gerais de construção, 258-62
Lugares geométricos de ângulo de fase constante (circunferências N), 440-41
Lugares geométricos de magnitude constante (circunferências M), 438-39
Lugares geométricos de vn constante, 70
Lugares geométricos de z constantes, 270

M

Magnitude do pico de ressonância, 379, 430-31
Magnitude log de curvas de função de transferência quadrática, 377-78
Mapeamento conforme, 409, 423-25
Margem de fase, 424-28
versus curva z, 433
Margem de ganho, 424-28
Margnitude log versus gráfico de fases, 371, 405-07
MATLAB:
Comandos MATLAB:
[A,B,C,D] = tf2ss(num,den), 34, 601, 636-37
[Gm,pm,wcp,wcg,] = margin(sys), 429-30
[K,P,E] = lqr(A,B,Q,R), 722

[K,r] = rlocfind(num,den), 277-78
[mag,phase,w] = bode(A,B,C,D), 387
[mag,phase,w] = bode(A,B,C,D,iu,w), 387
[mag,phase,w] = bode(A,B,C,D,w), 387
[mag,phase,w] = bode(num,den), 387
[mag,phase,w] = bode(num,den,w), 387, 436
[mag,phase,w] = bode(sys), 387
[mag,phase,w] = bode(sys,w), 436
[Mp,k] = max(mag), 436
[num,den] = feedback(num1,den1, num2,den2), 17-8
[num,den] = parallel(num1,den1, num2,den2), 17-8
[num,den] = series(num1,den1, num2,den2), 17-8
[num,den] = ss2tf(A,B,C,D), 35, 602
[num,den] = ss2tf(A,B,C,D,iu), 35-6, 50, 602
[NUM,den] = ss2tf(A,B,C,D,iu), 51, 603-04
[r,p,k] = residue(num,den), 216, 788-89
[re,im,w] = nyquist(A,B,C,D), 399-400
[re,im,w] = nyquist(A,B,C,D,iu,w), 399-400
[re,im,w] = nyquist(A,B,C,D,w), 399-400
[re,im,w] = nyquist(num,den), 399-400
[re,im,w] = nyquist(num,den,w), 399-400
[re,im,w] = nyquist(sys), 399-400
[y, x, t] = impulse(A,B,C,D), 176-77
[y, x, t] = impulse(A,B,C,D,iu), 176-77
[y, x, t] = impulse(A,B,C,D,iu,t), 176-77
[y, x, t] = impulse(num,den), 176-77
[y, x, t] = impulse(num,den,t), 176-77
[y, x, t] = step(A,B,C,D,iu), 167
[y, x, t] = step(A,B,C,D,iu,t), 167
[y, x, t] = step(num,den,t), 167, 172
bode(A,B,C,D), 387, 391
bode(A,B,C,D,iu), 391-92
bode(A,B,C,D,iu,w), 387
bode(A,B,C,D,w), 387
bode(num,den), 387
bode(num,den,w), 387, 390, 504
bode(sys), 387
bode(sys,w), 505
c = step(num,den,t), 172
construção do diagrama de Bode com o, 387-88
construção do lugar das raízes com o, 265-66
escrever texto em diagramas com o, 170-71
expansão em frações parciais com o, 788-90
for loop, 219-20, 225, 536
gtext ('text'), 171
impulse(A,B,C,D), 176-77
impulse(num, den), 176-77
initial(A,B,C,D,[initial condition],t), 189
inv(A), 794-95
K = acker(A,B,J), 669-70
K = lqr(A,B,Q,R), 722
K = place(A,B,J), 669-70
Ke = acker(A',C',L)', 700
Ke = acker(Abb,Aab,L)', 700
Ke = place(A',C',L)', 700
Ke = place(Abb',Aab',L)', 700
logspace(d1,d2), 352
logspace(d1,d2,n), 387-88
lqr(A,B,Q,R), 721-22
lsim(A,B,C,D,u,t), 181-82
lsim(num,den,r,t), 181-82
magdB = 20*log10(mag), 387
mesh(y), 174-75, 225
mesh(y'), 174-75, 225
mesh, 174-75
NaN, 723
nyquist(A,B,C,D), 399-400, 404-05
nyquist(A,B,C,D,iu), 404
nyquist(A,B,C,D,iu,w), 399-400, 404
nyquist(A,B,C,D,w), 399-400
nyquist(num, den,w), 399-400
nyquist(num,den), 399-400
nyquist(sys), 399-400
obtenção de resposta a uma condição inicial com o, 242
obtenção de sobressinal máximo com o, 176
obtenção de tempo de pico com o, 176
polar(theta,r), 499
printsys(num,den), 17-18, 171
printsys(num,den,'s'), 171
r = abs(z), 498
residue, 785
resonant_frequency = w(k), 436
resonant_peak = 20*log10(Mp), 436
rlocfind, 277-78
rlocus(A,B,C,D), 269-70
rlocus(A,B,C,D,K), 265, 269-70
rlocus(num,den), 265-66
rlocus(num,den,K), 265
sgrid, 271
sortsolution, 536
step(A,B,C,D), 167-69
step(A,B,C,D,iu), 167
step(num,den), 167
step(num,den,t), 167
step(sys), 167
sys = ss(A,B,C,D), 167
sys = tf(num,den), 167
text, 170-71
theta = angle(z), 498
w = logspace(d2,d3,100), 390
y = lsim(A,B,C,D,u,t), 181-82
y = lsim(num,den,r,t), 181-82
z = re+j*im, 498
Matriz adjunta, 793
Matriz de entrada, 26-7
Matriz de ganho de realimentação por estado, 660
  abordagem MATLAB para determinar, 668-69
Matriz de ganho do observador de estado:
  abordagem de substituição direta para obtenção de, 686-87
  abordagem de transformação para obtenção de, 686
  fórmula de Ackermann para obtenção de, 686-87
Matriz de margem de ganho do observador, 686
  determinação pelo MATLAB, 700
Matriz de saída, 26-7

Matriz de Schwarz, 244-45
Matriz de transferência, 30
Matriz de transição de estado, 607-08
propriedades da, 608
Matriz de transmissão direta, 26-7
Matriz do observador-controlador, 691-92
Matriz exponencial, 605, 611-16
solução fechada para, 606-07
Matriz de estado, 26-7
Menor complementar, 792-93
Modelo matemático, 11
Modelos matemáticos não lineares:
aproximação linear de, 36-8
Momento de inércia equivalente, 211

N

Não linearidade da lei quadrática , 37
Não-unicidade:
de um conjunto de variáveis de estado, 600
Nichols, 1, 9-10, 366
Norma de H infinito, 5, 730
Nyquist, H., 1, 9-10, 366

O

Observabilidade completa, 623-24
condições para, 624-25
no plano s, 624
Observabilidade, 617, 622-28
completa, 623-25
matriz, 599
Observação de estado:
condições necessárias e suficientes para, 684-86
Observação, 683
Observador de estado de ordem mínima, 683
Observador de estado de ordem plena, 683-84
Observador de estado de ordem reduzida, 683
Observador de estado, 681-704
projeto com MATLAB, 700
servossistema tipo 1 com, 678
Observador de ordem mínima, 695-704
controlador baseado em, 704
Observador de ordem reduzida, 683
Observador, 683-84
de ordem mínima, 695-700
de ordem plena, 683-84
modelo matemático de, 683
projeto de um sistema de controle com, 712-18
Oitava, 372
Ortogonalidade: do lugar de raízes e lugar de ganho constante, 275-76

P

Palheta, 100
válvula, 142
Percurso de Nyquist, 499
Pico de ressonância, 379, 395, 430-31
versus curva z, 379

Planta geral, 734-38
diagrama, 732-37, 769-70
Planta, 2-3
Polinômio característico, 29
Polinômio de Lagrange, 645
Polinômio mínimo, 611-12, 641-43
Polinômios auxiliares, 195
Polo simples, 779
Polo:
de ordem n, 779
simples, 779
Polos complexos conjugados:
cancelamento de indesejáveis, 476
Polos de malha fechada dominantes, 165
Ponto de chegada ao eixo real, 252, 257, 260-61, 320
Ponto de partida do eixo real, 251-52, 260-61, 320
Ponto de ramificação, 15
Ponto de soma, 15
Ponto ordinário, 779
Pontos singulares, 779
Posto da matriz, 791-92
Princípio da dualidade, 627
Princípio da superposição, 36-7
Problema de alocação de polo, 659-69
resolução com MATLAB, 668-70
Problema de controle de H infinito, 737
Problema de controle quadrático ótimo:
solução com MATLAB para, 727
Problema do regulador ótimo, 728-29
Processo, 2-3

R

Raízes características, 598
Raízes características, 598
invariabilidade das, 600
Realimentação de velocidade, 160-61, 313, 475
Rede de atraso de fase, 72, 496
Rede de atraso e avanço de fase:
eletrônico, 301-03
mecânica, 333
Rede de avanço de fase, 496
eletrônica, 72
mecânica, 332
Rede em ponte T, 79-80, 476
Redes polares, 271

Regras de ajuste de Ziegler–Nichols, 9-10, 522-31
primeiro método, 522-24
segundo método, 524-25
Regulador de velocidade de Watt, 3
Relé com escape, 101
Relé de ação reversa, 102
Relé do tipo sem escape, 101
Relé pneumático, 101
com atuação reversa, 102
do tipo com escape, 101
do tipo sem escape, 101

Representação de espaço de estados:
em formas canônicas, 596
em sistemas de enésima ordem, 31-4
Resíduos, 785
Resistência de fluxo turbulento, 93
Resistência do fluxo laminar, 93
Resistência térmica, 123
Resistência:
de sistemas térmicos, 123
de fluxo turbulento, 93
do fluxo laminar, 92-3
do fluxo de gás, 97-8
de sistemas de pressão, 97-9
Resposta à rampa unitária:
de sistema de primeira ordem, 148
de sistema de segunda ordem, 178-81
de sistema definido em espaço de estados, 180-81
Resposta ao degrau unitário:
de sistema de primeira ordem, 147
de sistema de segunda ordem, 148, 152, 154
Resposta ao impulso, 148, 161-63, 176-78
função, 14-15
Resposta de impulso unitário:
de sistema de primeira ordem, 148
de sistema de segunda ordem, 161-62
Resposta do sistema a condição inicial:
abordagem MATLAB para obtenção de, 183-91
Resposta em degrau, 637-38
de sistema de segunda ordem, 150-54
Resposta em estado estacionário, 146
Resposta em frequência em malha fechada, 437
Resposta em frequência, 366
compensação por atraso baseada na, 460-68
compensação por atraso e avanço de fase baseada em, 468-74
compensação por avanço baseada em, 452-60
correlação entre resposta em degrau e, 431-34
Resposta em rampa, 178
Resposta transitória, 146
análise com MATLAB, 166-91
de sistema de ordem superior, 163-64
especificações, 154-55
Resposta:
a condição inicial, 183-91
a distúrbio de torque, 199-200
a entrada arbitrária, 181-82

S

Salto no valor-alvo, 541-42
Segunda lei de Newton, 58-9
Sensor, 17
Servomecanismo, 1-2
Servomotor hidráulico, 115-17, 142
Servossistema hidráulico, 112-13
Servossistema posicionador, 84-6
Servossistema tipo 1:
projeto de, 675-83

projeto de alocação de polos de , 672-78
Servossistema, 84, 148-50
com realimentação de velocidade, 159-61
com realimentação por tacômetro, 244-45
projeto de, 672-83
Sinais de teste, 145
Sinal de controle, 2-3
Sistema com três graus de liberdade, 591
Sistema condicionalmente estável, 273-74, 419-20, 467-68
Sistema controlado por I-PD, 543-44, 575-76, 589
com controle antecipativo, 588
Sistema criticamente amortecido, 152
Sistema de aquecimento de ar, 137
Sistema de controle com um grau de liberdade, 544-45
Sistema de controle de leme profundor de uma aeronave, 142
Sistema de controle de malha aberta, 7
desvantagens do, 8
vantagens do, 8
Sistema de controle de malha fechada, 7
Sistema de controle de variação de atitude, 351
Sistema de controle de nível de líquidos, 143
Sistema de controle de pêndulo invertido, 678-83
Sistema de controle de realimentação, 6
Sistema de controle de veículo espacial, 334, 492-93
Sistema de controle de velocidade, 3-4, 133-34
Sistema de controle PID, 525-31, 535-36, 565-69, 575-76, 588-89
básico, 541-42
com dois graus de liberdade, 543-46
com filtro de entrada, 576
com uso de amplificadores operacionais, 73-4
controlador PID, 521, 530-31, 562-64, 567-68, 579
modificado, 564
Sistema de controle realimentado por estado observado, 691
Sistema de fase mínima, 381-82
Sistema de malha fechada, 17
Sistema de malhas múltiplas, 419-20
Sistema de pêndulo invertido, 60-4, 87-8
Sistema de pêndulo ligado a molas, 87-8
Sistema de pressão, 97-9
Sistema de primeira ordem, 147-49
resposta à rampa unitária, 148
resposta ao degrau unitário, 147-48
resposta ao impulso unitário, 148
Sistema de realimentação positiva:
Diagrama de Nyquist para, 490-92
lugar das raízes para, 277-80
Sistema de realimentação, 17
Sistema de segunda ordem padrão, 171
Sistema de segunda ordem, 148-49
curvas de resposta em degrau unitário de, 154
especificação de resposta transitória de, 155
forma padrão de, 151
resposta ao impulso de, 161-63
resposta em degrau de, 150-59

Sistema de suspensão automotiva, 76
Sistema de suspensão de motocicleta, 77
Sistema de suspensão:
de automóveis, 76-7
de motocicletas, 77
fórmula de interpolação de Sylvester, 615, 645-49
Sistema de tanque de água cônico, 137-38
Sistema de termômetro de mercúrio, 136-37
Sistema diferenciador, 208
Sistema em cascata, 17
Sistema empresarial, 4-5
Sistema fluídos:
modelagem matemática dos, 91
Sistema hidráulico, 96-7, 112-25, 134-35
comparado ao sistema pneumático, 96-7
vantagens e desvantagens do, 112-13
Sistema não controlável, 622
Sistema linear invariante no tempo, 11-2, 148-49
Sistema linear variante no tempo, 11-2
Sistema linear, 11-12
coeficiente constante, 11-2
Sistema massa-mola-amortecedor, 58-9
Sistema mecânico de atraso-avanço, 333
Sistema mecânico de avanço, 332
Sistema mecânico vibratório, 213
Sistema não amortecido, 151-52
Sistema não linear, 36-7
Sistema organizacional de engenharia, 4-6
Sistema pneumático de pressão, 127-28
Sistema regulador com controlador de observador, 704-12, 714-15
Sistema regulador quadrático ótimo, 718-20
projeto com MATLAB de, 721-22
Sistema superamortecido, 153-54
Sistema termômetro, 136-38
Sistema tipo 0, 203, 207, 447
curva de magnitude logarítmica para, 384-85, 447
diagrama polar de, 397
Sistema tipo 1, 385
curva de magnitude logarítmica para, 385, 447
diagrama polar de, 397
Sistema tipo 2, 386
curva de magnitude logarítmica para, 386, 447
diagrama polar de, 397
Sistema, 2-3
Sistemas de controle de temperatura, 4-6
Sistemas de fase não mínima, 274-75, 381, 383
Sistemas de nível de líquido, 92, 94-5, 125-7
Sistemas de ordem maior, 163
critério de estabilidade de Hurwitz, 228-29, 231-34
determinantes de Hurwitz, 228-34
equivalência do critério de estabilidade de Routhe, 231-33
resposta transitória de, 163-64
Sistemas pneumáticos, 96-112, 139
comparados aos sistemas hidráulicos, 96-7
Sistemas térmicos, 91, 123-25
Sobressinal máximo percentual, 154-55

Sobressinal máximo:
na resposta ao degrau unitário, 154-56
na resposta ao impulso unitário, 163
versus curva z, 158

T

Tacômetro, 160-61
realimentação, 313
Taxa de corte, 435
Técnica de designação ou alocação de polo, 659
Tempo de acomodação, 154-57
obtenção com MATLAB, 176
versus curva z, 158
Tempo de atraso, 154-55
Tempo de avanço de fase, 4-5
Tempo de pico, 154-56, 174-75
Tempo de subida, 154-55
obtenção com MATLAB, 174-76
Tempo derivativo, 21-2, 53-4
Tempo integral, 21-2, 53-4
Teorema de Cauchy, 481-82
Teorema de Cayley-Hamilton, 611, 639
Teorema do ganho pequeno, 731
Teorema do mapeamento, 410-11
Teorema do valor final, 784
Teorema do valor inicial, 784
Teorema dos resíduos, 482
Teoria do controle clássico, 1-2
Teoria do controle convencional, 25
Teoria do controle moderno, 6, 25
versus teoria do controle convencional, 25
Texto:
escrever na tela de gráfico, 170-71
Tipos de sistema, 384-85
tipo 0, 203, 207, 384-85, 397, 446-47
tipo 1, 203, 207, 385, 397, 446-47
tipo 2, 203, 207, 386, 397, 446-47
Transferência de calor por condução, 123
Transformação:
de espaço de estados para função de transferência, 35-6, 602
de função de transferência para espaço de estados, 34-6, 601
Transformada de Laplace, 780
propriedades da, 783
tabela de, 781-82
Transformada inversa de Laplace, 780
Transformada inversa de Laplace:
método de expansão em frações parciais para obtenção da, 785-90
Trem de engrenagens, 209
sistema, 209-11
Tsistema de controle com dois graus de liberdade, 544-46, 549-63, 582-87, 592-93

V

Válvula de carretel:

modelo matemático linearizado de, 115
Valor de referência, 18
Válvula atuadora pneumática, 106-07
Válvula de carretel subposta, 131-32
Válvula de sobreposição nula, 117
Válvula eletromagnética, 20
Válvula piloto, 112-13
Válvula sobreposta, 117
Válvula tipo carretel sobreposta, 131-32
Válvula:
de sobreposição nula, 117
sobreposta, 117
subposta, 117
Variável complexa, 778
Variável controlada, 2-3
Variável de estado, 25
Variável manipulada, 2-3
Vetor de estado, 25-6
Vetores:
dependência linear de, 616
independência linear de, 616

Z

Zero, 779
de ordem m, 780